LA GESTION DES RESSOURCES *humaines*

3e édition

Tendances, enjeux et pratiques actuelles

D1314225

RI.

LA GESTION DES RESSOURCES *humaines*

3e édition

Tendances, enjeux et pratiques actuelles

SHIMON L. DOLAN
École de relations industrielles
Université de Montréal

TANIA SABA
École de relations industrielles
Université de Montréal

SUSAN E. JACKSON
Rutgers University

RANDALL S. SCHULER
Rutgers University

ÉDITIONS DU RENOUVEAU PÉDAGOGIQUE INC.

5757, RUE CYPIHOT
SAINT-LAURENT (QUÉBEC)
H4S 1R3

TÉLÉPHONE : (514) 334-2690
TÉLÉCOPIEUR : (514) 334-4720
COURRIEL : erpidlm@erpi.com

SUPERVISION ÉDITORIALE :
Sylvain Bournival

RÉVISION LIGUISTIQUE :
Marthe Therrien
Louma Atallah

CORRECTION DES ÉPREUVES :
Marie-Claude Rochon (Scribe Atout)

ICONOGRAPHIE :
Chantal Bordeleau

CONCEPTION ET RÉALISATION DE LA COUVERTURE :
ERPI

INFOGRAPHIE :
Alphatek inc.

COUVERTURE : Chris Thomaidis/Stone

Dépôt légal : 1er trimestre 2002
Bibliothèque nationale du Québec
Bibliothèque nationale du Canada

Imprimé au Canada
ISBN 2-7613-1276-7

1234567890 II 0987654321
20187 ABCD   VO-7

À Adela Maldonado, pour l'appui et l'encouragement inconditionnel. Merci. Gracias.
Shimon L. Dolan

À Christian, Mariléa et Christopher.
Tania Saba

À tous nos amis et aux professionnels de la gestion des ressources humaines.
Susan E. Jackson et Randall S. Schuler

Préface de la 3e édition

Cette troisième édition de *La Gestion des ressources humaines* marque une refonte de l'ouvrage visant principalement à en actualiser le contenu, à en restructurer les chapitres et à offrir, à la fois aux étudiants et aux personnes œuvrant dans le domaine de la gestion des ressources humaines, un ouvrage de consultation et de référence riche en information, utile et agréable à lire. Déjà, la deuxième édition de cet ouvrage avait été guidée par la volonté de simplifier la langue, d'enrichir le contenu et de rendre l'étude et la consultation plus stimulantes ; dans cette troisième édition, nous poursuivons cet effort et le consolidons.

Ainsi, nous n'avons pas seulement actualisé la présentation des activités de base de la gestion des ressources humaines, nous avons aussi enrichi l'ouvrage de plusieurs thèmes d'actualité qui sont au cœur de la discipline. L'ajout d'un chapitre sur les nouvelles formes d'organisation du travail (chap. 3) permet de cerner les principales tendances qui façonnent la manière dont s'effectue le travail dans les organisations d'aujourd'hui. La révision complète du chapitre sur la gestion stratégique (chap. 2) indique l'importance qu'a prise une gestion des ressources humaines renouvelée, plus en harmonie avec les objectifs organisationnels et davantage au diapason des changements environnementaux et des facteurs internes propres aux divers milieux de travail. La concentration en un seul chapitre (chap. 13) des aspects juridiques relatifs à la gestion des ressources humaines favorise le choix soit de s'y référer tout en étudiant les différentes activités de gestion, soit les aborder, en une seule fois, sous le thème du respect des droits des employés. Également, dans cette édition, les systèmes d'information et l'évaluation de l'efficacité de la gestion des ressources humaines sont intégrés dans un seul chapitre (chap. 16), ce qui permet de mettre en évidence l'utilité des différentes applications informatiques dans leur ensemble et en fonction des activités de gestion, et d'examiner les méthodes d'évaluation des activités des ressources humaines. Finalement, le chapitre portant sur les aspects internationaux de la GRH (chap. 17) donne une meilleure présentation des enjeux liés aux ressources humaines au sein des entreprises internationales et apporte des amorces de solutions aux problèmes que connaissent les entreprises qui ont choisi d'élargir leurs horizons.

La lisibilité de l'ensemble de l'ouvrage a été améliorée sensiblement non seulement grâce à une nouvelle présentation graphique attrayante, mais aussi grâce à une révision linguistique approfondie, à l'utilisation d'un vocabulaire sobre et accessible et au recours à des exemples concrets illustrant les concepts étudiés. De nombreux renvois à des sites Internet ont été ajoutés afin de permettre au lecteur d'effectuer des recherches plus approfondies ou de consulter les références pertinentes. Les figures, tableaux et graphiques permettent d'illustrer les différents processus, de résumer la matière et de souligner les points importants. La rubrique « Revue de presse » témoigne de l'actualité des questions traitées.

Plusieurs éléments concourent, dans cet ouvrage, à apporter un soutien efficace à l'apprentissage. Chaque chapitre se termine par un résumé qui fait le rappel des principaux thèmes traités. Des références bibliographiques et une liste de lectures supplémentaires présentent les recherches québécoises, américaines et européennes sur les divers sujets traités. Les termes techniques des disciplines apparentées à la gestion des ressources humaines apparaissent en caractères différents et renvoient au glossaire, où ils sont définis. Des questions de révision et d'analyse permettent de récapituler la matière. Comme dans la précédente édition, on trouve à la fin de chaque chapitre l'exposé d'un cas pratique qui vient concrétiser la matière étudiée. Ces « Études de cas » illustrent diverses situations propres au milieu du travail qui se produisent dans divers cadres organisationnels. Toutes ces aides pédagogiques facilitent la révision du chapitre, encadrent la discussion et permettent au lecteur d'élaborer sa propre réflexion à partir des idées essentielles de l'exposé.

Cette édition comporte une autre nouveauté : la rubrique « Avis d'expert », qui porte sur des thèmes et des activités qui se sont renouvelés ou sur des débats d'actualité. Nous avons demandé à des spécialistes de se prononcer sur diverses tendances et de nous livrer leur appréciation des préoccupations de l'heure au sujet de certaines activités de la gestion des ressources humaines. Nous espérons ainsi susciter chez le lecteur une réflexion plus dynamique à propos d'enjeux récents de la gestion des ressources humaines.

Tous les chapitres ont été restructurés et remaniés dans cette troisième édition. Six sections correspondant à autant de thèmes regroupent les 17 chapitres composant l'ouvrage et couvrent les principales activités de la gestion des ressources humaines. La première section traite du contexte de la gestion des ressources humaines et comprend les trois premiers chapitres, qui portent respectivement sur l'essor de la gestion des ressources humaines (chap. 1), sur la gestion stratégique des ressources humaines (chap. 2) et sur les nouvelles formes d'organisation du travail (chap. 3). La section 2 présente une série d'activités consacrées à la dotation. Il y est question, en quatre chapitres, des moyens à mettre en œuvre pour assurer à l'organisation ses besoins en main-d'œuvre, c'est-à-dire l'analyse des postes (chap. 4), la planification des ressources humaines (chap. 5), le recrutement (chap. 6) et la sélection, l'accueil et la socialisation (chap. 7). Trois chapitres couvrent le troisième thème, le développement des ressources humaines : l'évaluation du rendement des employés (chap. 8), le développement des compétences des ressources humaines (chap. 9) et la gestion des carrières (chap. 10) ; on y souligne l'importance du développement des connaissances et des compétences des employés ainsi que de la satisfaction de leurs besoins de réalisation au travail. Les chapitres sur la rémunération directe (chap. 11) et indirecte (chap. 12) abordent les notions de reconnaissance pécuniaire et non pécuniaire et constituent le quatrième thème, la rémunération et la reconnaissance de la performance des employés. La cinquième section est consacrée aux aspects juridiques de la gestion des ressources humaines. Le respect des droits des employés (chap. 13), les rapports collectifs de travail (chap. 14) et la santé et le bien-être au travail (chap. 15) y sont traités. Finalement, la sixième section présente les défis contemporains, à savoir les questions sur lesquelles des praticiens et des chercheurs se sont attardés récemment. Il s'agit des systèmes d'information et de l'évaluation des activités de la gestion des ressources humaines (chap. 16) ainsi que des aspects internationaux de la gestion des ressources humaines (chap. 17).

Nous croyons avoir atteint notre but en publiant l'un des ouvrages les plus complets en la matière et les plus aptes à former et à guider la prochaine génération des gestionnaires des ressources humaines. Que vous soyez étudiant, gestionnaire ou professionnel de la gestion des ressources humaines, nous espérons que vous apprécierez cette édition entièrement revue et corrigée de *La gestion des ressources humaines*. Nous l'avons voulue stimulante et enrichissante, aussi bien propre à susciter la réflexion qu'à nourrir la pratique.

REMERCIEMENTS

Cet ouvrage n'aurait pu être réalisé sans la collaboration et l'appui de plusieurs personnes que nous tenons à remercier.

D'abord, nos collègues qui ont enrichi l'ouvrage en y ajoutant des « Avis d'expert » rédigés spécialement à notre intention et qu'ils nous ont aimablement autorisé à reproduire. Ils nous ont ainsi fait partager leurs expériences et leurs points de vue. Ce sont, par ordre alphabétique :

M. Adnane Belout, professeur, École de relations industrielles, Université de Montréal ; Mme Marie-Thérèse Chicha, professeure titulaire, École de relations industrielles, Université de Montréal ;

M. Gilles Guérin, professeur titulaire, École de relations industrielles, Université de Montréal ;

M. Douglas T. Hall, professeur, School of Management, Boston University ;

M. Gary Latham, professeur, Rotman School of Management, University of Toronto ;

M. Vladimir Pucik, professeur, International Institute for Management Development, Lausanne, Suisse ;

M. Dave Ulrich, professeur, School of Business, University of Michigan.

Également, nos collègues, dont l'aide, les remarques et les conseils nous ont été précieux au cours de la réalisation de cet ouvrage. En particulier, les professeurs Luis Gomez-Mejia (Arizona State University et Carlos III – Espagne), David Balkin (University of Colorado), Ramon Valle Cabrera (Universidad Pablo de Olavide – Espagne), Jean-Marie Peretti et Jean-Luc Cerdin (ESSEC – Paris).

Nos étudiants, pour leurs critiques constructives et leurs suggestions, qui ont été prises en considération dans presque tous les cas.

Nous exprimons notre gratitude à l'égard de Mmes Lison Desgagnés et Mireille Pépin, de l'École de relations industrielles de l'Université de Montréal, pour leur appui technique et leur disponibilité.

Pour cette troisième édition, nous tenons à remercier Mme Georgette Henri qui, par sa collaboration de recherche soutenue et efficace, a permis la réalisation de cet ouvrage dans des délais raisonnables.

À nos familles respectives, pour leur patience et leur indéfectible appui moral. Leurs encouragements furent d'un grand réconfort.

Aux réviseures Mmes Marthe Therrien et Louma Atallah, qui ont largement contribué à améliorer la qualité linguistique du texte.

Nous tenons spécialement à remercier M. Sylvain Bournival, notre éditeur et chargé de projet, pour sa patience, son professionnalisme, son infaillible vigilance et sa disponibilité. Nous lui devons beaucoup.

Shimon L. Dolan
Tania Saba
Susan E. Jackson
Randall S. Schuler

Sommaire

Table des matières

Le contexte **de la gestion** des ressources humaines

CHAPITRE 1

L'essor de la gestion des ressources humaines

I L'importance de la gestion des ressources humaines

Ce début de millénaire marquera incontestablement un tournant dans le domaine de la gestion des ressources humaines. On voit déjà se dessiner et prendre racine des orientations nouvelles qui s'imposent aux entreprises à l'échelle mondiale, obligeant par le fait même les entreprises canadiennes à suivre le mouvement. L'instabilité du contexte économique et son caractère hautement compétitif, la croissance vertigineuse de certains secteurs industriels, et en particulier des secteurs de pointe, de même que le besoin de diversifier les stratégies de compétition, tout cela crée d'énormes contraintes organisationnelles qui ont des répercussions indéniables sur les ressources humaines. Or, on observe que les entreprises prospères ont pour caractéristiques communes d'accorder une importance accrue à la gestion des ressources humaines et d'être conscientes de la nécessité de se doter à court, à moyen et à long terme d'employés compétents et motivés afin de relever de nouveaux défis et d'assurer le succès des stratégies organisationnelles.

Si la compétition à laquelle se livrent les entreprises est considérée comme une question prioritaire en gestion des ressources humaines, il ne faut pas oublier que la réalité du marché du travail intéresse tout autant ce domaine. La pénurie de compétences dans certains secteurs, la diversification de la main-d'œuvre, due notamment à la présence accrue des femmes et des membres des minorités visibles dans la population active, la recherche d'un équilibre entre la vie de famille et les exigences du travail, le vieillissement des travailleurs, l'abus d'alcool et de drogues sur les lieux de travail et la propagation de maladies comme le sida sont quelques-uns des nombreux facteurs justifiant de façon impérative l'expansion des services de ressources humaines dans les entreprises. Or, pour que la fonction ressources humaines puisse non seulement subsister au cours de la prochaine décennie, mais également obtenir le succès attendu, il faudra que les professionnels de la gestion des ressources humaines redoublent d'ingéniosité et de dynamisme et découvrent des solutions originales aux problèmes susceptibles de surgir au cours du travail, qu'ils soient d'ordre organisationnel ou d'ordre individuel. On constate déjà que des fonctions et des activités jugées cruciales dans le passé sont progressivement déclassées au profit de certaines autres, et on reconnaît de plus en plus qu'une gestion efficace des ressources humaines peut faciliter l'atteinte des objectifs organisationnels. L'essor de ce domaine est donc attribuable dans une large mesure au savoir-faire des professionnels de la gestion des ressources humaines et aux nouvelles pratiques instaurées pour faire face aux crises et aux nouvelles tendances qui touchent la société en général et le milieu du travail en particulier.

II La définition de la gestion des ressources humaines

La gestion des ressources humaines au Canada s'est fortement inspirée des modèles américain et britannique. Son évolution s'articule autour de trois pôles principaux : (1) un changement progressif de philosophie générale, depuis le début du siècle, caractérisé par le passage de la gestion des « choses » à la gestion des « personnes » ; (2) des contraintes de nature politique qui se sont traduites par l'adoption de nombreuses lois ; (3) l'évolution des valeurs de l'ensemble de la société canadienne, à laquelle participe l'entreprise.

En dépit du rôle de premier plan qu'on s'accorde maintenant à conférer à la gestion des ressources humaines dans le monde du travail, les entreprises n'ont pas toujours eu une perception positive du service chargé de remplir cette fonction. Cette situation s'explique sans doute par le rôle limité qu'elles ont attribué dans le passé à ce domaine : « Un bon nombre de gens d'affaires, y compris des chefs d'entreprise, ont longtemps assimilé les responsables du personnel à des gestionnaires dont la mission était principalement de nature administrative[1]. »

Cette perception erronée a conduit diverses entreprises à considérer que leur directeur du personnel était incapable de contribuer de façon véritablement importante à la croissance de l'organisation. Aujourd'hui, le service des ressources humaines joue un rôle beaucoup plus vital qu'auparavant au sein d'une foule d'entreprises. Celles-ci reconnaissent dorénavant les crises susceptibles de modifier leur fonctionnement et les bénéfices qu'elles peuvent retirer d'une gestion efficace de leur main-d'œuvre. Par conséquent, le service des ressources humaines, au même titre que les autres directions de l'organisation, un secteur clé orienté vers la rentabilité.

À la lumière de ce qui vient d'être énoncé, nous pouvons définir la gestion des ressources humaines d'une organisation comme l'ensemble des activités qui visent la gestion des talents et des énergies des individus dans le but de contribuer à la réalisation de la mission, de la vision, de la stratégie et des objectifs organisationnels.

III L'influence des facteurs environnementaux sur la gestion des ressources humaines

Dans cette section, nous ferons un bilan des principaux changements qui influent sur la gestion des ressources humaines. Seront examinés notamment les changements qui touchent la population et la main-d'œuvre, les changements relatifs à l'emploi et à la structure du travail, les tendances et les perspectives économiques, et finalement la transformation des valeurs sociales.

LES CHANGEMENTS QUI TOUCHENT LA POPULATION ET LA MAIN-D'ŒUVRE

Tout au long des deux dernières décennies, de nombreux changements ont affecté la population en général et la main-d'œuvre en particulier. Le ralentissement de la croissance de la population a provoqué un ralentissement de la croissance de la main-d'œuvre qui s'est combiné à plusieurs autres phénomènes dont le vieillissement de la main-d'œuvre, la hausse du taux de participation des femmes au marché du travail et l'accroissement du niveau de scolarité des travailleurs. Ces nombreux changements constituent des déterminants de la pratique de la gestion des ressources humaines dans les entreprises.

Le ralentissement de la croissance de la population. Les projections de la population du Québec établies à partir de la population de 1998 sur une période allant jusqu'à 2051[2] laissent entrevoir une croissance de plus en plus lente, qui aura sans doute des répercussions sur la population active[3]. D'une part, la diminution du niveau de croissance s'explique par une chute de la fécondité et de la migration internationale. D'autre part, on assistera, dans les prochaines décennies, à une augmentation impressionnante et inévitable du nombre de décès, provoquée par le fait que la génération du baby-boom aura atteint la vieillesse et sera âgée de 85 ans ou plus en 2051[4].

Selon l'Institut de la statistique du Québec, l'analyse du vieillissement démographique comporte de multiples facettes. Tout d'abord, la structure de la population québécoise reflète clairement en 1999 la tendance au vieillissement qui est en cours (encadré 1.1).

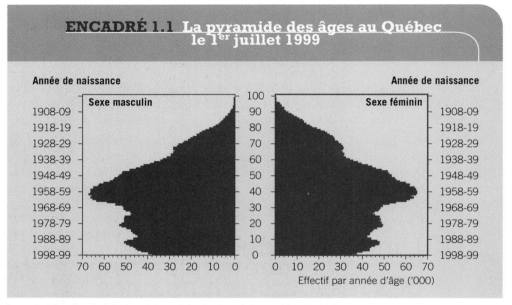

ENCADRÉ 1.1 La pyramide des âges au Québec le 1er juillet 1999

Source : Statistique Canada, Estimations de la population. *Dernière mise à jour le 28 octobre 1999.*

Sous l'influence de la génération du baby-boom, la population âgée se multipliera par 2,5 entre 1996 et 2031, alors que la population totale ne bougera pas pendant la même période. Ce phénomène entraînera une forte progression des personnes âgées dans la population totale. On prévoit que le pourcentage de la population de 65 ans et plus bondira au cours des 50 prochaines années, passant de 12,0 % de la population totale en 1999 à 29,4 % en 2051, la hausse devant se produire surtout entre 2006 et 2031.

Le vieillissement de la population s'accompagne en outre d'une diminution du nombre et de la proportion de jeunes. Ainsi, dans l'hypothèse où la fécondité se maintient à 1,5 enfant par femme, les personnes de moins de 15 ans enregistreront une baisse constante entre 1996 et 2051, leur nombre chutant de 1,4 à 0,9 million, ce qui représentera une réduction de 32 %. L'encadré 1.2 présente les changements démographiques qui se produiront au cours des 50 prochaines années au Québec.

Les jeunes de moins de 15 ans ne constituent pas le seul grand groupe dont l'importance relative au sein de la population totale sera réduite au Québec. On s'attend également à ce que le groupe formé des personnes de 15 à 29 ans subisse un recul, de l'ordre de 4 % celui-là, entre 1996 et 2051. Quant à celui des personnes de 30 à 39 ans, il diminuera de 6,3 % pendant la même période. Un indicateur simple mais fort révélateur – le rapport vieux-jeunes – décrit bien le changement en cours au Québec. En 1996, on comptait 6 personnes de 65 ans et plus pour 10 jeunes de 0 à 14 ans. En 2051, la proportion pourrait être de 23 personnes âgées pour 10 jeunes.

Cette nouvelle réalité a pour effet de transformer le profil de la population à charge au cours des prochaines années. Le calcul du rapport de dépendance démographique,

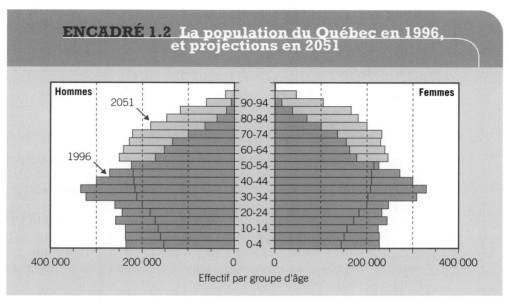

ENCADRÉ 1.2 La population du Québec en 1996, et projections en 2051

Sources: Statistique canada et projections de l'Institut de la statistique du Québec.

établi à partir de l'effectif des moins de 20 ans et de celui des 60 ans et plus, que l'on divise ensuite par la population d'âge actif, est intéressant en ce sens qu'il permet de prévoir les services qui seront de plus en plus requis de la part des tranches de la population enregistrant une croissance. Les services gouvernementaux, les diverses institutions sociales ainsi que les organisations devront répondre aux besoins grandissants de la population vieillissante à titre de bénéficiaires, de clientèles et de main-d'œuvre. Ainsi, selon l'Institut de la statistique du Québec, le rapport de dépendance (encadré 1.3) est, en 1996, de 73 (45 jeunes de 0 à 14 ans et 28 personnes âgées) pour 100 personnes de 20 à 59 ans, tandis que, en 2010, les deux groupes, soit celui des 0 à 20 ans et celui des 60 ans et plus, seront à égalité. Au contraire, en 2051, les personnes âgées formeront la très grande majorité des personnes à charge, soit 77 pour 115 personnes de 20 à 59 ans.

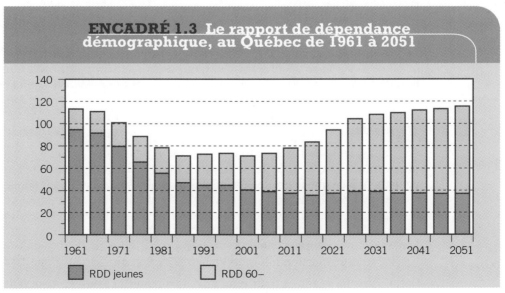

ENCADRÉ 1.3 Le rapport de dépendance démographique, au Québec de 1961 à 2051

Sources: Statistique Canada et projections de l'Institut de la statistique du Québec.

Le ralentissement de la croissance de la main-d'œuvre. La personne qui vous servira votre prochain hamburger chez McDonald's pourrait bien ne plus être l'adolescente ou l'adolescent à qui vous êtes habitué. En fait, il pourrait s'agir plutôt de l'un de ses grands-parents ! Cette curieuse situation résulte principalement de la diminution de l'offre de jeunes travailleurs qui est en constante diminution depuis 1996 et qui se poursuivra jusqu'en 2051. Les projections portant sur la population active ont été établies par Développement des ressources humaines Canada, ministère qui publie des prévisions à court et à long terme sur la main-d'œuvre, ainsi que par Statistique Canada et par l'Institut de la statistique du Québec.

La première moitié de l'année 1990 a été marquée par un ralentissement de la croissance de la main-d'œuvre par rapport à ce qu'elle était en 1989. Le taux de croissance élevé qui a prévalu durant les années 70 s'explique par l'arrivée massive sur le marché du travail de la génération de l'après-guerre[5]. La croissance plus forte observée pendant les dernières décennies est attribuable à l'entrée sur le marché du travail des femmes de plus de 25 ans (appartenant en particulier au groupe des 25 à 44 ans). L'encadré 1.4 permet de constater que, si le nombre de femmes intégrées au marché du travail n'a jamais cessé de croître, celui des hommes a diminué de 1990 à 1997 en raison notamment de la récession économique.

ENCADRÉ 1.4 La population occupant un emploi selon le sexe, l'âge, la catégorie et la forme d'emploi, au Québec, en Ontario et au Canada, de 1989 à 1999

	1989	1990	1991	1992	1993	1994	1995	1996	1997	1998	1999
						'000					
Canada – 15 ans et plus	12 986,4	13 084,0	12 850,7	12 760,0	12 857,5	13 111,7	13 356,9	13 462,6	13 774,4	14 140,4	14 531,2
Ontario – 15 ans et plus	5 193,4	5 191,3	5 015,7	4 948,9	4 973,8	5 039,2	5 130,6	5 180,8	5 313,4	5 490,0	5 688,1
Québec – 15 ans et plus	3 123,7	3 141,4	3 081,7	3 041,5	3 039,9	3 100,6	3 147,5	3 145,9	3 195,1	3 281,5	3 357,4
Hommes, 15 ans et plus	1 782,1	1 782,6	1 723,5	1 696,1	1 689,7	1 727,0	1 746,1	1 740,2	1 762,0	1 805,1	1 849,9
Femmes, 15 ans et plus	1 341,6	1 358,7	1 358,1	1 345,4	1 350,2	1 373,6	1 401,5	1 405,7	1 433,1	1 476,5	1 507,5
Groupe d'âge											
15-24 ans	570,3	539,1	495,4	475,3	456,7	476,5	475,2	454,5	437,8	462,0	490,1
25-34 ans	946,2	956,3	903,6	872,4	857,3	824,8	820,5	803,8	793,4	792,1	776,2
35-44 ans	818,2	847,7	854,6	854,5	871,3	905,5	921,8	934,8	963,8	975,8	1 004,1
45-54 ans	511,1	518,3	560,2	574,3	593,6	627,7	669,3	681,5	711,2	748,9	779,6
55-64 ans	238,0	246,6	239,2	231,0	230,8	236,3	233,0	238,8	251,3	262,6	275,4
Catégorie d'emploi[1]											
Travailleurs salariés	2 713,7	2 726,2	2 660,4	2 621,7	2 608,2	2 680,3	2 691,0	2 670,4	2 708,8	2 773,0	2 844,1
Salariés du secteur public[2]	673,0	686,9	684,6	690,4	684,5	675,5	662,7	652,4	644,9	630,5	654,6
Salariés du secteur privé	2 040,6	2 039,2	1 975,9	1 931,3	1 923,7	2 004,8	2 028,3	2 018,0	2 063,9	2 142,5	2 189,5
Travailleurs autonomes	390,1	399,1	407,3	404,3	417,1	407,6	443,4	459,3	473,5	495,1	506,5
Employeurs	194,0	197,0	194,5	191,8	195,1	178,3	195,4	186,0	194,0	195,2	195,5
Sans personnel	196,1	202,1	212,8	212,5	222,0	229,3	248,0	273,3	279,5	299,9	311,0
Forme d'emploi											
Travailleurs à temps plein	2 648,6	2 653,1	2 561,5	2 517,1	2 501,0	2 568,4	2 600,2	2 581,3	2 624,4	2 701,9	2 791,6
Travailleurs à temps partiel	475,1	488,3	520,2	524,4	538,9	532,2	547,3	564,6	570,7	579,6	565,8

1. Excluant les travailleurs familiaux non rémunérés.
2. Personnes qui travaillent pour une administration municipale, provinciale ou fédérale, un organisme ou un service public, une société d'État ou encore un établissement public propriété de l'État, comme une école ou un hôpital. Ce classement entre les secteurs public et privé a été révisé de façon à déplacer les employés d'universités et d'hôpitaux au sein du secteur public, même si ces établissements sont de propriété privée.

Source: Statistique Canada, Enquête sur la population active. Compilation: Institut de la statistique du Québec. (Adaptation du tableau originalement intitulé « Population en emploi selon le sexe, l'âge, le niveau de scolarité atteint, la catégorie d'emploi et la forme d'emploi, Québec, Ontario, Canada, 1989-1999 ».) 1er juin 2000.

En 1998, il a connu une hausse, pour atteindre un nombre légèrement supérieur à ce qu'il était en 1989.

La situation de l'emploi en Ontario est similaire à celle du Québec. La croissance de la population occupant un emploi a diminué au début des années 90, puis a connu une reprise en 1997.

La baisse du taux d'activité des hommes. Le taux de participation à la population active des hommes de 15 ans et plus est en chute libre au Québec. En 1946, les hommes contribuaient à la main-d'œuvre dans une proportion de 85,7 %. Or, comme le montre l'encadré 1.5, leur taux d'activité n'était plus que de 73,2 % en 1991 et de 70,5 % en 1998. D'une part, on peut expliquer cette diminution par les maigres débouchés existant pour les jeunes travailleurs. D'autre part, le désengagement des hommes de 55 ans et plus du marché du travail, soit parce qu'ils sont attirés par la retraite anticipée, soit parce qu'ils ont de la difficulté à réintégrer le marché du travail, contribue à expliquer cette baisse.

ENCADRÉ 1.5 Le taux de participation à la population active des hommes et des femmes âgés de 15 ans et plus au Québec, de 1946 à 1998

Année	Hommes	Femmes
	%	%
1946	85,7	22,2
1951	84,9	23,9
1956	84,1	22,9
1961	79,9	26,5
1966	79,4	33,4
1971	76,4	36,4
1976	76,6	41,5
1981	76,5	47,8
1986	75,0	51,4
1991	73,2	54,5
1996	70,6	53,9
1998	70,5	54,3

Source : Statistique Canada, Enquête sur la population active. 23 août 1999.

La décroissance du nombre de jeunes travailleurs. Le nombre de jeunes travailleurs (dont l'âge se situe entre 15 et 24 ans) a commencé à diminuer dans la seconde moitié des années 80.

Au Canada, les données relatives à l'année 1990 indiquent, pour la première fois depuis 1982, une tendance à la baisse du taux d'activité des jeunes travailleurs. Après la récession de 1981-1982, ce taux était élevé et il a grimpé jusqu'à 69 % en 1987. L'arrivée d'un grand nombre d'étudiants sur le marché du travail a contribué à cette croissance continue jusque vers 1990, puis on a constaté une diminution des jeunes travailleurs, leur nombre étant passé de 4,6 millions en 1981 à 3,7 millions en juin 1990. L'encadré 1.6 à la page suivante présente les taux de participation des jeunes au marché du travail au Québec. On constate que l'emploi a diminué chez les jeunes entre 1990 et 1998. Alors qu'il s'élevait en moyenne à 17,5 % de la population active en 1990, il a régressé de 1,1 %, atteignant 16,4 % en 1998. Le vieillissement de la main-d'œuvre et les faibles taux de fécondité peuvent expliquer cette diminution[6, 7].

ENCADRÉ 1.6 Le taux d'activité des jeunes de 15 à 24 ans au Québec, de 1990 à 1998

Population	Années	Unité	Période	
			Début	Fin
15-24 ans parmi les 15 ans et plus	1990-1998	%	17,5	16,4
15-19 ans parmi les 15 ans et plus	1990-1998	%	8,3	8,2
20-24 ans parmi les 15 ans et plus	1990-1998	%	9,3	8,1

Source: Statistique Canada, Enquête sur la population active (EPA), Enquête sur les finances des consommateurs (EFC), Enquête sur les horaires et conditions de travail (EHCT), Recensement du Canada. Compilation: Institut de la statistique du Québec. 29 novembre 1999.

La hausse du taux d'emploi des femmes. Depuis la fin de la Seconde Guerre mondiale, on observe une augmentation progressive du taux d'emploi des femmes (voir encadré 1.5), qui est fortement liée à leur participation croissante au travail à temps partiel. Au Québec, le taux d'activité des femmes, qui était de 22,2 % en 1946, est passé à 54,3 % en 1998. Pour l'ensemble du Canada, le taux de participation des femmes au marché du travail a atteint 68,9 % en 1989, puis a grimpé à 79,6 % en 1999 (www.statcan.ca). Les statistiques révèlent en outre une augmentation importante de la présence des femmes mariées et des femmes avec enfants sur le marché du travail. Comme l'indique l'encadré 1.7 ci-dessous, 55,1 % des ménages québécois avec enfants étaient formés, en 1996, de deux conjoints occupant un emploi, alors que dans seulement 21,4 % de ces ménages le père des enfants était au travail et la mère était dite inactive (www.stat.gouv.qc.ca).

Même s'il existe une évolution certaine dans le genre d'emplois désormais accessibles aux femmes, on remarque que 75,5 % d'entre elles assumaient, en 1991, des fonctions dans des secteurs traditionnellement féminins et généralement sous-payés tels que le travail de bureau (comme secrétaires), les ventes (comme

ENCADRÉ 1.7 La répartition des familles biparentales au Québec, en Ontario et au Canada, selon le statut d'emploi des deux parents, en 1996

Statut d'emploi	Québec		Ontario		Canada	
	n	%	n	%	n	%
Deux parents en emploi	538 200	55,1	928 495	61,3	2 357 895	59,4
Deux parents inactifs	84 795	8,7	115 435	7,6	304 520	7,7
Deux parents en chômage	15 185	1,6	14 035	0,9	50 945	1,3
Mère en emploi et père inactif	27 385	2,8	52 080	3,4	123 470	3,1
Mère en emploi et père en chômage	31 190	3,2	34 725	2,3	111 480	2,8
Mère en chômage et père inactif	3 965	0,4	7 035	0,5	17 925	0,5
Père en emploi et mère inactive	209 580	21,4	276 545	18,3	761 020	19,2
Père en emploi et mère en chômage	40 675	4,2	64 340	4,2	166 725	4,2
Père en chômage et mère inactive	26 100	2,7	21 605	1,4	76 605	1,9
Total – familles biparentales avec enfants[1]	**977 075**	**100,0**	**1 514 295**	**100,0**	**3 970 585**	**100,0**

Note: la somme des éléments peut différer du total en raison de l'arrondissement des données.

1. Enfants et parents de tous âges.

Source: Statistique Canada, Recensement de 1996. Compilation: Institut de la statistique du Québec.

vendeuses, commis-vendeuses ou caissières), les services et les soins de santé (comme infirmières, aides ou auxiliaires médicales). L'encadré 1.8 présente les 15 principales professions à forte concentration de main-d'œuvre féminine entre les années 1991 et 1996. On constate qu'en 1996 la proportion des femmes occupant des emplois à prédominance féminine a relativement peu changé comparativement à 1991 puisqu'elle n'a diminué que de 1,4 %, s'établissant à 74,1 %.

Le vieillissement de la main-d'œuvre. En 1996, le groupe formé des 20 à 59 ans représentait 91 % de la population active au Québec. Au phénomène de diminution des effectifs causé par le ralentissement de la croissance démographique s'ajoute le vieillissement considérable à court terme de la population potentiellement active. Ainsi, la proportion des 45 à 59 ans que compte cette dernière devrait passer de 46,1 % en 1999 à 54,7 % en 2008, et ne diminuer que légèrement par la suite,

---

ENCADRÉ 1.8 Les 15 principales professions féminines au Québec, en 1991 et en 1996

Professions	Code	Effectif	Part dans l'ensemble des professions	Proportion de femmes dans la profession
		n		%
1991				
Secrétaires (sauf domaines juridique et médical)	B211	143 330	9,4	98,3
Vendeuses et commis-vendeuses, vente au détail	G211	79 895	5,3	58,7
Caissières	G311	60 275	4,0	88,0
Commis à la comptabilité et personnel assimilé	B531	50 665	3,3	81,6
Commis de travail général de bureau	B511	48 945	3,2	77,7
Infirmières diplômées	D112	48 365	3,2	91,4
Serveuses d'aliments et de boissons	G513	46 590	3,1	80,9
Institutrices à la maternelle et au niveau primaire	E132	39 965	2,6	85,8
Conductrices de machines à coudre	J161	33 405	2,2	90,9
Aides et auxiliaires médicales	D312	29 770	2,0	74,7
Réceptionnistes et standardistes	B514	29 065	1,9	93,2
Directrices de la vente au détail	A211	28 470	1,9	34,2
Nettoyeuses	G931	27 155	1,8	56,7
Caissières des services financiers	B533	23 255	1,5	92,2
Cuisinières	G412	22 390	1,5	48,4
Total		**711 540**	**46,9**	**75,5**
1996				
Secrétaires (sauf domaines juridique et médical)	B211	110 100	7,3	98,1
Vendeuses et commis-vendeuses, vente au détail	G211	70 670	4,7	59,6
Commis à la comptabilité et personnel assimilé	B531	61 275	4,0	84,0
Caissières	G311	59 140	3,9	85,4
Infirmières diplômées	D112	50 815	3,3	91,1
Serveuses d'aliments et de boissons	G513	41 730	2,7	80,9
Institutrices à la maternelle et au niveau primaire	E132	39 100	2,6	85,2
Commis de travail général de bureau	B511	39 000	2,6	80,5
Conductrices de machines à coudre	J161	31 405	2,1	90,5
Aides et auxiliaires médicales	D312	29 680	2,0	75,5
Cuisinières	G412	24 905	1,6	48,1
Réceptionnistes et standardistes	B514	24 700	1,6	92,9
Nettoyeuses	G931	24 320	1,6	56,7
Professeures au niveau secondaire	E131	23 750	1,6	51,7
Directrices de la vente au détail	A211	23 140	1,5	34,7
Total		**653 730**	**43,1**	**74,1**

Source : Statistique Canada, Recensements du Canada, Classification type des professions de 1991. 10 juin 1999.

puisqu'elle serait encore de 53,0 % en 2051. Le vieillissement de la main-d'œuvre est dû à celui de la génération du baby-boom et à l'augmentation de l'espérance de vie des hommes et des femmes faisant partie de la population active[8].

Les besoins de la main-d'œuvre issue des minorités ethniques et ceux des personnes handicapées. L'encadré 1.9, lequel précise la provenance des immigrants qui se sont établis au Québec pendant la période comprise entre 1996 et 1999, montre bien la grande diversité des origines ethniques de la population québécoise. On peut s'attendre à ce que cette caractéristique se reflète de plus en plus dans la main-d'œuvre des organisations. On se doit donc de souligner la nécessité de mettre sur pied des programmes propres à favoriser l'intégration organisationnelle d'une main-d'œuvre dont les traits culturels sont manifestement différents de ceux de la main-d'œuvre nord-américaine.

ENCADRÉ 1.9   La répartition des immigrants au Québec selon leur pays de naissance, de 1996 à 1999

Pays de naissance		Immigrants		Pays de naissance		Immigrants	
		n	%			n	%
1996		**29 772**	**100,0**	**1997**		**27 684**	**100,0**
1	France	2 113	7,1	1	France	1 982	7,2
2	Algérie	1 794	6,0	2	Chine	1 844	6,7
3	Haïti	1 739	5,8	3	Ex-URSS	1 805	6,5
4	Chine	1 720	5,8	4	Ex-Yougoslavie	1 561	5,6
5	Ex-Yougoslavie	1 677	5,6	5	Algérie	1 526	5,5
6	Ex-URSS	1 608	5,4	6	Haïti	1 475	5,3
7	Inde	1 453	4,9	7	Inde	1 184	4,3
8	Roumanie	1 093	3,7	8	Hong Kong	989	3,6
9	Bangladesh	1 022	3,4	9	Roumanie	979	3,5
10	Philippines	885	3,0	10	Bangladesh	879	3,2
11	Sri Lanka	789	2,7	11	Maroc	809	2,9
12	Liban	788	2,6	12	Sri Lanka	711	2,6
13	Hong Kong	775	2,6	13	Pakistan	697	2,5
14	Maroc	701	2,4	14	Taïwan	646	2,3
15	Taïwan	631	2,1	15	Afghanistan	627	2,3
Autres pays		10 984	36,9	Autres pays		9 970	36,0
1998[r]		**26 509**	**100,0**	**1999[p]**		**29 179**	**100,0**
1	France	2 580	9,7	1	France	2 749	9,4
2	Chine	1 940	7,3	2	Chine	2 109	7,2
3	Algérie	1 905	7,2	3	Algérie	1 999	6,9
4	Ex-URSS	1 826	6,9	4	Maroc	1 531	5,2
5	Ex-Yougoslavie	1 442	5,4	5	Ex-URSS	1 380	4,7
6	Haïti	1 147	4,3	6	Haïti	1 265	4,3
7	Maroc	1 004	3,8	7	Ex-Yougoslavie	1 193	4,1
8	Inde	966	3,6	8	Roumanie	1 071	3,7
9	Roumanie	752	2,8	9	Corée du Sud	983	3,4
10	Taïwan	704	2,7	10	Inde	938	3,2
11	Bangladesh	666	2,5	11	Pakistan	840	2,9
12	Corée du Sud	663	2,5	12	Sri Lanka	816	2,8
13	Hong Kong	660	2,5	13	Liban	727	2,5
14	Philippines	532	2,0	14	Taïwan	648	2,2
15	Liban	503	1,9	15	Zaïre	624	2,1
Autres pays		9 219	34,8	Autres pays		10 306	35,3

Note: Les totaux ne sont pas les mêmes que ceux de Statistique Canada.
   p: données provisoires
   r: données révisées

Source: Ministère des Relations avec les citoyens et de l'Immigration. 5 juin 2000.

Quant au rôle que les personnes handicapées jouent au sein de la main-d'œuvre canadienne, il s'est quelque peu modifié au cours des dernières années. Grâce aux technologies de pointe, un nombre croissant de personnes ayant des déficiences ont pu remplir un large éventail de postes. De plus, cette population a eu accès à des programmes de formation particuliers. Cependant, malgré une légère augmentation de la présence des personnes handicapées sur le marché du travail, seulement un très faible pourcentage d'entre elles ont pu dénicher un emploi. Le taux d'activité de ce groupe devrait vraisemblablement augmenter, proportionnellement à l'accroissement des possibilités qui lui sont offertes en matière d'équité[9].

La hausse du niveau de scolarité des travailleurs. La main-d'œuvre actuelle est en outre plus instruite et mieux informée qu'elle ne l'était auparavant. Alors qu'au début des années 70 seulement 18,9 % des travailleurs québécois avaient poursuivi leurs études au-delà du cours secondaire, c'était le cas de plus de 42,3 % des travailleurs en 1996. On estimait, en 1996, que 48,9 % des Canadiens avaient fait des études postsecondaires (encadré 1.10). Cette main-d'œuvre de haute qualité est potentiellement plus productive que celle constituée de travailleurs moins formés. Cependant, l'amélioration du niveau d'instruction de la population active représente non seulement un atout supplémentaire pour l'entreprise, mais elle oblige également celle-ci à relever de nouveaux défis. En effet, une entreprise dont les membres possèdent une formation supérieure à celle de la majorité des travailleurs devient généralement plus critique et est moins encline à accepter d'emblée l'autorité qu'on lui impose. Cette situation touche particulièrement les jeunes travailleurs, qui résistent davantage que leurs aînés à l'autorité de leurs supérieurs. Les travailleurs plus âgés, quant à eux, continuent de se conformer aux valeurs sociales traditionnelles, et sont donc portés à s'identifier à l'organisation à laquelle ils appartiennent, à se soumettre à l'autorité et à formuler peu d'exigences dans l'exécution de leurs tâches. Une gestion efficace des ressources humaines exige que l'on sache tirer parti des compétences des jeunes travailleurs.

LES CHANGEMENTS RELATIFS À L'EMPLOI ET À LA STRUCTURE DU TRAVAIL

Plusieurs autres changements relatifs à l'emploi ont également été observés au cours des dernières années. Certains ont trait à la durée du travail, alors que d'autres sont relatifs aux professions exercées par les travailleurs. Nous les examinerons successivement.

Les changements portant sur la durée du travail. Les travailleurs ne possèdent pas tous le même statut sur le marché du travail. On distingue ceux qui occupent un emploi permanent, à temps plein ou à temps partiel, ceux qui ont un emploi temporaire, ceux qui travaillent à contrat, et enfin, les travailleurs indépendants.

On a noté une hausse du travail permanent à temps partiel au Canada et au Québec, en particulier chez les femmes ainsi que chez les jeunes de 15 à 24 ans. Cette tendance est liée à la fois à des facteurs structurels et à des facteurs cycliques. De nombreux changements sont survenus dans la structure et la composition de la main-d'œuvre. Il convient de mentionner notamment l'augmentation du taux d'activité des femmes, de même qu'un déplacement décisif de priorité des industries axées sur la production de biens vers les industries spécialisées dans la prestation de services. On a aussi constaté une forte croissance de l'emploi des cols blancs, dont une proportion supérieure à la moyenne des travailleurs se voient offrir du travail à temps partiel en raison de la nature du marché[10].

ENCADRÉ 1.10 La répartition de la population de 25 ans et plus selon le niveau de scolarité et le sexe, au Québec et au Canada, de 1951 à 1996

Scolarité	1951	1961	1971	1981	1991	1996
				%		
QUÉBEC	**100,0**	**100,0**	**100,0**	**100,0**	**100,0**	**100,0**
Moins d'une 9e année[1]	62,8	56,9	50,7	34,4	23,6	20,2
9e–13e année[2]	34,9	39,7	30,5	33,2	38,6	37,4
Études postsecondaires inférieures au baccalauréat[3]	—	—	13,7	23,9	26,2	28,6
Grade universitaire[4]	2,3	3,4	5,2	8,5	11,5	13,7
Hommes	**100,0**	**100,0**	**100,0**	**100,0**	**100,0**	**100,0**
Moins d'une 9e année[1]	64,9	57,6	49,5	32,8	22,5	19,8
9e–13e année[2]	31,4	37,2	28,3	30,4	37,0	36,1
Études postsecondaires inférieures au baccalauréat[3]	—	—	14,5	25,5	26,6	28,6
Grade universitaire[4]	3,7	5,2	7,7	11,4	13,8	15,4
Femmes	**100,0**	**100,0**	**100,0**	**100,0**	**100,0**	**100,0**
Moins d'une 9e année[1]	60,9	56,2	51,8	35,9	24,7	21,8
9e–13e année[2]	38,3	42,0	32,6	35,9	40,1	38,1
Études postsecondaires inférieures au baccalauréat[3]	—	—	12,9	22,5	25,8	28,2
Grade universitaire[4]	0,9	1,8	2,7	5,7	9,4	12,0
CANADA	**100,0**	**100,0**	**100,0**	**100,0**	**100,0**	**100,0**
Moins d'une 9e année[1]	54,9	48,8	39,4	25,7	16,6	14,3
9e–13e année[2]	42,9	47,8	39,2	36,8	38,9	36,9
Études postsecondaires inférieures au baccalauréat[3]	—	—	16,0	27,9	31,6	34,0
Grade universitaire[4]	2,3	3,4	5,3	9,6	12,8	14,9
Hommes	**100,0**	**100,0**	**100,0**	**100,0**	**100,0**	**100,0**
Moins d'une 9e année[1]	58,5	51,4	40,5	25,7	16,6	14,1
9e–13e année[2]	38,2	43,7	36,3	34,0	37,2	35,8
Études postsecondaires inférieures au baccalauréat[3]	—	—	15,5	28,0	31,3	33,6
Grade universitaire[4]	3,3	4,9	7,7	12,3	14,9	16,5
Femmes	**100,0**	**100,0**	**100,0**	**100,0**	**100,0**	**100,0**
Moins d'une 9e année[1]	51,2	46,1	38,4	25,7	16,7	14,4
9e–13e année[2]	47,6	52,0	42,0	39,6	40,5	37,8
Études postsecondaires inférieures au baccalauréat[3]	—	—	16,5	27,7	31,9	34,4
Grade universitaire[4]	1,2	1,9	3,1	7,0	10,9	13,4

1. Cette catégorie comprend certaines personnes avec des certificats d'écoles de métiers.
2. Comprend un faible pourcentage de personnes avec des études post-secondaires partielles en 1951 et 1961.
   Ces données ont été agrégées au niveau de la 9e–13e pour constituer une série chronologique se prêtant mieux aux comparaisons dans le temps. Cette catégorie comprend également certaines personnes avec des certificats d'écoles de métiers.
3. Ce concept désignait :
   • en 1951 : de 13 à 16 ans de scolarité ;
   • en 1961 : des études universitaires sans l'obtention d'un grade ;
   • en 1971 : des études universitaires ou toute autre année d'études après le secondaire ;
   • en 1981, 1991 et 1996 : des années de scolarité terminées dans une université ou un autre établissement du type collège communautaire, cégep, collège commercial privé.
4. En 1951, le grade universitaire était déduit d'après la valeur de 17 années de scolarité ou plus.
Source : Statistique Canada, Recensements du Canada. 8 juillet 1999.

L'encadré 1.11 qui suit trace un profil de la semaine de travail des salariés et des travailleurs indépendants, au Québec et au Canada, selon la durée du travail et selon le sexe et l'âge des travailleurs, et ce, pour les années 1976, 1990 et 1998. On constate, entre 1976 et 1998, une augmentation du travail à temps partiel et du travail indépendant.

ENCADRÉ 1.11 La semaine de travail des salariés et des travailleurs indépendants au Québec et au Canada, en 1976, en 1990 et en 1998

	Unité	1976	1990	1998					
				Total	Hommes	Femmes	15-24 ans	25-54 ans	55 ans et plus
Canada									
Durée moyenne habituelle (à tous les emplois)[1]	h	39,0	38,2	37,4	40,9	33,3	29,1	39,1	37,1
Nombre de travailleurs (durée habituelle)	'000	9 776,1	13 165,1	14 326,4	7 802,6	6 523,8	2 101,9	10 806,1	1 418,4
Moins de 30 heures[1]	%	12,2	16,3	17,8	10,0	27,2	43,6	12,2	22,1
30-39 heures[1]	%	22,9	23,5	26,1	17,9	35,8	18,3	28,0	22,7
40 heures[1]	%	45,5	39,1	36,1	44,0	26,6	27,1	38,3	32,6
41 heures et plus[1]	%	19,3	21,0	20,0	28,1	10,4	11,1	21,4	22,5
Durée moyenne habituelle (salariés à l'emploi principal)[1]	h	37,6	36,5	35,7	38,6	32,6	—	—	—
Nombre de salariés (durée habituelle)	'000	8 569,5	11 275,8	11 801,2	6 168,6	5 632,5	—	—	—
Durée moyenne habituelle (trav. ind.[2] à l'emploi principal)	h	46,3	43,6	41,6	46,3	33,0	—	—	—
Nombre de travailleurs indépendants[1] (durée habituelle)	'000	1 206,6	1 889,3	2 525,2	1 634,0	891,2	—	—	—
Nombre de salariés effectuant des heures supplémentaires	'000	—	—	2 004,0	1 226,1	777,8	188,7	1 689,0	126,3
Durée moyenne (salariés effectuant des heures suppl.)	h	—	—	9,2	9,9	8,1	8,4	9,2	9,6
Québec									
À tous les emplois									
Durée moyenne habituelle[1]	h	39,2	37,5	36,8	39,8	33,0	28,9	38,2	36,9
Durée moyenne réelle (incluant absents)	h	35,5	34,1	33,5	36,9	29,4	27,4	34,8	32,7
Durée moyenne réelle (excluant absents)	h	38,5	37,5	36,9	40,1	32,8	28,9	38,4	36,9
Nombre de travailleurs (durée habituelle)	'000	2 553,6	3 172,1	3 327,5	1 841,6	1 485,9	467,3	2 559,3	300,9
01-14 heures[1]	%	3,2	4,9	5,0	3,3	7,2	17,7	2,5	7,0
15-29 heures[1]	%	5,7	9,9	11,8	6,3	18,5	25,4	9,2	12,7
30-34 heures[1]	%	5,2	6,1	7,8	4,7	11,6	8,6	7,5	9,1
35-39 heures[1]	%	23,7	25,8	25,9	19,3	34,1	13,1	29,1	18,2
40 heures[1]	%	42,6	35,4	31,5	41,0	19,8	25,3	32,8	30,5
41-49 heures[1]	%	9,2	7,1	7,5	10,5	3,7	5,9	7,8	7,1
50 heures et plus[1]	%	10,4	10,8	10,5	15,0	5,0	4,0	11,2	15,3
À l'emploi principal									
Durée moyenne habituelle[1]	h	38,9	37,0	36,3	39,3	32,6	28,3	37,8	36,6
Durée moyenne réelle (incluant absents)	h	35,3	33,7	33,1	36,5	29,0	26,7	34,4	32,3
Durée moyenne réelle (excluant absents)	h	38,2	37,1	36,4	39,7	32,4	28,3	38,0	36,5
Salariés (à l'emploi principal)									
Durée moyenne habituelle[1]	h	38,0	36,0	35,2	37,8	32,2	—	—	—
Durée moyenne réelle (incluant absents)	h	34,3	32,7	32,0	35,1	28,5	—	—	—
Durée moyenne réelle (excluant absents)	h	37,2	36,1	35,3	38,2	31,9	—	—	—
Nombre de salariés (durée habituelle)	'000	2 290,9	2 764,3	2 791,9	1 487,6	1 304,2	—	—	—
01-14 heures[1]	%	2,9	4,7	4,9	3,3	6,7	—	—	—
15-29 heures[1]	%	5,6	10,6	12,5	6,5	19,3	—	—	—
30-34 heures[1]	%	5,3	6,1	7,8	4,6	11,5	—	—	—
35-39 heures[1]	%	26,2	29,2	30,0	23,0	38,0	—	—	—
40 heures[1]	%	45,4	37,7	34,0	46,0	20,3	—	—	—
41-49 heures[1]	%	9,0	6,5	6,9	10,6	2,6	—	—	—
50 heures et plus[1]	%	5,7	5,1	4,0	6,1	1,6	—	—	—
Nombre de salariés effectuant des heures supplémentaires	'000	—	—	386,2	236,8	149,4	38,8	325,3	22,1
Non rémunérées seulement	%	—	—	45,8	42,4	51,3	25,3	48,0	50,2
Rémunérées seulement	%	—	—	52,8	56,3	47,3	72,7	50,8	48,0
Non rémunérées et rémunérées	%	—	—	1,3	1,3	1,5	—	1,2	—
Durée moyenne (tous les salariés)	h	—	—	1,4	1,7	1,1	0,8	1,6	1,2
Durée moyenne (salariés effectuant des heures suppl.)	h	—	—	9,2	9,8	8,2	8,1	9,2	9,8

ENCADRÉ 1.11 *(suite)*

	Unité	1976	1990	1998					
				Total	Hommes	Femmes	15-24 ans	25-54 ans	55 ans et plus
Travailleurs indépendants[2]									
(à l'emploi principal)									
Durée moyenne habituelle	h	46,8	43,8	42,4	45,9	35,6	—	—	—
Durée moyenne réelle (incluant absents)	h	44,0	40,3	38,9	42,3	32,2	—	—	—
Durée moyenne réelle (excluant absents)	h	46,7	44,0	42,3	45,7	35,5	—	—	—
Nombre de travailleurs indépendants[1]	'000	262,7	407,8	535,7	353,9	181,7	—	—	—
(durée habituelle)									
01-14 heures[1]	%	6,0	7,8	7,4	4,1	14,0	—	—	—
15-29 heures[1]	%	7,7	7,7	10,8	6,9	18,5	—	—	—
30-34 heures[1]	%	5,3	6,6	8,2	6,4	11,8	—	—	—
35-39 heures[1]	%	5,1	6,0	6,6	6,0	7,8	—	—	—
40 heures[1]	%	23,1	25,8	20,9	22,7	17,6	—	—	—
41-49 heures[1]	%	9,2	6,6	7,4	8,1	6,1	—	—	—
50 heures et plus[1]	%	43,7	39,5	38,5	45,8	24,3	—	—	—

1. La prudence est de mise pour une comparaison historique, car un changement a été apporté en 1997 à la collecte des heures habituelles. D'une part,
   on a retiré le critère de limite maximale et, d'autre part, la définition des heures habituelles des salariés est plus restrictive en excluant le temps supplémentaire.
2. Incluant les travailleurs autonomes à leur compte, les employeurs et les travailleurs familiaux non rémunérés.
• Une population inférieure à 1 500 au Québec et en Ontario représente une estimation non fiable, selon les critères de diffusion de Statistique Canada.

Source : Statistique Canada, Enquête sur la population active. Compilation : Institut de la statistique du Québec. 15 novembre 1999.

Les changements touchant les professions exercées par les travailleurs.
L'Institut de la statistique du Québec a comparé l'effectif de certaines professions en 1991 et en 1996 afin de vérifier lesquelles ont eu le plus grand essor. Il a ainsi établi que les catégories professionnelles rattachées aux sciences naturelles et appliquées sont celles qui ont connu l'évolution la plus marquée en matière de main-d'œuvre (encadré 1.12). Cette catégorie est suivie des professions reliées aux arts, à la culture, aux sports et aux loisirs. Les catégories professionnelles dans lesquelles on a enregistré un certain déclin entre 1991 et 1996 sont celles qui touchent le secteur primaire, les métiers, le transport et la machinerie, ainsi que la gestion.

ENCADRÉ 1.12 Variation de la population active dans les grandes catégories professionnelles, selon le sexe, au Québec, de 1991 à 1996

Grandes catégories professionnelles	Les deux sexes %	Hommes %	Femmes %
Population active expérimentée	**−1,8**	**−3,3**	**0,0**
Gestion	−11,1	−13,3	−5,4
Affaires, finance et administration	−2,7	3,7	−5,1
Sciences naturelles et appliquées et professions apparentées	9,9	9,0	14,1
Secteur de la santé	2,6	0,6	3,2
Sciences sociales, enseignement, adm. publique et religion	5,7	1,7	8,8
Arts, culture, sports et loisirs	9,3	6,7	12,0
Ventes et services	1,9	0,5	3,2
Métiers, transport et machinerie	−11,7	−11,4	−16,8
Professions propres au secteur primaire	−10,1	−9,4	−13,2
Transformation, fabrication et services d'utilité publique	2,8	3,5	1,2

Source : Statistique Canada, Recensements du Canada, Classification type des professions de 1991. 4 juin 1999.

Tous ces changements que nous venons de décrire devront être pris en considération, car ils sont susceptibles de se traduire par des pénuries de travailleurs spécialisés. Selon la plupart des études, les deux tiers des emplois créés au canada entre 1991 et 2000 devront être occupés par des travailleurs ayant plus de 12 années d'études, et 50 % des nouveaux postes exigeront même des candidats qu'ils possèdent plus de 17 années de scolarité. Heureusement, de plus en plus de Canadiens commencent à comprendre la nécessité d'améliorer leur niveau de compétence. Une étude réalisée par Statistique Canada indique que, sur un total de 9 338 répondants, la plupart ont indiqué qu'ils souhaiteraient posséder davantage de compétences pour les raisons suivantes : afin d'être mieux préparés à leur premier emploi (29 %), afin d'améliorer leurs perspectives de carrière (33 %), afin de s'orienter vers une nouvelle carrière (10 %), et afin d'augmenter leurs revenus (10 %)[11].

LES TENDANCES ET LES PERSPECTIVES ÉCONOMIQUES

Dans toute activité de gestion des ressources humaines, il importe de tenir compte de la situation économique, car elle a des répercussions sur les conditions de travail et sur la main-d'œuvre future.

La situation économique en général. Selon les études effectuées par l'Organisation de coopération et de développement économiques (OCDE) en 1999, les perspectives d'évolution de l'économie canadienne à moyen terme demeurent favorables (encadré 1.13). La croissance du PIB du Canada comparé à celui des pays de la zone de l'OCDE dans son ensemble constituerait une bien meilleure performance que celle réalisée jusqu'à présent en moyenne dans les années 90. L'amélioration

ENCADRÉ 1.13 Scénario à moyen terme portant sur l'évolution de l'économie canadienne de 1990 à 2004

	1990-1998	1998-2004
Consommation privée	2,1	2,3
Consommation publique	−0,1	1,5
Formation de capital fixe	2,3	4,5
Formation de stocks[1]	0,1	−0,1
Demande intérieure totale	1,8	2,6
Exportations	8,1	6,8
Importations	7,0	6,6
Solde extérieur réel[1]	0,4	0,2
PIB réel	2,1	2,7
Écart de production[2]	−1,7	−0,2
Production potentielle	2,3	2,7
Productivité du travail	1,0	1,1
Emploi	1,1	1,6
Taux d'activité (en pourcentage)	65,6	66,1
Taux de chômage (en pourcentage)	9,8	7,7
Indice implicite des prix de la consommation privée	1,9	2,0
Indice implicite des prix du PIB	1,3	2,0
Rémunération par salarié dans le secteur privé	2,9	3,2
Balance des opérations courantes[1]	−2,3	−1,9
Taux de change réel	−3,6	0,0
Taux d'intérêt à court terme (en pourcentage)	6,5	5,2
Taux d'intérêt à long terme (en pourcentage)	8,2	5,5

1. En pourcentage du PIB.
2. En pourcentage de la production potentielle.

Source: Secrétariat de l'OCDE[13].

observée résulterait d'une plus forte expansion de la demande intérieure, laquelle avait été freinée par les mesures d'assainissement mises en œuvre par les gouvernements et par le secteur privé au cours des dix dernières années. Cette tendance favorable s'explique par le fait que les déséquilibres économiques se sont sensiblement atténués au cours des dernières années, créant des conditions plus propices à une croissance durable. Selon le rapport de l'OCDE, il faut s'attendre à ce que l'inflation et le déficit extérieur soient plus faibles au début des années 2000 qu'ils ne l'étaient dans les années 80. De plus, même si, dans les années 2000, les taux d'endettement public dépassent les niveaux atteints dans les années 80, ils devraient rapidement diminuer, compte tenu des excédents budgétaires successifs qu'on prévoit enregistrer. Les études de l'OCDE notent également que l'évolution de la productivité du travail, qui s'était nettement ralentie au début des années 90, a repris en 1997. Il semble, par contre, que la progression observée en 1997 ne se soit pas poursuivie. On ne peut donc pas encore dire s'il y a eu augmentation de l'efficience économique sous l'influence de la réforme structurelle passée. En conclusion, bien qu'il y ait eu une nette amélioration, la situation économique pourrait favoriser de nouveau l'émergence de pressions inflationnistes. Le gouvernement devrait implanter des dispositifs de politique macroéconomique afin de limiter ces risques[12].

Consultez Internet

http://www.infometre.cefrio.qc.ca

Ce site porte sur l'utilisation des technologies de l'information au Québec. Données statistiques sur cette question pour le Québec, le Canada et le monde.

L'évolution technologique : l'automatisation, la robotisation et les nouvelles technologies de l'information et de la communication (NTIC). Les secteurs dans lesquels le Canada connaît une progression très rapide et qui sont les plus susceptibles de maximiser l'utilisation des ressources humaines et d'augmenter la productivité sont la microélectronique, l'intelligence artificielle, la biotechnologie, la recherche sur les matériaux, la géologie, de même que l'exploration pétrolière et énergétique. L'expansion de la microélectronique débouchera sur un accroissement de l'automatisation (y compris de l'informatisation) et de la robotisation. L'application de ces nouvelles techniques augmente la productivité de façon considérable, mais elle a aussi un effet important sur l'embauche, et elle accroît la fierté et l'estime de soi des employés.

La prolifération des technologies de l'information sur les lieux de travail au Canada contribue à la polarisation accrue du marché du travail. Les plus grands utilisateurs des NTIC sont les professionnels tels que les chercheurs, les ingénieurs et les gestionnaires, c'est-à-dire les « travailleurs du savoir » ou ceux qui participent à « la nouvelle économie du savoir ». Peu de Canadiens attribuent les pertes d'emploi passées ou futures aux changements technologiques. Une étude menée par Statistique Canada de 1989 à 1994 illustre les conséquences de l'introduction des NTIC en milieu de travail[14] (encadré 1.14). Il est intéressant de constater que ce sont les gestionnaires et les professionnels qui considèrent que les NTIC ont eu une grande incidence sur leur travail et non les travailleurs manuels.

Consultez Internet

www.conferenceboard.ca

Ce site offre une sélection de publications portant sur le marché du travail et l'évolution de l'emploi au Canada.

Une étude récente du Conference Board du Canada a mis en évidence les secteurs dans lesquels la création d'emplois sera la plus intensive au cours des prochaines décennies[15]. Selon les prévisions établies pour l'année 2015, les nouveaux emplois

ENCADRÉ 1.14 Les effets de l'introduction des NTIC sur l'emploi au Canada, selon la profession et le sexe des travailleurs, de 1989 à 1994

	Niveau d'incidence de l'introduction des ordinateurs						
	Ensemble des personnes ayant un emploi		Beau-coup	Quelque peu	À peine	Pas du tout	Non déclaré*
	milliers	%	%	%	%	%	%
Ensemble des professions (1989)							
Les deux sexes	12 155	100	29	15	14	41	1
Hommes	6 726	100	29	17	15	39	—
Femmes	5 428	100	29	13	14	44	1
Ensemble des professions (1994)							
Les deux sexes	13 035	100	34	17	11	36	2
Hommes	7 193	100	34	17	11	36	2
Femmes	5 841	100	35	17	10	36	2
Gestionnaires et professionnels (1989)							
Les deux sexes	4 442	100	38	18	15	29	—
Hommes	2 450	100	45	19	13	23	—
Femmes	1 992	100	29	16	17	37	—
Gestionnaires et professionnels (1994)							
Les deux sexes	4 674	100	46	20	10	22	1
Hommes	2 315	100	53	20	8	18	—
Femmes	2 359	100	39	21	12	26	2
Travail de bureau, vente et services (1989)							
Les deux sexes	4 401	100	29	13	13	44	1
Hommes	1 526	100	26	16	16	42	—
Femmes	2 876	100	31	11	12	45	—
Travail de bureau, vente et services (1994)							
Les deux sexes	4 591	100	34	14	10	39	2
Hommes	1 710	100	32	15	12	38	3
Femmes	2 881	100	36	14	9	40	2
Travail manuel (1989)							
Les deux sexes	3 217	100	16	15	15	53	—
Hommes	2 691	100	16	16	16	51	—
Femmes	526	100	16	9	10	64	—
Travail manuel (1994)							
Les deux sexes	3 677	100	20	16	12	49	2
Hommes	3 104	100	21	17	13	48	2
Femmes	573	100	17	13	9	59	—

* Cette catégorie comprend les réponses «ne sais pas» et «non déclaré» pour 1994.

Note: Les données de ce tableau comprennent les répondants qui avaient un emploi au moment de l'enquête.

Source: Statistique Canada, Enquête sociale générale, 1989 et 1994.

toucheront surtout les services, le commerce, l'alimentation et la construction. Il y aura des pertes d'emplois dans l'éducation, les services financiers, l'industrie du tabac, ainsi que les industries pétrochimiques et du charbon. Les changements technologiques requièrent de nouvelles compétences et accentuent la différence existant entre les cols bleus et les cols blancs. Avec l'intensification de l'utilisation des NTIC, il continuera d'y avoir des gagnants et des perdants. Cependant, le Canada ne pourra sortir victorieux de la compétition mondiale que s'il parvient, grâce à la généralisation des NTIC, à résoudre les deux principales difficultés auxquelles il fait face. Tout d'abord, il lui faudra harmoniser les compétences des travailleurs avec les nouvelles exigences des NTIC. Sans une main-d'œuvre compétente et flexible qui a à cœur l'amélioration continue des connaissances, les entreprises seront aux prises avec des pénuries de main-d'œuvre aiguës. La seconde barrière que le Canada devra franchir est d'ordre organisationnel. Elle vient de ce qu'un certain nombre d'organisations éprouvent des difficultés à adapter leur structure et leur processus interne pour utiliser efficacement les NTIC.

En bref, l'étude du Conference Board du Canada, tout comme celle de Statistique Canada que nous venons de citer, a insisté sur le fait que l'implantation des NTIC ne mène pas nécessairement à des pertes d'emplois. Les NTIC modifient les règles du jeu pour les individus et pour les organisations et sont «un mal nécessaire» si l'on veut accéder à l'économie du savoir. Elles exigent en outre de nouvelles compétences de la part des travailleurs, comme le montre l'encadré 1.15, tiré d'une étude de Danielle Bonneau publiée dans *La Presse*.

L'ouverture des marchés étrangers. Avec l'ouverture des marchés, la multiplication des accords et des traités de commerce international, notamment l'Accord de libre-échange nord-américain (ALENA), les entreprises sont en proie à une compétition internationale de plus en plus vive qui influe sur leurs opérations locales et les contraint à envisager d'étendre leur horizon au-delà des frontières nationales. Comme on peut le constater (encadré 1.16), les échanges commerciaux des entreprises québécoises se font principalement avec les États-Unis. Récemment, le Mexique est toutefois devenu un partenaire commercial du Québec et de l'ensemble du Canada en adhérant à l'ALENA. Parmi les partenaires commerciaux importants du Québec et du Canada, on compte le Royaume-Uni, l'Allemagne et le Brésil.

ENCADRÉ 1.15 Les nouvelles compétences de la main-d'œuvre

Voici un aperçu des compétences indispensables pour entrer, demeurer et progresser dans le monde du travail.

COMPÉTENCES DE BASE

Vous êtes plus en mesure d'évoluer dans le monde du travail lorsque vous pouvez:

Gérer l'information
• Repérer, recueillir et organiser l'information en utilisant les technologies appropriées.

Communiquer
• Lire et comprendre l'information sous diverses formes (textes, graphiques, tableaux, schémas).
• Écrire et parler de façon compréhensible.
• Écouter et poser des questions pour comprendre le point de vue des autres.
• Partager l'information.

Utiliser les chiffres
• Observer et sauvegarder l'information en utilisant les méthodes, les outils et les technologies appropriés.
• Estimer et vérifier les calculs.

Réfléchir et résoudre des problèmes
• Cerner les problèmes.
• Rechercher divers points de vue et les évaluer objectivement.
• Reconnaître les dimensions humaines et techniques d'un problème.
• Déterminer la source d'un problème.
• Être créatif et novateur dans la recherche de solutions.

ENCADRÉ 1.15 *(suite)*

COMPÉTENCES PERSONNELLES EN GESTION

Vous augmentez vos chances de réussite lorsque vous pouvez :

Être responsable
- Fixer des buts et des priorités tout en maintenant un équilibre entre le travail et la vie personnelle.
- Évaluer et gérer le risque.
- Être responsable de vos actions et de celles de votre groupe.

Démontrer des attitudes et des comportements positifs
- Bien vous sentir dans votre peau et être confiant.
- Reconnaître la valeur de votre travail ainsi que les efforts des autres.
- Manifester de l'intérêt, faire preuve d'initiative et fournir des efforts.

Être souple
- Travailler de façon autonome ou en équipe.
- Effectuer des tâches ou des projets multiples.
- Être ingénieux : proposer plusieurs façons d'accomplir le travail.
- Être ouvert et réagir de façon positive au changement.
- Composer avec l'incertitude.

Apprendre constamment
- Être disposé à apprendre.
- Évaluer vos forces personnelles et déterminer les points à améliorer.
- Fixer et atteindre vos objectifs.

Travailler en sécurité
- Connaître les pratiques et procédures de santé personnelle et collective et agir en conséquence.

COMPÉTENCES POUR LE TRAVAIL D'ÉQUIPE

Vous êtes plus apte à améliorer un travail, un projet ou la performance d'une équipe lorsque vous pouvez :

Travailler avec d'autres
- Recevoir et donner du *feedback* de façon constructive et respectueuse.
- Contribuer au succès de l'équipe en partageant l'information et votre expertise.
- Comprendre la dynamique d'un groupe et composer avec elle.
- Veiller à ce que les buts et les objectifs de l'équipe soient clairs.
- Être souple : respecter, accueillir et appuyer les idées, les opinions et la contribution des autres membres du groupe.
- Diriger, appuyer ou motiver l'équipe pour une performance maximale.
- Gérer et résoudre les conflits.

Participer aux projets et aux tâches
- Planifier, concevoir ou mettre en œuvre un projet ou une tâche, du début à la fin, en maintenant le cap sur des objectifs et des résultats.
- Choisir et utiliser les outils et la technologie qui conviennent.
- Superviser des projets ou des tâches et identifier les moyens pour les améliorer.

Source : D. Bonneau, « Les métiers de l'avenir », Cahier spécial de *La Presse,* 7 octobre 2000, p. 7.

ENCADRÉ 1.16 Le rang et la valeur des exportations internationales selon les principaux pays de destination, au Québec et au Canada, en 1998 et en 1999

Code	Pays	Québec				Canada				Rapport Québec/Canada		Variation 1999/1998	
		1998		1999		1998		1999		1998	1999	Québec	Canada
		'000								%			
9	États-Unis	47 938 873	1	52 663 022	1	269 925 791	1	308 320 182	1	17,8	17,1	9,9	14,2
101	Royaume-Uni	1 242 289	2	1 498 796	2	4 412 608	3	4 723 204	3	28,2	31,7	20,6	7,0
154	France	897 466	4	994 698	3	1 683 992	8	1 878 108	7	53,3	53,0	10,8	11,5
155	Allemagne	1 008 685	3	873 854	4	2 713 790	4	2 408 498	5	37,2	36,3	−13,4	−11,2
173	Pays-Bas	651 221	5	532 518	5	1 868 426	6	1 553 466	9	34,9	34,3	−18,2	−16,9
559	Japon	450 528	6	451 346	6	8 612 142	2	8 353 759	2	5,2	5,4	0,2	−3,0
167	Italie	343 359	7	312 943	7	1 532 114	9	1 431 884	10	22,4	21,9	−8,9	−6,5
144	Belgique	303 569	9	292 271	8	1 521 487	10	1 355 476	11	20,0	21,6	−3,7	−10,9
752	Brésil	256 040	10	205 083	9	1 379 991	12	880 542	15	18,6	23,3	−19,9	−36,2
614	Australie	163 993	14	198 148	10	970 199	15	947 581	14	16,9	20,9	20,8	−2,3
117	Irlande	158 232	15	183 352	11	444 199	25	414 411	24	35,6	44,2	15,9	−6,7
553	Chine	334 548	8	178 156	12	2 495 227	5	2 624 215	4	13,4	6,8	−46,7	5,2
182	Espagne	174 146	13	175 791	13	578 916	19	633 707	17	30,1	27,7	0,9	9,5
874	Mexique	140 096	19	159 206	14	1 454 073	11	1 626 269	8	9,6	9,8	13,6	11,8
186	Suisse	234 461	11	158 007	15	925 478	16	482 302	21	25,3	32,8	−32,6	−47,9
516	Hong Kong	153 461	16	140 825	16	1 355 280	13	1 069 371	13	11,3	13,2	−8,2	−21,1
347	Iran	43 191	42	131 219	17	263 511	37	538 886	20	16,4	24,4	203,8	104,5
519	Inde	102 370	23	125 888	18	389 435	27	395 996	26	26,3	31,8	23,0	1,7
578	Taiwan	119 961	21	122 908	19	1 180 256	14	1 136 778	12	10,2	10,8	2,5	−3,7
369	Arabie Saoudite	146 850	17	121 738	20	318 806	31	277 895	33	46,1	43,8	−17,1	−12,8
159	Grèce	58 330	36	110 849	21	153 927	50	188 669	42	37,9	58,8	90,0	22,6
153	Finlande	95 112	25	109 437	22	231 158	39	249 809	35	41,1	43,8	15,1	8,1
185	Suède	90 494	27	105 560	23	367 240	28	391 835	27	24,6	26,9	16,6	6,7
355	Israël	65 423	34	104 877	24	229 160	40	283 389	32	28,5	37,0	60,3	23,7
848	Cuba	122 141	20	98 924	25	469 840	23	398 101	25	26,0	24,8	−19,0	−15,3
	Total	**57 563 836**		**61 987 453**		**318 522 531**		**354 107 550**		**18,1**	**17,5**	**7,7**	**11,2**
	25 principaux pays	**55 294 839**		**60 049 416**		**305 477 046**		**342 564 333**		**18,1**	**17,5**	**8,6**	**12,1**
	10 principaux pays	**53 256 023**		**58 022 679**		**294 620 540**		**331 852 700**		**18,1**	**17,5**	**9,0**	**12,6**

Source: Institut de la statistique du Québec (www.stat.gouv.qc.ca). 28 septembre 2000.

LA TRANSFORMATION DES VALEURS SOCIALES

Il existe un lien entre les changements qui portent sur la population, la main-d'œuvre et l'économie, et ceux qui touchent la transformation des valeurs sociales et des préférences de la population, à laquelle on assiste. Les principales valeurs qui sont en voie de se modifier et qui affectent les activités de gestion des ressources humaines sont celles qui se rapportent au travail, à la mobilité et à la retraite[16].

Les valeurs associées au travail. La stagnation de la productivité est souvent liée au déclin ou à la disparition de l'importance que la main-d'œuvre accorde au travail ardu, effectué de façon soutenue. Certains analystes estiment cependant que « la morale du travail n'est pas disparue. Depuis les années 80, les gens sont prêts à travailler fort dans la mesure où ils peuvent bénéficier de bons emplois, qui leur donnent suffisamment de latitude pour modifier la nature de leurs tâches et leur permettre d'améliorer leur niveau de vie[17]. »

Si le travail demeure une activité primordiale pour la plupart, les gens ne sont toutefois plus motivés par le même genre de travail qu'auparavant. Ils souhaitent désormais occuper des postes stimulants qui leur fournissent l'occasion de participer un tant soit peu au processus décisionnel. Comme semblent l'indiquer les résultats d'une étude menée auprès de General Electric et d'AT&T, les employés de ces entreprises ne cherchent pas à obtenir des promotions trop rapidement, en particulier lorsque celles-ci les obligent à déménager dans d'autres localités. Ils souhaitent par contre accroître leur influence et leur autorité, caractéristiques associées dans leur esprit à une meilleure qualité de vie au travail (QVT)[18]. Ce concept englobe la maîtrise et le respect de soi, de même que la capacité d'agir sur les événements.

Les valeurs associées à la mobilité. Les valeurs liées au travail influent de manière importante sur la façon dont les employés perçoivent les mutations, surtout lorsque les nouvelles fonctions exigent leur déplacement dans une autre région ou à l'étranger. La recherche d'un plus grand équilibre entre le travail et la famille et d'une certaine qualité de vie, ainsi que la prise en considération de la carrière du conjoint limitent l'intérêt des employés pour la mobilité. Comme c'est le cas des valeurs associées au travail, celles qui s'opposent à la mobilité ont un effet important sur la gestion des ressources humaines, surtout en ce qui a trait au recrutement, à la formation, à l'attribution de promotions et à la motivation des gestionnaires et des professionnels[19].

Les valeurs associées à la retraite. Les « années d'or » pourraient bien se transformer en « années de cuivre ». Les travailleurs nourrissent en effet beaucoup de craintes à cet égard. Les périodes de récession des années 80 et 90 ont réduit la prédilection des Nords-Américains pour la retraite anticipée. Cette mesure suscite moins d'intérêt que par le passé, ce qui contraste avec la tendance des années 70, où l'on prévoyait que l'âge de la retraite passerait sous la barre des 55 ans vers l'an 2000[20]. D'ailleurs, un bon nombre de travailleurs refusent d'avancer l'âge de leur retraite, que ce soit à 55 ou à 60 ans, et vont même jusqu'à dépasser l'âge traditionnel de 65 ans de quelques années. On voit apparaître une intensification du travail à temps partiel chez les employés vieillissants, comme le montre nettement l'encadré 1.17 en ce qui concerne les hommes âgés de 60 à 69 ans. Le taux d'inflation, les préoccupations touchant la stabilité du système de sécurité sociale et les lois provinciales et fédérales protégeant les droits des travailleurs âgés semblent expliquer ce revirement de situation[21]. Une étude publiée par Statistique Canada en 1997 fait ressortir le lien existant entre le vieillissement et le temps partiel chez les hommes (encadré 1.17).

La transformation des valeurs associées à la retraite aura des répercussions certaines sur la gestion des ressources humaines. Il sera nécessaire de faire preuve d'ingéniosité pour concilier les aspirations et les préférences de la main-d'œuvre plus âgée et celles de la main-d'œuvre plus jeune, afin de garder au service des organisations les travailleurs motivés et performants[22].

ENCADRÉ 1.17 Le travail à temps partiel chez les hommes

Âge	1989	%	1998	%
15 à 54	539 500	8,3	688 000	9,9
55 à 59	23 200	5,2	37 000	8,0
60 à 64	26 700	9,9	38 100	15,4
65 à 69	24 500	31,6	29 900	31,2

Source : Enquête sur la population active, Statistique Canada. Tiré de Dave Gower, « L'âge de la retraite et l'estimation statistique », *Perspective*, Statistique Canada, 1997, 75-001-XPF.

IV L'influence des divers intervenants organisationnels sur la gestion des ressources humaines

Le rôle que la fonction ressources humaines joue au sein des organisations est marqué par les intérêts des divers groupes et individus qui exercent une action sur le milieu du travail, à savoir l'organisation elle-même, les actionnaires et les propriétaires, les employés, les clients, les partenaires et la société. Pour mieux saisir l'importance que revêt la gestion des ressources humaines en milieu de travail, il faut comprendre l'influence grandissante de chacun de ces intervenants, qui ont des intérêts, des droits ou des obligations envers une organisation en particulier et qui sont directement touchés par les activités de celle-ci.

Les actionnaires et les propriétaires d'entreprise. La plupart des actionnaires et des propriétaires d'entreprise investissent des capitaux pour des raisons d'ordre financier, dans le but de rentabiliser leurs investissements. Cette situation s'observe dans toutes les entreprises, tant privées que publiques. Or, avec l'évolution des marchés financiers, les décisions d'investissement se prennent de moins en moins sur une base individuelle et relèvent plutôt d'institutions ou de maisons de courtage. Ces dernières tiennent compte d'une panoplie de facteurs avant de placer les capitaux. Ainsi, la réputation d'une entreprise, son image de marque, sa capacité d'innovation, sa flexibilité et les compétences de ses employés constituent des signes précurseurs de succès. Récemment, des études ont montré l'existence d'un lien significatif entre la performance financière et les pratiques de gestion des ressources humaines[23, ,24, 25]. Or, comptabiliser la capacité d'innovation, les compétences des employés et le climat de travail s'avère un exercice difficile, puisque ces données sont intangibles et difficilement quantifiables[26]. À ce propos, notons que les différentes formes de reconnaissance publique dont jouit une entreprise ayant fait preuve d'une saine gestion des ressources humaines contribuent souvent à améliorer son image. Ainsi, un prix octroyé par une association à une entreprise qui s'est distinguée en souscrivant à un programme d'accès à l'égalité, en s'efforçant d'harmoniser le travail et la famille ou en concevant des programmes de formation adéquats a un effet positif sur les décisions des investisseurs.

Les clients. Étant donné la profusion d'entreprises qui sont engagées dans le secteur des services, veiller à établir une relation de confiance avec la clientèle est une stratégie très prisée par les employeurs. Pensons, par exemple, aux efforts déployés en ce sens par les institutions financières, les services de messagerie ou de courrier et les compagnies de transport. Le moment de vérité est celui où le client apprend comment l'organisation gère et traite ses employés. Lorsqu'un bon climat de travail règne dans une entreprise, de sorte qu'elle réussit à garder ses employés compétents, ce succès se reflète nécessairement sur sa manière de transiger avec la clientèle. Certains auteurs vont même jusqu'à affirmer qu'il revient de toute évidence aux personnes placées en première ligne, qui offrent un service directement à la clientèle, de contrôler les décisions les plus importantes. Les services de production et de marketing et ceux qui assurent d'autres fonctions organisationnelles doivent offrir le soutien secondaire requis à la clientèle et adopter une approche client, comme l'établit l'encadré 1.3, qui propose des méthodes de collecte de renseignements auprès de la clientèle[27].

Les employés. Dans les grandes organisations, les employés peuvent exprimer directement leurs doléances aux gestionnaires ou les leur transmettre par l'intermédiaire de leurs représentants syndicaux. En dépit de la diminution des taux

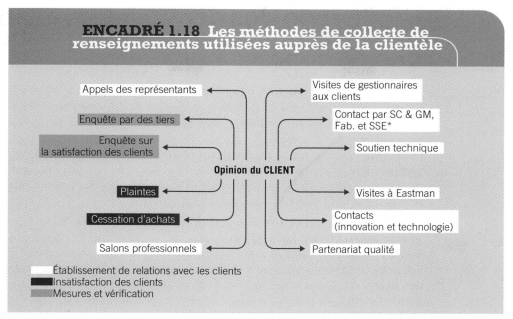

ENCADRÉ 1.18 Les méthodes de collecte de renseignements utilisées auprès de la clientèle

Appels des représentants

Enquête par des tiers

Enquête sur la satisfaction des clients

Opinion du CLIENT

Plaintes

Cessation d'achats

Salons professionnels

Visites de gestionnaires aux clients

Contact par SC & GM, Fab. et SSE*

Soutien technique

Visites à Eastman

Contacts (innovation et technologie)

Partenariat qualité

☐ Établissement de relations avec les clients
■ Insatisfaction des clients
▨ Mesures et vérification

* SC & GM = service à la clientèle et gestion du matériel; Fab. = fabrication; SSE = santé, sécurité et environnement.

Source: Eastman Chemical Company, adapté par C. Johnston (adaptation française de P. Brandt), « La fidélisation du client, plus qu'une question de satisfaction », note d'information destinée aux membres, Ottawa, Conference Board, 1997, p. 170-196.

de syndicalisation observée au Canada et au Québec (www.stat.gouv.ca), les syndicats n'en continuent pas moins de jouer un rôle vital au sein des organisations qui s'efforcent de demeurer compétitives à la fois sur les scènes nationale et internationale. Les questions jugées prioritaires par les employés ont généralement trait à la rémunération, aux conditions de travail, à la sécurité d'emploi et à l'équilibre travail-famille.

La rémunération revêt une importance primordiale pour les employés, car ils souhaitent non seulement être bien payés, mais aussi recevoir un traitement salarial adéquat et équitable. La Loi sur l'équité salariale, entrée en vigueur en 1997, consacre le principe de l'équité entre les emplois féminins et masculins et interdit toute discrimination fondée sur le sexe. Les congés payés, les congés de maladie, la pension de retraite et la rente d'invalidité sont des avantages sociaux qui, en règle générale, sont fort prisés par les employés.

Les conditions de travail figurent parmi les questions jugées très importantes par les employés qui, en plus de chercher à améliorer leurs conditions matérielles, souhaitent jouir d'une meilleure qualité de vie. Les employés aiment qu'une entreprise leur offre un plan de carrière, un emploi dans lequel ils peuvent utiliser leurs compétences, des pratiques qui respectent la notion de justice organisationnelle et qui favorisent un environnement sain et sûr de même qu'un milieu stimulant dans lequel prévaut le travail d'équipe.

Ce type de pratiques crée un sentiment d'appartenance chez les employés, accroît leur satisfaction et leur sens des responsabilités, et tout cela se traduit par une meilleure performance organisationnelle[28].

Les perturbations économiques, les nouvelles formes d'organisation du travail et les vagues de rationalisation qui sont apparues pendant les périodes de récession économique ont contribué à créer un climat d'incertitude et d'insécurité chez les employés, pour qui le travail constitue l'activité première et la principale source de subsistance. Dès l'annonce de licenciements, les employés se sentent trahis par leur organisation et, à la suite de la couverture médiatique accordée à ces mises à pied, l'image de l'entreprise en sort ternie. N'étant plus en mesure d'assurer la sécurité d'emploi à vie comme c'était le cas dans les années 60, les entreprises cherchent à susciter un sentiment de sécurité chez leurs employés en améliorant leur employabilité et en leur offrant des services de réaffectation afin qu'ils puissent facilement dénicher un nouvel emploi comparable, dans l'éventualité où il serait nécessaire de procéder à une rationalisation des effectifs[29].

La société. Le principal but des organisations étant de générer des profits, celles-ci ont longtemps renié leur rôle social. Bien que ce soit toujours le cas dans les pays qui prônent l'économie de marché, il n'en demeure pas moins que les entreprises ne peuvent éviter d'assumer leurs responsabilités sociales si elles veulent continuer d'attirer en leur sein des employés compétents et conserver intacte leur image corporative[30].

Les effets des décisions prises par certaines organisations à but non lucratif ou par les organisations publiques et parapubliques se font généralement sentir sur les citoyens et les contribuables. Ces décisions ont donc une incidence sociétale plus grande que ne l'ont les décisions émanant des entreprises privées ou même de celles qui sont cotées en bourse. Il n'en demeure pas moins que les décisions de certaines grandes entreprises relativement à l'investissement ou à la rationalisation des opérations et des effectifs ont nécessairement des répercussions sur la population de la région dans laquelle elles sont implantées, en particulier lorsque ces entreprises constituent la principale source de revenus des habitants de la localité. Les gouvernements tentent, par la promulgation de divers règlements (voir chapitre 13), d'assurer un traitement équitable et une protection relative aux travailleurs. Quelques organisations, soucieuses de préserver leur image corporative, tiennent compte jusqu'à un certain point des intérêts de la société en général, même en l'absence de contraintes juridiques, et assurent une protection aux employés, même au risque de réduire leurs profits.

Le respect des lois s'impose aux organisations. Nous nous intéressons particulièrement aux lois qui réglementent le travail, étant donné qu'elles influent sur la quasi-totalité des activités de gestion des ressources humaines, autant dans les entreprises locales que multinationales.

Les relations que les entreprises entretiennent avec la communauté sont si cruciales qu'il existe des lois et des règlements régissant le comportement des organisations dans la société. Cet aspect est encore plus important dans un marché qui s'internationalise de plus en plus, où l'entreprise se voit obligée de s'adapter à des milieux culturellement différents.

La préservation de l'environnement compte aujourd'hui parmi les défis les plus difficiles à relever, puisque le respect de l'environnement se fait souvent au détriment des profits. Parmi les plans stratégiques des grandes entreprises, cet objectif est jugé important et est souvent formalisé dans le cadre d'une politique ou d'un énoncé organisationnels. Or, l'engagement en faveur de la conservation de l'environnement influe nécessairement sur la gestion des ressources humaines, en ce sens que celle-ci se voit dotée du mandat de découvrir des individus possédant les connaissances et les compétences requises pour agir sur cette question et pour aider l'entreprise à respecter ses engagements.

V Les objectifs visés par la gestion des ressources humaines

Les fonctions et activités propres à la gestion des ressources humaines que nous énumérerons plus loin dans ce chapitre et examinerons en détail dans cet ouvrage sont essentielles à l'entreprise, car elles contribuent à l'atteinte de ses objectifs. Dans ce qui suit, ces objectifs sont regroupés en trois catégories non exclusives selon leur caractère explicite, implicite ou à long terme.

LES OBJECTIFS EXPLICITES

La gestion des ressources humaines vise quatre objectifs explicites :
- attirer des candidats qualifiés ;
- maintenir dans l'entreprise les employés fournissant un rendement satisfaisant ;
- accroître la motivation des employés ;
- favoriser le développement des employés dans l'entreprise par la pleine utilisation de leurs compétences.

L'encadré 1.19 donne un aperçu des relations existant entre ces objectifs et les activités de gestion des ressources humaines. Ainsi, une politique de recrutement, aussi détaillée soit-elle, ne saurait à elle seule susciter l'intérêt de candidats possédant les qualifications recherchées par une entreprise. Le fait pour une entreprise de disposer de programmes de formation et de politiques de rémunération attrayants constitue des atouts précieux. La liaison étroite des diverses activités de gestion des ressources humaines fait que l'accomplissement de l'une d'elles exige la prise en compte des autres dimensions. Étant donné l'importance de ces relations systémiques, une gestion efficace des ressources humaines est essentielle à l'entreprise, car elle est de nature à intéresser les meilleurs employés, à favoriser leur maintien dans l'entreprise et à susciter leur motivation. Toutefois, on reconnaît maintenant que l'atteinte des objectifs opérationnels fixés par la gestion des ressources humaines accroît l'efficacité organisationnelle. Par conséquent, une sélection inadéquate et des programmes de motivation mal conçus pourront créer de l'insatisfaction chez les employés et influer défavorablement sur leur rendement.

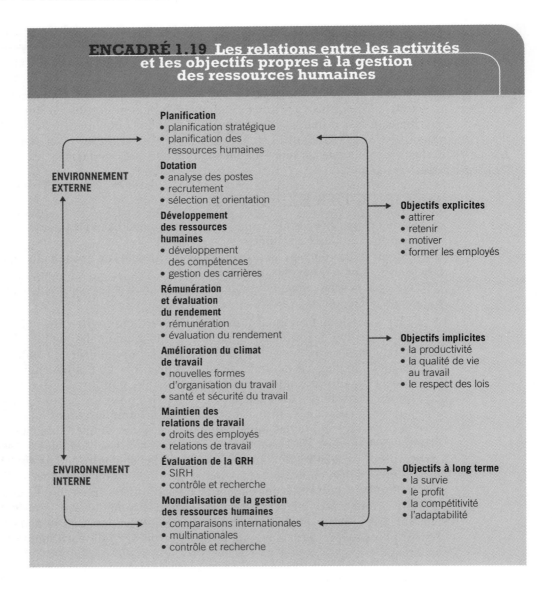

ENCADRÉ 1.19 Les relations entre les activités et les objectifs propres à la gestion des ressources humaines

ENVIRONNEMENT EXTERNE

ENVIRONNEMENT INTERNE

Planification
- planification stratégique
- planification des ressources humaines

Dotation
- analyse des postes
- recrutement
- sélection et orientation

Développement des ressources humaines
- développement des compétences
- gestion des carrières

Rémunération et évaluation du rendement
- rémunération
- évaluation du rendement

Amélioration du climat de travail
- nouvelles formes d'organisation du travail
- santé et sécurité du travail

Maintien des relations de travail
- droits des employés
- relations de travail

Évaluation de la GRH
- SIRH
- contrôle et recherche

Mondialisation de la gestion des ressources humaines
- comparaisons internationales
- multinationales
- contrôle et recherche

Objectifs explicites
- attirer
- retenir
- motiver
- former les employés

Objectifs implicites
- la productivité
- la qualité de vie au travail
- le respect des lois

Objectifs à long terme
- la survie
- le profit
- la compétitivité
- l'adaptabilité

LES OBJECTIFS IMPLICITES

La gestion des ressources humaines vise en outre trois objectifs implicites :
- accroître la productivité du travail ;
- améliorer la qualité de vie au travail ;
- et assurer le respect du cadre juridique.

La gestion des ressources humaines n'a pas pour seule finalité la poursuite des objectifs explicites énumérés précédemment. Des objectifs implicites sous-tendent en outre toute intervention dans ce domaine, dont l'atteinte se traduira, comme dans le premier cas, par des effets positifs à long terme pour l'organisation.

L'accroissement de la productivité.

La recherche de gains de productivité est le moteur de l'activité économique de toute entreprise. Or, la gestion des ressources humaines peut aider cette dernière à améliorer son rendement grâce à l'action directe qu'elle exerce sur les salariés. Conscientes de cette réalité, les entreprises les plus productives en Amérique du Nord tiennent en haute considération leur service des ressources humaines. Une étude du Conference Board du Canada présente l'organisation du travail et l'analyse des postes comme les domaines dans lesquels la contribution des gestionnaires des ressources humaines aux gains de productivité se révèle comme la plus importante. Selon les résultats de cette étude, l'organisation traditionnelle du travail, fondée sur une description détaillée des tâches et des responsabilités confiées aux salariés, inhibe la créativité de ces derniers, limite leur capacité à fournir une contribution personnelle, et nuit donc à la productivité[31].

En raison de la position privilégiée dont il jouit au sein de l'entreprise, le service des ressources humaines est aujourd'hui en mesure de favoriser des gains de productivité. Il faut comprendre cependant que, pour obtenir ce résultat, il lui faut viser à la fois l'accroissement de la production et l'amélioration de la qualité des produits. Cette nouvelle tendance rend impératif le besoin d'une gestion efficace de la main d'œuvre. Le chapitre 3 traite plus en détail des approches innovatrices dans ce domaine.

L'amélioration de la qualité de vie au travail.

Le caractère routinier et insatisfaisant de certains emplois est indéniable. On constate qu'il existe davantage de salariés désireux de se voir confier des responsabilités accrues qu'on ne l'aurait imaginé. Certains souhaitent en outre jouir d'une plus grande autonomie afin de fournir une meilleure contribution à leur entreprise. Un nombre croissant d'employeurs comprennent qu'ils ont tout intérêt à donner la possibilité à leurs salariés de réaliser ces aspirations, car la satisfaction des employés qui en résultera rehaussera leur qualité de vie au travail. Des entreprises canadiennes font l'essai de programmes visant à instaurer un meilleur climat de travail. Ces programmes, implantés par les services de ressources humaines des entreprises, sont décrits au chapitre 3.

Le respect du cadre juridique.

La gestion des ressources humaines au sein de l'organisation doit se faire en conformité avec les lois et règlements existants ainsi qu'avec les décisions arbitrales ou les jugements rendus par les tribunaux judiciaires. Ces impératifs d'ordre juridique s'exercent sur la plupart des activités de gestion des ressources humaines, d'où la nécessité pour les gestionnaires de ressources humaines de connaître à fond les lois et règlements touchant l'embauche, la rémunération, la santé et la sécurité du travail, de même que les relations de travail et les droits de la personne. Les chapitres 13 à 15 sont consacrés aux aspects juridiques qui encadrent la gestion des ressources humaines.

LES OBJECTIFS À LONG TERME

Parmi les objectifs à long terme que poursuivent les entreprises figurent la compétitivité et la rentabilité. En ce qui a trait aux organisations à but non lucratif et aux organismes gouvernementaux, ces objectifs touchent leur capacité de survivre ou d'accroître et d'améliorer leurs activités tout en disposant d'un même niveau de ressources ou même de ressources plus réduites. Le service des ressources humaines exerce déjà une influence positive sur l'entreprise grâce à sa contribution à l'atteinte des objectifs explicites et implicites décrits précédemment. Il y accroîtra encore davantage son influence s'il met tout en œuvre pour atteindre les objectifs à long terme définis par celle-ci.

VI Le service des ressources humaines

Le service des ressources humaines joue un rôle primordial dans les entreprises. Nous examinerons dans cette section son rôle, ses fonctions et les activités qui lui sont propres. Étant donné que la gestion du personnel est également du ressort des cadres, nous aborderons la question du partage des responsabilités liées à la gestion des ressources humaines. Finalement, la structure du service et sa dotation permettront de mieux cerner les nouvelles compétences requises des professionnels des ressources humaines.

LE RÔLE DU SERVICE DES RESSOURCES HUMAINES DANS L'ENTREPRISE

Les services de ressources humaines sont appelés à jouer un rôle accru au sein des organisations, et ce, pour plusieurs raisons (encadré 1.20). Il est intéressant de noter qu'une saine gestion, fondée sur le respect des droits et des aspirations des individus, permet à celles-ci de rehausser la qualité de vie au travail de leurs employés.

On constate par ailleurs que de moins en moins d'entreprises continuent d'avoir recours au terme « personnel » pour désigner le service responsable du recrutement, de la sélection, de la rémunération et de la formation, et que l'expression « ressources humaines » tend à se généraliser. Ce changement témoigne du fait que le monde des affaires est maintenant conscient du rôle vital que ce service remplit dans l'entreprise ainsi que de la complexité de ce rôle. Il correspond en outre à une prise de conscience du fait qu'il est nécessaire de posséder un certain niveau de connaissances

---

ENCADRÉ 1.20 Les raisons qui incitent les organisations à se doter d'un service de ressources humaines

- Les organisations sont convaincues des effets positifs qu'une gestion efficace de leur personnel a sur leur rentabilité, sur leur croissance et même sur leur propre survie.
- Elles reconnaissent de plus en plus qu'un tel service possède l'expertise nécessaire pour mettre en œuvre des programmes et des politiques qui se traduiront par une gestion plus efficace.
- Elles considèrent le domaine de la gestion des ressources humaines comme relevant d'une profession qui exige une formation et des compétences spécifiques.

pour exercer des fonctions dans ce domaine et de la tendance à la professionnalisation qu'on observe depuis plusieurs années. En retour de son acceptation par le milieu, le service des ressources humaines se doit d'assumer efficacement les responsabilités que son rôle lui impose au sein de l'entreprise, ce qui exige de sa part une connaissance approfondie des diverses fonctions et activités présentées dans cet ouvrage. Voici un aperçu des principales dimensions du rôle que joue ce service au sein de l'entreprise.

La participation accrue à la stratégie organisationnelle. Les services de ressources humaines ont traditionnellement peu participé à la gestion globale de l'organisation. Aujourd'hui, cette situation semble en train de changer. Les plus récentes études font état de l'influence accrue des gestionnaires de ressources humaines en matière de formulation de stratégies organisationnelles, en plus de leur participation aux comités de planification opérationnelle et de finances. Diverses raisons expliquent le rôle stratégique qu'assume le service des ressources humaines dans l'entreprise (encadré 1.21). La plupart des cadres supérieurs affectés aux ressources humaines portent le titre de vice-président et dépendent directement du président-directeur général. On s'attend donc à les voir entretenir des liens de plus en plus étroits avec les décideurs, élaborer des politiques, des programmes et des pratiques de main-d'œuvre susceptibles d'aider l'entreprise à atteindre ses objectifs stratégiques et, de façon générale, affirmer leur présence en faisant preuve d'un engagement très fort dans d'autres sphères de l'organisation.

Des études récentes prévoient que les services de ressources humaines adopteront dans l'avenir un style de gestion plus proactif que réactif. Les gestionnaires de ces services s'efforceront d'imaginer des moyens permettant d'accroître la souplesse tant des individus que de l'organisation et de résoudre les conflits à caractère interne ou externe vécus au sein de l'organisation. Nous apporterons davantage d'informations sur cette question au chapitre 2 portant sur l'évolution des fonctions et des activités relevant de la gestion stratégique des ressources humaines[32].

La participation à la formulation des politiques. Un des aspects essentiels du rôle qui est confié au service des ressources humaines consiste à fournir à la haute direction des informations touchant plus particulièrement le plan stratégique. De tels renseignements peuvent inclure des données portant sur les problèmes des employés, l'influence de l'environnement externe sur l'organisation, ou de simples suggestions susceptibles d'accroître la compétitivité de l'entreprise.

Le service des ressources humaines agit de plus à titre consultatif dans le processus d'élaboration des politiques. L'adoption formelle d'une politique liant l'entreprise exige qu'elle soit examinée au préalable par les membres de la direction, dont font partie le directeur des ressources humaines et les autres directeurs. Par exemple,

---

ENCADRÉ 1.21 Les raisons qui expliquent le rôle du SRH au sein de l'entreprise

- Le rendement des employés dépend dans une large mesure de l'efficacité de la gestion des ressources humaines.
- La qualité des décisions stratégiques prises par la haute direction est tributaire de la qualité des données relatives à la main-d'œuvre qui sont utilisées dans les processus de décision.
- L'atteinte des buts et objectifs stratégiques de l'entreprise dépend de l'accomplissement d'activités de gestion de la main-d'œuvre telles que la sélection, l'évaluation du rendement, la formation et le perfectionnement.

des entreprises comme les Rôtisseries Saint-Hubert et les Mines Noranda ont mis sur pied des comités exécutifs composés de leurs premiers vice-présidents et ayant pour fonction d'étudier, avant leur mise en application, toutes les politiques ayant des incidences sur les employés. La participation du directeur des ressources humaines à ce comité lui assure non seulement l'accès au maximum d'informations disponibles sur les politiques de main-d'œuvre, mais accroît la possibilité qu'une décision soit acceptée par l'ensemble des dirigeants de l'entreprise.

Dans les faits

À General Electric du Canada, le service des ressources humaines s'est transformé en un « centre d'efficacité organisationnelle » qui répond, grâce à son personnel permanent, aux besoins de consultation formulés par les différentes divisions faisant appel à son expertise.

L'assistance et le conseil. Les professionnels des ressources humaines sont devenus des partenaires stratégiques des directeurs assumant les autres fonctions organisationnelles. Leur nouveau rôle exige d'eux qu'ils intensifient leurs relations avec ces gestionnaires afin de mener à bien leurs programmes. Ils ont longtemps exercé auprès des cadres des fonctions de contrôle, de prestation de services ou de conseil. Cependant, un nombre croissant d'organisations délèguent maintenant la fonction de contrôle des ressources humaines aux divers cadres hiérarchiques. Dans les grandes entreprises, les cadres supérieurs affectés aux ressources humaines agissent à titre de consultants auprès de ces directeurs, et ils mettent leur savoir-faire à leur service pour les aider à résoudre leurs problèmes opérationnels. Le succès des programmes de gestion des ressources humaines dépend largement de la collaboration apportée par les gestionnaires qui sont responsables de leur exécution, tant sur le plan de la gestion que sur le plan de l'exploitation. Le service des ressources humaines s'efforce d'aider les cadres hiérarchiques à faire en sorte que les activités qui leur sont confiées se déroulent adéquatement. En ce qui a trait aux responsabilités relevant traditionnellement des ressources humaines, comme la sélection, la réalisation d'entrevues, la formation, l'évaluation, la rémunération, le conseil, la promotion et l'embauche, c'est davantage la fourniture de services qui est mise à contribution. Le service des ressources humaines procure donc à ces gestionnaires l'information dont ils ont besoin sur la législation du travail, et il l'interprète. Il lui faut, pour cela, posséder une bonne connaissance des lois du travail et de la jurisprudence, ainsi que des programmes existants notamment en matière de santé et de sécurité du travail et d'équité en matière d'emploi[33].

Dans les faits

Nortel Networks, le passage d'une approche bureaucratique à une approche consultative découle des besoins stratégiques de l'organisation. Par exemple, dans le passé, les gestionnaires des ressources humaines élaboraient divers programmes (critères de détermination de la rémunération au mérite ou au rendement, etc.) à l'intention des cadres hiérarchiques. Aujourd'hui, on tend à abandonner les systèmes de rémunération généralisés à l'ensemble de l'organisation, au profit d'approches visant à rendre les cadres responsables de leurs coûts. Par conséquent, ceux-ci ont besoin d'une latitude et d'une flexibilité accrues de façon à satisfaire aux exigences de leur marché du travail respectif.

En résumé, le service des ressources humaines offre aux gestionnaires les services dont ils ont besoin sur une base journalière. Il porte à leur connaissance toute information pertinente sur les lois et règlements concernant la gestion des ressources humaines et met sur pied une banque de candidats qualifiés à laquelle ils pourront avoir recours pour combler leurs besoins en main-d'œuvre. Voulant insister sur l'importance de l'accessibilité de ce service, un cadre a fait la réflexion suivante : « Si seulement les gens du service des ressources humaines nous rendaient visite de temps en temps, ils comprendraient mieux la nature de nos activités[34] ». Par conséquent, on s'attend, dans l'entreprise, à ce que le personnel de ce service soit à l'écoute des individus et de leurs problèmes afin d'assister plus adéquatement les gestionnaires dans l'exercice de leurs fonctions.

Le contrôle. Bien que le service des ressources humaines délègue quelques-unes de ses activités aux divers cadres hiérarchiques, il n'en demeure pas moins responsable de l'application consciencieuse et équitable de ses politiques et de ses programmes. C'est particulièrement le cas en ce qui a trait à l'importante législation sur l'équité en matière d'emploi. La nécessité de se conformer aux règlements fédéraux et provinciaux requiert beaucoup d'attention de la part des gestionnaires, étant donné la complexité et la diversité de ces dispositions. À cet égard, la formation d'un comité de travail ayant accès à l'information et à l'expertise nécessaires dans le domaine juridique et disposant de l'appui de la direction pourra se révéler un instrument précieux pour les cadres.

Les gestionnaires des ressources humaines doivent aussi posséder un certain degré d'expertise dans la mise en œuvre des nombreuses activités de gestion des ressources humaines, comme l'administration des avantages sociaux des employés. Cependant, les services d'experts étant relativement coûteux, l'entreprise a tendance à en engager peu et à les regrouper en un même lieu pour en faire bénéficier chacun des secteurs de l'organisation.

Dans le cas des entreprises comptant divers établissements ou divisions, on observe souvent une tension entre le besoin de décentraliser ces unités et la nécessité de concentrer en un lieu unique une expertise qui permette de composer avec une réglementation complexe et d'émettre des avis sur les meilleurs moyens de mettre en œuvre les activités de gestion des ressources humaines[35].

De plus, la hausse constante des coûts associés aux fonctions de gestion des ressources humaines oblige les services qui en sont responsables à procéder à l'évaluation des coûts et bénéfices liés à l'application des politiques de main-d'œuvre au sein de l'organisation. Parmi les méthodes conçues à cette fin, l'une des plus courantes est sans contredit l'évaluation des activités de gestion des ressources humaines. On trouvera davantage d'information à ce sujet au chapitre 16.

Un autre aspect de ce rôle a trait au contrôle et à la recherche. Il implique la tenue et l'analyse de dossiers portant sur un vaste éventail de questions, dont le respect des normes gouvernementales sur l'équité en matière d'emploi et la rémunération des travailleurs, l'appréciation du rendement, de la motivation ou de l'absentéisme. La réalisation de ces recherches est devenue de plus en plus facile depuis l'avènement de la technologie informatique et, plus particulièrement, à la suite de la mise en place du Système d'information sur les ressources humaines (SIRH).

L'innovation. Le service des ressources humaines s'efforce en outre de fournir à l'organisation l'information la plus récente concernant l'application de nouvelles techniques. Il peut s'agir de l'élaboration ou de l'exploration d'approches innovatrices touchant les problèmes et les préoccupations des employés. Cet aspect de son rôle doit s'harmoniser avec la situation économique et avec les problèmes particuliers que vit l'organisation. Ainsi, au cours d'une période marquée par la montée de l'inflation et, en conséquence, par l'escalade des exigences salariales, la priorité sera accordée aux questions touchant la rémunération et la négociation syndicale. Par ailleurs, lorsque l'entreprise se voit forcée de limiter ses opérations ou de diminuer ses effectifs, il est nécessaire de mettre au point des formules créatives faisant appel à une redistribution du travail et à l'élaboration de plans de licenciements.

Actuellement, le domaine de la gestion des ressources humaines est mis particulièrement à contribution afin de découvrir des approches et des solutions innovatrices favorisant les gains de productivité. Ces approches mettent l'accent sur la satisfaction des clients, l'amélioration de la qualité de vie au travail, et le respect des lois et des règlements. Il apparaît nécessaire en outre de découvrir des moyens originaux d'aider l'entreprise à faire face au climat d'incertitude actuel, aux exigences que posent la conservation de l'énergie ainsi que la concurrence.

La gestion du changement. Les organisations ont besoin de s'adapter constamment à de nouvelles technologies ainsi que de concevoir des processus, des procédures et des profils culturels nouveaux. La plupart des entreprises perçoivent donc de plus en plus leur service des ressources humaines comme un agent de transformation possédant les compétences nécessaires pour faciliter la mise en place de changements au sein de l'organisation et pour maintenir la flexibilité et la capacité d'adaptation dont celle-ci dispose.

Les services de gestion des ressources humaines subissent cependant les mêmes pressions que le reste de l'organisation. Ils doivent rationaliser et automatiser leurs opérations, chercher à éliminer le superflu et se concentrer sur les tâches essentielles. En fait, dans les organisations dotées d'une structure horizontale, les services de ressources humaines ont réduit leur taille, mais elles font preuve d'une efficacité plus grande qu'auparavant[36].

L'établissement de nouvelles priorités concernant les fonctions et les activités. Les études effectuées à ce jour révèlent une augmentation de l'intérêt porté à l'efficacité du travail, donc une utilisation de plus en plus prononcée de moyens pour évaluer les activités de gestion des ressources humaines. Dans les années 2000, on assistera à une augmentation marquée de l'importance accordée au développement des compétences du personnel. Cette tendance fera l'objet d'une étude plus détaillée au chapitre 9. Il appert que les organisations vont en outre se montrer plus sensibles aux besoins des employés. Cette nouvelle attitude se traduira par la réalisation d'enquêtes sur les comportements au travail, ainsi que par une gestion individualisée. La gestion informatisée des ressources humaines favorisera la décentralisation des activités des entreprises et permettra à celles-ci d'offrir un meilleur service aux gestionnaires. Nous traiterons plus en détail de cette question dans le chapitre 16 consacré à l'informatisation et au contrôle de la gestion des ressources humaines[37].

LES ACTIVITÉS PROPRES AU SERVICE DES RESSOURCES HUMAINES (SRH)

Dans cette section, nous présenterons les principales activités de gestion des ressources humaines dont les services des ressources humaines ont la responsabilité.

La planification des besoins en ressources humaines. Cette fonction comporte deux aspects principaux : (1) la planification stratégique, qui implique la coordination des besoins en ressources humaines et des besoins stratégiques de l'entreprise, tels que de croissance, de diversification des produits et services, d'accroissement des marges de profits et de la part du marché, etc., et (2) la planification opérationnelle. La planification est essentielle à la réalisation des autres activités de gestion des ressources humaines, dans la mesure où elle contribue à déterminer le nombre d'employés qui sont nécessaires et les catégories d'emplois susceptibles de répondre aux besoins actuels et futurs de l'entreprise, de même que les méthodes de recrutement préconisées et les programmes de formation découlant de ces décisions. La planification des effectifs a une influence cruciale, notamment sur les fonctions de dotation et de formation de l'ensemble de l'entreprise.

La dotation en ressources humaines. Une fois les besoins en personnel de l'entreprise clairement précisés, on entreprend l'étape de la dotation, qui comprend le recrutement de candidats, leur sélection en fonction des exigences formulées pour les postes vacants, l'orientation et l'affectation des nouveaux employés. Ces activités de dotation s'appliquent à la fois au recrutement de candidats de l'extérieur et de l'intérieur de l'organisation. Le recrutement interne s'effectue par voie de mutations ou de promotions d'employés. Pour ce qui est du recrutement externe, l'entreprise doit avoir accès à un large réseau de candidats, de façon à assurer la meilleure sélection possible. Les procédures de sélection les plus courantes incluent l'examen des formulaires de demandes d'emploi ou des curriculum vitæ reçus, l'organisation d'entrevues, de tests d'aptitudes et de jeux de rôle pour évaluer les candidats, l'analyse de la formation ou de l'expérience professionnelle des candidats et la vérification des références fournies par ces derniers. Il importe de souligner que les méthodes de sélection s'efforcent d'assortir les compétences d'un candidat aux exigences d'un emploi donné. Ces procédures de sélection doivent en outre se conformer aux diverses lois fédérales et provinciales assurant la protection des droits de la personne.

L'évaluation du rendement des employés. Les cadres n'apprécient guère l'obligation qui leur est imposée d'évaluer le rendement de leurs employés. En dépit de son impopularité, cette fonction n'en demeure pas moins cruciale si l'on veut apprécier et surveiller de près la contribution de chacun des employés, de même que créer une occasion propice à des échanges entre les cadres et les employés portant sur les objectifs de travail. En effet, les décisions touchant les promotions, les mutations, la formation ainsi que les congédiements se fondent dans une large mesure sur les résultats de ces évaluations. Or, tous les employés ne fournissent pas un rendement satisfaisant : certains ont des problèmes chroniques d'assiduité ou de ponctualité, alors que d'autres présentent des comportements de dépendance à l'alcool ou aux drogues. La reconnaissance accrue des droits des employés, le coût élevé du remplacement de ceux-ci et l'accroissement du sens des responsabilités sociales de la part des entreprises expliquent qu'un nombre croissant d'entre elles préfèrent maintenant aider leurs employés à corriger leurs comportements indésirables plutôt que de les congédier.

Le développement des ressources humaines. On a observé, au cours des dernières années, l'extension de deux dimensions de la gestion des ressources humaines : le développement des compétences, d'une part, et la gestion des carrières, d'autre part. La conception et la mise en application de programmes de formation visent avant tout à améliorer la compétence des employés et à accroître leur rendement. Nombre de firmes perçoivent désormais la formation du personnel comme l'une des principales stratégies leur permettant de maintenir leur compétitivité. La rapidité avec laquelle les changements technologiques se produisent et le besoin qu'éprouvent les entreprises de disposer d'une main-d'œuvre toujours apte à remplir de nouvelles tâches justifient l'importance de plus en plus grande accordée par les services de ressources humaines aux activités de formation. Par ailleurs, le coût exorbitant qu'engendre un roulement de main-d'œuvre élevé incite plusieurs organisations à élaborer des politiques et à proposer des cheminements de carrière pour encourager les travailleurs à demeurer au sein de l'organisation. Cet objectif apparaît fort ambitieux, compte tenu de la croissance limitée ayant caractérisé les années 90, et qui met en péril les plans de carrière traditionnels.

La rémunération et la motivation des employés. À la suite de l'embauche de candidats, l'entreprise doit évaluer leur rendement afin d'établir une rémunération adéquate. L'étude des causes d'un rendement insatisfaisant peut conduire à modifier le système de rémunération, à mettre sur pied un programme de formation particulier ou à adopter de nouvelles mesures incitatives. Divers critères entrent habituellement en jeu dans la détermination de la rémunération des employés, à savoir la nature de leur poste, leur contribution personnelle à la bonne marche de l'entreprise et leur rendement. Fonder la rétribution sur le rendement renforce généralement la motivation au travail de l'individu. Cependant, d'autres types de rémunération peuvent également être envisagés. Ils se présentent sous forme d'avantages sociaux et constituent une rémunération dite indirecte. Celle-ci vise à rendre l'entreprise plus attrayante pour les nouveaux éléments et à y maintenir les employés actuels. Il importe que le choix du mode de rémunération, qu'il soit direct ou indirect, corresponde à une décision rationnelle et fasse l'objet d'une étude sérieuse de la part du service des ressources humaines de l'entreprise. Les questions soulevées par ces considérations sont multiples. Quel système de rémunération est le plus efficace ? Lequel est le plus équitable ? Quels paramètres entrent en jeu dans l'appréciation de la valeur d'un poste ?

L'amélioration du climat de travail. L'importance accordée à l'environnement organisationnel constitue une autre des orientations dont on constate la progression au cours de la dernière décennie. Elle implique le souci de rehausser la qualité de vie au travail et d'améliorer la santé et le bien-être des employés, ainsi que d'assurer l'adoption de programmes d'accroissement de la productivité organisationnelle. Les innovations apportées à la structure et aux modes de gestion des ressources humaines ont permis aux entreprises d'expérimenter de nouveaux moyens d'augmenter la productivité et la qualité de vie au travail. Ces deux concepts sont en effet intimement liés, car on peut s'attendre à ce que des employés satisfaits de leur milieu de travail fournissent un rendement accru. Les tentatives faites en ce sens comprennent à la fois un allégement de certaines structures et une augmentation des responsabilités et de la participation des employés au sein des entreprises.

Rendre les conditions d'exécution plus sécuritaires est une exigence d'ordre juridique. Toutefois, on dénote un intérêt accru de la part des organisations pour l'amélioration de l'environnement physique et psychologique. C'est en modifiant simultanément ces deux types d'environnement que l'on parviendra à accroître de manière significative la qualité de vie au travail et, par conséquent, le niveau de productivité.

Le maintien de relations de travail satisfaisantes. Une fois que l'entreprise a acquis les ressources humaines nécessaires à son fonctionnement, elle doit se préoccuper du bien-être et de la satisfaction de ses employés. En plus de veiller à assurer une rémunération adéquate et un environnement sain et sécuritaire à son personnel, elle cherchera à lui offrir des conditions propres à l'inciter à demeurer à son service, ainsi qu'à instaurer et à maintenir un bon climat de travail. Le maintien de relations de travail satisfaisantes implique la reconnaissance et le respect des droits des employés, la compréhension des motifs de la syndicalisation des employés ainsi que de la structure du syndicat et des fonctions qu'il remplit dans l'entreprise, et enfin la participation à la négociation et à l'arbitrage de griefs avec les employés et les associations qui les représentent.

Durant les dernières décennies, les employés ont réalisé des gains importants en matière de reconnaissance de certains droits. Par conséquent, la direction doit faire preuve de prudence lorsqu'elle procède à des congédiements, à des licenciements ou à des rétrogradations, et toute sanction imposée à un employé doit reposer sur des preuves suffisantes. Il est aussi de la plus haute importance que les dirigeants de l'entreprise soient au courant des lois protégeant les droits de leurs employés. Le directeur des ressources humaines est dans une position privilégiée pour informer les autres gestionnaires de l'existence de ces droits.

L'évaluation et le contrôle de la gestion des ressources humaines. Un article paru dans le magazine *Fortune* en janvier 1996 réclamait l'abolition des services de ressources humaines[38]. Il soutenait que les professionnels de la gestion des ressources humaines étaient incapables de décrire et d'évaluer la contribution de leur service à l'amélioration de l'efficacité organisationnelle. Les gestionnaires qui ont lu cet article sont en droit de se questionner sur la valeur ajoutée résultant de la mise sur pied d'un service de ressources humaines au sein de l'organisation. La nécessité de mesurer l'efficacité des activités et des pratiques mises en place à la fois par les clients internes et les clients externes devient alors un enjeu majeur, allant jusqu'à déterminer le bien-fondé de maintenir un service de ressources humaines[39].

La mondialisation de la gestion des ressources humaines. Alors que l'on assiste à la mondialisation des marchés, il est capital pour les entreprises canadiennes de comprendre les principes de gestion des ressources humaines adoptés par d'autres pays, et qui s'exercent au sein des entreprises qui opèrent à l'international. Un certain nombre d'entreprises canadiennes sont des multinationales puisqu'elles possèdent des succursales, des divisions ou des usines dans d'autres pays. Il devient donc impérieux pour elles de mettre en œuvre des politiques de gestion de la main-d'œuvre susceptibles de s'adapter au contexte international. Par ailleurs, la nécessité pour les entreprises de vaincre une compétition internationale fait de la recherche et de la gestion en ressources humaines un enjeu crucial pour celles-ci.

LE PARTAGE DES RESPONSABILITÉS RELIÉES À LA GESTION DES RESSOURCES HUMAINES

Le principe selon lequel la gestion des ressources humaines incombe à tous les cadres dirigeants de l'organisation fait l'objet d'un large consensus. On constate effectivement que les organisations sont maintenant prêtes à endosser cette responsabilité et sont conscientes du danger de la confier entièrement à un groupe de spécialistes. À la suite de l'augmentation croissante du nombre d'employés professionnels dans les entreprises, on a même émis l'idée que chaque employé, et non pas les seules personnes qui remplissent une fonction de supervision, devrait être responsable de la gestion des ressources humaines.

Les directeurs et les superviseurs. La responsabilité première de la gestion efficace des ressources humaines revient aux personnes qui possèdent une formation dans ce domaine. Bien qu'ils ne soient pas des spécialistes des ressources humaines, d'autres membres du personnel, comme les superviseurs et les directeurs de services, ne sont pas moins chargés de veiller à son application pratique. Cela ne signifie pas que les gestionnaires de ressources humaines ne s'occupent jamais de la gestion de la main-d'œuvre au quotidien ni qu'ils ne jouent aucun rôle dans sa mise en œuvre et son administration. En effet, la gestion efficace des ressources humaines exige une interaction constante entre les gestionnaires de ressources humaines et les autres directeurs, et à ce niveau, le soutien de la haute direction est primordial. Cet appui se manifeste particulièrement par la latitude qu'elle accorde au service des ressources humaines et à son directeur dans la conduite de leurs activités.

Les employés. Les employés sont appelés à jouer un rôle de plus en plus actif dans la gestion des ressources humaines au sein de leur entreprise. Par exemple, ils sont sollicités pour évaluer leur propre rendement ou celui de leurs collègues. Leur participation peut aussi être requise pour déterminer leurs propres normes de rendement et leurs objectifs de production, et même pour effectuer la description de leur poste. Et, de façon encore plus importante, les employés s'engagent active-ment dans la gestion de leur carrière en analysant leurs valeurs et leurs besoins et en établissant eux-mêmes le profil de leur poste. Cependant, le service des ressources humaines devrait continuer de superviser ce processus afin de s'assurer que les plans individuels ne vont pas à l'encontre des objectifs organisationnels.

LA STRUCTURATION DU SERVICE DES RESSOURCES HUMAINES

Le service des ressources humaines peut jouer un rôle efficace au sein de l'entreprise dans la mesure où il y est parfaitement intégré et où il possède des structures adéquates. Sans être rigides, certains critères constituent néanmoins des guides utiles pour la structuration du service. Une structure de gestion des ressources humaines qui se révèle efficace a nécessairement un caractère proactif et ouvert, et permet de mettre en œuvre simultanément plusieurs des fonctions et activités que nous avons étudiées.

L'encadré 1.22 présente six paramètres à respecter lorsqu'on procède à l'organisation globale d'un service des ressources humaines au sein d'une entreprise. Il se peut toutefois qu'un tel service ne retienne que certains de ces paramètres, selon la vision qu'a la haute direction du rôle incombant à ce service au sein de l'organisation et selon les limites qu'elle peut poser à son expansion. L'importance accordée à ce service dépend de la position hiérarchique occupée par son directeur dans l'entre-prise, ce qui contribue à déterminer l'ampleur et la nature de ses rôles[40].

La place de ce service dans la hiérarchie. Afin que le service des ressources humaines remplisse efficacement ses diverses fonctions, il importe que le responsable de ce service se situe au sommet de la hiérarchie organisationnelle. Grâce à la position privilégiée qu'il occupe au sein de la hiérarchie, le service des ressources humaines

> **ENCADRÉ 1.22 Les paramètres à respecter dans l'organisation du service de gestion des ressources humaines**
>
> - Fournir aux directeurs des ressources humaines les moyens d'assumer différents rôles, comme nous le verrons dans cette section.
> - Faciliter le travail des professionnels des ressources humaines en leur permettant d'avoir accès directement à l'information sur la situation ou le problème.
> - Favoriser l'application cohérente et équitable des politiques de main-d'œuvre, quelles que soient la taille et la diversification des activités de l'entreprise.
> - Faire en sorte que l'orientation générale prise par ce service fasse partie intégrante des politiques qu'il défend.
> - Assurer à ce service le pouvoir et l'autorité nécessaires à la mise en œuvre de ses politiques, en évitant toute discrimination et en respectant les règlements d'ordre juridique s'appliquant dans ce cas.
> - Concevoir ce service de manière à ce qu'il puisse non seulement constituer une ressource opérationnelle, mais contribue de façon active et innovatrice à la gestion des ressources humaines.

participe à la formulation des politiques touchant les ressources humaines et il dispose de l'influence et du pouvoir nécessaires à leur application. Cette situation lui confère aussi la possibilité de remplir efficacement les fonctions liées à la gestion, à l'élaboration et à l'exploitation de la stratégie de l'organisation. Il est évidemment impératif que ces fonctions soient confiées à des professionnels ayant la compétence nécessaire pour assumer les divers rôles associés au large éventail d'activités qui relèvent de la gestion des ressources humaines.

L'organisation du service des ressources humaines. Lorsqu'on met sur pied un service des ressources humaines, on doit tout d'abord choisir entre une structure centralisée et une structure décentralisée[41]. Cette décision dépend du compromis que l'organisation est prête à faire entre la volonté d'assurer la présence de professionnels des ressources humaines dans les différentes unités et la nécessité d'appliquer les politiques de façon uniforme et équitable, ainsi que de l'évaluation des avantages que l'embauche de généralistes ou de spécialistes des ressources humaines peut procurer à l'organisation. En effet, la centralisation organisationnelle implique la concentration des processus de prise de décision et d'élaboration des politiques de main-d'œuvre en un lieu unique, c'est-à-dire au siège social de l'entreprise. La décentralisation organisationnelle entraîne, au contraire, la répartition de ces processus entre les divers services ou divisions de l'entreprise. Les exigences accrues liées à l'application des nouveaux règlements et lois portant sur l'utilisation de la main-d'œuvre rendent de plus en plus nécessaire le recours à une expertise permettant de composer avec les fonctions complexes qui en découlent. On tend, en même temps, surtout dans les grandes entreprises, à déplacer le personnel de gestion des ressources humaines vers les divisions, tout en maintenant cependant la centralisation de certains aspects routiniers au service des ressources humaines. L'encadré 1.23 présente les facteurs susceptibles d'influer sur la décision de l'entreprise d'opter pour la centralisation ou pour la décentralisation, ainsi que les arguments favorables à chacune des deux options. L'élément clé est que la structure adoptée doit renforcer la stratégie organisationnelle.

La taille du service des ressources humaines et son coût de fonctionnement. Un grand nombre d'entreprises de taille réduite n'affectent pas de personnel à temps complet à la gestion des ressources humaines. Les services de ressources humaines ne commencent en fait à se structurer que lorsque les organisations sont parvenues à un certain niveau de croissance. Il n'existe pas de règles strictes permettant de déterminer le moment le plus opportun pour leur création. La mise sur pied d'un tel service dépend autant de la taille et de la complexité de l'entreprise que de l'importance que lui accordent le chef de l'entreprise et les autres membres de la direction. Il arrive fréquemment, au cours des premières années d'activité de l'entreprise, que son fondateur ou son dirigeant assume entièrement la responsabilité de la gestion des ressources humaines. Par la suite, comme il doit consacrer une partie de son temps à d'autres aspects de l'organisation qui requièrent son attention de façon plus pressante, il en vient à déléguer ces tâches à un employé, qui deviendra ultérieurement le directeur des ressources humaines. D'autres facteurs, comme l'augmentation du volume de travail dans le secteur des ressources humaines, la persistance de problèmes liés, par exemple, aux régimes de retraite ou d'assurances, et la présence d'indicateurs révélant de sérieuses difficultés de main-d'œuvre telles qu'un taux élevé d'absentéisme ou de roulement au sein de l'organisation, figurent parmi les principaux motifs justifiant la création d'un service des ressources humaines. Bien qu'il n'existe pas de critères spécifiques dans ce domaine, les ratios de ressources humaines servent souvent à préciser les normes s'appliquant dans une même industrie. On a recours habituellement au calcul du ratio régulier, obtenu par la division du nombre d'employés du service

ENCADRÉ 1.23 Considérations reliées à la structuration du service des ressources humaines

Facteurs	Centralisation de l'ensemble des activités	Décentralisation de certaines activités	Décentralisation de l'ensemble des activités
A) Type d'entreprise et de structure	• produit unique • structure fonctionnelle • emplacement unique (ou sites multiples de conception très uniformisée)	• structures fonctionnelles, mais formation progressive d'unités • sites multiples	• produits multiples (approche uniforme pour un seul type de production) • centres de profits • haute autonomie divisionnelle • mondialisation
B) Réalités économiques	• économie d'échelle • marges de profits peu élevées • priorité à la productivité • généralement industrie à maturité	• situation identique à celle de la structure centralisée mais de nouvelles préoccupations concernant la main-d'œuvre doivent se refléter au niveau des structures	• le succès de l'entreprise exige de la rapidité et de la flexibilité au niveau des structures locales
C) Niveau de flexibilité requis des ressources humaines	• pratiquement nul	• une certaine flexibilité	• flexibilité considérable
D) Rôle des RH	• axé sur les services • un grand effort dans la mise en oeuvre • les RH sont vues comme responsables des intérêts des employés • ratios peu élevés de personnel en RH	• maintien de l'accent sur les services mais déplacement vers une orientation en fonction des objectifs; les services centralisés sont très efficaces en termes de coûts. Les dirigeants des différents services ont plus de responsabilités au niveau des RH	• rôle de concepteurs-consultants auprès des directeurs de services • contrôle étroitement centralisé de la planification et de la rémunération des RH pour les dirigeants de haut niveau (environ 10 % des gestionnaires) • rôle proactif quant aux nouveaux programmes appliqués à l'ensemble de l'entreprise • ratios élevés de personnel en RH
F) Stratégie de changement organisationnel	• centralisation continue de la prise de décision de haut en bas plutôt que l'inverse • de haut en bas plutôt que l'inverse	• sélection attentive et restructuration de divers systèmes de RH afin de répondre aux besoins urgents	• la culture organisationnelle locale représente une donnée stratégique à exploiter • les directeurs de services sont entièrement responsables de la bonne gestion des RH

Source: R. A. Dods, Principal, William M. Mercer, Conference Board of Canada, rapport 41-89, 1989, p. 14. Reproduction autorisée par Robert A. Dods.

des ressources humaines par le nombre total d'employés de la firme. Une récente étude effectuée par le Conference Board du Canada[42] auprès de 500 entreprises canadiennes établit un ratio de 8 professionnels en gestion des ressources humaines pour 1 000 employés. Ce ratio est inversement proportionnel à l'augmentation de la main-d'œuvre. Le ratio des petites entreprises est plus élevé que celui des grandes entreprises. Cette donnée met en évidence l'économie d'échelle que fait l'organisation, puisque la masse salariale relative diminue à mesure que croît l'organisation. Inversement, les firmes de petite taille comptent proportionnellement plus de professionnels des ressources humaines que les autres en raison de la possibilité réduite de réaliser des économies d'échelle ainsi que de l'obligation dans laquelle se trouvent ces gestionnaires d'accomplir des tâches administratives qui ne font normalement pas partie des responsabilités propres à un service des ressources humaines. Aussi, l'étude du Conference Board a indiqué un ratio médian de ressources humaines dans les entreprises non syndiquées qui est significativement plus élevé que celui qui est observé dans les entreprises syndiquées (encadré 1.24).

En ce qui a trait à l'évaluation du coût des services des ressources humaines de diverses entreprises, l'étude du Conference Board du Canada que nous venons de citer a révélé que les fonctions de gestion des ressources humaines représentent en moyenne, en termes de salaires et d'avantages sociaux, 1,5 % de la masse salariale des organisations sondées en 1988, et 1,7 % en 1994. En dépit d'une baisse du ratio de professionnels par employé observée entre 1988 et 1995, les budgets alloués au service des ressources humaines se sont accrus. Cette situation indique que des sommes plus importantes ont été investies dans le service de ressources humaines, et que les professionnels devaient gagner en moyenne, en 1994, des salaires plus élevés que ceux enregistrés en 1988. Pour l'ensemble des industries, le coût moyen par employé était de 582 $ en 1988 tandis qu'il avait grimpé à 838 $ en 1994. Par ailleurs, les PME, les organisations du secteur public et les entreprises non syndiquées affichent les coûts moyens par employé les plus élevés.

La réingénierie et l'impartition des activités de gestion des ressources humaines. La réingénierie du service des ressources humaines consiste en une réévaluation des processus des activités qui s'opèrent au sein de la fonction ressources humaines. La réingénierie vise à réexaminer l'ensemble des activités liées aux ressources humaines pour garder celles qui représentent une plus-value pour l'organisation, et à impartir celles qui sont considérées comme des processus coûteux pouvant être livrés avantageusement par des fournisseurs externes[43]. Une étude menée en 1998 auprès de 90 entreprises qui ont opté pour l'impartition de certaines activités de gestion des ressources humaines a révélé que le principal

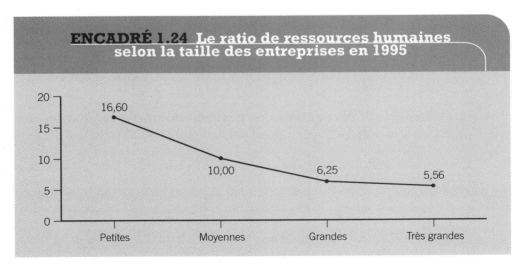

ENCADRÉ 1.24 Le ratio de ressources humaines selon la taille des entreprises en 1995

Note: Les valeurs indiquent le nombre de professionnels en gestion des ressources humaines par 1 000 employés.

Source: P. Benhimadhu, *Adding Value: The Role of the Human Resource Function*, Rapport 157-95, Ottawa, Conference Board du Canada, 1995, p. 1-21. Le Conference Board du Canada est une organisation à but non lucratif, indépendante et constituée de membres, dédiée à la recherche appliquée.

motif incitant les entreprises à recourir partiellement ou entièrement à l'impartition de certaines activités de gestion des ressources humaines était leur intérêt pour l'octroi de services d'experts. En second lieu venait le désir de s'attarder aux compétences qui constituent une valeur ajoutée. Confier à des fournisseurs externes certaines activités de gestion des ressources humaines dans le but d'en réduire les coûts s'avérait moins important que les deux motifs déjà mentionnés. Les activités de formation représentent celles qui sont le plus souvent confiées à l'extérieur. Quant aux activités de rémunération, à celles de dotation et de gestion de la santé et à celles de sécurité du travail, elles sont également visées par l'impartition, mais dans une moindre mesure que les autres. Les activités ayant trait aux relations du travail sont celles qui sont les moins confiées en sous-traitance. De plus, la tendance qui semble prévaloir est celle d'impartir des responsabilités relevant d'au moins trois activités de gestion des ressources humaines. L'impartition semble avoir un effet d'entraînement, puisque les entreprises qui y ont le plus recours déclarent vouloir le faire davantage dans les prochaines années[44]. Une étude du Conference Board du Canada (encadré 1.25) abonde dans le même sens et souligne que 55 % des 157 entreprises sondées affirment vouloir faire appel plus intensément à l'impartition[45].

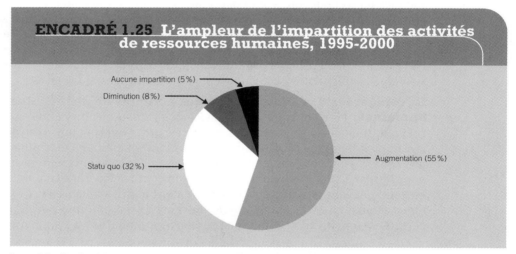

ENCADRÉ 1.25 L'ampleur de l'impartition des activités de ressources humaines, 1995-2000

- Aucune impartition (5 %)
- Diminution (8 %)
- Statu quo (32 %)
- Augmentation (55 %)

Source : P. Benhimadhu, *Adding Value : The Role of the Human Resource Function,* Rapport 157-95, Ottawa, Conference Board du Canada, 1995, p. 1-21. Le Conference Board du Canada est une organisation à but non lucratif, indépendante et constituée de membres, dédiée à la recherche appliquée.

LA DOTATION DU SERVICE DES RESSOURCES HUMAINES

Les qualités requises des professionnels de la gestion des ressources humaines. L'efficacité de la gestion des ressources humaines dépend dans une large mesure de la compétence des personnes affectées au service des ressources humaines. Les multiples changements qui se produisent dans l'environnement de travail et le rôle de premier plan que les professionnels des ressources humaines sont appelés à jouer exigent d'eux une grande polyvalence. Les caractéristiques recherchées chez les directeurs des ressources humaines sont les suivantes[46, 47, 48] :

Une meilleure connaissance de la gestion d'entreprise. Pour que les gestionnaires des ressources humaines puissent faire partie intégrante de l'équipe de direction et apporter une véritable contribution à l'entreprise, il est essentiel qu'ils acquièrent une meilleure compréhension des objectifs poursuivis par la firme ainsi que des

ENCADRÉ 1.26 Les rôles et responsabilités des professionnels de la gestion des ressources humaines

RÔLES	RESPONSABILITÉS
Partenaire stratégique	• Témoigne de l'intérêt pour les différents intervenants organisationnels : les employés, les clients, les actionnaires et la société. • Possède le sens des affaires, en particulier dans un contexte international. • Est capable de convaincre les gestionnaires de l'importance des ressources humaines et d'une gestion efficace des ressources humaines.
Innovateur	• Aide l'organisation à créer un environnement caractérisé par l'apprentissage continu et l'innovation. • Met en application de nouvelles approches de la gestion des ressources humaines.
Conseiller et collaborateur	• Possède une connaissance approfondie des activités liées aux ressources humaines. • Sait comment créer des situations gagnant-gagnant. • Partage avec les autres au lieu de leur livrer une compétition. • Travaille efficacement avec les clients internes et externes de l'entreprise.
Agent de changement	• Prévoit les situations qui requièrent un changement organisationnel ou technologique et prépare l'organisation à l'accepter et à bien l'implanter. • Est capable de conceptualiser des idées et des projets et d'émettre des idées claires. • Est capable de mettre en œuvre des changements stratégiques. • Mobilise les autres intervenants organisationnels pour les amener à accepter le changement et à l'implanter.

Source : Adapté de Schuler et Jackson, 2000[49].

moyens permettant de les atteindre. Les compétences exigées de ces professionnels incluent une solide formation en matière de planification stratégique, la capacité de comprendre des états financiers, des connaissances pratiques en techniques de vente, de marketing et de production, ainsi que les compétences nécessaires à l'utilisation d'outils technologiques modernes comme le traitement de données et l'informatique de gestion. Les chefs d'entreprise ont souvent déploré le faible niveau de formation des cadres des ressources humaines en matière de gestion d'entreprise. Ces lacunes minent souvent la crédibilité de ceux-ci, même dans leur propre domaine d'activité.

Une compréhension approfondie des phénomènes économiques. La mondialisation des marchés, l'internationalisation de nombreuses entreprises et le souci croissant de la qualité des produits et services obligent les professionnels des ressources humaines à approfondir leur compréhension des divers facteurs économiques qui interviennent dans la vie de l'organisation, puisqu'ils sont appelés à fournir une expertise sur des questions touchant la productivité et la croissance de l'entreprise. Parmi les facteurs économiques ayant un effet direct sur les domaines de compétence de ces gestionnaires figurent la compétitivité en regard des coûts de main-d'œuvre, les mutations à l'échelle internationale, les programmes de rémunération et l'équilibre entre les besoins d'équité propres à l'entreprise et le souci du maintien de la compétitivité à l'intérieur des différents marchés correspondant aux divers secteurs de l'entreprise.

Des aptitudes analytiques plus poussées. Les nouveaux rôles que les entreprises souhaitent confier aux directeurs des ressources humaines exigeront d'eux des compétences nouvelles en matière de gestion de processus, et cette fonction pourrait devenir plus importante que celle de la gestion de programmes ou d'activités. L'expertise sollicitée portera sur les moyens de rétablir des processus décisionnels entravés par l'existence de conflits ou par l'expression d'une résistance au changement au sein de l'organisation. Des compétences analytiques poussées seront requises de la part des gestionnaires en ressources humaines pour diagnostiquer et résoudre les problèmes d'ordre interpersonnel surgissant au sein de l'organisation.

Un leadership efficace. Contrairement à la situation ayant prévalu dans le passé, la position occupée par un cadre supérieur dans la hiérarchie ne suffit plus pour qu'il se voit confier la responsabilité de la gestion des ressources humaines. La crédibilité personnelle du directeur, fondée sur des aptitudes reconnues telles que la capacité à convaincre et à influencer d'autres personnes, de même qu'à se faire accepter par divers groupes au sein de l'organisation (et plus particulièrement par la haute direction) deviendra le facteur déterminant du succès de la gestion des ressources humaines. Influencer les processus de décision même sans disposer d'une autorité véritable, défendre ses propres positions et convaincre d'autres personnes n'est certes pas facile, mais il s'agit d'une responsabilité que les gestionnaires des ressources humaines ne pourront éviter d'assumer.

Une plus grande propension à l'action. S'ils souhaitent faire partie de l'équipe ayant le pouvoir d'influencer les processus décisionnels, les gestionnaires des ressources humaines devront adopter une approche proactive. Cela signifie qu'il leur faudra prévoir l'émergence des situations difficiles et prendre l'initiative d'aller spontanément à la rencontre des personnes qui vivent au cœur d'événements conflictuels. Ils ne peuvent plus se permettre de demeurer confinés à leur propre territoire ; ils doivent apprendre à intervenir sur le terrain de leurs collègues, sans toutefois constituer pour eux une menace. En d'autres mots, les gestionnaires qui se retranchent derrière une politique ayant fait ses preuves dans le passé, comme celle consistant à éviter de faire des vagues, ne peuvent prétendre à l'efficacité. Le nouveau contexte exige, au contraire, qu'ils soient au cœur de l'action, là où se prennent les décisions et les risques concernant l'entreprise, mais également là où ils sont eux-mêmes exposés à subir un échec s'ils donnent un mauvais conseil.

De plus grandes capacités d'adaptation. La survie de l'organisation repose de plus en plus sur ses propres facultés d'adaptation. Les gestionnaires des ressources humaines se trouvent associés de très près au processus de changement parfois tumultueux que connaît l'entreprise. Ils apportent leur contribution à l'élaboration des plans et des stratégies visant à procurer à l'entreprise la main-d'œuvre nécessaire, tant en termes quantitatifs que qualitatifs. Ils fournissent leur aide aux employés au cours des périodes d'augmentation ou de diminution d'effectifs et contribuent à gérer la relève par la planification de la formation des employés clés de l'organisation.

Une grande habileté politique. Les gestionnaires des ressources humaines ont besoin de développer leur sens politique, non pas pour tenter de faire des jeux politiques au sein de l'organisation, mais plutôt pour chercher à intégrer les diverses ressources existantes et à les rallier autour des objectifs et des valeurs adoptés par l'organisation. La modification d'une culture d'entreprise requiert une grande habileté politique.

Le souci de la clientèle. Bien que ce facteur puisse sembler contredire certains des critères mentionnés précédemment, il importe de préciser que les gestionnaires doivent s'efforcer à tout moment de trouver un équilibre entre les demandes de service de la part de l'environnement externe et les exigences de la haute direction et des employés. Alors que les organisations tentent d'acquérir une plus grande conscience sociale, les professionnels de la main-d'œuvre se doivent d'être attentifs aux besoins de la communauté environnante et de connaître toutes les questions touchant l'équité et la justice au sein de l'organisation. Ils seront les premiers à déceler les problèmes de qualité de vie au travail et à suggérer des remèdes aux situations déficientes. Ainsi, bien que l'on attende d'eux qu'ils fassent preuve d'une sensibilité accrue aux besoins et aux intérêts de l'organisation, on continue de les percevoir comme les protecteurs des droits des employés et comme des prestataires de services.

Les carrières des professionnels de la gestion des ressources humaines. Afin de dresser un portrait des carrières auxquelles les professionnels de la gestion des ressources humaines ont accès, il convient de faire la distinction entre les généralistes et les spécialistes des ressources humaines.

Les généralistes. Les généralistes de la gestion des ressources humaines peuvent provenir des diverses fonctions hiérarchiques, celles-ci constituant une source importante de candidats qualifiés pour le service de ressources humaines. La brève affectation d'un superviseur à un poste de généraliste des ressources humaines peut lui fournir l'occasion de communiquer à ce service les connaissances, la terminologie, les besoins et les exigences propres au personnel de maîtrise. Cette situation aura pour conséquence d'augmenter de façon importante le degré d'efficacité du service de ressources humaines auprès de celui-ci. Une autre source de talents susceptibles d'être utilisés par ce service provient des employés n'occupant pas de postes de cadres. En effet, ces employés, tout comme les superviseurs, fournissent de l'information pertinente sur le comportement et les attentes des employés. Les généralistes devraient posséder les mêmes qualités de base que les spécialistes, mais leur niveau d'expertise dans un domaine d'activité particulier n'a pas besoin d'égaler celui des spécialistes de ce domaine. Les généralistes doivent toutefois posséder un niveau moyen de connaissances dans plusieurs secteurs de la gestion des ressources humaines, tout en ayant la capacité d'acquérir une plus grande expertise, au besoin.

Les spécialistes. Les spécialistes de la gestion des ressources humaines doivent posséder des connaissances approfondies dans leur domaine, percevoir les liens d'interdépendance existant entre leur spécialité et les autres activités de gestion des ressources humaines et connaître la structure de l'organisation et la place qu'y occupe le service de gestion des ressources humaines. Les spécialistes nouvellement embauchés auraient avantage à développer leur connaissance des réalités touchant la politique de l'organisation. Ils devraient se rappeler que leur présence ne vise pas à promouvoir la dernière idée à la mode et que les entreprises n'ont pas pour mission de perpétuer les services de ressources humaines. Les universités constituent une source inépuisable de spécialistes pouvant œuvrer dans pratiquement tous les domaines des ressources humaines. Les candidats peuvent avoir étudié notamment le droit, la psychologie industrielle et organisationnelle, les relations industrielles et les relations du travail, l'orientation professionnelle, le développement organisationnel ou les sciences de la gestion.

Consultez Internet

www.stat.gouv.qc.ca
Voyez le site de l'Institut de la statistique du Québec pour en savoir davantage sur les salaires des conseillers en ressources humaines et en relations industrielles.

En tant que domaine d'emploi, la gestion des ressources humaines offre des possibilités de carrière attrayantes. On y trouve un grand nombre d'emplois dont plusieurs se comparent avantageusement aux autres choix de début de carrière offerts dans le monde des affaires, comme la comptabilité ou le marketing.

Les salaires initiaux des spécialistes sont aussi très concurrentiels, ce qui est dû à l'existence de spécialisations en ressources humaines accessibles dans le cadre des programmes de maîtrise en administration des affaires et en relations industrielles de plusieurs universités. Cette tendance relativement récente reflète les nouvelles possibilités de carrière offertes aux diplômés de ces programmes. On reconnaît également le fait que cette discipline est engagée dans un processus de professionnalisation de plus en plus poussée.

La professionnalisation de la gestion des ressources humaines. La reconnaissance du caractère professionnel de la gestion en ressources humaines a fait l'objet de plusieurs débats. En effet, en dépit des attentes exprimées en ce sens par la plupart des praticiens, des universitaires et autres intervenants, la gestion des ressources humaines n'a pas atteint un statut comparable à celui qu'on observe dans des professions comme le droit, la médecine ou la psychologie. La pratique de ces professions exige l'obtention d'un diplôme déterminé et l'adhésion à un ordre ou à une association. Ces conditions visent à assurer la protection du public et à imposer un code minimum d'éthique professionnelle. On se doit de souligner toutefois que les cadres des ressources humaines et leurs associations respectives ont déjà adopté les critères généraux régissant la pratique des autres professions. Or, l'adoption volontaire d'un code d'éthique et l'adhésion à une association comptent parmi les caractéristiques du professionnel. Certains chercheurs ont ainsi proposé l'adhésion volontaire des professionnels de la gestion des ressources humaines aux principes exposés ci-dessous (encadré 1.27).

ENCADRÉ 1.27 Cinq principes auxquels les professionnels de la gestion des ressources humaines devraient adhérer

1. Placer leur obligation de servir le public et de protéger l'intérêt public au-dessus de la loyauté dont ils doivent faire preuve à l'égard de leur employeur.

2. Tendre à une parfaite compréhension des problèmes qui leur sont confiés et entreprendre toutes les études et recherches nécessaires à l'accomplissement d'un travail répondant à des critères élevés de compétence et de professionnalisme.

3. Faire preuve d'une honnêteté et d'une intégrité à toute épreuve dans l'exercice quotidien de leur profession.

4. Accorder une grande attention aux intérêts personnels, au bien-être et à la dignité de tous les employés touchés par leurs conseils, leurs recommandations ou leurs actions.

5. S'assurer que leur employeur tient en haute considération l'intérêt public et qu'il ne négligera en aucun cas les intérêts personnels ni la dignité de ses employés.

Source: D. Yoder et H. Heneman Jr., «Pair Jobs, Qualifications and Careers», dans D. Yoder et H. Heneman (dir.), *Pair, Aspa Handbook of Personnel and Industrial Relations,* vol. VIII, BNA, Washington (D. C.), 1979, p. 19-58.

Consultez Internet

www.rhri.org

Sur ce site vous pouvez obtenir le code de déontologie de l'Ordre des conseillers en ressources humaines et en relations industrielles agréés du Québec.

En plus des principes énoncés ci-dessus, les professionnels de la gestion des ressources humaines ainsi que les conseillers en relations industrielles peuvent adhérer à un ordre professionnel et doivent se conformer au code de déontologie qui régit leur pratique.

REVUE DE PRESSE
Objectif : la main-d'œuvre idéale

Dean Connor

L'idée que se font la plupart des chefs d'entreprise sur l'avenir de leur société tient compte d'une certaine composition de la main-d'œuvre. Les tendances en matière de recrutement, de roulement de personnel et de retraite vont-elles les aider à atteindre leur objectif d'une main-d'œuvre idéale ou vont-elles les en éloigner ?

Tout dirigeant qui projette l'avenir de sa société doit prévoir la main-d'œuvre de demain — la main-d'œuvre idéale —, à savoir la taille de l'effectif, ses diverses compétences, son engagement envers l'entreprise, sa diversité et sa rémunération. Mais une importante question est souvent négligée : Comment l'entreprise va-t-elle recruter cette main-d'œuvre idéale ?

La question est cruciale, car, sur ce sujet, l'avenir s'annonce plus difficile que jamais.

- Selon un récent sondage Mercer/ Angus Reid, plus de la moitié des chefs d'entreprise canadiens estiment qu'il est plus difficile de recruter du personnel compétent aujourd'hui qu'il y a cinq ans.

- Malgré l'augmentation de la population et la croissance de l'économie, le nombre de nouveaux étudiants dans les universités au Canada a diminué au cours des cinq dernières années.

- On prévoit une pénurie de personnel dans les métiers spécialisés, surtout dans la technologie de pointe, la fabrication et les ressources.

- La population active canadienne a augmenté au cours des dix dernières années, mais surtout à cause de la hausse du nombre de travailleurs autonomes. Le bassin de candidats à des emplois ne s'est accru que de 6 %.

- Le taux de roulement du personnel est en hausse, conséquence d'une forte économie et de l'augmentation du travail autonome. Dans certains secteurs, comme la technologie, l'enseignement et la santé, on assiste à un exode important des travailleurs vers les États-Unis.

- À moins d'un changement important dans l'immigration ou les départs à la retraite anticipée, il y aura, dans une dizaine d'années, plus de personnes qui quitteront la population active canadienne chaque année que de personnes de 20 ans et plus qui y entreront. Pour certains secteurs, les lendemains s'annoncent difficiles.

Par exemple :

- Chez les trois principaux constructeurs automobiles au Canada, 17 000 travailleurs syndiqués pourront prendre leur retraite au cours des six prochaines années, soit un travailleur sur trois.

- L'informatisation des services bancaires et le commerce électronique modifient sensiblement les besoins des banques en matière de ressources humaines. Les banques sont également à la recherche de candidats instruits ayant une bonne compréhension du domaine de la finance pour vendre toute une gamme de produits financiers. Où vont-elles trouver les compétences dont elles ont besoin ?

- Au cours des cinq dernières années, l'Ontario a perdu 8 000 infirmières qui ont quitté leur emploi, ont été licenciées ou ont pris leur retraite. Cette province a d'ailleurs annoncé qu'elle devra engager 12 000 infirmières d'ici à la fin de l'année prochaine.

Pour attaquer le problème dans toute son ampleur, les entreprises ne doivent négliger aucun détail. Elles ont besoin d'une approche scientifique : il s'agit de prendre la main-d'œuvre actuelle, de projeter son évolution sur la base de certaines hypothèses de recrutement, de roulement, de départ à la retraite et de hausses salariales, puis de voir à quoi elle ressemblera dans trois à cinq ans quant à son nombre, son âge, ses années de service, sa diversité, ses compétences et les salaires. Modifiez ensuite les hypothèses, et voyez à quel point les résultats sont différents.

En fait, les résultats pourraient vous surprendre. Ainsi, un de nos clients a découvert que, compte tenu de certaines compétences nécessaires à son entreprise, il aura bientôt épuisé le bassin de candidats de sa ville. Il a donc dû étendre sa base de recrutement à plusieurs villes plus tôt que prévu.

Dans un autre cas, la méthode exposée ci-dessus a démontré à un client une des conséquences qu'aura sur son entreprise le gel de l'embauche décrété au début des années 90, soit un graphique par groupes d'âge de sa main-d'œuvre ayant la forme d'un haltère et qui, projeté dans l'avenir, indique l'absence de toute une génération d'employés très productifs, soit les employés de 30 à 40 ans.

Cela dit, l'application de modèles à la main-d'œuvre n'est pas toujours utile. Certains secteurs, la technologie par exemple, connaissent déjà une telle pénurie d'employés que ces projections sont futiles. Les employeurs savent qu'ils ne peuvent pas prospérer sans une énorme amélioration de leur taux de recrutement. Le monde des affaires change si vite que la planification s'effectue sur quelques mois et non sur quelques années.

L'application de modèles à la main-d'œuvre est l'étape la plus facile du processus. Pour décider de la composition de la main-d'œuvre idéale, il faut un bon jugement, et aussi de la confiance. Déterminer qui garder parmi les membres du personnel actuel pour constituer la main-d'œuvre idéale de demain est une autre affaire. Le plus grand défi sera de savoir réviser ses positions quant au recrutement, au maintien, à la formation, au changement, à l'embauche, au congédiement et à la mise à la retraite de la main-d'œuvre.

La plupart des choix en matière de ressources humaines sont axés sur l'individu : engager le bon candidat et lui procurer un bon milieu de travail. Même la préparation de la relève, qui fait appel à la microanalyse en planification de la main-d'œuvre, est axée sur des personnes précises. Chercher la main-d'œuvre idéale implique des questions qui ressortissent à la macroanalyse : De quelles sortes et de combien d'employés aurons-nous besoin ? Comment les trouverons-nous ? Et les trouverons-nous à temps ?

Source : Dean Connor, Principal, William M. Mercer Ltée.

RÉSUMÉ

Ce chapitre propose une définition de la gestion des ressources humaines ainsi que de ses objectifs, et il examine l'importance croissante que ses fonctions et activités acquièrent dans les entreprises d'aujourd'hui. En raison de la complexité des facteurs liés aux ressources humaines, presque toutes les entreprises ont mis sur pied un service chargé d'en assurer la gestion. Il importe de souligner toutefois que les divers services de ressources humaines qui existent au sein des entreprises n'ont pas nécessairement intégré à leurs programmes l'ensemble des fonctions et activités analysées ici. Le choix des fonctions et des activités ainsi que des moyens de les réaliser dépendent surtout du rôle que joue un tel service dans l'entreprise et de la personnalité de son directeur. Nous avons analysé en profondeur chacune des dimensions de ce rôle. Les entreprises les plus sensibilisées à la nécessité d'une gestion efficace de leurs ressources humaines ont tendance à donner le plus de latitude possible à leur service de ressources humaines. Lorsque ce dernier a ainsi l'occasion de démontrer son savoir-faire, il peut fournir une contribution substantielle à la productivité, à l'amélioration de la qualité de vie au travail et au respect des exigences juridiques, le tout étant orienté vers l'atteinte des objectifs de l'organisation.

Questions de révision et d'analyse

1. *Décrivez comment les facteurs internes et externes à l'entreprise exercent une influence sur les activités de gestion des ressources humaines.*

2. *Quels sont les trois types d'objectifs que vise la gestion des ressources humaines? Pouvez-vous proposer un autre mode de classification de ces objectifs?*

3. *De nombreux facteurs contribuent à l'essor de la gestion des ressources humaines dans les entreprises d'aujourd'hui. Choisissez-en deux et expliquez leur importance.*

4. *Analysez trois dimensions du rôle que joue le directeur des ressources humaines dans l'entreprise.*

5. *Quelles sont les principales qualités que doivent posséder les professionnels de la gestion des ressources humaines? Pourquoi?*

6. *Reprenez les aspects essentiels du débat touchant la professionnalisation de la gestion des ressources humaines. Que pensez-vous de cette question?*

ÉTUDE DE CAS

Comment devenir le prochain président de l'entreprise

Robert Martin, vice-président aux ressources humaines de la société Bancroft, peut enfin s'accorder un peu de répit. Depuis son entrée en fonction, il y a dix ans, il a connu une période d'activité intense, ayant dû consacrer la majeure partie de son temps à régler des problèmes urgents qui surgissaient les uns après les autres. Comme c'est le cas de certains de ses collègues qui sont au service d'autres firmes, Robert a acquis ses connaissances en gestion des ressources humaines dans l'exercice de ses fonctions.

Le fait d'avoir dû mener constamment des actions à court terme a contribué à restreindre la vision que Robert a de ses activités professionnelles. En raison des lourdes responsabilités qu'il a assumées, il a rarement pu prendre le temps de lire les revues traitant de la gestion des ressources humaines ou d'assister à des conférences à caractère professionnel. Cependant, la situation est devenue plus facile pour lui récemment, puisqu'il a pu recruter et former des gestionnaires capables de prendre en charge la gestion des ressources humaines dans presque toutes les divisions de la firme. Ces gestionnaires sont maintenant aptes à résoudre à leur tour les problèmes requérant une action immédiate ; c'est, du moins, ce que Robert espère. Il dispose donc de plus de temps pour mettre à jour ses connaissances dans son domaine qu'il n'en a eu jusqu'à présent. Bien sûr, pendant toutes ces années où il a dû travailler sans relâche, il n'est pas demeuré totalement ignorant des tendances qui se dessinaient en gestion des ressources humaines, et en particulier en ce qui a trait à l'importance accrue de la planification. Lorsqu'il a entrepris de former les directeurs des ressources humaines des diverses divisions de la firme, il a fait en sorte que ce programme constitue également une expérience d'apprentissage pour lui. Robert a toujours exigé des personnes soumettant leur candidature à des postes offerts au sein de son service qu'ils présentent un exposé d'une heure portant sur la situation de la recherche et de la pratique dans différents secteurs de la gestion des ressources humaines tels que la sélection, l'évaluation du rendement, la rémunération et la formation. Il a même invité des candidats détenteurs d'un MBA, mais n'ayant pas d'expérience pratique de gestion du personnel à relier leur domaine d'intérêt à la gestion des ressources humaines.

En fait, Robert aspire à devenir d'ici cinq ou sept ans le prochain président de Bancroft ou d'une entreprise similaire, voire d'une société de plus grande envergure. Il croit pouvoir atteindre cet objectif en demeurant en fonction au service des ressources humaines et en s'y démarquant. Il devra donc fournir une prestation extraordinaire à tous les points de vue. Robert sait qu'il est impératif d'associer la gestion des ressources humaines à l'orientation stratégique de l'entreprise, tout en accomplissant le meilleur travail pratique possible.

Poursuivant sa réflexion, Robert se met à griffonner quelques notes sur sa tablette. Au centre de sa feuille, il place Bancroft, à gauche, les fournisseurs, et à droite, les clients. Il a en tête toutes les pratiques de ressources humaines qui lui sont si familières. Il croit intuitivement qu'il existe un moyen d'utiliser l'expertise de la firme en matière d'évaluation du rendement et d'élaboration de programmes de formation pour accroître son efficacité. La campagne d'amélioration de la qualité qu'il a dirigée depuis cinq ans a donné des résultats appréciables ; cependant, les gains de qualité ont décliné depuis l'année dernière. Robert constate qu'il devient de plus en plus difficile d'optimiser la situation sur ce plan en faisant appel uniquement aux ressources internes de l'entreprise. Il cherche donc le moyen de rétablir le processus en recourant aux fournisseurs, et il entreprend de formuler un plan d'action en ce sens.

Questions

1. Comment Robert peut-il, dans le cadre des activités de gestion des ressources humaines, modifier sa relation avec les fournisseurs de façon à accroître l'avantage concurrentiel de sa firme ?

2. Robert est-il réaliste lorsqu'il estime que la gestion des ressources humaines peut contribuer à l'atteinte des objectifs généraux de l'entreprise ?

3. Robert a-t-il des chances de réaliser son ambition de devenir président de la firme s'il fait preuve d'efficacité dans le domaine des ressources humaines ?

NOTES ET RÉFÉRENCES

1 H. E. Meyer, « Personnel Directors Are Becoming the New Corporate Heroes », *Fortune*, février 1976, p. 84-89.

2 Les données présentées par l'Institut de la statistique du Québec s'appuient sur un scénario fondé sur une fécondité de 1,5 enfant par femme, un solde international positif de 23 000 personnes et un bilan négatif de la migration interprovinciale de 11 000 personnes. Il s'agit d'un scénario prudent, car les niveaux sont conformes à la situation qui prévaut depuis 1994 et ils sont très proches des moyennes observées depuis 1981.

3 N. Thibault et H. Gauthier, « Perspectives de la population du Québec au XXIe siècle : changement dans le paysage de la croissance », *Données socio-démographiques en bref*, vol. 3, n° 2, 1999, p. 1-4.

4 D. Foot, *Entre le boom et l'écho*, chapitre 4, Montréal, Boréal, 1996.

5 J. A. B. Parliament, « Labour Force Trends : Two Decades in Review», *Canadian Social Trends*, automne 1990, p. 17-19.

6 B. Desjardins et J. Dumas, *Vieillissement de la population et personnes âgées : la conjoncture démographique*, Statistique Canada, catalogue 91-533 F, hors série, 1993, 130 p.

7 N. Thibault et H. Gauthier, *op. cit.*

8 *Ibid.*

9 G. L. Cohen, « Disabled Workers », *Perspectives*, hiver 1989, p. 31-37.

10 D. Matte, D. Baldino et R. Courchesne, « L'évolution de l'emploi atypique au Québec », *Le marché du travail*, vol. 19, n° 5, 1998, p. 22.

11 Cité dans « Sources », *Perspectives*, automne 1990, p. 67-68.

12 Cité dans *Études économiques de l'OCDE : Canada*, numéro thématique spécial, intitulé « Réforme structurelle », 1999, p. 38-40.

13 *Ibid.*

14 G. Lowe, « Travail et informatisation », *Perspectives*, Statistique Canada, été 1997, n° 75-001-XPF, p. 33-41.

15 B. Lafleur et P. LOK, « Jobs in the Knowledge-Based Economy », *Information Technology and the Impact on Employment*, note d'information aux membres, Ottawa, Conference Board, 1997, p. 1-4.

16 T. Saba, « Gérer les carrières : un vrai défi pour les années 2000 », *Effectif*, dossier d'un numéro spécial consacré à la gestion des carrières, vol. 3, n° 3, p. 20-26.

17 « Expectations That Can No Longer Be Met », *Business Week*, 30 juin 1980, p. 84.

18 J. J. Mansell et T. Runkin, « Changing Organizations : The Quality of Working Life Process », *Ontario Quality of Life Centre*, série de documents, n° 4, septembre 1983.

19 C. Reynolds et R. Bennett, « The Career Couple Challenge », *Personnel Journal*, mars 1991, p 46-48.

20 Dave Gower, « L'âge de la retraite et l'estimation statistique », *Perspective*, Statistique Canada, 75-001-XPF.

21 E. R. Kingson, « Le vieillissement de la génération du baby-boom aux États-Unis : état du débat politique », *Revue internationale de sécurité sociale*, vol. 44, n°s 1-2, 1991, p. 5-31.

22 T. Saba, G. Guérin et T. Wils, « Managing Older Professionals in Public Agencies in Quebec », *Public Productivity Management Review*, vol. 22, n° 1, 1998, p. 15-34.

23 J.-Y. Louarn et A. Gosselin, « GRH et profits : Y a-t-il un lien ? », *Effectif*, avril-mai 2000, p. 18-23.

24 K. Noel, « Les employés heureux font augmenter les profits », *Les affaires*, 18 décembre 1999, p. 22.

25 B. Becker et B. Gerhart, « The Impact of Human Resource Management on Organizational Performance : Progress and Prospects », *Academy of Management Journal*, vol. 39, n° 4, 1996, p. 779-801.

26 T. M. Welbourne et A. O. Andrews, « Predicting the Performance of Initial Public Offerings : Should Human Resource Management Be in the Equation ? », *Academy of Management Journal*, vol. 39, 1996, p. 891-919.

27 C. Johnston (adaptation française de P. Brandt), « La fidélisation du client, plus qu'une question de satisfaction », note d'information destinée aux membres, Ottawa, Conference Board, 1997, p. 170-196.

28 G. M. Spretzer, « Psychological Empowerment in the Workplace : Dimensions, Measurement, and Validation », *Academy of Management Journal*, vol. 38, n° 5, 1995, p. 1442-1465.

29 D. J. McDonald et P.J. Makin, « The Psychological Contract, Organizational Commitment and Job Satisfaction of Temporary Staff », *Leadership and Organization Development Journal*, vol. 21, n° 2, 2000, p. 84-91.

30 P. R. Sparrow, « New Employee Behaviours, Work Designs and Forms of Work Organization, What Is in Store for the Future of Work », *Journal of Managerial Psychology*, vol. 15, n° 3, 2000, p. 202-218.

31 P. P. Benimadhu, « Human Resource Management : Charting a New Course », rapport 41-89, Ottawa, Conference Board du Canada, mai 1989, tableau 5, p. 15.

32 G. Guérin et T. Wils, « Repenser les rôles des professionnels en ressources humaines », *Gestion*, vol. 22, n° 2, été 1997, p. 43-51.

33 L. Gosselin, « La fonction ressources humaines en contexte québécois, perception et évolution », *Relations industrielles*, vol. 5, n° 1, 1995, p. 186-209.

34 F. K. Foulkes, « Organizing and Staffing the Personnel Function », *Harvard Business Review*, mai-juin 1977.

35 T. Wils, M. Saint-Onge et C. Labelle, « Décentralisation des services de ressources humaines, impacts sur la satisfaction des clients », *Relations industrielles*, vol. 49, n° 3, 1994, p. 483-502.

36 C. Labelle et T. Wils, « Restructuration d'une direction de ressources humaines, le point de vue des acteurs », *Relations industrielles*, vol. 52, n° 3, 1997, p. 483-505.

37 L. Spencer, *Reengineering Human Resources*, New York, John Wiley & Sons Inc., 1995.

38 J. Stewart, « Blow up the HR Department », *Fortune*, 16 janvier 1996.

39 J. Fitz-enz, *How to Measure Human Resources Management*, 2e édition, New York, McGraw-Hill, 1995.

40 C. Labelle et T. Wils, *op. cit.*

41 T. Wils, M. Saint-Onge et C. Labelle, *op. cit.*

42 P. Benhimadhu, *Adding Value : The Role of the Human Resource Function*, Rapport 157-95, Ottawa, Conference Board du Canada, 1995, p. 1-21.

43 L. Spencer, *op. cit.*

44 T. Saba et A Ménard, « Analyse de l'impartition en gestion des ressources humaines : fondements, activités visées et efficacité », *Relations industrielles*, vol. 55, nº 4, 2000, p. 675-677.

45 P. Benhimadhu, 1995, *op. cit.*

46 R. S. Schuler, S. E. Jackson et J. Storey, « HRM and Its Link with Strategic Management », dans John Storey (éd.), *Human Resource Management : A Critical Text*, chapitre 7, London, International Thomson, 2000.

47 V. Haines et M. Arcand, « Évolution de la pratique de gestion des ressources humaines, une analyse de contenu d'annonces de presse (1975-1985-1995) », *Relations industrielles*, vol. 52, nº 3, 1997, p. 583-607.

48 T. Wils, C. Labelle et G. Guérin, « Le repositionnement des rôles des professionnels en ressources humaines : impacts sur les compétences et la mobilisation », *Gestion*, vol. 24, nº 4, hiver 2000, p. 20-33.

49 R. S. Schuler, S. E. Jackson et J. Storey, *op. cit.*

Lectures supplémentaires

- A. Gosselin et J. Y. Lelouarn, « Les ressources humaines : un investissement ou un coût ? », *Effectif*, vol. 2, nº 1, janvier-mars 1999, p. 21-26.
- R. Wright, « Positioning Organizations for Growth », Conference Board du Canada, septembre 1997.
- J. Fitz-enz, « How to Value Improvement Initiative Results », *Workforce*, mai 2000, p. 82.
- J. Laabs, « Paving the Way to Profitability », *Workforce*, mars 2000, p. 66.
- W. W. Burke, « What Human Resource Practitioners Need to Know for the Twenty-First Century », dans D. Ulrich, M. R. Losey et G. Lake (éd.), *Tomorrow's HR Management*, New York, John Wiley & Sons, 1997.
- B. Downie et M. L. Coates, *Traditional and New Approaches to Human Resource Management*, Kingston, IRC Press, université Queen, 1994.
- D. Ulrich, « Human Resources Champions », *The Next Agenda for Adding Valkue et Velivering Results*, Boston Massachusetts, Havard Business School Press, 1997.
- D. Ulrich, W. Brockbank, A. K. Yeung et D. G. Lake, « Human Resource Competencies : An Empirical Assessment », *Human Resource Management*, vol. 34, nº 4, 1995, p. 473-495.
- M. Chenette, « Mobiliser par l'approche client », *Gestion*, vol. 22, nº 4, hiver 1997, p. 23-29.
- C. R. Duguay, J. Nollet et G. Bozet, « Revitalisation d'entreprise : à chacun sa manière », *Gestion*, vol. 20, nº 4, décembre 1995, p. 31-39.
- P. André, A. Mersereau et R. Morissette, « Valeur économique ajoutée et tableaux de bord : une combinaison stratégique », *Gestion*, vol. 23, nº 2, été 1998, p. 14-19.
- S. St-Onge et M. L. Magnan, « La mesure de la performance organisationnelle : un outil de gestion et de changements stratégiques », *Gestion*, septembre 1994, p. 29-37.
- L. Gosselin, « La fonction ressources humaines en contexte québécois, perception et évolution », *Relations industrielles*, vol. 5, nº 1, 1995, p. 186-209.

Sites Internet

Associations et forums électroniques destinés aux professionnels de la gestion des ressources humaines

http://www.rhri.org/ocriq Site des conseillers en relations industrielles du Québec.

http://www.ihrim.org/index.cfm International Association for Human Ressource Information Management, site américain.

http://www.eiro.eurofound.ie Observatoire européen des relations industrielles. Ce site contient des informations et des analyses des différents événements se déroulant dans le domaine des relations industrielles (négociation collective, droit du travail, marché de l'emploi, etc.) en Europe.

http://www.eiro.eurofound.ie/related.html Site donnant un lien avec des sites d'organisations internationales et européennes. Les domaines les plus représentés sont l'économie, le marché de l'emploi et le droit du travail.

http://www.hronline.com/forums Forum électronique destiné aux professionnels des ressources humaines.

http://www.hr2000.com Site donnant un lien avec d'autres sites en ressources humaines (forums électroniques, rémunération, emploi, formation et développement, etc.).

http://www.chrpcanada.com Site du Conseil canadien des associations en ressources humaines. Lien avec plusieurs associations professionnelles en ressources humaines de différentes provinces.

http://www.ostd.ca Site de l'Association des professionnels en formation et développement des ressources humaines en Ontario.

http://www.rhinfo.com Site français destiné aux professionnels du management et des ressources humaines. On y trouve principalement des articles et des publications sur les fonctions de gestion des ressources humaines et les activités du département des ressources humaines.

http://www.chrp.ca Site de l'Association des planificateurs en ressources humaines du Canada (français et anglais). Services réservés exclusivement aux membres. Se veut un lieu d'échanges entre les professionnels membres. Un calendrier des événements reliés aux ressources humaines est établi, ainsi qu'un lien avec d'autres associations professionnelles du Canada et des États-Unis.

http://www.ipmaac.org Site de l'International Personnel Management Association-Assessment Council.

http://www.workforce.com Site de *Workforce,* revue spécialisée en ressources humaines.

http://www.shrm.org/hrmagazine Site de la revue *HRM Magazine*.

http://www.hrpao.org Site de la Human Resources Professionals Association of Ontario.

CHAPITRE

2

La gestion stratégique des ressources humaines

I La gestion stratégique des ressources humaines : évolution et définitions

La gestion stratégique des ressources humaines est un sujet qui a donné lieu à de nombreuses théories depuis des années[1, 2, 3, 4, 5]. Durant les deux dernières décennies, diverses approches ont prédominé, dont celle qui consiste à bâtir des modèles intégrant la gestion des ressources humaines à des aspects organisationnels tels que le cycle de vie d'un produit[6, 7], la capacité de l'entreprise à obtenir un avantage concurrentiel et l'élaboration d'une stratégie de compétition[8, 9]. Chacun de ces modèles a permis d'approfondir notre connaissance du lien qui existe entre les pratiques de gestion des ressources humaines et les stratégies de l'entreprise, en poussant plus avant la réflexion sur la logique qui sous-tend ce lien. Ainsi, le modèle qui établit une association entre les pratiques de gestion des ressources humaines et les stratégies de compétition repose sur les prémisses que le comportement de chaque employé a son importance dans l'application d'une stratégie organisationnelle particulière et que ce comportement peut être conditionné par la mise en œuvre d'une pratique organisationnelle donnée.

L'ÉVOLUTION DE LA GESTION STRATÉGIQUE DES RESSOURCES HUMAINES

La maîtrise du concept de gestion stratégique des ressources humaines suppose la compréhension de la notion de stratégie. Ce concept ne date pas d'hier. Déjà, plus de cinq cents ans av. J.-C., le philosophe chinois Souen-tseu, auteur de *Ping-fa,* décrivait l'art de la stratégie militaire comme une pratique visant, par l'analyse et le calcul, à élaborer des manœuvres avant le début des combats et à assurer l'acquisition des aptitudes nécessaires à l'action stratégique. D'autres auteurs, notamment le stratège militaire allemand Klausewitz, au XIXe siècle, ont fourni de nouvelles théories sur la question[10].

Alors que les stratégies font partie intégrante des systèmes politiques et militaires depuis des siècles, ce n'est que tout récemment – depuis environ trente ans – que des chercheurs et des praticiens ont commencé à étudier leurs applications possibles au domaine des affaires. Les nouvelles approches que cette recherche a permis d'élaborer sont très importantes dans la mesure où elles bousculent quelques-uns des postulats avancés au début de la période néoclassique relativement à la gestion, postulats qui mettaient en scène un acteur unique, l'entrepreneur-propriétaire-opérateur, agissant dans le seul dessein de maximiser ses profits. Or, aujourd'hui, nous croyons plutôt qu'une multitude de facteurs concourent à l'efficacité et à la rentabilité d'une organisation. De plus, nous savons que la concurrence empêche désormais les organisations d'exercer une influence trop grande sur le marché ; bien entendu, il faut faire abstraction ici des situations de concurrence imparfaite et de monopole.

Dans le vaste domaine de l'économie politique, des finances et de l'administration, nous sommes témoins depuis quelques années de l'émergence de modèles susceptibles de nous aider à comprendre le lien existant entre la stratégie et un grand nombre de facteurs tels que la structure organisationnelle et le comportement, les produits et leur cycle de vie, ainsi que, bien entendu, les profits et la survie de l'entreprise.

LES DÉFINITIONS DE LA GESTION STRATÉGIQUE DES RESSOURCES HUMAINES

Les approches de la gestion des ressources humaines centrées sur la notion de stratégie ne sont apparues que récemment. Toutefois, deux courants principaux semblent émerger : l'un met l'accent sur la planification et l'élaboration de modèles, tandis que l'autre accorde une grande importance aux choix stratégiques. Ces deux conceptions expliquent la multiplicité des définitions de la gestion stratégique des ressources humaines que l'on observe actuellement. Selon le contexte de son utilisation, le terme prend diverses acceptions. Pour certains théoriciens, par exemple, les stratégies sont des actions ou des règles concrètes qui montrent la voie à suivre dans des situations conflictuelles. Pour d'autres, elles impliquent une planification élaborée à long terme ou à un niveau hiérarchique élevé. D'autres encore ont recours à ce concept pour aborder des questions de portée générale, par exemple l'accomplissement de la mission de l'entreprise[11]. Une des définitions qui relient le mieux la notion de stratégie à celle de gestion des ressources humaines s'énonce ainsi : « Moyens auxquels une entreprise a recours pour assurer l'utilisation optimale de la structure, des compétences, des processus et des ressources dont elle dispose, afin de tirer profit des perspectives favorables que lui offre son environnement, tout en réduisant au minimum l'impact des contraintes externes susceptibles de compromettre l'atteinte de ses objectifs »[12]. Cette définition fait référence à la nécessité dans laquelle se trouve l'entreprise d'assurer l'adéquation de ses ressources humaines avec, d'une part, ses objectifs fondamentaux et, d'autre part, les divers processus, structures et moyens mis en œuvre au sein même de la gestion des ressources humaines.

Historiquement, c'est le processus de planification qui a donné lieu à la formulation des premières théories dans le domaine des ressources humaines. Ces théories ont contribué de façon considérable à l'élaboration de modèles conceptuels intégrant la gestion stratégique des ressources humaines aux stratégies de l'entreprise. Comme nous le mentionnons au chapitre 5, quelques experts en ressources humaines considèrent la prévision comme l'élément central de la planification stratégique. À l'origine, le processus de planification servait à prévoir les besoins en main-d'œuvre dans les grandes entreprises. Ces dernières années, on observe un souci d'intégrer ce processus à l'ensemble des orientations stratégiques de l'organisation et d'harmoniser les activités de la gestion des ressources humaines (encadré 2.1).

ENCADRÉ 2.1 Les principales composantes des modèles contemporains de gestion stratégique des ressources humaines

- La définition, en fonction de différentes stratégies, des thèmes majeurs ou des principaux aspects que devraient couvrir les pratiques de gestion des ressources humaines.
- La description des avantages concurrentiels que procure à l'organisation le recours à des pratiques sélectionnées de gestion des ressources humaines.
- La formulation, en fonction des différentes phases de la stratégie et des étapes du cycle de vie d'un produit, des principales questions ayant une incidence sur les ressources humaines.
- L'adaptation des pratiques de gestion des ressources humaines aux stratégies spécifiques qui visent à déterminer les caractéristiques individuelles nécessaires pour répondre aux besoins fondamentaux de l'entreprise.

Les pratiques actuelles de gestion stratégique des ressources humaines, toutes perspectives confondues, diffèrent principalement des formes précédentes de gestion par leur tentative de s'associer plus étroitement à la stratégie organisationnelle. La prise en considération des divers points de vue existants nous amène à définir la gestion stratégique des ressources humaines comme « l'ensemble des activités influant sur le comportement des individus dans leurs efforts pour formuler et satisfaire les besoins stratégiques de l'organisation[13] ». Le succès de l'introduction de ce type de gestion au sein de l'organisation exige cependant que certaines conditions soient remplies (encadré 2.2).

ENCADRÉ 2.2   Les principes susceptibles d'améliorer l'efficacité de la gestion stratégique des ressources humaines

- L'entreprise doit avoir une vision d'ensemble de ses objectifs fondamentaux. Les dimensions de ces objectifs qui se rattachent aux ressources humaines doivent être évidentes.
- Il doit exister au sein de l'organisation un processus permettant l'élaboration d'une stratégie, et celui-ci doit prendre en compte de façon explicite les problèmes reliés aux ressources humaines.
- L'intégration des questions touchant les ressources humaines au processus de prise de décision de l'organisation implique l'établissement de liens efficaces et constants entre les ressources humaines et l'instance décisionnelle.
- La haute direction doit favoriser l'instauration d'un climat propice à la prise en considération des questions reliées aux ressources humaines dans le cadre des besoins de l'entreprise.
- L'entreprise doit assurer à tous les niveaux de sa structure l'autorité des cadres affectés aux ressources humaines et engager leur responsabilité.
- Les initiatives prises dans le domaine de la gestion des ressources humaines doivent correspondre aux besoins de l'entreprise.
- Cette gestion devrait inclure la responsabilité de découvrir et de comprendre les interactions existant entre l'entreprise et les environnements social, politique, technologique et économique dans lesquels l'entreprise évolue ou évoluera.

Source : J. R. Nininger, *Managing Human Resources*, Ottawa, Conference Board du Canada, 1982.

II Le processus de gestion stratégique

En règle générale, les modèles de gestion stratégique proposent un processus constitué de trois phases. La première phase correspond à la formulation de la stratégie ou planification stratégique, la deuxième phase, à la mise en œuvre, et la troisième, à l'évaluation (voir l'encadré 2.4). Ces trois phases doivent tenir compte tant de l'environnement interne que de l'environnement externe de l'entreprise, question que nous examinerons plus loin dans ce chapitre.

La gestion des ressources humaines est déterminante au sein d'une organisation en raison de la possibilité qu'elle offre de formuler et de mettre en œuvre des stratégies. Cette assertion est mise en lumière lorsqu'on examine le cadre conceptuel général de la gestion stratégique élaboré par Thompson et Strickland[14] (encadré 2.3). Dans ce schéma, la gestion stratégique prend en charge cinq activités organisationnelles. Comme nous pouvons le constater, les trois premières activités concernent la formulation de la stratégie, alors que les deux dernières ont trait à la mise en œuvre et à l'évaluation de cette dernière.

> **ENCADRÉ 2.3 Le cadre conceptuel de la gestion stratégique élaboré par Thompson et Strickland**
>
> **I.** Choix du créneau de l'organisation et élaboration d'une vision stratégique qui propose un ensemble de valeurs et une stratégie organisationnelle générale.
>
> ▼
>
> **II.** Détermination des enjeux stratégiques organisationnels et définition des objectifs stratégiques.
>
> ▼
>
> **III.** Élaboration d'un plan d'action stratégique.
>
> ▼
>
> **IV.** Mise en œuvre des plans stratégiques au moyen d'activités spécifiques.
>
> ▼
>
> **V.** Mesure, évaluation et révision du plan et repositionnement de l'organisation en fonction de l'avenir.

Source : Inspiré de A. A. Thompson et A. J. Strickland, *Crafting and Implementing Strategy*, 10ᵉ édition, New York, McGraw-Hill, 1998.

III Le processus de gestion stratégique des ressources humaines

Afin d'établir les liens qui existent entre la gestion stratégique et la gestion des ressources humaines, nous aborderons, dans un premier temps, la formulation de la stratégie et, dans un deuxième temps, les phases de mise en œuvre et d'évaluation. Dans chaque cas, nous traiterons également des effets de ces phases sur la gestion des ressources humaines.

LA FORMULATION DE LA STRATÉGIE ET SES EFFETS SUR LA GESTION DES RESSOURCES HUMAINES

Les activités portant sur la formulation de la stratégie consistent à déterminer les besoins de l'entreprise. Elles visent à élaborer des stratégies organisationnelles particulières et à définir des objectifs sur lesquels reposera la mise en place des activités de gestion stratégique associées à la gestion des ressources humaines[15]. Ces liens apparaissent clairement dans l'encadré 2.4[16].

La définition de la vision, de la mission, des valeurs et de la stratégie générale. Chaque organisation évolue dans un contexte particulier, c'est-à-dire qu'elle possède en propre sa vision, sa mission, ses valeurs et sa stratégie.

La vision. La vision correspond à l'idée que les dirigeants se font de l'organisation qu'ils essaient de créer et à la position à laquelle ils désirent la faire accéder. Chaque élément de l'énoncé de la vision a une incidence sur la gestion des ressources humaines. De toute évidence, aucune entreprise ne peut parvenir à satisfaire aux exigences exprimées dans cette définition si elle ne peut compter sur la participation de ses employés.

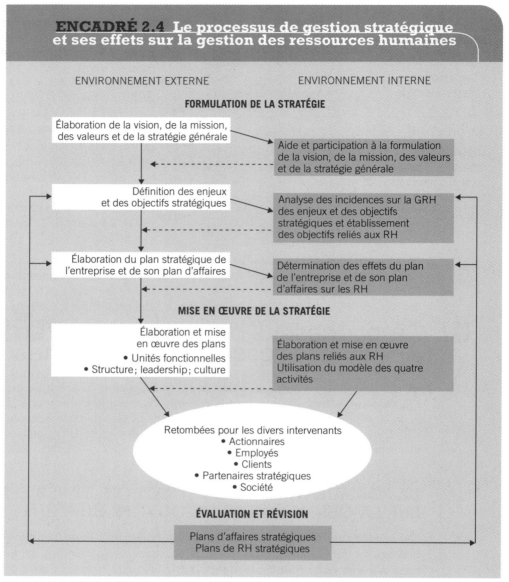

ENCADRÉ 2.4 Le processus de gestion stratégique et ses effets sur la gestion des ressources humaines

ENVIRONNEMENT EXTERNE   ENVIRONNEMENT INTERNE

FORMULATION DE LA STRATÉGIE

Élaboration de la vision, de la mission, des valeurs et de la stratégie générale

Aide et participation à la formulation de la vision, de la mission, des valeurs et de la stratégie générale

Définition des enjeux et des objectifs stratégiques

Analyse des incidences sur la GRH des enjeux et des objectifs stratégiques et établissement des objectifs reliés aux RH

Élaboration du plan stratégique de l'entreprise et de son plan d'affaires

Détermination des effets du plan de l'entreprise et de son plan d'affaires sur les RH

MISE EN ŒUVRE DE LA STRATÉGIE

Élaboration et mise en œuvre des plans
• Unités fonctionnelles
• Structure; leadership; culture

Élaboration et mise en œuvre des plans reliés aux RH Utilisation du modèle des quatre activités

Retombées pour les divers intervenants
• Actionnaires
• Employés
• Clients
• Partenaires stratégiques
• Société

ÉVALUATION ET RÉVISION

Plans d'affaires stratégiques
Plans de RH stratégiques

Source: Adapté de R. S. Schuler, S. E. Jackson et J. Storey, « HRM and its Links with Strategic Management », dans J. Storey (éd.), *Human Resource Management: A Critical Text*, London, International Thomson, 2000.

La mission. La mission constitue la raison d'être d'une entreprise, car elle correspond à ce que cette dernière désire offrir à ses clients. À ce titre, elle doit être formulée avec clarté et précision. C'est le cas de l'énoncé de la mission de Bombardier, présenté ci-contre. Pour réussir à accomplir sa mission, une organisation doit obligatoirement obtenir la contribution de ses employés. Comme la mission se matérialise dans la gestion des ressources humaines, on la définit habituellement en référence à celles-ci.

Les valeurs. Les valeurs sont les croyances auxquelles adhère une entreprise et qui la distinguent des organisations concurrentes. Les valeurs influent de façon directe sur la gestion des ressources humaines. Assimilées à la culture organisationnelle, elles ont cependant une portée plus large et une durée de vie plus longue que celle-ci. Nous trouvons ci-contre un exemple des valeurs adoptées par Hydro-Québec, ainsi que de la mission de cette entreprise. Selon Thompson et Strickland[17], il est important de définir une culture organisationnelle au moment de la mise en œuvre de la stratégie.

La stratégie générale. La stratégie générale correspond aux plans adoptés par l'organisation pour épouser la vision qu'elle s'est donnée et accomplir sa mission. Parmi les nombreux cadres de références propices à l'étude et à la compréhension des divers types de stratégies, nous avons choisi ceux qui sont le plus fréquemment utilisés en association avec la gestion stratégique des ressources humaines. L'encadré 2.5 décrit les cinq caractéristiques des stratégies organisationnelles les plus courantes.

La stratégie générale et la dimension ressources humaines. L'intégration de la dimension humaine à la définition de la stratégie de l'entreprise suppose la mise en place d'un processus systématique et complet qui, à son tour, exige une

ENCADRÉ 2.5 Les caractéristiques des stratégies organisationnelles les plus courantes

- **La stratégie entrepreneuriale :** Cette stratégie implique la réalisation de projets comportant de hauts risques financiers et la mise en place de procédures et de politiques minimales. De plus, les ressources disponibles sont insuffisantes pour répondre aux besoins de la clientèle, et on observe que les multiples priorités établies sont surtout liées à la satisfaction de la demande des consommateurs. Cette stratégie se concentre sur le court terme et sur les conditions propres à favoriser le démarrage de l'entreprise.

- **La stratégie de croissance dynamique :** Cette stratégie cherche à limiter les risques encourus pour la mise en œuvre de projets. Un dilemme fondamental existe entre l'obligation de déployer des énergies pour l'accomplissement du travail courant et la nécessité de planifier l'avenir. L'élaboration de politiques et de procédures est amorcée, car on ressent le besoin d'un contrôle et d'une structuration accrus pour assurer l'expansion de l'entreprise.

- **La stratégie de rationalisation/maintien des profits :** Cette stratégie vise la sauvegarde des niveaux de profits déjà existants. Certains efforts sont entrepris pour réduire les coûts, et des mises à pied peuvent donc survenir. On constate que les systèmes de contrôle et les structures ont atteint un niveau de développement important et qu'il existe un ensemble fort imposant de politiques et de procédures.

- **La stratégie de liquidation/cession :** Cette stratégie consiste à liquider tous les avoirs de l'entreprise, à restreindre les pertes ultérieures, et à réduire au maximum les effectifs. On ne consacre que peu d'efforts à tenter de maintenir l'entreprise en fonctionnement, puisque la tendance à la baisse des profits semble destinée à se poursuivre.

- **La stratégie de redressement :** Cette stratégie cherche à sauvegarder l'entreprise. La réduction des coûts et les licenciements d'employés s'accompagnent de l'implantation de programmes à court terme visant à assurer la survie de l'entreprise. Ces mesures se reflètent souvent sur le moral des employés.

grande compréhension des activités de l'organisation et de la gestion des ressources humaines. Comme on le voit dans l'encadré 2.7, cette intégration au processus décisionnel de formulation de la stratégie a pour effet de faciliter la définition de la vision, de la mission et des valeurs de l'organisation, et, parallèlement, de définir une vision, une mission et des valeurs propres à la fonction ressources humaines qui s'harmonisent avec les objectifs stratégiques généraux de l'entreprise.

La définition des défis et des objectifs stratégiques. Cette deuxième étape du processus de formulation de la stratégie vise à préciser la stratégie établie à l'étape précédente. En outre, elle contribue à élaborer les plans stratégiques de l'organisation et de ses diverses unités d'affaires.

La reconnaissance des enjeux stratégiques et la détermination des objectifs stratégiques présupposent de la part de l'organisation l'établissement des mesures qu'elle considère comme les plus importantes à prendre en vue de réaliser sa mission, ainsi que de voir sa vision se matérialiser et sa stratégie générale obtenir du succès. La réussite d'une telle opération n'est assurée qu'au prix d'un examen approfondi du mandat de l'entreprise qui, seul, peut conduire à l'établissement d'objectifs précis et mesurables.

De nombreuses études portant sur la gestion stratégique montrent que les gestionnaires qui prennent le temps de définir des objectifs stratégiques pour chacun des enjeux établis et qui savent mettre en œuvre la stratégie adoptée de façon dynamique ont un taux de réussite élevé et conservent une longueur d'avance sur les entreprises qui négligent ces aspects. Certains dirigeants croient qu'il suffit de travailler avec ardeur pour que les choses aillent bien. Or, les nombreux échecs qui émaillent l'histoire des entreprises montrent que les bonnes intentions, à elles seules, sont rarement profitables.

Le but premier de l'intégration de la gestion des ressources humaines à la gestion de la performance organisationnelle et à la gestion du rendement des employés est la définition rigoureuse d'objectifs stratégiques qui soient en harmonie tant avec les besoins des employés qu'avec ceux de l'entreprise. Il ne peut être atteint que dans la mesure où les dirigeants reçoivent une assistance de la part des professionnels des ressources humaines.

D a n s   l e s   f a i t s

Voici quelques exemples de défis stratégiques :

- Faire preuve d'un plus grand dynamisme sur les marchés internationaux.
- Prendre de l'expansion à la faveur d'acquisitions profitables.
- Mettre l'accent sur l'innovation.
- Améliorer le service à la clientèle et s'orienter vers la résolution de problèmes.

Les défis stratégiques. Lorsqu'un défi stratégique n'est pas satisfait faute d'un plan adéquat, cela est généralement lourd de conséquences pour l'organisation. La capacité de négocier avec des concurrents internationaux, la mise au point de nouveaux produits, l'augmentation de la productivité, le maintien d'un service à la clientèle efficace, tout cela constitue des enjeux stratégiques. Comme tous les employés contribuent, d'une manière ou d'une autre, à leur dépassement, ces enjeux ont des effets directs sur la gestion des ressources humaines. Il convient également de souligner que certains enjeux se rapportent à la fonction ressources humaines. C'est le cas, par exemple, de la dotation en personnel qualifié. D'ailleurs, Bill Gates, le fondateur de Microsoft, avait bien affirmé : « Le manque de personnel qualifié retarde notre développement. »

Déterminer les enjeux stratégiques organisationnels revient donc à énoncer des objectifs mesurables qui mettent à contribution les capacités de l'entreprise. La définition de ces enjeux permet de dégager et de préciser les tâches associées à la gestion stratégique et d'énoncer les mesures à prendre pour les atteindre. Le lien entre la gestion stratégique et la gestion des ressources humaines devient plus étroit, et l'importance de cette dernière, plus évidente.

Les objectifs stratégiques. Pour faciliter le dépassement des défis stratégiques, on les décompose en un ensemble d'objectifs spécifiques. En règle générale, ce sont les objectifs stratégiques que la haute direction communique aux gestionnaires et aux employés. Ces objectifs, dont la définition relève de la planification stratégique, représentent en quelque sorte le point le plus achevé de ce processus. La présence de recoupements dans la définition des défis et des objectifs importe peu. Les seconds découlent des premiers et doivent refléter en tous points ce qui a déjà été établi dans les étapes précédentes de l'élaboration des objectifs stratégiques généraux.

La détermination des objectifs stratégiques permet à la fonction ressources humaines ainsi qu'aux autres fonctions de l'organisation d'établir leurs plans d'actions.

Les défis et les objectifs stratégiques dans l'optique des ressources humaines. Les plans de gestion stratégique des ressources humaines précisent les besoins généraux et les besoins particuliers de l'entreprise en matière de main-d'œuvre et sont intimement associés aux plans stratégiques de l'organisation. Grâce au processus de formulation de la stratégie, la fonction ressources humaines est en mesure de comprendre les buts et les objectifs que l'entreprise envisage d'atteindre, et de mieux circonscrire le rôle qu'elle est appelée à jouer. Les objectifs stratégiques constituent le lien entre la stratégie organisationnelle et les actions concrètes que la fonction ressources humaines doit accomplir pour mettre celle-ci en application. Au cours de la phase de mise en œuvre de la stratégie, chacune des fonctions de l'entreprise, y compris la fonction ressources humaines, devra déterminer ses activités et les aligner sur les finalités organisationnelles.

En ce qui a trait à la gestion des ressources humaines, l'entreprise a tout intérêt à implanter des pratiques et des politiques propres à combler ses besoins en main-d'œuvre sur le double plan qualitatif et quantitatif, à s'assurer de comportements appropriés de la part de son personnel et à lui offrir des conditions de travail motivantes. De plus, il est impératif que la fonction ressources humaines prévoie des activités d'évaluation de son propre plan d'action. Cette évaluation peut se faire à partir de critères expressément établis à cette fin de même qu'à la lumière des résultats enregistrés par le plan d'évaluation et de révision de la stratégie organisationnelle.

Un plan stratégique nécessite donc une analyse de l'environnement externe, qui comprend notamment un examen de la situation économique et de celle des sociétés concurrentes, des sources de l'avantage compétitif et des facteurs de succès dits critiques, une étude des entreprises concurrentes actuelles et potentielles ainsi qu'une évaluation des faiblesses et des forces de l'entreprise, de ses compétences clés, de son plan d'action et de ses objectifs stratégiques.

L'élaboration des plans stratégiques. La troisième étape de la formulation de la stratégie correspond à l'élaboration des plans stratégiques. Ces plans permettent de déterminer la façon dont la vision, la mission et la stratégie générale de l'entreprise seront mises en œuvre (encadré 2.6).

À ce stade, la stratégie prend deux formes : la stratégie organisationnelle et la stratégie d'affaires.

> **ENCADRÉ 2.6 Les buts de l'établissement de plans stratégiques**
>
> - Atteindre les objectifs stratégiques.
> - Vaincre la concurrence.
> - Obtenir un avantage concurrentiel.
> - Faire en sorte que la vision stratégique devienne une réalité.
> - Renforcer la position de l'entreprise sur le marché.
> - Répondre aux besoins des différents intervenants (actionnaires, clients société, etc.).
> - Associer la vision, la mission et la stratégie générale aux objectifs, aux enjeux et à une stratégie précise.

La stratégie organisationnelle. Ce type de stratégie permet à l'entreprise d'établir sa position sur le marché, de même que de se doter de mesures et de moyens visant à améliorer la performance de ses diverses unités. Pour l'élaborer, il est important de tenir compte de divers éléments (encadré 2.7).

> **ENCADRÉ 2.7 Les principaux aspects à considérer dans l'élaboration d'une stratégie organisationnelle**
>
> - S'assurer que la compagnie élabore des plans d'avenir.
> - Construire un portefeuille rentable et en maximiser le rendement (par la voie d'acquisitions ou de rationalisations).
> - Comprendre la synergie existant entre les unités d'affaires et en disposer comme d'un avantage concurrentiel.
> - Établir des priorités d'investissements et orienter l'utilisation des ressources organisationnelles vers les investissements les plus attrayants.
> - Revoir, réviser et unifier les approches stratégiques et les réalignements proposés par les dirigeants des unités d'affaires.

Source: Inspiré de R. S. Schuler, S, E. Jackson et J. Storey, « HRM and its Link with Strategic Management », dans John Storey (éd.), *Human Resource Management: A Critical Text*, chapitre 7, London, International, Thomson, 2000.

La stratégie d'affaires. Cette stratégie correspond aux mesures et aux moyens que l'entreprise entend adopter pour devenir performante dans un domaine d'affaires en particulier, à savoir celui qui lui permet d'atteindre une position compétitive à long terme. Il est nécessaire de considérer divers éléments dans l'élaboration de ce type de stratégie (encadré 2.8).

> **ENCADRÉ 2.8 Les principaux aspects à considérer dans l'élaboration d'une stratégie d'affaires**
>
> - Interpréter les changements qui se produisent dans les conditions du marché.
> - Élaborer des tactiques et des approches qui permettront de livrer une compétition avec succès et de se définir un avantage concurrentiel.
> - Faire un choix parmi les stratégies compétitives.
> - Établir des scénarios pour répondre aux changements survenant dans les conditions de l'environnement.
> - Unifier les initiatives stratégiques des différents départements fonctionnels de l'organisation.

Divers chercheurs, dont Miles et Snow, Porter, de même qu'Ansoff, ont étudié les stratégies utilisées par de nombreuses entreprises exerçant leurs activités dans des secteurs variés. L'encadré 2.9 présente les stratégies d'adaptation de Miles et de Snow. Les stratégies de concurrence de Porter sont détaillées dans l'encadré 2.10.

ENCADRÉ 2.9 La stratégie d'adaptation

LA STRATÉGIE D'ADAPTATION.
Alors que la stratégie globale à long terme s'applique à l'organisation dans son ensemble, la stratégie d'adaptation est utilisée plus particulièrement dans les secteurs ou les unités de travail. Elle a pour objet d'harmoniser l'entreprise à son environnement externe. Elle se divise en trois sous-catégories : la stratégie de prospection, la stratégie de défense et la stratégie d'analyse[18].

- Les entreprises qui adoptent une stratégie de prospection sont continuellement à l'affût de moyens de découvrir de nouveaux marchés et de concevoir de nouveaux produits. Ces organisations évoluent généralement dans un environnement dynamique et en pleine croissance. Par conséquent, elles doivent disposer d'une structure interne suffisamment souple pour leur permettre d'innover.

- À l'opposé, les entreprises qui choisissent une stratégie de défense ont un souci de stabilité. Ainsi, plutôt que de procéder à des changements majeurs de technologie ou de structure, elles se concentrent sur l'amélioration de l'efficacité des méthodes existantes.

- La stratégie d'analyse vise, quant à elle, à maintenir un noyau organisationnel stable, tout en mettant en application certaines innovations. Cette stratégie constitue un juste milieu entre les deux stratégies précédentes.

ENCADRÉ 2.10 La stratégie de concurrence

LA STRATÉGIE DE CONCURRENCE.
Cette stratégie se fonde sur la typologie bien connue de Porter, qui distingue trois approches stratégiques : la stratégie de différenciation, la stratégie de domination par les coûts et la stratégie ciblée[19].

- La stratégie de différenciation consiste pour une entreprise à essayer de faire en sorte que ses produits et ses services se distinguent de ceux de ses concurrents. Il est possible d'y parvenir par le recours à la publicité, à un médium présentant les caractéristiques du produit ou du service, ou à toute autre technique permettant de mettre en évidence le caractère unique de ceux-ci.

- Une entreprise qui applique une stratégie de domination par les coûts cherche à maximiser sa production et utilise des méthodes de contrôle strictes pour obtenir des avantages concurrentiels. Elle peut ainsi fixer le prix d'un produit à un niveau comparable ou inférieur à celui de ses concurrents, tout en maintenant une qualité et des marges de profits supérieures à la moyenne.

- Pour ce qui est de la stratégie ciblée, elle se concentre sur un marché particulier, une ligne de produits ou un groupe de consommateurs. À l'intérieur de ce marché, l'organisation peut faire concurrence à ses compétiteurs en appliquant une stratégie de domination par les coûts ou une stratégie de différenciation.

Les plans d'action et la dimension ressources humaines. À ce stade, la gestion des ressources humaines doit essentiellement se préoccuper d'élaborer des plans d'action qui tiennent compte :

a) des mesures et des moyens élaborés par chacune des fonctions organisationnelles ;

b) de l'intégrité de la fonction ressources humaines ;

c) et de sa relation avec les autres fonctions.

Pour s'aligner sur les finalités organisationnelles, la fonction ressources humaines doit établir ses enjeux et ses objectifs stratégiques en conformité avec la vision, la mission et les valeurs de l'entreprise. Par exemple, si une organisation décide de s'orienter davantage vers la satisfaction de sa clientèle, sa fonction ressources humaines devra indiquer, dans l'énoncé de son plan stratégique, comment elle comprend cette nouvelle orientation et ce que représente celle-ci par rapport à la gestion des ressources humaines dans l'ensemble de l'entreprise et dans son service en particulier.

Ainsi, la fonction ressources humaines commencera par établir ses propres défis fonctionnels :
- le besoin de cette fonction d'élaborer une nouvelle vision et de nouvelles valeurs, et de modifier la culture organisationnelle ;
- le besoin du service des ressources humaines d'adopter lui-même une approche client.

Du point de vue opérationnel, la fonction ressources humaines devra déterminer les mesures à prendre pour renforcer son plan fonctionnel, à savoir :
- continuer à élaborer des mesures précises en vue de soutenir les plans des différentes fonctions organisationnelles ainsi que les besoins organisationnels liés à l'atteinte des objectifs établis par les unités opérationnelles ;
- définir les besoins de gestion des ressources humaines des autres unités fonctionnelles, dont celle relative aux systèmes d'information, aux finances et au marketing.

Les quatre activités essentielles de gestion des ressources humaines interagissent avec les plans stratégiques et opérationnels établis par les autres fonctions organisationnelles. Elles doivent :
- assurer une affectation efficace des employés ;
- doter les employés des compétences requises pour exercer les fonctions qui leur sont confiées ;
- influencer le comportement des employés en fonction des objectifs à atteindre ;
- faire en sorte que les employés soient fortement motivés par leur travail.

Tout cela représente autant des responsabilités incombant à la fonction ressources humaines, mais dont le succès permet aux autres fonctions organisationnelles ainsi qu'à l'ensemble de l'organisation de mettre en pratique ses orientations stratégiques.

Les politiques et les pratiques de gestion des ressources humaines qui appuient efficacement les stratégies organisationnelles favorisent le recensement des membres du personnel qui sont motivés et qui possèdent les qualités et le comportement propres à faciliter la mise en œuvre des stratégies organisationnelles préalablement élaborées.

Il faut noter que, à ce stade, la stratégie de l'entreprise a des répercussions sur la gestion des ressources humaines. Par exemple, dans un cas de fusion ou d'acquisition d'entreprises, la fonction ressources humaines devra se charger de renforcer et de faire partager la culture organisationnelle, de rechercher de nouveaux talents parmi les dirigeants, et d'harmoniser les pratiques de gestion des ressources humaines. L'obligation de gérer la décroissance et de libérer le personnel qui sera appelé à mettre en œuvre les stratégies impose à la gestion des ressources humaines la responsabilité d'élaborer des plans d'action qui joueront un rôle prépondérant dans le succès ou l'échec de ces dernières.

Notons que les études concernant l'alignement des pratiques de gestion des ressources humaines sur la stratégie organisationnelle ont généralement été mises en place à ce stade[20]. Les travaux menés par Porter en 1985[21], que Jackson et Schuler[22] ont appliqués à la gestion des ressources humaines, illustrent la contribution que la gestion des ressources humaines a fournie au succès de la mise en place des stratégies organisationnelles grâce à la modification du comportement des employés.

Porter a également souligné la nécessité de tenir compte des ressources humaines dès l'étape de la définition de la stratégie de compétition. Par exemple, dans une entreprise où les pratiques de gestion des ressources humaines ont déjà permis la mise en application d'une approche client, il sera plus judicieux d'opter pour une stratégie qui renforce les liens avec la clientèle que pour une stratégie de domination par les coûts, par exemple. Les travaux de Porter ont apporté un éclairage nouveau sur la façon de gérer les ressources humaines pour en retirer un avantage concurrentiel.

LA MISE EN ŒUVRE DE LA STRATÉGIE ET LA DIMENSION RESSOURCES HUMAINES

Comme le montre l'encadré 2.4 présenté plus avant, la mise en œuvre de la stratégie suppose la définition et l'application des plans stratégiques préparés par les diverses unités fonctionnelles.

L'élaboration et l'application des plans stratégiques des unités fonctionnelles. Les stratégies de l'entreprise et les stratégies d'affaires établissent le cadre à l'intérieur duquel sont élaborés les plans des diverses fonctions organisationnelles : finances, marketing, recherche et développement, ressources humaines, etc. Le service des ressources humaines doit donc s'assurer qu'il dispose de la structure et des ressources nécessaires afin de mettre en œuvre les plans stratégiques relatifs à sa fonction. Qui plus est, il doit veiller à ce que certains facteurs organisationnels – la culture et le style de gestion, par exemple – qui prévalent dans l'entreprise soient en conformité avec les nouvelles orientations et stratégies de l'entreprise. Des plans de gestion des ressources humaines plus précis doivent être élaborés après que le service des ressources humaines ait compris et interprété toutes les phases préalables à la formulation de la stratégie. Ce processus est abordé dans la section qui suit.

L'élaboration et l'application des plans de gestion des ressources humaines. L'incidence qu'ont les plans de l'entreprise sur le facteur humain de l'organisation est mise en évidence dans le processus d'évaluation et d'application des plans de gestion des ressources humaines. En fait, les plans de ressources humaines constituent une feuille de route permettant à la fonction ressources humaines de s'acquitter de ses responsabilités (encadré 2.11).

Comme le suggèrent les travaux de Capelli et Crocker-Hefter[23], de même que ceux de Becker et Huselid[24], les pratiques de gestion des ressources humaines qu'il convient

---

ENCADRÉ 2.11 Les plans de ressources humaines, une feuille de route pour la fonction ressources humaines

1. Fournir à l'organisation au bon moment les effectifs appropriés, en s'assurant qu'ils sont conscients de la vision, de la mission, des valeurs et de la stratégie organisationnelle.

2. Procurer à l'organisation des employés possédant les compétences requises pour effectuer leurs tâches et assumer leurs responsabilités.

3. Assurer à l'organisation des employés qui adoptent des comportements conformes à la stratégie organisationnelle et à ses objectifs.

4. Permettre à l'organisation de compter sur des employés performants en ce qui concerne les opérations journalières et rendre l'entreprise capable d'attirer un grand nombre de candidatures tout en étant en mesure de les maintenir en emploi.

de mettre en place existent sous forme de grappes ou d'ensembles. Il s'agit de pratiques dont la cœxistence est source de performance. Celles qu'on retiendra devront également satisfaire aux critères de sélection que représentent les facteurs externes et internes influant sur l'entreprise (voir l'encadré 2.4).

Le modèle des quatre activités et l'élaboration des plans de gestion des ressources humaines. Les principales responsabilités de la fonction ressources humaines sont bien résumées dans le modèle suivant, constitué de quatre activités prioritaires :
- la gestion des affectations des employés ;
- la gestion des compétences des employés ;
- la gestion des comportements des employés ;
- la gestion des motivations des employés.

Considérées dans leur ensemble, ces activités servent de ligne directrice dans le choix des pratiques de gestion des ressources humaines.

La gestion des affectations des employés. Une organisation doit toujours pouvoir compter sur le nombre d'employés dont elle a besoin à un moment donné. C'est la règle d'or qui doit présider à tout processus de planification des ressources humaines. Une planification efficace des besoins en main-d'œuvre permet de parer à toutes les éventualités. Quand vient le temps de procéder à de nouvelles affectations (voir chapitre 6), une des principales difficultés à laquelle on fait face est celle de décider de l'endroit où l'on peut recruter le personnel requis. Faut-il puiser dans le bassin interne des ressources humaines ou à l'extérieur de l'entreprise, sur le marché local ou international ? En outre, il y a lieu de déterminer si le processus de dotation en personnel sera confié à une agence privée de placement ou sera pris en charge à l'intérieur de l'entreprise. Par ailleurs, au moment de l'embauche, il est important d'expliquer au nouvel employé la vision, la mission et les valeurs de l'organisation. Pour obtenir un rendement maximal de la part de ses employés, une entreprise doit favoriser les interactions, l'apprentissage, la communication et la participation à la prise de décision. L'encadré 2.12 résume quelques-unes des priorités de la fonction ressources humaines en matière de gestion des effectifs.

La gestion des compétences des employés. Cette activité vise à pourvoir le personnel des compétences, des connaissances et des habiletés nécessaires à l'exécution de ses tâches. La sélection méthodique des employés dont les compétences correspondent aux exigences établies au cours de l'analyse des emplois assure l'adéquation entre leurs qualités et le travail à accomplir. Dans ce domaine, on doit miser de préférence sur une planification à long terme ; les employés ont ainsi la possibilité de développer leurs talents pour se préparer aux futurs défis qu'ils devront relever.

ENCADRÉ 2.12 Questions qui reflètent les préoccupations relatives à la gestion des effectifs

- De combien d'employés aura-t-on besoin?
- À quels postes et à quel moment?
- Où devra-t-on les recruter?
- Quelles sont les possibilités de perfectionnement, d'avancement et de récompense qui les attireront dans notre entreprise?

L'encadré 2.13 fait état de certaines préoccupations des ressources humaines relatives à la gestion des compétences.

> ### ENCADRÉ 2.13 Questions qui reflètent les préoccupations relatives à la gestion des compétences
>
> - Quelles compétences les employés possèdent-ils ?
> - Quelles sont les compétences dont l'organisation aura besoin dans l'avenir ?
> - Quelles compétences seront moins importantes dans l'avenir ?
> - Quels employés devront acquérir de nouvelles compétences ? Quelles seront ces compétences ?
> - Les compétences nécessaires pourront-elles être acquises à l'interne ou l'organisation devra-t-elle recruter à l'extérieur ?

La gestion des comportements des employés. Cette activité consiste à faire en sorte que les employés se comportent de façon appropriée au travail. Étant donné que les comportements reflètent généralement les valeurs et les compétences d'un individu, il est important de comprendre ces phénomènes d'interdépendance. On a de plus en plus tendance à considérer les comportements des employés comme autant d'instruments nécessaires à l'atteinte des buts de l'entreprise et devant satisfaire les attentes des divers partenaires. Ainsi, une entreprise dont la politique commerciale est axée sur le service à la clientèle a besoin d'hommes et de femmes capables de converser avec les clients sans se montrer sur la défensive, de répondre avec courtoisie aux questions qu'on leur pose et d'offrir une assistance allant au-delà de la stricte observation des instructions reçues de l'employeur. L'encadré 2.14 précise quelques préoccupations des ressources humaines en matière de gestion des comportements des employés.

> ### ENCADRÉ 2.14 Questions visant à assurer une gestion efficace des comportements des employés
>
> - Quels sont les comportements valorisés par l'entreprise ?
> - Quels comportements sont incompatibles avec la stratégie organisationnelle et devraient, de ce fait, être éliminés ou modifiés ? Par exemple, comment les comportements des employés peuvent-ils influer sur les clients et leurs habitudes d'achat ?

La gestion des motivations des employés. Cette activité a pour rôle de maintenir un degré élevé de motivation parmi les effectifs. Son succès est évidemment tributaire de l'attention apportée à la sélection du personnel. Il importe de recruter des employés compétents, qui manifestent l'intention d'être performants au travail. Lorsque les employés sont disposés à être productifs à 90 % au lieu de l'être à 75 %, par exemple, il en résulte des gains substantiels pour l'entreprise. Il faut considérer que l'amélioration de la productivité peut nécessiter de la part du personnel de travailler plus fort, plus longtemps ou de façon plus rationnelle.

Outre le rendement et la compétence, les comportements sont d'une importance capitale dans la bonne marche de l'organisation. Avoir des employés qui se sentent responsables de leur travail, qui affichent une ferme volonté d'accomplir leur travail, et pour lesquels on enregistre un faible taux d'absentéisme sont autant d'éléments à considérer si l'on veut assurer un taux élevé de productivité. La productivité globale et les coûts de rémunération sont influencés par les retards et les absences, particulièrement coûteux lorsqu'ils n'ont pas été planifiés. Par ailleurs, un faible taux de roulement permet aux ressources humaines de mettre en place des politiques viables à long terme : gestion des carrières, développement organisationnel, plan de relève, etc. L'encadré 2.15 fait état des préoccupations des gestionnaires de ressources humaines relatives à la motivation des employés.

ENCADRÉ 2.15 Questions visant à vérifier le degré de motivation des employés

- Quels sont les efforts que les employés sont prêts à déployer ?
- Quelle est la moyenne d'années d'ancienneté des employés dans l'organisation ?
- Peut-on réduire les coûts de la production et du service à la clientèle en réduisant l'absentéisme et les retards ?

Les politiques de gestion des ressources humaines. Les politiques de gestion des ressources humaines, qui s'appliquent à des activités organisationnelles cruciales comme la planification de la main-d'œuvre, la dotation en personnel, la formation et le perfectionnement des employés, la gestion de la performance, la rémunération, la santé et la sécurité du travail, les relations du travail et l'organisation du travail, doivent s'attacher à rendre opérationnels les plans stratégiques de l'entreprise. Selon le modèle des quatre activités, les pratiques de gestion des ressources humaines définissent les mesures à prendre pour combler les besoins énoncés au moment de la formulation de la stratégie. Comme l'a précisé Schuler[25], c'est le lien unissant les pratiques et les politiques de gestion des ressources humaines et les objectifs stratégiques de l'entreprise qui différencie le nouveau modèle de gestion des ressources humaines du modèle traditionnel.

Pour faire en sorte qu'elle soit le plus efficace possible, chacune de ces politiques doit présenter un contenu qui est conforme au modèle des quatre activités décrit plus haut. C'est seulement en examinant avec soin le rôle respectif de ces dernières qu'on peut formuler des politiques cohérentes et alignées sur les objectifs stratégiques de l'organisation.

Préalablement à la mise en place des politiques, il est indispensable :
1. de prendre note des prévisions et des objectifs poursuivis par ces politiques ;
2. d'inventorier les difficultés susceptibles d'entraver l'adoption des pratiques retenues et de tenter de les surmonter.

La mise en œuvre d'une stratégie de ressources humaines implique la sélection de pratiques propres à renforcer les comportements nécessaires au succès de la stratégie organisationnelle. L'encadré 2.16 nous livre les résultats de l'examen de politiques et de pratiques touchant six domaines relevant des ressources humaines et nous présente les caractéristiques opposées de chacune des pratiques analysées. Un choix intermédiaire s'avère possible pour la plupart des pratiques, puisque ces diverses caractéristiques s'inscrivent dans un continuum.

L'établissement d'un lien efficace entre la stratégie organisationnelle et la gestion des ressources humaines requiert toutefois une action poussée qui va au-delà de la simple sélection de pratiques appropriées. Il s'agit de faire en sorte que l'on puisse proposer des ensembles de pratiques de ressources humaines propres à assurer le succès de la stratégie organisationnelle.

ENCADRÉ 2.16 L'examen de politiques et de pratiques stratégiques en matière de ressources humaines

1.
Planification:

informelle	formelle
à court terme	à long terme
analyse explicite des postes	analyse implicite des postes
simplification des tâches	enrichissement des tâches
faible engagement des employés	fort engagement des employés

2.
Dotation:

sources internes	sources externes
possibilités de carrière restreintes	possibilités de carrière ouvertes
échelle unique	échelles multiples
critères explicites	critères implicites
socialisation limitée	socialisation étendue
procédures fermées	procédures ouvertes

3.
Évaluation du rendement:

critères axés sur le comportement	critères axés sur les résultats

buts: amélioration/correction/maintien

faible participation des employés	participation élevée des employés
critères à court terme	critères à long terme
critères individuels	critères de groupe

4.
Rémunération:

faible niveau du salaire de base	niveau élevé du salaire de base
équité interne	équité externe
peu de services	beaucoup de services
avantages sociaux fixes	avantages sociaux flexibles
faible participation aux bénéfices	forte participation aux bénéfices
absence de stimulants	grand nombre de stimulants
stimulants à court terme	stimulants à long terme
absence de sécurité d'emploi	sécurité d'emploi élevée
système hiérarchique	forte participation des employés

5.
Formation et perfectionnement:

à court terme	à long terme
application restreinte	application large
accent sur la productivité	accent sur la qualité de vie au travail
improvisation, absence de planification	planification, systématisation
orientation individuelle	orientation de groupe
faible participation	forte participation

6.
Relations de travail:

tendance à éviter le syndicat	tendance à coopérer avec le syndicat
confrontation	collaboration
faible respect des droits des employés	respect élevé des droits des employés
relations formelles	relations informelles
secret	ouverture

Source: Adapté de R. S. Schuler et S. E. Jackson, «Linking Competitive Strategies with Human Resource Management Practices», *Academy of Management Executive*, vol. 1, n° 3, 1987, p. 207-219.

REVUE DE PRESSE

Les employés heureux font augmenter les profits

Kathy
Noël

Il y a un lien étroit entre la satisfaction des employés et l'augmentation des profits dans une entreprise, selon une étude de la firme canadienne de marketing spécialisé Carlson Marketing Group.

Plus de 1 000 travailleurs canadiens ont répondu à un sondage dont le but était de vérifier les liens entre l'évaluation des employés, la reconnaissance de leur travail et leur engagement. Carlson a ensuite fait des corrélations avec la rentabilité de l'entreprise qui les emploie.

Il ressort que les employés reconnus à leur juste valeur aiment davantage leur boulot et attirent les profits. Loyaux et dévoués, ils ont un meilleur rendement. Ils vendent plus, produisent plus et sont moins enclins à quitter l'entreprise. Leur engagement les incite à ajuster leur rendement au besoin.

Quatre employés sur cinq disent que recevoir les félicitations du grand patron incite à s'améliorer. Ils attachent deux fois plus d'importance à cette reconnaissance qu'à celle de leurs collègues ou de leur superviseur immédiat. Près de deux employés sur trois (63 %) affirment que la reconnaissance non monétaire est la meilleure source de motivation.

Selon Rob MacLeod, vice-président chez Carlson Marketing Group, les employés satisfaits contribuent aux bons résultats de l'entreprise et à la réduction des coûts liés au roulement excessif du personnel.

« Les réalités économiques ont fait pencher la balance du pouvoir du côté des employés. Les employeurs qui veulent réussir n'ont d'autre choix que d'offrir une nouvelle entente de travail basée sur l'engagement mutuel », dit-il.

Source : Les Affaires, *18 décembre 1999, p. 22.*

L'ÉVALUATION STRATÉGIQUE ET SES IMPLICATIONS EN GESTION DES RESSOURCES HUMAINES

L'évaluation, la révision et le repositionnement. La troisième phase du processus de gestion stratégique consiste à évaluer les conséquences découlant de la formulation et du processus de mise en œuvre de la stratégie ainsi que les réactions des divers intervenants, et de décider des mesures correctives à prendre ou, le cas échéant, d'établir un nouveau plan d'action[26, 27]. L'application d'un processus d'évaluation exige la formulation de critères objectifs avec lesquels seront comparés les résultats atteints. Ces critères doivent refléter les résultats attendus. Il ne s'agit pas d'évaluer dans quelle mesure les plans respectent les échéanciers et les budgets prévus. Un processus d'évaluation doit mesurer la pertinence des actions entreprises pour atteindre les objectifs fixés. Il doit donc nécessairement tenir compte des divers partenaires avec lesquels l'organisation est engagée. Le résultat des évaluations doit servir d'intrant aux décisions portant sur le mode de révision des plans d'action ayant été retenu, et il doit alerter les dirigeants quant à l'existence de nouveaux enjeux stratégiques. Il arrive fréquemment que, faute d'avoir été piloté correctement, le processus de changement fasse avorter les plans stratégiques.

Les implications de l'évaluation en gestion des ressources humaines. Pour que les pratiques et les politiques de gestion des ressources humaines obtiennent le succès escompté, il est souvent nécessaire de les évaluer systématiquement. Cette étape est cruciale en ce sens qu'elle permet d'amorcer un processus d'apprentissage et d'amélioration continus. Au cours de cette phase, la fonction ressources humaines analyse les raisons d'une performance organisationnelle déficiente en fonction des réactions et des commentaires des divers intervenants. Lorsque des lacunes sont mises au jour, la fonction ressources humaines doit déterminer si ces carences sont dues à des problèmes de mise en œuvre des politiques de gestion des ressources humaines ou à une faiblesse liée au plan lui-même. Étant donné que ce sont les gestionnaires qui ont la responsabilité de mener à bien les pratiques de ressources humaines, leur refus d'adopter un style de gestion différent peut être à l'origine de la mauvaise performance décelée. Les employés peuvent également résister à des pratiques qui exigent davantage d'évaluation, qui leur confèrent des responsabilités accrues et qui les obligent à établir des communications plus fréquentes avec leurs pairs et leurs supérieurs. En plus de tenir compte de l'appréciation des divers intervenants, le processus d'évaluation utilisé en gestion des ressources humaines doit s'intéresser à la dynamique qui entre en jeu quand vient le temps pour un être humain de s'adapter à un changement. Des évaluations fréquentes et qui commencent au tout début du processus permettront de détecter rapidement les défaillances qui se sont produites et d'y apporter des correctifs. Il est également normal de s'attendre à ce que le rendement de certains employés baisse lorsque des changements organisationnels d'envergure se produisent ; c'est pourquoi il est important de se fier aux modèles de gestion des ressources humaines susceptibles d'expliquer la dynamique du changement et d'éviter d'avoir à appliquer des mesures correctives précoces qui risquent d'avoir un effet contraire à celui que l'entreprise recherche[28, 29].

L'IMPORTANCE DE L'ENVIRONNEMENT

Comme l'indique l'encadré 2.4 dont il a été question précédemment, le processus de gestion stratégique doit nécessairement tenir compte à la fois de l'environnement de l'entreprise et des facteurs internes, puisque ceux-ci influent sur sa capacité à faire un choix stratégique et à mettre en application ses décisions organisationnelles afin de mettre en œuvre sa stratégie. Nous passerons brièvement en revue les différents facteurs qui doivent être pris en considération au moment de procéder à la planification stratégique.

L'étude et l'analyse de l'impact environnemental. La plupart des entreprises reconnaissent qu'il est important de procéder à l'analyse de leur macro-environnement pour s'assurer d'une planification stratégique efficace de leur action. On constate néanmoins qu'elles sont peu nombreuses à avoir étudié en profondeur cet environnement pour comprendre son effet sur les ressources humaines. Il faut cependant noter que le poids des différents facteurs environnementaux sur l'activité de l'entreprise dépend du type d'industrie dans lequel s'insère celle-ci et de la stratégie qu'elle a retenue ; l'analyse que mènera l'entreprise devra prendre en considération les divers aspects sociaux, éducatifs, démographiques, politiques, juridiques et économiques de cet environnement.

En ce qui a trait à la dimension sociale, les entreprises doivent se montrer sensibles aux valeurs et aux phénomènes présents dans la société. Ainsi, durant les périodes où le taux de chômage est très élevé, certaines entreprises en profitent pour rehausser leur image en mettant sur pied des initiatives qui témoignent de leur intérêt pour les questions sociales. Par exemple, un quotidien pourrait, une fois par semaine, offrir gratuitement une partie de son espace publicitaire aux personnes sans emploi qui désirent proposer leurs services à des employeurs éventuels.

En ce qui concerne la dimension éducative, la pénurie de travailleurs qualifiés qui touche certains domaines peut causer des difficultés aux entreprises ; par conséquent, quelques-unes d'entre elles prêtent désormais leur concours à des écoles de formation technique, à des collèges et à des universités afin d'élaborer des programmes particuliers permettant à certaines personnes d'acquérir la formation nécessaire à l'exercice de fonctions dans un secteur d'activité déterminé. Nous reviendrons sur ce sujet au chapitre 9.

Pour ce qui est des dimensions politique et juridique de l'environnement, des inquiétudes quant à l'effet possible, sur la main-d'œuvre canadienne, des accords de libre-échange conclus entre le Canada, les États-Unis et le Mexique pointent à l'horizon. Enfin, l'analyse de la situation économique actuelle et des conséquences que la concurrence mondiale entraîne pour les entreprises canadiennes fournit à l'organisation des informations qui l'aideront à mener à bien sa planification globale ainsi qu'à définir le rôle de son service des ressources humaines, dans le cadre de la stratégie adoptée.

On peut représenter la stratégie d'analyse de l'impact des variables environnementales sous forme de tableau. Comme l'illustre l'encadré 2.17, la réalisation d'une telle étude s'inscrit généralement dans une approche dont la périodicité peut être irrégulière, régulière ou continue. Cette stratégie d'analyse prend en compte les paramètres suivants : le média utilisé, l'étendue de l'analyse, la motivation à l'origine de l'étude, la nature de l'activité, la dimension temporelle liée à la collecte des données, la dimension temporelle liée à l'impact décisionnel, et enfin, la responsabilité organisationnelle.

L'influence des facteurs internes. Certaines des caractéristiques propres à l'organisation elle-même se reflètent directement dans les pratiques de gestion des ressources humaines. Ces facteurs internes comprennent le type de gestion adopté par la haute direction, la stratégie organisationnelle, la culture, la technologie et la taille de l'entreprise. Par exemple, les valeurs véhiculées par la haute direction contribuent à définir la culture de l'entreprise, tandis que la stratégie a un effet déterminant sur la structure organisationnelle. Nous tenterons d'expliquer les modalités selon lesquelles ces facteurs internes influent sur les pratiques de gestion des ressources humaines de l'entreprise.

L'appui de la haute direction. L'importance que la haute direction accorde à la gestion des ressources humaines se reflète dans l'ensemble de l'organisation. Si les stratégies élaborées par les dirigeants laissent peu de place au système des ressources humaines, les divers directeurs auront tendance à faire de même.

ENCADRÉ 2.17 Cadre d'analyse de l'impact environnemental

	APPROCHE ANALYTIQUE		
Périodicité	**Irrégulière**	**Régulière**	**Continue**
Média utilisé	Études ad hoc	Mises à jour régulières des études	Collecte de données structurelles et systèmes de traitement
Étendue de l'analyse	Événements spécifiques	Événements sélectionnés	Large éventail de systèmes environnementaux
Motivation	Suscitée par une crise	Axée sur des décisions et des résultats	Axée sur un processus de planification
Nature de l'activité	Réactive	Proactive	Proactive
Dimension temporelle liée à la collecte de données	Rétrospective	Contemporaine	Prospective
Dimension temporelle liée à l'impact décisionnel	Courant-court terme	Court terme	Court terme – long terme
Responsabilité organisationnelle	Différentes fonctions d'encadrement	Différentes fonctions d'encadrement	Unité d'analyse environnementale

Source : Adapté de Lorenz P. Schrenk, «Environmental Scanning» dans L. Dyer (dir.), *Human Resource Management Evolving Roles and Responsibilities*, Washington (D. C.), BNA/SHRM, 1989, p. 1-8.

Le directeur des ressources humaines s'appliquera alors à limiter son action aux fonctions les plus routinières et à adopter un mode de gestion plus réactif que proactif. Comme nous l'avons déjà souligné au premier chapitre, le terme « personnel » a peu à peu cédé la place, au cours des dernières années, à l'expression « ressources humaines », ce qui traduit un changement de perception de la part de la haute direction des entreprises. Le rôle primordial que joue la gestion des ressources humaines au sein de l'entreprise semble désormais reconnu. Une étude récente menée auprès des principales entreprises québécoises fait état d'une évolution majeure de la perception qu'ont les chefs d'entreprise (présidents-directeurs généraux) de leur service des ressources humaines. Les résultats de cette étude confirment l'émergence de tendances fort révélatrices : 91 % des répondants estiment que la gestion des ressources humaines a connu un essor prodigieux au sein des entreprises au cours des cinq dernières années et que cette tendance se poursuivra dans les années à venir. On a aussi constaté que, dans ces entreprises, les directeurs des ressources humaines faisaient partie de l'équipe stratégique de direction. De plus, ceux-ci ont déclaré bénéficier d'un soutien important de la part du chef de l'entreprise et de tous les autres membres de la direction[30].

La stratégie organisationnelle. On observe une tendance croissante de la part des organisations à intégrer la gestion de leurs ressources humaines à leur stratégie générale. Celle-ci précise les directives générales auxquelles devront se conformer les salariés dans l'exécution de leurs tâches. Par exemple, la stratégie fournit des orientations au personnel sur les questions suivantes : le mode de planification (à court ou à long terme) établi par la direction, l'importance que celle-ci accorde, sur le plan de la production, à la qualité ou à la quantité, son acceptation d'un risque élevé ou faible, sa souplesse ou sa rigidité, son désir de voir les employés adopter un comportement dépendant ou indépendant, conformiste ou autonome, pour n'en nommer que quelques-uns[31].

Ces orientations, bien qu'elles découlent partiellement de la technologie retenue par l'entreprise et de sa structure, sont susceptibles de modifier les attentes de la direction à l'égard des employés, en particulier en ce qui a trait aux connaissances et aux habiletés qu'ils doivent posséder pour accomplir leurs tâches. La compréhension de la nature de cette influence est si cruciale qu'elle mérite que nous abordions à nouveau cette question dans ce chapitre sous les rubriques traitant des crises et des nouvelles tendances.

La culture d'entreprise. La culture d'entreprise ou culture organisationnelle représente la somme des principes, des traditions, des codes sociaux et des coutumes auxquels celle-ci adhère. Fortement influencée par l'orientation que lui donne la haute direction, la culture d'entreprise définit les valeurs auxquelles l'organisation veut voir ses membres adhérer, c'est-à-dire la volonté de ceux-ci de participer au succès de l'entreprise, leur code moral et la façon dont ils souhaitent être traités[32].

Les pratiques de gestion des ressources humaines reflètent le plus souvent la culture d'entreprise. On peut cependant noter que celle-ci imprègne inévitablement la fonction et les activités de gestion des ressources humaines, dans la mesure où ce sont souvent ces activités qui traduisent la culture d'entreprise. Les différentes pratiques de gestion des ressources humaines offrent à l'entreprise une foule de possibilités, et le choix de ces pratiques est souvent conditionné par le profil culturel adopté par l'organisation[33, 34].

La technologie et la structure organisationnelle. On entend généralement par technologie les techniques et les connaissances nécessaires à la production des biens et des services de l'entreprise. Par exemple, la chaîne de montage est la technique principale utilisée pour la fabrication d'automobiles, tandis que, dans le domaine de l'enseignement collégial et universitaire, la technique privilégiée est celle des cours magistraux. Les différences de technologies déterminent le choix des stratégies de gestion des ressources humaines et conditionnent les pratiques de GRH à implanter.

À la suite de la récession et des crises liées à la qualité et à la productivité, la technologie traditionnelle est de plus en plus contestée. À titre indicatif, la croyance voulant que la chaîne de montage d'automobiles constitue la technique de production la plus appropriée s'est trouvée ébranlée à la suite de l'apparition de nouvelles technologies comme la production en petite série ou la production artisanale, qui sont en voie de la supplanter[35].

Dans la foulée de ces mécanismes de changement, la structure organisationnelle de l'entreprise doit inévitablement s'alléger. Avec l'arrivée de la technologie informatique moderne, la supervision étroite des tâches n'est plus requise. Des systèmes de contrôle électronique remplacent les inspecteurs, et l'exécution du travail s'effectue en fonction d'un horaire flexible, parfois même à l'extérieur de l'usine. Pour accroître leur efficacité en termes de qualité et de coût, les entreprises tendent à se restructurer en procédant à une réduction de leurs effectifs ou à une décentralisation du processus de décision.

La taille de l'entreprise. La taille de l'entreprise constitue un autre facteur déterminant de la gestion des ressources humaines. Celle-ci permet de réaliser des économies d'échelle qui raffermissent la compétitivité des entreprises. Ces dernières disposent d'une plus grande latitude dans l'élaboration de leurs politiques en matière de ressources humaines, et plus particulièrement en ce qui a trait à la rémunération, à l'évaluation du rendement, à la classification des postes et à la définition des cheminements de carrière.

Le domaine de la gestion des ressources humaines a subi de profondes transformations. À une époque où les organisations deviennent plus complexes, plus dynamiques, et exigent des changements et des remaniements rapides, la gestion des ressources humaines doit suivre le courant. Il n'est plus nécessaire de faire la preuve de l'importance d'une saine gestion des ressources humaines, ni de la nécessité de justifier les bénéfices que la présence de professionnels de la gestion des ressources humaines procure aux organisations. Nous pouvons affirmer que la gestion des ressources humaines a relevé les défis auxquels elle a dû faire face et que, par conséquent, elle est en mesure d'améliorer la situation des entreprises.

La gestion stratégique des ressources humaines met en évidence l'importance du facteur humain dans les entreprises, notamment par l'harmonisation des pratiques de gestion des ressources humaines et des objectifs organisationnels. Dans ce chapitre, nous avons examiné l'articulation entre les pratiques et les objectifs stratégiques. En utilisant le modèle des cinq activités stratégiques élaboré par Thompson et Strickland, nous avons montré comment la gestion des ressources humaines peut être associée à la fois à la phase de formulation et de mise en œuvre de la stratégie. Nous avons indiqué que toutes les activités de gestion des ressources humaines peuvent avoir une finalité stratégique et qu'elles sont donc liées aux objectifs organisationnels, d'une part, et aux intérêts des différents intervenants du milieu de travail, d'autre part. Il est clair que, dans le cas où les professionnels des ressources humaines n'ont pas les habiletés ni les aptitudes requises pour devenir des partenaires stratégiques de l'organisation, les possibilités de créer des liens entre les pratiques et les objectifs stratégiques s'affaiblissent.

Cette discussion, qui porte sur les liens existant entre les activités de gestion des ressources humaines et les stratégies organisationnelles, n'est en fait qu'amorcée, étant donné la complexité du domaine et la multitude d'études publiées sur le sujet.

AVIS D'EXPERT

Les tendances en gestion stratégique des ressources humaines
par Gilles Guérin

Le concept de « stratégie » est de plus en plus fréquemment associé à celui de « ressources humaines ». Cette nouvelle tendance s'explique par la nécessité pour les organisations d'avoir une vision globale de la ressource humaine et de l'intégrer aux principaux enjeux organisationnels. Nous pouvons suggérer au moins deux raisons de cette situation, la première étant, évidemment, le contexte de turbulence accrue dans lequel évoluent les organisations modernes, et la seconde, la contribution des ressources humaines au succès (ou à l'échec) des stratégies d'adaptation de ces organisations. À elles seules, ces deux raisons justifient pleinement l'attention que les stratèges organisationnels accordent aux ressources humaines. Dans la réalité, cette importance se traduit par le fait que l'on prend en considération les ressources humaines à un autre niveau de gestion que le niveau opérationnel, soit au niveau stratégique, celui où l'on établit des plans pour que l'entreprise se démarque de ses concurrents et réalise des profits ou tout simplement s'adapte aux changements survenus dans son environnement.

Mais reprenons ces points dans l'ordre. En premier lieu, il y a le changement en l'absence duquel la stratégie serait inutile. Il suffirait de s'améliorer progressivement pour atteindre l'efficience ou productivité. Mais le changement pose un autre défi, celui de l'efficacité, c'est-à-dire de la capacité d'adaptation à un nouveau contexte. Il ne sert à rien d'être efficient ou, comme le disait Drucker[36], de bien faire les choses si, en premier lieu, on n'est pas efficace, c'est-à-dire si on ne fait pas les « bonnes choses ». Or, ce qu'il convient de faire dans un contexte donné n'est pas forcément ce qui est approprié dans un autre contexte, comme le prône la théorie de la contingence. Par ailleurs le changement s'accélère, tant par son rythme que par les « nouveautés » qu'il met de l'avant, rendant plus crucial le défi de l'efficacité et, par le fait même, celui de la réflexion stratégique. Des auteurs comme Ansoff[37] parlent même d'un management qui a évolué au rythme de ce changement. Si, dans les années 50, on pouvait encore gérer par extrapolation du passé, ce n'était déjà plus possible dans les années 60, où des ruptures de plus en plus fréquentes apparaissaient dans les processus d'évolution des stratégies organisationnelles. Il fallait alors gérer par anticipation. Aujourd'hui, dans un contexte où l'incertitude devient la seule certitude, il faut adopter de nouveaux modes de gestion en se préparant davantage à des événements qui ont toutes les chances de ne pas se réaliser tels qu'ils ont été prévus. Cela exige de faire en sorte qu'on soit flexible et capable de s'adapter, quelle que soit la nature du changement qui, le plus souvent, surgira à l'improviste.

Dans cette course à l'adaptation, la compétition est de plus en plus vive, et les organisations se doivent de mettre au point des stratégies pour être en mesure d'affronter la concurrence. Produire à un coût moindre, fournir un produit de meilleure qualité, innover, être le premier sur le marché sont, en ce domaine, les principales stratégies compétitives que Porter[38] a définies. Or, pour se concrétiser, ces stratégies doivent s'appuyer sur des forces internes ou capacités organisationnelles (Ulrich et Lake[39]), notamment en matière de finances, de technologies, d'informations ou de ressources humaines. Ce sont les atouts dont dispose l'organisation ou qu'elle doit se bâtir pour se démarquer de ses concurrents. Si les premiers ont dominé dans les décennies 70 et 80, il semble que les seconds jouent maintenant un rôle crucial dans le succès des stratégies compétitives.

Soulignons à cet égard que l'élément humain fait constamment partie de ces stratégies, quelle que soit celle qui est considérée. Ainsi, on ne peut réduire les coûts si les employés ne sont pas soucieux d'éviter le gaspillage en rationalisant les systèmes de gestion et en améliorant la productivité. De même, la qualité ne peut être atteinte en l'absence de compétence et d'engagement; de même, l'innovation exige la créativité et le goût d'entreprendre, et le positionnement rapide sur le marché oblige l'entreprise à devenir polyvalente et à faire preuve d'agilité. La ressource humaine est donc l'atout de base, celui qui «fait que les choses se passent différemment» et qui conditionne tous les autres. Cet atout est de plus difficile à imiter, étant donné la lenteur et les aléas qui entourent les processus de gestion des compétences et de la culture.

*Mais comment intégrer ces préoccupations touchant les ressources humaines à la gestion stratégique? Comment réaliser cette symbiose de la stratégie, essentielle au développement de l'organisation, et de la ressource humaine, essentielle au succès de la stratégie (encadré 2.18)? **Par un double processus d'influence et d'alignement**, comme l'indique Guérin[40]. Le premier processus influe sur la stratégie organisationnelle par l'intermédiaire des capacités des ressources humaines. Plus le savoir-faire des employés sera étendu, plus les valeurs, les attitudes et les comportements évolueront dans le sens des exigences futures (culture de participation, culture de développement continu, mentalités souples ou style de gestion «transformationnel», par exemple), plus l'organisation aura d'avantages en matière de ressources humaines (RH) et plus ses stratégies compétitives pourront être ambitieuses, la compétitivité de demain étant largement fonction des capacités acquises aujourd'hui. En travaillant à bâtir les forces qui seront à la base des stratégies futures, la stratégie de RH est ici proactive et associée au long terme, donc à une certaine incertitude. Elle suppose une bonne connaissance ou vision de ce que seront les exigences de demain. Elle vise particulièrement la modification des aspects qui sont les plus lents à évoluer – mais aussi qui contribuent le plus au succès de l'entreprise –, soit les aspects culturels (valeurs, attitudes). Plus classique, le second processus aligne les ressources humaines sur les besoins de RH qui découlent de la stratégie organisationnelle. La formulation d'une stratégie organisationnelle suppose un certain nombre de choix et d'hypothèses, et il faut travailler à les concrétiser dans les plans de gestion des ressources humaines. La stratégie de RH est ici réactive, et son horizon est celui de la stratégie organisationnelle. Comme celle-ci est de plus en plus volatile, le temps alloué à l'alignement se réduit de plus en plus, ce dont peuvent s'accommoder les alignements de RH à caractère quantitatif ou cognitif, mais certainement pas ceux qui sont de nature plus comportementale (ce qu'on appelle communément la culture).*

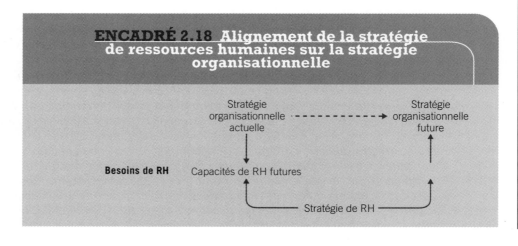

ENCADRÉ 2.18 Alignement de la stratégie de ressources humaines sur la stratégie organisationnelle

Mais cette stratégie de RH, qui vise simultanément à bâtir les atouts de RH de l'organisation et à combler les besoins de RH découlant de la stratégie organisationnelle, de quoi se compose-t-elle? Simplement de tous les outils ou moyens dont nous disposons pour gérer les ressources humaines. Un modèle comme celui des 5 P de Schuler[41] peut nous aider à les recenser. Il s'agit de philosophie (valeurs), de processus (ou systèmes), de politiques, de programmes et de pratiques de gestion des RH. Les premières dimensions devraient avoir une certaine stabilité, et leur remise en question au sein de la stratégie de RH devrait être moins fréquente que les dernières. Notons que l'expression « pratiques » est utilisée un peu à toutes les sauces dans la littérature. Nous la définissons ici comme une manière de faire propre à l'organisation. Quand il devient nécessaire de formaliser cette manière de faire et de la communiquer aux employés, on parlera plutôt de politiques. Mais de nombreuses pratiques correspondent à des choix de gestion qu'il n'est pas nécessaire de communiquer aux employés. C'est le cas, par exemple, du choix d'un système de planification informel ou formel, du choix des critères de sélection, des manières de socialiser, des modes de formation, etc. À l'inverse, le fait de recruter de préférence à l'intérieur ou à l'extérieur de l'entreprise, le choix d'enrichir ou de spécialiser les emplois, porteront plutôt le nom de politiques (voir à ce propos Schuler et Jackson[42]. Il est clair que ces outils de gestion, qu'il s'agisse de pratiques, de politiques, de programmes ou autres, s'appliquent aux différents champs de la GRH que sont le recrutement et la sélection, l'évaluation du rendement, la formation et le développement, la rémunération et les relations avec les employés.

Finalement, il nous reste à aborder deux sujets pour compléter ce tour d'horizon sur la gestion stratégique des RH. Il s'agit de la mise en œuvre de la stratégie de RH et des personnes qui assument la responsabilité de la gestion stratégique des RH. Les deux sujets étant liés d'une certaine façon, nous les traiterons ensemble. Par ailleurs il faut admettre qu'ils sont souvent superbement ignorés par la littérature. Pour y voir clair, il faut distinguer les différents niveaux de gestion existant à l'intérieur de l'organisation, soit le niveau stratégique, qui se préoccupe d'adapter l'organisation à son environnement, et le niveau opérationnel, qui se préoccupe de produire ou de fournir les services attendus dans le cadre de la mission et de la stratégie organisationnelles. Sur un autre axe (dit non hiérarchique ou « staff » se situe le niveau fonctionnel des RH (plus communément appelé service ou direction des RH).

Traditionnellement, avec ou sans la participation des autres employés, les dirigeants ont formulé – au niveau stratégique – des stratégies de développement ou stratégies externes (produits/marchés/avantages compétitifs/synergie) et laissé aux autres fonctions le soin de les mettre en application. Devant l'échec de cette démarche et la nécessité de coordonner un peu mieux les différents niveaux de gestion, ils se sont de plus en plus préoccupés de formuler des stratégies de mise en œuvre ou stratégies internes visant notamment la cohérence d'éléments tels que la structure, la culture, les RH et les systèmes administratifs (informations,

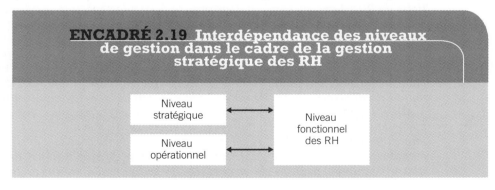

ENCADRÉ 2.19 Interdépendance des niveaux de gestion dans le cadre de la gestion stratégique des RH

planification, budget, contrôle), ainsi que leur alignement sur la stratégie externe. La mise en œuvre de la stratégie venait de naître, transformant le processus traditionnel de planification stratégique en un processus plus complet de gestion stratégique. La RH, principal sujet d'intérêt – avec la structure – de cette mise en œuvre, devenait objet de préoccupation au niveau stratégique, la formulation d'une stratégie de RH étant le principal produit de cette mise en œuvre stratégique. À cause de leur connaissance imparfaite de la gestion des RH, les dirigeants ont invité les responsables de la fonction RH à participer à leurs travaux de réflexion stratégique et à les faire bénéficier de leurs connaissances en la matière. Les résultats ont été mitigés, certains responsables fonctionnels de RH n'ayant ni la crédibilité ni les compétences suffisantes (en matière de production, de marketing, de technologie, etc.) pour devenir des membres à part entière de ce club stratégique. On peut donc dire qu'à l'heure actuelle ces dirigeants (avec ou sans la participation des responsables de la fonction RH, avec ou sans la participation des autres cadres et employés) élaborent une stratégie enrichie comprenant aussi bien des éléments externes que des éléments internes (notamment des éléments de RH), ces deux dimensions étant d'ailleurs difficiles à dissocier dans la réalité, comme le montre Mintzberg[43]. Ce sont ensuite les différents niveaux de gestion qui ont pour mission de compléter les efforts de mise en œuvre entrepris au niveau stratégique.

En matière de mise en œuvre de la stratégie de RH, la fonction spécialisée RH (ou service des RH) est d'importance primordiale, et son rôle stratégique ne fera que croître, comme le montrent les travaux de Spencer[44] sur la réingénierie de RH ou ceux d'Ulrich[45] sur les rôles qui incombent à la fonction RH dans l'entreprise. Outre leur rôle de conseil dans le cadre de la formulation de la stratégie organisationnelle enrichie, les responsables de cette fonction doivent donc compléter la stratégie de RH élaborée par les dirigeants au niveau stratégique par une stratégie fonctionnelle de RH, qui précise ce que la fonction RH entend faire pour appuyer l'effort d'adaptation stratégique des dirigeants, et plus particulièrement pour mettre en œuvre leur stratégie de RH (s'ils en ont élaboré une !). On retrouve ici les mêmes composantes qu'au niveau stratégique, soit des éléments de philosophie de gestion des RH, des processus, des politiques, des programmes et des pratiques de gestion des RH. Outre ce rôle fonctionnel qui définit ce que le service des RH entend faire lui-même pour mettre en œuvre la stratégie organisationnelle, les responsables de cette fonction doivent également aider le niveau opérationnel à assumer leur propre rôle de mise en application et d'adaptation au changement. Ce sont les rôles de consultant interne ou d'agent de changement que l'on retrouve dans le deuxième quadrant de la typologie de rôles de la fonction RH qu'a élaborée Ulrich[46].

Comme on le voit, ce processus de management stratégique des RH est un processus éclaté, du point de vue des acteurs. Il a sa source dans la stratégie organisationnelle, où les grandes orientations en matière de gestion des RH devraient être présentes. Malheureusement, il arrive parfois que ces considérations de RH soient absentes de l'entreprise et que les spécialistes de la fonction ressources humaines doivent eux-mêmes reconstituer ou déduire d'une stratégie organisationnelle incomplète les éléments stratégiques de RH qui orienteront leur action. Idéalement, pourtant, cette stratégie de RH devrait être intégrée – grâce au soutien éclairé du responsable de la fonction RH – avec les autres éléments stratégiques, à l'intérieur de la stratégie organisationnelle. La mise en œuvre de la stratégie de RH revient pour sa part à l'ensemble des niveaux de gestion, la fonction RH jouant, évidemment, un rôle clé, mais les autres acteurs, même les dirigeants (par exemple en matière de gestion symbolique), ont un rôle important à jouer. Finalement pour être complet, ce processus de gestion devrait comporter une phase d'évaluation. L'évaluation stratégique est toutefois la phase la moins précise du processus. Il revient néanmoins à la fonction ressources humaines, tant au moyen d'indicateurs généraux que d'indicateurs spécifiques de RH, de perceptions que de mesures plus analytiques, de mesurer l'efficacité de la stratégie de RH et de transmettre cette information aux dirigeants. Il ne suffit pas de clamer que la fonction RH est importante et qu'elle gère une ressource clé qui a une importance cruciale dans l'entreprise, il faut aussi le prouver!

Gilles Guérin a obtenu deux maîtrises de l'Université de Montréal, l'une en génie physique et l'autre en relations industrielles, ainsi qu'un doctorat en recherche opérationnelle de la même université. Il enseigne depuis 1968 la gestion des ressources humaines à l'École de relations industrielles de l'Université de Montréal. Ses principaux enseignements touchent la planification des ressources humaines, les stratégies de ressources humaines, le développement de carrière, les nouvelles tendances de la gestion des ressources humaines, les rôles des professionnels de la gestion des ressources humaines et la résolution de problèmes de RH.

Gilles Guérin a publié cinq ouvrages, notamment *La gestion des ressources humaines: du modèle traditionnel au modèle renouvelé*. Il a écrit 16 chapitres de divers ouvrages et a publié plus d'une centaine d'articles et d'actes de colloques. Il a également effectué de nombreuses interventions tant à titre de consultant que de conférencier.

Ses recherches actuelles portent sur l'implantation de systèmes d'information de gestion, la gestion de la main-d'œuvre professionnelle, le vieillissement de la main-d'œuvre, l'équilibre travail-famille, la mobilisation des employés et l'intégration des jeunes au marché du travail.

Gilles Guérin est actuellement professeur titulaire à l'École de relations industrielles, département dont il a été directeur en 1983, en 1984 et en 1988-1989.

RÉSUMÉ

Ce chapitre insiste sur la nécessité de situer les activités de gestion des ressources humaines dans une perspective stratégique. Pour pouvoir adopter des moyens efficaces permettant de répondre aux attentes des décideurs et de réagir adéquatement aux contraintes externes, les entreprises doivent élaborer des politiques et des pratiques de gestion des ressources humaines qui correspondent à leurs besoins stratégiques globaux. L'entreprise qui opte pour une stratégie de ressources humaines s'harmonisant parfaitement avec sa stratégie organisationnelle se dote d'un atout qui l'aidera à acquérir un avantage concurrentiel. Nous avons décrit les divers éléments susceptibles d'assurer cette harmonisation, ainsi que le processus de gestion stratégique servant à illustrer les paramètres essentiels à l'élaboration d'une stratégie à l'aide d'une analyse de contingence. Nous avons fourni en outre quelques exemples choisis d'activités stratégiques de ressources humaines, telles que la planification, la dotation en personnel, l'évaluation du rendement, la rémunération et les relations du travail.

La gestion stratégique des ressources humaines est un domaine en pleine expansion. Même si la théorie et les modèles qui la sous-tendent demeurent imparfaits, la nécessité de découvrir des moyens de relier les pratiques et les politiques de ressources humaines à la stratégie organisationnelle et à la planification à long terme devient de plus en plus un enjeu crucial pour les organisations.

Questions de révision et d'analyse

1. *Qu'est-ce qui explique que la gestion stratégique des ressources humaines ait pris une telle importance aujourd'hui ?*

2. *Quelles sont les étapes que comporte un processus de gestion stratégique ?*

3. *Quelles sont les implications en matière de gestion des ressources humaines de chacune des étapes de la gestion stratégique ?*

4. *La mise en œuvre d'une stratégie implique le choix de pratiques spécifiques en matière de ressources humaines. Expliquez cette affirmation et illustrez-la par un exemple.*

5. *Expliquez les différences qui existent entre les concepts de stratégie globale, de stratégie d'adaptation et de stratégie de concurrence.*

6. *Vous avez récemment été sélectionné pour occuper un poste de cadre supérieur des ressources humaines au sein d'une firme qui se spécialise dans la conception de logiciels. Votre tâche principale consiste à élaborer une stratégie de gestion des ressources humaines. À partir de votre connaissance générale de ce secteur, énumérez les principales étapes que comporte la réalisation de ce mandat, et appuyez votre réponse sur des exemples concrets.*

ÉTUDE DE CAS
Nous offrons maintenant des pâtisseries fraîches

Les produits de pâtisserie offerts dans les marchés d'alimentation diffèrent selon qu'ils sont vendus directement au comptoir ou pré-emballés, comme c'est souvent le cas des beignes et des gâteaux vendus dans les épiceries. Tout d'abord, les profits enregistrés pour la vente de la pâtisserie fraîche représentent pratiquement le double de ceux qui sont obtenus dans le cas de la pâtisserie pré-emballée. De plus, les caractéristiques propres au commerce de ces produits ne correspondent pas à celles que possède généralement le commerce d'épicerie. En effet, selon la définition qu'on en donne traditionnellement, ce commerce donne lieu à un volume de ventes élevé et à une faible marge de profits, offre un choix limité de produits, est axé sur la maximisation de l'espace, le service et les rabais, et occupe une surface de 4 000 m². Cependant, qu'arriverait-il si on concevait dorénavant l'épicerie comme un genre de commerce dont le volume des ventes et la marge de profits sont élevés, qui offre un grand choix de produits et est axé sur les besoins du consommateur et l'amélioration du service fourni, tout en conservant la même surface ? Autrement dit, si on modifiait la définition de l'épicerie, les pâtisseries fraîches y auraient-elles leur place ? « Mais bien sûr », d'affirmer les dirigeants des marchés Richelain, une entreprise montréalaise d'alimentation au détail qui possède une chaîne de magasins répartis dans l'ensemble du Québec. Il y a cinq ans, l'équipe de direction a conclu que le fait d'entrer en compétition avec les marchés à grande surface – ceux qui occupent un espace de 10 000 m² – n'était pas la meilleure stratégie à adopter pour assurer la survie du commerce, la dimension et le nombre de places de stationnement requis étant beaucoup trop considérables. Entrer en concurrence avec les grandes épiceries aurait exigé la transformation complète du mode de fonctionnement et du type de relations que l'entreprise avait établis avec ses clients, ses fournisseurs et la communauté.

L'équipe de direction est donc revenue aux questions fondamentales, soit : dans quel type de commerce fonctionnons-nous ? Qui sont nos compétiteurs ? Et, étant donné le fait que nous n'envisageons pas de déménager nos magasins, que désire notre clientèle ?

Les réponses aux questions énoncées précédemment ont amené l'entreprise à redéfinir le concept d'épicerie pour le concevoir comme un commerce axé sur les besoins du client, fournissant un service de qualité et une grande variété de produits. Cela signifiait qu'il fallait, dans chaque magasin, éliminer un certain nombre des produits habituels pour les remplacer par des produits provenant de plus grandes marques et assurant une marge de profits supérieure. On a donc créé un comptoir de charcuterie et de viandes cuites sur place, car on croyait que l'odeur du poulet rôti était susceptible d'attirer la clientèle, on a également élargi la section des fruits frais pour inclure davantage de fruits tropicaux, et ajouté de petits comptoirs de produits exotiques, en vue de leur consommation sur place ou à domicile et, bien sûr, un coin réservé aux pâtisseries.

Tout cela a semblé plutôt intéressant pour Charles Villeneuve, vice-président de Miracle Food-Mart, et responsable des 23 000 employés. Lorsque ses collègues de l'équipe de direction lui ont demandé s'il pourrait cette fois encore « livrer la marchandise » en matière de ressources humaines, il a répondu qu'il n'y voyait aucun problème. Mais Charles Villeneuve, qui s'interrogeait secrètement au sujet de ce projet, s'est demandé par où commencer, et ce que cette nouvelle stratégie signifiait réellement en termes de ressources humaines.

Questions

1. Comment Charles Villeneuve doit-il procéder pour effectuer les changements nécessaires à la transformation de l'entreprise ?

2. En quoi consistent les changements que Charles Villeneuve doit apporter ? Lui suffira-t-il de modifier certaines pratiques de gestion des ressources humaines comme la rémunération pour atteindre ses objectifs ?

NOTES ET RÉFÉRENCES

1 R. S. Schuler et I. C. MacMillan, « Gaining Competitive Advantage Through Human Resource Management Practices », *Human Resource Management,* vol. 23, n° 3, 1984, p. 241-255.

2 J. Purcell, « The Impact of Corporate Strategy on Human Resource Management », dans J. Storey (dir.), *New Perspectives on Human Resource Management,* London, Routledge, 1989.

3 J. Purcell, « Corporate Strategy and the Link with Human Resource Management », dans J. Storey (dir.), *Human Resource Management : A Critical Text,* London, Routledge, 1995.

4 J. Pfeffer, *The Human Equation,* Boston, Harvard Business School Press, 1998.

5 R. S. Schuler et S. E. Jackson, « Linking Competitive Strategies with Human Resource Management Practices », *Academy of Management Executive,* août 1997, p. 207-219.

6 I. Ansoff, *Implanting Strategic Management,* Englewood Cliffs, Prentice Hall, 1984.

7 T. Wils, J.-Y. Lelouarn et G. Guérin, *Planification stratégique des ressources humaines,* Montréal, PUM, 1991.

8 M. E. Porter, *Competitive Strategy : Techniques for Analysing Industries and Competitors,* New York, Free Press, 1980.

9 R. E. Miles et C. C. Snow, *Organizational Strategy, Structure and Process,* New York, McGraw-Hill, 1978.

10 A. Losovski, *La grève est un combat,* Montréal, Librairie progressiste, 1976.

11 R. P. Rumlet, « Evaluation of Strategy : Theory and Models », dans D. E. Scendel et C. W. Hoffer (dir.), *Strategic Management,* Boston, Little Brown, 1979, p. 196-215.

12 L. Baird et I. Meshoulam, « The HRS Matrix : Managing the Human Resource Function Strategically », *Human Resource Planning,* vol. 7, n° 1, 1984, p. 1-21.

13 R. S. Schuler, « Strategic Human Resources Management : Linking the People with the Strategic Needs of the Business », *Organizational Dynamics,* été 1992, p. 18-32.

14 A. A. Thompson et A. J. Strickland, *Crafting and Implementing Strategy,* 10e édition, New York, McGraw-Hill, 1998.

15 S. E. Jackson et R. S. Schuler, *Managing Human Resources : A Partnership Perspective,* Cincinnati, South-Western Publishing, 2000.

16 R. S. Schuler, S. E. Jackson et J. Storey, « HRM and its Link with Strategic Management », dans J. Storey (dir.), *Human Resource Management : A Critical Text,* London, International Thomson, 2000, chapitre 7.

17 A. A. Thompson et A. J. Strickland, *op. cit.*

18 R. E. Miles et C. C. Snow, *Organizational Strategy, Structure and Process,* New York, McGraw-Hill, 1978 ; R. E. Miles et C. C. Snow, « Designing Strategic Human Ressources Systems », *Organizational Dynamics,* vol. 13, 1984, p. 36-52.

19 M. E. Porter, *op. cit.*

20 G. Guérin et T. Wils, « L'harmonisation des pratiques de gestion des ressources humaines au contexte stratégique : une synthèse », dans R. Blouin (dir.), *Vingt-cinq ans de pratique en relations industrielles au Québec,* Montréal, Éditions Yvon Blais, 1990.

21 M. E. Porter, *Competitive Advantage,* New York, Free Press, 1985.

22 S. E. Jackson et R. S. Schuler, « Human Resource Planning : Challenges for I/O Psychologists », *American Psychologist,* 1990, p. 223-239 ; R. S. Schuler, *op. cit.,* 1992 ; et R. S. Schuler et S. E. Jackson o*p. cit.,* 1997.

23 P. Capelli et A. Crocker-Hefter, « Distinctive Human Resources Are the Core Competencies of Firms », *Rapport n° R117Q00011-91,* Washington, US Department of Education, 1994.

24 B. E. Becker et M. A. Huselid, « High Performance Work System and Firm Performance : A Synthesis of Research and Managerial Implications », dans G. Ferris (dir.), *Research in Personnel and Human Resource Management,* Greenwich, Conn., JAI Press, 1998.

25 R. S. Schuler, 1992, *op. cit.*

26 E. P. Marquardt, « Aligning Strategy and Performance with the Balances Scorecard », *ACA Journal,* automne 1997, p. 18-27.

27 P. S. Kaplan et D. P. Norton, « Linking the Balanced Scorecard to Strategy », *California Management Review* 39, automne 1996, p. 53-79.

28 B. E. Becker et M. A. Huselid, *op. cit.*

29 E. W. Rogers et P. M. Wright, « Measuring Organizational Performance in Strategic Human Resource Management : Problems, Prospects, and Performance Information Markets », *Human Resource Management Review,* vol. 8, n° 3, 1998, p. 311-331.

30 S. L. Dolan, V. P. Hogue et J. Harbottle, « L'évolution des tendances en gestion des ressources humaines au Québec », dans R. Blouin (dir.), *25 ans de relations industrielles au Québec,* Montréal, Yvon Blais inc., 1990, p. 777-789.

31 Pour une discussion intéressante sur les caractéristiques générales des employés en regard de la stratégie organisationnelle, voir : R. S. Schuler, « Personnel and Human Resource Management Choices and Organizational Strategy », dans R. S. Schuler, S. A. Youngblood et V. Hubert (dir.), *Readings in Personnel and Human Resource Management,* 3e édition, St. Paul West Publishing Co., 1988, (en particulier le tableau de la page 27).

32 N. Lemaître, « La culture d'entreprise, facteur de performance », Gestion, vol. 10, n° 1, 1985, p. 19-25 ; F. Belle, « Pour une gestion culturelle des RH », *Gestion,* mai 1992, p. 16-27.

33 B. E. Becker et M. A. Huselid, *op. cit.*

34 D. Bouteiller et G. Guérin, *La philosophie de gestion des ressources humaines, Gestion,* mai 1989, p. 20-29.

35 A. Taylor III, « Back to the Future at Saturn », *Fortune,* 1er août 1988, p. 63-72.

36 P. Drucker, *Management : Tasks, Responsibilities, Practices,* New York, Harper et Row, 1973.

37 I. Ansoff, *Implanting Strategic Management,* Englewood Cliffs, Prentice Hall, 1984.

38 M. Porter, *Competitive Advantage : Creating and Sustaining Superior Performance,* New York, Free Press, 1990.

39 D. Ulrich et D. Lake, *Organizational Capability : Competing from the Inside/out,* New York, Wiley, 1990.

40 G. Guérin, « Le changement technologique et la gestion stratégique des ressources humaines : un cadre de référence », dans R. Jacob et J. Ducharme (dir.), *Changement technologique et gestion des ressources humaines,* Montréal, Gaëtan Morin ; G. Guérin, « La planification stratégique des RH : les processus d'alignement et d'influence », dans R. Bourque et G. Trudeau (dir.), *Le travail et son milieu,* Montréal, PUM, 1995.

41 R. S. Schuler, « Strategic Human Resource Management : Linking the People with the Strategic Needs of the Business », *Organizational Dynamics,* été 1992, p. 18-31.

42 R. Schuler et S. Jackson, « Linking-Competitive Strategies with Human Ressource Management Practices », *Academy of Management Executive,* vol 1, n° 3, 1987, p. 207-219.

43 H. Mintzberg, « Pièges et illusions de la planification stratégique », *Gestion,* février 1994, p. 66-74.

44 L. Spencer, *Reengineering HR,* New York, Wiley, 1995.

45 D. Ulrich, *HR Champions,* Boston, Harvard Business School Press, 1997.

46 *Ibid.*

Lectures supplémentaires

- P. J. Brews et M. R. Hunt, « Learning to Plan and Planning to Learn : Resolving the Planning School/Learning School Debate », *Strategic Management Journal,* vol. 20, 1999, p. 889-913.

- L. Gratton, *Human Resource Strategy,* London, Oxford University Press, 1999.

- L. Gratton, *Living Strategy : Putting People at the Centre of Corporate Strategy,* London, FT, Prentice Hall, 2000.

- M. A. Huselid, S. E. Jackson et R. S. Schuler, « Technical and Strategic Human Resource Management Effectiveness as Determinants of Firm Performance », *Academy of Management Journal,* vol. 40, 1997, p. 171-188.

- S. E. Jackson et R. S. Schuler, « Understanding Human Resource Management in the Context of Organizations and their Environments », *Annual Review of Psychology,* vol. 46, 1995, p. 237-264.

- R. S. Schuler, « Human Resource Management Activities in International Joint Ventures », dans J. Storey (éd.), *Human Resource Management : A Critical Text, London,* International Thomson, 2000.

- R. S. Schuler et S. E. Jackson, *Strategic Human Resource Management : A Reader*, London, Blackwell, 1999.

- S. A Snell, M. A. Youndt et P. M. Wright, « Establishing a Framework for Research in Strategic Human Resource Management : Merging Resource Theory and Organizational Learning », *Research in Personnel and Human Resource Management,* vol. 14, 1996, p. 61-90.

- H. Mintzberg, « Les nouveaux rôles de la planification, des plans et des planificateurs », *Gestion,* mai 1994, p. 6-14.

- J. Lauriol, « Management stratégique : repères pour une fin de siècle », *Gestion,* décembre 1994, p. 59-71.

- M. Treacy et Wiersema, *The Discipline of Market Leaders, Reading,* MA, Addison-Wesley, 1995.

- D. Ulrich, *Delivering Results : A New Mandate for Human Resource Professionals,* Boston, Harvard Business School Press, 1998.

- P. Wright et G. C. McMahan, « Theoretical Perspectives for Strategic Human Resource Management », *Journal of Management,* vol. 18, n° 2, p. 295-320.

Les nouvelles formes d'organisation du travail

I Les nouvelles formes d'organisation du travail et la gestion des ressources humaines

Les changements économiques et sociaux, les cycles prolongés des récessions économiques, la mondialisation des marchés et l'augmentation de la concurrence mondiale ont exercé des pressions sur les organisations, allant jusqu'à compromettre leur compétitivité et à mettre en péril leur survie. À partir du milieu des années 80, on a assisté à un renouvellement des conceptions de l'organisation du travail. Ces nouvelles approches, dont la raison d'être était principalement de revoir les structures et les procédés de travail afin de les rendre plus conformes aux nouvelles réalités économiques et sociales, visaient à améliorer à la fois la qualité de vie au travail et la productivité en proposant une redéfinition du travail centrée sur les objectifs suivants :

- Accroître la satisfaction au travail en vue de réduire l'absentéisme et le roulement du personnel ainsi que d'augmenter son rendement.
- Inciter les employés à participer à la prise de décision pour favoriser leur engagement au sein de l'entreprise.
- Améliorer la qualité des biens ou des services produits afin de s'assurer de la fidélité de la clientèle et des consommateurs et de demeurer compétitif sur le marché.
- Augmenter les niveaux de rendement au travail, de manière à assurer la rentabilité de l'organisation, sa compétitivité et sa survie.

Dans un contexte de réorganisation du travail, les professionnels des ressources humaines sont véritablement des personnes clés au sein de l'entreprise puisqu'ils y jouent le rôle d'agents de changement en l'encourageant à innover en matière de gestion. Ils doivent juger de la pertinence des nouvelles écoles de pensée et mettre à profit leurs connaissances et leurs habiletés à gérer le changement et à vaincre les résistances qui se manifestent, tant de la part des dirigeants que des autres gestionnaires et des employés. Leur rôle est donc crucial, car il a une incidence sur l'efficacité de l'organisation.

LES OBJECTIFS VISÉS PAR LES NOUVELLES FORMES D'ORGANISATION DU TRAVAIL

L'amélioration de la productivité. La productivité se définit et se mesure traditionnellement en fonction du rapport établi entre les extrants et les intrants organisationnels. Il convient toutefois de signaler que les définitions précises de ces deux termes suscitent de vives discussions. À première vue, il apparaît presque impossible de mesurer les extrants ou les intrants d'un établissement de santé, d'une banque, d'un orchestre, ou encore d'une organisation professionnelle. Il est tout aussi difficile d'apprécier le travail accompli par chaque employé dans ce genre d'organisations. Cependant, la tâche devient possible si les mesures de la productivité sont élaborées en fonction de chaque organisation et des objectifs qu'elle s'est fixés. Dans cette perspective, la productivité est alors définie comme une mesure ou un indicateur des extrants produits par un individu, un groupe ou une organisation par rapport aux intrants ou aux ressources utilisées pour obtenir ces extrants. Il importe de choisir des critères : (1) mesurables (par exemple des résultats de l'évaluation du rendement qui soient valides, la qualité des extrants, la quantité d'extrants) ; (2) conformes aux buts de l'organisation ; et (3) appropriés à chaque emploi.

L'amélioration de la qualité de vie au travail. Les organisations ont tenté par le passé d'accroître leur productivité en misant sur les changements technologiques, mais ce choix a malheureusement provoqué une détérioration des conditions de travail d'un bon nombre de personnes. On a ainsi demandé aux employés de travailler plus vite, de produire davantage, de perdre moins de temps à réfléchir, cette tâche étant dorénavant confiée à la machine. Bien que ces approches aient pu paraître efficaces à court terme, il est maintenant devenu évident qu'elles donnent peu de résultats à longue échéance. Depuis le milieu des années 80, on constate que la main-d'œuvre manifeste clairement le désir de jouir d'une plus grande autorité qu'auparavant et de participer aux décisions concernant tous les aspects du travail qui la touchent directement. On a donc tenté, au cours des 20 dernières années, de mettre au point une approche holistique afin d'accroître la productivité sans sacrifier pour autant le bien-être psychologique et physique des employés. Cette démarche tourne fondamentalement autour du concept de qualité de vie au travail (QVT). Bien qu'il s'agisse d'une orientation louable, d'une approche plus humaine de l'organisation du travail, l'amélioration des conditions de vie au travail ne constitue pas la finalité des organisations, leur but ultime demeurant la survie, la croissance, la réalisation de profits, la recherche de la productivité et le maintien de la compétitivité. Les organisations s'intéressent néanmoins à cette notion, car elles considèrent qu'elle peut conduire à une augmentation de la productivité des travailleurs et au renforcement de leur sentiment d'appartenance organisationnelle.

Tout comme la productivité, la qualité de vie au travail est un concept difficile à définir et à mesurer. Dans cet ouvrage, il y est fait référence en tant que processus par lequel tous les membres d'une organisation, par l'intermédiaire de réseaux de communication ouverts et adéquats, prennent part dans une certaine mesure aux décisions qui touchent leur emploi en particulier et leur milieu de travail en général, ce qui se traduit par une plus grande participation de chacun dans le cadre de ses fonctions. Des études montrent que cette participation rehausse la satisfaction des employés et réduit leur niveau de stress et de fatigue. Tenter d'améliorer les conditions de vie au travail des employés en suscitant un engagement accru de leur part est une expérience nouvelle, par laquelle les employés manifestent un sentiment d'appartenance à l'organisation, font preuve de maîtrise de soi, d'autorité et de respect de soi[1]. Dans une organisation où la qualité de vie au travail est une valeur très importante, la démocratie industrielle est, en général, fortement encouragée : les suggestions, les questions et les critiques susceptibles de mener à des améliorations du milieu de travail y sont bien accueillies. Dans un tel cadre, l'expression d'un mécontentement peut donc être vue comme une manifestation constructive à l'égard de l'organisation plutôt qu'un acte négatif puisque le personnel, encouragé par la direction, est souvent invité à proposer des idées et des mesures propres à améliorer l'efficacité et l'efficience de l'exploitation, de même que l'environnement de travail.

Divers courants de pensée ont marqué l'évolution de l'organisation du travail. Nous les examinerons selon l'ordre chronologique de leur formation, puis nous traiterons des notions contemporaines qui influencent les nouvelles structures organisationnelles. Commençons tout d'abord par analyser les liens existant entre les nouvelles formes d'organisation du travail et les activités de gestion des ressources humaines.

LES NOUVELLES FORMES D'ORGANISATION DU TRAVAIL ET LEURS LIENS AVEC LES AUTRES ACTIVITÉS ET PROGRAMMES DE GESTION DES RESSOURCES HUMAINES

Les nouvelles formes d'organisation du travail (NFOT) se matérialisent dans un certain nombre d'autres programmes et activités de gestion des ressources humaines, comme nous pouvons le voir ci-dessous (encadré 3.1).

Les NFOT et l'analyse des postes. Lorsqu'un programme de restructuration du travail est adopté, il arrive fréquemment que les objectifs et les caractéristiques des

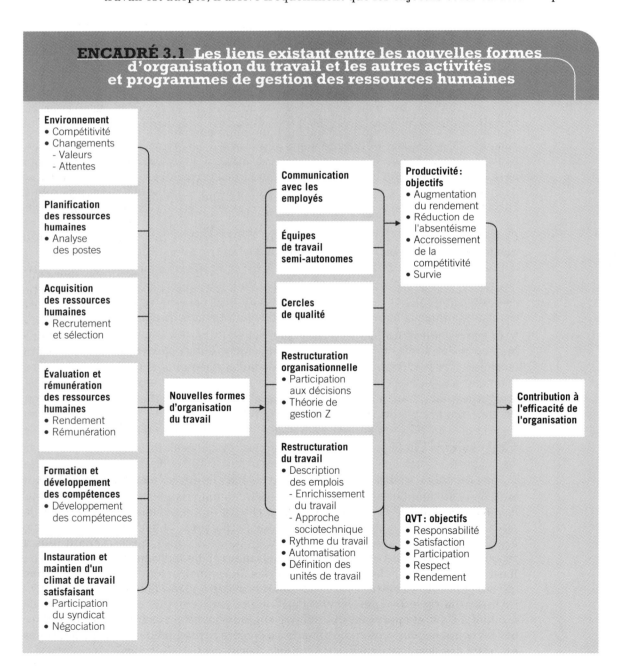

ENCADRÉ 3.1 Les liens existant entre les nouvelles formes d'organisation du travail et les autres activités et programmes de gestion des ressources humaines

emplois ainsi que les tâches qui s'y rattachent soient modifiés pour correspondre à la nouvelle vision organisationnelle. À la suite de ces changements, il devient nécessaire de procéder à de nouvelles analyses de postes.

Les NFOT et le développement des compétences. Afin que les nouvelles formes d'organisation du travail puissent être mises en pratique efficacement, les gestionnaires doivent adopter un style de gestion plus ouvert et plus collégial et devenir des formateurs. Il est important que les employés puissent acquérir en plus des connaissances techniques qui sont directement en lien avec leur travail des connaissances qui leur permettent de prendre part aux décisions organisationnelles, dont l'acquisition de connaissances en matière d'autogestion, d'habiletés interpersonnelles et de capacités en matière de résolution de conflits. Les besoins de formation du personnel sont donc susceptibles de croître, du moins au cours de la période initiale du programme.

Les NFOT et la gestion des carrières. Les nouvelles formes d'organisation du travail influent sur les pratiques de gestion des carrières adoptées par les organisations puisqu'elles modifient les cheminements possibles. La planification de la progression professionnelle des employés contribue à augmenter la satisfaction au travail et, du même coup, à réduire l'absentéisme et le roulement du personnel.

Les NFOT et la santé et le bien-être au travail. Les nouvelles formes d'organisation axées sur la hausse de la qualité de vie au travail tendent à améliorer la santé et le bien-être des employés. Elles permettent de restreindre le travail routinier et de concevoir des programmes visant à réduire considérablement l'ennui inhérent à l'accomplissement de certaines tâches et, par conséquent, les risques d'accident. En outre, la mise en application de programmes de restructuration du travail et l'amélioration des communications au sein de l'entreprise ont un effet positif sur la participation et la motivation des travailleurs.

Les NFOT et les relations du travail. Le succès des nouvelles formes d'organisation dépend aussi des relations existant entre l'employeur et ses employés. La structure des postes a souvent besoin d'être révisée, et cette opération requiert l'appui du milieu syndical. Les syndicats peuvent donc jouer un rôle très important dans ce processus. Ils apportent généralement leur appui aux innovations qui contribuent à préserver les emplois, mais ils peuvent aussi s'opposer aux tentatives qui mettraient en péril le principe de l'égalité du traitement des travailleurs.

II Les principales approches en matière d'organisation du travail

Les approches traditionnelles relatives à l'amélioration de la productivité n'ont plus beaucoup de succès aujourd'hui dans le monde du travail. Les théories sur lesquelles se fondent ces approches ont certes connu leurs heures de gloire par le passé, mais, à la suite de l'évolution sociale, économique et politique qui a marqué les dernières décennies, elles ont perdu de leur efficacité, ne parvenant plus à répondre aux nouvelles exigences des organisations et des individus qui les composent. Il est important de souligner que les théories du comportement et de l'organisation qui ont donné naissance aux formes traditionnelles d'organisation du travail, caractérisées par la rigidité et par la centralisation des pouvoirs, sont encore influentes de nos jours. Un bref aperçu de ces théories et approches et un examen des hypothèses qui les sous-tendent nous aideront à mieux comprendre les changements survenus au cours des dernières années en matière d'organisation du travail.

LES THÉORIES CLASSIQUES

L'approche classique de l'organisation du travail repose principalement sur quatre théories : la division du travail selon Adam Smith, l'organisation scientifique du travail préconisée par Frederick Taylor, le modèle bureaucratique de Max Weber et le modèle administratif d'Henri Fayol.

Adam Smith a soutenu que la meilleure façon d'exécuter un travail consistait à le diviser en parties, donc à pousser au maximum la spécialisation du travail. Reprenant les idées de Smith, Frederick Taylor a établi, quelques années plus tard, que la spécialisation du travail et sa décomposition en un ensemble de tâches simples susceptibles d'être effectuées mécaniquement contribuaient à accroître le rendement des employés et à assurer un meilleur contrôle de leur travail. Selon lui, chaque tâche doit être si simple que n'importe quel travailleur possédant un minimum de formation doit pouvoir l'accomplir en peu de temps. Taylor a mis au point une organisation scientifique du travail, comprenant une analyse du travail et sa recomposition en un ensemble de mouvements à effectuer en un temps donné, dans le but d'améliorer la productivité et la qualité de la production. Il a affirmé la nécessité, pour maximiser le rendement, d'arracher le contrôle du travail des mains des travailleurs pour le confier aux directions d'entreprises. Le principe de la séparation de la conception et de l'exécution du travail a eu une large influence sur la gestion des entreprises tout au long du XXᵉ siècle. Il faut noter cependant qu'un certain nombre d'usines de fabrication, surtout celles des secteurs industriels du vêtement et de l'automobile, fonctionnent encore de cette façon[2].

En ce qui concerne le modèle bureaucratique prôné par Max Weber, il nous a apporté les notions de hiérarchie, de ligne d'autorité et de comportements structurés. Le travail y est vu comme une fonction devant être effectuée de façon routinière et impersonnelle et s'insérant dans un cadre rigide composé de règles et de lignes de conduite très strictes. Tout doit être planifié et accompli dans une période de temps déterminée. Rien ne doit être laissé à l'improvisation ni à la créativité de l'individu. Cette description concorde presque parfaitement avec la situation que vit une bonne partie du personnel du secteur public, en particulier les employés des hôpitaux et des prisons. Le nombre de règles écrites, de politiques, de marches à suivre et de diagrammes adoptés par certaines organisations témoigne de cette réalité.

Par ailleurs, Henri Fayol a mis en évidence les quatre fonctions que remplit traditionnellement, selon lui, un administrateur compétent : la planification, l'organisation, la direction et le contrôle. Sa théorie fait également référence à un ensemble de notions, dont les suivantes : l'unité de commande, à savoir le principe selon lequel un subordonné ne doit recevoir d'ordres que d'un superviseur ; la distinction entre l'autorité hiérarchique et l'autorité de conseil ; l'étendue de l'autorité, notion qui détermine le nombre d'employés qu'un gestionnaire peut superviser efficacement ; et la spécialisation du travail, principe selon lequel le regroupement d'activités similaires au sein d'un même service (par exemple, la production, les finances, le marketing, les ressources humaines, la recherche-développement) est avantageux.

Jusqu'à maintenant, la philosophie sous-jacente à la restructuration du travail menée par un grand nombre d'organisations canadiennes s'est appuyée sur les principes suivants : (1) le travailleur est utilisé en fonction des besoins de l'organisation ; (2) il est embauché pour accomplir un nombre de tâches spécifiques ; et (3) il doit atteindre un niveau de production donné.

LES THÉORIES HUMANISTES

En réaction aux conceptions rigides et impersonnelles de l'organisation du travail qui caractérisaient les théories classiques (encadré 3.2), les humanistes ont proposé des théories axées sur les besoins humains. Selon l'école des relations humaines, dont le pionnier était Elton Mayo, l'établissement de relations humaines satisfaisantes au sein d'une organisation peut avoir un effet positif sur le rendement des employés, d'où la nécessité de déployer des efforts pour humaniser les conditions de travail. On encourageait en ce sens les travailleurs à s'identifier à l'organisation et on cherchait à faire en sorte qu'ils se sentent fiers d'appartenir à cette organisation.

ENCADRÉ 3.2 Les lacunes du modèle traditionnel

- L'employé est considéré uniquement comme un facteur de production remplaçable. Il est engagé pour accomplir un certain nombre de tâches spécifiques et pour produire une quantité de biens donnée selon des normes de qualité déterminées.
- Le travail fait l'objet d'une spécialisation. Il est divisé en tâches simples, décrites de façon précise et détaillée. On ne laisse aucune place à la créativité ni à la prise de décision.
- Les normes de rendement sont basées essentiellement sur les études de temps et mouvements. L'employé reçoit une prime si sa production est supérieure aux normes exigées.
- Les rôles respectifs de la direction et des subordonnés sont clairement définis.
- Le style de direction adopté est autoritaire. Une supervision constante et étroite demeure la règle.
- La communication est verticale et elle emprunte le canal hiérarchique.
- Le travail est régi par une multitude de règles, d'instructions et de manuels de procédés et méthodes.
- La motivation au travail est encouragée par un système de récompenses et de punitions.

La participation des employés à la prise de décision semble s'inscrire dans la suite logique de l'évolution de l'organisation du travail. Dans ce but, on a constitué des groupes, des comités et des commissions ad hoc. Le travailleur s'est vu accorder le droit de parole et il a acquis également plus de pouvoirs et de responsabilités qu'il n'en avait auparavant. Les tenants de l'approche humaniste visent à satisfaire les besoins fondamentaux de l'individu que sont l'estime de soi et la croissance personnelle. Ils mettent aussi l'accent sur l'importance que revêt le groupe dans l'établissement des normes de travail et sur sa contribution au rendement individuel. Travailler avec des groupes demande cependant du temps, de l'énergie, des aptitudes et des habiletés particulières, de même que des aptitudes de meneur. Par conséquent, seuls les groupes dirigés adéquatement peuvent favoriser une augmentation de la productivité.

LES MODÈLES SOCIOTECHNIQUES

En matière d'organisation du travail, l'école de pensée sociotechnique repose sur le principe de l'interdépendance des systèmes issus du travail, c'est-à-dire des systèmes technologique, social et de production. Les chercheurs scandinaves qui ont été à l'origine de cette approche ont étudié en priorité les interactions entre l'individu et son milieu de travail. Cette approche insiste sur la nécessité de démocratiser les lieux de travail et de les rendre plus humains. Les initiatives de réaménagement du travail auxquelles cette approche a donné lieu étaient autant guidées par la volonté d'accroître le rendement des employés que d'humaniser leur travail. Les équipes de travail semi-autonomes, la polyvalence et la responsabilisation de l'employé sont les mots clés qui devaient permettre la décentralisation de la prise de décision et la réduction des paliers hiérarchiques, entraînant par le fait même la réduction, voire la disparition des postes de cadres intermédiaires, de contremaîtres et d'agents chargés du contrôle de la qualité[3].

Deux autres approches se rattachent également aux modèles sociotechniques de la réorganisation du travail, soit l'approche systémique et la théorie de la contingence. La première tient compte des interactions existant entre les éléments internes d'un système de travail et son environnement externe. Dans le cadre de la seconde, chaque interaction est considérée comme un système en soi, et on cherche à trouver la combinaison de circonstances ou de facteurs susceptibles de produire le meilleur rendement dans une situation donnée.

LES MODÈLES JAPONAIS

Les modèles japonais ont largement influencé la réorganisation du travail. Ils prônaient la nécessité d'adopter des techniques axées sur l'apprentissage continu dans le but d'accroître la qualité des produits ou des services. Les ingénieurs japonais ont appris à collaborer étroitement avec les employés engagés dans la production et à appliquer les principes de gestion de la qualité totale. Parmi les éléments clés visant à améliorer à la fois la qualité des produits et la productivité figurent le recours à des méthodes scientifiques de gestion et l'élaboration de programmes de formation à l'intention des travailleurs. Dans le cadre de la gestion de la qualité totale, les entreprises japonaises ont opté pour des pratiques de gestion des ressources humaines visant à renforcer le sentiment d'appartenance des employés à leur organisation et à accroître leur capacité à résoudre les problèmes auxquels ils font face. Les pratiques de rémunération, la sécurité d'emploi et les pratiques de formation ont compté parmi les principaux incitatifs permettant de favoriser la productivité de la main-d'œuvre. L'introduction du travail en équipe assurait également le maintien de normes de qualité. Contrairement aux modèles suédois, les équipes japonaises ne consistaient pas en des groupes autonomes régis par des principes de démocratie industrielle. Bien que les paliers hiérarchiques aient été peu nombreux et que les employés aient joui de beaucoup d'initiative au sein des équipes de travail, il n'en demeure pas moins que les décisions finales revenaient aux cadres hiérarchiques[4].

LES PREMIÈRES FORMES DE RÉORGANISATION DU TRAVAIL : LES POLITIQUES VISANT L'ACCROISSEMENT DE LA QVT ET DE LA PRODUCTIVITÉ

Les premières expériences de réorganisation du travail axées principalement sur l'amélioration de la qualité de vie au travail ont été menées au Canada en 1978, à l'initiative du gouvernement fédéral et du ministère fédéral du Travail. Des ateliers se sont déroulés dans l'ensemble du Canada, auxquels ont participé des chercheurs universitaires, des gestionnaires, des membres de syndicats et des conseillers en gestion. On a également produit et distribué une multitude d'écrits faisant valoir la nécessité de considérer de nouvelles avenues en matière de réorganisation du travail. Cette façon de procéder s'est révélée efficace, car elle a permis de diffuser une grande quantité d'informations sur les techniques mises de l'avant dans ce domaine, et en particulier sur les méthodes sociotechniques de réaménagement du travail et les cercles de qualité. Les initiatives gouvernementales ont consisté dans la mise sur pied de façon continue d'activités et d'ateliers, et ont apporté un soutien financier et technique à différents projets de formation et de recherche dans le domaine. Finalement, un réseau d'experts en qualité de vie au travail a été créé dans l'ensemble du pays.

Consultez Internet

www.hrdc-drhc.gc.ca

Site de Développement ressources humaines Canada, qui présente un guide à l'intention des employeurs qui voudraient promouvoir des programmes visant l'amélioration de la qualité de vie au travail.

Par ailleurs, parallèlement à ces initiatives, le Conseil du Trésor du Canada a, depuis 1975, mené des activités de restructuration du travail. Des expériences de création d'équipes de travail semi-autonomes se sont déroulées en 1975 dans trois ministères fédéraux, en collaboration avec trois syndicats du secteur public. Cette première série d'initiatives a vite été suivie par une deuxième série dans deux autres ministères, en 1978. Ces expériences n'ont pas toujours été couronnées de succès, mais leurs résultats ont été largement diffusés. Par ailleurs, d'autres organisations ont manifesté de l'intérêt pour ce processus par la suite.

Du côté des provinces, certaines ont adopté des politiques distinctes en matière de QVT et de productivité. Dans l'ensemble, les initiatives de réorganisation du travail ont reçu un accueil favorable tant dans le secteur public que dans le secteur privé. Il faut cependant noter que le soutien que les syndicats leur ont apporté dépendait des politiques des centrales syndicales ainsi que de la nature des relations patronales-syndicales existant au sein de l'entreprise. Le gouvernement offre une série de programmes et d'activités visant à fournir aux travailleurs et aux employeurs canadiens les outils nécessaires pour leur permettre de répondre aux nouvelles tendances du marché du travail. Ces programmes visent essentiellement à promouvoir un milieu de travail participatif qui favorise des relations patronales-syndicales harmonieuses et encourage l'innovation, l'investissement et le bien-être des travailleurs.

LES NOUVELLES FORMES D'ORGANISATION DU TRAVAIL

Les nouvelles formes d'organisation sont nées de l'intérêt pour l'accroissement de la productivité qui s'est manifesté dans des environnements économiques plus turbulents et plus complexes que ceux que les entreprises ont connus par le passé. Elles s'appuient sur le principe selon lequel le travailleur a des besoins et des attentes que le milieu de travail peut et doit satisfaire, du moins en partie. Cette approche se fonde sur la nécessité d'établir une collaboration et un respect mutuels entre les parties.

De façon concrète, les nouvelles formes d'organisation du travail s'attachent à rendre les tâches plus intéressantes, plus stimulantes et plus sécuritaires et, par conséquent, à assainir le milieu du travail. En ce qui concerne l'individu, l'objectif de la restructuration du travail est de faire en sorte que le travailleur soit mieux disposé à travailler et plus heureux, et puisse accroître ses habiletés et ses connaissances afin d'être en mesure de mieux accomplir son travail, d'occuper des fonctions plus stimulantes et d'assumer davantage de responsabilités. En ce qui a trait à la dimension travail, ce type de programmes vise à faire en sorte que l'emploi soit plus important, plus stimulant et plus agréable pour le travailleur. Divers moyens permettant d'élargir les responsabilités reliées à un emploi seront examinés dans ce chapitre. Parmi ces moyens, notons l'augmentation horizontale ou l'extension des tâches, ainsi que l'enrichissement du travail, c'est-à-dire l'accroissement de sa complexité par l'intégration verticale des tâches. La rotation des emplois est une autre façon de réduire l'ennui inhérent à certains postes, de permettre à l'employé d'acquérir de nouvelles habiletés et de lui offrir de nouvelles perspectives d'emploi. Certains programmes visent à accroître l'autonomie de l'employé en lui accordant une plus grande liberté en ce qui a trait à la planification de son travail et à la façon de l'accomplir. Le travail partagé, l'emploi partagé, les cercles de qualité, les équipes de travail semi-autonomes et le système Scanlon sont des mesures élaborées en ce sens.

Par rapport à l'environnement du travail, une distinction doit être faite entre l'environnement interne et l'environnement externe. Dans le premier cas, porter attention à l'environnement physique permet de surveiller, de prévenir et de réduire les problèmes causés par l'humidité, la température, le bruit, l'éclairage, les odeurs, les vibrations, etc. D'autre part, l'environnement technologique concerne les outils et le matériel qui peuvent aider l'employé à accomplir son travail, mais qui peuvent en même temps nuire à sa santé. Par exemple, une maladie bien connue, le syndrome des immeubles à bureaux, est causée par la piètre qualité de l'air et par une ventilation déficiente, de même que par la présence excessive de matériaux irritants dans un grand nombre de bâtiments. Par ailleurs, les travailleurs se plaignent fréquemment de maux de dos et de la perte de l'ouïe. Il est important de corriger ces problèmes, car la productivité est fonction de l'individu et de son environnement, tout comme le sont la satisfaction au travail et l'amélioration de la QVT.

L'environnement organisationnel est reflété par l'ensemble des actions organisationnelles qui visent à offrir aux employés un environnement stimulant où il fait bon travailler. Ce sont des facteurs comme la culture d'entreprise, le style de gestion, les politiques de l'organisation et ses structures, le soutien technique offert, les systèmes d'information adoptés et les systèmes de communication utilisés qui permettent de juger si un milieu organisationnel est adéquat. Les niveaux de participation de l'employé à la planification et à la prise de décision, les possibilités de mutations latérales ou de promotion, le nombre de paliers hiérarchiques, les obstacles à la communication peuvent également être pris en considération pour juger de la qualité de l'environnement interne. Parmi les pratiques qui touchent l'organisation du travail, les cercles de qualité, les équipes de travail semi-autonomes et le système Scanlon permettent notamment aux travailleurs de participer davantage au processus décisionnel, tout en les rendant plus responsables par rapport à leur emploi, mais aussi envers leurs collègues et vis-à-vis de l'organisation.

Les nouvelles formes d'organisation du travail tiennent également compte de l'environnement externe. Par exemple, comme l'harmonisation de la vie familiale et de la vie professionnelle peut avoir une incidence sur le rendement des travailleurs, un certain nombre d'organisations ont mis en application le travail flexible et différents aménagements des horaires de travail afin de permettre au travailleur de mieux partager son temps entre ses responsabilités professionnelles, familiales et sa vie privée[5].

À la lumière de ce qui vient d'être présenté, nous aborderons les nouvelles formes d'organisation du travail en les regroupant en quatre catégories. Nous examinerons donc successivement celles qui sont conçues dans une perspective organisationnelle, celles qui reflètent une perspective d'équipes ou de groupes, celles qui émanent d'une perspective individuelle et, finalement, celles qui visent la flexibilité.

III L'organisation du travail dans une perspective organisationnelle

La perspective organisationnelle touchant la restructuration du travail consiste à assurer la gestion de la structure et des procédés de travail. Dans un premier temps, nous traiterons des facteurs qui influent sur les initiatives de réorganisation du travail, pour ensuite aborder le choix des structures organisationnelles.

LES FACTEURS QUI INFLUENT SUR LES INITIATIVES DE RÉORGANISATION DU TRAVAIL

Dans les faits

La forte progression que la société Poulies Maska a connue s'explique par son parti pris pour l'innovation et par le système de gestion participative qu'elle a élaboré pour ses employés. Grâce à l'engagement de ces derniers, l'entreprise est en pleine expansion, et elle prévoit poursuivre sur cette lancée au cours des prochaines années. Son chiffre d'affaires passera ainsi, d'ici l'an 2005, de 20 millions de dollars à 60 millions de dollars, soit une croissance de 30 % par année.

La participation accrue des travailleurs. L'une des premières tentatives visant à instaurer la démocratie industrielle sur une grande échelle a vu le jour en Allemagne de l'Ouest et a révélé les mérites de la cogestion. Cette forme de participation permet aux représentants des travailleurs d'être partie prenante des décisions de l'organisation. Les efforts déployés par les entreprises canadiennes qui ont expérimenté différentes formes de participation ont conduit dans de nombreux cas à une augmentation des profits et de la satisfaction des employés. C'est le cas de l'expérience menée par la société Poulies Maska[6] (voir ci-dessus). Cependant, certaines expériences malheureuses indiquent qu'un ensemble de conditions doivent être réunies pour qu'une expérience de gestion participative réussisse, notamment des conditions de marché adéquates, des habiletés en gestion qui soient satisfaisantes, une vision claire des buts et des responsabilités de l'organisation. Quelques formules intéressantes de gestion participative ont vu le jour ces dernières années, et d'autres expériences similaires pourront être tentées dans l'avenir.

Consultez Internet

http://www.infometre.cefrio.qc.ca
Site portant sur l'utilisation des technologies de l'information au Québec. Données statistiques sur cette pratique au Québec, au Canada et dans le monde.

L'utilisation intensive de la technologie dans les milieux de travail. Les entreprises industrielles canadiennes poursuivent l'automatisation qu'elles ont amorcée il y a deux décennies. L'utilisation accrue de la technologie et des systèmes de robots assistés par ordinateur ne fait que croître. Les systèmes informatisés ont également envahi les bureaux, et l'on voit se multiplier les systèmes de support informatique destinés aux équipes de travail. Ces nouvelles technologies sont en effet essentielles à l'entreprise, en ce sens qu'elles les projettent dans la nouvelle économie du savoir. Elles ont la capacité de modifier la nature d'un grand nombre de postes et même d'en créer de nouveaux. Ces changements, à leur tour, auront un effet sur l'ensemble des activités de gestion des ressources humaines[7], notamment sur le recrutement et la sélection des employés, l'évaluation du rendement et la formation.

Il ne faut cependant pas perdre de vue que l'engouement des entreprises pour les nouvelles technologies peut provoquer une résistance au changement chez les employés. Cette résistance, attribuable à la peur et à l'incertitude que ce phénomène engendre, peut aboutir à des résultats non productifs. Un certain nombre d'études indiquent que l'introduction de nouvelles technologies nécessite une planification et une exécution soignées si l'on veut minimiser cette résistance[8]. Le personnel du service des ressources humaines peut faciliter la mise en place des nouvelles technologies. Idéalement, ce service devrait participer au processus de planification qui précède cette introduction. Les professionnels de la gestion des ressources humaines devraient se charger des activités qui facilitent la mise en œuvre des changements, par exemple de celles qui consistent à informer les travailleurs, à susciter leur engagement dans le processus de gestion du changement, à mettre à leur disposition des mécanismes de soutien et d'aide pour qu'ils puissent mieux accepter et utiliser les nouvelles technologies, à relocaliser les travailleurs dont les postes seront abolis ou qui sont incapables de prendre le virage technologique, à définir les besoins de formation, etc. L'intervention du service des ressources humaines devrait accompagner la prise de décision concernant l'introduction des nouvelles technologies. Idéalement, la stratégie de ce service devrait être proactive, de façon à maximiser les chances de réussite du projet.

REVUE DE PRESSE

Grands changements... et gros problèmes

Les entreprises sous-estiment l'impact des nouvelles technologies sur leurs employés

Kathy Noël

Les grands progiciels de gestion développés par SAP, Oracle, People Soft et JD Edwards sont peut-être des outils précieux dans l'entreprise mais ils causent aussi bien des maux de tête aux gestionnaires. De grandes entreprises qui les implantent de façon massive depuis quelques années se réveillent avec des coûts élevés en matière de gestion des ressources humaines.

« Les entreprises nous disent qu'une telle opération transforme en profondeur leurs pratiques de gestion et que cela ne se fait pas sans douleur auprès des gestionnaires et de leurs employés », rapporte Serge Baron, associé principal et vice-président du Groupe CFC, une société-conseil en management et gestion des ressources humaines.

Depuis l'automne, les consultants de CFC passent d'un *focus group* à l'autre dans les grandes entreprises pour constater de visu le « choc » lié à l'implantation des progiciels de gestion. Ces systèmes communément appelés ERP pour Entreprise Resource Planning assurent l'automatisation et la standardisation de toutes les activités de l'entreprise, à partir de la facturation de la paie jusqu'à la gestion des achats et des ventes.

Dans les faits, ces progiciels permettent aux ordinateurs de tous les services d'une entreprise de « se parler ». Ainsi, le directeur des ventes qui promet la lune à ses clients peut, par quelques touches sur son clavier, accéder à l'inventaire des stocks gardé secret par un directeur de la production soucieux de conserver une marge de manœuvre.

« Les gens habitués à cacher des choses doivent s'adapter. J'ai vu une entreprise qui avait implanté People Soft oublier de mettre une clé pour empêcher que les employés aient accès aux salaires des hauts dirigeants. Cela avait créé une situation assez cocasse », dit M. Baron.

Le sens politique...

Bref, il ne s'agit pas seulement d'acheter un logiciel, mais de procéder à tout un changement de culture organisationnelle. Les gestionnaires doivent soudainement développer de nouvelles habiletés politiques dans cet univers où le pouvoir est décentralisé. Certains ont carrément le sentiment de perdre le contrôle.

Le fait que ces systèmes uniformisent les différents processus de l'entreprise, en les regroupant dans une même base de données, déstabilise les employés. Ils doivent délaisser leurs méthodes de travail personnelles pour apprendre à faire fonctionner des logiciels standardisés.

« Les employés ne veulent pas juste apprendre un logiciel, ils se demandent s'ils seront encore capables de faire leur travail comme il faut et dans le temps requis », note Marc Blais, président du Groupe Mentor. Sa firme, spécialisée dans le rendement au travail, donne des cours aux employés pour les aider à réaménager leurs tâches après l'implantation d'une nouvelle technologie.

Les entreprises constatent que dans la majorité des cas, l'implantation des systèmes ERP coûte toujours plus cher que prévu et dépassse les échéanciers. Une récente étude de KPMG au Canada confirme que trois projets sur quatre dépassent l'échéancier de 30 % et plus de la moitié excèdent leur budget de façon considérable.

Selon Marc Blais, le tiers des coûts supplémentaires serait attribuable au volet humain. « D'abord, dit-il, on sous-estime au départ l'ampleur du projet. Ensuite, on se découvre de nouveaux besoins et, après, on paie pour avoir négligé l'aspect humain, qui est le moins bien traité et le moins bien connu des aspects. »

Dans certains cas, l'aspect humain peut bloquer ou faire échouer l'implantation. En général, de 5 % à 10 % des budgets y est consacré. « La tendance est que les entreprises vont finalement y consacrer en moyenne 30 %, dont la moitié pour la formation », dit M. Blais.

Une histoire sans fin

Le personnel de soutien technique dans les entreprises est particulièrement touché par l'implantation de ces logiciels. Les techniciens souffrent de se retrouver dans un environnement problématique, devant des utilisateurs mécontents, constate Luc Jacques, responsable de l'implantation des modules de SAP liés aux ressources humaines, dont la paie, chez Imperial Tobacco.

Il avoue qu'au début, l'entreprise avait complètement évacué la formation des employés. Depuis, elle s'est ajustée en mettant sur pied un centre permanent de soutien aux usagers. Le projet SAP est en cours depuis 1997.

Ce qui demande beaucoup de formation, ce sont les nouvelles versions de logiciels qui sortent par la suite. C'est très exigeant pour les employés qui sont constamment mis au défi. Implanter SAP, c'est une histoire qui ne termine jamais !

En somme, il faut intégrer le plus vite possible les employés et l'ensemble des gestionnaires dans le processus d'implantation. Certaines entreprises intègrent dès le début un spécialiste en gestion du changement, recruté à l'interne, au sein de leur équipe de direction.

C'est le cas de Gilbert Véniza, de Métro Richelieu. À la toute fin du projet d'implantation de SAP, cette année, il aura formé et rassuré plus de 3 000 employés grâce au journal interne de l'entreprise et à des ateliers intitulés *Le monde selon SAP*. Une équipe de 12 personnes a été affectée à gérer le volet humain du changement.

« Nous avons réalisé qu'on ne pouvait pas implanter ces systèmes sans se soucier des individus. Dès le début, nous avons sensibilisé les gestionnaires pour les aider à détecter les réactions négatives chez leurs employés », dit-il.

La règle d'or dans la gestion du changement ? « Communiquer, communiquer, communiquer ! Avant l'apprentissage du système comme tel, c'est 50 % du travail qui est déjà fait. »

Source : Les Affaires, *samedi le 29 janvier 2000.*

La gestion de la qualité totale. Satisfaire le client en lui offrant des produits et services de qualité devient un impératif pour les entreprises de même qu'une priorité incontournable. Ce modèle de gestion comprend trois éléments : la totalité, la qualité et la gestion. L'application réussie de modèles axés sur la satisfaction du consommateur exige la présence de ces trois composantes. La totalité fait référence au besoin d'orienter tous les aspects de l'organisation vers le consommateur (tant à l'intérieur qu'à l'extérieur de l'organisation). La qualité désigne l'établissement d'un critère d'excellence en matière de satisfaction du client et la détermination du niveau de rendement nécessaire pour atteindre cet objectif, tant en ce qui concerne la production que le service après-vente. La gestion englobe les pratiques et les stratégies adoptées par l'organisation dans le but de promouvoir les objectifs de qualité.

Le concept de qualité a évolué, passant d'une approche axée sur l'inspection devant être effectuée à la fin du processus de production à une approche axée sur l'élaboration de mesures de qualité orientées vers un objectif appelé *erreur zéro*. Au début, l'attention était portée sur la prévention, et on tentait bien peu de relier ces efforts aux objectifs stratégiques de l'organisation[9]. Cette approche était assez efficace dans un environnement stable. Cependant, au cours des années 80, elle s'est révélée insuffisante, compte tenu de la déréglementation et de l'intensification de la concurrence qui ont marqué les rapports économiques à l'échelle mondiale.

Consultez Internet

http://www.conferenceboard.ca

Site du Conference Board du Canada, qui fournit des renseignements sur les publications de l'organisme, les conférences à venir et les études publiées récemment ou qui le seront prochainement.

À partir de recherches menées auprès d'un grand nombre d'entreprises canadiennes considérées comme des chefs de file du monde des affaires, le Conference Board du Canada a conclu que des causes majeures incitent les organisations à adopter des programmes de gestion de la qualité totale. Devant la compétition grandissante à laquelle elles font face, les entreprises voient la nécessité de satisfaire leur clientèle, de façon à conserver leur part de marché. Elles répondent tout simplement aux demandes explicites formulées par les consommateurs. Elles réagissent aux besoins de leurs employés en créant un milieu de travail qui reconnaît la contribution, tant individuelle que collective, de ceux-ci[10].

La gestion de la qualité totale exige l'introduction de changements majeurs dans la façon d'exploiter les entreprises. David McCamus, ancien président de Xerox Canada, prévient les entreprises qui croient que cette conversion s'effectue instantanément : « La gestion de la qualité totale est un changement important qui se produit dans la philosophie d'une entreprise ; on passe d'une mentalité voulant que, lorsqu'une chose est établie, elle le soit pour de bon, à une philosophie d'inspiration japonaise qui dit que rien n'est immuable. » Il n'en demeure pas moins que, lorsqu'un tel programme est appliqué adéquatement, il aboutit à des résultats bénéfiques pour l'organisation (encadré 3.3).

LE CHOIX D'UNE STRUCTURE ORGANISATIONNELLE

La vive concurrence que les organisations se livrent sur le marché mondial et la rapidité avec laquelle les changements environnementaux se produisent ont amené les organisations à revoir leur structure. Parmi les tentatives de modification que les organisations ont menées, certaines consistaient à passer d'une structure hiérarchique à une structure décentralisée, l'objectif étant pour ces organisations de se démocratiser et d'être plus en mesure de s'adapter aux changements. Les nouvelles structures influent sur les différents aspects de la relation existant entre les gestionnaires et les employés, pouvant aller jusqu'à remettre en question le lien d'emploi existant[11].

La structure bureaucratique. La structure bureaucratique ou mécaniste se caractérise par la détermination de nombreux paliers hiérarchiques et de multiples fonctions. Dotée d'un processus de décision centralisé, la structure bureaucratique est constituée d'emplois généralement spécialisés et indépendants les uns des autres. À l'intérieur de cette pyramide, les systèmes de gestion des carrières planifient la progression des carrières et la mobilité verticale existant entre les divers postes d'une même fonction. La structure bureaucratique peut survivre dans un environnement stable. Dans un environnement plus dynamique, en proie à une vive compétition, cette structure présente toutefois de nombreux inconvénients à cause de sa rigidité.

La structure organique. La raison d'être de quelques théories contemporaines des organisations est d'affirmer la nécessité de remplacer le recours au contrôle que la direction exerce par la responsabilisation et la mobilisation des individus[12, 13]. La réduction des niveaux hiérarchiques et l'aplatissement de la structure sont indiqués dans des organisations qui adoptent une approche client ou qui font la promotion de la qualité totale. Ces mesures ont pour effet d'accélérer les procédés de travail, étant donné que les employés sont responsables d'un ensemble de procédés et non d'un poste défini et spécialisé. Les principales différences existant entre la structure

ENCADRÉ 3.3 Les avantages découlant de programmes de gestion de la qualité totale : le cas de six entreprises canadiennes

AMP DU CANADA LTÉE

- La livraison de marchandises dans les temps requis s'est améliorée, passant de 60 % en 1982 à 95 % en 1988.
- Le stock a été réduit de 23 % au cours des deux dernières années.
- L'expédition des marchandises s'est améliorée, passant de 60 % à 80 %, améliorant du même coup l'accessibilité des produits pour le consommateur.
- Les changements apportés aux commandes et les notes de crédit ont diminué de moitié.
- La part du marché a augmenté dans une proportion de 5 %.
- Les ventes ont augmenté de 38 % entre 1986 et 1989.
- La livraison de stock à partir de la société mère est passée d'un délai de 20 jours en 1986 à 4,5 jours en 1989.
- La moyenne du stock sur une base mensuelle est passée de 2,3 en 1987 à 1,8 en 1989.
- Il y a eu une réduction du personnel, de 295 en 1988 à 282 en 1989, réduisant du même coup les retards et favorisant l'efficacité.
- Les ventes par employé ont augmenté de 13 %.
- Les frais d'administration et de vente de même que les frais généraux en 1989 ont été maintenus au niveau de 1988, alors que les ventes ont augmenté de 8,2 %.

SERVICES FINANCIERS AVCO CANADA LIMITÉE

- Les bénéfices sont passés de 8,1 millions de dollars en 1984 à 17,6 millions de dollars en 1988.
- Des économies de 5,6 millions de dollars ont été faites depuis 1985 grâce au service de la qualité et à ses équipes de travail.
- Les commentaires positifs parus dans les communiqués du président de l'entreprise ont augmenté, passant de 67 % en 1984 à 95 % en 1988.
- Les dossiers traités par employé ont augmenté, passant de 296 en 1984 à 353 en 1988.
- Les réactions favorables des employés recueillies lors de sondages internes ont augmenté, passant de 76 % en 1984 à 83 % en 1987.

B. C. TEL

- En tenant compte des 200 suggestions formulées par les employés sur l'amélioration de la qualité, l'entreprise a fait un bénéfice net de plus de 3 millions de dollars.
- Le programme de qualité qui s'adresse aux vendeurs a donné lieu à la production d'environ trois rapports par jour sur la qualité des produits.
- La satisfaction des clients, mesurée au moyen d'un sondage, a connu une amélioration notable : les réponses notées « excellentes ou bonnes » ont augmenté, passant de 82 % à 90 %.
- L'amélioration de la perception des employés sur des sujets comme la réputation de l'entreprise, les projets à venir et la réceptivité de la direction à l'égard des idées des employés a augmenté en moyenne de 20 % depuis 1984.
- Malgré la vive concurrence, l'entreprise est demeurée le chef de file de la part du marché qu'elle a conquise dans ses quatre principales sphères d'activité.
- La productivité et les facteurs de croissance anticipés ont été dépassés au cours de chacune des quatre dernières années.

NEXUS ENGINEERING

- Depuis sa création en 1982, le rythme de croissance de l'entreprise s'est élevé à plus de 10 % par année.
- L'inspection visuelle des chaînes de montage a été réduite, passant de 100 % à 30 %.
- Le taux d'erreur de l'équipement est de moins de 0,33 % sur les produits de série 5.
- La garantie de cinq ans offerte sur l'équipement dépasse de deux ans la garantie industrielle moyenne.

ENCADRÉ 3.3 *(suite)*

REIMER EXPRESS LINES LTÉE

- Le service est effectué dans le temps requis dans une proportion d'environ 98 %.
- Les employés participent activement à un programme de formation tous les deux mois.
- Le concept de reconnaissance du client à l'interne a donné lieu à une nouvelle approche d'équipe sur la façon de servir le client à l'externe, ayant pour effet d'augmenter les affaires et de conserver les anciens clients.
- La fréquence des réclamations (dommages à la livraison) a diminué.
- Le taux d'erreur a été réduit de 41 % depuis 1988.

XEROX CANADA

- 82 % des clients se sont dits satisfaits de la livraison dans le temps requis, soit 10 % de plus que l'année précédente.
- Il y a eu une réduction du temps de réponse au service à la clientèle de 44 % de 1986 à 1988.
- 88 % des clients sont satisfaits du service en général comparativement à 80 % pour les principaux concurrents.
- Il y a eu une amélioration de 25 % par rapport aux arrangements pris concernant les montants des factures.
- La satisfaction du consommateur par rapport à l'exactitude et à la clarté des factures a augmenté de 20 % depuis 1986.
- Le temps consacré aux enquêtes concernant les factures impayées a été réduit de 62 % de 1986 à 1988.
- L'usine de fabrication a réussi à réduire les défauts sur les pièces des fournisseurs de 25 % par rapport au taux de 1985. Le ratio main-d'œuvre directe/main-d'œuvre indirecte a augmenté, passant de 2,4/1 en 1985 à 3,1/1 en 1988.

Source : C. R. Farquhar et C. G. Johnston, *Total Quality Management: A Competitive Imperative - Lessons from the Quality Winners of the 1989 Canada Awards for Business Excellence,* rapport 60-90E, Ottawa, Conference Board of Canada, 1990, p. 5. Traduction et reproduction autorisées.

de gestion traditionnelle et la nouvelle structure de gestion sont rapportées dans l'encadré 3.4. Il faut cependant noter que l'adoption d'une structure organique exige de la part des employés qu'ils acquièrent de nouvelles compétences dépassant les connaissances techniques. Pour survivre dans ce nouvel environnement, les individus doivent diversifier leurs connaissances, maîtriser les nouvelles technologies de l'information, travailler en équipe, assumer des responsabilités, prendre

ENCADRÉ 3.4 Les différences existant entre la structure de gestion traditionnelle et la nouvelle structure de gestion

STRUCTURE TRADITIONNELLE	NOUVELLE STRUCTURE
• l'homme, prolongement de la machine; pièce de rechange, accessoire	• l'homme, complément de la machine; ressources à développer
• parcellisation maximale des tâches	• groupement optimal des tâches
• ressources humaines soumises à des contrôles externes (superviseurs, règles, procédure)	• ressources humaines soumises à des contrôles internes (autogestion, autodiscipline)
• structure hiérarchique	• décentralisation des pouvoirs
• style de gestion autocratique	• style de gestion démocratique
• conflits et rivalité	• collaboration
• aliénation	• délégation de pouvoirs
• peu de risque	• innovations, créativité

Source : Adapté de S. L. Dolan et G. Lamoureux, *Initiation à la psychologie du travail,* Montréal, Gaëtan Morin éditeur, 1990, p. 427. Reproduction autorisée.

des décisions et accepter d'effectuer des mouvements de carrière latéraux[14, 15, 16]. Des sociétés comme Nortel Networks, la Banque de Montréal et la CIBC, qui avaient opté pour des structures pyramidales géantes au début des années 80, ont amorcé des restructurations, réduisant considérablement les possibilités de promotion du personnel et les remplaçant par des cheminements latéraux[17]. Ce type de structure s'adapte parfaitement à un environnement dynamique qui met en œuvre une foule de changements et qui est soumis à de nombreuses perturbations, puisqu'il s'attache à créer une culture organisationnelle qui prône la participation des employés.

L'impartition. Un consensus semble émerger des dernières recherches sur les nouvelles configurations organisationnelles, mettant en évidence le fait que le noyau d'employés permanents semble diminuer considérablement au sein des entreprises (encadré 3.5). D'une part, la tendance à compter sur des employés contractuels s'accroît, en réponse à des exigences de flexibilité organisationnelle. D'autre part, l'impartition semble de plus en plus devenir une panacée, en dépit des dangers qu'elle présente[18, 19]. Ce phénomène, qui permet aux organisations d'alléger leur structure organisationnelle en confiant certaines activités organisationnelles à des fournisseurs externes, s'explique par la nécessité de réduire les coûts, de se consacrer au développement de leurs compétences clés, c'est-à-dire celles qui représentent une valeur ajoutée pour l'organisation, et de s'adjoindre des services d'experts[20, 21, 22]. Bien qu'elle comporte certains aspects très bénéfiques pour les organisations, l'impartition n'est pas exempte de dangers. Certains auteurs expliquent qu'une mauvaise utilisation de l'impartition peut compromettre l'avenir d'une organisation. Ils vont même jusqu'à présenter cette option comme un facteur important du fléchissement de la compétitivité des organisations américaines[23, 24]. En fait, l'impartition est assortie de différents types de contraintes, dont certaines relèvent de l'organisation et d'autres sont reliées aux effectifs qui occupent les postes faisant l'objet d'une impartition[25].

La structure en réseau. L'entreprise en réseau constitue une réponse stratégique aux profondes transformations que l'environnement interne et externe a subies. La logique sous-jacente à cette structure organisationnelle obéit à celle du changement[26]. Grâce à l'organisation en réseau, l'entreprise peut nouer des relations avec des clients, des fournisseurs et même des compétiteurs dans le but de mettre en commun des ressources afin de réaliser des gains ou de coopérer dans certains

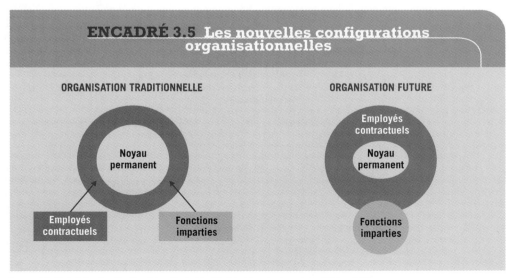

ENCADRÉ 3.5 Les nouvelles configurations organisationnelles

ORGANISATION TRADITIONNELLE

Noyau permanent

Employés contractuels

Fonctions imparties

ORGANISATION FUTURE

Employés contractuels

Noyau permanent

Fonctions imparties

Source : Adapté de J. Purdie, « The New Career Strategist », *The futurist*, septembre-octobre 1994, p. 8-14.

domaines. Les ressources que les organisations sont susceptibles de partager sont les ressources humaines, les brevets d'invention, les réseaux de distribution et les ressources financières. Les organisations en réseau et les structures organiques ont certaines caractéristiques en commun, dans la mesure où, dans les deux formes de structures, une plus grande collaboration entre les fonctions organisationnelles est possible. Un expert en contrôle de la qualité travaillant dans une usine d'alimentation doit s'entendre avec les fournisseurs pour décider de la qualité des produits. Généralement, les structures en réseau se forment lorsque les entreprises souscrivent à une stratégie de qualité totale, au moment de la mise en application d'une nouvelle technologie qui est coûteuse et lors de la pénétration de marchés étrangers.

La réorganisation des procédés de travail : la réingénierie. Selon Hammer et Champy[27], la réingénierie est un processus qui vise à :

1. repenser les fondements du travail ;
2. modifier radicalement les processus organisationnels ;
3. améliorer considérablement les mesures de performance ;
4. axer les affaires sur les processus et non sur les postes, les personnes ou les structures.

Lorsqu'elles décident d'adopter les nouvelles technologies de l'information et de la communication, les entreprises qui procèdent à une réingénierie s'engagent à réorganiser fondamentalement leur processus de travail. Telle a été l'expérience menée par le Mouvement Desjardins, qui a consacré 500 millions de dollars à la réingénierie des processus d'affaires de ses caisses. Cette opération entraînera l'élimination de 2 000 postes, sans toutefois qu'il en résulte de mises à pied (*Les Affaires*).

La mise en place d'un processus de réingénierie, qui refaçonne entièrement les procédés de travail (encadré 3.6), n'est cependant pas sans risque. Une étude rapporte qu'entre 50 % et 70 % des projets de réingénierie n'atteignent pas les objectifs fixés[28]. Leur échec est attribuable à divers facteurs tels que l'envergure du projet, la complexité des processus, l'environnement organisationnel et la nouveauté technologique [29, 30, 31].

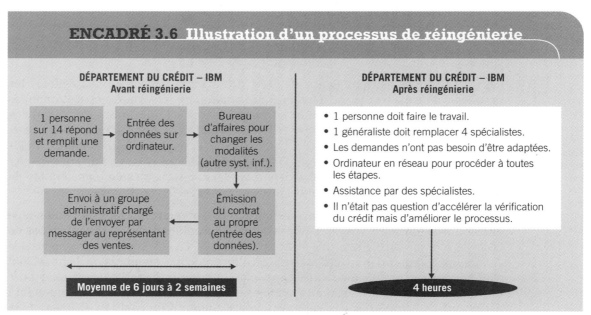

ENCADRÉ 3.6 Illustration d'un processus de réingénierie

DÉPARTEMENT DU CRÉDIT – IBM
Avant réingénierie

1 personne sur 14 répond et remplit une demande. → Entrée des données sur ordinateur. → Bureau d'affaires pour changer les modalités (autre syst. inf.).

Envoi à un groupe administratif chargé de l'envoyer par messager au représentant des ventes. ← Émission du contrat au propre (entrée des données).

Moyenne de 6 jours à 2 semaines

DÉPARTEMENT DU CRÉDIT – IBM
Après réingénierie

- 1 personne doit faire le travail.
- 1 généraliste doit remplacer 4 spécialistes.
- Les demandes n'ont pas besoin d'être adaptées.
- Ordinateur en réseau pour procéder à toutes les étapes.
- Assistance par des spécialistes.
- Il n'était pas question d'accélérer la vérification du crédit mais d'améliorer le processus.

4 heures

Source : M. Hammer et J. Champy, *Reengineering the Corporation*, New York, Ed. Harper Business, 1993, p.32.

IV L'organisation du travail dans une perspective de groupes

Pour faire suite à l'adoption de structures organiques et de structures en réseau, la mise sur pied d'équipes de travail devient une nécessité. Une équipe de travail est définie comme un ensemble d'individus dont les compétences et les habiletés se complètent et qui travaillent en commun afin d'atteindre des objectifs pour lesquels ils se sentent responsables. Même si on a tendance à traiter les équipes de travail comme un phénomène homogène, il n'en demeure pas moins qu'il existe de nombreux types d'équipes de travail (encadré 3.7) que nous allons examiner successivement.

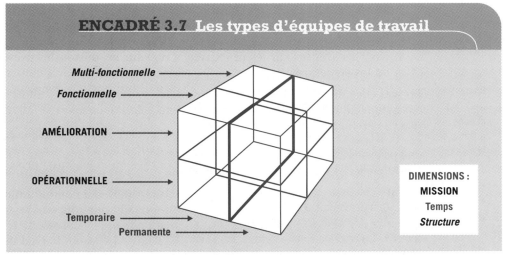

ENCADRÉ 3.7 Les types d'équipes de travail

Multi-fonctionnelle

Fonctionnelle

AMÉLIORATION

OPÉRATIONNELLE

Temporaire

Permanente

DIMENSIONS :
MISSION
Temps
Structure

Source : J. R. Galbraith, III E. Lawler et associés, *Organizing for the Future: The New Logic for Managing Complex Organizations,* San Francisco, Jossey Bass, 1993.

LES TYPES D'ÉQUIPES DE TRAVAIL

Mohrman établit une typologie des équipes de travail en retenant trois dimensions : leur mission, leur structure et leur durée dans le temps[32].

Les organisations peuvent choisir de créer des équipes dans le but d'améliorer les processus de travail (comme les cercles de qualité) ou les équipes opérationnelles (comme les équipes de production). On peut attribuer à une équipe de travail des fonctions temporaires (comme dans le cas des équipes de projets) ou permanentes. Une équipe peut être constituée de membres effectuant une même fonction ; on les désigne alors sous le nom d'équipes fonctionnelles. Des employés de divers départements ou services peuvent décider de joindre leurs efforts au sein d'une équipe de travail ; il s'agit d'une équipe multi-fonctionnelle (c'est le cas des « task force »).

Les équipes de travail traditionnelles. Sur un continuum portant sur l'autonomie décisionnelle (encadré 3.8), les équipes de travail traditionnelles se situent au bas de l'échelle, leur niveau d'autonomie étant à peu près nul. C'est le superviseur responsable de l'équipe qui prend les décisions unilatéralement, et les membres de l'équipe sont confinés à des rôles d'exécutants. Ce type d'équipes ne répond pas aux exigences qui s'imposent dans les nouveaux modèles de gestion. Elles constituent cependant les premières formes d'organisation en équipe autour d'un chef et s'écartent de la notion de parcellisation du travail.

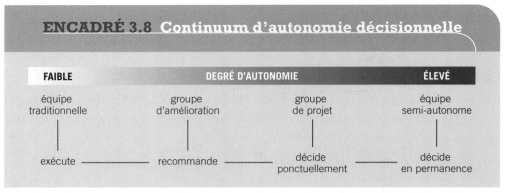

ENCADRÉ 3.8 Continuum d'autonomie décisionnelle

FAIBLE	DEGRÉ D'AUTONOMIE		ÉLEVÉ
équipe traditionnelle	groupe d'amélioration	groupe de projet	équipe semi-autonome
exécute	recommande	décide ponctuellement	décide en permanence

Source: M. Roy, « Les équipes semi-autonomes au Québec et la transformation des organisations », *Gestion,* vol. 24, n° 3, 1999, p. 76-85.

Dans les faits

Depuis la création des cercles de qualité, on a observé des résultats impressionnants à CAMCO sur le plan de la qualité des produits et de l'efficacité globale des usines. Auparavant, les coûts de production étaient très élevés, les plaintes formulées par les clients, très fréquentes, les pièces rejetées sur la chaîne de montage, nombreuses, et les employés, généralement fatigués et stressés. Pendant les cinq années qui ont suivi la mise sur pied des cercles de qualité, la société a noté que :

- sa part du marché s'est accrue, passant de 25 % à 40 % ;
- les appels concernant le service de garantie de cinq ans sur les appareils sont passés de 11 % à 1 % ;
- les coûts de main-d'œuvre ont été substantiellement réduits, puisque 3 inspecteurs de la qualité ont remplacé 60 inspecteurs, 1 ingénieur de la qualité et 1 contremaître[33].

Les cercles de qualité. Les cercles de qualité traduisent un concept moderne de la gestion qui a contribué à l'essor de l'industrie japonaise. Après 40 ans d'expériences réussies au Japon, les cercles de qualité sont devenus le modèle le plus populaire au Canada au cours des années 80[34]. Les cercles de qualité ont été créés dans les entreprises manufacturières japonaises dans les années 40 par un Américain nommé John Deming. Ses conseils portant sur le contrôle de la qualité dans la production ont contribué à faire du Japon le chef de file mondial sur le plan de l'excellence de leurs produits. Les cercles de qualité, qui constituent une technique d'organisation du travail, regroupent de 8 à 10 personnes qui se rencontrent chaque semaine pour déceler, analyser et résoudre les problèmes liés notamment à la qualité, au coût, à la sécurité, à la motivation, à l'entretien et à l'environnement du travail. La participation des membres s'effectue sur une base volontaire. Diverses techniques de résolution de problèmes, dont le remue-méninges, l'analyse de Pareto, l'analyse de cause à effet, les histogrammes, les tableaux de contrôle, la stratification et les diagrammes de dispersion, techniques empruntées à la dynamique de groupe, à l'ingénierie industrielle et au contrôle de la qualité, facilitent la prise de décision dans les cercles de qualité. Malgré les avantages qu'ils peuvent présenter sur le plan de la productivité, les cercles de qualité ont connu un succès mitigé. Des attentes trop élevées, le manque de soutien, des objectifs mal définis au préalable figurent parmi les facteurs ayant pu conduire à leur échec. L'encadré 3.9 fournit plus de détails sur les caractéristiques des cercles de qualité.

Les équipes de projets. Comme les cercles de qualité, les équipes de projets figurent parmi les groupes axés sur l'amélioration continue. Elles évoluent dans des structures parallèles à la structure organisationnelle formelle, cette dernière étant chargée de veiller à l'application des recommandations. Les cercles de qualité ont pour mandat de faire des suggestions, alors que les équipes de projets disposent d'un pouvoir formel plus important que ceux-ci et doivent en outre s'acquitter d'un projet précis. Les membres des équipes de projets ont plus de latitude que ceux des

ENCADRÉ 3.9 Les principales caractéristiques des cercles de qualité

- Le rôle de l'animateur est l'aspect le plus important d'un programme axé sur la création de cercles de qualité. La personne qui assume ce rôle doit être capable de travailler avec des gens se situant à différents paliers de l'organisation, être créative et flexible, et être au courant des politiques et du climat de travail régnant au sein de l'organisation.
- La direction et les syndicats doivent soutenir les cercles de qualité et mettre en application les décisions qui en émanent.
- La participation des employés doit se faire sur une base volontaire, mais elle doit être encouragée par la direction.
- Les membres du cercle doivent se sentir libres de discuter des problèmes qu'ils ont eux-mêmes choisi d'aborder, à l'intérieur des limites établies.
- Les animateurs doivent informer la direction de tout ce qui touche les réalisations des cercles et leurs progrès. La qualité, et non la quantité, devrait être la première chose à considérer.
- Un programme réussi doit s'en tenir aux concepts et aux principes que mettent de l'avant des cercles de qualité efficaces. L'une des principales tâches de l'animateur est de veiller à ce que les cercles suivent correctement la procédure, sinon ils risquent de devenir improductifs et de se dissoudre.

cercles de qualité pour prendre des décisions se situant dans les limites définies par le mandat qui leur a été confié. En plus de voir à l'exécution du projet, les membres de ces équipes peuvent déterminer les paramètres de leur organisation et définir le rôle de leurs membres. Souvent, les équipes de projets ont un responsable ou nomment un chef d'équipe.

Les équipes de travail autogérées et les équipes de travail semi-autonomes. Il existe beaucoup de confusion dans les écrits autour de la définition de l'équipe de travail semi-autonome. Les diverses dénominations utilisées – équipes de travail autogérées, équipes autonomes, groupes autodirigés, cellules autonomes – recoupent la même réalité, à quelques nuances près, en distinguant essentiellement entre les niveaux d'autonomie atteints par les équipes[35]. Dans l'ensemble, les équipes de travail semi-autonomes sont formées dans le but d'améliorer la qualité et la productivité et de réduire les coûts d'opération. Ces équipes assument des responsabilités qui relèvent normalement de la direction, comme le choix de la méthode de travail, l'achat de matériel, l'évaluation de la performance et la responsabilité d'appliquer la discipline aux membres. Les membres de ces équipes doivent acquérir des compétences techniques et administratives et des habiletés interpersonnelles afin d'être en mesure de fonctionner efficacement, ces équipes n'atteignant souvent un niveau de performance élevé qu'après quelques années.

Dans les faits

La société Volvo a été une pionnière dans la création d'équipes de travail semi-autonomes. En 1974, elle a intégré l'une de ces équipes à son programme de QVT, à son usine de Kalmar. L'attention du monde entier s'est alors portée vers elle. Vingt ans plus tard, on peut dire que l'aventure en a valu la peine, tant en ce qui a trait au volume de la production, qu'à la productivité et à la qualité des automobiles.

Dans les années 70, des pays scandinaves tels que la Norvège et la Suède, s'inspirant des approches sociotechniques, ont contribué de façon importante à la création des équipes de travail semi-autonomes. Au Canada, l'une des expériences les plus connues est celle de Shell Sarnia[36, 37].

La comparaison entre une structure de travail traditionnelle et une structure de travail semi-autonome est établie dans l'encadré 3.10. La partie A montre un groupe de personnes qui, ayant accepté de poursuivre un but commun, se sont engagées dans un processus d'apprentissage axé sur l'utilisation de leurs propres ressources et habiletés. La partie B montre la forme traditionnelle de l'organisation du travail de type bureaucratique. Il existe une différence marquante entre les deux structures : lorsqu'un groupe de travailleurs se voit confier la responsabilité d'atteindre un but commun, ils doivent faire l'apprentissage du partage des responsabilités en matière de coordination et d'autorité, ainsi que celui des habiletés spécifiques liées à chacune des fonctions séparées.

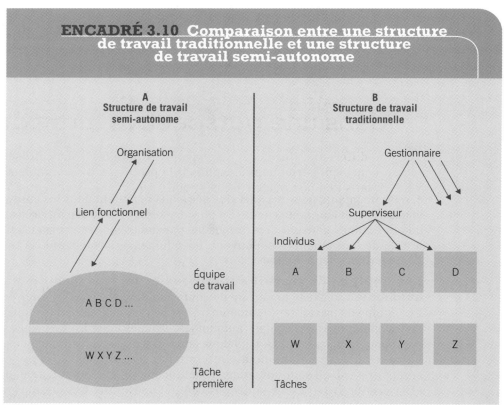

ENCADRÉ 3.10 Comparaison entre une structure de travail traditionnelle et une structure de travail semi-autonome

Source : E. Emery, « Learning and the QWL », *QWL Focus, News Journal of the Ontario Quality of Working Life Centre*, Ontario, ministère du Travail, vol. 3, n° 1, février 1983, p. 4. Traduction et reproduction autorisées.

L'organisation du travail en équipes semi-autonomes repose sur un ensemble de valeurs qui vont à l'encontre de la conception traditionnelle du travail et de la perception des travailleurs qui en découle[38]. Une entreprise qui met sur pied des équipes de travail semi-autonomes accepte de passer d'un paradigme de surveillance et de contrôle à un paradigme d'habilitation et de responsabilisation. Certains auteurs affirment que la constitution de groupes de travail semi-autonomes apporte nécessairement des changements dans la structure organisationnelle, mais qu'elle modifie également les procédures d'évaluation, le système de rémunération, les descriptions de tâches et la politique d'embauche, entre autres domaines[39]. Les membres des équipes doivent également posséder des habiletés qui dépassent leurs connaissances techniques (encadré 3.11). Il est alors nécessaire de reconsidérer les relations entre les employés et les superviseurs. Le pouvoir hiérarchique et décisionnel du superviseur disparaît pour laisser la place à une certaine autonomie en ce qui a trait aux décisions que les membres de l'équipe se voient accorder et qui est fonction de la maturité de celle-ci[40].

> ### ENCADRÉ 3.11 Les habiletés nécessaires au fonctionnement des équipes de travail semi-autonomes
>
> - Habiletés professionnelles
> - Habiletés à communiquer et à prendre des décisions
> - Habiletés à obtenir l'information de groupes travaillant dans différents environnements
> - Habiletés à définir les tâches
> - Habiletés de gestion
> - Habiletés à mettre en place et à maintenir un climat de travail à la fois humain et productif

V L'organisation du travail dans une perspective individuelle

Il y a différentes façons d'aménager les emplois. Nous présenterons trois approches qui permettent d'expliquer le processus de réorganisation du travail réalisé dans une perspective individuelle : l'approche scientifique, les approches innovatrices axées sur l'individu qui sont inspirées des modèles sociotechniques, et l'approche ergonomique.

L'APPROCHE SCIENTIFIQUE

Dans le cadre de l'approche scientifique, les analystes des emplois, qui sont généralement des ingénieurs industriels, portent une attention particulière, sur le plan de la conception des emplois, à l'harmonisation des tâches à accomplir et des habiletés des travailleurs. Cette approche a souvent pour effet de parcelliser le travail, de le diviser en opérations simples. Les tâches sont ensuite soumises à des études de temps et mouvements, à un système de rémunération au rendement ou à des quotas de production visant à augmenter la productivité. L'approche scientifique est encore aujourd'hui une composante importante d'un grand nombre de structures organisationnelles. Elle repose sur l'hypothèse selon laquelle les travailleurs sont essentiellement motivés par des gains économiques. Selon cette approche, les emplois conçus ne semblent offrir qu'un minimum de variété, de même que très peu d'autonomie, de rétroaction et d'identification à l'organisation. Les emplois sont tellement fractionnés que leurs titulaires en viennent à se désintéresser de la qualité de la production. Dans ce cas, l'argent constitue la seule récompense valable que l'employé est susceptible de retirer de son emploi.

De nombreux travailleurs ont manifesté très rapidement leur mécontentement devant de telles conditions de travail. En effet, la relation individu-emploi est construite de manière que les buts de l'organisation (parvenir à une forte productivité) soient atteints au détriment de ceux que poursuit l'individu (faire un travail intéressant et stimulant). Mais les organisations continuent de penser que la structure des tâches ne peut être modifiée. Par conséquent, elles ont conçu des méthodes de recrutement permettant de sélectionner les gens qui se satisfont d'emplois consistant en tâches restreintes, c'est-à-dire des individus qui se contentent plus facilement que les autres de réaliser des gains sur le strict plan économique. Cette stratégie n'a pas remporté beaucoup de succès. Les organisations ont réalisé qu'un certain nombre d'employés préfèrent occuper des emplois qui leur procurent des responsabilités et de l'autonomie, en plus d'un bon salaire. Finalement, certaines organisations ont répondu à cette demande en structurant les emplois de façon à favoriser une plus grande créativité de la part des employés.

LES APPROCHES INNOVATRICES AXÉES SUR L'INDIVIDU

Étant donné les coûts en ressources humaines associés à l'approche scientifique, les organisations ont commencé à explorer d'autres possibilités. La conception moderne des tâches individuelles vise à augmenter la motivation, le rendement et la satisfaction au travail du personnel, de même qu'à réduire leurs taux d'absentéisme et de roulement. Ces résultats sont obtenus en créant un environnement où le travail a un sens pour l'employé, où ce dernier a pleine connaissance des résultats, et où il sent qu'il a apporté sa contribution à ces résultats. Parmi les différentes stratégies adoptées pour satisfaire ces besoins, il convient de mentionner la rotation d'emplois, l'extension des tâches et l'enrichissement du travail.

La rotation des emplois. La rotation des postes ne modifie pas la nature de l'emploi, mais elle accroît le nombre de tâches qu'un employé est appelé à accomplir dans un temps donné. Cette méthode, qui permet aux employés de se familiariser avec les composantes de divers postes et de devenir polyvalents, les aide également à s'identifier davantage à leur travail.

L'élargissement des tâches. L'extension des tâches diffère de la rotation des emplois, en ce sens qu'elle consiste à augmenter les tâches attribuées à un emploi plutôt qu'à déplacer l'employé d'un poste à l'autre. Cette méthode est à l'opposé de l'approche scientifique, qui cherche plutôt à réduire le nombre de tâches qu'un travailleur doit effectuer. Elle a pour effet d'aider les employés à acquérir de nouvelles habiletés.

L'enrichissement du travail. Cette méthode consiste à accroître les responsabilités rattachées à un poste. L'élargissement ou extension des tâches entraîne souvent une augmentation horizontale des tâches, alors que l'enrichissement du travail se traduit souvent par une augmentation verticale des tâches. L'augmentation horizontale des tâches consiste à ajouter du travail de même nature à un poste, tandis que l'augmentation verticale des tâches consiste à augmenter la charge de travail liée à un poste, mais en lui conférant différentes caractéristiques, comme l'autonomie, la rétroaction, diverses habiletés, les responsabilités, l'autorité, etc. (encadré 3.12). Selon J. R. Hackman et G. R. Oldham, l'enrichissement du travail contribue à améliorer l'état psychologique de l'employé.

ENCADRÉ 3.12 L'effet des caractéristiques d'un poste sur l'état psychologique d'un individu

CARACTÉRISTIQUES DU POSTE	ÉTAT PSYCHOLOGIQUE	RÉSULTATS
Habiletés diverses Raison d'être du poste Importance du poste	Expérience de travail importante	Réduction du taux d'absentéisme Réduction du taux de roulement
Autonomie	Responsabilité relativement aux résultats à atteindre	Augmentation de la motivation au travail
Rétroaction	Connaissance des résultats du travail accompli	Amélioration du rendement

Source: Adaptation de J. R. Hackman et G. R. Oldham *Work Redesign,* Reading (Mass.), Addisson-Wesley, 1980, p. 77. © 1980 par Addisson-Wesley Publishing Company, Inc. Traduit et reproduit avec l'autorisation de l'éditeur.

L'approche ergonomique. L'approche ergonomique cherche à concevoir et à adapter les emplois aux habiletés physiques et aux caractéristiques des individus, de manière à ce qu'ils accomplissent mieux leur travail. Les organisations y ont recours pour redéfinir certains emplois afin de mieux les adapter aux femmes et aux personnes handicapées. Cette méthode est souvent liée à l'atteinte d'objectifs en matière d'accès à l'égalité en emploi. Des études indiquent que la productivité du travailleur augmente lorsque les emplois sont conçus en fonction de principes ergonomiques.

L'Allemagne a effectué un travail considérable dans ce domaine. Actuellement, ce pays est considéré comme le premier pays du monde en ce qui concerne la modification des chaînes de montage et l'augmentation du cycle de travail des employés. Parmi les modifications qui visent à minimiser la fatigue physique et mentale des travailleurs et à accroître leur productivité, on compte l'utilisation de surfaces de travail et de chaises ajustables, l'ajout de classeurs et de repose-pieds, la modification des dimensions de l'aire de travail, de même que de l'éclairage et des couleurs, la réduction du bruit, l'amélioration de la qualité de l'air et de la température. Après qu'on a prévu un temps de pause, les problèmes musculaires des travailleurs ont diminué de moitié, et leur fatigue visuelle, du tiers[41].

VI Les aménagements du travail axés sur la flexibilité

L'AMÉNAGEMENT DES HORAIRES DE TRAVAIL

Dans les faits

Dès 1987, une étude portant sur les attitudes des Canadiens à l'égard des heures de travail, menée par le Conference Board du Canada, a indiqué que 2,9 millions de Canadiens (près de 31 % de la main-d'œuvre employée) sont prêts à accepter une diminution de salaire ou à renégocier leur augmentation salariale pour bénéficier d'un peu plus de temps libre. Par ailleurs, 5,2 millions de Canadiens souhaitent réduire ou augmenter leurs heures de travail afin d'obtenir un horaire plus flexible. Parmi les préférences de la main-d'œuvre, la semaine de travail réduite se classe au premier rang. Avoir plus de temps libre chaque année représente le deuxième choix, alors que la retraite anticipée est le troisième. Il semble donc que la majorité des travailleurs canadiens, en particulier ceux dont l'âge se situe entre 25 et 44 ans, souhaitent un réaménagement de leur horaire de travail[42].

Cette décennie sera peut-être celle au cours de laquelle les Canadiens se libéreront de la tyrannie qu'exerce l'horloge sur eux. Loin de correspondre à un affaiblissement de la valeur accordée au travail, l'aménagement de l'horaire de travail semble plutôt réduire le stress causé par les conflits que créent les exigences du travail, les besoins de la famille, les loisirs et la formation[43]. Les types d'horaire de travail auxquels on a le plus souvent recours sont l'horaire flexible, la semaine de travail comprimée, le travail permanent à temps partiel, l'emploi partagé et le travail à la maison.

L'horaire flexible. Cette mesure est devenue très populaire au sein des organisations en raison de sa capacité à réduire l'absentéisme, à rehausser le moral du personnel, à améliorer les relations employeur-employés. Elle favorise largement la participation de l'employé à la prise de décision, ainsi que la maîtrise de soi et l'autonomie. Soulignons brièvement que l'horaire flexible est un horaire de travail qui accorde aux employés la possibilité d'effectuer des choix en ce qui a trait à l'aménagement de leurs heures de travail. La journée de travail est divisée en deux zones : la plage fixe, période au cours de laquelle l'employé doit être présent physiquement au travail pour accomplir ses tâches, et la plage mobile, soit les heures de la journée que l'employé peut choisir pour faire son travail. La plage fixe et la plage mobile se divisent à leur tour en tranches de travail ou en périodes diverses.

Dans les faits

Selon un sondage effectué par Wyatt en 1990, 24 % des entreprises canadiennes ont mis en application l'horaire flexible dans leur milieu de travail[44]. Voici quelques-uns des gains obtenus en matière de productivité et de satisfaction des employés, selon la Presse Canadienne :

- Honeywell (Scarborough) : augmentation de la productivité de 12,5 % ;
- Anglo Gibraltar Group (Toronto) : réduction du taux d'absentéisme de 20 %, des heures supplémentaires de 80 %, des retards de 99 % et du taux de roulement de 25 % ;
- Ashland Oils (Calgary) : réduction du taux d'absentéisme de 25 % et des heures supplémentaires de 20 % ;
- Canada Trust (London) : réduction des heures supplémentaires de 1 025 $ sur trois mois et du taux d'absentéisme de 1,67 % par année sur trois mois.

Prenons un exemple. La journée de travail peut s'étendre de 7 h 30 à 18 h. De 9 h 15 à 11 h 30 et de 14 h à 15 h 30, tous les travailleurs doivent être à leur poste et travailler (plage fixe). Les autres tranches sont des périodes mobiles. Ainsi, la plage mobile comprise entre 7 h 30 et 9 h 15 permet aux travailleurs qui habitent en banlieue d'arriver plus tard, par exemple à 9 h, s'ils le désirent. Les deux autres plages mobiles, soit de 11 h 30 à 14 h et de 15 h 30 à 18 h, sont les heures où les employés sont libres, par exemple, de voir un dentiste ou d'aller chercher les enfants à la garderie. Selon les rapports de l'entreprise, la flexibilité de l'horaire a contribué à augmenter de façon générale la satisfaction au travail, à assurer un meilleur équilibre entre le travail et la vie personnelle et à réduire les taux d'absentéisme et de roulement du personnel, sans qu'il en résulte de coûts supplémentaires pour la société. Cependant, il a fallu assurer une plus grande coordination de l'horaire de travail, et quelques mécanismes de surveillance ont dû être institués, comme l'installation d'une horloge de pointage, afin de vérifier les allées et venues des employés.

La semaine de travail comprimée. Une telle possibilité est offerte aux employés qui souhaitent travailler moins de cinq jours par semaine. Cet aménagement de la semaine de travail a été proposé par un bon nombre d'entreprises en réponse au désir des employés de travailler un plus grand nombre d'heures par jour, mais moins de jours par semaine. Ils peuvent ainsi consacrer plus de temps à leur famille ou pratiquer les activités de leur choix.

Le travail permanent à temps partiel et l'emploi partagé. Traditionnellement, le travail à temps partiel ne s'appliquait qu'à des postes de courte durée, comme ceux offerts dans les magasins de vente au détail pendant la période des fêtes. À présent, certaines organisations créent des postes permanents à temps partiel. De plus en plus de travailleurs aiment particulièrement cet aménagement de l'horaire de travail, notamment les femmes qui sont mères de jeunes enfants, les ménages qui ont des personnes à charge, les familles à double revenu, les étudiants et les travailleurs âgés. Le travail permanent à temps partiel, tout comme l'emploi partagé, fournit des possibilités d'emploi qui n'existeraient pas autrement et permet une certaine flexibilité, ce qui assure un meilleur équilibre entre les exigences du travail et la vie privée.

L'emploi partagé est un type particulier de travail à temps partiel selon lequel deux employés se partagent les responsabilités rattachées à un poste régulier à temps plein. Les deux employés peuvent consacrer le même nombre d'heures à leur travail, ou encore l'un des deux peut faire plus d'heures que l'autre. En 1978, le gouvernement canadien a lancé un programme d'emploi partagé destiné à prévenir le chômage. Le budget affecté à ce programme était de 30 millions de dollars en 1990. Dans un programme d'emploi partagé, l'assurance-chômage assume 60 % du salaire de

Dans les faits

Depuis 1985, l'emploi partagé est utilisé dans certaines succursales de la Banque Royale du Canada. À Beloeil (Québec), 20 postes et 40 employés sont associés à ce programme. Différentes raisons peuvent expliquer cette faible participation : (1) on n'a pas déployé assez d'efforts pour promouvoir le programme auprès des employés ; (2) beaucoup d'employés ne peuvent vivre avec un demi-salaire ; (3) les 40 personnes engagées dans ce programme sont des femmes qui ne sont pas les seuls soutiens de leur famille ; (4) tous les postes ne peuvent pas être partagés. De façon à rendre le projet plus efficace, la banque ou l'employé peuvent mettre fin à cette entente en donnant un avis de 30 jours à la personne concernée, et celle-ci peut, si elle le désire, reprendre un emploi à temps plein.

l'employé pour les heures non travaillées, jusqu'à concurrence de 77 $ par jour. Une limite de 26 semaines de participation est prévue. Pour être admissible à ce programme, les entreprises doivent être en exploitation pendant un minimum de trois jours par semaine. En 1989, 1 802 entreprises et 37 487 employés ont bénéficié de ce programme. En 1990, ce sont 5 800 entreprises et 110 000 travailleurs qui en ont profité[45]. Une étude portant sur cinq expériences québécoises nous donne un aperçu des différents programmes susceptibles d'être mis en œuvre pour offrir à des employés la possibilité d'aménager et de réduire leur temps de travail (encadré 3.13).

ENCADRÉ 3.13 Les modalités d'application des programmes de réduction du temps de travail : l'expérience de cinq organisations au Québec

MODALITÉS

	Alcan	Bell*	Ministère de l'Environnement et de la Faune	Les papiers Scott	Les peintures Sico
Programme	Volontaire	Involontaire	Volontaire (avec l'accord de la direction)	Volontaire	Programme pour tous accepté par vote à 95 %
Travailleurs potentiels	Tous les travailleurs sauf les cadres	Techniciens	Tous les travailleurs	Limité (60/400 travailleurs)	Tous les travailleurs sauf les cadres
Choix offerts	40 h → 38 h ou 35 h → 33 h	5 h → 4 j et 40 h → 36 h	35 h → 32 h ou 35 h → 28 h	5 j → 4 j ou 5 j → 3 j	5 j → 4 j et 40 h → 36 h
Incidence sur les avantages sociaux	Aucune	Aucune	Aucune	Réduction proportionnelle	Aucune
Temps libre supplémentaire	Journées de vacances supplémentaires	Réduction de la semaine de travail	Réduction de la semaine de travail ou journées de vacances supplémentaires	Réduction de la semaine de travail	Réduction de la semaine de travail
Durée de l'entente	Renouvelable après avoir accumulé 33/38 heures	Un an	Renouvelable après 6 mois	Renouvelable annuellement	Renouvelable (collectivement) suite à une évaluation au terme de la première année d'implantation

h : heures   j : jours
* Cette information fait référence au programme tel qu'appliqué aux techniciens.

Source : H. Huberman et P. Lanoie, « L'aménagement et la réduction du temps de travail : leçons à tirer de cinq expériences québécoises », *Gestion*, vol. 24, n° 2, 1999, p. 32-41.

LES AMÉNAGEMENTS QUI AFFECTENT LE LIEU DE TRAVAIL

Parmi les nouvelles formes de travail, certaines affectent le lieu de travail, puisque les employés sont appelés à effectuer du travail à domicile ou encore sont des travailleurs indépendants qui ne sont pas obligés de se rendre à leur lieu de travail de façon régulière. Ils sont plutôt tenus de fournir des résultats à leur employeur.

Le télétravail ou travail à domicile. Les gens travaillent de plus en plus à la maison. En fait, la définition du télétravail englobe «tout travail intellectuel effectué hors du cadre spatiotemporel traditionnel par un membre d'une organisation[46]». Ce phénomène a vu le jour dans les années 70, dès que l'introduction des technologies de l'information a permis aux employés d'être reliés à l'entreprise par des terminaux et d'effectuer leur travail à distance. Depuis, le télétravail a gagné en importance et représente aujourd'hui une nouvelle forme d'organisation du travail qui assure une grande flexibilité aux employés. En effet, dans un contexte de télétravail, les technologies de l'information deviennent l'outil de travail principal des employés, qui les garde en contact constant avec l'employeur. Le lien d'emploi est maintenu : la personne qui effectue du télétravail n'est pas un travailleur autonome, mais un employé rattaché à une entreprise qui dispose des mêmes privilèges que tout autre employé régulier. Le télétravail libère l'employé des contraintes habituelles de temps et d'espace inhérentes à l'organisation[47]. En fait, il contribue à renforcer ce qu'on appelle fréquemment une organisation virtuelle, dans laquelle les individus sont invisibles, mais les liens sont maintenus[48]. La compagnie d'assurances Sun Life du Canada, de même que Nortel Networks et Compaq, comptent parmi les entreprises qui ont décidé de faire l'essai du télétravail. Bien que les études sur le télétravail n'aient pas encore établi si l'expérience est concluante, eu égard aux coûts, et si le travail à la maison peut devenir une pratique courante, elles constatent une augmentation de la productivité et de la rentabilité. Ces résultats ne sont toutefois possibles qu'à condition de respecter certains éléments essentiels au succès d'un programme de télétravail, lesquels ont été recensés dans l'encadré 3.14.

Le saviez-vous ?

Au Canada, l'augmentation du taux de travail indépendant est impressionnante puisque, entre 1989 et 1997, elle est passée de 14 % à 18 %. Il est intéressant de constater que cette nouvelle forme de travail, qui a connu une évolution plus importante au Canada qu'aux États-Unis, est attribuable en partie à des raisons positives telles qu'une certaine préférence des travailleurs pour une forme de travail qui leur accorde plus de latitude et de flexibilité ainsi que la possibilité d'exercer un travail à leur propre compte. Le travail indépendant compte pour une proportion très importante des emplois créés au Canada[49].

Le travail atypique. Ces dernières années, la recherche d'une plus grande flexibilité a entraîné le remplacement de la permanence et de la sécurité d'emploi par du travail contractuel et temporaire, et a par le fait même provoqué un réexamen des valeurs, des attitudes et des croyances des employés. Selon les estimations du Conference Board du Canada, environ un employé sur quatre est actuellement un travailleur de réserve. On désigne ainsi le collaborateur indépendant, le travailleur à forfait, l'employé temporaire ou le travailleur à temps partiel. De cette façon, les organisations peuvent réduire rapidement leur personnel pour répondre à leurs besoins ; la flexibilité en matière de dotation en personnel est ainsi augmentée. Il faut souligner que les employés de réserve ne reçoivent pas de pensions de leur employeur, et ne bénéficient pas de vacances ni de congés payés. De plus, l'employeur n'est pas tenu de veiller à leur formation. Il lui en coûte par conséquent moins cher... En 1995, l'emploi autonome et l'emploi à temps partiel composaient 31,4 % de l'emploi au Québec. Les travailleurs à domicile, catégorie regroupant les travailleurs réguliers, occasionnels et autonomes, constituaient 6,3 % de la population active[50]. Or, les privilèges organisationnels divergent en fonction du statut d'emploi. Rousseau[51] affirme que les employés ayant un statut précaire sont généralement liés à l'employeur par un contrat de type transactionnel. L'entente porte sur la prestation de travail et la contrepartie à recevoir, et ne comporte pratiquement aucune dimension relationnelle.

ENCADRÉ 3.14 Les éléments essentiels au succès d'un programme de télétravail

- Établir clairement les buts et les objectifs du programme de télétravail. Désire-t-on un programme à grande échelle ou vise-t-on un groupe particulier d'individus ; évaluer l'interdépendance des groupes visés.
- Développer des lignes directrices ; établir des politiques concernant l'admissibilité au programme, sa durée, les équipements requis, le processus d'approbation des candidats, etc.
- Une bonne sélection des employés et des gestionnaires est primordiale au succès du programme de télétravail ; sur une base volontaire, évaluation du profil psychologique des candidats, type de tâches, etc.
- Assurer la formation des gestionnaires et des employés. Les préparer à travailler en contexte de télétravail : utilisation et connaissance du matériel informatique, utilisation efficace des moyens de communication, planification du temps.
- Rédiger un contrat type qui élabore les responsabilités et attentes de base des participants ; vérifier, entre autres : les assurances, la responsabilité de l'entretien des équipements, le paiement des heures supplémentaires, etc.
- Assurer un environnement physique et technologique adéquat avec tout le support technique nécessaire ; évaluer les capacités télématiques de l'organisation si l'on entend utiliser des technologies de l'information (courrier électronique, vidéo-conférence, etc.).
- Déterminer le mode d'évaluation du télétravailleur pour les fins de rémunérations, avantages sociaux, promotion, etc. S'assurer qu'il sera perçu comme étant équitable tant par le télétravailleur que par les collègues de travail.
- Prévoir un calendrier d'événements regroupant tous les membres de l'organisation à intervalles réguliers.
- S'assurer que la sécurité des données n'est pas un élément vital pour l'organisation (c'est-à-dire que des systèmes de sécurité conventionnels sont en place et qu'ils sont adaptés au télétravail).

Source : A. Pinsonneault et M. Boisvert, « Le télétravail : l'organisation de demain », *Gestion*, vol. 21, n° 2, 1996, p. 76-82.

VII Les incidences des nouvelles formes d'organisation du travail sur la gestion des ressources humaines

Les modèles traditionnels de gestion des ressources humaines ont longtemps dominé l'organisation du travail dans les entreprises canadiennes. Cependant, la complexité des changements sociaux, économiques et culturels qui se produisaient a forcé un grand nombre d'organisations à concevoir des approches innovatrices en matière d'organisation du travail. En raison de la mondialisation des marchés et de la compétition féroce à laquelle elles sont soumises, les entreprises prendront de plus en plus conscience, dans les années à venir, du fait que la compétitivité exige qu'elles développent leur sensibilité et leur sens de l'innovation pour répondre aux besoins de la clientèle et des employés.

La main-d'œuvre n'a plus les mêmes attentes qu'auparavant. Les travailleurs sont de mieux en mieux formés. Les emplois ne sont plus uniquement pour les travailleurs un moyen de gagner leur vie de façon sécuritaire et raisonnable. Les travailleurs souhaitent occuper des emplois intéressants, importants, valorisants et stimulants. Ils désirent de plus en plus participer au processus décisionnel. Les postes de travail devront donc être conçus ou redéfinis de façon à satisfaire ces besoins. Par ailleurs, nous vivons dans un monde où il devient difficile de séparer le travail et la vie personnelle : les familles se divisent, la proportion de gens vivant seuls augmente, l'individualisme est à la hausse et les institutions sociales telles que les écoles et les institutions religieuses ne procurent plus le même soutien qu'auparavant à l'individu. Le lieu de travail devient alors, et est appelé à devenir encore davantage, un endroit où les gens peuvent interagir, faire usage de leurs habiletés, contribuer à l'atteinte de buts communs, travailler à des tâches qui donnent un sens à leur vie. C'est un lieu important où le travailleur comble ses besoins d'affiliation à un groupe et d'actualisation de soi[52].

Consultez Internet

http://www.hronline.com/forums

Forum électronique pour les professionnels en ressources humaines, que l'on peut consulter pour en savoir plus sur les expériences des entreprises canadiennes en ce qui a trait aux nouvelles formes d'organisation du travail.

Comme nous l'avons indiqué dans ce chapitre, les entreprises ont déjà commencé à répondre à ces besoins en adoptant de nouvelles philosophies de gestion et de multiples formes de programmes de gestion participative. Dans les années à venir, des mesures plus raffinées et plus poussées seront nécessaires. Les directeurs des ressources humaines auront un rôle important à jouer en facilitant l'introduction et l'application de ces nouvelles idées. Bien que personne ne puisse prédire ce que l'avenir nous réserve, une chose est certaine : les nouvelles approches en matière d'organisation du travail influeront certainement sur l'ensemble des activités de gestion des ressources humaines. Celles-ci devront tenir compte des préférences et des besoins individuels des employés tout en maximisant la productivité des individus, des équipes de travail et des organisations.

REVUE DE PRESSE
Les équipes virtuelles modifieront la gestion traditionnelle

Michel De Smet

L'image traditionnelle du gestionnaire physiquement présent au milieu de ses troupes est-elle en train de s'effacer? Assistera-t-on dans les prochaines années à l'avènement d'un environnement de travail constitué d'équipes de professionnels disséminés aux quatre coins de la planète et communiquant entre eux par le truchement des technologies de l'information?

Certains le pensent. D'autres, tels Line Dubé et Guy Paré, professeurs agrégés au service de l'enseignement des technologies de l'information à l'École des hautes études commerciales (HEC), se montrent plus réservés, même s'ils reconnaissent que le développement des technologies de l'information et la mondialisation des marchés favorisent le recours à la formation d'équipes de travail virtuelles.

« Aux États-Unis, quelque 1,3 M de professionnels auraient été amenés à œuvrer au sein d'équipes de travail virtuelles en 1998, comparativement à 8,4 M en 1996. Nous n'avons pas trouvé de données fiables à ce chapitre pour le Canada. Mais les chiffres américains prouvent qu'il s'agit d'une progression considérable en deux ans. Cependant, pour l'heure, des obstacles sérieux nuisent à la généralisation du phénomène », estime Mme Dubé.

Avec son collègue, elle mène actuellement une recherche sur les défis de la gestion des équipes virtuelles. Les deux chercheurs ont ainsi noté, non sans surprise, que les 20 entreprises sur lesquelles portent leur étude avaient recours à des outils de travail à distance assez peu sophistiqués.

« L'utilisation du courrier électronique avec textes attachés reste, de loin, l'instrument de communication privilégié par les membres des équipes virtuelles, note M. Paré. Le téléphone, la vidéoconférence et la télécopie suivent. Quelques firmes recourent aux logiciels permettant de travailler conjointement à distance en temps réel. Très peu font appel à des logiciels d'aide à la prise de décision. »

Le chercheur met également en évidence, particulièrement dans le cas d'équipes virtuelles internationales, les problèmes d'incompatibilité de certaines technologies, les fuseaux horaires ainsi que la barrière de la langue. « Dès que l'équipe intègre des membres hors du Québec, le travail se fait en anglais. À cet égard, plusieurs participants ont fait remarquer les difficultés de communication qu'ils éprouvaient avec des coéquipiers latino-américains et asiatiques. »

Les universitaires ne se disent pas totalement convaincus comme l'annoncent certains que les équipes virtuelles entraîneront inévitablement une révolution des cultures organisationnelles des entreprises.

« Dans le cas d'équipes internationales, il est évident que les coéquipiers auront à harmoniser leur rythme et leur façon de travailler, ce qui aura forcément un impact plus ou moins grand sur la culture des multinationales. La véritable révolution s'annonce plutôt dans le mode de gestion des projets qui seront assumés par des équipes virtuelles », prévoit Mme Dubé.

Cette dernière souligne notamment que les gérants de projets d'une équipe virtuelle se doivent de faire preuve d'un plus grand niveau de confiance que pour un projet traditionnel. « Le gestionnaire ne connaît généralement pas les collaborateurs qui se retrouvent au sein de l'équipe virtuelle, choisis en raison de leur savoir-faire et de leur disponibilité. Son plus grand défi, malgré tout, est de développer une capacité très rapide à connaître son monde, c'est-à-dire les faiblesses et les forces de chacun, en particulier en ce qui concerne le respect des délais préalablement déterminés par l'équipe pour la réalisation du projet. » Les deux chercheurs ont noté que ce mode de gestion apparaît déstabilisant à plus d'un gérant de projets habitué au contact physique avec ses collaborateurs ainsi qu'au contrôle de leurs horaires de travail.

M. Paré fait également remarquer que souvent le travail à distance ne permet pas de corriger rapidement le tir lorsqu'une erreur est faite. En conséquence, il est préférable pour un gérant d'équipe virtuelle de fractionner le travail en petites étapes de quelques semaines tout au plus, ce qui permet une gestion des résultats plus fiable et, si nécessaire, l'apport rapide de correctifs.

Contrairement à ce qu'on pourrait imaginer, la prolifération annoncée des équipes virtuelles ne signifie pas pour autant une forme d'évacuation progressive de la dimension sociale dans l'environnement de travail.

« Durant notre recherche, les personnes interrogées ont beaucoup parlé de la responsabilité du gérant de projets à faire partager par ses coéquipiers des valeurs communes ainsi que de sa capacité à mobiliser les participants du groupe virtuel autour des objectifs du projet », explique Mme Dubé. Celle-ci a également noté l'importance accordée par les interviewés à l'organisation d'une première rencontre physique entre les participants afin de définir l'agenda de travail et d'amorcer la socialisation. Si la chose est possible, le recours à des rencontres inter-étapes est également recommandé comme en témoigne Yvon Rodrigue, président de Tecsult Eduplus. « Récemment, nous avons réalisé un projet multimédia à des fins de formation d'une valeur de 2,5 M$. Le projet s'est étendu sur 14 mois et impliquait une vingtaine de professionnels à Montréal et à notre succursale d'Halifax. Même si 90 % de la conception s'est faite à distance, ceux-ci ont tout de même senti le besoin de se retrouver dans un même lieu physique toutes les deux semaines. »

Source : Les Affaires, *samedi le 9 octobre 1999.*

AVIS D'EXPERT
Il est temps d'agir...

par Dave Ulrich

En 1963, dans une allocution qui allait devenir célèbre et qui débutait par ces mots : « Je caresse un rêve » (« I have a dream »), le Dr Martin Luther King défiait les pratiques racistes et redonnait de l'espoir aux personnes désavantagées par le système. La fonction ressources humaines devrait s'inspirer des paroles du pasteur, et en particulier de deux autres affirmations qu'il a faites maintes fois dans ce discours. La première « Nous ne serons pas satisfaits » et la deuxième, « Il est temps d'agir » correspondent parfaitement à la réalité de la profession de gestionnaire des ressources humaines. En tant que professionnels des ressources humaines, nous ne pouvons nous satisfaire des progrès réalisés en ce qui a trait au statut que la fonction ressources humaines possède au sein de l'organisation, à sa capacité de créer une valeur ajoutée et à celle de déployer des pratiques qui contribuent au succès de l'organisation. Au lieu d'évoquer les problèmes existant au sein de la profession et les raisons de notre insatisfaction, je préfère toutefois m'intéresser davantage à la deuxième affirmation selon laquelle « Il est temps d'agir », et présenter des arguments dans ce sens. Je voudrais souligner que le temps est venu pour que les pratiques de gestion des ressources humaines soient utilisées pour transformer les orientations stratégiques en résultats, pour que les gestionnaires des ressources humaines soient capables de créer une valeur ajoutée, et pour que la fonction ressources humaines soit considérée comme un noyau d'expertise et de valeur. Cet avis a pour but de revoir les vieilles questions, du genre de celles que les hauts dirigeants ont posées pendant des années, afin de proposer des réponses nouvelles. Or, étant donné que les nouvelles réponses aux anciennes questions exigent davantage de la fonction ressources humaines que ce qu'elle a fourni par le passé, il est utile de rappeler que c'est bel et bien « le temps d'agir » pour les professionnels des ressources humaines.

Question nº 1 : Comment livrer la compétition ?

La compétition revêt plusieurs facettes. Son fondement est de mieux servir les clients que les compétiteurs. Plusieurs stratégies ont été déployées pour y parvenir. La réponse traditionnelle a consisté à élaborer une approche permettant aux entreprises de mieux saisir les besoins de la clientèle, d'atteindre des niveaux de croissance plus élevés, d'utiliser la technologie comme un levier organisationnel, de fournir des produits et des services de qualité supérieure. Des stratégies appelées mission, vision, valeurs, stratégies, buts et objectifs ont été formulées de manière à procurer à l'entreprise une niche unique sur le marché, donc à mieux répondre aux besoins des consommateurs. Même si les formulations déjà faites ne sont pas erronées, ces anciennes réponses portant sur la manière de mener la concurrence deviennent difficiles à différencier d'une organisation à l'autre. En effet, les compétiteurs peuvent offrir des produits, des services et des prix comparables à ceux qu'offre l'organisation concurrente. Les gestionnaires doivent donc découvrir de nouveaux moyens de se distinguer de leurs compétiteurs. Selon le point de vue en émergence, le succès des stratégies n'est jamais assuré. Être à la hauteur de la compétition exige de l'organisation qu'elle ait la capacité d'agir, de donner une bonne performance et de livrer les choses promises. Les organisations réussissent lorsqu'elles sont capables d'amener les consommateurs à avoir une certaine confiance dans leur capacité d'agir et de satisfaire les besoins de ceux-ci.

Le temps est venu pour que la gestion des ressources humaines puisse transformer la stratégie en résultats, la mission en action et la vision en dévouement. Des recherches récentes effectuées par Huselid et Becker témoignent du fait que, lorsque l'organisation implante une grappe de pratiques, celles-ci ont un effet considérable sur l'augmentation de la valeur des actions sur le marché ou de la valeur marchande de l'entreprise[53].

Question n° 2 : Comment bâtir une organisation dont le succès est assuré ?

Si les organisations accroissent la capacité d'un pays d'entrer en compétition avec d'autres pays sur la scène internationale, il devient alors important de réexaminer la définition de l'organisation à laquelle nous avons adhérée jusqu'ici. L'organisation a longtemps été définie comme une structure ou un système. Les diagnostics organisationnels effectués au moyen d'analyses d'organigrammes mettaient l'accent sur l'étude des structures changeantes, notamment en ce qui a trait à la hiérarchie, au nombre de personnes qui en font partie et aux relations établies entre les fonctions. Plus tard, d'autres analyses se sont attachées à expliquer la congruence entre la stratégie et les systèmes organisationnels, parmi lesquels figuraient la structure et les activités de gestion des ressources humaines. Ces différentes perspectives ont montré que les organisations sont constituées de mécanismes qu'il est possible de modifier.

De nouvelles interprétations de ce que peut être une organisation continuent d'émerger. Ces réponses se concentrent moins sur la structure que sur les capacités. Les capacités d'une organisation peuvent être définies sous plusieurs angles, c'est-à-dire ceux des compétences clés, des processus de travail, des équipes hautement performantes et des différentes caractéristiques organisationnelles. Ces capacités représentent les choses que l'organisation sait bien faire et qui font sa réputation auprès de ses clients et de ses employés.

Les diagnostics que posent les entreprises d'aujourd'hui retracent les capacités organisationnelles requises pour traduire les stratégies en résultats. Cette affirmation attire l'attention sur les pratiques de gestion des ressources humaines. En effet, ces pratiques sont des ensembles d'investissements en gestion qui permettent de créer et de soutenir les capacités organisationnelles. Par exemple, les capacités d'innovation découlent des pratiques de recrutement de personnes capables de créativité, ainsi que de pratiques de rémunération qui encouragent le risque. Elles résultent également de la communication qui montre la nécessité de demeurer créatif, de l'organisation d'équipes virtuelles et de projets pour générer de nouvelles idées, ainsi que de la formation qui permet aux employés d'acquérir rapidement et efficacement les compétences nécessaires pour exercer leurs fonctions. Elles découlent donc d'ensembles de pratiques axées sur la stratégie organisationnelle.

Question n° 3 : Comment créer de la valeur ajoutée ?

Le concept de valeur a une longue histoire. Traditionnellement, il a servi à définir des valeurs économiques ou la valeur financière d'une entreprise. Cette valeur économique mettait l'accent sur les mécanismes internes d'allocation des ressources qui maximisaient le rendement des investissements. La valeur économique était également estimée à partir de données externes telles que la valeur sur le marché ou le prix de l'action. Plus récemment, les analystes ont estimé que la valeur d'une organisation était fonction du nombre de consommateurs qui adoptent les produits et services de l'organisation et qui créent de la valeur.

De nouvelles interprétations de la notion de valeur font référence à la notion de chaîne de valeur, qui a pour point de départ les employés et qui se termine par les investisseurs, en passant par les clients. La fonction ressources humaines joue un rôle important en ce sens qu'elle contribue à transformer les ressources humaines en une valeur ajoutée pour l'organisation. Pour y parvenir, des actions telles que l'amélioration des compétences des superviseurs en gestion, l'établissement et le respect d'un contrat psychologique entre l'organisation et les employés, la flexibilité des aménagements relatifs aux conditions de travail et des politiques d'entreprise comptent parmi les nombreuses pratiques destinées à accroître la valeur des ressources humaines. De plus, la fonction ressources humaines joue un rôle important en matière de valeur financière, cette dernière étant notamment fondée sur les qualités de gestion dont se dote une entreprise et qui la différencient de bien d'autres offrant les mêmes services ou produits. La gestion des ressources humaines joue à cet égard un rôle important puisqu'elle permet d'établir un lien de confiance entre les ressources humaines et l'organisation et de renforcer l'engagement qui les lie.

Question n° 4 : Comment investir dans le capital humain ?

Une guerre pour le recrutement des talents est en cours. Cette guerre a pour principal enjeu le capital humain et elle est menée avec acharnement sur plusieurs fronts. Elle prévaut dans le monde de la technologie de l'information, au sein duquel les talents sont difficiles à trouver. Cette guerre domine également parmi les gestionnaires et les employés qui assurent les relations avec la clientèle. Tous les postes dans l'entreprise deviennent de plus en plus difficiles à combler, et les entreprises s'arrachent les candidats qui ont du potentiel et qui se démarquent des autres. Traditionnellement, les entreprises choisissaient entre deux possibilités : développer les talents et offrir des emplois permanents ou se tourner vers le marché du travail pour en recruter. Dans le monde d'aujourd'hui, aucune de ces stratégies n'est possible. Les entreprises ont arrêté de recruter du personnel pour une longue période ; de même, les individus ont cessé de chercher des emplois s'inscrivant dans une perspective à long terme. Les employés se montrent favorables à la mobilité et ils sont prêts à changer d'emploi, car ils sont à la recherche constante de meilleures conditions de travail. Sur le marché du travail, la demande excède souvent l'offre, rendant le recrutement de talents très difficile.

Les nouvelles réponses à la guerre pour la conquête des talents misent à la fois sur la compétence et sur l'engagement. La compétence organisationnelle fait référence à la capacité de disposer d'employés possédant les connaissances, les aptitudes, les attitudes et la motivation nécessaires pour s'acquitter de leur travail actuel et futur. La compétence peut s'accroître en recourant à divers moyens : l'acquisition de talents à l'extérieur de la firme, le développement des compétences à l'interne, des prêts de service et des transferts (alliances, partenariat, consultation), l'attrition (en se débarrassant des moins bons) et les mesures favorisant le maintien en emploi (en gardant les meilleurs). Étant donné que le recrutement de compétences à l'extérieur devient de plus en plus difficile, les autres choix sont plus faciles à mettre en œuvre, notamment la rétention des employés. Garder les employés performants au service de l'entreprise revient à trouver des moyens efficaces pour faire en sorte qu'ils s'engagent à demeurer dans l'entreprise. Je pense à un moment où les relations avec les employés deviendront individualisées à un tel point que les employés n'auront plus de raison de quitter leur emploi. L'engagement que manifestent les employés envers l'organisation est le fruit d'un traitement digne et respectueux dont ils bénéficient.

La fonction ressources humaines joue un rôle central dans le développement du capital humain. Les entreprises capables d'élaborer des politiques visant à améliorer les compétences et l'engagement des employés ne feront pas que gagner la guerre des talents ; elles domineront aussi l'arène de compétition au sein de laquelle se fait la guerre.

Question n° 5 : Comment mieux servir les clients ?

Traditionnellement, attacher de l'importance au service à la clientèle voulait dire qu'on cherchait à avoir une meilleure compréhension des segments de clientèle et des critères d'achats. Le service à la clientèle prône une compréhension de plus en plus grande des besoins individuels, notamment des caractéristiques qui font que le client restera fidèle à une entreprise ou en choisira une autre. Une stratégie en émergence visant à mieux servir cette clientèle va jusqu'à faire en sorte que les clients prennent part aux décisions relatives à la gestion des ressources humaines. Les moyens utilisés incluent la participation des clients à des décisions de sélection, à des programmes de formation, à des initiatives de communication, à des programmes d'organisation du travail et de reconnaissance. En étant davantage associés à la gestion des ressources humaines, les clients deviendront plus engagés envers l'organisation et y accroîtront leur participation.

Ainsi, plus les professionnels des ressources humaines consacrent de temps à mieux comprendre les besoins de leurs clients externes, plus ils établiront des niveaux inégalés de satisfaction de la clientèle.

Question n° 6 : Comment modifier la culture ?

La culture organisationnelle s'est traditionnellement exprimée en référence à des valeurs et à une philosophie de la gestion. Toute organisation possède une philosophie de gestion exprimée dans un discours officiel ou formulée dans un rapport annuel. Les organisations plus avant-gardistes ont su traduire les valeurs en comportements et les utiliser pour mettre au point leurs programmes de formation de leaders grâce à des pratiques de coaching, à des programmes de formation et à une rétroaction fréquente provenant de plusieurs intervenants (une rétroaction à 360 degrés).

Dans tous ces cas, la culture a continué d'être définie à l'intérieur de l'organisation. Une nouvelle approche tend à considérer la culture organisationnelle comme une image de marque de l'entreprise qu'il est important de faire connaître au public au même titre qu'une marque de commerce. Ainsi, des valeurs comme la loyauté, le service et l'innovation deviennent une caractéristique de l'organisation ainsi que des éléments de sa culture. La fonction ressources humaines joue un rôle essentiel dans l'entreprise dans la mesure où elle compte sur le comportement et les actions des employés. Lorsque les employés seront conscients du fait que leur comportement dans la vie quotidienne a une incidence sur les revenus de l'entreprise, ils éprouveront certainement un engagement et un dévouement plus grands envers leur employeur.

Il est temps d'agir dans le domaine de la gestion des ressources humaines. Chacune des anciennes questions formulées a besoin d'une nouvelle réponse qui est ancrée dans les pratiques de gestion des ressources humaines. Au fur et à mesure que les professionnels des ressources humaines réexaminent leurs activités et réinvestissent dans les pratiques pour bâtir leur compétitivité, leurs capacités, leurs valeurs, leur capital intellectuel, la valeur des clients et les revenus, ils deviennent de plus en plus utiles à l'organisation. Si les professionnels des ressources humaines ne saisissent pas l'occasion qui leur est offerte, d'autres le feront (consultants et autres groupes conseils dans l'organisation), et les professionnels des ressources humaines seront complètement dépassés par la situation.

Les professionnels qui comprennent que le temps est venu d'agir ont besoin de réévaluer les priorités établies et de s'attacher à combler les besoins suivants :

- *Mettre davantage l'accent sur les choses à livrer que sur les choses à faire. Les choses à livrer sont le fruit du travail de la fonction ressources humaines et elles caractérisent ses capacités à permettre à l'organisation d'avoir du succès. Par exemple, moins d'attention devrait être accordée au calcul du nombre de personnes ayant suivi une formation et plus aux résultats de la formation.*

- *Mesurer les résultats. Les professionnels des ressources humaines devraient être sérieux quant aux efforts entrepris pour évaluer l'effet de leur travail sur les clients, les employés et les résultats financiers. Lorsque les liens entre les investissements en ressources humaines et le rendement de l'organisation peuvent être établis, la fonction ressources humaines joue alors le rôle d'un partenaire d'affaires de l'organisation.*

- *Entreprendre la réingénierie de la fonction ressources humaines. Les responsables de cette fonction attendent souvent qu'on leur dise quoi faire, et ils réagissent ensuite. La fonction ressources humaines devrait représenter un modèle d'efficacité et d'efficience. Le service des ressources humaines étant constitué de généralistes et de spécialistes chargés d'offrir des services opérationnels et corporatifs, il doit être géré comme une unité cohérente et interdépendante.*

- *Acquérir des compétences pour réussir. Des recherches effectuées en collaboration avec Wayne Brockbank nous ont appris que les professionnels des ressources humaines doivent posséder cinq champs de compétence : comprendre les affaires, maîtriser les pratiques de gestion des ressources humaines, gérer le changement, réaliser les changements et faire preuve de crédibilité. Investir en gestion des ressources humaines pour le bien des ressources humaines compte parmi les activités auxquelles il faudrait réfléchir.*

La fonction ressources humaines a-t-elle un avenir ? Absolument ! Mais il est temps d'agir pour permettre à la fonction ressources humaines de faire en sorte que cet avenir se réalise. Dans le but d'assurer sa pérennité, la fonction ressources humaines devrait assumer les mandats qui lui sont confiés, créer de la valeur ajoutée et livrer des résultats.

Dave Ulrich est professeur à la School of Business de l'Université du Michigan. *Business Week* l'a désigné comme l'un des 10 meilleurs professeurs en management et comme le meilleur professeur en gestion des ressources humaines du monde. Il est l'auteur du best-seller intitulé *Human Resource Champions : The Next Agenda for Adding Value and Delivering Results.* Il est également le co-auteur de l'ouvrage *Delivering Results : A New Mandate for Human Ressource Professionals,* et d'un livre à paraître, intitulé *Results-based Leadership.*

RÉSUMÉ

La concurrence internationale grandissante, les exigences des consommateurs sur le plan de la qualité des produits et les modifications des valeurs sociales et individuelles entraînent les entreprises canadiennes dans une crise de productivité d'une ampleur considérable. Cette crise a amené certaines d'entre elles à revoir l'organisation du travail et à mettre en place de nouvelles formes qui visent une plus grande productivité, tout en tenant davantage compte des préférences et des valeurs individuelles des travailleurs.

Ce chapitre a passé en revue les principales formes de réorganisation du travail. Après avoir donné un aperçu des courants théoriques qui les ont influencées, nous avons regroupé les nouvelles formes d'organisation du travail en fonction de quatre catégories. Nous retrouvons ainsi celles qui ont été conçues dans une perspective organisationnelle, celles qui répondent à une organisation en équipes, celles qui reflètent une approche individuelle et finalement celles qui visent une plus grande flexibilité dans le temps et dans l'espace.

Les nouvelles formes d'organisation du travail ont non seulement le mérite d'améliorer la productivité et d'accroître la qualité de vie au travail en tenant compte à la fois des environnements externes et internes, mais elles ont des répercussions importantes sur la manière de gérer les ressources humaines. Ces répercussions seront examinées au fur et à mesure que les activités de gestion des ressources humaines seront abordées tout au long de cet ouvrage.

Questions de révision et d'analyse

1. *Pourquoi les entreprises se sentent-elles pressées d'adopter des programmes d'amélioration de la productivité et de la qualité de vie au travail?*

2. *Quel rôle jouent les directeurs des ressources humaines en ce qui a trait aux nouvelles formes d'organisation du travail?*

3. *Quels sont les courants théoriques qui expliquent l'adoption de nouvelles formes d'organisation du travail?*

4. *Comment peut-on distinguer l'organisation du travail conçue dans une perspective individuelle de celle qui aborde ce phénomène dans une perspective de groupes?*

5. *Quels sont les éléments qui influencent les initiatives de réorganisation du travail? Expliquez votre point de vue.*

6. *Qu'est-ce qui caractérise les cercles de qualité?*

7. *Qu'est-ce qui caractérise les équipes de travail semi-autonomes? Quelles sont les conditions pouvant assurer leur succès?*

8. *Pouvez-vous donner quelques arguments en faveur et à l'encontre des diverses formes d'aménagement de l'horaire de travail?*

9. *En quoi l'approche scientifique relative à la conception des tâches diffère-t-elle des conceptions modernes des tâches individuelles et d'équipes?*

10. *Qu'est-ce qui différencie les programmes d'enrichissement du travail des programmes d'extension des tâches?*

ÉTUDE DE CAS

Le programme « Qualité plus » de Procter & Winston Canada fonctionne-t-il bien ?

Procter & Winston Canada, une succursale d'une multinationale dont le siège social se trouve aux États-Unis, est un des principaux manufacturiers de turbines à gaz. L'entreprise emploie environ 6 000 personnes, des travailleurs spécialisés et des ingénieurs pour la plupart. Étant donné l'importance cruciale que revêt la production de composantes de haute précision (une petite erreur peut conduire à un désastre), l'entreprise a décidé depuis des années de promouvoir une politique d'excellence technique. Dans toutes les activités de gestion des ressources humaines, l'accent est mis sur des stratégies qui renforcent le concept d'excellence technique. Même si l'entreprise possède une part importante du marché et qu'elle domine le marché des petites turbines à gaz, le niveau de l'emploi fluctue constamment en réaction aux changements de l'économie et aux demandes du marché. En effet, pendant les périodes de forte demande, l'entreprise peut employer 8 000 employés, mais en période creuse, ce chiffre diminue parfois jusqu'à atteindre 3 500. Les licenciements et les réembauches sont donc devenus des événements cycliques au sein de cette organisation. Même si sa politique en matière de ressources humaines est orientée vers l'excellence technique, l'entreprise ne gère pas avec le même esprit ses ressources humaines. Les employés sont embauchés et licenciés selon les besoins et, à chaque réembauche, on espère que le niveau d'excellence technique sera maintenu. De plus, l'entreprise est réputée pour la piètre qualité de ses relations de travail. En effet, au cours des dernières années, elle a enregistré un nombre élevé de conflits de travail qui ont eu une large publicité, beaucoup d'entre eux ayant abouti à des grèves et à des lock-out.

Un jour, alors qu'il revenait du siège social situé aux États-Unis, le président Maurice Leblanc a demandé à sa secrétaire de convoquer tous les cadres supérieurs de l'entreprise à une réunion urgente. Au cours de la réunion, le président a informé le groupe que, d'après des rumeurs circulant au siège social, des sociétés japonaises s'apprêtaient à entrer sur le marché. Après quatre heures d'intenses discussions, le groupe a décidé d'amorcer une action proactive en vue de préparer la société à faire face à une compétition imminente. Tout le monde s'est alors entendu pour modifier la philosophie de gestion de l'entreprise, et on a même envisagé d'adopter quelques-uns des principes de gestion japonaise. À la fin de la réunion, le président a été chargé d'élaborer un nouveau programme.

Le mois suivant, encore une fois à son retour des États-Unis, le président a informé ses cadres supérieurs qu'une solution avait été trouvée. Il leur a raconté la visite qu'il avait effectuée chez ARMCO, un grand producteur de métal américain, où un programme appelé « Qualité plus » est mis en application avec succès. À la base de ce programme, il y avait la nécessité de modifier la culture de l'organisation et de mettre l'accent sur les employés plutôt que sur la technologie uniquement. Le président a annoncé qu'ARMCO était prête à partager son expérience avec Procter & Winston Canada ; les cadres ont approuvé cette proposition, et le plan a été adopté à l'unanimité.

Le programme « Qualité plus » se fonde sur la croyance selon laquelle la qualité est un élément crucial de la culture d'une organisation. En vue de promouvoir le programme, le conseil d'administration a décidé d'y faire participer non seulement la direction, mais aussi tous les employés. La mise à exécution du programme inclut la préparation de documents d'information devant être distribués aux employés et des séances de formation pour tous les employés sur la qualité de la gestion, la formation des dirigeants, la formation d'équipe, la résolution de problèmes, la conduite efficace de réunions, les présentations lors de réunions, etc. Le directeur de la formation est désigné officieusement pour superviser tout le programme.

Durant la phase initiale de la mise en œuvre du programme, des budgets substantiels ont été affectés au projet. Au fil des années, on lui a consacré moins d'argent, de plus en plus d'employés ayant terminé leur formation. La haute direction s'est fortement engagée dans le programme, bien que peu de cadres supérieurs aient été mis au courant de la façon dont il fallait gérer le processus de changement. Au début, bon nombre de cadres participaient aux comités d'orientation, aux séminaires, etc. Toutefois, à la fin de la première année, la direction a décidé de gagner l'appui des employés en encourageant toutes sortes de rassemblements sociaux. Mais ces efforts n'ont pas porté leurs fruits : le concept a plutôt été perçu par les employés comme une « farce » et passer du bon temps ensemble ne les a pas conduits à s'engager davantage envers l'entreprise.

Un autre problème concernait les agents de maîtrise et les cadres moyens. D'un côté, ces derniers étaient pressés de livrer la marchandise à temps ; de l'autre, on leur demandait de changer leur style de gestion, sans leur donner de directives ni de soutien sur la façon de le faire (sauf pendant les séances de formation). Il faut préciser ici que la plupart des superviseurs occupaient leur poste à cause de leur expertise technique, et non en raison de leurs habiletés en matière de gestion du personnel. Finalement, les employés en sont venus à nourrir des sentiments négatifs envers le programme « Qualité plus » ; ils le considèrent maintenant comme :

- une charge de travail supplémentaire ;
- une menace ;
- une nouvelle façon de réduire le budget et le personnel ;
- une nouvelle raison pour exprimer des griefs, tant pour les employés syndiqués que pour les employés non syndiqués.

Quatre ans plus tard, la majorité des employés disaient percevoir le programme d'une façon très négative. Comme l'affirmait un contremaître : « Chaque fois que les termes "Qualité plus" sont mentionnés, je fais une allergie. On parle tellement de principes et de philosophie et il y a si peu de faits en pratique... Nous sommes saturés de la philosophie de gestion prônée par la direction, mais personne ne sollicite nos idées sur ce sujet. » Le syndicat s'est également opposé à ce concept, car il y voyait un autre tour du patronat. Comme le disait un délégué syndical : « Nous n'avons pas besoin du programme "Qualité plus" pour obtenir de la qualité ; nous connaissons notre travail et la plupart d'entre nous avons prouvé que nous assumons nos responsabilités dans le processus de production. » Néanmoins, la direction a persisté dans ses intentions, dans l'espoir qu'un jour le concept soit réellement mis en place et qu'un changement culturel visible s'ensuive.

Questions

1. Quels semblaient être les principaux problèmes dans cette entreprise ?
2. De quelle façon la direction pouvait-elle obtenir de meilleurs résultats pour assurer le maintien et le progrès de son programme « Qualité plus » ?
3. Si vous étiez engagé à titre de consultant pour résoudre ce problème, quelles stratégies et tactiques adopteriez-vous ?

NOTES ET RÉFÉRENCES

1 E. Lawler et S. Mohrman, « With HR Help All Managers Can Practice High Involvement Management », *Personnel,* 26 au 31 avril, 1989.

2 M. Brossard, « La spécialisation du travail », *Introduction aux relations industrielles,* vol. II, recueil de textes, Montréal, École de relations industrielles, 2000.

3 M. Applebaum et R. Batt, *The New American Workplace : Transforming Work Systems in the United States,* New York, ILR Press, 1994.

4 *Ibid.*

5 G. Guérin, S. St-Onge, R. Trottier, M. Simard et V. Haines, « Les pratiques organisationnelles de l'équilibre travail-famille : la situation au Québec », *Gestion,* mai 1994, p. 74-82.

6 P. Théroux, « Innovation et participation des employés sont à l'honneur chez Poulies Maska », *Les Affaires,* Cahier spécial "Les secrets des meilleurs gestionnaires", édition 2000.

7 A. Rondeau, « Transformer l'organisation. Comprendre les forces qui façonnent l'organisation et le travail », *Gestion,* vol. 24, n° 3, 1999, p. 12-19.

8 D. A. Garvin, *Managing Quality : The Strategic and Competitive Edge,* New York, Free Press, 1988.

9 C. R. Farquhar et C. G. Johnston, « Total Quality Management : A Competitive Imperative – Lessons from the Quality Winners of the 1989 Canada Awards for Business Excellence », rapport 60-90 E, Ottawa, Conference Board du Canada, octobre 1990.

10 *Ibid.,* p. 53.

11 J. Gibson, « Corporate Restructuring : Lessons Learned », Conference Board du Canada, mai 1997.

12 G. M. Spretzer, « Psychological Empowerment in the Workplace : Dimensions, Measurement and Validation », *Academy of Management Journal,* vol. 38, n° 5, 1995, p. 1442-1465.

13 T. Wils, M. Tremblay et G. Guérin, « Repenser la mobilité intra-organisationnelle : une façon de contrer le plafonnement de carrière », *Gestion 2000,* vol. 13, n° 1, 1997, p. 151-164.

14 M. Tremblay et T. Wils, « Les plateaux de carrière : analyse d'un phénomène complexe et sensible », *Gestion 2000,* juin 1995, p. 177-193.

15 T. Wils, M. Tremblay et G. Guérin, *op. cit.*

16 I. Lemire, T. Saba et Y.-C. Gagnon, « Managing Career Plateauing in the Quebec Public Sector », *Public Personnel Management,* vol. 28, n° 3, 1999, p. 375-39.

17 S. H. Appelbaum et V. Santiago, « Career Development in the Plateaued Organization », *Career Development International,* vol. 2, n° 1, p. 11-20.

18 M. Poitevin (dir.), *Impartition : Fondements et analyses,* Québec, Presses de l'Université Laval, 1999.

19 T. Saba et A. Ménard, « Analyse de l'impartition en gestion des ressources humaines : fondements, activités visées et efficacité », *Relations industrielles,* vol. 55, n° 4, à paraître, 2000.

20 O. E. Williamson, « Transactions-Cost Economics : The Governance of Contractual Relations », *The Journal of Law and Economics,* vol. 19, 1979, p. 233-261. O.E. Williamson,. « The Economics of Organization : The Transaction-cost Approach », *American Journal of Sociology,* vol. 87, 548-577.

21 J. B. Quinn et F. G. Hilmer, « Strategic Outsourcing », *Sloan Management Review,* été 1994, p. 43-55.

22 B. A. Aubert., S. Rivard et M. Patry, *A Transactionnal Costs Approach to Outsourcing : Evidence from Case Studies,* Montréal, GreSI, 1993.

23 W. Eckerson, « CIOs Eagerly Embracing Open Systems, Survey Finds », *Network World,* mars 1992, p. 27-28. R. A. Bettis, S. P. Bradley et G. Hamel, « Outsourcing And Industrial Decline », *Academy of Management Executive,* vol. 6, n° 1, 7-22.

24 R. A. Bettis, S .P. Bradley et G. Hamel., *op. cit.*

25 T. Saba et A. Ménard, *op. cit.*

26 D. Poulin, B. Montreuil et S. D'Amours, « L'organisation virtuelle en réseau », *Le management aujourd'hui : une perspective nord-américaine,* Québec, PUL et Paris, Economica.

27 M. Hammer et J. Champy, *Reengineering the Corporation,* New York, Ed. Harper Business, 1993, p. 32.

28 T. A. Stewart, « Reengineering the Hot New Managerial Tool », *Fortune,* 23 août 1993.

29 C. Bernier, A. Pinsonneault, S. Rivard et H. Blouin, « La réingénierie : un processus à gérer », *Gestion,* juin 1995, p. 44-55.

30 D. W. Conklin, *Reengineering to Compete : Canadian Business in the Global Economy,* Prentice-Hall Scarborough, 1994.

31 D. B. Harrison et M. Pratt, « A Methodology for Reengineering Business », *Planning Review,* mars-avril 1993, p. 6-11.

32 J. R. Galbraith, III E. Lawler et associés, *Organizing for the Future : The New Logic for Managing Complex Organizations,* San Francisco, Jossey Bass, 1993.

33 Cette information est tirée d'une entrevue que Lien Bui a réalisée avec M. Brassard (CAMCO), en mars 1991.

34 Japanese Union of Scientists and Engneers (JUSE), *General Principles of Quality Circles,* Paris, Afnor, 1981.

35 M. Roy, « Les équipes semi-autonomes au Québec et la transformation des organisations », *Gestion,* vol. 24, n° 3, 1999, p. 76-85.

36 T. Rankin, *New Forms of Work Organization : The Challenge for North American Unions,* Toronto, University of Toronto Press, 1999.

37 M. Brossard et M. Simard, *Groupes semi-autonomes de travail et dynamique du pouvoir ouvrier. L'évolution du cas Steinberg,* Montréal, Presses de l'Université du Québec, 1990.

38 W.E. McClane « Performance Implication of Self-managing Workteams : Lessons from National Culture and Worker Participation », *International Conference on Self-Managed Work Teams,* Texas, University of North Texas, Interdisciplinary Center for Study of Work Teams, cité dans M. Roy, « Les équipes semi-autonomes au Québec et la transformation des organisations », *op. cit.*

39 *Ibid.*

40 M. Roy, *op. cit.*

41 J. Purdie, « Better Offices Mean Greater Productivity », *The Financial Post,* section 4, rapport spécial, 26 novembre 1990, p. 35.

42 P. M. Benimadhu, *Hours of Work : Trends and Attitudes in Canada,* Ottawa, Conference Board du Canada, rapport 18-87, février 1987.

43 S. St-Onge, G. Guérin, R. Trottier, V. Haines et M. Simard, « L'équilibre travail-famille un nouveau défi pour les organisations », *Gestion,* mai 1994, p. 64-73.

44 G. Des Roberts, « Les régimes d'avantages sociaux collectifs sont en progression », *Les Affaires,* 9 mars 1991, p. 21.

45 J. Chianello, « Subsidy for Job Sharing Quadruples », *The Financial Post,* 7 janvier 1991, p. 10.

46 A. Pinsonneault et M. Boisvert, « Le télétravail : l'organisation de demain », *Gestion,* vol. 21, n° 2, 1996, p. 76-82.

47 *Ibid.*

48 D. Poukin, B. Montreuil et S. D'Amours, *op. cit.*

49 M.E. Manser et G. Picot, « Le travail indépendant au Canada et aux États-Unis », *Perspectives,* Statistique Canada, catalogue n° 75-001-XPF, automne 1999, p. 41-49.

50 D. Matte, D. Baldino et R. Courchesne, « L'évolution de l'emploi atypique au Québec », *Le marché du travail,* vol. 19, n° 5, 1998, p. 22.

51 D. M. Rousseau, « Changing the Deal While Keeping the People », *Academy of Management Executive,* vol. 10, 1995, p. 50-61.

52 J. Clemmer, *Pathways to Performance : A Guide to Transforming Yourself, Your Team and Your Organization,* Rocklin (CA), Macmillan Canada et Prima Publishing, 1995.

53 Brian E. Becker, Mark A. Huselid, Peter S. Pickus et Michael F. Spratt, « HR as a Source of Shareholder Value : Research and Recommendations », *Human Resource Management Journal,* vol. 36, nº 1, 1997, 39-48.

Lectures supplémentaires

- D. Allen et R. Nafius, « Dreaming and Doing : Reengineering GTE Telephone Operations », *Planning Review,* mars-avril 1993, p. 28-31

- H. Willmort, « Business Process Reengineering and Human Resource Mangement », *Personnel Review,* vol. 3, nº 3, mai 1994, p. 34.

- P. Booth, « Strategies for Promoting an Attendance-Oriented Corporate Culture », Conference Board du Canada, rapport 100-93, Ottawa, 1993, p. 9-10.

- N. Laplante et D. Harrisson, « La qualité totale : une démarche conjointe patronale-syndicale », *Gestion,* juin 1995, p. 34-41.

- H. Mintzberg, B. Ahlstrand et J. Lampel, « Transformer l'entreprise », *Gestion,* vol. 24, nº 3, 1999, p. 122-130.

- H. Bouchikhi et J. R. Kimberly, « L'entreprise à la carte : un nouveau paradigme de gestion pour le XXIᵉ siècle », *Gestion,* vol. 24, nº 3, 1999, p. 114-121.

- S. St-Onge et G. Lagassé, « Les conditions de succès du télétravail : qu'en disent les employés ? », *Gestion,* vol. 21, nº 2, 1996, p. 83-89.

- F. Bergeron et M. Limayem, « Le paradoxe de la réingénierie : le difficile choix des projets », *Gestion,* juin 1995, p. 63-70.

- L. Aucoin, *La réorganisation du travail : efficacité et implication,* sous la direction de R. Blouin *et al.,* Québec, Les Presses de l'Université Laval, 1995, p. 129-133.

- M. Grant, P. R. Bélanger et B. Lévesque, *Nouvelles formes d'organisation du travail : études de cas et analyses comparatives,* Montréal, Harmattan, 1997.

- A. Mongeon, V. Haines, S. St-Onge, M. Archambault et F. Boily, « Productivité et rétention, performance et qualité de vie : l'expérience de Nortel », *Effectif,* juin-juillet-août 1999, p.34-37.

La **dotation**

CHAPITRE

L'analyse
des postes

I L'analyse des postes

Presque toutes les activités de la gestion des ressources humaines, de même que la plupart des attitudes et des comportements des employés, dépendent de la manière dont un individu perçoit son emploi. L'analyse des postes est un processus fondamental, sur lequel s'appuient toutes les autres activités des ressources humaines. Son but est de fournir aux gestionnaires toutes les informations sur les emplois à l'intérieur de la structure organisationnelle et sur la façon dont l'entreprise remplit ses fonctions et atteint ses objectifs.

L'analyse des postes est un processus permettant de décrire les diverses composantes d'un poste : d'une part, les tâches, les responsabilités et le contexte de travail et, d'autre part, les habiletés, les connaissances et les comportements requis (encadré 4.1). Un poste fait référence à un ensemble d'activités et de responsabilités qui représentent la totalité de la tâche d'un seul employé. Il y a généralement autant de postes que d'employés dans une organisation. Un emploi peut être constitué de deux ou de plusieurs postes dont les tâches et les responsabilités sont identiques.

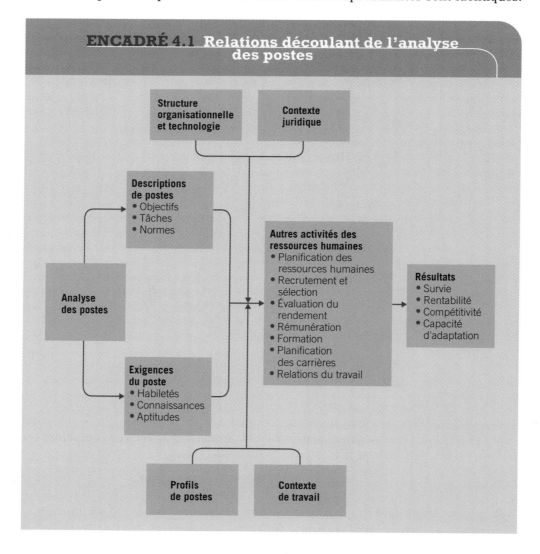

ENCADRÉ 4.1 Relations découlant de l'analyse des postes

- Structure organisationnelle et technologie
- Contexte juridique

Descriptions de postes
- Objectifs
- Tâches
- Normes

Analyse des postes

Exigences du poste
- Habiletés
- Connaissances
- Aptitudes

Autres activités des ressources humaines
- Planification des ressources humaines
- Recrutement et sélection
- Évaluation du rendement
- Rémunération
- Formation
- Planification des carrières
- Relations du travail

Résultats
- Survie
- Rentabilité
- Compétitivité
- Capacité d'adaptation

- Profils de postes
- Contexte de travail

Une famille d'emplois ou une catégorie d'emplois peut regrouper plusieurs postes ou plusieurs emplois qui peuvent être fusionnés pour des besoins administratifs.

L'IMPORTANCE DE L'ANALYSE DES POSTES

En plus de contribuer aux prises de décisions dans plusieurs domaines d'activité des ressources humaines comme la sélection, la promotion et l'évaluation du rendement, l'analyse des postes est nécessaire pour justifier les méthodes sur lesquelles se fondent de telles décisions. Elle fournit, en outre, des données permettant de traiter des problèmes tels qu'énoncés dans l'encadré 4.2.

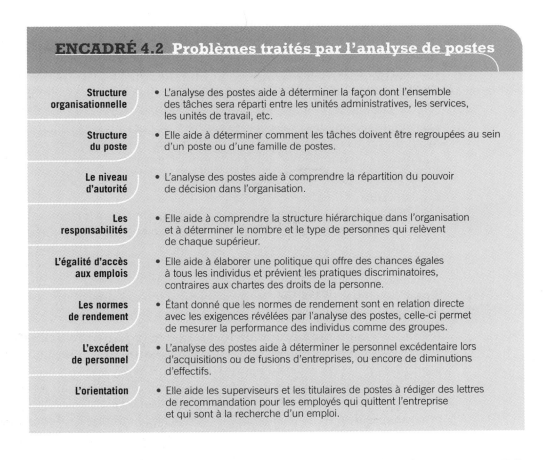

ENCADRÉ 4.2 Problèmes traités par l'analyse de postes

Structure organisationnelle	• L'analyse des postes aide à déterminer la façon dont l'ensemble des tâches sera réparti entre les unités administratives, les services, les unités de travail, etc.
Structure du poste	• Elle aide à déterminer comment les tâches doivent être regroupées au sein d'un poste ou d'une famille de postes.
Le niveau d'autorité	• L'analyse des postes aide à comprendre la répartition du pouvoir de décision dans l'organisation.
Les responsabilités	• Elle aide à comprendre la structure hiérarchique dans l'organisation et à déterminer le nombre et le type de personnes qui relèvent de chaque supérieur.
L'égalité d'accès aux emplois	• Elle aide à élaborer une politique qui offre des chances égales à tous les individus et prévient les pratiques discriminatoires, contraires aux chartes des droits de la personne.
Les normes de rendement	• Étant donné que les normes de rendement sont en relation directe avec les exigences révélées par l'analyse des postes, celle-ci permet de mesurer la performance des individus comme des groupes.
L'excédent de personnel	• L'analyse des postes aide à déterminer le personnel excédentaire lors d'acquisitions ou de fusions d'entreprises, ou encore de diminutions d'effectifs.
L'orientation	• Elle aide les superviseurs et les titulaires de postes à rédiger des lettres de recommandation pour les employés qui quittent l'entreprise et qui sont à la recherche d'un emploi.

LES LIENS ENTRE L'ANALYSE DES POSTES ET LES AUTRES ÉLÉMENTS DE LA GESTION DES RESSOURCES HUMAINES

L'analyse des postes est en relation tant avec les objectifs de l'organisation et ses caractéristiques, dont la structure organisationnelle, la technologie et le contexte de travail, qu'avec les autres activités de la gestion des ressources humaines (encadré 4.1).

Les objectifs de l'entreprise. Le profil des postes ne reflète pas seulement le secteur d'activité de l'entreprise et le type de technologie qu'elle utilise, il en reflète aussi les objectifs principaux. En effet, ce sont les différents postes qui expriment le mieux les moyens que l'organisation a choisis pour atteindre ses objectifs. Les critères d'excellence que l'entreprise a élaborés en fonction de tels objectifs constituent, pour les employés, les indices les plus clairs de ce qu'on attend d'eux. Puisque le choix du type d'activité de l'entreprise dépend des objectifs organisationnels, les critères d'évaluation du comportement des individus doivent aussi être élaborés en fonction de ces objectifs.

Le type de technologie. Le type de technologie utilisé par l'organisation est un élément majeur, car il détermine les profils de postes qui doivent prévaloir dans la structure organisationnelle. Par exemple, les manufacturiers canadiens d'automobiles, après avoir fait des investissements importants dans leurs usines et leur machinerie dans le but d'implanter des chaînes de montage, se sont rapidement rendu compte qu'il était pratiquement impossible de modifier les structures de travail de telle sorte que des groupes de travailleurs puissent réaliser l'entière fabrication d'un véhicule. Par conséquent, la plupart des tâches sont demeurées segmentées et répétitives. Plus encore, la technique de la chaîne de montage détermine le profil ou la structure de l'organisation, et celui-ci se répercute sur le profil des postes.

La planification des ressources humaines. L'analyse des postes facilite l'identification des critères de remplacement des employés dans les différents plans de relève. Elle permet de déterminer les catégories de main-d'œuvre nécessaires à l'accomplissement des nouvelles tâches lorsque l'entreprise souhaite diversifier ses produits ou ses services, ou encore modifier son profil technologique. Cette planification doit toutefois tenir compte des contraintes juridiques, comme nous le verrons dans le chapitre 13.

La dotation. L'analyse des postes et la planification des ressources humaines aident à préciser les normes de recrutement. Sans son concours, l'organisation serait incapable de préciser les profils des demandeurs d'emploi recherchés, ni le moment et le lieu où leurs services sont requis. Une telle situation pourrait avoir des conséquences néfastes tant sur la validité de son processus de sélection que sur son niveau de productivité. Seules les informations découlant de l'analyse des postes permettent à l'entreprise de démontrer que ses procédures de sélection sont en rapport avec les exigences du poste.

L'évaluation du rendement, la formation et le perfectionnement. Pour être efficace, la méthode d'évaluation du rendement d'un employé doit refléter les aspects les plus importants du poste. Ce n'est qu'après avoir procédé à un examen minutieux des aptitudes et des connaissances requises par un poste (telles que définies par les exigences du poste), que l'organisation est en mesure d'instaurer les programmes de développement des compétences appropriés.

La rémunération. L'analyse des postes joue un rôle crucial dans les activités de rémunération. Elle permet de déterminer la valeur d'un emploi ainsi que le niveau de salaire correspondant, eu égard aux autres emplois de sa catégorie. En somme, le principe bien connu « à travail égal salaire égal » doit trouver ici tout son sens.

La planification de carrière. L'analyse des postes est d'une grande utilité pour les employés qui souhaitent concrétiser leurs objectifs de carrière. L'étude des descriptions et des définitions de postes à pourvoir dans l'organisation leur permet de choisir le type de formation ou de perfectionnement qui convient le mieux à leur plan de carrière.

Les relations du travail. La manière dont les postes sont analysés aura une répercussion sur leur classification et fera l'objet de négociations entre l'employeur et le syndicat.

II Considérations particulières liées à l'analyse des postes

Dans cette section, nous nous attarderons à l'examen des profils et des analyses de postes. Nous traiterons ensuite des considérations particulières qui ont trait à la collecte de l'information dans le cadre des analyses de postes et aux méthodes qui conviennent à son traitement.

PROFIL DE POSTE ET ANALYSE DES POSTES

Le profil de poste découle de l'analyse des postes puisqu'il identifie les caractéristiques, les tâches et les objectifs d'un poste. La manière dont le profil d'un poste est déterminé influence la productivité et la qualité de vie au travail. Or, cette influence risque d'être négative, si le profil du poste est mal défini. Il engendrera de l'ennui dans l'exécution des tâches, un taux d'absentéisme élevé ou du sabotage sur les lieux de travail. Cependant, lorsque le profil du poste tend à accroître les défis et les responsabilités, son influence sera positive et engendrera des sentiments intenses d'accomplissement et d'appartenance à l'entreprise.

Pour faire en sorte que le profil de poste stimule et encourage un employé à conserver une attitude positive au travail, il est essentiel, en tout premier lieu, d'étudier ses principales composantes pour procéder ensuite à leur application.

Le profil de poste comporte trois éléments bien spécifiques : les caractéristiques, les tâches et les objectifs (encadré 4.3).

Les caractéristiques. Parmi les principales caractéristiques, on compte :
- *La variété des aptitudes :* la plupart des postes comportent un grand nombre d'activités qui nécessitent des aptitudes et des compétences variées.
- *L'importance du poste :* l'importance d'un poste diffère selon l'influence qu'il a sur la vie des gens, qu'ils fassent ou non partie de l'organisation.
- *L'identité du poste :* elle sera d'autant plus forte que le poste requerra la réalisation d'une partie plus importante et mieux identifiée du processus de travail, avec des résultats tangibles.
- *L'autonomie :* elle correspond au degré d'indépendance et de liberté dont jouit un employé dans l'exécution des tâches et l'organisation de son travail.

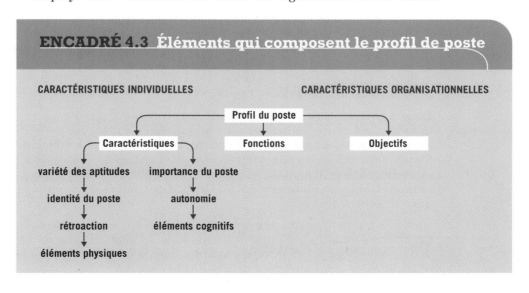

ENCADRÉ 4.3 Éléments qui composent le profil de poste

- *La rétroaction* : il s'agit de la perception directe qu'a un employé de l'efficacité ou du rendement de son travail lors de son exécution.
- *Les éléments cognitifs* : ce sont les éléments de l'exécution des tâches qui concernent la communication, la prise de décision, l'analyse et le traitement de l'information.
- *Les éléments physiques* : ce sont les éléments de l'exécution des tâches qui concernent le bruit, l'éclairage, la position corporelle et les contraintes physiques comme la rapidité d'exécution ou les charges à soulever.

L'importance de chacune de ces caractéristiques se mesure en fonction des résultats attendus. Par exemple, les seules exigences physiques peuvent être déterminantes dans le choix des individus appelés à exécuter efficacement un certain type de travail alors que d'autres emplois seront plus ou moins accessibles à l'ensemble des postulants du point de vue physique. La combinaison de plusieurs de ces caractéristiques aura, par ailleurs, une influence certaine sur le rendement, la motivation, l'absentéisme et le roulement de la main-d'œuvre.

Les fonctions. Les fonctions sont les tâches et les comportements particuliers à un poste. Il convient de noter que les individus peuvent adopter un comportement différent pour exécuter une même tâche. Comme nous le verrons au cours de ce chapitre, c'est l'analyse des postes qui permet de déterminer les tâches inhérentes à un poste.

Les objectifs. L'aspect le plus important d'un poste a partie liée avec les objectifs qui ont présidé à sa création et qui justifient son existence. Pour quelles raisons a-t-on créé tel poste ? Quels sont ses liens avec le produit fini et comment contribue-t-il aux buts visés par l'organisation ? Le profil d'un poste varie considérablement selon que sa contribution au produit fini est minime ou considérable. Si elle est minime, le poste pourra être conçu comme un segment relativement simple et l'identité du poste et les habiletés requises seront minimales. À l'inverse, si sa contribution au produit est importante, le poste correspondra à un segment plus complexe, les habiletés requises seront plus nombreuses et l'identification au travail sera plus forte. C'est donc la relation entre les tâches inhérentes à un poste et le produit fini qui détermine fondamentalement le profil d'un poste.

Certains analystes considèrent que des lacunes dans la détermination des profils de postes ont contribué au déclin de la productivité dans certaines organisations. Ils invoquent la trop grande simplicité et le caractère répétitif des tâches. De plus, ils notent que la plupart des travailleurs sont sous-évalués et qu'ils rempliraient des tâches nécessitant de plus grandes habiletés si on leur en donnait la possibilité. Les entreprises doivent toutefois résister à la tentation bien légitime d'augmenter la complexité des tâches ; elles auraient plutôt avantage à réévaluer leur analyse des postes. En effet, une erreur dans l'évaluation des caractéristiques individuelles et organisationnelles risque de conduire à une définition inadéquate des profils de postes. Par conséquent, il est nécessaire d'analyser les composantes décrites ci-dessus à la lumière des caractéristiques individuelles des employés et des caractéristiques technologiques de l'entreprise.

Les caractéristiques individuelles. La connaissance des caractéristiques des individus est cruciale dans la détermination d'un profil de poste. Si l'entreprise désire implanter une politique d'enrichissement du travail, elle doit s'assurer que les employés possèdent les compétences nécessaires à l'accomplissement de leurs nouvelles tâches. Il sera utile, à cet effet, d'établir une correspondance entre les aptitudes, les compétences et les habiletés particulières des individus et les emplois qui leur sont destinés.

L'administration d'un questionnaire tel que celui qui est présenté dans l'encadré 4.4 permet de définir les préférences des individus à l'égard de quatre catégories d'activités reliées à un poste. D'autres instruments visant à circonscrire la personnalité et les intérêts individuels sont décrits au chapitre 3.

ENCADRÉ 4.4 Préférence des individus à l'égard de quatre catégories d'activités reliées à un poste

Quelle importance attribuez-vous à chacun des éléments (ou à chacune des activités) de votre poste? Utilisez l'échelle de notation pour répondre. Le nombre de points accumulés révèle vos préférences pour un poste comportant ces éléments.

ÉCHELLE DE NOTATION

0 Sans importance	3 Moyennement important
1 Très peu important	4 Très important
2 Peu important	5 Extrêmement important

I. L'INTERPRÉTATION DES PERCEPTIONS

_____ 1. Percevoir les couleurs (différencier les objets par la couleur).

_____ 2. Reconnaître un échantillon sonore (code morse, battements du cœur, etc.).

_____ 3. Reconnaître l'intensité, la hauteur ou la tonalité d'un son (ajuster un piano, réparer une chaîne stéréo, etc.).

_____ 4. Évaluer la vitesse de pièces en mouvement (nombre de révolutions, vitesse d'un moteur, etc.).

_____ 5. Évaluer la vitesse d'objets en mouvement (véhicules, matériaux sur un convoyeur, etc.).

_____ 6. Évaluer la vitesse ou la durée de certains processus (réactions chimiques, opérations d'assemblage, temps de cuisson, etc.).

☐ Total (votre résultat pour cette catégorie)

II. LE TRAITEMENT DE L'INFORMATION

_____ 7. Combiner des informations (pour la préparation d'un bulletin météo, le pilotage d'un avion, etc.).

_____ 8. Analyser les informations (interpréter des états financiers, déterminer les causes d'un problème de moteur, diagnostiquer une maladie, etc.).

_____ 9. Collecter, regrouper ou classer les informations (préparer des rapports, classer la correspondance, etc.).

_____ 10. Coder ou décoder des messages (déchiffrer le code morse, traduire des langues, sténographier, etc.).

☐ Total (votre résultat pour cette catégorie)

III. LE TRANSPORT ET LA MANUTENTION

_____ 11. Ranger des objets, des matériaux, etc., selon une disposition ou un ordre précis.

_____ 12. Transporter des objets, des matériaux, etc.

_____ 13. Alimenter une machine en matériaux, retirer les produits d'une machine ou d'une pièce d'équipement.

_____ 14. Manipuler des objets ou en faire la manutention (activités requérant l'usage de ses mains et de ses bras, comme la réparation d'automobiles, l'emballage de produits, etc.).

☐ Total (votre résultat pour cette catégorie)

IV. LA COMMUNICATION D'INFORMATIONS OU D'IDÉES

_____ 15. Conseiller (recourir à des principes d'ordre juridique, financier, scientifique, médical, moral ou autre pour conseiller les individus).

_____ 16. Négocier des ententes (discuter avec les autres pour parvenir à une solution, en participant, par exemple, à des négociations de travail, à des relations diplomatiques, etc.).

_____ 17. Persuader les gens (comme dans la vente, dans les activités politiques, etc.).

_____ 18. Enseigner.

_____ 19. Échanger des renseignements usuels (donner et recevoir des renseignements usuels, dans un guichet de renseignements, dans un poste de taxis, etc.).

_____ 20. Diriger des entrevues.

_____ 21. Échanger de l'information spécialisée (dans une réunion d'un comité professionnel, dans une discussion portant sur la conception d'un produit, etc.).

_____ 22. Parler en public.

_____ 23. Rédiger des textes (lettres, rapports, articles de journaux, etc.).

☐ Total (votre résultat pour cette catégorie)

Source : E. J. McCormick, J. Tiffin et J. R. Terbory, _Workbook for Industrial Psychology,_ 1974. Les droits réservés du questionnaire (titre original : _The Job Activity Preference Questionnaire (JAPQ)_) appartiennent à R. C. Mecham, A. F. Harris, E. J. McCormick et P. R. Jeanneret. Ce questionnaire repose partiellement sur le _Position Analysis Questionnaire (PAQ),_ dont les droits réservés appartiennent à la Purdue Research Foundation, Lafayette. Traduction et reproduction autorisées.

Les caractéristiques organisationnelles. Ces caractéristiques concernent l'équipement, les méthodes et les matériaux utilisés pour la réalisation du produit fini. Le type de technologie utilisé par l'entreprise a une influence considérable sur le contenu de l'analyse de postes. La chaîne de montage illustre bien un type de technologie qui ne requiert que des tâches extrêmement simples et répétitives. Elle se situe à l'opposé d'une technologie qui ferait appel aux connaissances et aux habiletés de travailleurs spécialisés ou de gestionnaires en quête de défis. Les entreprises peuvent utiliser une technologie différente pour fabriquer un même produit, et la définition des postes variera d'autant.

LA COLLECTE DE L'INFORMATION NÉCESSAIRE À L'ANALYSE DES POSTES

Bien que l'analyse des postes ait été intégrée depuis longtemps au processus de gestion des ressources humaines, les organisations y voient un outil pouvant les aider à être de plus en plus concurrentielles et à composer plus facilement avec les nombreuses contraintes juridiques provenant des deux paliers de gouvernement. Les entreprises souhaitent plus que jamais connaître tous les aspects de l'analyse des postes, car celle-ci apporte des informations précieuses sur toutes les activités des ressources humaines ; elle révèle ainsi des besoins auxquels le service des ressources humaines devra répondre.

Quelles données doit-on analyser ? Puisque l'analyse des postes est un processus de collecte et de traitement des informations touchant aux divers aspects d'un poste, elle débute par l'énumération des tâches que les employés accomplissent quotidiennement. En principe, l'information est recueillie par un spécialiste du service des ressources humaines avec l'aide d'un superviseur, mais, par mesure d'économie, on demande de plus en plus fréquemment au titulaire du poste de fournir lui-même les renseignements sur son travail. Toutefois, avant de procéder à la collecte des données, il est important de comprendre que celle-ci peut être faite selon différentes perspectives qui correspondent chacune à un objectif particulier. Ces perspectives, qui peuvent être envisagées séparément ou conjointement, selon le type de renseignements désirés, sont résumées dans l'encadré 4.5.

ENCADRÉ 4.5 Différentes perspectives selon lesquelles peut être faite la collecte de données

Les tâches réellement accomplies

Quelles sont les tâches que les titulaires des postes accomplissent réellement ?

La perception des tâches

Quelles sont les tâches que les titulaires des postes croient accomplir dans le cadre de leur travail régulier ?

Les normes d'exécution

Quelles sont les tâches que les titulaires des postes devraient accomplir ?

Les projets

Quelles sont les tâches que les titulaires des postes actuels souhaiteraient accomplir dans des emplois ultérieurs ?

Les tâches désirées

Quelles sont les tâches que les titulaires des postes souhaiteraient accomplir ?

Les aptitudes du titulaire

Quelles sont les tâches que les titulaires des postes peuvent réellement accomplir ?

Les aptitudes non utilisées

Quelles sont les aptitudes des titulaires qui ne sont pas utilisées dans l'accomplissement des tâches actuelles ?

Les futures tâches

Quelles sont les tâches que les titulaires des postes seront amenés à accomplir dans un avenir prochain ?

Le choix de la méthode d'analyse des postes implique un compromis entre le degré de validité et de fiabilité associé aux diverses méthodes examinées et les coûts inhérents à chacune d'elles. En fait, plus grande sera la nécessité d'obtenir des informations précises et pertinentes (soit un taux de validité/fiabilité élevé), plus il faudra de temps pour les obtenir et, par conséquent, plus les coûts s'y rattachant seront élevés.

Les informations obtenues dans le cadre de l'analyse des postes sont généralement fondées sur la perception même du titulaire quant aux tâches qu'il doit accomplir ; toutefois, la validité de ces informations doit être confirmée par ses supérieurs. L'encadré 4.6 illustre les dimensions de l'emploi qui doivent être couvertes par l'analyse des postes.

ENCADRÉ 4.6 Types d'informations obtenues par l'analyse des postes

Activités	Activités reliées au poste (celles que l'employé accomplit ; comment, pourquoi et quand il doit les accomplir)
	activités (opérations)/déroulement
	mode d'exécution
	enregistrement des activités (films, etc.)
	responsabilité personnelle
	Activités reliées au titulaire du poste
	comportements au travail (perceptions, prise de décisions, travail physique, communications, etc.)
	mouvements élémentaires (tels que décrits dans l'étude des méthodes)
	exigences personnelles (énergie à déployer, etc.)
Machines, outils et équipement de bureau utilisés	
Activités observables et non observables	Transformation des matériaux
	Fabrication de produits
	Mise en œuvre de connaissances théoriques ou pratiques (concernant la loi, la chimie, etc.)
	Services rendus (nettoyage, réparation, etc.)
Rendement	Mesure du travail (durée d'exécution, etc.)
	Normes d'exécution
	Analyse des erreurs
	Autres aspects
Contexte de travail	Conditions matérielles de travail
	Horaire de travail
	Caractéristiques organisationnelles
	Contexte social
	Incitatifs (monétaires et non monétaires)
Qualifications	Connaissances et aptitudes reliées à l'emploi (scolarité, formation, expérience, etc.)
	Caractéristiques personnelles (habiletés, aspect physique, personnalité, intérêts, etc.)

Source : Adapté de E. J. McCormick, « Job and Task Analysis », dans M. D. Dunnette (dir.), *Handbook of Industrial and Organizational Psychology*, John Wiley and Sons, 1983, p. 652-653. Traduction et reproduction autorisées.

LES MÉTHODES DE COLLECTE ET DE TRAITEMENT DE L'INFORMATION

Le processus habituel de l'analyse de postes comporte plusieurs étapes. D'abord, les analystes déterminent les postes à étudier. Ensuite, ils déterminent la nature des informations qu'ils souhaitent recueillir ; puis ils mettent au point la démarche qui produira les résultats les plus valables et les plus sûrs. Ensuite, ils choisissent la méthode la plus appropriée pour recueillir les données. L'étape suivante consiste à faire la collecte proprement dite des informations ; puis on procède à la compilation et à la vérification des données obtenues. Finalement, on assure le suivi de l'analyse et on détermine s'il y a lieu de procéder à d'autres collectes de données.

Il peut y avoir autant de méthodes de collecte qu'il y a d'aspects à considérer dans les différents postes. Les méthodes les plus fréquemment utilisées sont les suivantes : (1) l'observation à l'aide d'instruments de vérification tels que le chronomètre, le compteur ou les enregistrements audiovisuels ; (2) les entrevues avec le ou les titulaires des postes ; (3) les rencontres avec les spécialistes en analyse de postes ; (4) les notes prises par les titulaires des postes ; (5) les questionnaires structurés ou non structurés auxquels ont répondu les titulaires des postes ou certains observateurs tels que le superviseur ou l'analyste de postes. Trois facteurs doivent être pris en considération dans le choix de la méthode : la validité, la fiabilité et le coût. Il est possible d'augmenter sensiblement les taux de validité et de fiabilité en utilisant simultanément plusieurs méthodes. Nous décrivons brièvement ci-après les principales méthodes.

L'observation. Historiquement, c'est la première méthode à avoir été utilisée. Frederick Taylor en recommanda l'utilisation au tout début du xxe siècle ; l'observation est le fondement de son « approche scientifique de la gestion ». D'autres ingénieurs industriels ont utilisé des photographies prises à de très courts intervalles pour disséquer les mouvements des travailleurs et ainsi parvenir à réorganiser la structure des tâches de façon plus efficace. L'information obtenue par la présence d'une tierce partie apporte plus d'objectivité et de crédibilité que celle obtenue par l'interrogation du titulaire de poste ou de son superviseur. Cependant, l'observation présente certains inconvénients : elle risque d'influencer le comportement du titulaire de poste, particulièrement lorsque les tâches requièrent un certain effort intellectuel ; par ailleurs, l'observation est inefficace dans le cas d'un long cycle de travail. L'exemple suivant illustre bien les limites de la méthode d'observation. On a demandé à des étudiants de l'Université McGill de choisir une méthode de collecte des données et de l'utiliser pour décrire le poste de programmeur débutant chez IBM. Les étudiants, qui avaient choisi de façon inappropriée la méthode de l'observation, ont noté que les jeunes programmeurs « passaient pratiquement tout leur temps à boire du café et à fumer des cigarettes »[1]. Évidemment, cela était faux. Il est donc essentiel, afin de maximiser l'efficacité de la méthode d'observation, d'avoir un échantillon suffisant de sujets ; ainsi, l'observateur ne s'attardera pas sur le comportement isolé d'un individu, mais il se concentrera plutôt sur les comportements typiques de l'ensemble des titulaires de postes semblables. Le meilleur moyen d'arriver à ce résultat consiste à noter le type ou la fréquence des comportements sur la feuille d'observation prévue à cette fin.

L'entrevue avec le titulaire de poste. Cette méthode consiste à poser aux titulaires de postes une série de questions relatives aux tâches qu'ils accomplissent. La méthode de l'entrevue a pour principal avantage de favoriser les interactions entre le titulaire du poste, le superviseur et l'analyste de postes. Toutefois, l'entrevue présente un inconvénient majeur : la qualité de l'information obtenue est largement tributaire des rapports qui s'établissent entre l'interviewer et le titulaire du poste. Parmi les autres inconvénients, notons que l'entrevue exige beaucoup de temps et qu'elle subit l'influence de facteurs subjectifs.

Les rencontres avec les spécialistes en analyse de postes. Cette méthode a beaucoup de points communs avec la méthode de l'entrevue, bien qu'elle s'en distingue en ce sens qu'elle implique simultanément un certain nombre de personnes. Elle offre cependant un taux de validité et de fiabilité accru dans la mesure où les groupes ont tendance à mieux réagir que les individus dans les situations non directives de résolution de problèmes. Par conséquent, cette méthode est avantageusement utilisée pour décrire les nouveaux emplois ou pour élaborer les descriptions des postes à créer prochainement. Cette méthode présente deux inconvénients essentiels : son coût est relativement élevé et les résultats obtenus sont, une fois encore, largement subjectifs.

Les notes prises par le titulaire de poste. Cette méthode consiste à demander à un titulaire de poste de noter ses activités, à intervalles réguliers, dans un agenda ou un journal de bord ; les activités de chaque journée peuvent être consignées sur une ou deux pages. Cette méthode est relativement efficace pour décrire les postes présentant un long cycle de travail. Toutefois, son principal inconvénient est que le titulaire a tendance à se concentrer sur l'énumération de ses activités plutôt que sur les résultats. De plus, le titulaire, s'il est laissé à lui-même, risque d'omettre des renseignements importants.

Consultez Internet

http://www.state.co.us/gov_dir/gss/hr/forms/pdqms60.doc
Questionnaires relatifs à des analyses de postes.

Les questionnaires. Cette méthode est fréquemment utilisée pour la collecte des données et elle recourt généralement à deux types de questionnaires : les questionnaires structurés et les questionnaires non structurés. Dans les questionnaires structurés, on demande aux répondants de cocher selon une échelle de notation, d'encercler des réponses à choix multiples ou de remplir des espaces. Dans les questionnaires non structurés, les répondants doivent donner des réponses complètes à des questions précises. Les principaux avantages des questionnaires résident dans le coût relativement bas et le traitement rapide des données par ordinateur. Leur inconvénient majeur tient au caractère hautement subjectif des réponses.

L'analyste a intérêt à revoir les descriptions de postes effectuées auparavant afin de se familiariser avec les différents emplois et de choisir la méthode la plus appropriée. Il peut aussi demander à des collègues d'autres organisations de lui fournir des copies des descriptions de postes qu'ils ont élaborées ou encore se référer à des ouvrages spécialisés, tels que la Classification nationale des professions.

Finalement, il est très important de dire quelques mots au sujet du choix de l'analyste de postes. Bien que l'analyse puisse être entièrement conduite par le service des ressources humaines, l'organisation doit s'assurer que les professionnels chargés de coordonner tout le processus ont la formation et l'expérience suffisantes. En effet, des études démontrent que le recours à un analyste professionnel donne des résultats fiables, alors que le recours à un analyste moins expérimenté entraîne souvent des résultats biaisés. Par exemple, un analyste de sexe masculin ayant peu d'expérience accordera trop d'importance à l'effort physique et aux conditions de travail, tandis qu'un analyste de sexe féminin peu expérimenté aura tendance à mettre l'accent sur l'épuisement, la fatigue visuelle ou les relations interpersonnelles. De plus, certaines études révèlent que les superviseurs et les titulaires de postes ont tendance à surestimer la valeur du travail en question, alors que les consultants provenant de l'extérieur font montre de plus d'objectivité.

III Les méthodes structurées d'analyse des postes

Plusieurs méthodes peuvent être utilisées pour déterminer le type d'information à rassembler, la façon de la recueillir, les personnes à interroger et le traitement à lui donner pour parvenir à une description de postes. Quelques-unes de ces méthodes ont déjà été analysées précédemment. Cependant, puisque la plupart des organisations préfèrent utiliser des méthodes structurées, nous allons les étudier de façon plus détaillée dans la présente section. Les méthodes structurées d'analyse des postes se présentent sous forme d'analyses fonctionnelles des postes et de questionnaires permettant de rassembler toutes les données nécessaires à l'analyse des postes, aux inventaires de comportements, aux analyses des méthodes et à la description des profils de compétences. Nous décrirons dans un premier temps les analyses fonctionnelles, puis les différents types de questionnaires utilisés dans le cadre des analyses de postes.

LES ANALYSES FONCTIONNELLES DE POSTES

L'analyse des fonctions selon les données, les personnes et les objets.
Le United States Training and Employment Service (USTES) a élaboré une analyse fonctionnelle de postes permettant de circonscrire la nature des postes en termes de personnes, d'objets et de données, et d'établir ainsi les schémas d'emploi, la description et les exigences des postes. Cette technique avait d'abord été créée dans le but de faciliter l'embauche des chômeurs se présentant à leur centre d'emploi local. De nos jours, de nombreuses organisations du secteur privé ou public recourent à l'analyse fonctionnelle de postes.

L'analyse fonctionnelle de postes est à la fois un système conceptuel permettant de définir les paramètres de l'activité du travailleur et une méthode permettant de mesurer son niveau d'activité. Les prémisses fondamentales de ce système sont les suivantes[2] :

- Une distinction fondamentale doit être faite entre les tâches qu'un travailleur doit accomplir et le résultat de son travail. Ainsi, les tâches du conducteur d'autobus ne comprennent pas le transport des passagers, mais seulement la conduite du véhicule et la collecte des billets.
- La notion de poste implique des relations entre trois éléments : des personnes, des objets et des données.
- Dans sa relation avec les objets, le travailleur utilise ses capacités physiques ; dans sa relation avec les données, il utilise ses aptitudes intellectuelles ; dans sa relation avec d'autres personnes, il utilise son aptitude à communiquer.
- Le travailleur est appelé à établir ce genre de relations dans tout emploi.
- Bien que le comportement et les tâches des employés puissent être apparemment décrits de multiples façons, ils se résument en fait à un nombre limité de fonctions. Ainsi, dans la relation individu/machines, les tâches de l'opérateur se résument à alimenter, à surveiller, à opérer et à régler les machines. De même, le travailleur qui utilise un véhicule ne fait que conduire et maîtriser celui-ci. Bien que ces fonctions présentent des difficultés et des contenus différents, chacune d'elles ne relève, du point de vue du rendement, que d'une catégorie relativement limitée de qualifications et de caractéristiques.
- Les fonctions décrivant les relations entre les personnes, les données et les objets sont classées de façon ordinale et hiérarchique, de la plus complexe à la plus

simple. Ainsi, pour qu'une fonction particulière comme la compilation de données décrive bien les exigences du poste, elle doit indiquer qu'elle inclut des fonctions plus simples telles que la comparaison et qu'elle exclut des fonctions plus complexes telles que l'analyse[3].

L'encadré 4.7 énumère les principales fonctions associées aux données, aux personnes et aux objets. Le USTES (United States Training and Employment Service) s'est fondé sur ces fonctions pour décrire plus de 30 000 postes dans le *Dictionary of Occupational Titles (DOT)* ou *Dictionnaire des professions*.

ENCADRÉ 4.7 Fonctions associées aux données, aux personnes et aux objets

Données	Personnes	Choses
0 Synthétiser	0 Guider	0 Mettre en place
1 Coordonner	1 Négocier	1 Faire un travail de précision
2 Analyser	2 Renseigner	2 Opérer/maîtriser
3 Compiler	3 Superviser	3 Conduire/opérer
4 Calculer	4 Divertir	4 Manipuler
5 Copier	5 Persuader	5 Entretenir
6 Comparer	6 Parler/indiquer	6 Alimenter/retirer
	7 Servir	7 Transporter
	8 Donner des instructions/aider	

Source : Adapté de US Department of Labor, Employment Service, Training and Development Administration, *Handbook for Analysing Jobs*, Washington (D.C.), Government Printing Office, 1972, p. 73.

Consultez Internet

http://www.hrdc-drhc.gc.ca/

Développement des ressources humaines Canada pour en savoir plus sur la CNP.

La Classification nationale des professions (CNP). Au Canada, le gouvernement fédéral a développé un système de classification nationale des professions. La définition des compétences et des qualifications des travailleurs, et leur jumelage avec les profils professionnels sont le fondement des services efficaces d'information sur le marché du travail et de l'emploi. Ils sont le point central de toute stratégie des ressources humaines visant à comprendre les compétences nécessaires dans l'économie concurrentielle d'aujourd'hui. Selon Développement des ressources humaines Canada, ces dernières années, le Canada a développé un savoir-faire reconnu à l'échelle mondiale grâce à l'élaboration de son système de Classification nationale des professions (CNP), qui offre un système de classification des professions de niveau international. Ce système comprend un index complet de 25 000 titres de postes regroupés par genre de compétences, par secteur d'industrie et par niveau de scolarité requis. Il constitue une description cohérente des profils de professions, ce qui est essentiel pour une organisation efficace de l'information portant sur le marché du travail. Les gouvernements, les entreprises et les éducateurs utilisent abondamment cette information dans nombre d'applications pour planifier leurs besoins futurs. De plus, la CNP appuie l'élaboration de politiques de reconnaissance professionnelle et de formation , et aide les personnes qui cherchent des renseignements précis sur leur carrière. Le système de la CNP favorise la mobilité de la main-d'œuvre et le jumelage des employeurs et des employés dans le cadre du Service de placement électronique.

LES QUESTIONNAIRES STANDARDISÉS D'ANALYSE DES POSTES

Le questionnaire d'analyse des postes ou *Position Analysis Questionnaire* (PAQ). Le **PAQ** est un questionnaire structuré composé de 187 éléments divisés en six catégories (encadré 4.8).

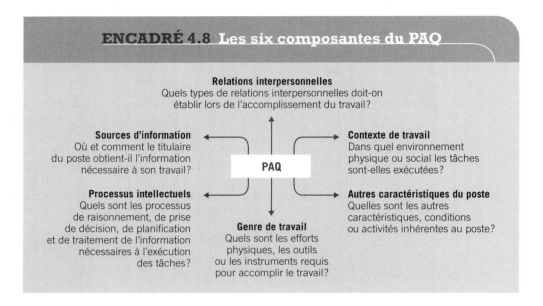

ENCADRÉ 4.8 Les six composantes du PAQ

Relations interpersonnelles
Quels types de relations interpersonnelles doit-on établir lors de l'accomplissement du travail?

Sources d'information
Où et comment le titulaire du poste obtient-il l'information nécessaire à son travail?

Contexte de travail
Dans quel environnement physique ou social les tâches sont-elles exécutées?

PAQ

Processus intellectuels
Quels sont les processus de raisonnement, de prise de décision, de planification et de traitement de l'information nécessaires à l'exécution des tâches?

Genre de travail
Quels sont les efforts physiques, les outils ou les instruments requis pour accomplir le travail?

Autres caractéristiques du poste
Quelles sont les autres caractéristiques, conditions ou activités inhérentes au poste?

Chacun de ces éléments est ensuite évalué selon les six critères suivants : (1) l'ampleur de l'utilisation ; (2) l'importance du poste ; (3) le temps alloué ; (4) l'occurrence de l'élément ; (5) l'applicabilité ; et (6) autres aspects.

L'utilisation de ces deux types de classement, soit les six catégories et les six critères énumérés précédemment, permet de décrire la nature du poste selon les composantes suivantes : communication, prise de décision et responsabilités sociales ; rendement dans les activités spécialisées ; conditions environnementales et capacités physiques ; conduite de véhicule et utilisation d'équipement ; traitement de l'information. Ces cinq composantes permettent de comparer et de regrouper les postes. Le regroupement des postes sert principalement à déterminer la description, les exigences et les effectifs des postes.

Alors que le simple inventaire des tâches ne permet de comparer que des emplois de même type, la méthode du PAQ, qui dépend essentiellement de facteurs axés sur la personne, peut s'appliquer à une grande variété de postes et d'organisations sans qu'il soit nécessaire d'y apporter des modifications. Les réponses obtenues reçoivent un traitement informatique et permettent d'établir un profil de poste qui indique les points de comparaison possibles entre un poste donné et d'autres postes. Les données de base du PAQ comportent aussi des informations sur les liens entre les réponses obtenues, les aptitudes au travail et les niveaux de rémunération. Cette méthode, très utile en analyse de postes, offre des possibilités intéressantes en matière de sélection et d'évaluation du rendement[4].

L'inventaire des éléments de travail ou *Job Element Inventory* (JEI).
Il s'agit d'une autre méthode modelée sur celle du PAQ, mais qui comporte des possibilités d'application plus étendues. La méthode du JEI a été conçue afin de faciliter la sélection des employés de la fonction publique des États-Unis. Le terme

« élément » peut désigner une connaissance, une habileté, une aptitude ou toute autre caractéristique personnelle reliée de quelque façon que ce soit à la réussite de l'exécution des tâches. Le JEI contient 153 éléments de travail facilement identifiables, et a été élaboré à l'intention des titulaires des postes eux-mêmes. Le titulaire doit évaluer chacun des éléments à l'aide d'une échelle de notation comportant les trois points suivants : (1) absent du poste, (2) présent mais non important, et (3) présent et important. Les avantages majeurs de cette méthode sont sa simplicité et ses coûts d'utilisation relativement bas. Puisque l'échelle de réponse est fondée sur un système numérique, les résultats peuvent être emmagasinés dans une base de données et analysés par ordinateur[5].

Le questionnaire de description des postes de direction ou *Management Position Description Questionnaire* (MPDQ). Bien que l'analyse fonctionnelle de poste soit complète en elle-même, elle exige une solide formation préalable et présente un caractère essentiellement descriptif. Or, l'on sait que les analyses descriptives sont moins fiables que les méthodes quantitatives comme le Management Position Description Questionnaire. Le MPDQ est une méthode d'analyse fondée sur la méthode de la liste de contrôle. Elle contient 197 éléments touchant les fonctions et responsabilités des gestionnaires, leurs exigences et leurs limites, ainsi que diverses particularités liées à leurs fonctions. Ces 197 éléments ont été classés selon les 13 dimensions présentées dans l'encadré 4.9.

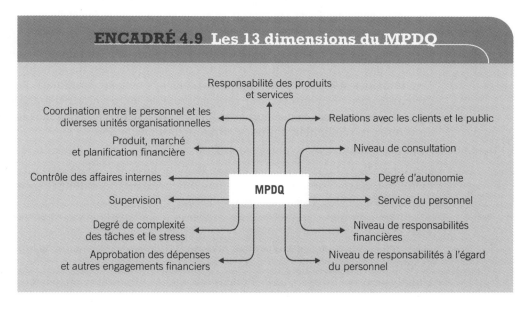

ENCADRÉ 4.9 Les 13 dimensions du MPDQ

Il convient de noter que le MPDQ s'applique plus particulièrement aux postes de gestionnaires. Les réponses varient selon le niveau du poste et le type d'organisation. Cette méthode est très utile pour évaluer les postes de gestionnaires, déterminer les besoins de formation des employés qui accèdent à ces postes, créer des familles d'emplois qui intègrent adéquatement les nouveaux postes de gestion, fixer la rémunération rattachée à ces postes, et élaborer les processus de sélection et d'évaluation du rendement.

LES INVENTAIRES DES TÂCHES ET COMPORTEMENTS

La méthode des incidents critiques (MIC). Cette méthode sert le plus souvent à établir des critères de comportement. Elle requiert une connaissance particulière des incidents qui ont jalonné l'histoire du poste afin de pouvoir les transmettre à l'analyste de postes. Ces incidents, relevés dans les 6 à 12 derniers mois d'exécution des tâches, sont des indices de l'efficacité ou de l'inefficacité du rendement. L'analyste peut demander aux personnes qui ont rapporté ces incidents de lui fournir une liste des cinq aptitudes les plus remarquables du titulaire de poste, ou encore de lui décrire le comportement des titulaires les plus efficaces[6].

L'analyste peut aussi demander qu'on lui décrive les circonstances de l'incident ainsi que ses effets sur le comportement du titulaire, et qu'on lui précise dans quelle mesure ce dernier maîtrisait son comportement. Lorsqu'un certain nombre d'incidents ont été rapportés, ceux-ci sont évalués selon la fréquence de leur apparition, leur gravité et l'étendue des efforts déployés. Cette information, qui concerne parfois une centaine d'incidents par poste de travail, est ensuite regroupée selon les dimensions des postes. Ces dimensions, qui souvent ne retiennent que certains aspects des incidents observés, servent à établir les descriptions de postes.

Les principaux désavantages de la méthode des incidents critiques résident dans la quantité de temps nécessaire pour obtenir les descriptions des incidents et dans la difficulté de déterminer une moyenne de rendement ; les méthodes de ce type utilisent des valeurs maximales (par exemple des critères de très bon ou de très mauvais rendement) et font abstraction des valeurs moyennes. On peut pallier cet inconvénient par le recours à plusieurs échantillons comportant différents niveaux de rendement. La méthode étendue des incidents critiques propose ce genre de solution.

La méthode étendue des incidents critiques. Plutôt que de se fonder sur la liste des comportements typiques d'un rendement efficace ou inefficace, la méthode étendue des incidents critiques se fonde sur l'identification des domaines d'activité[7]. Ces domaines servent à « chapeauter » plusieurs tâches spécifiques. Par exemple, la formation peut constituer, pour un gestionnaire, un domaine d'activité recouvrant les tâches suivantes : l'enseignement formel ou informel de nouvelles techniques aux employés, la réalisation d'études personnelles sur le lieu de travail ou à l'extérieur et l'adaptation des nouveaux employés à leur travail et à l'entreprise.

Les tâches spécifiques comprises dans un domaine d'activité varient d'une organisation à l'autre. Lorsque les domaines d'activités ont été définis (généralement de 10 à 20 par poste), l'analyste dresse la liste des tâches dévolues à chaque domaine d'activité après avoir demandé aux titulaires des postes de rédiger à son intention des scénarios illustrant trois niveaux de rendement différents pour chacun de ces domaines. Dans ces scénarios, les titulaires de postes décrivent l'incident principal, le comportement adopté par les individus et les conséquences de leur comportement. L'analyste procède alors aux énoncés des tâches. Chaque énoncé est essentiellement constitué par un exemple de comportement (ou plusieurs, selon ce qui est décrit dans les scénarios), et indique s'il permet de mener les tâches à bien, dans quelle proportion, les difficultés éprouvées et l'importance des tâches.

Après l'obtention de ces informations, l'analyste rédige les descriptions de postes. La méthode étendue des incidents critiques peut en outre servir à l'élaboration de nouvelles formes d'évaluation du rendement, à l'évaluation même du rendement ainsi qu'à la détermination de besoins de formation particuliers. Il suffit de demander aux titulaires de postes (choisis parmi un groupe différent afin d'augmenter la fiabilité des résultats) de faire l'estimation du niveau de rendement de chaque énoncé de tâches, et de le situer dans le domaine d'activité préalablement identifié par le premier groupe de titulaires. Si on demande ensuite aux titulaires des postes de décrire les habiletés physiques et intellectuelles nécessaires à l'exécution des tâches dans chacun des domaines, on dispose de suffisamment d'informations pour établir les processus de sélection. À cette étape, on présente aux titulaires des postes une liste d'habiletés accompagnées de courtes descriptions, et on leur demande de déterminer le niveau de rendement satisfaisant pour chaque tâche. La liste de ces habiletés peut aussi être utilisée pour énoncer les exigences ou rédiger la description des postes.

Bien que la méthode étendue des incidents critiques requière davantage de temps que la méthode des incidents critiques classique, elle permet de recueillir une bien plus grande quantité d'informations de la part des titulaires de postes, principalement en ce qui a trait aux aptitudes requises, aux niveaux de rendement et aux domaines d'activités. Elle permet en outre plusieurs étapes supplémentaires d'analyse. Mais toutes les deux sont fondées sur l'identification des comportements au travail et sont de ce fait utiles pour l'évaluation du rendement et la détermination des besoins de formation.

L'inventaire d'analyse du travail ou _Occupational Analysis Inventory_ (OAI). Cette méthode intègre des éléments de travail appartenant à la fois aux méthodes axées sur le poste et aux méthodes axées sur le titulaire. Elle intègre aussi les objectifs de travail. Elle est fondée sur plus de 600 éléments divisés en cinq catégories : (1) les informations reçues ; (2) les activités intellectuelles ; (3) le comportement au travail ; (4) les objectifs de travail ; et (5) le contexte de travail. Les informations sont évaluées par les superviseurs ou les titulaires des postes selon trois barèmes : leur signification, leur occurrence et leurs possibilités d'application. Les deux premiers barèmes mesurent les données selon une échelle de six points ; le troisième barème est dichotomique (classification binaire). Cette méthode offre l'avantage de donner des résultats précis, mais le désavantage de comporter un très grand nombre d'éléments. Malgré cela, elle demeure très utile pour déterminer les besoins de formation.

L'analyse des postes fondée sur les lignes directrices ou _Guidelines-Oriented Job Analysis_ (GOJA). Il s'agit d'une autre méthode axée sur l'étude des comportements. Elle a été développée aux États-Unis d'après la méthode des _Uniform Guidelines,_ d'où elle tire son nom[8]. Cette méthode nécessite constamment la participation des titulaires de postes. Au départ, ceux-ci doivent indiquer leur nom, leur expérience, le nombre d'années de travail à ce poste, ainsi que le service ou la division dont le poste relève.

Dans la première étape, les titulaires dressent la liste des domaines d'activités que comporte leur poste ; les tâches similaires sont ensuite regroupées par catégorie à l'intérieur des différents domaines. Par exemple, les tâches d'une secrétaire comprennent la dactylographie de lettres, de contrats ou de mémos ; puisque ces tâches procèdent toutes de la même activité, elles apparaîtront dans un même domaine appelé « dactylographie ». La plupart des postes comportent une grande variété de domaines d'activités.

Dans la deuxième étape, les titulaires doivent dresser la liste de leurs tâches spécifiques. Ces tâches représentent les comportements qu'ils doivent adopter durant leur travail et qui sont facilement observables.

Dans la troisième étape, les titulaires des postes doivent indiquer la fréquence d'apparition des tâches afin que l'analyste puisse déterminer l'importance de celles-ci.

La quatrième étape consiste à identifier les aptitudes requises pour l'exécution des tâches. On ne tiendra compte, toutefois, que des tâches dont l'apprentissage peut être terminé en moins de huit heures. En effet, un employeur pourrait difficilement justifier son refus d'embaucher un employé n'ayant pas les habiletés requises, si celui-ci parvenait à les acquérir en moins de huit heures. Dans la cinquième étape, les titulaires de postes énumèrent les capacités physiques nécessaires à l'accomplissement de leurs tâches. Pour ce faire, ils doivent se référer à cinq énoncés non directifs décrivant chacun une caractéristique physique.

Dans la sixième et dernière étape, on leur demande d'établir la liste des autres particularités de leurs postes, comme la scolarité requise ou la nécessité d'appartenir à une corporation professionnelle. On peut aussi leur demander de considérer l'importance de certains facteurs comme les heures supplémentaires ou les voyages.

L'accomplissement des six étapes de la GOJA permet d'établir les descriptions de postes. Tout comme la méthode des incidents critiques, la GOJA sert à l'évaluation du rendement et à l'identification des besoins de formation. De plus, lorsque les capacités physiques et intellectuelles ont été identifiées, les processus de sélection peuvent être élaborés ainsi que nous le décrirons dans le chapitre 7.

Consultez Internet

www.haygroup.com
Firme de consultation qui a élaboré la méthode d'analyse des emplois.

La méthode Hay. De nombreuses organisations font appel à la méthode Hay pour analyser les postes du personnel de gestion. Bien que la méthode Hay soit moins structurée que les précédentes, elle est fréquemment utilisée pour faire l'évaluation des postes et pour établir le régime de rémunération. La méthode Hay permet aux organisations de conserver une certaine uniformité dans les modes de description et de rémunération des postes de gestion. Les principaux objectifs de la méthode Hay sont le développement des activités de gestion, le recrutement et le placement des gestionnaires, l'évaluation des postes, l'évaluation du degré de responsabilité de chaque poste et l'analyse globale de l'organisation.

La méthode Hay débute par une entrevue entre l'analyste de postes et le titulaire du poste. L'information recueillie concerne quatre aspects du poste de gestion : les objectifs, la productivité, la nature du poste ainsi que le degré de responsabilités financières. Les informations sur les objectifs doivent permettre, à la seule lecture, de percevoir les raisons de l'existence du poste dans l'organisation et les raisons justifiant sa rémunération. Les informations sur le champ d'action du poste aident le lecteur à déterminer la productivité réelle du travail accompli par le gestionnaire.

La pierre angulaire de la méthode Hay est la somme d'informations qu'elle permet de recueillir en ce qui concerne la nature et l'importance du poste. Ces informations comportent cinq aspects principaux :

- La façon dont le poste s'intègre à l'organisation du point de vue de ses rapports avec l'environnement interne et externe.
- La composition générale du personnel de soutien (nombre de personnes, principales fonctions et leur raison d'être).
- Les connaissances ou le savoir-faire que nécessite le poste sur les plans technique et administratif et sur le plan des relations humaines.
- La nature et la variété des problèmes que le titulaire du poste sera appelé à résoudre.
- L'autonomie dont dispose le titulaire pour résoudre les problèmes, ainsi que le type de contrôle auquel il est soumis, le cas échéant (hiérarchique, administratif ou professionnel).

L'information touchant les responsabilités détermine les objectifs que le gestionnaire doit atteindre. Ses responsabilités ont trait à quatre domaines principaux :

l'organisation (la dotation en personnel, le développement et le progrès de l'organisation) ; la planification stratégique ; la coordination des activités (planification à court terme, exécution et direction) qui permettent d'atteindre les objectifs ; et le contrôle et la vérification.

Étant donné que la méthode Hay est fondée sur les informations obtenues lors d'entrevues, son efficacité est largement tributaire des aptitudes de l'interviewer. Celui-ci peut suivre un stage de formation pour apprendre à collecter les données nécessaires à la description, à l'évaluation et à la rémunération des postes. Afin de s'assurer de la parité des salaires, les résultats de la méthode Hay peuvent être comparés à ceux obtenus dans d'autres organisations. Nous discuterons de nouveau de la méthode Hay dans le chapitre 11, qui traite de la rémunération directe.

L'analyse des capacités physiques (ACP). Les capacités physiques constituent un sous-ensemble des qualifications requises pour remplir un poste. L'analyse des capacités physiques porte sur huit aspects (encadré 4.10)

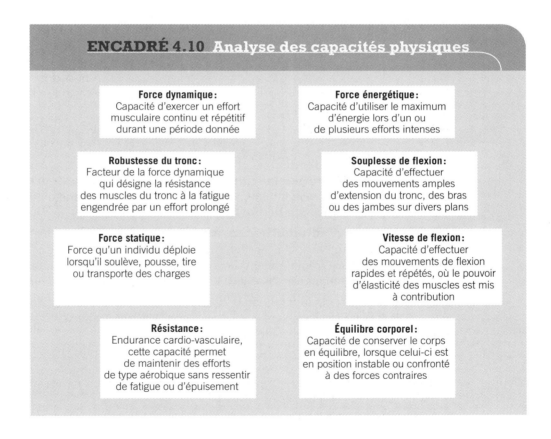

ENCADRÉ 4.10 Analyse des capacités physiques

Force dynamique :
Capacité d'exercer un effort musculaire continu et répétitif durant une période donnée

Force énergétique :
Capacité d'utiliser le maximum d'énergie lors d'un ou de plusieurs efforts intenses

Robustesse du tronc :
Facteur de la force dynamique qui désigne la résistance des muscles du tronc à la fatigue engendrée par un effort prolongé

Souplesse de flexion :
Capacité d'effectuer des mouvements amples d'extension du tronc, des bras ou des jambes sur divers plans

Force statique :
Force qu'un individu déploie lorsqu'il soulève, pousse, tire ou transporte des charges

Vitesse de flexion :
Capacité d'effectuer des mouvements de flexion rapides et répétés, où le pouvoir d'élasticité des muscles est mis à contribution

Résistance :
Endurance cardio-vasculaire, cette capacité permet de maintenir des efforts de type aérobique sans ressentir de fatigue ou d'épuisement

Équilibre corporel :
Capacité de conserver le corps en équilibre, lorsque celui-ci est en position instable ou confronté à des forces contraires

Le rendement requis pour chacune des capacités physiques liées à un poste est évalué à l'aide d'une échelle de notation en sept points (du rendement minimal au rendement maximal). La popularité croissante des programmes de promotion sociale incite les organisations à préciser les exigences physiques des différents postes. La méthode d'analyse des capacités physiques contribue à l'élaboration des profils de postes tout en favorisant l'adaptation des travailleurs à leurs tâches.

IV Autres méthodes visant l'analyse des postes

Plusieurs autres méthodes peuvent être utilisées dans le cadre des analyses de postes et ne répondent pas aux critères des méthodes structurées. Parmi celles-ci, notons l'analyse des méthodes qui comportent les technologies d'automatisation manufacturière et la réingénierie des processus. L'analyse des profils de compétences dans une approche standardisée et dans une approche sur mesure constitue une nouvelle forme d'analyse des postes qui gagne de l'intérêt depuis ces dernières années.

L'ANALYSE DES MÉTHODES

L'étude des méthodes. L'étude des méthodes se concentre sur l'analyse d'un élément de travail, composante minimale d'un poste. Elle s'avère utile lorsque des modifications sont apportées : (1) aux outils et à l'équipement, (2) à la conception du produit, (3) aux matériaux utilisés, (4) à l'équipement et à l'exécution du travail afin d'accommoder les travailleurs handicapés et (5) aux mesures concernant la santé et la sécurité du travail.

Alors que les méthodes conventionnelles ou structurées d'analyse de postes mettent l'accent sur la description du poste, les tâches principales et les conditions d'accomplissement, les niveaux d'autorité, de responsabilité et de connaissances requis, l'étude des méthodes cherche à décrire un poste en termes d'efficacité et de rendement. Elle s'applique à de nombreux postes, mais elle convient surtout aux postes autres que les postes de gestion, c'est-à-dire ceux dans lesquels les unités d'activité individuelle sont plus aisément identifiables. L'étude des méthodes tire son origine du génie industriel et présente plusieurs formes. En plus d'analyser les processus de travail et les relations individu/machines, elle met l'accent sur la mesure du travail (l'étude du temps) et des processus de travail[9].

La technologie d'automatisation manufacturière. Bien que les gestionnaires de ressources humaines lui accordent moins d'importance depuis quelques années, ils l'utilisent encore fréquemment dans le milieu manufacturier. En fait, l'étude des méthodes connaît un nouvel essor lié à l'implantation croissante des nouvelles technologies dites d'automatisation programmable. Ces techniques de pointe comprennent la conception, la fabrication et l'ingénierie automatisées et la fabrication intégrée. Malheureusement, de nombreux manufacturiers acquièrent la nouvelle technologie, un peu à la manière du consommateur qui achète une nouvelle voiture : on met la vieille au rancart et on profite du confort, de la vitesse, du roulement en douceur et de l'économie que procure la nouvelle acquisition, mais en fin de compte la vie continue et on reprend vite ses vieilles habitudes. Une telle attitude peut cependant avoir des conséquences désastreuses pour une entreprise. En effet, si celle-ci ne comprend pas l'ampleur des changements que la nouvelle technologie apporte aux techniques de production, les avantages risquent rapidement de se transformer en inconvénients particulièrement coûteux. L'entreprise qui désire utiliser de façon rentable la technologie de pointe doit en étudier attentivement tous les mécanismes d'application. Ce n'est qu'à cette condition que l'étude des méthodes peut réellement être utile.

La mesure du travail. La mesure du travail détermine le temps d'exécution de toutes les unités de travail pour une tâche donnée. La combinaison de ces différents temps établit le temps normalisé pour l'exécution de l'ensemble des tâches du poste. Ces temps normalisés permettent au gestionnaire de ressources humaines d'élaborer le régime de rémunération au rendement (des primes accordées pour l'accomplissement des tâches dans un temps moindre que le temps normalisé), de déterminer les coûts de production, d'évaluer les coûts des nouveaux produits et d'équilibrer la production. Le processus visant à déterminer le temps normalisé constitue un défi de taille car le temps requis pour l'exécution d'une tâche peut être influencé tant par le titulaire du poste que par la nature du travail lui-même. Par conséquent, le temps normalisé doit tenir compte des efforts effectivement déployés par l'individu et des efforts qu'il devrait « réellement » déployer. Pour cela, l'analyste doit faire montre d'un minimum d'intuition. Le processus de collecte des données permettant de déterminer les temps normalisés comprend habituellement le chronométrage, l'établissement des données standard, la méthode des temps prédéterminés et l'échantillonnage du travail.

L'échantillonnage du travail. L'échantillonnage du travail consiste en la prise instantanée d'échantillons des activités de travail d'un individu ou d'un groupe. Ces échantillons peuvent être obtenus de différentes façons : l'analyste des postes peut observer le travailleur à des périodes déterminées ; il peut filmer ou photographier celui-ci à des moments précis de l'exécution d'une tâche ou encore, au signal donné, tous les travailleurs peuvent noter les activités qu'ils sont en train d'accomplir. Toutes les activités ainsi observées sont chronométrées et classées dans des catégories prédéterminées ; par la suite, l'analyste classera les activités selon le poste et le temps dévolu à chaque activité[10].

La réingénierie. La réingénierie des processus de l'entreprise est une approche populaire qui utilise le principe de l'analyse des méthodes. Procéder à la réingénierie des processus revient à examiner les plans de déroulement du travail qui détaillent les séquences d'une opération en mettant l'accent soit sur le mouvement des opérateurs, soit sur l'acheminement du matériel (chapitre 3). Par exemple, une réingénierie des processus a été élaborée dans des institutions financières pour étudier le traitement de certains documents, dans des supermarchés pour étudier le processus qui permet le paiement et l'emballage des marchandises (*check-out*), dans les industries manufacturières pour étudier la progression des produits d'une machine à l'autre[11].

L'ANALYSE DES PROFILS DE COMPÉTENCES

L'approche standardisée ou *Ability Requierements Approach*. L'approche standardisée recense, à partir de 50 dimensions différentes de compétences, celles qui sont requises pour un poste de travail. Les utilisateurs de cette approche sont formés pour comprendre les différentes dimensions de compétences et indiquer celles qui sont requises pour un emploi[12].

Consultez Internet

http://www.hrdc-drhc.gc.ca/

Développement des ressources humaines Canada propose une méthode visant l'élaboration de profils de compétences.

Développement des ressources humaines du Canada a élaboré récemment un guide d'interprétation des profils de compétences fondamentales[13] dans lequel est exposée une approche pratique visant à identifier les compétences qu'utilise une personne pour s'acquitter de ses tâches professionnelles quotidiennes. Ce document fort utile, intitulé *Profils de compétences fondamentales*, définit les compétences fondamentales comme étant celles qui aident une personne à accomplir ses tâches professionnelles, qui procurent au travailleur une base pour acquérir des connaissances plus particulières à sa profession et qui renforcent sa capacité à s'adapter aux changements dans son milieu de travail. Ces compétences fondamentales comprennent la lecture de textes, l'utilisation de documents, la rédaction, le calcul, la communication verbale, la capacité de raisonnement, le travail d'équipe, l'informatique et la formation continue. Le guide fournit une méthode opérationnelle et détaillée qui permet de définir les compétences fondamentales grâce à des termes et à des concepts normalisés : les termes normalisés servent à décrire les différents aspects des compétences fondamentales et les concepts normalisés servent à savoir dans quelle mesure un groupe professionnel donné utilise une compétence fondamentale en particulier.

Consultez Internet

http://www.conferenceboard.ca/nbec/eprof-e.htm
Site du Conference Board du Canada.

Par ailleurs, le Conference Board du Canada a publié un document qui vise à identifier les profils de compétences relatives à l'employabilité *(Employability Skills Profile)*. Ce guide identifie et définit les compétences qui influent sur l'employabilité d'une personne, soit la formation universitaire, les aptitudes à la gestion et la capacité de travailler en équipe.

L'approche sur mesure. Lorsqu'un analyste de poste choisit l'approche sur mesure[14], il doit élaborer un questionnaire selon le modèle présenté dans l'encadré 4.11. Il s'agit de demander au titulaire du poste et à son superviseur d'identifier les compétences,

---

ENCADRÉ 4.11 L'approche sur mesure

COMPÉTENCES	Cette compétence est-elle utilisée dans le cadre du poste? 1 = oui 0 = non	Quelle est l'importance de cette compétence dans l'accomplissement des tâches reliées au poste? 4 = cruciale 3 = très importante 2 = moyennement importante 1 = peu importante 0 = pas importante	Cette compétence est-elle nécessaire pour des personnes nouvellement recrutées pour cet emploi? 1 = oui 0 = non	Dans quelle mesure cette compétence permet-elle d'évaluer les candidatures à ce poste? 3 = dans une grande mesure 2 = considérablement 1 = modérément 0 = pas du tout
	Encercler une réponse	Encercler une réponse	Encercler une réponse	Encercler une réponse
Connaissance des procédures des ressources humaines : politiques sur l'absentéisme, actions disciplinaires, évaluation du rendement, etc.	1 0	4 3 2 1 0	1 0	3 2 1 0
Connaissance de la structure organisationnelle : personne contact en cas d'urgence, les relations entre les diverses unités, etc.	1 0	4 3 2 1 0	1 0	3 2 1 0
Connaissance des lois et politiques gouvernementales dans le domaine de la GRH	1 0	4 3 2 1 0	1 0	3 2 1 0
Compétences informatiques : capacité d'utiliser un ordinateur, jargon informatique, etc.	1 0	4 3 2 1 0	1 0	3 2 1 0

Source : S. E. Jackson et R. S. Schuler, *Managing Human Resources : A Partnership Perspective,* Cincinati (Ohio), South-Western Publishing, 2000, p. 238.

les habiletés, les connaissances, les attitudes et les valeurs qu'ils croient nécessaires à l'accomplissement du travail. Il est possible aussi de former un groupe de discussion, composé de différentes personnes qui occupent le même poste, qui se chargera de dresser une liste des compétences à examiner. Un questionnaire est alors élaboré pour permettre aux répondants d'évaluer l'importance des différentes compétences dont il faudra tenir compte lors du recrutement et d'établir le niveau du poste selon les compétences requises. En examinant les résultats, les organisations pourront décider du niveau de compétences requis à l'embauche et des compétences qu'elle entend développer grâce à des programmes de formation.

V Rédiger une description de postes

L'analyse des postes conduit à la description des postes et à l'énumération des exigences qu'ils comportent. La description de postes comprend la liste des aspects du poste les plus importants, ainsi que l'énumération des connaissances, des aptitudes et des habiletés nécessaires à l'exécution des tâches. Cette description doit être suffisamment détaillée pour qu'il soit possible à la simple lecture de comprendre : (1) la nature du travail (domaines d'activités, tâches, comportements requis et résultats attendus) ; (2) les produits ou services engendrés par ces activités (les objectifs du poste) ; (3) les normes d'exécution (sur le plan de la qualité ou de la quantité) ; (4) les conditions de travail ; et (5) les caractéristiques des tâches à accomplir. Par conséquent, le document final provenant de l'analyse des postes devrait comprendre les éléments suivants :

1. La *désignation de fonction ou appellation d'emploi*. Elle se réfère à une famille de postes dont les fonctions sont similaires. Par opposition, la monographie de poste se réfère à un ensemble de tâches remplies par une seule personne. Le titre du poste est souvent trompeur : selon les services ou les organisations, un poste peut avoir la même désignation sans que les tâches soient équivalentes. Ainsi, lorsque l'analyse doit déterminer si des postes appellent un mode semblable de sélection ou de rémunération, elle doit étudier dans quelle mesure les tâches sont comparables.

2. Le *service* (ou la division) dans lequel le poste se situe.

3. La *date* (ou le moment) à laquelle la description du poste a été effectuée est précisée et, s'il y a lieu, les dates de mise à jour.

4. Le *nom* du titulaire du poste ainsi que celui de l'analyste de postes sont utiles pour des besoins de compilation. Toutefois, dans le cadre des évaluations, le nom du titulaire doit être omis afin de ne pas influencer les évaluateurs.

5. Le *schéma d'emploi* ou objectif du poste est un résumé succinct du poste. Il peut être utilisé à des fins diverses comme l'affichage de postes, le recrutement et l'évaluation salariale.

6. La *nécessité d'être supervisé*. Lorsque certaines tâches doivent être accomplies sous surveillance, l'analyste doit en faire une description particulière à l'intérieur de la description générale du poste.

7. Les *principales fonctions et responsabilités*. Elles identifient les fonctions de base nécessaires à la réalisation d'un produit ou d'un service. Ces fonctions comprennent l'ensemble des tâches principales susceptibles de se répéter. Afin de donner des

informations pertinentes, l'analyste doit hiérarchiser les tâches en fonction de leur durée d'exécution et de leur importance. En effet, une tâche peut ne prendre qu'un temps d'exécution minime, mais être primordiale dans une perspective globale d'efficacité.

8. Les *exigences du poste*. Elles indiquent l'expérience, les connaissances spécifiques, la formation, les aptitudes et les habiletés requises pour occuper le poste. Les connaissances se réfèrent à la somme d'informations touchant un point particulier qui, lorsqu'elles sont mises en pratique, permettent d'accomplir efficacement une tâche (par exemple, la connaissance du langage FORTRAN ou des lois du travail). Les termes aptitudes et habiletés sont souvent utilisés indistinctement pour désigner la capacité d'adopter un comportement appris (par exemple, le maniement d'une grue). Toutefois, ces exigences devraient se limiter aux qualifications minimales que l'on peut attendre d'un nouvel employé.

9. Le *contexte de travail*. Il s'agit de l'environnement immédiat du poste. Par exemple, le travail peut devoir être exécuté à l'extérieur (domaine de la construction), dans un endroit éloigné (sur une plate-forme de forage), à très basse température (lieux réfrigérés) ou dans un espace clos (tour de contrôle aérien). Il peut aussi nécessiter une adaptation particulière au bruit (opérateurs d'outils de forage), aux produits toxiques (techniciens de laboratoire, travailleurs de l'industrie chimique) ou comporter des conditions de stress particulières (infirmières en salle d'urgence). Le contexte de travail aide à comprendre les conditions exactes dans lesquelles les tâches sont exécutées[15].

Nonobstant son contenu, la description de postes doit être rédigée en tenant compte des impératifs rédactionnels suivants :

- Toujours utiliser un style clair et concis.

- Utiliser, de préférence, le temps présent tout au long du texte.

- Commencer chaque phrase par un verbe actif (tel que vérifie, analyse, compile, etc.).

- S'assurer que chaque phrase reflète un objectif du poste, que ce soit explicitement ou d'une manière implicite mais facilement perceptible par le lecteur. Toutefois, l'utilisation d'un même verbe peut englober à la fois un objectif du poste et une activité de l'employé.

- N'utiliser que les mots nécessaires à la transmission de l'information ; éviter tout mot superflu. Dans la mesure du possible, on doit utiliser des termes qui n'ont qu'une seule signification et qui décrivent avec précision la façon dont le travail est accompli.

- S'assurer que la description des tâches explique clairement comment un travail doit être exécuté et quelles normes d'exécution sont exigées.

L'encadré 4.12 présente un exemple de la description de postes telle qu'elle se pratique chez Henry Birks et fils, une des plus importantes bijouteries du Canada. On remarquera que cette description fournit aussi des informations sur les critères d'évaluation associés aux responsabilités.

ENCADRÉ 4.12 La description de postes

	CODE
DÉSIGNATION DE FONCTION:	

Vendeur

Magasin/division: 280/Montréal – centre-ville
Titre du supérieur immédiat: superviseur des ventes
Titulaires actuels: Marie Lebrun
　　　　　　　　Joseph Tremblay
Formulaire rempli par: Louise Bouchard
Autorisation du directeur de la division: Jérémie Lévesque/19 janvier 1994

OBJECTIF DU POSTE:

Sous la surveillance du superviseur des ventes, le vendeur assure un service rapide et courtois
à la clientèle, de façon à maximiser les ventes et l'efficacité du service à la clientèle et, par le fait même,
à sauvegarder l'image de l'entreprise, réputée pour sa qualité et son professionnalisme.

FONCTIONS CLÉS DU POSTE:

80%	Maximise les ventes et l'efficacité du service à la clientèle
5%	Assure le maintien de marchandises en étalage
5%	Note toutes les transactions dans un registre
5%	Remplit, au besoin, les formulaires administratifs
5%	Accomplit, au besoin, certaines tâches d'entretien
100%	

ÉTENDUE DES RESPONSABILITÉS:

A) Dimensions: Moyenne du volume des ventes: 60 000$/année (1993)
　　　　　　　　Moyenne du nombre de transactions: 500/année
B) Relations de travail: • Établit des liens directs avec les clients
　　　　　　　　　　　 • Promeut le travail d'équipe entre collègues
　　　　　　　　　　　 • Peut être appelé à aider le vendeur débutant

LIEU ET CONTEXTE DE TRAVAIL:

A) [　　] Bureau [　X　] Magasin [　　] Autre (préciser) _____

B) Effort physique: • Doit demeurer debout tout le temps que dure son travail
　　　　　　　　　 • Doit arpenter rapidement le rayon, avec de nombreuses interruptions

QUALIFICATIONS (qualifications minimales requises pour accéder à ce poste):

A) Expérience générale de travail ou formation équivalente
　　　　　　　　 • Diplôme de fin d'études secondaires ou équivalent
B) Expérience reliée à l'emploi: • 5 ans d'expérience dans la vente au détail ou dans la vente industrielle
C) Autres: • Bilinguisme (anglais et français)
　　　　　 • Habileté à communiquer

FONCTIONS À ACCOMPLIR (chaque élément doit commencer par un verbe d'action):

1. Exerce ses habiletés de vendeur professionnel conformément aux directives du service des ventes de façon à atteindre le maximum de ventes et à procurer la plus grande satisfaction à la clientèle.
2. Obtient la satisfaction de la clientèle en agissant avec courtoisie, de sorte que cette satisfaction constitue l'image de marque de la compagnie. S'assure que les commandes exprès sont traitées de façon efficace.
3. Maintient les comptoirs de vente propres, rangés et bien remplis. S'assure que la marchandise est bien étiquetée et disposée de façon attrayante. Communique les besoins de réapprovisionnement au supérieur immédiat.
4. Connaît les produits en vente dans son service et dans les autres services de sa compagnie. Se renseigne sur la politique d'approvisionnement de la compagnie et la met en vigueur.
5. Renseigne les clients sur la politique de la compagnie à l'égard de la clientèle en ce qui concerne les cartes de crédit, les rabais, le retour ou l'échange de marchandise, l'ouverture d'un compte, l'approbation de chèques personnels, les objets perdus, etc.
6. Vérifie chaque jour l'exactitude des factures, le bilan de la caisse et rédige tous les rapports nécessaires.
7. Participe à la formation des vendeurs débutants en les renseignant sur les produits en vente et sur les techniques de vente.
8. Accomplit toute autre tâche assignée par le superviseur ou le directeur de la division.

ENCADRÉ 4.12 *(suite)*

À L'USAGE DU SERVICE DES RESSOURCES HUMAINES :

Titre du poste :

Code du poste :

Magasin/Division :

Révisé par :

Utilisation autorisée par :

Date	Signature

Groupe

VI Les nouvelles tendances en analyse de postes

Les chercheurs et les praticiens sont convaincus que l'analyse de postes joue un rôle de plus en plus important dans les organisations, malgré les situations de crise et les défis auxquels celles-ci sont confrontées.

Des descriptions de postes plus flexibles. Les techniques d'analyse de postes ont été élaborées pendant une période où les emplois étaient stables et faciles à définir. Or, l'environnement actuel exige une plus grande flexibilité, une adaptation aux changements organisationnels récurrents et une plus grande conscience de l'importance d'adopter une « approche-client ». Les employeurs s'attendent, par exemple, à ce que les employés fassent preuve d'initiative pour répondre aux exigences de la clientèle au lieu de simplement suivre des procédures prédéfinies. Or, la flexibilité est difficile à définir en utilisant un système traditionnel d'évaluation des emplois. De plus, les emplois de moins en moins spécialisés, le partage d'emploi, le travail d'équipe, l'enrichissement et l'élargissement des emplois sont autant de concepts qui remettent en question l'utilité même des descriptions de postes. Cependant, même si l'approche traditionnelle des analyses d'emplois présente quelques failles, il n'en demeure pas moins qu'elle permet aux organisations de cerner les postes bien structurés et constitués de tâches stables. En outre, les considérations légales telles que l'égalité en emploi et l'équité salariale requièrent des descriptions de postes assez détaillées et particulières, que nous aurons l'occasion d'examiner dans les chapitres 11 et 13.

Des emplois orientés vers l'avenir. Les descriptions de postes devraient tenter de capter davantage les changements que subira l'emploi dans l'avenir. Ainsi, en prenant l'exemple de la gestion de la décroissance pratiquée dans les organisations, les descriptions d'emplois traditionnelles devraient servir de base pour déterminer les fonctions à maintenir, celles à éliminer et pour refaire le design du poste de travail. Ce type de raisonnement peut servir pour n'importe quel autre changement organisationnel.

Les inventaires de comportements et les tâches requises remplacés par le profil de compétences des employés. Pour permettre aux analyses d'emplois de survivre dans ce nouvel environnement de travail, on met de plus en plus l'accent sur le profil de compétences des employés, délaissant l'approche traditionnelle qui déterminait les tâches et les comportements requis pour le poste analysé. Les employés seront désormais choisis selon leur capacité à s'intégrer dans l'organisation et à développer leurs compétences tout au long de leur carrière. Au Royaume-Uni, les analyses d'emplois sont utilisées dans le but de détailler les compétences requises pour assumer plusieurs postes[16]. Une telle approche permet une élaboration plus efficace des programmes de formation destinés à améliorer les compétences des employés, qui seront d'autant plus flexibles.

Une analyse de postes pour les clients. Peter Mills suggère que les clients devraient être partiellement considérés comme des employés. Or, si on accepte cette affirmation, il faut élaborer des analyses de postes qui s'adressent aux clients. Les spécialistes suggèrent que les techniques d'analyse d'emplois peuvent être fort pertinentes pour établir les profils de la clientèle et le rôle idéal qu'elle tiendrait dans l'entreprise. Ainsi, une description d'emploi pour un client reviendrait à établir les compétences et le comportement qu'il devrait avoir. Ce procédé a été utilisé lors de l'implantation des guichets bancaires automatisés. L'établissement des comportements et des compétences que devait avoir la clientèle pour utiliser efficacement ce nouveau procédé a été utile pour procéder à la sélection de la clientèle et des marchés intéressés par ce nouveau système, définir l'information qu'il fallait fournir aux clients, former les individus qui utilisaient le service aux caisses et trouver les moyens qui pourraient les encourager à utiliser le guichet automatique et éviter ainsi les longues files d'attente.

L'analyse des postes de travail est et restera dans l'avenir une activité essentielle de la gestion des ressources humaines, même si son contenu et ses méthodes sont appelés à changer.

Difficultés associées à l'analyse des postes et quelques aspects à prendre en considération. La plupart des gestionnaires et des employés éprouvent de la difficulté à effectuer des descriptions de postes. Bien qu'ils soient conscients de leur utilité pour l'entreprise, ils constatent que la concurrence féroce entre les organisations ne cesse de susciter des changements dans la structure des postes. Par conséquent, bon nombre de gestionnaires n'accordent pas suffisamment d'importance à cette activité. C'est pourquoi, lorsqu'on reproche aux gestionnaires leur négligence à effectuer et à mettre à jour leurs descriptions de postes, ils invoquent invariablement l'excuse suivante : «je suis déjà trop occupé à faire mon propre travail, et c'est probablement le cas pour mes employés, nous ne disposons donc pas de temps suffisant pour faire des descriptions de postes».

Les descriptions de postes doivent être rédigées dans un langage technique qui rend compte des subtilités de la structure des postes. En fait, cette formulation complexe et rigoureuse permet d'englober les postes semblables ou ceux qui font partie d'une même famille. De façon plus concrète, on remarque que les schémas organisationnels des entreprises situent les différents postes à l'intérieur de petites boîtes qui sont en quelque sorte le reflet métaphorique de cette standardisation. Toutefois, cette représentation va à l'encontre de la tendance qui prévaut actuellement parmi une main-d'œuvre plus instruite qu'auparavant. En effet, les employés se considèrent comme des êtres uniques (non comme des pions) et valorisent des comportements implicites ou explicites qui sont rarement inclus dans les descriptions de postes traditionnelles.

Le dilemme engendré par cette situation s'exprime de la façon suivante : comment rédiger les descriptions de postes sans limiter les comportements des individus ? Cette question représente le défi majeur des années à venir. Afin de rédiger des descriptions de postes plus souples, on devrait tenir compte des éléments suivants :

- Élaborer un processus de description de postes qui fait appel à la contribution des employés (par des négociations ou autrement) ; donner suite aux suggestions et tenir compte des discussions avec les employés en apportant les correctifs nécessaires ; être à l'écoute de la perception qu'ont certains employés des différences que comporte leur poste par rapport à des postes similaires, car leur perception peut être fondée.
- Plutôt que de limiter la description des postes à une simple liste des tâches, évaluer la possibilité de spécifier les niveaux de rendement, étant donné que la productivité est le but ultime vers lequel tendent les organisations. Cela semble plus facile à énoncer qu'à mettre en application, mais bon nombre d'entreprises ont déjà adopté cette idée et commencent à l'implanter[17].
- Ajouter à la description de postes traditionnelle quelques informations permettant aux utilisateurs de maximiser leur rendement. Par exemple, décrire les normes et les valeurs qui ont cours dans un groupe de travail. À cet égard, mentionnons le cas d'un cadre supérieur de Bell Canada qui a récemment affirmé qu'il n'aurait pas accepté le poste qu'il occupe présentement si on l'avait prévenu au départ qu'il devrait travailler tard le soir ou durant les fins de semaine[18]. On doit porter une attention particulière à la description des relations interpersonnelles indispensables à l'exécution des tâches.

RÉSUMÉ

La compréhension de l'interaction emploi/individu est dorénavant d'une importance vitale pour les entreprises, car elle aide à déterminer le rendement, la satisfaction et la participation de l'employé au travail. L'analyse des postes sert de fondement à de nombreuses activités de la gestion des ressources humaines. Elle permet, entre autres, d'établir la description et les exigences de chaque poste. Bien que la conduite de l'analyse des postes comporte des aspects techniques parfois rebutants, elle ne saurait être négligée par les gestionnaires de ressources humaines. Les organisations ont tendance à faire des analyses de postes de façon occasionnelle, d'où le risque que leurs analyses ne reflètent pas adéquatement les changements qui interviennent dans le contenu des postes et les responsabilités des travailleurs. Le défi actuel est donc d'élaborer les méthodes d'analyse les plus conformes à la réalité qui prévaut dans l'entreprise et de tenir compte des profils de compétences. De prime abord, l'entreprise doit choisir, parmi les nombreuses méthodes qui lui sont proposées, celle qui répond le mieux à ses besoins particuliers. En outre, le choix d'une méthode doit se faire en fonction de certaines caractéristiques organisationnelles et des objectifs à atteindre. Certaines méthodes sont utilisées plus avantageusement pour la rémunération, alors que d'autres permettent l'identification des besoins de formation et de perfectionnement. Les nouvelles tendances dans le domaine des analyses des postes révèlent la nécessité d'opter pour des descriptions plus flexibles, plus orientées vers l'avenir. De plus, on privilégie de plus en plus la définition des profils de compétences requis pour un poste au détriment de l'identification des tâches à exécuter.

Questions de révision et d'analyse

1. *Expliquez pourquoi l'analyse des postes est une activité importante en gestion des ressources humaines.*

2. *Déterminez les facteurs les plus importants à considérer dans le choix d'une méthode d'analyse et expliquez pourquoi.*

3. *Quelles sont les méthodes de collecte et de traitement de l'information qui permettent d'analyser les postes dans une entreprise ?*

4. *Parmi les méthodes spécifiques d'analyse des postes, choisissez-en deux, expliquez-les et identifiez leurs avantages et leurs inconvénients.*

5. *Nommez deux méthodes d'analyse fonctionnelle et décrivez leurs principaux avantages et inconvénients.*

6. *Évaluez l'importance des activités d'analyse de postes en regard des objectifs généraux d'une organisation.*

7. *En quoi consiste l'analyse des profils de compétences ?*

8. *Quelles sont les nouvelles tendances en analyse de postes ?*

9. *Rédigez la description de votre poste actuel (ou du plus récent) en précisant les exigences qui s'y rattachent.*

ÉTUDE DE CAS
La directrice de projet

Mme Michelle Roy vient tout juste d'être nommée directrice d'un projet de recherche portant sur l'influence des programmes d'orientation de carrière chez les femmes universitaires. Cette décision fait suite au congédiement de la précédente directrice qui n'a été en fonction que durant six mois. Le projet doit être achevé dans un délai de deux ans, et les bailleurs de fonds exigent qu'un rapport d'étape leur soit remis chaque trimestre. Le projet accuse un retard de six mois, la moitié des fonds alloués pour la première année de fonctionnement ont déjà été dépensés, et les employés embauchés par la précédente directrice vivent des relations de travail tendues et éprouvent, de ce fait, peu de motivation au travail. Mme Roy doit donc établir un plan d'action permettant d'atteindre avec succès les objectifs de la première année, bien que le délai dont elle dispose soit très court, et ce, tout en conservant le personnel déjà en place et en utilisant les fonds encore disponibles.

Le Collège Excellence, fondé en 1968, est une institution privée, indépendante et à but non lucratif, qui offre plusieurs programmes d'études collégiales. Son campus principal a connu une croissance ininterrompue depuis sa fondation et il dessert maintenant une population de plus de 10 000 étudiants à temps plein et de 3 600 étudiants à temps partiel. Le Collège jouit d'une excellente réputation et il se propose d'offrir bientôt des programmes d'études supérieures.

Tout comme plusieurs autres institutions d'enseignement, le Collège Excellence a commencé à subir les effets conjugués de la diminution de la population étudiante et de la réduction de l'aide financière accordée aux étudiants. Afin d'augmenter sa clientèle, le Conseil du collège a alors décidé d'élaborer dès maintenant des programmes d'études techniques, mais il ne dispose pas d'équipe de recherche pour effectuer ce travail. Il a donc mis sur pied plusieurs projets de recherche. Il se propose aussi de créer un institut de recherche sociale afin d'augmenter le rayonnement de l'institution.

M. Jobin, vice-président aux ressources extérieures, a été désigné pour accomplir cette tâche. Il a étudié les propositions émanant de divers organismes et agences gouvernementales, dont un bon nombre présentaient un intérêt certain. M. Jobin a incité le corps professoral à lui soumettre des propositions écrites, mais il n'a reçu aucune réponse. Même s'ils étaient au courant du projet auquel M. Jobin travaillait, les professeurs n'ont pas manifesté le désir d'y participer. Cependant, plusieurs professeurs, surtout les chargés de cours, ont posé leur candidature à un poste de directeur de projet, quel que soit le projet approuvé. Quelques-uns ont même demandé s'ils pouvaient être dispensés de leur charge d'enseignement advenant leur nomination et/ou s'ils bénéficieraient d'une augmentation de salaire. Le Collège n'ayant émis aucune directive à cet égard, M. Jobin a dû répondre à leurs demandes de façon évasive.

Finalement, M. Jobin a choisi d'embaucher un consultant pour donner l'élan initial au processus de recherche. Le premier projet de recherche retenu a été l'étude sur l'influence des programmes d'orientation de carrière chez les femmes universitaires. Il s'agissait d'un projet d'une durée de deux ans ; le financement de la deuxième année était conditionnel à l'atteinte des objectifs de la première année d'activité. M. Jobin était très satisfait de ces conditions, car elles correspondaient au plan élaboré pour la mise sur pied de l'Institut. Il voulait aussi que ce soit une femme qui dirige ce premier projet de recherche. Par conséquent, il a choisi Mme Louise Bergeron comme directrice du projet. Mme Bergeron était une professionnelle expérimentée, détenant une maîtrise en éducation, qui avait déjà œuvré à titre de conseillère pour un projet similaire dans un autre collège. Après seulement six mois de travail, Louise Bergeron a été congédiée. Elle garde un souvenir très amer de son expérience au Collège Excellence. Voici les propos qu'elle a tenus à ce sujet :

> *J'éprouve beaucoup de frustration et de colère quand je pense à la façon dont les choses se sont déroulées dans le cadre de ce projet. Je ne crois pas avoir jamais été confrontée à une pareille situation. Je ne suis pas une spécialiste des questions féminines, mais j'éprouvais de l'intérêt pour ce projet et j'avais envie*

d'en savoir davantage. Je possède une maîtrise en éducation et trois ans d'expérience comme conseillère pour un projet semblable. Si j'avais pu avoir du personnel compétent, je n'aurais eu aucun problème. Mais je n'ai pas eu de chance à cet égard. J'admets que c'est en partie parce que je n'avais pas d'expérience sur le plan de l'embauche, mais j'ai aussi subi de fortes pressions pour embaucher certaines personnes.

À côté de mon amie Jacqueline, qui m'a été d'une aide précieuse, je me suis retrouvée associée avec une étudiante de doctorat arrogante, qui avait été recommandée par M. Jobin. Elle se promenait continuellement avec ses livres de méthodes de recherche et de statistiques, comme si elle voulait étaler son savoir. Par la suite, il y a eu Anne-Marie, que j'ai moi-même choisie à cause de son expérience de conseillère. Mais elle avait tendance à insister sans arrêt sur son expérience, comme si mon jeune âge constituait un handicap. Son mari était atteint d'une maladie chronique et elle s'absentait très souvent. Je ne serais pas étonnée d'apprendre qu'elle a abandonné le projet. Même la secrétaire me causait des problèmes. Elle était efficace mais, comme ce type de poste comporte des aspects confidentiels, j'aurais préféré choisir ma propre secrétaire. Toutefois, le Collège accordant la priorité au personnel de bureau déjà en place lorsque de nouveaux postes sont créés, je n'ai donc pas eu le choix.

Faute de personnel compétent, j'en suis arrivée à tout faire par moi-même, et j'ai même dû demander conseil à l'extérieur du Collège. Je suis persuadée que, pendant ce temps, on parlait derrière mon dos. Je dois ajouter que j'ai une vie de famille assez difficile : quatre enfants de mon premier mariage et trois du premier mariage de mon mari vivent tous à la maison. Pourtant j'ai investi toute mon énergie dans ce projet. Le sujet m'enthousiasmait beaucoup, et la perspective de gagner un meilleur salaire et d'obtenir une meilleure position était attrayante. C'est moi seule qui ai fait tout le travail et, au lieu de congédier les employés incompétents, c'est moi que l'on a congédiée.

À la suite de ces événements, le président a demandé à Michelle Roy d'accepter le poste de directrice de projet. Il a reconnu, lors d'une rencontre avec elle, que la motivation des employés était à son plus bas, qu'il y avait un retard dans la conduite de la recherche et que les fonds encore disponibles étaient très limités. Afin d'aider Mme Roy à remplir ses nouvelles tâches de façon efficace, M. Jobin a préparé un rapport concernant le personnel cadre ayant travaillé à ce projet. Ce rapport se retrouve dans l'encadré 4.13.

ENCADRÉ 4.13 Rapport sur le personnel cadre affecté au projet

Michelle Roy, directrice du projet: Ph.D. en éducation, Université de Moncton, 1975. Sept ans d'expérience en tant que directrice d'un comité sur le statut de la femme et trois ans en tant que membre du département d'éducation du Collège Excellence.

Jacqueline Laplante, chercheuse: M.A. en éducation, UQAM, 1982. Dix ans d'expérience en conception de programmes pour une école publique; spécialisée en matériel éducatif audiovisuel.

Danielle Robin, chercheuse: M.A. en psychologie clinique, Université de Montréal, 1980. Termine présentement son doctorat en psychologie clinique à l'Université York. Sept ans d'expérience en tant que psychologue clinicienne dans un environnement d'éducation supérieure; spécialisée aussi en méthodologie de la recherche.

Anne-Marie Robert, spécialiste en orientation scolaire: M.A. en orientation scolaire, Université McGill, 1965. Vingt ans d'expérience en tant que conseillère en milieu scolaire, au primaire et au secondaire.

Jeannine Martin, secrétaire: secrétariat, Collège Excellence, 1983. Cinq ans d'expérience de secrétariat dans un collège.

Questions

1. Selon vous, quelles erreurs a commises Louise Bergeron, la première directrice de projet ?

2. Montrez comment ce cas illustre les relations systématiques existant entre l'analyse de postes, la rémunération, l'évaluation du rendement et la formation du personnel.

3. Si on vous confiait le poste de Michelle Roy (nouvelle directrice de projet), de quelle façon procéderiez-vous pour régler les problèmes existants ?

NOTES ET RÉFÉRENCES

1 Cas rapporté par un groupe d'étudiants de l'Université McGill ayant effectué une analyse des postes, dans le cadre du cours de gestion des ressources humaines, pour le professeur S. Dolan, (hiver 1989).

2 S. A. Fine et M. Getkate, *Benchmark Tasks for Job Analysis : A Guide for Functional Job Analysis (FJA) Scales,* Hillsdale (N. J.), Lawrence Eribaum, 1995.

3 Pour davantage d'informations, voir : S. A. Fine, « Functional Job Analysis : An Approach to a Technology for Manpower Planning », *Personnel Journal,* novembre 1974, p. 813-818 ; Department of Labour, *Dictionary of Occupational Titles,* vol. 2, 3e éd., Washington (DC), Government Printing Office, 1965. Department of Labor, Manpower Administration, *Handbook for Analyzing Jobs,* Washington (DC), Government Printing Office, 1972. Department of Labor, *Task Analysis Inventories : A Method of Collecting Job Information,* Washington (DC), Government Printing Office, 1973 ; J. Markowitz, « Four Methods of Job Analysis », *Training and Development Journal,* septembre 1981, p. 112-121.

4 E. J. Mccormick et J. Tiffin, *Industrial Psychology,* 6e éd., Englewood Cliffs, Prentice-Hall, 1974.

5 R. J. Harvey, F. Friedman, M. D. Hakel et E. T. Cornelius, « Dimensionality of the Job Element Inventory – A Simplified Worker-Oriented Job Analysis Questionnaire », *Journal of Applied Psychology,* vol. 73, 1988, p. 639-646.

6 J. C. Flanagan, « The Critical Incident Technique », *Psychology Bulletin,* vol. 51, 1954, p. 327-358.

7 La méthode étendue des incidents critiques a été élaborée et écrite par S. Zedeck, S. J. Jackson et A. Adelman, dans *A Selection Procedure Reference Manual,* Berkeley, University of California, 1980.

8 La GOJA est une technique spécifique élaborée par la firme Biddle et associés et est décrite ici avec sa permission. Bien qu'elle ait remplacé la méthode des *Uniform Guidelines* aux États-Unis, cela ne signifie pas qu'il s'agit de la seule méthode susceptible de s'appliquer aux *Guidelines.* En fait, selon la méthode des *Guidelines* (sect. 14a), « N'importe quelle méthode d'analyse de postes peut être utilisée si elle fournit les informations requises pour assurer sa validation. » Voir aussi A. Kesselman et F. E. Lopez, « The Impact of Job Analysis on Employment Test Validity for Minority and Non Minority Accounting Personnel », *Personnel Psychology,* printemps 1979, p. 91-108 ; L. S. Kleiman et R. H. Faley, « Assessing Content Validity : Standards Set by the Count », Personnel Psychology, automne 1978, p. 701-712.

9 R. H.Hayes et R. Jaikumar, « Manufacturing's Crisis : New technologies, Obsolete Organizations », *Harvard Business Review,* september-october 1998, p. 77-85.

10 F. Luthans, R. M. Hodgetts et S. A. Rosenkrantz, *Real Managers,* Cambridge, Ballinger Publishing, 1988.

11 M. Hammer and J. Champy, *Reengineering the Corporation,* New York, Ed. Harper Business, 1993, p. 32.

12 E. A. Fleishman et M. D. Mumford, *The Job Analysis Handbook for Business, Industry, and Government,* vol. 2, New York, John Wiley and sons, 1988.

13 Développement ressources humaines Canada, *Guide d'interprétation des profiles de compétences fondamentales,* Ottawa, DRHC, 1998. Aussi disponible sur Internet à l'adresse : http://www.hrdc-drhc.gc.ca/

14 S. E. Jackson et R. S. Schuler, *Managing Human Resources : A Partnership Perspective,* Cincinnati (Ohio), South-Western Publishing, 2000.

15 R. J. Plachy, « Writing Job Descriptions that Get Results », *Personnel,* octobre 1987, p. 56-63.

16 R. J. Harvey, « Job Analysis », dans M. D. Dunnette et L. M. Hough, *Handbook of Industrial Organizational Psychology,* 2e éd. Palo Alto (CA), Consulting Psychologists Press, 1991.

17 P. McLagen, Flexible Job Models : S Productivity Strategy for the Information Age », dans J. P. Campbell, R.J. Campbell et coll., *Productivity in Organizations : New Perspectives from Industrial and Organizational Psychology,* San Francisco, Jossey-Bass, *1988.*

18 Information provenant d'une intervention effectuée en situation de crise auprès de la direction, au cours de l'année 1990, par un des auteurs de cet ouvrage, chez Entreprises Bell Canada (BCE).

Sites Internet

http://harvey.psyc.vt.edu/default.htm
Site donnant accès à des documents et à des outils rattachés à la classification et à l'analyse des postes.

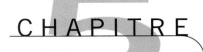

CHAPITRE

La planification des ressources humaines

I La planification des ressources humaines : une définition

En général, la planification des ressources humaines constitue l'une des premières étapes de tout programme efficace en matière de gestion des ressources humaines. Elle nécessite, plus particulièrement, l'établissement de prévisions concernant les besoins en matière de main-d'œuvre ainsi que la planification des étapes devant mener à la satisfaction de ces besoins.

DÉFINITION DE LA PLANIFICATION DES RESSOURCES HUMAINES

La planification des ressources humaines est un processus d'élaboration et de mise en application de plans et de programmes visant à assurer à une organisation le nombre d'employés et le type de main-d'œuvre nécessaires, et ce, au moment où elle en a besoin. Il y a donc un lien direct entre la planification des ressources humaines et la planification stratégique. D'ailleurs, ce processus est devenu l'une des activités les plus importantes de la gestion des ressources humaines, et celle dont la croissance a été la plus rapide, en raison de la tendance favorisant l'intégration des activités de la gestion des ressources humaines à la gestion stratégique d'une organisation (chapitre 2). La planification des ressources humaines aide les entreprises à atteindre leurs objectifs financiers de même que leurs objectifs de production, de diversification et d'innovation dans le domaine des technologies. De plus, elle les aide à utiliser les ressources nécessaires pour maintenir leur niveau de production. Une fois les plans de l'organisation établis, souvent de concert avec le service des ressources humaines, le planificateur des ressources humaines prend part à la mise en place des structures organisationnelles de travail ainsi qu'à l'évaluation du nombre et du type d'employés nécessaires, et ce, en tenant compte du niveau de production souhaité et des contraintes financières. Lorsque les structures de travail et les exigences en matière de main-d'œuvre sont précisées, il ne reste plus qu'à mettre en application les programmes qui ont été conçus pour atteindre les divers objectifs.

L'IMPORTANCE DE LA PLANIFICATION DES RESSOURCES HUMAINES

La planification des ressources humaines est importante car elle contribue de plusieurs façons (encadré 5.1) à l'atteinte d'un grand nombre d'objectifs dont l'un des principaux est de prévoir l'offre et la demande futures de main-d'œuvre, et de concevoir les programmes de façon à prévenir tout désaccord, dans le meilleur intérêt des individus et de l'organisation. Elle peut aussi aider à réduire les dépenses associées à des taux d'absentéisme et de roulement excessifs, à l'inefficacité d'un programme de formation ou à une faible productivité.

Les nouvelles exigences sur le plan démographique et sur le plan des affaires contribuent à accroître l'importance de la planification des ressources humaines pour l'entreprise. Ainsi, les entreprises qui parviennent à planifier leurs besoins en main-d'œuvre bénéficieront indéniablement d'un avantage concurrentiel. Notre époque est témoin de changements importants sur le plan de la composition de la main-d'œuvre. Alors que la période de l'après-guerre a produit des professionnels et des gestionnaires en nombre excessif, la génération qui suit contraste par son petit

ENCADRÉ 5.1 L'importance de la planification des ressources humaines

La planification des ressources humaines permet de...

- considérer les coûts liés à la gestion des ressources humaines comme un investissement plutôt que comme une dépense difficile à gérer ;
- gérer les ressources humaines de manière proactive plutôt que réactive ou passive lors de l'élaboration de la politique en cette matière et de la résolution des problèmes qui s'y rattachent ;
- orienter la gestion des ressources humaines vers l'avenir, permettre au service des ressources humaines d'agir à titre de contrôleur des ressources humaines de l'organisation ;
- reconnaître l'existence d'un lien explicite entre la planification des ressources humaines et les autres fonctions organisationnelles telles que la planification stratégique, les prévisions économiques et les prévisions du marché ;
- intégrer les activités de recrutement, la sélection, les relations du travail, la rémunération et les avantages sociaux, la formation, la planification organisationnelle et la gestion des carrières dans une perspective de gestion plus globale ;
- mettre l'accent à la fois sur les objectifs individuels et organisationnels.

nombre. C'est pourquoi l'échelon intermédiaire et l'échelon supérieur de la hiérarchie dans le secteur de la gestion sont des créneaux où la compétition est très forte et où les emplois comportant des responsabilités et des possibilités de promotion sont très recherchés. À l'opposé, le nombre de personnes qui se trouvent en début de carrière et sont destinées à occuper des emplois spécialisés (en nombre croissant) connaît une diminution importante. Le début des années 90 a été marqué par la rationalisation et les réductions de personnel. Depuis ces dernières années et pour la prochaine décennie les organisations consacreront leurs efforts à attirer et à conserver les professionnels clés et le personnel dirigeant.

La productivité a toujours été une préoccupation importante pour la plupart des entreprises et est tributaire, entre autres, d'une planification avertie des effectifs ; les entreprises seront vraisemblablement confrontées à ce problème de manière encore plus pressante. Divers facteurs doivent être pris en compte lors de la planification de la main-d'œuvre pour tenter d'assurer la plus grande productivité. D'abord, les nouvelles technologies adoptées dans les entreprises doivent se substituer de plus en plus à la main-d'œuvre directe. Ensuite, la redéfinition des tâches doit être faite dans le but de maximiser l'utilisation des compétences rares. Finalement, les individus qui, durant les dernières années, ont fait l'effort de participer davantage à l'atteinte des objectifs de l'organisation, doivent continuer dans ce sens. Cette situation exige des professionnels des ressources humaines qu'ils examinent l'efficacité des postes, l'appariement des postes, le développement du potentiel des employés et le profil des postes, de façon que les capacités réelles des individus s'harmonisent avec leurs emplois. Ils auront, par ailleurs, à évaluer la situation des employés qui ont été déplacés ou dont les tâches se chevauchent. L'introduction de nouvelles technologies comme les systèmes d'information de pointe, la robotisation et l'automatisation demandera en outre à ces professionnels de répondre à des questions telles que : Comment la main-d'œuvre s'adapte-t-elle aux changements technologiques ? Quelles répercussions ces changements ont-ils sur le profil des postes et sur la structure organisationnelle ? Quelles aptitudes et connaissances exigent-ils ? Lesquelles ne sont pas essentielles ?

D'autres considérations environnementales viennent également s'ajouter à celles mentionnées précédemment et témoignent de l'accroissement de l'importance de la planification des effectifs. À cet effet, notons la diversité de la main-d'œuvre (vieillissement, féminisation, diversité ethnique), les lois adoptées dans le domaine du droit du travail, les mesures entérinées par les provinces touchant l'équité en matière d'emploi et diverses questions connexes. Les prévisions concernant les pénuries qui frapperont les postes occupés par les cols bleus ou par les cols blancs en ce début de millénaire sont un autre facteur dont il faut tenir compte. Les nouvelles possibilités offertes aux travailleurs en matière de retraite ont aussi créé de nouveaux problèmes, différents de ceux qu'on avait prévus, en ce qui concerne l'acquisition de ressources humaines. En effet, les travailleurs disposent maintenant de plusieurs possibilités, qui vont de la retraite anticipée, vers l'âge de 55 ans, à la retraite retardée, vers l'âge de 70 ans. Cependant, le fait que les employés de 50 ans et plus seront largement représentés dans les organisations amène ces dernières à consacrer davantage de temps et d'efforts à la gestion de cette catégorie d'employés.

L'obsolescence des compétences des cadres – et la nécessité de la gérer adéquatement – comptent aussi parmi les facteurs importants. En effet, l'évolution rapide des connaissances rend difficile la mise à jour des compétences, tant chez les professionnels que chez les gestionnaires. Par conséquent, ils doivent pouvoir bénéficier d'une formation continue. Toutefois, les organisations ne savent pas comment s'y prendre et ne se rendent pas toujours compte des risques que présente cette obsolescence. Or, le fait de ne pas résoudre ce type de problème représente une menace pour la croissance des entreprises et de la société dans son ensemble puisque la proportion de la main-d'œuvre vieillissante ne fera qu'augmenter durant les cinquante prochaines années (chapitre 1).

L'expansion et la diversification des organisations suscitées par la forte concurrence qu'entraîne la mondialisation des marchés contribuent aussi à accroître l'importance de la planification des ressources humaines. Les entreprises multinationales ont, à cet égard, de la difficulté à effectuer des mutations d'employés et doivent régulièrement composer, dans leurs opérations et leur recrutement, avec différentes cultures.

Dans les faits

La société pharmaceutique Upjohn a mis au point des indices permettant d'établir la relation entre les coûts des employés (considérés comme un investissement) et le rendement de l'organisation[1]. Ces indices sont les suivants :

- Rémunération avant déductions/nombre total d'employés
- Rémunération après déductions/nombre total d'employés
- Ventes/nombre total d'employés
- Rémunération avant déductions/coûts des employés
- Coûts des employés/valeur ajoutée
- Coûts en capital/valeur ajoutée
- Rémunération avant déductions/valeur ajoutée
- Valeur ajoutée/ventes

Un autre facteur important est l'investissement considérable que représente pour une organisation l'acquisition de ressources humaines. Le capital humain, contrairement à certains autres types de capital, peut croître au sein d'une organisation. Ainsi, un employé qui perfectionne ses connaissances et ses aptitudes devient une ressource de plus grande valeur. De plus, parce qu'une entreprise investit dans ses ressources humaines à travers des programmes de formation ou à travers des affectations de son personnel, il est de toute première importance que ses employés utilisent efficacement leurs compétences dans leur cheminement de carrière. La valeur monétaire d'une main-d'œuvre formée adéquatement, motivée et flexible demeure difficile à évaluer, bien que des tentatives aient été faites en ce sens.

De plus, un nombre croissant d'entreprises, qui sont des chefs de file dans leur domaine, reconnaissent que la qualité de la main-d'œuvre peut avoir une incidence significative sur le rendement à court et à long terme. En effet, beaucoup de dirigeants soutiennent que des ressources humaines insuffisantes ou insuffisamment qualifiées sont aussi dommageables pour la production qu'une pénurie de capitaux, et que l'investissement dans les ressources humaines est un facteur tout aussi important pour la planification organisationnelle que l'acquisition d'installations de production.

Pour finir, une autre raison peut expliquer l'importance croissante accordée à la planification des ressources humaines : la résistance de plus en plus marquée des travailleurs au changement et au relogement. On note aussi leur intérêt accru pour l'évaluation de leur propre rendement et leur plus grande loyauté envers l'organisation. Tous ces changements rendent les mutations arbitraires plus difficiles et, par conséquent, la planification des ressources humaines plus nécessaire.

LES OBJECTIFS DE LA PLANIFICATION DES RESSOURCES HUMAINES

Les objectifs de la planification des ressources humaines sont multiples (encadré 5.2) et, grâce à l'informatique, il est maintenant plus facile de les atteindre. L'informatique permet de conserver une grande quantité de données sur chaque employé en créant ni plus ni moins qu'un système d'information sur les ressources humaines (qui sera décrit en détail plus loin). Ce système contient des renseignements sur les préférences des employés en matière d'emploi, sur leur expérience, sur l'évaluation de leur rendement et fournit en quelque sorte un résumé de leur expérience au sein de l'entreprise ainsi qu'une liste des postes qu'ils y ont occupés. Cette information peut servir les divers objectifs de la planification des ressources humaines, du point de vue des intérêts de l'individu comme de ceux de l'organisation.

ENCADRÉ 5.2 Les objectifs poursuivis en matière de planification des ressources humaines

- Réduire les coûts associés à la gestion des ressources humaines en aidant les gestionnaires à prévoir les excédents et les pénuries de main-d'œuvre, et en corrigeant ces déséquilibres avant qu'ils ne deviennent difficiles à gérer et plus coûteux.
- Fournir une meilleure base à la planification du perfectionnement du personnel de manière à exploiter de façon optimale le potentiel des travailleurs.
- Améliorer le processus global de planification d'une organisation.
- Offrir davantage de possibilités de carrière aux femmes et aux groupes minoritaires dans les plans de croissance, et préciser les compétences professionnelles qui leur sont propres.
- Promouvoir davantage l'importance d'une saine gestion des ressources humaines auprès de tous les échelons de l'organisation.
- Fournir un instrument permettant d'évaluer les effets des différentes mesures et politiques en matière de ressources humaines[2].

LES LIENS ENTRE LA PLANIFICATION DES RESSOURCES HUMAINES ET LES AUTRES ACTIVITÉS DE LA GESTION DES RESSOURCES HUMAINES

La planification des ressources humaines influe sur la plupart des autres activités liées aux ressources humaines. Bien que les liens qu'elle tisse avec ces autres activités soient importants, seuls ceux qui sont les plus cruciaux pour une organisation seront examinés.

L'analyse des postes. La description des postes et la spécification des emplois sont toutes deux nécessaires à la planification des ressources humaines. En effet, ne pas tenir compte de ces deux activités rendrait toute planification impossible.

Recrutement et sélection. La planification des ressources humaines permet de définir les besoins en ressources humaines d'une organisation. Associés à l'analyse des postes, le recrutement et la sélection indiquent le nombre et les types de personnes dont une organisation peut ou pourra avoir besoin. L'activité de recrutement exerce une influence sur le réservoir de candidats disponibles, lequel a une incidence sur les besoins en matière de sélection et de placement. La planification des ressources humaines peut donc être perçue comme un élément majeur du processus de dotation en personnel d'une entreprise. Ce lien est étudié de façon plus détaillée dans les chapitres sur le recrutement et la sélection (chapitres 6 et 7).

Développement de compétences. La planification des ressources humaines aide l'entreprise à prévoir les pénuries ainsi que les secteurs d'activité les plus susceptibles d'être touchés par l'obsolescence des compétences. Elle permet ainsi à l'entreprise de former les employés en question et d'actualiser leurs compétences.

La gestion des carrières. La planification des ressources humaines permet à une organisation, à travers ses programmes de gestion des carrières, de garder les meilleurs éléments tout en leur évitant le problème de l'obsolescence des compétences. En outre, en aidant à réduire les taux de roulement et d'absentéisme, elle permet à l'organisation d'appuyer sa stratégie de planification sur des ressources humaines plus qualifiées, limitant ainsi le recours à de la main-d'œuvre supplémentaire. Nous discuterons davantage de ces questions dans le chapitre 10.

II Les quatre phases de la planification des ressources humaines

La planification des ressources humaines détermine les besoins en main-d'œuvre d'une organisation, soit l'offre et la demande de ressources humaines. Ce processus se déroule en quatre phases, détaillées dans l'encadré 5.3.

ENCADRÉ 5.3 Les quatre phases de la planification des ressources humaines

La planification des ressources humaines consiste à...

1. Recueillir et faire l'analyse des données de façon à pouvoir faire des prévisions concernant l'offre et la demande de ressources humaines.

▼

2. Formuler les objectifs et élaborer une politique en matière de ressources humaines, avec l'approbation et l'appui de la haute direction.

▼

3. Concevoir et mettre à exécution des programmes dans certains secteurs comme celui du recrutement, de la formation, du perfectionnement et de la promotion afin de permettre à l'organisation d'atteindre ses objectifs.

▼

4. Suivre et évaluer les programmes dans le domaine de la gestion des ressources humaines de manière à atteindre les objectifs en cette matière.

L'encadré 5.4 montre les liens existant entre ces quatre phases, de même que leurs liens avec les objectifs de l'organisation et les facteurs environnementaux.

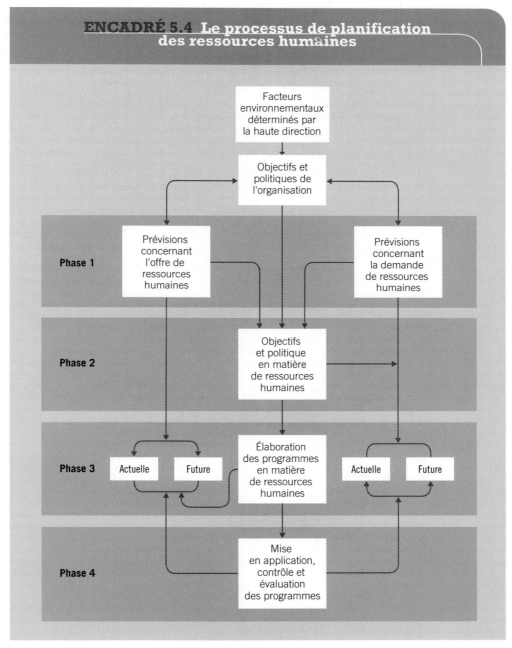

ENCADRÉ 5.4 Le processus de planification des ressources humaines

Source : Adapté de G.W. Vetter, *Manpower Planning for High Talent Personnel*, Ann Arbor (Mich.), Bureau of Industrial Relations, Graduate School of Business Administration, University of Michigan, 1967, p. 29. Traduction et reproduction autorisées.

PHASE 1 : COLLECTE, ANALYSE DES DONNÉES ET PRÉVISIONS CONCERNANT L'OFFRE ET LA DEMANDE DE MAIN-D'ŒUVRE

La première phase de la planification des ressources humaines consiste à recueillir des données qui seront utilisées pour établir les objectifs de l'organisation, ses politiques et ses plans d'action, y compris les objectifs et la politique en matière de ressources humaines. Comme le montre l'encadré 5.4, l'inventaire des ressources humaines et les prévisions sont tous deux influencés par ces facteurs. Leur interaction permet d'évaluer la situation de l'entreprise et les besoins futurs en ressources humaines.

L'encadré 5.5 décompose en étapes les quatre phases du processus de planification des ressources humaines. La première phase comporte cinq étapes distinctes. La première étape, au cours de laquelle l'entreprise procède à une analyse de sa situation en matière de ressources humaines, comprend à son tour quatre volets que nous examinerons successivement.

L'analyse. L'analyse des ressources humaines débute généralement par un inventaire de la main-d'œuvre et des emplois de l'entreprise. L'analyse de ces deux éléments est nécessaire pour évaluer la capacité de l'entreprise à combler ses besoins immédiats et futurs en main-d'œuvre. L'inventaire consiste dans un premier temps à

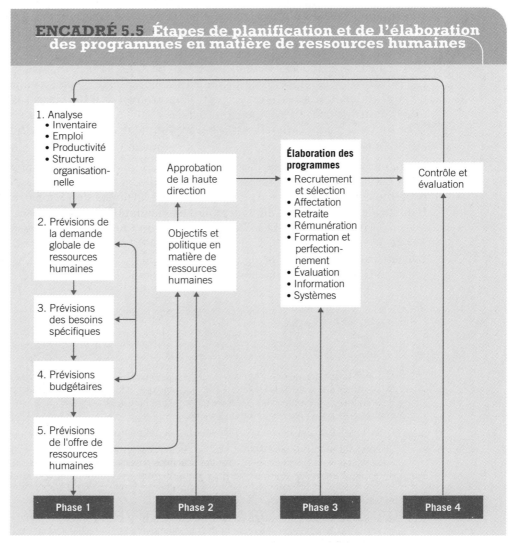

ENCADRÉ 5.5 Étapes de planification et de l'élaboration des programmes en matière de ressources humaines

1. Analyse
   • Inventaire
   • Emploi
   • Productivité
   • Structure organisationnelle

2. Prévisions de la demande globale de ressources humaines

3. Prévisions des besoins spécifiques

4. Prévisions budgétaires

5. Prévisions de l'offre de ressources humaines

Approbation de la haute direction

Objectifs et politique en matière de ressources humaines

Élaboration des programmes
   • Recrutement et sélection
   • Affectation
   • Retraite
   • Rémunération
   • Formation et perfectionnement
   • Évaluation
   • Information
   • Systèmes

Contrôle et évaluation

Phase 1   Phase 2   Phase 3   Phase 4

Source : Adapté de G.W. Vetter, *Manpower Planning for High Talent Personnel*, Ann Arbor (Mich.), Bureau of Industrial Relations, Graduate School of Business Administration, University of Michigan, 1967, p. 34. Traduction et reproduction autorisées.

déterminer les habiletés et les préférences des employés. Il consiste dans un deuxième temps à définir les caractéristiques des emplois et les compétences nécessaires pour occuper les postes efficacement. L'inventaire ainsi que l'appariement entre les individus et les emplois sont facilités par la mise à jour régulière de l'analyse des postes.

Plusieurs types d'inventaires manuels ont été utilisés avec succès dans le passé, mais l'avènement de l'informatique a permis de compiler ces inventaires de façon beaucoup plus efficace et favorise l'élaboration d'un programme en matière de ressources humaines plus dynamique et intégré. Au moyen des ordinateurs, l'intégration au réseau d'appariement entre les emplois et les individus de tous les employés, localisés dans différentes divisions ou régions du pays, est facilitée.

Les systèmes d'information utilisés pour la gestion des ressources humaines sont appelés habituellement systèmes d'information sur les ressources humaines (SIRH) ou systèmes de gestion des ressources humaines (SGRH). Ils fournissent un inventaire des postes et des compétences existant au sein d'une organisation donnée. Cependant, leurs fonctions dépassent la simple compilation et le contrôle de l'inventaire. Ils constituent les bases d'un ensemble d'instruments permettant aux gestionnaires de formuler les objectifs en matière de ressources humaines et d'évaluer dans quelle mesure ils ont été atteints.

Un bon nombre d'applications concernant les politiques adoptées en matière de gestion des ressources humaines pourraient être améliorées par une mise en place adéquate de ces systèmes dans les entreprises. Vous trouverez différentes utilisations d'un SIRH[3] dans l'encadré 5.6. Nous aborderons également l'utilisation d'un SIRH dans le cadre de la planification des ressources humaines de façon plus détaillée dans le chapitre 16.

Une analyse des ressources humaines permet aussi de prévoir la composition future de la main-d'œuvre dans la société en général. Ces analyses sont basées la plupart du temps sur les groupes de professions, les groupes de salaires et les groupes industriels. Les données démographiques, économiques et historiques recueillies sont utilisées en vue de faire des prévisions en matière de ressources humaines. Ces prévisions ne servent pas une organisation en particulier, mais elles peuvent lui fournir une quantité de renseignements utiles pour l'élaboration de ses programmes, particulièrement en ce qui concerne ses besoins à long terme.

ENCADRÉ 5.6 L'utilisation d'un SIRH dans le cadre de la planification des ressources humaines

- Accroître la quantité de données pouvant être recueillies sur les individus, telles que l'âge, le sexe, le niveau d'études, les états de service, l'origine ethnique, etc. qui permettent aux gestionnaires de prendre des décisions dans plusieurs domaines comme la planification de la relève, l'analyse coûts/avantages et l'analyse salaire/productivité.
- Créer, planifier et faire le suivi des programmes d'équité en matière d'emploi.
- Élaborer des scénarios prévisionnels : les données recueillies au moyen d'un SIRH peuvent servir de base pour la prévision des effets d'autres scénarios possibles : entre autres, prévoir les pénuries ou les surplus de main-d'œuvre, comparer le recrutement passé au recrutement projeté, ébaucher les plans de carrière, prévoir les taux de roulement et les promotions des employés dont le rendement est élevé ou faible, etc.
- Analyser la productivité de l'entreprise et évaluer les différents programmes : évaluer les effets des programmes de formation ainsi que d'autres programmes d'amélioration de la productivité, à l'aide de diverses méthodes d'évaluation du rendement.

Le troisième volet de l'analyse des ressources humaines s'intéresse à l'évaluation de la productivité de l'entreprise de même qu'aux prévisions qui peuvent être faites sur sa productivité future. Les taux de roulement et d'absentéisme, par exemple, influent sur le niveau de productivité et, par conséquent, leurs prévisions permettent d'évaluer les besoins futurs en ressources humaines. Ces prévisions peuvent aussi amener une organisation à analyser les raisons qui ont conduit à de tels taux de roulement et d'absentéisme, et à élaborer des stratégies qui lui permettront d'y remédier. On doit cependant noter qu'un taux de roulement élevé peut être avantageux pour une organisation dans certaines circonstances. Par exemple, lorsqu'elle fait face à un excédent de main-d'œuvre, un taux de roulement élevé, particulièrement chez les employés qui ont un plus faible rendement, peut être souhaitable.

Le dernier volet de l'étape de l'analyse des ressources humaines consiste à examiner la structure organisationnelle et à faire certaines prévisions. Ces activités aident l'organisation à évaluer la taille des divers échelons de la hiérarchie (supérieurs, intermédiaires, inférieurs), à la fois pour les cadres et le personnel d'exécution. Elles fournissent également de l'information sur les variations des besoins en ressources humaines ainsi que sur les fonctions ou activités spécifiques susceptibles de connaître des fluctuations.

Le secteur d'activité d'une entreprise est un facteur déterminant pour sa structure et pour ses possibilités d'évolution. En effet, les organisations qui font appel à des technologies plus poussées et qui évoluent dans un environnement plus complexe et plus dynamique auront une structure plus élaborée, comportant davantage de services et une plus grande variété de postes. Le type d'organisation et l'environnement jouent donc un rôle important, non seulement sur le plan de la structure organisationnelle, mais fournissent aussi des renseignements utiles pour les prévisions des besoins en ressources humaines.

Le saviez-vous ?

Une récente étude canadienne indique que seulement 27 % des entreprises interrogées affirment s'être officiellement engagées dans un processus de planification des ressources humaines. Elle révèle de plus que la portée de la planification varie considérablement selon qu'il s'agit de petites sociétés (planification sur un an) ou de sociétés plus importantes (planification sur cinq ans). Ainsi, les petites entreprises semblent davantage préoccupées par la planification à court terme, tandis que les entreprises de plus grande taille favorisent la planification à long terme[4].

Les prévisions concernant la demande de ressources humaines. Il existe une grande variété de méthodes de prévision, à la fois simples et complexes, permettant d'évaluer la demande de ressources humaines d'une organisation. Toutefois, les prévisions ne sont que des approximations, non des certitudes. En réalité, la qualité des prévisions est tributaire à la fois de la possibilité de prévoir les événements et de l'exactitude des renseignements dont on dispose. Ainsi, les événements seront d'autant plus prévisibles et l'information plus exacte que la période examinée sera courte. Par exemple, les organisations sont généralement capables d'estimer avec justesse le nombre d'employés d'un type donné dont elles peuvent avoir besoin au cours de l'année suivante, mais cet exercice est plus difficile quand il s'agit d'évaluer leurs besoins pour les cinq années suivantes.

Deux types de techniques de prévisions sont généralement utilisés pour estimer la demande de ressources humaines. Ce sont les prévisions raisonnées et les projections statistiques traditionnelles.

Dans les faits

Dans les institutions financières, comme les banques et les sociétés de fiducie, on utilise une approche de ce type et chaque succursale transmet en dernier ressort ses estimations au siège social. Le succès de ces estimations dépend toutefois de la qualité de l'information soumise au jugement des experts. Une information utile peut comprendre des données sur les niveaux de productivité actuel et anticipé, la demande du marché, les prévisions de ventes, mais aussi des données sur les niveaux de recrutement et la mobilité des travailleurs.

Consultez Internet

Pour plus d'informations sur l'utilisation de la technique Delphi, consultez :

http://www.fessler.com/delphi.htm

http://www.icehouse.net/lmstuter/page0019.htm

Les *prévisions raisonnées* sont faites sous la supervision d'experts qui prêtent leur concours au moment de l'établissement des prévisions. Les prévisions raisonnées sont la méthode la plus fréquemment utilisée pour évaluer la demande de ressources humaines. Les estimations sont faites par les cadres supérieurs de chacun des services, en partant du niveau le moins élevé au plus élevé, de façon que les résultats soient les plus précis possible.

La *technique Delphi* est une forme particulièrement efficace du processus de prévision raisonnée. Elle consiste à regrouper un grand nombre d'experts qui font à tour de rôle leurs prévisions et formulent des hypothèses concernant la demande de ressources humaines. Un intermédiaire est ensuite chargé de faire parvenir ces prévisions aux autres membres du groupe afin que ceux-ci puissent les évaluer et les commenter. On procède ainsi jusqu'à l'obtention d'un certain consensus. Celui-ci peut refléter aussi bien des prévisions spécifiques que des fourchettes de prévisions, selon les positions des experts engagés dans le processus.

La technique Delphi est basée sur la théorie de la décision, qui combine les avantages du processus de prise de décision individuelle avec les avantages du processus de prise de décision de groupe, et qui élimine certaines des difficultés liées à chacun d'eux. Le processus de groupe est préféré au processus individuel dans les cas suivants : (a) lorsqu'un consensus est recherché et (b) lorsque le groupe n'est pas dominé par une personne en particulier. La technique Delphi permet d'éviter le phénomène de domination tout en cherchant à atteindre un consensus. Il semble que cette technique produit de meilleurs résultats, en ce qui concerne les prévisions à court terme (un an), que beaucoup d'autres méthodes quantitatives[5]. Elle comporte cependant certaines limites, notamment la difficulté de concilier les opinions des experts. La technique Delphi est particulièrement utile dans des domaines non structurés ou en croissance, comme la planification des ressources humaines.

La *technique de groupement nominal* est une méthode similaire. Dans ce cas, plusieurs personnes sont regroupées autour d'une table, et chacune note ses idées et suggestions. Après 10 à 20 minutes de réflexion, les personnes, à tour de rôle, expriment leurs idées au groupe. Tout au long de la rencontre, les idées sont inscrites sur de grandes feuilles de papier de façon que chaque personne puisse s'y référer facilement à tout moment.

Bien que ces deux techniques adoptent un processus semblable, la technique Delphi est plus fréquemment utilisée pour établir des prévisions, tandis que la technique de groupement nominal est plutôt employée pour déceler les problèmes organisationnels courants et y trouver des solutions.

Toutes ces méthodes sont moins complexes et font intervenir moins de données que les méthodes statistiques que nous allons étudier maintenant.

Les *projections statistiques* les plus courantes sont l'analyse de régression linéaire simple et l'analyse de régression linéaire multiple.

Selon l'*analyse de régression linéaire simple,* les prévisions concernant la demande de ressources humaines se fondent sur la relation existant entre deux variables : le niveau d'emploi d'une organisation et une autre variable liée à l'emploi, par exemple les ventes. S'il est possible d'établir une relation précise entre le niveau des ventes et le niveau d'emploi, les prévisions concernant les ventes futures peuvent elles-mêmes servir à faire des prévisions concernant l'emploi futur. Cependant, bien que l'on puisse préciser le lien qui existe entre les ventes et le niveau d'emploi, celui-ci est souvent influencé par un phénomène lié à l'apprentissage. Par exemple, le niveau des ventes peut doubler sans que l'organisation double nécessairement ses effectifs. Et si les ventes doublent encore, le nombre d'employés nécessaires pour satisfaire cette demande plus importante peut être moindre que lors du premier bond. Une courbe d'apprentissage peut habituellement être tracée à l'aide de calculs logarithmiques. Lorsque cette courbe est tracée, les prévisions concernant les niveaux futurs d'emploi peuvent être établies de façon beaucoup plus précise.

L'*analyse de régression linéaire multiple* est une extension de l'analyse de régression linéaire simple. Plutôt que d'établir une relation entre le niveau d'emploi et une autre variable liée à l'emploi, on utilise concurremment plusieurs variables. Par exemple, on peut mettre à profit les données sur la productivité ou sur l'utilisation du matériel plutôt que de se limiter à la seule utilisation des données sur les ventes pour établir les prévisions. Étant donné qu'elle fait intervenir plusieurs variables liées à l'emploi, l'analyse de régression linéaire multiple engendre des prévisions plus précises que l'analyse de régression linéaire simple. Il semble cependant que seules les entreprises de grande taille utilisent l'analyse de régression linéaire multiple. En plus de ces deux types d'analyse, plusieurs autres méthodes statistiques, présentées dans l'encadré 5.7, peuvent être utilisées pour prévoir les besoins en main-d'œuvre.

Les prévisions budgétaires. Au cours de la quatrième étape de la première phase de la planification et de l'élaboration des programmes en matière de ressources humaines, l'activité de l'entreprise dans son ensemble est examinée dans une perspective

---

ENCADRÉ 5.7 Autres méthodes statistiques permettant de prévoir les besoins en main-d'œuvre

- **Les ratios de productivité :** les données recueillies sont utilisées dans le but d'examiner l'indice de productivité antérieur[6].

- **Les ratios de ressources humaines :** les données antérieures en matière de ressources humaines sont analysées pour définir les relations entre les employés dans différents postes ou catégories d'emploi. L'analyse de régression est ensuite utilisée pour établir des prévisions concernant les besoins en main-d'œuvre pour diverses catégories d'emploi[7].

- **L'analyse de séries chronologiques :** les niveaux antérieurs de main-d'œuvre sont utilisés pour établir des prévisions concernant les besoins en ressources humaines. Ces niveaux sont examinés en vue de dégager les variations cycliques, les mouvements saisonniers, les tendances à long terme et les fluctuations accidentelles. Les tendances à long terme sont ensuite extrapolées en utilisant la méthode de la moyenne mobile, la méthode de lissage exponentiel ou les analyses de régression[8].

- **L'analyse stochastique :** la probabilité d'obtenir un certain nombre de contrats est combinée avec les besoins particuliers en matière de ressources humaines de chacun des contrats, de façon à prévoir les besoins futurs en main-d'œuvre requis pour leur exécution. Cette méthode est utilisée plus spécifiquement par les entrepreneurs engagés dans des contrats gouvernementaux et dans l'industrie de la construction[9].

économique. Les besoins en main-d'œuvre s'expriment ici en unités monétaires. Les sommes affectées aux ressources humaines doivent cependant être fixées en respectant les objectifs de profit de l'organisation et ses contraintes budgétaires. Bien sûr, ce processus peut aussi mettre en évidence le besoin d'adapter le budget aux particularités du programme des ressources humaines. Finalement, cette étape donne l'occasion au service des ressources humaines d'ajuster sa politique et ses objectifs à ceux de l'organisation.

Les prévisions concernant l'offre de ressources humaines. Bien que les prévisions de l'offre de ressources humaines puissent être établies à partir de sources d'information internes et externes, ce sont généralement les renseignements provenant de sources internes qui sont les plus importants et les plus accessibles. Comme pour la demande de ressources humaines, il existe deux méthodes de base permettant d'établir les prévisions de l'offre de travail interne : les prévisions raisonnées et les projections statistiques. Une fois établies, les prévisions de l'offre de ressources humaines peuvent être comparées avec les prévisions concernant la demande, de façon à concevoir un programme visant, entre autres, à trouver les meilleures ressources et à équilibrer les prévisions de l'offre et de la demande. Cependant, la plupart de ces prévisions sont faites à court terme et utilisées pour contrôler plus adéquatement les coûts et pour satisfaire aux exigences budgétaires. Les prévisions établies pour une période de cinq ans sont utilisées aux fins de planification stratégique, de planification des installations et de remplacement des cadres.

Les organisations ont recours à deux méthodes pour établir des prévisions concernant l'offre de ressources humaines : la planification du remplacement et la planification de la relève.

La *planification du remplacement* se fait à l'aide de tableaux sur lesquels figurent les noms des titulaires des postes au sein de l'organisation et ceux de leurs remplaçants potentiels. Ces tableaux mettent rapidement en évidence les postes qui pourraient éventuellement devenir vacants, grâce à l'examen des niveaux de rendement des employés qui les occupent. Les postes dont les titulaires n'ont pas un niveau de rendement très élevé ont plus de chances de devenir vacants. Les noms des titulaires des postes sont placés immédiatement sous les appellations d'emplois ; ceux des remplaçants potentiels, sous les noms des titulaires. Ce type de tableau permet à l'organisation d'avoir une idée assez juste des postes qui seront bientôt vacants et des individus susceptibles de les occuper[10]. Vous trouverez un exemple de tableau de planification de remplacement dans l'encadré 5.8[11].

La *planification de la relève* est semblable à la planification du remplacement, sauf qu'elle tend vers le plus long terme et est, par conséquent, plus facile à élaborer et plus flexible. Elle est de pratique courante dans les organisations. Toutefois, beaucoup d'employeurs ont tendance, dans son application, à donner trop d'importance aux traits caractéristiques des gestionnaires et à sous-estimer les particularités des postes auxquels ceux-ci seront éventuellement promus[12]. Nous aurons l'occasion d'en traiter plus en détail dans le chapitre sur la gestion des carrières (chapitre 10).

Jusqu'à maintenant, les méthodes statistiques ont été peu usitées en ce qui a trait aux prévisions de l'offre de ressources humaines. En effet, l'inadéquation des bases de données, l'absence de logiciels adaptés, le manque de professionnels capables de les utiliser et les conditions restrictives d'utilisation des modèles applicables représentaient des obstacles importants à leur application généralisée. Aujourd'hui, par contre, leur popularité ne cesse de croître.

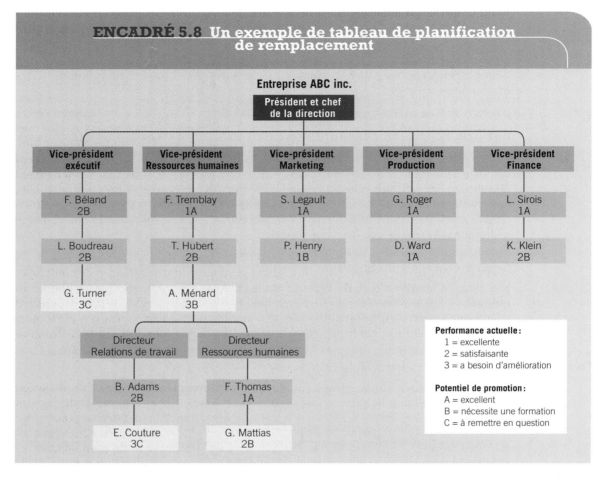

ENCADRÉ 5.8 Un exemple de tableau de planification de remplacement

PHASE 2 : LA FORMULATION DES OBJECTIFS EN MATIÈRE DE RESSOURCES HUMAINES

La deuxième phase de la planification des ressources humaines, illustrée dans l'encadré 5.4, consiste à formuler les objectifs inhérents au processus de planification. La formulation des objectifs doit tenir compte de tous les besoins de l'organisation en termes de main-d'œuvre, identifiés à partir des écarts estimés dans la phase 1. D'autre part, les objectifs serviront à déterminer le choix des pratiques, des politiques et des programmes de la gestion des ressources humaines à mettre en pratique afin de combler les écarts et d'assurer à l'entreprise une main-d'œuvre compétente et disponible en temps voulu. Il ne faut pas oublier que les objectifs doivent être conformes aux orientations stratégiques de l'organisation et les refléter.

Une participation efficace du service des ressources humaines à la formulation des objectifs et à la préparation des plans d'action témoigne indéniablement de l'existence d'un lien réel entre la politique générale de l'organisation et la politique en matière de ressources humaines.

PHASE 3 : L'ÉLABORATION DES PROGRAMMES EN MATIÈRE DE RESSOURCES HUMAINES

La troisième phase est la suite logique des deux premières phases du processus de planification des ressources humaines. Lorsque l'évaluation des besoins en main-d'œuvre est achevée, il est nécessaire de concevoir des programmes visant à combler ces besoins. Ces programmes peuvent être élaborés de manière à accroître l'offre de ressources humaines (lorsque les prévisions établies au cours de la première phase démontrent que la demande excède l'offre) ou de façon à réduire le nombre d'employés au service de l'entreprise (lorsque les prévisions indiquent que l'offre excède la demande).

Programmes visant à gérer les carences de main-d'œuvre. Lorsque l'offre interne de main-d'œuvre ne répond pas à la demande, le service des ressources humaines doit élaborer des programmes permettant de remédier à la situation. Lorsque l'organisation veut s'adjoindre une main-d'œuvre additionnelle, le recrutement est indéniablement la solution au problème. À court terme, d'autres mesures peuvent également être envisagées telles que le recours aux heures supplémentaires ou encore l'embauche d'une main-d'œuvre temporaire. Certains employeurs favoriseront la sous-traitance (lorsque non prohibée par la convention collective en vigueur) sur une base temporaire ou permanente.

Les vacances de postes offrent également des chances de mobilité horizontale ou verticale pour les employés. Ainsi une bonne gestion de la performance des employés permettra d'identifier les individus qui ont la capacité d'occuper des postes hiérarchiquement plus importants ou de changer de filière professionnelle. Il faut cependant noter que la mobilité interne ne comble pas les besoins en main-d'œuvre mais permet de libérer des postes d'entrée qui sont généralement plus faciles à combler par le recrutement. Par ailleurs, les employés de l'organisation admissibles à l'une ou l'autre forme de mobilité verront leurs efforts reconnus.

Programmes visant à gérer les surplus de main-d'œuvre. Une situation économique difficile ou encore l'introduction de nouvelles techniques contraignent les entreprises à réduire leurs effectifs. Les organisations doivent donc se préoccuper des effets de cette situation sur les employés, et tenter d'en limiter les conséquences néfastes, si elles ne peuvent éviter de réduire leur personnel. Cela peut se faire au moyen de la planification du personnel excédentaire. La planification du personnel excédentaire est une étape de la planification des ressources humaines visant à se défaire de la main-d'œuvre dont l'organisation n'a plus besoin. On peut inclure dans ce processus de planification l'aide au replacement, l'incitation au départ volontaire, le recyclage et les possibilités de mutation.

Dans les faits

Dans une division de la société montréalaise de pâtes et papiers Kruger, le syndicat et la direction ont élaboré conjointement un plan de réduction du personnel, incluant des programmes favorisant les départs naturels et la retraite anticipée.

Les syndicats peuvent évidemment jouer un rôle de premier plan dans ce type de planification. Ils voient ce type de planification comme faisant partie des divers projets auxquels ils participent et le considèrent comme une méthode visant à améliorer la qualité de vie au travail.

Ainsi, la planification et l'élaboration des programmes en matière de ressources humaines peuvent aider une organisation à réduire les goulets d'étranglement aussi bien qu'à supprimer ou à diminuer le personnel excédentaire, tout en s'assurant que divers programmes d'orientation professionnelle soient mis à la disposition des employés qui pourront être touchés. Il est toutefois important que les congédiements et les efforts déployés à travers les programmes d'orientation ne soient pas utilisés comme des moyens de se débarrasser des travailleurs plus âgés, et, surtout, que les employés ne les perçoivent pas comme tels.

Construire de nouvelles structures organisationnelles. Le planificateur des ressources humaines prend part à l'élaboration de la structure organisationnelle.

La structure de travail doit servir les objectifs de planification et de programmation permettant d'attirer, de retenir et de motiver les employés. Il semble cependant qu'actuellement, les structures organisationnelles ne soient pas toujours adaptées à la situation. En effet, les nombreux changements sociaux, particulièrement dans le système de valeurs de la main-d'œuvre, ont sérieusement ébranlé les relations traditionnelles entre les organisations et leurs membres. Cette situation a engendré une crise au sein des organisations qui ne peut être résolue que par la mise en place de nouvelles structures organisationnelles qui ont été passées en revue dans le chapitre 3.

D a n s   l e s   f a i t s

Conscientes du fait que les structures organisationnelles actuelles ne sont pas suffisantes pour attirer, retenir et motiver les employés, certaines organisations – comme Honeywell et Control Data – se sont engagées dans la mise en place de nouvelles structures. Ces structures sont caractérisées par un plus grand droit de regard de la part des employés, une participation élargie au processus décisionnel, une communication dans les deux sens de la hiérarchie, une reconnaissance plus marquée des droits des travailleurs, l'accent mis sur les récompenses intrinsèques (telles que le sens des responsabilités et l'accomplissement personnel) et les récompenses extrinsèques, une conception plus large des tâches laissant plus de latitude aux titulaires, ainsi que par un intérêt accru pour la qualité de vie au travail, la productivité et l'appariement adéquat entre les individus et les emplois. Le processus de sélection des candidats dans ce cas se fonde sur leurs compétences techniques, mais aussi sur les caractéristiques des postes et de l'organisation, de manière à combiner convenablement la personnalité et les préférences des individus avec les emplois appropriés.

De façon générale, les structures organisationnelles actuelles sont caractérisées par : une supervision étroite ; une participation minimale des employés au processus décisionnel ; une communication verticale ; une insistance sur les récompenses extrinsèques (telles que le salaire, les promotions et les attributs rattachés à la situation professionnelle) afin d'attirer, de retenir et de motiver les employés ; des descriptions de postes restreintes ; et une orientation systématique vers la productivité et l'adaptation des employés aux postes qu'ils occupent. Cette dernière considération se traduit par un processus de sélection basé sur les compétences techniques requises pour satisfaire aux exigences d'une fonction donnée.

PHASE 4 : LE CONTRÔLE ET L'ÉVALUATION DE LA PLANIFICATION DES RESSOURCES HUMAINES

Le contrôle et l'évaluation des programmes de planification sont des étapes essentielles à une gestion efficace des ressources humaines. La dernière phase du processus de planification est illustrée dans l'encadré 5.4. Les efforts faits ont pour but de quantifier la valeur des ressources humaines et de les considérer comme un actif ayant une valeur pour l'organisation.

Ramenées à des aspects plus spécifiques, les activités de planification des ressources humaines peuvent être évaluées en considérant la manière dont les organisations attirent efficacement de nouveaux éléments, gèrent les pertes d'emplois et s'adaptent à l'évolution des facteurs environnementaux. Puisque les prévisions constituent une partie importante de ce type de planification, celle-ci peut être évaluée en établissant dans quelle mesure ces prévisions (en tenant compte des besoins particuliers en matière de gestion des ressources humaines ou des tendances environnementales spécifiques) se rapprochent de la réalité. La justesse des prévisions est ici d'une importance cruciale puisque leur invraisemblance pourrait entraîner l'échec de la planification sur une plus large échelle. Un autre critère important à partir duquel on peut procéder à l'évaluation de ce type de planification est la pertinence du choix des outils utilisés pour établir le lien entre la planification des ressources humaines et les objectifs généraux d'une organisation. L'un des instruments élaborés à cet effet ces dernières années est le système d'information sur les ressources humaines. Par ailleurs, vous trouverez quelques critères d'évaluation dans l'encadré 5.9.

> **ENCADRÉ 5.9 Critères d'évaluation de la planification des ressources humaines**
>
> - Le nombre d'emplois comparé aux besoins préalablement établis.
> - Les niveaux de productivité comparés aux buts qui ont été fixés.
> - Le taux de roulement comparé aux taux souhaitables.
> - Les programmes mis en œuvre comparés aux plans d'action établis.
> - Les résultats des programmes comparés aux résultats prévus (amélioration du bassin de candidats, réduction des taux d'abandon, amélioration des ratios de remplacement).
> - Les coûts de la main-d'œuvre et des programmes comparés au budget.
> - Les ratios des bénéfices résultant de l'application des programmes comparés aux coûts des programmes.

Un système d'information sur les ressources humaines (SIRH) facilite le contrôle et l'évaluation des programmes en permettant une collecte fréquente et rapide des données nécessaires à la vérification des prévisions. Cette opération est importante non seulement comme moyen de contrôle mais aussi comme méthode d'évaluation des programmes. Elle met aussi en évidence la nécessité de procéder à certains ajustements.

De préférence, la collecte des données devrait avoir lieu à la fin de chaque année et à intervalles réguliers durant l'année. L'évaluation devrait se faire au même moment dans le but de procéder au plus tôt à la révision des prévisions et des programmes. De plus, il est probable que ces révisions auront une incidence sur les prévisions à court, à moyen et à long terme.

L'évaluation des programmes est un processus crucial pour déterminer l'efficacité de la planification des ressources humaines et pour mettre en évidence l'importance des activités de planification et du service des ressources humaines au sein de l'organisation.

III Les obstacles à la planification des ressources humaines

LE MANQUE D'APPUI DE LA HAUTE DIRECTION

Le manque d'appui de la haute direction constitue un obstacle majeur ayant limité par le passé le développement de la planification des ressources humaines. C'est également ce manque d'appui qui a empêché le service des ressources humaines d'assumer tous ses rôles auprès de l'organisation, comme nous l'avons indiqué dans le chapitre 1. Le service de gestion des ressources humaines peut parvenir à vaincre cet obstacle en démontrant à la haute direction que la planification et la gestion des ressources humaines peuvent avoir une incidence positive sur plusieurs facteurs, notamment sur le bénéfice.

LA DIFFICULTÉ D'INTÉGRER TOUTES LES ACTIVITÉS DE LA GESTION DES RESSOURCES HUMAINES

L'intégration de plusieurs activités de la gestion des ressources humaines est nécessaire pour procéder à la planification. Concevoir un système de gestion des ressources humaines capable d'intégrer et de coordonner toutes les activités en fonction du plan de l'organisation représente, pour les spécialistes du domaine, un objectif de taille.

LE MANQUE D'ENGAGEMENT DES CADRES HIÉRARCHIQUES DANS LA PLANIFICATION DES RESSOURCES HUMAINES

Les planificateurs qui en sont à leur première expérience commettent fréquemment l'erreur de ne pas recourir aux cadres hiérarchiques lors de l'élaboration et de la mise en place du système de planification. De plus, les directeurs de la gestion des ressources humaines sont souvent tentés de mettre au point ou d'adopter des approches de planification hautement quantitatives. Celles-ci ont toutefois peu de valeur pratique pour les dirigeants qui doivent composer, par exemple, avec un taux de roulement excessif, veiller à trouver et à former les remplaçants aux postes clés, ainsi que prévoir les besoins en main-d'œuvre. Pour être vraiment efficace, la planification des ressources humaines doit donc tenir compte des besoins des gestionnaires.

LA DIFFICULTÉ DE PRÉVOIR L'ENVIRONNEMENT

La planification des ressources humaines est liée à l'ensemble des facteurs sociaux, démographiques, économiques et gouvernementaux qui exercent une influence sur la main-d'œuvre d'une organisation. Elle doit porter une attention croissante à l'environnement externe tout autant qu'à l'environnement particulier qui modèlent le système de valeurs de la main-d'œuvre d'aujourd'hui. Il se produit des changements significatifs dans la population canadienne et, par conséquent, dans la composition de la main-d'œuvre. De plus, la nature des postes et la prédominance de certaines industries subissent également des modifications importantes.

IV Les tendances dans le domaine de la planification des ressources humaines

L a rationalisation ou la gestion des effectifs dans un contexte de décroissance compte parmi les tendances qui ont vu le jour au début des années 80 et qui ont prévalu durant le début des années 90. Intimement liée à la gestion des surplus de main-d'œuvre examinée dans ce chapitre, cette tendance semble se maintenir pour plusieurs raisons. En effet, une baisse de la performance financière de l'entreprise, l'augmentation de la concurrence, l'introduction de nouvelles technologies et la réingénierie des processus d'affaires engendrée par une nécessité de décentralisation et de flexibilité entraînent les organisations, de manière cyclique, dans des phases de remise en question qui se soldent souvent par l'élimination de postes. Ainsi, la rationalisation des effectifs est une opération qui survient après des périodes de croissance et est généralement entreprise dans le but de rendre les organisations plus efficientes. Cette opération communément appelée *downsizing*, ou même *rightsizing,* a introduit des considérations nouvelles dans la planification des ressources humaines que nous allons examiner ici.

La réduction des effectifs affecte les individus, leur famille, l'image de l'entreprise dans la communauté, sa performance financière sur la place publique et le moral des employés qui quittent l'organisation ou qui demeurent à l'emploi de celle-ci et qui assistent, impuissants, au départ de leurs collègues. Nous traiterons d'abord de la gestion des départs. Puis, nous consacrerons la seconde partie à la gestion des « survivants », soit les employés qui demeurent à l'emploi de l'organisation après des vagues de mises à pied massives.

LA GESTION DES DÉPARTS

Les employés qui sont visés par les restructurations perdent leur emploi et se retrouvent sur le marché du travail. Selon leur âge et leurs qualifications, ils seront susceptibles de retrouver un emploi à plus ou moins court terme dans une autre organisation. Dans le but de protéger leur image et leur réputation de bon employeur, les organisations tentent de procéder à une bonne gestion des départs en identifiant, dans un premier temps, les difficultés que peuvent vivre les employés licenciés et en implantant des pratiques susceptibles de limiter les incidences négatives des licenciements[13].

Les préoccupations des employés victimes de licenciement. Les employés qui sont victimes de licenciement vivent une situation qui s'apparente à celle d'un deuil. La grande appréhension de se retrouver, pendant une période prolongée, sur le chômage varie selon leur situation financière, leur âge, leur niveau de scolarité et leur champ de spécialisation. Il n'en demeure pas moins que l'incertitude concernant leur avenir risque d'avoir des conséquences néfastes sur leur santé, leurs relations familiales, leur statut social et engendre une attitude négative à l'égard de l'employeur.

Les pratiques susceptibles de gérer les réductions d'effectifs. Plusieurs pratiques visent à gérer la réduction des effectifs. Certaines sont à caractère permanent et obligent les employés à quitter leur emploi de manière définitive. D'autres sont des solutions de rechange au licenciement et permettent de préserver certains emplois en effectuant des changements relatifs aux conditions de travail.

Parmi les pratiques visant à rompre définitivement le lien d'emploi, notons les licenciements qui peuvent être accompagnés ou non de primes de séparation. À ces derniers, s'ajoutent les offres de retraite anticipée qui permettent aux employés dont l'âge s'approche de celui de la retraite de s'en prévaloir sans risque de pertes actuarielles ou de pénalités associées à leur rente de retraite.

Les congés sans solde pendant un an ou deux, les prêts de service ou le transfert à d'autres unités de l'entreprise, le travail partagé entre deux employés, la réduction des heures de travail et le gel d'embauche comptent parmi les pratiques qui visent à préserver, dans la mesure du possible, des emplois dans l'entreprise en offrant des solutions de rechange qui modifient le lieu ou la durée du travail. Ces mesures sont souvent temporaires et peuvent être suspendues, une fois la situation financière de l'entreprise rétablie.

En plus des pratiques qui visent à réduire les effectifs, les organisations se sont attardées à implanter des pratiques visant à faciliter la transition à un nouvel emploi. Des ateliers permettant la gestion du stress, l'amélioration des compétences et l'exploration de nouvelles options comptent parmi les interventions possibles auprès des employés licenciés. L'accès à un programme d'aide aux employés permet à l'individu ainsi qu'à sa famille de recevoir l'aide d'un conseiller afin de surmonter les temps difficiles qui accompagnent la perte d'un emploi. Finalement, les organisations donnent généralement accès aux employés à un service de réaffectation ou à des agences de placement qui les aideront à trouver un nouvel emploi. Des interventions auprès de la communauté et notamment des centres d'emplois régionaux permettent de replacer les employés licenciés dans des entreprises de la région qui recrutent. Les préavis de licenciement et les montants d'indemnité facilitent également les périodes de transition[14].

LA GESTION DES SURVIVANTS

Depuis quelques années, une nouvelle tendance a vu le jour, celle de se préoccuper des survivants. Par survivants, nous faisons référence aux personnes qui demeurent à l'emploi d'une organisation après des vagues de mises à pied massives[15].

Dans les faits

Les taux d'encadrement (nombre d'employés supervisés par un cadre) sont plus exigeants après les vagues de rationalisation des effectifs. Ainsi en 1990, 20 % des gestionnaires supervisaient en moyenne 12 employés ou plus et 54 % supervisaient 6 employés ou moins. En 1995, 40 % des superviseurs ont la responsabilité de gérer 12 employés et plus et seulement 15 % en supervisent 6 ou moins[17].

La gestion des survivants a connu un certain engouement à cause de l'importante vague de restructuration qu'a connue le début des années 90[16]. Bien qu'il semble paradoxal de se préoccuper des personnes qui gardent leur emploi alors que des milliers d'autres se retrouvent sans travail, il n'en demeure pas moins que plusieurs considérations entrent en jeu et témoignent de l'importance qu'il faut leur accorder. Les vagues de rationalisation entraînent des changements organisationnels majeurs qui modifient de façon draconienne, d'une part, les conditions et le contenu du travail, et d'autre part, le moral des employés qui restent au sein de l'organisation. Ces changements créent de nombreux problèmes auxquels il faut trouver une solution.

Les préoccupations des survivants. Parmi les problèmes évoqués par les survivants des restructurations figurent des préoccupations relatives à leur performance, à leur avancement et au développement de leurs compétences dans l'entreprise. En effet, les employés qui demeurent au sein de l'entreprise sont souvent préoccupés par les ressources matérielles et humaines qui leur seront octroyées, sachant que l'entreprise traverse une situation financière précaire. La perte de leurs collègues de travail entraîne le démantèlement des réseaux organisationnels formels et informels sur lesquels ils pouvaient compter et ajoute à leur inquiétude concernant leur capacité à bien effectuer leur travail. Ainsi, les nouveaux standards de performance qui seront établis par leurs supérieurs, la nouvelle charge de travail et le style de gestion qui seront adoptés à la suite des changements draconiens que connaît l'organisation sont des éléments qui devraient nécessairement être précisés afin que les employés puissent s'acquitter efficacement de leurs nouvelles tâches[18].

De plus, les survivants nourrissent généralement une inquiétude concernant leurs possibilités d'avancement. En effet, les restructurations qui accompagnent les vagues de rationalisation apportent une part d'inquiétude concernant leur avenir dans l'entreprise qui certes, étant donné l'expérience passée, devient assez incertain. Finalement, les employés s'interrogent au sujet des possibilités de développer leurs compétences dans l'entreprise, notamment en ce qui a trait à la valorisation de leur expertise, au partage de leur expérience avec les plus jeunes employés et à l'assurance qu'ils ne seront pas à leur tour abandonnés[19].

Les pratiques de gestion susceptibles de soigner le syndrome du survivant. Une panoplie de pratiques peut être mise de l'avant pour aider les employés à surmonter les difficultés qui surviennent après une vague de rationalisation des effectifs. Ces pratiques se divisent en cinq grands ensembles et sont présentées dans l'encadré 5.10. Les grands ensembles sont les pratiques de communication, de développement de carrière, de réorganisation du travail, de reconnaissance et d'évaluation[20].

ENCADRÉ 5.10 Pratiques visant la gestion des survivants

COMMUNICATION
- Vision de l'entreprise
- Plans à long, moyen et court termes
- Rôle à jouer au sein des restructurations

DÉVELOPPEMENT DE CARRIÈRE
- Augmenter la mobilité interne (entre les fonctions, entre les niveaux hiérarchiques et géographiques)
- Mise à jour des compétences (transfert des connaissances, acquisition de nouvelles compétences)

RÉORGANISATION DU TRAVAIL
- Transformer les rôles conseil en des rôles opérationnels
- Élargissement des fonctions centrales
- Redéfinition des postes de généralistes

ÉVALUATION DU RENDEMENT
- Évaluation des individus (adaptation aux nouvelles fonctions 360 degrés)
- Évaluation des équipes (basée sur les résultats, autoévaluation, évaluation par les pairs, 360 degrés)

RECONNAISSANCE
- Reconnaître les performances (reconnaissance du comportement de bon citoyen organisationnel, reconnaissance de l'effort, rétroaction)
- Reconnaître la contribution des équipes (orientation et participation, flexibilité et confiance, gestion des conflits)

Dans un contexte de décroissance, il est important de répondre aux inquiétudes des employés sur lesquels repose, en partie, la responsabilité du redressement de l'entreprise. Il est donc nécessaire de faire valoir une nouvelle vision et de procéder à plusieurs modifications. Ainsi, il est important d'élaborer un plan de développement à moyen et à long termes qui devrait être communiqué aux employés. Ceux-ci devraient également être mis au courant des attentes de la direction au sujet de leur nouveau rôle dans l'organisation. L'organisation devrait aussi se soucier du développement des compétences des survivants. Un plan de carrière devrait donc idéalement être élaboré par les supérieurs et les employés conjointement afin de mettre ces derniers en confiance quant à leur avenir dans l'organisation. De plus, une restructuration entraîne nécessairement une modification de l'organisation du travail. Ainsi, alors que certains postes devraient comporter des tâches et des responsabilités plus variées, les postes de généralistes devraient être redéfinis. Les ressources humaines devraient aussi prévoir des modalités d'évaluation du rendement individuel après la modification des tâches pour évaluer les nouveaux comportements. Les équipes de travail devraient être évaluées pour mesurer l'atteinte des objectifs dans un nouveau contexte. Toute modification des emplois entraîne une révision des moyens de récompense. En effet, une des pratiques mise en œuvre pour encourager les employés à accepter les changements est de revoir les systèmes de rémunération pour valoriser l'effort et récompenser les bons comportements. Finalement, il ne faut pas oublier la contribution des équipes de travail en récompensant la collaboration, la flexibilité et la capacité à gérer les conflits.

Il est intéressant de noter que les entreprises qui ont effectué des mises à pied massives ces dernières années ont procédé à des recrutements peu de temps après[21]. Ce phénomène nous laisse supposer que les vagues de rationalisation sont loin d'être terminées. Les entreprises procèdent de plus en plus à une planification stratégique de leurs effectifs. Ainsi, les emplois qui sont créés sont ceux qui sont considérés en lien avec la stratégie organisationnelle. En effet, les employeurs déterminent les emplois clés, ceux qui apportent des compétences cruciales pour l'organisation et qui y apportent une valeur ajoutée. Les emplois considérés comme secondaires par rapport à l'atteinte des objectifs stratégiques sont sujets à élimination. Cette orientation s'intègre dans la tendance qui veut que les organisations gardent à leur emploi un noyau dur d'emplois qui seront assistés par une main-d'œuvre contingente[22].

RÉSUMÉ

La planification des ressources humaines est nécessaire parce que la société se transforme. La mondialisation des marchés, l'évolution de la main-d'œuvre, les fluctuations de la situation économique, les modifications des valeurs et des lois forcent les organisations à élaborer à l'avance diverses stratégies pour réagir à ces changements.

Ces nombreux changements poussent les services des ressources humaines à concevoir des plans d'action stratégiques pour toutes les activités touchant l'utilisation de la main-d'œuvre. Ces plans visent à décrire le vaste éventail d'objectifs à long terme qui découlent de la gestion des ressources humaines et qui doivent être associés aux autres aspects de la planification stratégique d'une organisation.

Les services des ressources humaines doivent être particulièrement attentifs lors de l'exécution des quatre phases de la planification des ressources humaines. La première phase consiste à déterminer quelles sont les ressources dont dispose l'organisation et à prévoir ce qu'elles seront vraisemblablement dans l'avenir, afin de réussir à établir les prévisions les plus justes possible concernant ses besoins en main-d'œuvre. Lors de la deuxième phase, il faut s'assurer que les objectifs et la politique du service des ressources humaines sont compatibles avec les objectifs généraux de l'organisation. L'élaboration et la mise à exécution des programmes d'action constituent la troisième phase, tandis qu'au cours de la quatrième phase on procède à l'évaluation et à la gestion de chacun des programmes afin de s'assurer de leur pleine efficacité. C'est à partir de cette évaluation que les programmes seront modifiés, au besoin. Différents obstacles, tel le manque d'appui de la haute direction, rendent la planification des ressources humaines difficile. Cet appui peut cependant être gagné en démontrant à la haute direction que les bénéfices potentiels découlant de ce type de planification comprennent une réduction des coûts liés à la gestion des ressources humaines, un meilleur développement du potentiel de l'employé, l'amélioration de la planification générale, la possibilité d'un plus grand équilibre et d'une meilleure intégration de la main-d'œuvre, une meilleure prise de conscience de l'importance de la gestion des ressources humaines au sein de l'organisation, ainsi que la mise en place d'outils permettant d'évaluer l'efficacité des diverses politiques et initiatives dans le domaine des ressources humaines.

Malgré sa complexité, le travail des planificateurs des ressources humaines est devenu plus facile grâce à la technologie informatique. Bon nombre d'organisations utilisent un système d'information intégré sur les ressources humaines (SIRH/SGRH), qui accroît l'efficacité du processus décisionnel lors des activités de planification.

Questions de révision et d'analyse

1. *Quel est l'objectif fondamental de la planification des ressources humaines ?*
2. *Étant donné la nature complexe de ce type de planification, pour quelles raisons les organisations continuent-elles de s'y engager ?*
3. *Énumérez les différents obstacles à la planification des ressources humaines. Comment peut-on y remédier ?*
4. *Donnez un aperçu des quatre phases de ce processus de planification.*
5. *Précisez et décrivez la méthode de prévision raisonnée qui est la plus fréquemment utilisée. Quels en sont les avantages et les désavantages ?*
6. *Pourquoi les méthodes de prévision quantitatives ou statistiques sont-elles limitées ?*
7. *Quelles sont les pratiques à implanter dans un contexte de réduction des effectifs ?*

ÉTUDE DE CAS
L'expansion de la société Jette-tout inc.

Arnold Jettetout fils, président du conseil d'administration de la société Jette-tout inc., a décidé d'agrandir son entreprise en créant une nouvelle division. Cette dernière sera chargée de procéder à l'enlèvement et à l'évacuation des déchets industriels dangereux. La société a été fondée en 1929 par Arnold Jettetout père. Initialement, l'entreprise s'occupait de l'enlèvement et de l'enfouissement des ordures ménagères. Au fil des ans, grâce à un travail acharné et à des décisions judicieuses, la société est devenue une entreprise d'envergure offrant un vaste éventail de services touchant tous les aspects de l'enlèvement et du traitement des déchets ménagers et commerciaux légers. Ainsi, pour assurer l'expansion de son entreprise, il semblait naturel pour Arnold Jettettout fils de s'engager dans la voie du recyclage et du traitement des déchets chimiques et médicaux. Ce choix semblait d'autant plus judicieux que la population en général et les organisations étaient maintenant prêtes à investir davantage d'argent dans le traitement de ce type de déchets. Arnold fils a donc décidé de confier à sa fille Emmanuelle, récemment diplômée après avoir terminé une maîtrise en administration des affaires (MBA), le soin de concevoir un plan d'expansion pour l'entreprise.

Consciente des préoccupations écologiques de certains mouvements (par exemple, le Parti vert) et des nombreuses lois fédérales et provinciales sur le traitement et l'enfouissement des déchets dangereux, Emmanuelle reconnaît que ce secteur offre de nombreuses possibilités d'affaires pour l'entreprise. Conséquence de cette réglementation et de la peur engendrée par la propagation du sida, le coût du traitement d'une tonne de déchets ordinaires a augmenté de façon significative, passant d'environ 500 $ par tonne en 1985 à 900 $ en 1992. Le traitement et l'enfouissement des déchets médicaux (tels que les seringues et les autres déchets à risque) semblent être encore plus lucratifs.

La division de la planification générale estime que l'entreprise peut tirer de ces opérations des profits de l'ordre de 35 à 40 % après impôts, si le projet peut être élaboré et mis en œuvre dans un avenir proche. L'accès à ce nouveau marché ne devrait pas poser de problème, dans la mesure où l'entreprise peut s'appuyer sur plus de 60 années d'expérience dans le domaine et sur une connaissance approfondie des ramifications politiques, économiques et pratiques de ce marché. De plus, la taille de la société et le prestige considérable dont elle jouit sont des facteurs suffisants pour protéger Jette-tout inc. des obstacles potentiels que peuvent lui dresser ses compétiteurs.

Emmanuelle en arrive donc à la conclusion que le problème majeur auquel elle doit faire face est la détermination des ressources humaines nécessaires à l'implantation efficace de la nouvelle division. En raison de la situation précaire du marché de la construction et du taux élevé de locaux inoccupés, Emmanuelle a réussi à louer un grand local avoisinant le stationnement principal de l'entreprise à des conditions très avantageuses. Par conséquent, elle est parvenue à éliminer les frais potentiels de réinstallation liés au déplacement des employés choisis pour travailler dans la nouvelle division. Cependant, Emmanuelle prend conscience du fait que le déplacement d'un certain nombre d'employés peut déséquilibrer la structure organisationnelle et que de nouveaux employés devront vraisemblablement être engagés. Finalement, elle conclut que sa tâche principale consiste à rassembler les effectifs nécessaires à la réalisation de ce projet.

Questions

1. Emmanuelle a-t-elle raison ? Est-il vraiment nécessaire d'engager de nouveaux employés ?

2. À quel moment Emmanuelle devrait-elle élaborer les programmes en matière de ressources humaines visant à combler les besoins potentiels découlant de l'expansion ?

3. Quelles sont les étapes qu'Emmanuelle devrait suivre pour planifier adéquatement les ressources humaines de la nouvelle division ?

4. Quels éléments Emmanuelle devrait-elle prendre en considération lors de l'élaboration des programmes ?

NOTES ET RÉFÉRENCES

1 H. L. Dahl et K. S. Morgan, « Return on Investment in Human Resources », manuscrit non publié, Société Upjohn, 1982, cité par G. Milkovich, L. Dyer et T. Mahoney dans S. J. Carrol et R. S. Schuler (dir.), *Human Resource Management in the 1980s,* Washington (DC), BNA, 1983.

2 E. W. Vetter, *Manpower Planning for High Talent Personnel,* Ann Arbor Mich./Bureau of Industrial Relations, Graduate School of Business, The University of Michigan, 1967 ; D. B. Gehrman, « Objective-Based Human Resource Planning », *Personnel Administrator,* décembre 1982, p. 71-75.

3 Applications tirées de E. B. Harvey et J. H. Blakely, « Maximizing Use of Human Resource Information Systems (HRIS) », dans S. L. Dolan et R. S. Schuler (dir.), *Canadian Readings in Personnel and Human Resource Management,* St. Paul (Minn.), West Publishing co., 1987, p. 444-460.

4 S. L. Dolan, V. P. Hogue et J. Harbottle, « L'évolution des tendances en gestion des ressources humaines au Québec », dans R. Blouin (dir.), *25 ans de relations industrielles au Québec,* Montréal, Yvon Blais inc., 1990, p. 777-789

5 M. J. Gannon, *Organizational Behavior,* Boston, Little Brown, 1979, p. 97.

6 Pour de plus amples renseignements, voir S. Makridaki et S. C. Wheelwright (dir.), *Forecasting,* New York, North-Holland Publishing co., 1979.

7 Voir, par exemple, J. R. Hinrichs et R. F. Morrison, « Human Resource Planning in Support of Research and Development », *Human Resources Planning,* vol. 3, 1980, p. 201-210.

8 E. H. Burack et N. J. Mathys, *Human Resource Planning: A Pragmatic Approach to Manpower Staffing and Development,* Lake Forest (Ill.), Brace-Park, 1979.

9 N. K. Kwak, W. A. Garrett Jr. et S. Barone, « A Stochastic Model of Demand Forecasting for Technical Manpower Training », *Management Science,* vol. 23, 1977, p. 1089-1098.

10 C. C. Snow et S. A. Snell, « Staffing as Strategy » dans N. Schmidt, W. C. Bœman et associés (dir.), *Personnel Selection in Organisations,* San Francisco, Ed. Jossey-Bass, 1993, p. 448-480.

11 S. E. Jackson et R. S. Schuler, *Managing Human Resources: A Partnership Perspective,* Cincinnati (Ohio), South-Western Publishing, 2000.

12 P. Wallum, « A Broader View of Succession Planning », *Personnel Management,* septembre 1993, p. 45.

13 N. Labib et S. H. Appelbaum, « Strategic Downsizing: A Human Resources Perspective », *Human Resource Planning,* vol. 16, nº 4, 1993, p. 69-93

14 N. Labib et S. H. Appelbaum, *op. cit.*

15 J.-J. Bourque, « Le syndrome du survivant dans les organisations », *Gestion,* vol. 20, nº 3, septembre 1995, p. 114-118.

16 S. Boyes, « Restructuring Survivors », *Human Resources Professional,* vol. 12, nº 4, juillet-août 1995, p. 17-18.

17 G. H. Axel, *HR Executive Review: Redefining the Middle Manager,* New York, The Conference Board, 1995.

18 L. A. Isabella, « Downsizing: Survivors Assessments », *Business Horizons,* mai-juin 1989, p. 35-41.

19 L. A. Isabella, *op. cit.*

20 N. Labib et S. H. Appelbaum, *op. cit.*

21 G. MacDonald, « The tough task of downsizing », *The Globe and Mail,* 28 juillet 1997, p. B11.

22 J. Purdie, « The New Career Strategist », *The Futurist,* septembre-octobre 1994, p. 8-14.

Lectures supplémentaires

- C. Knight, « Workplaces Getting Leaner, Not Meaner », *Canadian HR Reporter,* vol. 10, nº 18, 20 octobre, 1997, p. 12.

- E. B. Akeyeampong, « The Labour Market: Year End Review» *Perspectives on Labour and Income,* Ottawa, Statistics Canada, Cat. nº 75-001E, printemps 1995.

Sites Internet

http ://www.profile.ca/francais/index.html
Site qui offre des outils, exemple à l'appui, pour évaluer et développer le potentiel humain.

http ://www.hrps.org
Site américain de la Human Resource Planning Society qui informe
sur les stratégies, donne accès à des publications en ressources
humaines et renseigne sur les conférences et les programmes de
formation

http ://www.finaxim.fr/page-int_mois.htm
Site qui fait une étude de cas et propose un plan de gestion des
ressources humaines et des compétences.

CHAPITRE 6

Recrutement
et stratégies
de rétention

I Le processus de recrutement

On définit généralement le recrutement comme l'ensemble des activités visant à fournir à l'organisation un nombre suffisant de candidats qualifiés, de telle sorte que celle-ci puisse choisir les individus les plus aptes à occuper les postes disponibles. Cependant, le recrutement doit également répondre aux divers besoins des candidats. En d'autres mots, le recrutement n'a pas uniquement pour objectif d'attirer des individus qualifiés, il vise également à les garder dans l'organisation une fois qu'ils ont été embauchés[1]. Dans le langage courant, le recrutement est utilisé comme un terme générique désignant l'ensemble du processus d'embauche. Les professionnels des ressources humaines utiliseront plutôt le terme *dotation* pour faire référence aux trois phases du processus d'embauche à savoir le recrutement, la sélection et l'accueil.

L'IMPORTANCE DU RECRUTEMENT

Comme nous l'avons déjà mentionné, l'objectif principal du recrutement est de fournir à l'entreprise le plus grand nombre possible de candidats potentiellement qualifiés pour que cette dernière puisse ensuite faire le choix le plus judicieux possible. Le recrutement poursuit également plusieurs objectifs spécifiques mentionnés dans l'encadré 6.1.

ENCADRÉ 6.1 Les objectifs spécifiques du recrutement

- Assurer à l'entreprise les effectifs dont elle a et aura besoin, conformément à la planification des ressources humaines et à l'analyse des postes.
- Assurer le succès du processus de sélection en augmentant le nombre de candidats qualifiés.
- Rechercher des employés dont le profil, selon le cas, ressemble à celui des employés de l'entreprise ou en diffère.
- Respecter les normes de l'entreprise concernant les programmes d'équité en matière d'emploi et les considérations juridiques et sociales touchant la composition de la main-d'œuvre.
- Réduire les risques de départ hâtif des candidats embauchés par l'organisation, dont le profil est incompatible avec les valeurs organisationnelles.
- Augmenter l'efficacité organisationnelle à court et à long terme.

L'atteinte de ces objectifs aura pour effet de favoriser l'embauche de candidats qualifiés, de les garder au service de l'entreprise, d'améliorer la qualité de vie au travail ainsi que de diminuer le risque de poursuites judiciaires coûteuses. Une récente étude américaine indiquait que les activités de recrutement étaient considérées comme étant des activités prioritaires pour l'organisation[2]. Le recrutement est d'une importance capitale puisqu'il fournit à l'organisation les compétences dont elle aura besoin pour mettre en œuvre ses stratégies[3].

LES LIENS ENTRE LE RECRUTEMENT ET LES AUTRES ACTIVITÉS DE LA GESTION DES RESSOURCES HUMAINES

Le recrutement est lié à plusieurs autres activités de la gestion des ressources humaines dont la planification des ressources humaines, l'analyse des postes, la formation et le développement, et la gestion des carrières.

La planification des ressources humaines. La planification des ressources humaines précise les postes à pourvoir ainsi que les qualifications et les habiletés requises pour les occuper. Les programmes de recrutement sont élaborés en même temps que les activités de planification des ressources humaines afin de déterminer où et comment dépister les candidats qualifiés.

L'analyse des postes. Si la planification des ressources humaines détermine les besoins de l'organisation en termes d'emplois, l'analyse des postes, quant à elle, détermine les qualifications et les aptitudes, ainsi que les profils de compétences que les candidats aux différents postes doivent posséder. Il se révèle extrêmement difficile, sinon impossible, de recruter de façon efficace si les qualifications et le salaire correspondant à chaque poste n'ont pas été établis. De telles informations sont généralement obtenues en consultant les descriptions de postes et les échelles salariales.

Le développement des compétences. Lorsque le recrutement a permis la constitution d'un bassin de candidatures qualifiées, les employés embauchés n'ont besoin que d'une formation minimale. En revanche, si le recrutement est fait à partir d'une réserve de candidats insuffisamment qualifiés, les coûts de formation des nouveaux employés risquent d'être très élevés. Certaines entreprises ne peuvent qu'embaucher des individus dont les qualifications sont en deçà des exigences des postes ; cette situation est le plus souvent attribuable à une pénurie de travailleurs qualifiés dans un secteur donné. En fait, le recrutement implique certains compromis : l'organisation devrait-elle recruter sa main-d'œuvre qualifiée dans un marché de travail éloigné (autres régions ou pays étrangers) ou devrait-elle se contenter d'une main-d'œuvre moins qualifiée et investir massivement dans la formation ? Ce dilemme se présente souvent dans le secteur canadien de l'aéronautique, durant les périodes de croissance rapide[4].

La gestion des carrières. Une politique cohérente de gestion des carrières permet de mieux planifier le recrutement et d'offrir aux candidats potentiels des plans de carrière intéressants, ce qui contribue à leur rétention dans l'organisation. À l'opposé, si le recrutement est effectué de façon incohérente, les employés éprouveront de la difficulté à élaborer leurs plans de carrière et l'organisation aura moins de chances de bien planifier la relève.

II Les sources
et les méthodes de recrutement

RECRUTER À PARTIR DU BASSIN ORGANISATIONNEL INTERNE

Dans les faits

À l'instar des grandes entreprises, Air Canada privilégie le recrutement interne en offrant des perspectives d'avancement à ses employés. Une formule standard d'« avis de poste vacant », décrivant les préalables minimaux du poste, est affichée pour une période de deux semaines. Tout employé intéressé doit aviser son superviseur immédiat, qui soumettra normalement une recommandation au service des ressources humaines. Après examen des candidatures et des recommandations des superviseurs, le service de la gestion des ressources humaines détermine quels individus auront droit à une entrevue. Si on ne trouve aucun candidat valable, on recourt aux sources externes, principalement à la publicité dans les journaux.

Les sources internes de recrutement visent les employés de l'organisation qui, à travers les promotions, les rétrogradations et les mutations, sont candidats aux différents postes vacants de l'organisation. Une fois un poste vacant annoncé, le processus de recrutement interne, qui est semblable au processus de recrutement externe, est déclenché.

Diverses méthodes peuvent être utilisées pour combler les postes vacants à partir de candidatures identifiées à l'interne.

L'affichage des postes. L'affichage des postes consiste à publier un avis dans lequel on invite les employés intéressés à poser leur candidature à un poste vacant. Cette méthode offre des chances égales d'avancement à tous les employés en les informant des possibilités d'emplois à l'intérieur de l'entreprise qui peuvent mieux correspondre à leurs aspirations[5].

Autrefois, l'affichage des postes se faisait sur des tableaux prévus à cet effet, mais il peut aussi s'effectuer au moyen de bulletins internes distribués aux employés ou les postes peuvent être annoncés lors des réunions. Aujourd'hui les entreprises dotées de l'intranet rendront disponible l'information sur les postes vacants sur leur site Internet destiné à l'usage interne. En règle générale, tous les postes sont affichés, à l'exception des postes de direction. On se contente généralement d'indiquer l'échelon du poste et l'échelle de salaires correspondante. L'affichage des postes est une méthode avantageuse pour l'organisation, car elle stimule le moral des employés, leur fournit des possibilités d'emplois variées, favorise un meilleur appariement des qualifications des employés et des besoins de l'organisation, et permet de combler des postes à un coût relativement bas.

Dans les faits

La compagnie Hewlett-Packard Canada favorise nettement le recrutement interne. Plusieurs des postes vacants sont comblés par des mutations d'employés. Occasionnellement, l'entreprise fait des campagnes de recrutement dans les collèges ou les universités ou recourt aux services d'un bureau privé de placement. De façon à favoriser le recrutement interne, la compagnie a instauré une politique selon laquelle tous les employés peuvent se porter candidats à un poste affiché, pourvu que ceux-ci travaillent à un même poste depuis au moins six mois (pour les postes de débutant), 12 mois (pour la plupart des autres postes) ou 18 mois (pour les postes de cadre). L'organisation accorde aussi une récompense symbolique aux employés qui recommandent des candidats (un repas pour deux personnes ou une calculatrice, d'une valeur de 80 $). Selon les statistiques de l'entreprise, de telles méthodes de recrutement sont très satisfaisantes puisque le taux de roulement du personnel est de 2 % inférieur à la moyenne des entreprises du même type.

La promotion. Une promotion est le fait d'être affecté à un poste dont le statut hiérarchique et le salaire sont plus élevés. Plusieurs raisons militent en faveur de la promotion interne. En premier lieu, les employés de l'entreprise sont souvent mieux préparés à occuper des postes même plus élevés que des employés provenant de l'extérieur puisque l'ensemble des postes requiert généralement une certaine connaissance du personnel, des procédures, de la politique générale et des principales caractéristiques de l'organisation[6]. En second lieu, si l'entreprise accorde aux employés des possibilités d'avancement, ces derniers se sentiront plus valorisés et associeront volontiers leurs intérêts, à long terme, à ceux de l'organisation. Les possibilités de promotion ont aussi pour effet d'inciter les employés à fournir un meilleur rendement, sans oublier qu'elles permettent à l'organisation d'épargner temps et argent.

La mutation ou le transfert. Un autre moyen de faire du recrutement interne consiste à muter certains employés sans nécessairement leur accorder de promotion. La mutation permet aux employés d'acquérir une vision d'ensemble de l'organisation et l'expérience nécessaire pour une éventuelle promotion. Ainsi, la mutation augmente considérablement le nombre de candidats pouvant assurer la relève. Il faut cependant noter que les mutations peuvent également être géographiques et engendrer un relogement. Les plus récentes tendances indiquent que les transferts dans d'autres régions ne sont pas très populaires et causent certains problèmes notamment pour les couples à double carrière (voir le chapitre 17). Dans ce cas, les entreprises n'hésitent pas à utiliser les services de conseillers en relogement ou d'offrir des programmes de relogement alléchants[7].

La rotation des postes. Alors que la mutation a un caractère permanent, la rotation des postes est habituellement temporaire. Elle permet de sensibiliser les gestionnaires débutants aux divers aspects de la vie organisationnelle ; elle permet également de remplacer temporairement les employés victimes d'épuisement professionnel. Cette pratique est particulièrement utile dans un processus d'acquisition de compétences puisque les employés seront appelés à apprendre de nouveaux aspects techniques et de parfaire leur connaissance de l'ensemble du processus de production. La rotation des postes joue aussi un rôle important dans la gestion des carrières (chapitre 10).

Le réembauchage et le rappel. Chaque semaine, des milliers d'employés sont temporairement licenciés alors que d'autres sont rappelés à leurs postes de travail. Le réembauchage d'un ex-employé est un moyen relativement peu coûteux et efficace de faire du recrutement interne. L'entreprise possède déjà des informations sur le rendement, l'assiduité et le comportement global de ses anciens employés. En outre, ces derniers ont une bonne connaissance des responsabilités rattachées à leur emploi et fournissent souvent un meilleur rendement que les employés recrutés au moyen d'autres sources. Le réembauchage et le rappel d'anciens employés s'avèrent particulièrement avantageux pour les entreprises dont les besoins en main-d'œuvre sont soumis à des fluctuations saisonnières. Cependant, si l'entreprise envisage le réembauchage comme stratégie de recrutement, elle doit se rendre à l'évidence que ce procédé se révèle souvent peu efficace à cause du lien ténu qui relie l'employé à l'entreprise. En effet, de licenciements en rappels, le travailleur qualifié a suffisamment de temps pour trouver un autre emploi, parfois même dans une entreprise concurrente. Dans un contexte de main-d'œuvre vieillissante, le rappel des employés retraités peut constituer un moyen efficace de recrutement, puisque des employés d'expérience peuvent reprendre temporairement leur poste pour combler les demandes de surplus de main-d'œuvre[8].

REVUE DE PRESSE

Les 40 et plus prennent leur revanche

Les entreprises retournent chercher des cadres de l'ancienne économie pour diriger les jeunes créatifs

Kathy Noël

Balayés du revers de la main par les jeunes loups de la nouvelle économie, les cadres de 40 ans et plus reprennent peu à peu leur place au soleil. Les entreprises, qui avaient tendance à préférer le potentiel à peu de frais, recommencent à payer pour des employés d'expérience.

Dans son édition de février 1999, le magazine *Fortune* titrait à la une « Finished at forty » (Fini à 40 ans). À l'intérieur, un dossier percutant sur des cas de travailleurs dans la quarantaine mis au rancart par des employeurs sans scrupules. L'un d'eux ne cachait pas sa préférence pour les employés plus jeunes.

« Pour 40 000 $, je peux avoir un jeune, brillant, qui va travailler pour moi sept jours par semaine pendant deux ans.

Je le forme, il grandit avec moi et il fait exactement ce que je veux, sinon je le vire. D'un autre côté, je devrais payer le double pour quelqu'un de 40 ans qui ne fait pas la moitié du travail, est mal formé et n'écoute pas ce que je dis. »

À 40 ans, ils commencent à être moins productifs, à résister aux changements, sont moins malléables et, surtout, ils coûtent cher. Voilà pourquoi certaines entreprises ont mis de côté leurs vieux routiers. Après une fusion, en 1989, Ernst & Young a congédié 99 quadra-génaires pour les remplacer par 112 jeunes de 40 ans et moins. Montant des économies : 5,5 M $ par année en salaires…

Or, il semble que le vent tourne depuis un an. Même à Silicon Valley, la mecque de la nouvelle économie. Là-bas, les entreprises embauchent de plus en

plus de cadres supérieurs venant de l'ancienne économie pour diriger des équipes jeunes, créatives, mais manquant d'expérience. *Le Report On business Magazine* titre à la une, ce mois-ci : *It's safe to be 40 again.* Et vlan !

« Il y a un important revirement. Les employeurs recommencent à vouloir payer pour l'expérience. Avant, on me demandait souvent : trouve-moi un jeune loup de 37 ou 38 ans. Maintenant, c'est plus rare », dit Linda Duchesne, recruteuse de cadres chez Matte Groupe Conseil.

Entreprises cherchent jugement

Même son de cloche du côté du chasseur de têtes Paul Bourbeau, de Boyden Bourbeau. « L'âge a de moins en moins d'importance. Les entreprises ont besoin de gens qui ont du jugement. »

C'est pourquoi Microcell a recruté Lise Crochetière, ex-cadre chez Bell Canada. À 50 ans, après 25 ans de service, elle avait décidé de quitter son emploi pour tâter un peu de cette euphorie du marché du travail. « Je voulais voir ce qui se faisait ailleurs, mais j'avais de grandes craintes à cause de mon âge et du fait que j'étais restée longtemps dans la même entreprise. »

On lui avait dit qu'elle en avait pour un an à chercher. Or après deux mois, elle faisait son entrée en février 1999 chez Microcell, une *gang* de jeunes, comme elle dit. « C'était un défi parce que les deux personnes sous ma responsabilité, des jeunes, avaient aussi posé leur candidature », dit Mme Crochetière, maintenant directrice régionale du service à la clientèle de Sprint Canada.

Une condition : être cadre

Le soleil ne brille pas pour tout le monde cependant. Passé l'âge de 40 ans, le travailleur sans emploi qui n'avait pas gravi les échelons aura plus de mal à retrouver du boulot. Le futur employeur hésitera moins à engager un cadre supérieur de 40 ans et plus, mais pour des postes subalternes, il préfère encore un plus jeune.

C'est du moins ce que constate Richard Labrosse, directeur général du centre Eurêka, un centre d'aide à la recherche d'emploi pour les 40 ans et plus. Il s'inquiète du nombre croissant de sa clientèle. « Ça se reflète dans le chômage prolongé où la proportion des 45 ans et plus augmente. À un stade de leur vie où ils devraient avoir atteint une stabilité, ces travailleurs doivent repartir à zéro », dit-il.

Selon Statistique Canada, les chômeurs de 45 ans et plus prennent 25 % plus de temps à retrouver de l'emploi que ceux de 25 à 44 ans. Cette situation est meilleure qu'entre 1993 et 1995, période intensive de rationalisation, mais n'est pas pire que lors des meilleures années de croissance. Depuis 24 ans, la situation des 45 ans et plus n'a jamais été meilleure.

Le problème de réinsertion des travailleurs plus âgés est peut-être plus lié à l'insécurité ou à une mauvaise gestion de leur carrière, selon Nathalie Francisci, présidente de la firme de recrutement de cadres Venatus Conseil. « Pourquoi certaines personnes, sans parler de leur âge, n'ont pas de mal à se faire recruter ? C'est parce qu'elles sont demeurées à la page et se sont assurées d'être *marketables* », dit-elle.

Il faut modifier ses tâches, s'attaquer à de nouveaux défis, se former pour rester alerte, même en emploi. Lise Crochetière explique ainsi sa réussite. « Il ne faut pas s'asseoir sur ses lauriers et penser que tout nous est dû, il faut prendre en main sa destinée. »

Source : Les Affaires, *10 juin 2000, p. 25.*

Le répertoire des qualifications. Une autre méthode de recrutement interne consiste à utiliser l'information contenue dans les registres du personnel pour constituer un répertoire des qualifications de tous les employés. Cette façon de faire requiert beaucoup de temps et d'efforts. Il est toutefois possible de condenser cette information dans un SIRH ou un SGRH. Le répertoire comprend habituellement le nom de l'employé, son numéro matricule, la classification de son poste, ses emplois antérieurs, son expérience, ses connaissances et aptitudes spécifiques, sa scolarité, ses permis de travail, ses attestations et son niveau salarial. Les résultats obtenus lors des évaluations formelles et la liste des préférences d'emploi font aussi partie du répertoire des qualifications de l'employé.

Dans les faits

Le Canadien Pacifique demande à son service des ressources humaines de déterminer chaque année le nombre de postes à combler. Habituellement, le service procède d'abord au recrutement interne. Les promotions et les mutations d'employés sont effectuées à l'aide d'un système informatisé d'appariement. Le service vérifie les dossiers des employés pour trouver des candidats qualifiés ; il demande ensuite à ces candidats s'ils acceptent de participer à une entrevue. Depuis 1974, le CP a mis en place un excellent programme d'affichage de postes appelé « programme d'embauche volontaire ». On communique à chaque employé la liste des postes disponibles et on l'incite à formuler une demande en envoyant son curriculum vitæ au service des ressources humaines. Récemment, l'entreprise a tenté d'implanter un programme d'équité en matière d'emploi à l'intention des membres des minorités visibles et, plus particulièrement, des personnes handicapées.

L'appariement des emplois. L'appariement des emplois consiste en un effort systématique visant à identifier les aptitudes et les habiletés ainsi que la personnalité, les intérêts et les préférences des candidats et à les faire coïncider avec les postes disponibles. L'entreprise qui désire satisfaire ses besoins de recrutement, de sélection et de placement a intérêt à informatiser le processus d'appariement des emplois existants et des nouveaux emplois. Par exemple, le système d'appariement de la Citybank visant les employés non professionnels lui permet de surveiller aussi bien le processus de recrutement interne que les demandes d'emploi qu'elle reçoit.

Ce système est souvent utilisé pour trouver des postes aux employés qui désirent changer d'emploi afin de s'adapter à l'évolution technologique ou à toute autre forme de réorganisation du travail. Il permet aussi de s'assurer qu'aucun employé de l'entreprise n'a été oublié avant de procéder au recrutement externe.

Le système d'appariement des emplois a deux composantes majeures : les profils de postes et les profils de candidats. Le profil de poste consiste en une description détaillée du poste et de ses exigences. Le profil du candidat se réfère plutôt à l'expérience ou aux qualifications que l'employé a acquises dans ses occupations antérieures. Le profil du candidat décrit aussi les intérêts et les préférences de la personne en regard de l'emploi souhaité. Ces deux types de profils permettent à l'organisation d'identifier un plus grand nombre de candidats potentiellement qualifiés pour occuper un emploi donné.

RECRUTER SUR LE MARCHÉ DU TRAVAIL

Le recrutement interne ne détermine pas toujours le nombre de candidats souhaité, particulièrement lorsque l'entreprise connaît une croissance rapide ou a un besoin urgent de gestionnaires et de professionnels hautement qualifiés. L'entreprise doit alors recourir au recrutement externe. Le recrutement externe comporte plusieurs avantages. D'abord, il permet de s'adjoindre des employés ayant des idées neuves. Il est en outre plus rentable et facile d'embaucher un professionnel déjà formé, surtout si celui-ci possède des qualifications que l'on trouve rarement sur le marché de l'emploi. Par ailleurs, le recrutement externe permet de combler les emplois temporaires, qui accordent une plus grande souplesse à l'organisation que les emplois permanents. Quelles sont les méthodes de recrutement externe ?

Les programmes de recommandation de candidats. Il s'agit essentiellement de publicité de bouche à oreille. Ces programmes incitent les employés, moyennant rétribution, à participer à la recherche de candidats qualifiés. Il a été prouvé que cette méthode, très populaire dans des situations de pénurie de main-d'œuvre, était la moins coûteuse par candidat embauché même si, dans la plupart des cas, les postulants proviennent de l'extérieur de l'organisation. Cette méthode s'appuie sur la prémisse voulant que les employés connaissent bien la compagnie ainsi que le contenu et les exigences des postes à pourvoir. Si l'on considère que le processus de recrutement implique un élément de « vente », les employés sont probablement les mieux placés pour conclure ce genre de marché[9].

Pour assurer l'efficacité des programmes de recommandation de candidats, on doit offrir une prime aux employés (dans certaines entreprises, cette prime peut dépasser 500 $), particulièrement lorsqu'ils réussissent à dénicher un candidat possédant les qualifications les plus demandées. La succursale torontoise de la compagnie d'assurances Sun Life du Canada a mis sur pied le « Sun Power », un programme visant à recruter des candidats possédant des qualifications spécifiques. Elle était prête à payer une prime de 1 000 $ ou plus aux employés qui aident à découvrir le candidat recherché[10]. Ce genre de programme doit viser le recrutement d'employés possédant des aptitudes ou des qualifications particulières. Par exemple, la compagnie White Spot Ltd., une chaîne de restaurants et de traiteurs de Vancouver, offre 500 $ pour le recrutement de personnel cadre, mais elle n'offre rien pour le recrutement des employés payés à l'heure[11].

Cependant, étant donné que les employés ont tendance à recommander des candidats de la même origine ethnique ou du même sexe qu'eux, il faut veiller à ce que ces programmes de recommandation n'entraînent pas des pratiques discriminatoires interdites par la législation sur les droits de la personne. En effet, même si ces programmes n'empêchent pas nécessairement les entreprises de satisfaire à l'obligation de mettre sur pied un programme d'équité en matière d'emploi, il n'est pas exclu que ce système de recrutement puisse être contesté sur le plan juridique. En outre, cette pratique peut déboucher sur le népotisme et sur la formation de « cliques », ce qui aurait un impact négatif sur le rendement au travail.

La communication directe avec l'employeur. Cette méthode requiert des candidats qui se présentent eux-mêmes au bureau des ressources humaines de l'organisation pour laquelle ils souhaitent travailler. Tout comme la recommandation de candidats par les employés, la communication directe est relativement informelle, peu coûteuse et elle se révèle aussi efficace en ce qui concerne la stabilité du personnel embauché. Toutefois, les candidats qui n'ont pas été recommandés ont généralement une connaissance moindre des emplois disponibles. L'absence de recommandation peut aussi constituer un désavantage dans la mesure où les employés en place ne recommandent habituellement que les candidats les plus qualifiés.

Bien que la communication directe soit une source relativement peu coûteuse de recrutement, il s'agit d'une source passive ne permettant pas de cibler certaines compétences. Pour pallier cet inconvénient, l'employeur peut inciter les candidats à venir visiter l'entreprise au cours de journées « portes ouvertes » annoncées dans les journaux locaux ou nationaux. Ces journées permettent d'attirer les candidats en grand nombre et les responsables des ressources humaines peuvent procéder sur place à des entrevues avec les candidats pour s'assurer de l'adéquation de leur profil avec les besoins organisationnels.

Consultez Internet

http://jb-ge.hrdc-drhc.gc.ca
Site du guichet-emplois de Développement des ressources humaines du Canada, destiné aux chercheurs d'emploi.

Les centres d'emplois gouvernementaux. Les ministères de l'emploi fédéral et provincial mettent des services de placement à la disposition des employeurs et des demandeurs d'emplois. Ces centres d'emploi existent dans chaque province canadienne et sont coordonnés par Développement des ressources humaines Canada, qui a récemment mis sur pied une « banque d'emplois » informatisée reliée à chaque centre d'emploi provincial. Lorsqu'un employeur a un poste disponible, son service des ressources humaines achemine immédiatement vers le centre d'emploi local les données relatives à ce poste. Les personnes intéressées rencontrent un conseiller du centre d'emploi qui détermine, à la suite d'entrevues, quel candidat possède les qualifications requises pour occuper le poste. Une fois son choix arrêté, le conseiller recommande le candidat auprès de l'entreprise concernée.

Les agences privées de placement. Ces agences s'adressent à deux types de candidats : les cadres et les professionnels d'une part, et les travailleurs spécialisés d'autre part. Les agences qui présentent des travailleurs spécialisés facilitent la tâche des employeurs en mettant à leur disposition les ressources dont ils ont besoin et les assistent à identifier les candidats qui sont en mesure d'occuper les postes vacants.

En ce qui a trait aux firmes spécialisées dans la recherche de cadres, elles n'ont cessé de se multiplier au Canada au cours des quinze dernières années. Les frais exigés pour leurs services peuvent s'élever jusqu'à 33 % du salaire total de la première année. Ces firmes ont habituellement une vaste clientèle. Leur mot d'ordre est que le meilleur candidat à un poste n'est pas nécessairement celui qui en cherche un. Leurs dirigeants, communément appelés « chasseurs de têtes », présument qu'il est toujours possible de mettre la main sur un candidat de choix si la structure du poste et la rémunération qui s'y rattachent sont intéressantes.

Les agences de placement temporaire. Alors que les agences privées de placement recrutent des candidats intéressés à occuper des postes à temps plein, les agences de placement temporaire recrutent plutôt une clientèle à la recherche de postes temporaires ou à temps partiel. Certaines entreprises recourent aux services de ces agences parce que les travailleurs spécialisés désireux d'occuper des postes temporaires sont difficilement accessibles autrement. C'est le cas des petites entreprises qui ne peuvent consacrer trop de temps au recrutement. Avec l'évolution du marché du travail et le recours de plus en plus soutenu à une main-d'œuvre temporaire (chapitre 1), ce type d'agence connaît une grande expansion. Les principales raisons qui expliquent le recours à des services temporaires sont le fait qu'ils permettent aux entreprises d'alléger la tâche des employés permanents lors d'une surcharge de travail, de se procurer la main-d'œuvre nécessaire pour des projets spéciaux ou de remplacer les employés qui sont absents (maladie, vacances, etc.).

Les associations professionnelles et les syndicats. Dans certains secteurs, comme l'industrie de la construction, les travailleurs spécialisés sont recrutés par leur syndicat. Étant donné le caractère saisonnier de ces activités, il s'agit d'un mode de recrutement pratique pour les employeurs. Les associations professionnelles sont également d'importantes sources de recrutement. En effet, l'annonce de postes peut se faire par la voie de leurs bulletins, leur site Internet, leurs circulaires et lors de leurs activités. Les assemblées annuelles peuvent aussi fournir de bonnes occasions de rencontres entre les employeurs et les candidats éventuels. Un certain nombre de corporations professionnelles et d'institutions scolaires organisent ainsi des « salons de l'emploi ». Bien sûr, le temps consacré aux entrevues y est considérablement réduit ; ces salons ne constituent qu'une étape préliminaire du processus de recrutement, mais ils contribuent efficacement à l'embauche de candidats.

Les institutions d'enseignement. Les collèges, les universités, ainsi que les institutions d'enseignement technique et professionnel constituent une source importante de recrutement. Les universités sont généralement d'avis que les programmes de recrutement de nouveaux diplômés suscitent beaucoup d'intérêt chez les étudiants à la recherche de leur premier emploi, c'est pourquoi elles mettent à leur disposition divers services d'orientation et de placement. Les entreprises peuvent également recruter des stagiaires ou des apprentis afin d'assurer la relève de leurs gestionnaires. Dans ce cas, les employeurs doivent consacrer du temps à recruter la personne qui s'adaptera le mieux à la culture de leur organisation. Il est aussi indispensable de bien définir les tâches de la personne recrutée et de l'encadrer dans ses activités en lui proposant un défi éducatif professionnel qui soit intéressant[12].

Consultez Internet

www.monster.ca

Site donnant la liste des annonces parues dans le journal *La Presse*.

Les médias. Certaines entreprises qui ont différentes catégories de postes à combler font du recrutement intensif dans les médias, que ce soit à la télévision, à la radio, dans les journaux régionaux ou dans les journaux d'envergure tels que *La Presse* ou *Les Affaires*. Les quotidiens sont traditionnellement utilisés parce qu'ils permettent de recruter un grand nombre de candidats à un coût relativement peu élevé. Les annonces permettent de recruter tous les types de candidats, des moins spécialisés aux plus qualifiés. Leurs annonces sont également placés sur des sites Internet, ce qui permet aux candidats d'envoyer leur demande d'emploi par courrier électronique.

Consultez Internet

http://carrieres.lesaffaires.com

Site donnant la liste des postes offerts au Québec.

Les journaux et les revues spécialisés permettent d'atteindre des groupes beaucoup plus spécifiques que les quotidiens. Les annonces y sont généralement présentées avec un plus grand soin que dans les quotidiens. À cet égard, il faut noter que la préparation d'une annonce destinée à un journal requiert des compétences particulières. Aussi, plusieurs organisations font appel à des firmes spécialisées pour exécuter cette tâche. Elles doivent mettre autant de soin à choisir une telle firme qu'à choisir une agence privée de placement. L'encadré 6.2 présente un exemple d'offre d'emploi paraissant dans les journaux.

ENCADRÉ 6.2 Exemple d'offre d'emploi paraissant dans les journaux

Les Centres jeunesse de Montréal

LES CENTRES JEUNESSE DE MONTRÉAL requiert les services d'un cadre supérieur à titre de

Directeur (trice)
des services de réadaptation en milieu sécuritaire
Cité des Prairies

Les Centres jeunesse de Montréal est une nouvelle organisation née de l'unification de dix centres de réadaptation pour jeunes en difficulté d'adaptation, d'un centre de réadaptation pour mères en difficulté d'adaptation et du Centre de protection de l'enfance et de la jeunesse. Cette organisation offre des services de nature psychosociale, de réadaptation et d'intégration sociale aux jeunes en difficulté.

Nature de la fonction

Sous l'autorité du directeur général, le(la) titulaire du poste planifie, organise, dirige, coordonne et contrôle l'ensemble des travaux et activités inhérents à l'exercice des fonctions de distribution des services de réadaptation. [...] Le tout se réalise dans l'optique de la mission des Centres jeunesse de Montréal et plus spécifiquement dans le contexte d'un milieu sécuritaire pour une clientèle d'adolescents.

Il(elle) participe au comité de régie de la direction générale, et dans une perspective d'établissement compte tenu de ses diverses fonctions, conseille le directeur général dans la détermination des orientations générales, des priorités, des politiques et plans d'action des «Centres jeunesse de Montréal».

Exigences du poste

Scolarité

Une formation universitaire de deuxième (2e) cycle dans une discipline reliée à la fonction. Les candidat(e)s possédant une combinaison de formation universitaire et d'expérience particulièrement pertinente à la fonction seront aussi considéré(e)s.

Expérience

Une solide expérience d'au moins sept (7) années dans un ou plusieurs secteurs d'activités reliés à la réadaptation sociale, dont cinq (5) ans à un poste de cadre intermédiaire ou supérieur.

Conditions de travail

Selon les normes du ministère de la Santé et des Services sociaux.
Les personnes intéressées sont priées de faire parvenir leur curriculum vitæ avant le 27 janvier 1994 à 17 h au:
Directeur général, Les Centres jeunesse de Montréal, 4675, rue Bélanger Est, Montréal (Québec) H1T 1C2.

Consultez Internet

http://www.qwiz.com/default1.htm
Site américain d'une firme de consultants qui se spécialise dans l'évaluation du personnel de bureau et du personnel technique.

Les services de recrutement informatisés. Cette méthode de recrutement fournit la liste des postes vacants et celle des postulants. Certaines firmes de recrutement collectent les informations provenant de toutes sortes de sources et offrent une banque de données déjà toute prête à leurs clients. Grâce à un terminal, ceux-ci peuvent sélectionner les candidats intéressants en quelques minutes seulement (la même recherche effectuée de façon conventionnelle exigerait de sept à huit heures de travail). D'autres firmes mettent à la disposition de leurs clients une disquette dont le contenu est mis à jour régulièrement.

Dans les faits

Chez Nortel Networks, les nouveaux diplômés ne peuvent postuler que par le site Internet de l'entreprise. Internet est identifié comme étant leur outil principal de recrutement. Ils reçoivent tellement de candidatures chaque jour qu'ils doivent simplifier leur processus de recrutement. Internet leur permet de classer les candidatures et d'effectuer ensuite leur recherche par mots-clés, par endroit géographique, par compétences techniques recherchées, etc. (*La Presse*, 7 octobre 2000).

Internet. Internet se trouve au cœur des stratégies de recrutement. Grâce à cet outil, les entreprises peuvent recevoir des candidatures du monde entier et retenir rapidement celles qui répondent aux exigences de l'emploi. Cette méthode de recrutement devient de plus en plus incontournable[13]. L'avantage qu'offre Internet est que les entreprises peuvent aussi offrir aux candidats une foule d'informations concernant les postes, l'entreprise et le profil recherché. Des témoignages d'employés peuvent également être ajoutés pour mieux définir le profil des individus recherchés et la culture de l'entreprise. Internet n'est cependant pas une panacée. Les compagnies qui affichent les postes vacants sur leur site Internet doivent faire en sorte que les candidats visitent leur site. L'annonce devra donc nécessairement être également placée dans un journal ou sur un site de recherche d'emploi. De plus, sur le site Internet de la compagnie, une section destinée aux ouvertures de postes doit être prévue et accessible dès la page d'accueil. Internet a l'avantage de rejoindre un grand nombre de candidats.

Les entreprises doivent cependant agir rapidement puisque les candidats peuvent poser leur candidature à plusieurs emplois et retiendront l'entreprise qui agit rapidement et donne suite à leur candidature dans des délais raisonnables. Pour ce faire, l'organisation doit disposer d'une capacité importante en matière de gestion de l'information et doit accélérer les processus de sélection et de prise de décision.

Dans les faits

Bombardier peut grâce à Internet recevoir des candidatures du monde entier et retenir plus rapidement les plus intéressantes. Avec son questionnaire en ligne, Internet lui permet de faire une bonne présélection et d'envoyer électroniquement des accusés de réception. Les candidatures qui n'ont pas été considérées sont gardées en banque et pourront être réévaluées lorsqu'un poste convenant au profil sera disponible (*La Presse*, 7 octobre 2000).

Les acquisitions et les fusions. Les acquisitions et les fusions d'entreprises ont pour conséquence d'augmenter la réserve de candidats potentiels de façon significative. En effet, bon nombre d'employés ne pourront être immédiatement intégrés à la nouvelle organisation. Celle-ci disposera donc d'une banque d'employés qualifiés pour combler les nouveaux postes qui seront éventuellement créés. Les postes anciens ou inchangés seront comblés par les candidats les plus qualifiés qui occupaient déjà un poste équivalent au sein de l'organisation. Contrairement aux autres méthodes de recrutement externe, la méthode faisant appel aux acquisitions et aux fusions élargit rapidement la réserve de candidats hautement qualifiés et facilite considérablement la planification des ressources humaines. De plus, cette soudaine abondance de talents peut permettre à l'organisation de mettre en route une nouvelle gamme de produits, ce que les autres méthodes de recrutement n'auraient pas permis. Cependant, cette situation suppose le déplacement d'un grand nombre d'employés et leur intégration rapide au sein de la nouvelle entité. Pour cette raison, ce type de recrutement devrait être étroitement relié aux activités de planification et de sélection des ressources humaines.

III Les considérations dans le choix d'une méthode de recrutement

Quelle méthode est la plus adaptée pour recruter des candidats aux différentes catégories de poste ? Une étude menée par le Bureau of National Affairs démontre que l'efficacité des méthodes varie selon le type de postes à combler. Par exemple, le recours aux agences privées se révèle très efficace dans le secteur de la vente, dans celui des services professionnels et techniques et pour le personnel cadre, tandis que les démarches entreprises par l'organisation s'avèrent plus efficaces pour les emplois de bureau ou en usine[14].

Avant de choisir une méthode de recrutement, il faudrait recueillir de l'information provenant du marché du travail ; cela permet de mieux cibler les sources de recrutement. Ainsi, il est possible de se procurer de l'information sur les divers postes à combler dans les publications de Développement des ressources humaines du Canada, du ministère du Travail du Québec, des associations industrielles ou professionnelles et des centres d'emploi du gouvernement. Les chercheurs et employés qui travaillent dans ces centres soutiennent les employeurs dans leurs efforts de recrutement. Des informations concernant les caractéristiques de la main-d'œuvre sur le plan national, provincial ou même urbain, sont disponibles également dans le rapport sur la main-d'œuvre publié mensuellement par Statistique Canada. Ce rapport fait état du nombre de postes vacants dans le pays. Statistique Canada publie également quatre fois par an l'*Index d'aide à la recherche*. Il s'agit d'une compilation des offres d'emploi publiées dans 18 quotidiens et journaux du Canada.

Une fois que la façon d'attirer des candidatures est déterminée, il s'agit d'opter pour une ou plusieurs sources de recrutement simultanément. Les méthodes de recrutement internes ont certains avantages mais aussi des inconvénients. En plus des avantages particuliers déjà cités, il faut retenir leurs faibles coûts, leur influence sur la satisfaction des employés et le fait qu'elles sont un moyen de rétention du personnel qualifié et prometteur. Cependant, les méthodes de recrutement interne comportent également des inconvénients. D'abord, elles peuvent créer des conflits et miner la crédibilité du système lorsque certains candidats ont préalablement été choisis par la direction pour des promotions ou des transferts. Ensuite, la sélection devient particulièrement difficile lorsque l'on se trouve en présence de deux ou trois candidats possédant des qualifications équivalentes. De plus, les employés dont la candidature n'a pas été retenue peuvent manifester un sentiment de frustration, surtout si on ne les a pas suffisamment préparés à une telle éventualité. Les informations concernant le salaire ou l'échelon des postes affichés peuvent également susciter des commentaires négatifs de la part des employés qui considèrent que leur poste est sous-évalué ou sous-payé. finalement, les relations supérieurs-subordonnés peuvent être compromises lorsqu'un subordonné pose fréquemment sa candidature à l'extérieur de son unité de travail[15].

À ces considérations, il faut également ajouter la possibilité que le candidat idéal ne se trouve pas parmi les employés déjà en poste. Les autres inconvénients sont le faible renouvellement de la main-d'œuvre, le rétrécissement des perspectives et des centres d'intérêt organisationnels. Durant les périodes de croissance rapide, à cause de la pénurie de gestionnaires, des employés peuvent se voir promus sans qu'on tienne compte de leurs qualifications. Malheureusement, l'incompétence du personnel de gestion apparaîtra en période de décroissance, et l'organisation sera aux prises avec un surplus de gestionnaires dont l'inaptitude deviendra difficile à camoufler.

Souvent, le rendement individuel et l'ancienneté sont les deux critères servant à justifier les mouvements de personnel interne. Les syndicats semblent préférer le critère de l'ancienneté, et les organisations, celui du rendement de l'employé. Dans le cas d'affectations de cadres, la décision peut être fondée uniquement sur le jugement du supérieur, du conseil d'administration ou du président. Dans un cas de conflit, il se révèle toutefois extrêmement difficile de défendre l'absence de critères de sélection sur le plan juridique. C'est pourquoi plusieurs entreprises préfèrent les tests d'évaluation préparés par des firmes spécialisées plutôt que de se fier aux impressions et jugements individuels. Puisque les organisations font plus souvent appel à ces firmes pour la sélection que pour le recrutement, nous en discuterons de façon plus détaillée au chapitre 7.

Compte tenu des avantages et des inconvénients du recrutement interne, la plupart des organisations optent pour une politique combinant la mobilité interne avec le recrutement externe. Les entreprises ont également tendance à privilégier une des deux sources pour embaucher un type particulier de candidats. Par exemple, bon nombre d'entreprises préfèrent recourir au recrutement externe lorsqu'elles doivent embaucher des professionnels et des gestionnaires hautement qualifiés, plutôt que de recourir à la promotion interne.

L'encadré 6.3 donne un aperçu du coût et du temps nécessaires à l'utilisation de différentes sources externes de recrutement.

ENCADRÉ 6.3 Coût et temps associés à différentes sources externes de recrutement

Source externe	Coût approximatif (par rapport aux autres sources)	Temps moyen nécessaire pour combler un poste
Communication directe avec l'employeur	Faible	La journée même.
Centres d'emploi du Canada ou du Québec	Faible	Variable (dépend des conditions du marché du travail); en temps normal, peut prendre de 2 à 4 mois.
Agences privées de placement	Moyen	Variable (dépend des conditions du marché du travail); en temps normal, peut prendre de 1 semaine à 1 mois.
Firmes spécialisées dans la recherche de cadres	Élevé	Variable (dépend des conditions du marché du travail); en temps normal, peut prendre 6 mois pour combler un poste de cadre supérieur ; 3 mois pour un cadre intermédiaire et de 1 à 2 mois pour les cadres subalternes.
Les associations professionnelles	Moyen	De 6 à 12 mois.
Les institutions d'enseignement	Moyen	De 6 à 12 mois.

Remarque: Ces estimations du coût et du temps ont été calculées à partir des informations recueillies auprès de firmes de recherche de cadres de la région métropolitaine de Montréal en 1993.

Si l'on procédait à l'analyse coûts-avantages de chacune des méthodes de recrutement, les résultats seraient probablement différents. Par exemple, les frais de déplacement et de séjour ainsi que le salaire d'un responsable du recrutement œuvrant sur un campus universitaire sont assez faciles à déterminer ; par contre, les avantages tirés de cette même activité sont difficiles à mesurer et plus difficiles encore à traduire en termes monétaires. Le fait qu'un candidat embauché reste longtemps à son poste constitue-t-il un avantage découlant du recrutement ? Si c'est le cas, comment l'évaluer ? Comment convertir le facteur temps en dollars ? Actuellement, il semble périlleux de tenter de traduire en termes monétaires les bénéfices provenant du recrutement. Il est cependant possible de mesurer la durée d'embauche que chaque méthode de recrutement a permis d'obtenir, puis d'analyser les résultats en fonction des coûts respectifs de chacune des méthodes.

Une autre mode d'évaluation consiste à déterminer, pour chaque catégorie de postes, le nombre de candidats qualifiés que chaque méthode a permis d'embaucher. La méthode qui aura obtenu le plus haut taux d'embauche par catégorie de postes sera considérée comme la plus efficace même si elle n'est pas la moins coûteuse.

IV Les stratégies pour favoriser le recrutement

Des stratégies peuvent être mises en œuvre pour appuyer le recrutement. Nous présenterons successivement les actions organisationnelles visant une meilleure rétention des employés, la planification du processus de recrutement, l'élaboration d'une politique claire au sujet des candidatures déposées, la communication d'une information réaliste et honnête au candidat et la promotion de l'image corporative comme des stratégies contribuant au succès du recrutement.

RÉDUIRE LES BESOINS EN RECRUTEMENT PAR UNE MEILLEURE RÉTENTION DES EMPLOYÉS

Sachant pertinemment que le recrutement est un processus difficile et coûteux pour l'entreprise, réduire les besoins en recrutement en adoptant des pratiques qui visent à retenir les employés et à favoriser leur loyauté envers l'entreprise peut s'avérer une stratégie gagnante pour l'organisation et un investissement rentable.

Consultez Internet

http://web.cplq.org/infocanada_fr/mercer.htm
Les faits saillants d'une conférence donnée par la société-conseil Mercer sur le recrutement et la rétention du personnel clé en technologie de l'information en juin 1998.

Une organisation a plus de chances d'attirer des candidats si elle dispose d'une gamme intéressante d'avantages. Les avantages les plus fréquemment offerts qui ont une incidence sur la rétention du personnel sont les plans de carrière et certains aménagements qui tiennent compte des contraintes individuelles et familiales qui affectent le travail.

L'organisation peut déterminer des perspectives de carrière différentes pour différents groupes ou types d'employés. En favorisant les pratiques de mobilité interne, les risques de plafonnement de carrière sont réduits, ce qui permet à l'organisation d'offrir fréquemment à ses employés des occasions d'avancement et de perfectionnement.

L'entreprise peut offrir plusieurs services permettant de réduire les contraintes auxquelles sont soumis les employés. Ainsi, l'organisation peut proposer une forme d'aide au relogement aux employés qui ont accepté un transfert géographique.

L'obtention d'un prêt hypothécaire à un faible taux d'intérêt pour le candidat qui doit vendre sa maison et en acheter une nouvelle est un bon exemple du soutien que l'entreprise peut lui apporter.

Un bon nombre d'employeurs canadiens fournissent des services de garderie facilitant la garde des enfants de leurs employés. Ils ont constaté que ces services contribuent à réduire le taux de roulement, les retards, l'absentéisme et ont des effets positifs sur le processus de recrutement, le moral et le rendement des employés, les relations de travail et la qualité des produits. Parmi les autres avantages qu'une entreprise peut offrir, mentionnons l'horaire de travail flexible, la semaine de travail comprimée, le partage des tâches et le travail à temps partiel, lesquels contribuent d'une façon ou d'une autre à améliorer la qualité de vie au travail[16]. Vous pouvez vous référer au chapitre 3 pour plus de détails.

Consultez Internet

http://www.gallup.com

Site sur lequel il est possible de consulter un sondage effectué qui a permis de déterminer les caractéristiques de gestion qui favorisent la rétention des employés.

Un récent sondage effectué par The Workplace Column Gallup's Discoveries intitulé « Great Managers and Great Workplaces » identifie douze caractéristiques qui distinguent les milieux de travail où il fait bon travailler et qui sont susceptibles de retenir leurs employés. Les résultats de ce sondage vous sont présentés dans l'encadré 6.4.

ENCADRÉ 6.4 Un super environnement de travail

Le recrutement de candidats de choix ne constitue qu'un des défis qu'ont à relever les entreprises. Une fois la perle rare trouvée, il faut maintenant pouvoir la retenir. Les entreprises doivent donc déployer beaucoup d'efforts pour gagner la bataille sur ce front.

Quelles sont les caractéristiques qui distinguent les super milieux de travail, où la rétention des employés, la satisfaction de la clientèle, la productivité et le niveau des profits sont élevés? La firme américaine Gallup en a identifié 12 à la suite d'une vaste enquête.

1. **« Je sais ce que l'on attend de moi au travail. »**
   Les grands gestionnaires définissent les objectifs à atteindre tout en laissant chaque personne libre d'y arriver à sa façon. Ce qui permet aux individus d'utiliser leur plein potentiel.

2. **« Au travail, j'ai l'occasion de faire ce que je fais de mieux tous les jours. »**
   Les grands gestionnaires définissent les compétences requises pour chaque poste et trouvent la bonne personne pour le combler. Ce qui permet à l'employé d'utiliser ses forces et ses talents.

3. **« Au cours des sept derniers jours, j'ai reçu des félicitations pour le bon travail que j'ai fait. »**
   Les grands gestionnaires prennent le temps de reconnaître la performance des employés et de les féliciter. Cela fait une différence dans la qualité du travail et des services rendus.

4. **« Quelqu'un au travail encourage mon développement. »**
   Les grands gestionnaires aident les employés à mieux se connaître et leur donnent des occasions d'utiliser leurs talents et de s'améliorer.

5. **« Mon superviseur, ou quelqu'un au travail, semble se soucier de ma personne. »**
   Les grands gestionnaires s'assurent que chaque employé a une bonne relation avec quelqu'un qui peut le guider et lui laisse suffisamment de latitude pour s'épanouir. Car les gens ne quittent pas des compagnies, ils quittent leur gérant ou leur superviseur.

6. **« J'ai les matériaux et l'équipement dont j'ai besoin pour bien faire mon travail. »**
   Les grands gestionnaires permettent aux employés de décider du bien-fondé d'acquérir un nouvel outil de travail, selon trois critères : comment ce nouvel équipement va-t-il aider…
   • l'employé ;
   • la compagnie ;
   • les clients.
   Cela élargit la perspective de l'employé et permet une meilleure communication.

ENCADRÉ 6.4 *(suite)*

7. « Au travail, mes opinions semblent compter. »
Les grands gestionnaires font sentir aux employés que leur contribution est appréciée. Ils les consultent avant de prendre des décisions qui les concernent directement, et s'ils ne retiennent pas leurs suggestions, ils leur expliquent pourquoi.

8. « La mission ou le but de ma compagnie me fait sentir que mon travail est important. »
Les grands gestionnaires aident les employés, peu importe leur niveau, à faire le lien entre la mission de l'entreprise et leur travail. Pour qu'ils comprennent leur rôle dans l'organisation et acquièrent un sentiment d'appartenance.

9. « Mes collègues sont consciencieux. »
Les grands gestionnaires aident les membres de l'équipe à identifier ce qui leur permet de faire un produit de qualité. Pour qu'ils comprennent comment être plus efficaces, augmentent leur productivité et cherchent à améliorer leur produit ou leur service.

10. « J'ai un meilleur ami au travail. »
Les grands gestionnaires reconnaissent que les employés veulent bâtir des relations de qualité avec leurs collègues et qu'une loyauté accrue envers l'organisation peut en découler. Avoir d'excellents amis au travail peut aussi être la clé pour s'adapter au changement.

11. « Au cours des six derniers mois, quelqu'un au travail m'a parlé de mes progrès. »
Les grands gestionnaires donnent du *feedback* positif, personnalisé. Ils aident les employés à mieux se connaître et à réaliser comment ils utilisent leurs forces et leurs talents. Cela leur permet d'être encore plus productifs.

12. « Cette année, au travail, j'ai eu des occasions d'apprendre et de croître. »
Les grands gestionnaires ne sont jamais entièrement satisfaits de la façon dont les choses se font. Ils sont ouverts aux nouvelles idées et trouvent des façons plus efficaces de travailler.

Sources : Danielle Bonneau, « Un super environnement de travail », *La Presse,* cahier spécial, 7 octobre 2000, p. 8. The Workplace Column, Gallup's Discoveries About Great Managers and Great Workplaces. www.gallup.com/poll/managing/item1.asp

TENIR COMPTE DU PLAN DE CARRIÈRE DES CANDIDATS LORS DU RECRUTEMENT

Bien que la plupart des organisations utilisent à la fois les sources externes et internes de recrutement, elles n'obtiennent pas toujours un nombre suffisant de candidats qualifiés pour faire un choix adéquat. Cela s'applique particulièrement au recrutement de candidats qui évoluent dans des secteurs très concurrentiels ou qui sont hautement qualifiés et recherchés[17]. Une organisation qui désire attirer des candidats valables doit s'intéresser à ses postulants, comprendre leurs besoins et s'efforcer d'y répondre. Certaines stratégies permettent d'attirer un plus grand nombre de candidats qualifiés ; nous les examinerons brièvement.

LA PLANIFICATION CHRONOLOGIQUE DU PROCESSUS DE RECRUTEMENT

Lorsque, pour un marché donné, le recrutement suit un cycle périodique (par exemple, dans le secteur de l'éducation), les organisations ont la possibilité de devancer ou de retarder le processus de recrutement des candidats. Si l'on tient pour acquis que la plupart des candidats évaluent les offres d'emploi au fur et à mesure qu'elles se présentent, les organisations augmentent sensiblement leurs chances d'attirer des candidats hautement qualifiés en commençant très tôt le processus de recrutement. Par exemple, les entreprises de technologie de pointe commencent le processus de recrutement en faisant participer les débutants à des stages de formation durant l'été. Certaines organisations audacieuses délaissent les entrevues traditionnelles effectuées durant le second semestre universitaire et invitent les candidats les plus qualifiés à se présenter directement à leur siège social, très tôt au début de l'année. Enfin, la plupart des grandes firmes comptables embauchent des candidats avant la fin de l'année scolaire. De telles stratégies visent à inciter les diplômés talentueux à s'associer à une entreprise avant même qu'ils aient pu être contactés par des organisations concurrentes. Les entreprises qui attendent que les entrevues du second semestre aient lieu ou qui ont adopté un processus de recrutement très long se trouvent alors dans une position de faiblesse par rapport aux entreprises qui préconisent un recrutement plus dynamique.

LA POLITIQUE CONCERNANT L'ACCEPTATION DES OFFRES

Le délai que les employeurs accordent aux candidats pour répondre à leurs offres d'emploi est un autre facteur à considérer. Le fait d'accorder aux candidats une période illimitée pour prendre une décision est désavantageux pour l'organisation qui se trouve en quelque sorte à la merci des candidats n'ayant pas encore exploré toutes les possibilités d'emploi. Une telle situation favorise les demandeurs d'emploi et place l'entreprise dans une position difficile ; celle-ci ne peut faire une offre à un second candidat tant qu'elle n'a pas reçu la réponse de la personne qui correspond à son premier choix.

LA COMMUNICATION DE L'INFORMATION SUR LE POSTE ET SUR L'ORGANISATION

Le processus de recrutement traditionnel vise à assurer l'appariement entre les qualifications, les connaissances et les habiletés d'un candidat et les exigences du poste à combler. Une démarche plus récente s'efforce, en plus, de faire coïncider la personnalité, les intérêts et les préférences du candidat tant avec les caractéristiques du poste qu'avec les valeurs prônées par l'organisation.

À cet égard, l'entrevue de sélection est un élément essentiel du processus de recrutement, même si elle constitue une étape qui suit l'étape de recrutement proprement dite. La qualité de l'entrevue détermine dans une large mesure si un candidat acceptera ou déclinera l'offre qui lui est faite. Le contenu de l'entrevue a aussi de l'importance. Les entreprises tiennent souvent pour acquis qu'elles ne doivent laisser voir au candidat que les aspects positifs de l'organisation. Certaines études menées par des compagnies d'assurances ont cependant révélé que la communication d'informations réalistes (les aspects positifs et négatifs) sur l'organisation a pour effet d'augmenter le nombre de candidats. Ainsi, l'entrevue doit fournir au candidat une présentation réaliste du poste. Une bonne entrevue suscite chez le candidat le désir d'appartenir à l'organisation, tandis qu'une mauvaise entrevue fait fuir les bons candidats.

PRÉSERVER L'IMAGE DE LA COMPAGNIE

Lorsqu'on perd un emploi, cela peut être une expérience traumatisante. Or, la vague de rationalisation qu'a connue l'Amérique du Nord pendant les deux périodes consécutives de récession dans les années 80 et 90 ont amené de nombreuses entreprises à licencier massivement leurs employés. La manière dont les entreprises ont géré leur décroissance et la façon dont ils ont traité leurs employés ont élevé ou terni leur image sur le marché du travail. Le climat de travail qui règne au sein d'une entreprise et ce que les employés en disent projettent aussi une certaine image de l'entreprise. La réputation d'une organisation influence indéniablement sa capacité d'attirer des individus qualifiés qui préféreront certainement travailler pour une entreprise qui gère de façon saine ses ressources humaines. L'encadré 6.5 présente des exemples d'avantages offerts par certaines compagnies.

ENCADRÉ 6.5 De nombreux avantages à faire rêver

Plusieurs entreprises établissent des stratégies pour attirer des candidats intéressants... et les retenir chez elles. Elles s'efforcent donc d'offrir des emplois à valeur ajoutée. Voici, par exemple, les avantages dont peuvent bénéficier les employés de quatre compagnies :

Nom de l'entreprise	Style de vie et mieux-être	Formation professionnelle	Rémunération
Alcan Aluminium Entreprise manufacturière active à l'échelle internationale dans la plupart des secteurs de l'industrie de l'aluminium	• Privilégie un équilibre entre les exigences du travail et celles de la famille • Service de garderie • Accès à des soins médicaux dans ses installations • Gymnases • Services de physiothérapie • Paie les études du conjoint	• Défis intéressants à relever • Possibilités de participer à des projets d'envergure • Possibilités de promotion • Possibilités de carrière à l'étranger • Accès à des programmes de formation	• Salaires compétitifs • Performances individuelles reconnues sur le plan financier • Système de bonus pour tous • Option d'achat d'actions pour certains niveaux de cadres • Régime d'avantages sociaux (plan dentaire, assurance-vie, caisse de retraite, etc.)
Nortel Networks Fabricant d'équipements de télécommunications	• Possibilité de travailler à la maison • Horaires de travail flexibles • Tenue vestimentaire décontractée • Centres de conditionnement physique • Services de massage • Choix variés dans les cafétérias (menus santé, etc.) • Accès à des soins médicaux sur les lieux de travail • Souci de rendre le milieu de travail agréable et stimulant (meubles de qualité, aménagement Art déco, etc.) • Accès à des services bancaires (guichets et petits comptoirs) • Accès à des services de nettoyage à sec	• Possibilités de relever de nouveaux défis • Formation continue. Les droits des cours pris à l'extérieur et les livres sont couverts à 100 % • Possibilité de travailler à l'étranger • Encourage les transferts de postes à l'interne. L'an dernier, 30 000 postes ont été affichés sur le site intranet de l'entreprise	• Salaires de base compétitifs, réévalués régulièrement • Régime d'avantages sociaux flexibles (adaptés aux besoins et à la situation de chacun) • Régime d'achat d'actions à rabais pour tous • Régime d'investissement pour tous (Nortel rajoute 60 % de la valeur des contributions jusqu'à un certain plafond) • Octroi d'options d'actions lors de l'embauche ou pour récompenser les employés, encaissables sur une période de trois ans • Primes de reconnaissance accordées régulièrement (système de points qui peuvent être encaissés pour avoir de l'argent ou échangés contre des services ou des biens)
Microcell Télécommunications Entreprise spécialisée en télécommunications qui commercialise entre autres Fido	• Chaque trimestre, les départements sont encouragés à organiser une activité de groupe pour souligner la contribution des employés au succès de l'entreprise • Convie tous les employés à un super party de Noël	• Défis intéressants à relever • Nouveaux projets à réaliser • Encourage le travail en équipe multidisciplinaire • Budget de formation considérable • Favorise les échanges avec des entreprises partenaires dans le monde entier	• Salaires compétitifs • Système de bonus pour tous les employés basé sur le rendement individuel et les résultats de l'entreprise • Régime d'achat d'actions pour tous les employés • Régime d'avantages sociaux flexible
ZeroKnowledge Systems Firme qui procure des solutions assurant la protection de l'identité et de la vie privée des internautes	• Aucun code vestimentaire • Heures flexibles • Salle de jeu avec tables de ping-pong et billard, machines de jeux vidéo, etc. • Salle de méditation et de sieste • Mini-salon (avec télé à écran géant et magnétoscope) • Gymnase • Services de massage • Service de buanderie • Bars à café cappuccino et espresso (gratuits) • Machines distributrices de boissons gazeuses et jus (gratuits) • Deux immenses atriums donnent accès à la lumière du jour partout dans l'entreprise • Ceux qui le désirent peuvent amener leur chien (ou leur poisson rouge) au travail • Un vendredi par mois, tous les employés rencontrent le président et le vice-président à la cafétéria et sont conviés ensuite à une activité de groupe	• Semaine d'intégration et de formation pour tous les nouveaux employés • Participation des employés à des conférences et à des activités de formation à l'extérieur (chacun a un budget) • Offre certains programmes de formation à l'interne • Encourage les experts à partager leurs connaissances • Favorise le mentorat • Chaque employé a un abonnement payé au magazine de son choix, lié à son domaine d'expertise • Possibilité d'avancement et de promotion • Accès à une bibliothèque virtuelle	• Salaires compétitifs • Rémunération liée à la performance réévaluée tous les six mois • Tous les employés ont des actions dans la compagnie • Régime d'avantages sociaux à deux volets. Le premier est traditionnel (plan dentaire, etc.) et le second, flexible. On alloue à chaque employé 1 200 $ et celui-ci peut utiliser cette somme comme bon lui semble pour améliorer son bien-être physique et moral (acheter une raquette de tennis, des livres, des disques compacts, payer les services de massage offerts sur place, etc.) • Programme d'aide gratuit et confidentiel aux employés et à leur famille qui traversent des moments difficiles

Source : Danielle Bonneau, « De nombreux avantages à faire rêver », *La Presse,* cahier spécial, 7 octobre 2000, p. 6.

V Les enjeux
pour les années 2000

Rappelons-nous que durant les périodes de récession, les entreprises qui pouvaient se vanter de recruter étaient rares. En effet, en 1993, les pertes d'emplois avaient atteint leur plus haut niveau depuis 1987, de sorte que les organisations ne parlaient plus qu'en termes de « réduction d'effectifs », de « congédiement » ou de « licenciements ». Dans les faits, cela signifiait que la moindre tentative de recrutement engendrait un déferlement de candidats. Par exemple, lorsque la société Loto-Québec avait annoncé qu'elle avait 850 postes à combler pour le Casino de Montréal, elle a reçu 150 000 demandes d'emploi. Depuis la fin des années 90, un revirement de la situation économique et un taux de chômage plus faible entraînent une pénurie de candidats qualifiés dans certaines spécialités ; c'est pourquoi les organisations doivent se montrer vigilantes et se préparer à réagir à cette situation.

En fait, de récentes statistiques mettent en évidence un autre problème. Elles font état d'une pénurie croissante de travailleurs qualifiés ou spécialisés, main-d'œuvre essentielle dans un contexte de mondialisation des marchés. Une récente étude, portant sur 437 entreprises, révèle que 60 % d'entre elles éprouvent des difficultés à recruter des employés dans quatre secteurs spécifiques : les postes de gestion et de supervision, les postes professionnels, les postes techniques et de soutien technique, et certains corps de métiers. Bien que la plupart des organisations se disent préoccupées par cette situation, très peu d'entre elles ont déjà entrepris une action concrète pour y remédier[18]. En effet, pour chaque entreprise qui élabore de nouvelles stratégies de gestion relatives au recrutement, au maintien et à la formation des employés afin d'assurer un haut niveau de compétitivité, il y a une entreprise qui s'accroche aux méthodes traditionnelles (augmentation des salaires, recherche d'avantages accrus, automatisation et investissement en capitaux). Ces dernières ne constituent pas moins de 60 % des 1 500 entreprises ayant participé au sondage d'où sont tirées ces données.

La pénurie de main-d'œuvre qualifiée prévue pour le début des années 2000 et le profil changeant des candidats à ces postes (80 % de la main-d'œuvre sera constituée de femmes, de membres de minorités visibles et d'immigrants) obligeront les employeurs à délaisser les procédés habituels de recrutement (par exemple, les annonces dans les journaux). Selon les données d'une autre étude récente, les employeurs devront faire preuve d'une plus grande créativité dans leurs nouvelles méthodes de recrutement (voir la Revue de presse, p. 208).

De plus, les besoins de l'organisation devront à l'avenir se concilier non seulement avec les aptitudes des employés, mais aussi avec leur personnalité, leurs intérêts et les goûts spécifiques de chacun. L'émergence d'une société au sein de laquelle les individus sont de plus en plus scolarisés oblige les employeurs à développer une plus grande souplesse et une plus grande capacité d'adaptation. Ainsi, dès le premier jour, les nouveaux employés devront être évalués en fonction de leurs possibilités de promotion ou de mutation et de leur aptitude à acquérir de nouvelles connaissances. Si autrefois on formait des travailleurs spécialisés qui se limitaient à un seul champ d'activité, aujourd'hui on parle plutôt de travailleurs polyvalents, aux qualifications multiples. Ce que les employeurs recherchent de plus en plus, ce sont des employés capables de diversifier leurs activités et d'assumer davantage de responsabilités ; ces individus occuperont plusieurs postes différents avant de gravir les échelons. Dans de nombreux cas, c'est l'évolution de la technologie qui dictera cette tendance. Traditionnellement, le gestionnaire avait l'habitude de travailler avec l'assistance d'une secrétaire alors que bon nombre de jeunes cadres d'aujourd'hui exécutent eux-mêmes tout leur travail de bureau ; ceux-ci dactylographient leurs lettres et notent leurs rendez-vous dans un agenda électronique. Ils agissent ainsi parce qu'ils considèrent que l'ordinateur est aujourd'hui un outil indispensable de gestion et non parce qu'ils refusent l'aide d'autrui. Ils estiment que le fait d'utiliser eux-mêmes le matériel leur permet d'avoir accès à toutes sortes de réseaux, d'être en liaison constante avec leurs interlocuteurs externes et, donc, d'augmenter leur niveau de compétitivité.

Enfin, un des meilleurs moyens d'attirer des candidats de qualité est de conserver la bonne réputation de l'organisation.

REVUE DE PRESSE
L'argent ne fait pas le bonheur

Danielle Bonneau

Aux États-Unis, pour attirer des candidats de choix, certaines entreprises vont jusqu'à offrir une BMW lors de l'embauche. Ils sont fous ces Américains ?

« Cette tendance s'en vient ici », croit Geneviève Fortier, présidente de l'Ordre des conseillers en relations industrielles et ressources humaines agréés du Québec et directrice des ressources humaines corporatives chez Biochem Pharma.

« Les entreprises sont à la recherche de solutions pour recruter et conserver leur personnel, précise-t-elle. L'aspect financier attire à court terme, mais ce n'est pas cela qui va retenir les employés à moyen et long terme. L'environnement, les possibilités de développement, les défis à relever et les possibilités de travailler en équipe attirent davantage qu'une grosse BMW. Cela dit, il faut être compétitif et ne pas offrir des conditions de travail inférieures à ce que l'on trouve ailleurs. Il faut régulièrement réviser les salaires et travailler sur les autres aspects à offrir. »

Comme plusieurs autres entreprises, Alcan Aluminium accorde beaucoup d'importance à la rétention de son personnel. « La main-d'œuvre qualifiée est dure à trouver, longue à développer et on ne veut pas se la faire voler, indique Guy Delisle, directeur de la dotation et du développement. Aussi, avons-nous élaboré une stratégie pour que nos employés désirent rester et grandir chez nous. »

« La rémunération est très importante, mais tout ne s'achète pas, précise-t-il. Une fois cette question réglée, cela prend autre chose. Les gens veulent demeurer dans une entreprise qui a le vent dans les voiles et a du succès, mais pas uniquement sur le plan financier. Ils apprécient qu'elle respecte l'environnement, soit soucieuse de la sécurité de ses employés, assume ses responsabilités sociales, soit engagée dans la communauté et prône des valeurs qui les rejoignent. »

Pour recruter et retenir son personnel, Cascades mise sur les défis et les possibilités de carrière au sein de son organisation, sur sa façon de faire, sa structure qui laisse de la place à l'initiative et son image. C'est pourquoi l'entreprise a décidé de mieux communiquer et transmettre les valeurs qui lui sont chères. « Nous voulons mettre plus l'accent sur la philosophie de la compagnie, parler aux nouveaux employés de son évolution et expliquer son mode de fonctionnement », indique Claude Cossette, vice-président ressources humaines.

Le siège social de l'entreprise se trouvant à Kingsley Falls, au cœur du Québec, il n'a pas de stratégie spécifique pour attirer les candidats. « C'est important d'être transparent et de donner l'heure juste, dit-il. Nous serions d'ailleurs incapables de faire venir quelqu'un qui ne désire pas demeurer en région. Nous essayons plutôt d'engager les gens dont la personnalité cadre le mieux dans l'organisation. Il se crée ainsi, tout naturellement, un sentiment d'appartenance. »

À retenir

- Pour attirer des candidats et retenir leur personnel, les entreprises font mieux de capitaliser sur ce qu'elles ont à offrir.

- L'environnement, les possibilités de développement, les défis à relever et les possibilités de travailler en équipe attirent davantage qu'une grosse BMW.

Source : « L'argent ne fait pas le bonheur », La Presse, cahier spécial, 7 octobre 2000, p. 10.

RÉSUMÉ *import*

Le recrutement est une activité majeure de la gestion des ressources humaines de l'entreprise. Une fois que le service des ressources humaines a terminé l'analyse des postes à pourvoir (exigences et qualifications), il met en œuvre le processus de recrutement permettant de constituer une réserve de candidats qualifiés. Le recrutement des candidats se fait à partir de sources internes ou externes. Pour être efficace, le recrutement doit répondre non seulement aux besoins organisationnels, mais également aux besoins individuels et sociaux. Les besoins sociaux se reflètent dans les lois fédérale et provinciales d'équité en matière d'emploi. Les besoins individuels sont satisfaits dans la mesure où une organisation sait attirer et retenir les candidats qualifiés. Par ailleurs, l'entreprise a l'obligation juridique d'instaurer des programmes d'équité en matière d'emploi pour recruter certains individus ou groupes désignés.

Compte tenu des contraintes juridiques, l'organisation doit recruter un nombre suffisant de candidats potentiellement qualifiés de façon à obtenir un appariement adéquat des individus et des postes disponibles. Un tel appariement assure le rendement et la stabilité des individus au sein de l'organisation. L'organisation dispose de plusieurs méthodes de recrutement pour attirer et retenir les meilleurs candidats. Certaines de ces méthodes sont plus efficaces que d'autres, mais leur utilisation est essentiellement liée au type de candidats que l'on désire solliciter.

Si, avec ces méthodes, l'entreprise n'obtient pas un nombre suffisant de candidats qualifiés, elle tentera alors de les attirer en offrant, par exemple, des services de garderie, en augmentant le nombre de postes accessibles aux deux sexes ou en proposant des conditions de travail qui correspondent aux plus hauts standards de « qualité de vie au travail ».

Questions de révision et d'analyse

1. *Quels nouveaux défis les organisations doivent-elles relever en ce qui concerne le recrutement des candidats ? En quoi ces défis sont-ils reliés à la situation économique ?*

2. *Quels sont les objectifs du recrutement et quelle influence exercent-ils sur les autres activités organisationnelles ?*

3. *Le concept de stockage au moment adéquat est largement utilisé au Japon. Il permet aux manufacturiers d'assembler leurs produits à partir de pièces qui leur sont expédiées sur demande ; ce procédé est moins coûteux puisque les produits ne sont pas conservés en stock. Un tel concept peut-il être appliqué au recrutement et à la gestion des ressources humaines ?*

4. *Le contenu des différentes lois portant sur l'équité en matière d'emploi a-t-il été modifié depuis la parution de ce livre ? Si oui, quels changements ont été apportés ?*

5. *Pouvez-vous nommer une entreprise canadienne de grande envergure qui a implanté avec succès un programme d'équité en matière d'emploi (conforme à l'esprit de la loi) ? Quelles sont les principales raisons de son succès ? Expliquez.*

6. *Pour quelles raisons certaines organisations procèdent-elles par recrutement interne, alors que d'autres procèdent par recrutement externe ?*

7. *Existe-t-il une méthode idéale de recrutement des « candidats potentiellement qualifiés » ? Donnez des exemples pour appuyer votre réponse.*

8. *De quelle façon une organisation peut-elle augmenter l'attrait qu'elle exerce sur les employés potentiels ? Quels moyens peut-elle utiliser pour garder ses nouveaux employés ?*

9. *Mettez-vous dans la peau d'un professionnel des ressources humaines qui a pour mandat de recruter des employés de bureau parmi une main-d'œuvre comportant une importante proportion de personnes qui assument les responsabilités de famille monoparentale. Quels programmes préconiseriez-vous pour attirer ce type de clientèle dans votre organisation ? Exposez les grandes lignes de ces programmes ainsi que leur raison d'être (tout en gardant à l'esprit les contraintes juridiques pertinentes).*

ÉTUDE DE CAS
La promesse

Roger Toupin, directeur de projet à la firme General Instruments (GI), sentait que cette journée serait un de ces lundis dont on se souvient longtemps. La patronne de Roger et chef de groupe, Murielle Saint-Onge, avait quitté la ville pour affaires le vendredi précédent et ne serait de retour au bureau que la semaine suivante. General Instruments, une entreprise spécialisée dans le domaine de la défense qui emploie près de 500 ingénieurs, conçoit et fabrique des systèmes électroniques de navigation. Elle a toujours éprouvé des difficultés à recruter des ingénieurs qualifiés à cause de la concurrence féroce qui prévaut dans le Grand Montréal et de la forte hausse du coût de la vie que subissent les employés amenés à s'y installer.

Le problème qui préoccupe Michel ce matin concerne Danielle Dusseault, jeune ingénieure des systèmes de 23 ans, qui a été embauchée il y a seulement trois semaines, dès sa sortie de l'Université de Moncton. Danielle vient tout juste de lui remettre sa lettre de démission en invoquant des raisons personnelles pour justifier ce départ hâtif. Michel a également reçu une note de service du superviseur de Danielle, Paul Legault, décrivant les circonstances qui ont mené à la démission de la nouvelle recrue.

D'après ce que Roger croit avoir compris, Danielle s'attendait à ce que la rémunération des heures supplémentaires qu'elle avait accomplies au cours des dernières semaines soit incluse dans le chèque de salaire qu'elle venait de recevoir. Paul admet avoir omis de remplir le bordereau de paye qui aurait permis à Danielle d'être payée à temps. Roger est peu étonné de cette situation puisqu'elle s'est produite en de nombreuses occasions avec d'autres superviseurs. Apparemment, c'est le patron de Paul qui aurait reproché à celui-ci de soumettre un trop grand nombre de demandes pour le paiement d'heures supplémentaires dans son unité. C'est pourquoi Paul a décidé de répartir le paiement des heures supplémentaires sur plusieurs périodes.

Paul ne savait pas que Danielle avait déjà réservé un appartement dans le centre-ville de Montréal (elle occupait une chambre d'hôtel à proximité de l'entreprise depuis son arrivée) et qu'elle s'était engagée à payer les trois premiers mois de loyer, ce qu'elle comptait faire sur le montant de son salaire régulier et de ses heures supplémentaires. Lorsque Danielle a réalisé ce qui se passait, elle a demandé un rendez-vous à Murielle pour discuter du problème avec elle. Danielle s'était spontanément tournée vers Murielle, car celle-ci l'avait, dès le début, invitée à faire appel à elle si des difficultés se présentaient. Au moment de l'appel de Danielle, Murielle ne pouvait se libérer et lui proposa donc une rencontre le matin suivant. Mais lorsque Danielle se présenta au bureau de Murielle le lendemain, elle apprit par la secrétaire que Murielle était à l'extérieur de la ville pour un voyage d'affaires. C'est alors que Danielle retourna à son bureau pour rédiger sa lettre de démission.

Tandis que Roger spéculait sur les façons de résoudre ce problème, il se rappela le discours que lui avait tenu Murielle lorsqu'il avait joint les rangs de la compagnie il y a deux ans. Murielle lui avait manifesté sa réticence à embaucher de jeunes ingénieurs car ils avaient tendance, selon elle, à vivre au-dessus de leurs moyens et à trop compter sur les primes et les heures supplémentaires, comme si ces sources de revenu étaient garanties et faisaient partie de leur paie régulière. Malgré cela, Roger pensait que la compagnie devrait accorder un prêt temporaire à Danielle pour l'aider à respecter son engagement et surtout à reconsidérer sa décision.

Roger venait à peine de décider de la voie à suivre quand Danielle apparut à la porte de son bureau. Elle lui dit avoir réfléchi au cours de la fin de semaine, après avoir discuté avec un autre ingénieur de l'entreprise, qui avait été embauché pour la durée du projet. Elle avait en effet appris que les ingénieurs ayant un statut temporaire recevaient une rémunération de 20 % supérieure à celle des ingénieurs permanents, même si ces derniers bénéficiaient de nombreux avantages supplémentaires comme un régime de retraite et une assurance-maladie. Sur ce, Danielle fit une proposition à Roger : elle reviendrait sur sa décision si la direction lui permettait de quitter son poste actuel et d'être réembauchée comme ingénieure de projet sur une base temporaire. Sinon, elle quitterait la compagnie et accepterait l'offre ferme qu'une firme de Moncton, sa ville natale, lui avait faite.

En écoutant Danielle lui exposer sa vision des choses, Roger se demandait comment Murielle aurait réagi face à l'ultimatum de Danielle. Pensif, il se dit que cette proposition ressemblait à du chantage.

Questions

1. Qu'est-ce qui, selon vous, a été la cause du problème ?
2. Quelles méthodes de recrutement permettraient à cette entreprise d'augmenter ses chances d'attirer des candidats qualifiés ?
3. Comment aurait-on pu prévenir le problème de Danielle ?
4. Si vous étiez à la place de Roger, que feriez-vous ?

NOTES ET RÉFÉRENCES

1 J. A. Breaugh, *Recruitment: Science and Practice*, Boston, PWS-Kent, 1992.

2 Bureau of National Affairs, *Special Survey Report: Human Resources Outlook*, vol. 49, nº 4, Washington (D.C.).

3 H. G. Heneman III, T. A. Judge et R. L. Heneman, *Staffing Organizations*, 3ᵉ édition, Boston, Irwin McGraw-Hill, 2000.

4 Cette information provient d'une discussion entre les auteurs et M. R. Szawlowski, directeur de la planification de la main-d'œuvre et du perfectionnement chez Pratt & Whitney Canada. Voir également: R. Szawlowski, «Training and Development in High Technology Industry: Present and Future Trends», S. L. Dolan et R. S. Schuler (dir.), *Canadian Readings in Personnel and Human Resource Management*, St. Paul, West Publishing, 1987, p. 302-311.

5 Bureau of National Affairs, «Recruiting and Selection Procedures», *Personnel Policies Forum Survey nº 146*, Washington (D. C.), 1988; T. Rendero, «Consensus», *Personnel*, septembre-octobre 1980, p. 5.

6 L. R. Sayles et G. Strauss, *Managing Human Resources*, Englewood Cliffs, Prentice-Hall, 1977, p. 147.

7 M. Axmith et B. Moses, «Career Planning and Relocation Counselling: An Emerging Personnel Function», S. L. Dolan et R. S. Schuler, *op. cit.*, 1987, p. 431-437.

8 T. Saba, G. Guérin et T. WILS, «Gérer l'étape de fin de carrière», *Gestion 2000*, février 1997, p.165-181.Voir également E. Miller, «Capitalizing on Older Workers», *Canadian HR Reporter*, vol. 10, nº 2, 16 juin 1997, p. 14

9 A. Halcrow, «Employees Are Your Best Recruiters», *Personnel Journal*, novembre 1988, p. 42-49.

10 C. Green, «Sun Life Dangles 1 000 $ Bonus in Search for Staff», *The Financial Post*, 27 mars 1989, p. 4.

11 S. Arnott, «Recruiting Bonus Wins Mixed Support», *The Financial Post*, 22 mars 1989, p. 9.

12 M. De Smet, «La culture stagiaire semble la nouvelle mode dans les entreprises», *Les Affaires*, 29 janvier 2000, p.39. Voir également M. E. Scott, «Interships Add Value to College Recruitment», *Personnel Journal*, avril 1992, p. 59-63.

13 L. Goodson, «Recruiting on the Web», *Human Resources Professional*, vol. 14, nº 2, avril-mai 1997, p. 27.

14 M. Saks, «A Psychological Process Investigation for the Effects of Recruitment Source and Organization Information on Job Survival», *Journal of Organizational Behavior*, vol. 15, 1994, p. 225-244.

15 A. Patton, «When Executives Bail Out to Move Up», *Business Week*, 13 septembre 1982, p. 13, 15, 17 et 19. Pour une revue des coûts de relogement, voir H. Z. Levine, «Relocation Practices», *Personnel*, janvier-février 1982, p. 4-10 et le numéro entier de *Personnel Administrator*, avril 1984. Voir également C. Fernandez-Araoz, «Recruter sans congédier», *Effectif*, septembre-octobre 1999, p. 34-46.

16 J. D. Dawson, J. E. Delery, G. D. Jenkins et N. Gupta, «An Organizational Level Analysis of Voluntary and Involuntary Turnover», *Academy of Management Journal*, vol. 41, 1998, p. 511-525.

17 Pour une discussion intéressante sur le sujet, voir: J. P. Wanous, *Organizational Entry, Reading*, Addison-Wesley, 1980; J. H. Greenhaus, C. Seidel et M. Marinis, «The Impact of Expectations and Values on Job Attitudes», *Organizational Behavior and Human Performance*, 1983; M. D. Hakel, «Employment Interviewing» dans K. M. Rowland et G. R. Ferris (dir.), *Personnel Management*, Boston, Allyn and Bacon, 1982, p. 153-154; R. R. Reily, B. Brown, M. R. Blood et C. Z. Malatesta, «The Effects of Realistic Previews: A Study and Discussion of the Literature», *Personnel Psychology*, vol. 34, 1981, p. 823-834; R. D. Arvey et J. G. Campion, «The Employment Interview: A Summary and Review of the Recent Literature», *Personnel Psychology*, vol. 35, 1982, p. 281-322. Voir également K. Noël, «Plus indépendants et opportunistes: les employés sont plus ouverts aux offres des concurrents», *Les Affaires*, 27 mai 2000, p. 23.

18 Étude intitulée «Main-d'œuvre 2000» et dirigée par l'Institut Hudson du Canada et la firme de consultants Towers Perrin. Résultats provenant d'un article rédigé par J. Purdie, *The Financial Post*, 11 novembre 1991.

Lectures supplémentaires

- L. Grenon, «Décrocher un emploi», *Perspective,* printemps 1999, p. 24-29.

- J. A. Breaugh, *Recruitment: Science and Practice*, Boston, PWS-Kent, 1992.

- E. B. Akyeampong, «Work Arrangements: 1995 Overview», *Perspectives on Labour and Income*, Ottawa, Statistique Canada, printemps 1997, Cat. nº 75-001-SPE.

- «Info Tel: A service for the Job Seeking Public», *Public Service Commission of Canada*, 30 novembre 1994.

- T. Redman et B. Mathews, «Advertising of Effective Managerial Recruitment», *Journal of General Management*, vol. 18, nº 2, hiver 1992, p. 29-42.

- P. Romanow «Business and Reservists», *Human Resources Professional*, vol. 12, nº 3, mai 1995, p. 13-14.

- S. LeBrun, «Is the Future of Recruiting Online?», *Canadian HR Reporter*, vol. 10, nº 9, 3 novembre 1997, p. 1-6.

- L. Goodson, «Recruiting on the Web», *Human Resources Professional*, vol. 14, nº 2, avril-mai 1997, p. 27.

- S. LeBrun, «Booklets to Connect Disabled With Work», *Canadian HR Reporter*, vol. 10, nº 18, 20 octobre, 1997, p. 8.

- A. E. Barber, *Recruiting Employees: Individual and Organizational Perspectives*, Thousand Oaks (CA), Sage, 1998.

- R. P. Vecchio, «The Impact of Referral Sources on Employee Attitudes: Evidence from a National Sample», *Journal of Management*, vol. 21, nº 5, 1995, p. 953-965.

- C. Lee, «The Hunt for Skilled Workers», *Training*, décembre 1997, p. 26-33.

- C. Patton, «Searching in Space», *Human Resource Executive*, 6 octobre, 1997, p. 36-38.

- B. P. Sunoo, «Thumbs Up for Staffing Web Sites», *Workforce*, octobre 1997, p. 67-72.

- Y. Dysart, «Web Fever», *Human Resource Executive*, 6 mars 1997, p. 30-39.

- S. Kucznski, «You've Got Job Offers», *HR Magazine*, mars 1999, p. 50-58.

- S. Peters, «HR Helps Mirage Resorts Manage Change», *Personnel Journal*, juin 1994, p. 22-30.

Sites Internet

http://www.knowitallinc.com/ Site américain du consultant Know it All offrant des tests pour évaluer le personnel de bureau, informatique et technique. Exemple pratique en ligne.

http://www.cadreonline.com/fr/edito/salaire/index.htm Site français dédié à l'emploi. Permet de calculer le salaire éventuel, donne des conseils sur la rédaction de CV et des lettres de motivation. Test d'évaluation en ligne pour les chercheurs d'emploi.

http://www.jobboom.com Site donnant la liste des emplois offerts au Québec. Possibilité de postuler en ligne.

http://www.viasite.com Site donnant la liste des emplois offerts au Québec. Accessible aux employeurs et aux chercheurs d'emploi. On peut être avisé par courriel lorsqu'un emploi correspondant à son profil se trouve sur la liste.

http://www.careermosaicquebec.com Ce site donne non seulement accès à des listes d'emplois offerts au Québec et à l'étranger, mais il donne également des conseils sur la rédaction des CV et sur la planification de carrière.

http://www.canadajob.com Site en anglais fournissant une liste des emplois offerts au Canada.

http://www.positionwatch.com Site fournissant une liste des emplois offerts au Canada et aux É.-U.

http://www.careerkey.com Site offrant des services aux chercheurs d'emploi. Résultats d'enquêtes sur le salaire, conseil pour la rédaction des CV et pour les entrevues et groupes de discussion. Liste des postes offerts au Canada et aux É.-U; accessible aux employeurs et aux chercheurs d'emploi.

http://www.monster.com

http://francais.monster.ca Site fournissant la liste des emplois offerts au Canada (même principe que le site précédent).

http://www.careermag.com Site fournissant la liste des offres d'emploi en Amérique du Nord et à l'international.

http://careers.wsj.com Site fournissant la liste des emplois affichés dans le journal de Wall Street. Postes offerts aux É.-U. et ailleurs. Le téléchargement des informations utiles est payant.

http://www.careerbuilder.com Site fournissant des offres d'emploi ; peut être utilisé par les chercheurs d'emploi et par les employeurs. Postulation possible en ligne.

http://www.careermosaic.com Site fournissant une liste d'offres d'emploi locales et internationales. Postulation possible en ligne.

http://www.careernet.com *Idem.*

http://www.careerpath.com *Idem.*

http://www.Headhunter.net Site américain mais on peut y faire des recherches d'offres d'emploi canadiennes.

http://www.usacareers.opm.gov Site de l'Office of Personnel Management. Informations destinées à ceux qui planifient une carrière dans la fonction publique américaine. Renseignement sur les cours et les formations portant sur la planification de carrière.

http://www.usajobs.opm.gov Site fournissant la liste des postes offerts dans la fonction publique américaine. Site de l'Office of Personnel Management.

http://www.govjob.net Site fournissant la liste des emplois dans la fonction publique américaine ; accessible aux employeurs et aux employés.

http://www.jobweb.com Site de la National Association for Colleges and Employers. Donne des informations aux praticiens qui travaillent dans le milieu académique et qui conseillent en planification de carrière. Renseignement sur l'emploi : CV, entrevues, profil des employeurs et listes des postes disponibles.

http://www.jobtrak.com Site américain destiné aux étudiants de niveaux collégial et universitaire. Liste des postes ouverts aux étudiants et aux finissants.

http://www.jobs.com Site américain destiné aux étudiants.

La sélection, l'accueil et la socialisation des ressources humaines

L a sélection est le processus consistant à recueillir de l'information sur les personnes ayant posé leur candidature à un poste donné dans le but de les évaluer et de déterminer laquelle d'entre elles devrait être embauchée. La socialisation (le terme anglais souvent employé est *orientation*) des ressources humaines vise à présenter au nouvel employé les différentes composantes de son milieu de travail ainsi que les personnes avec qui il devra travailler, et ce, dans le but d'assurer sa bonne intégration le plus rapidement possible. Les processus de sélection et de socialisation visent à assortir les caractéristiques du poste et de l'organisation aux connaissances, aux habiletés et aux aptitudes de l'individu afin d'augmenter les chances de ce dernier de devenir un employé satisfait, stable et productif.

Ce chapitre traitera donc de l'importance de la sélection, décrira le processus ainsi que les instruments qu'il convient d'utiliser dans le cadre de la sélection. L'accueil et la socialisation des personnes recrutées y seront également abordés.

I La sélection
des ressources humaines

L e service des ressources humaines et les gestionnaires jouent un rôle important dans les activités de sélection. Les cadres hiérarchiques aident à préciser les besoins en ressources humaines de l'organisation, participent à l'analyse des postes, évaluent le rendement des employés et contribuent à l'intégration des nouveaux employés. Quant au service des ressources humaines, il est responsable de la collecte de l'information sur les candidats – parfois au moyen de la vérification des références, de l'administration des tests et autres méthodes de sélection – ainsi que de l'organisation des entrevues des candidats avec les cadres hiérarchiques. Ainsi, la plupart des activités de sélection est assurée par le service des ressources humaines, et ce, pour plusieurs raisons énumérées dans l'encadré 7.1.

ENCADRÉ 7.1 Raisons pour lesquelles la sélection des RH est confiée aux professionnels en ressources humaines

- Les candidats acheminent leur demande d'emploi à un lieu unique et ont ainsi la possibilité de voir leur candidature étudiée pour une grande variété de postes.
- Un guichet unique pour traiter des questions d'emploi facilite la réception de ces candidatures.
- Les cadres hiérarchiques peuvent se concentrer sur leurs responsabilités opérationnelles.
- Le fait de confier l'embauche à des spécialistes formés aux techniques de recrutement assure une meilleure qualité de la sélection.
- L'accroissement des lois et des règlements qui affectent la sélection incite les organisations à recourir aux services d'une personne possédant une connaissance approfondie de ce domaine.

Les procédures de sélection procurent à l'organisation une ressource essentielle à son bon fonctionnement : ses ressources humaines. Elles facilitent en outre l'atteinte de plusieurs autres objectifs spécifiques évoqués dans l'encadré 7.2.

ENCADRÉ 7.2 L'importance du processus de sélection

- Il contribue à l'atteinte des objectifs organisationnels en matière de productivité.
- Il assure la rentabilité de l'investissement financier que l'entreprise fait dans le domaine des ressources humaines.
- Il facilite l'atteinte des objectifs et la satisfaction des quotas d'embauche établis dans le cadre des programmes d'équité.
- Il minimise les possibilités de litiges soulevés par des candidats invoquant leur rejet du processus pour des motifs de discrimination.
- Il encourage la prise en compte, en ce qui a trait aux décisions touchant la sélection, des intérêts de l'individu et de l'organisation.

LES LIENS ENTRE LA SÉLECTION ET LES AUTRES ACTIVITÉS DE LA GESTION DES RESSOURCES HUMAINES

Comme l'illustre l'encadré 7.3, les décisions relatives à la sélection sont prises grâce à l'examen d'une réserve de candidats potentiels, à l'analyse des exigences des postes disponibles et à la description du contexte organisationnel dans lequel s'inscrit le poste. Ces activités se rapportent directement au recrutement, à l'analyse des postes,

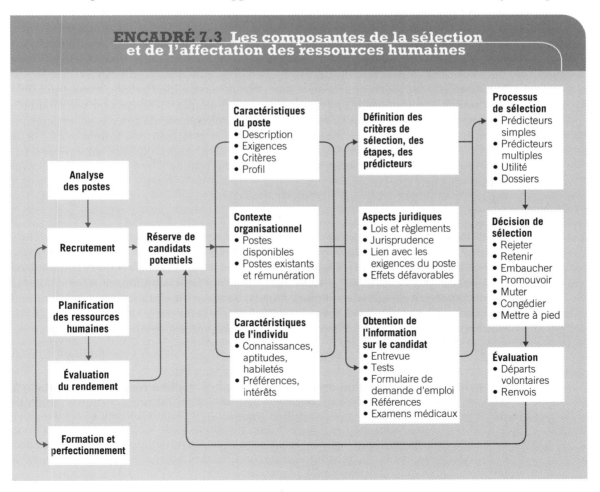

ENCADRÉ 7.3 Les composantes de la sélection et de l'affectation des ressources humaines

aux activités de planification des ressources humaines, à l'évaluation du rendement et à la formation et au perfectionnement du personnel. Les aspects juridiques entourant la sélection des ressources humaines seront examinés dans le chapitre 13.

L'analyse des postes. Les décisions touchant la sélection et l'affectation des ressources humaines pourront profiter à la fois à l'individu et à l'organisation dans la mesure où les exigences des postes disponibles seront clairement précisées. En effet, la connaissance des caractéristiques essentielles du poste et des qualifications que doit avoir le candidat rend possible l'élaboration de mécanismes de sélection adéquats. L'utilisation, à cet effet, de l'analyse des postes augmente les possibilités que ces mécanismes de sélection correspondent aux exigences de l'emploi et soient donc plus efficaces et conformes aux dispositions juridiques qui s'appliquent à ce domaine. Il devient alors plus facile d'en démontrer la validité de contenu.

Le recrutement. Comme nous l'avons précisé au chapitre 6, le succès des activités de sélection et d'affectation dépend de l'efficacité du recrutement. Si le recrutement ne conduit pas à la constitution d'une réserve suffisamment vaste de candidats qualifiés, l'organisation éprouvera d'énormes difficultés à recruter des personnes qui auront un bon rendement et qui souhaiteront demeurer au sein de l'entreprise. En effet, une réserve de candidats trop pauvre ou trop large réduira l'efficacité potentielle des activités de sélection.

La planification des ressources humaines. Les projections établies dans le cadre du processus de planification des ressources humaines quant au nombre d'employés nécessaires et à la période où leurs services seront requis facilitent la prise de décision en matière de sélection. Ainsi, dès que l'organisation a précisé ses exigences concernant les nouveaux postes, le service des ressources humaines peut entreprendre l'étude des postes et travailler à la mise au point de nouvelles procédures de sélection. La planification des ressources humaines peut également apporter son concours au processus de sélection en repérant le plus grand nombre possible de candidats potentiels, en particulier parmi les employés de l'entreprise se qualifiant pour des promotions. Le recours à un système d'information sur les ressources humaines (SIRH) ou à un système de gestion des ressources humaines (SGRH) peut favoriser la prise de décisions de cette nature, comme il est d'ailleurs précisé au chapitre 4. Un système d'information sur les ressources humaines permet de conserver une vaste banque de données portant sur les employés et les postes existant au sein de l'entreprise. Lorsque des postes deviennent vacants, la mise en relation de ces données pour découvrir des candidats potentiels peut se faire aisément.

L'évaluation du rendement. L'évaluation du rendement des employés sert à déterminer si les mécanismes de sélection du personnel de l'entreprise constituent de bons prédicteurs de rendement. Si les critères utilisés pour l'évaluation du rendement ne sont pas liés aux exigences des postes (c'est-à-dire si les évaluations ne s'appuient pas sur les analyses des postes, comme nous le verrons au chapitre 8) ou ne sont pas communiqués aux employés, il devient difficile pour l'entreprise de concevoir et d'utiliser des mécanismes de sélection pour prédire avec succès le rendement de l'employé.

Le développement des compétences. Dans le cas où le recrutement ne fournit pas une réserve suffisante de candidats qualifiés, l'organisation peut se voir obligée d'embaucher des candidats sous-qualifiés qu'elle devra ensuite former. Le compromis que doit faire l'entreprise entre la sélection de candidats qualifiés et la formation du personnel pour le rendre apte à fournir un rendement adéquat se résume à une question de coût et de temps. Par exemple, plusieurs institutions financières canadiennes préfèrent embaucher des détenteurs d'un MBA n'ayant aucune expérience et leur faire suivre un programme de formation très poussé en gestion, complété par des stages dans l'entreprise.

II Le processus de sélection des ressources humaines

Le processus de sélection des ressources humaines se compose de plusieurs étapes et doit tenir compte de certains éléments. Nous commencerons par examiner les informations à communiquer aux candidats, pour ensuite approfondir les éléments qui ont trait à la décision de sélection. Les étapes et les approches utilisées dans la sélection seront finalement présentées.

LES INFORMATIONS À DÉVOILER

L'utilisation efficace de l'information recueillie lors du processus de sélection exige que le gestionnaire de ressources humaines suive un certain nombre d'étapes indispensables que vous trouverez énumérées dans l'encadré 7.4. Il importe, plus spécifiquement, qu'il obtienne les précisions nécessaires en ce qui a trait aux trois paramètres suivants qui constituent l'essence du processus de sélection : le contexte organisationnel, le contexte du poste et les candidats.

ENCADRÉ 7.4 Facteurs à considérer lors du processus de sélection

- S'assurer, avant de procéder à l'embauche de personnel, de l'accord et de l'approbation de la haute direction ainsi que de l'allocation du budget nécessaire.
- Bien comprendre la nature des besoins formulés par le superviseur dans sa requête.
- Planifier adéquatement le processus d'embauche et recueillir toute l'information nécessaire, en particulier lorsque ce processus repose uniquement sur des requêtes de superviseurs.
- Fournir aux candidats un tableau exhaustif des conditions d'emploi et leur transmettre toute l'information pertinente concernant le poste.
- Communiquer toute offre d'emploi par écrit, y compris les engagements verbaux pris par l'organisation et le candidat ainsi que les détails particuliers ou inhabituels de l'entente.
- Vérifier si toutes les dispositions concernant l'équité en matière d'emploi ont été respectées.

Consultez Internet

http://www.ers.infomart-usa.com/

Site qui permet de calculer les coûts de la sélection et du taux de roulement.

Le contexte organisationnel. La connaissance du contexte organisationnel constitue un atout précieux lors du processus de sélection. Elle permet de découvrir les emplois disponibles, les conditions inhérentes aux postes offerts et les contraintes juridiques qui s'y rattachent. La sélection des candidats implique, en premier lieu, la détermination des disponibilités d'emplois. Le recensement des postes vacants peut se faire par le biais des programmes de planification ou de la gestion des ressources humaines, ou encore à la suite de requêtes directes formulées par les superviseurs. En l'absence d'un système de planification de main-d'œuvre, ce sont les requêtes des superviseurs qui constituent souvent la principale source d'information sur les postes disponibles. Dans ce cas, l'organisation ne prend connaissance des postes disponibles qu'au moment où ils deviennent vacants. Il en résulte que les processus de recrutement, de sélection et de socialisation sont engagés sans une connaissance suffisante de ces nouveaux postes, ou se déroulent à un rythme tel qu'une action en profondeur devient impossible. Il faut noter que les pénuries de main-d'œuvre qui se déclarent depuis ces dernières années incitent un nombre croissant d'organisations à entreprendre une planification systématique de leurs besoins en ressources humaines.

Le contexte du poste. Le candidat à un poste donné doit pouvoir effectuer un choix réaliste et connaître les conditions régissant l'accomplissement des fonctions qui lui sont attribuées. Il importe ainsi, à la fois pour le candidat et pour l'organisation, que soient précisées les conditions matérielles entourant l'exécution du travail. On associe généralement au contexte du poste des facteurs tels que les contraintes de temps régissant l'accomplissement des tâches, l'horaire et le lieu de travail. Plusieurs spécialistes de la gestion des ressources humaines suggèrent de fournir aux candidats à un poste une copie de l'analyse de poste. Des informations précises quant aux conditions d'accomplissement du travail et aux niveaux de rendement attendus faciliteront l'harmonisation des connaissances, des habiletés et des aptitudes de l'individu avec les exigences du poste. Ces informations aideront le candidat à évaluer la compatibilité de ses intérêts personnels avec les caractéristiques du poste.

Le candidat au poste. On estime qu'environ 50 % de l'information pertinente concernant les chances de réussite d'un candidat dans ses fonctions provient du candidat lui-même. Les renseignements précis qu'il est possible d'obtenir des candidats portent sur leurs connaissances, leurs habiletés et leurs aptitudes, ainsi que sur leurs préférences et intérêts personnels. Ces données, ajoutées à celles qui se rapportent au milieu organisationnel et au contexte de l'emploi, constituent une excellente base pour prédire le rendement éventuel d'un candidat à un poste déterminé. Ces éléments d'information sont, pour cette raison, souvent désignés sous le nom de prédicteurs. Plusieurs techniques étudiées dans ce chapitre servent à vérifier l'exactitude des renseignements recueillis.

LA DÉCISION DE SÉLECTION

Le concept de succès dans les décisions de sélection. Il importe que les critères de sélection retenus par l'organisation soient liés aux exigences du poste que celle-ci souhaite combler. Comme il arrive rarement, sinon jamais, que la réussite repose sur un comportement unique, il est nécessaire que le gestionnaire précise toute la gamme des comportements qu'il associe au succès d'un candidat à un poste donné. Ainsi, on s'attend par exemple à ce qu'un professeur compétent ait une bonne connaissance de la matière qu'il enseigne, possède des aptitudes pour la communication, fasse preuve d'une attitude à la fois ferme et juste envers ses étudiants, soit ponctuel, etc. Le « succès » se compose donc d'un ensemble de comportements qu'il est possible de reconnaître et de mesurer. Le choix de critères adéquats et la mise en évidence de leur importance relative constituent une étape importante menant à la définition de prédicteurs fiables et à l'établissement d'un processus de sélection efficace.

Consultez Internet

http://collection.nlc-bnc.ca/

Site du secrétariat du Conseil du Trésor du Canada qui donne accès à un répertoire des compétences des employés de la fonction publique fédérale, répertoire sur lequel se fonde le processus de sélection.

L'exactitude des critères retenus est également importante car ceux-ci contribuent à déterminer la catégorie d'informations qu'il faudrait obtenir des candidats et, dans une certaine mesure, la méthode qu'il convient d'utiliser pour procéder à la collecte de ces informations. Par exemple, si on définit l'absentéisme comme critère, la vérification des références, l'analyse des antécédents professionnels ou le recours à un test constitueront des méthodes de sélection adéquates. Si on choisit le niveau de rendement comme critère, on pourra faire appel à un test écrit mesurant les connaissances, les habiletés et les aptitudes du candidat.

On ne saurait trop insister sur le fait que l'analyse des postes est le moyen le plus sûr de déterminer les critères les plus pertinents au poste, comme nous l'avons vu au chapitre 4. À titre d'exemple, l'encadré 7.5 présente les principales dimensions du poste d'assistant aux prêts d'une banque, que le processus de sélection devra prendre en compte. Il précise ainsi les connaissances, les habiletés et les aptitudes nécessaires à l'accomplissement des fonctions d'assistant. Comme ces dimensions du poste décrivent les comportements jugés essentiels à cet emploi, elles représentent par le fait même les principaux critères de sélection retenus. On remarquera que ces critères désignent des comportements plutôt que des résultats quantifiables. La décision de sélection consistera, dans ce cas, à déterminer si le candidat possède

ENCADRÉ 7.5 Matrice d'un plan de sélection

POUR : ASSISTANT AUX PRÊTS DE LA BANQUE   DATE :

Pratiques, procédures et tests utilisés lors de la sélection

Codes A	B	Titres	Rang		FAS					ED	FB/VR		FER
			3	4	5	6	7	8	9	10	11	12	13
		Connaissances / aptitudes et habiletés											
QM		1. Communication	R	X						X	X		X
QM		2. Mathématiques		X						X	X		X
QM		3. Rédaction		X						X	X		X
QM		4. Lecture		X						X	X		X
QM		5. Recherche		X						X	X		X
QM		6. Organisation	R	X						X	X		X
QM		7. Écoute	R	X						X	X		X
QM		8. Habiletés interpersonnelles		X						X	X		X
PF	B	9. Ventes	R	X						X	X		X
QM		10. Interprétation	R	X						X	X		X
SF		11. Politiques de la banque											X
PF	C	12. Services de la banque	R	X						X	X		X
SF		13. Informatique											X
SF		14. Rapport de crédit											X

QM : Qualifications minimales. PF : Peut recevoir la formation ou acquérir les qualifications en cours d'emploi. On peut accorder la préférence aux personnes qui possèdent ces connaissances et ces habiletés. Lorsqu'elle s'applique à une caractéristique physique, la cote PF signifie qu'un accommodement raisonnable est possible. SF : Sera formé ou acquerra les qualifications au travail sur une période brève de huit heures ou moins. Les qualifications ne sont pas évaluées lors du processus de sélection. QM/SF : le niveau inférieur correspond aux qualifications minimales ; le niveau supérieur sera atteint par le biais de la formation ou en cours d'emploi. Les qualifications ne sont pas mesurées lors du processus de sélection. PF/SF : le niveau inférieur peut être atteint par le biais de la formation ou en cours d'emploi ; le niveau supérieur sera atteint par le biais de la formation ou en cours d'emploi. Les qualifications ne sont pas mesurées lors du processus de sélection. R : Rang. On peut classer les candidats selon leur niveau d'habiletés au travail. Ce rang met en évidence les candidats possédant des habiletés supérieures et qui pourraient mieux s'acquitter de leurs tâches. Ce classement n'intègre pas la totalité des connaissances, des compétences, des caractéristiques physiques et autres caractéristiques. FAS : Formulaire supplémentaire de demande d'emploi. TCE : Test écrit d'évaluation des connaissances. TC : Test d'évaluation des aptitudes. DCP : Épreuve de capacités physiques. EOS : Entrevue structurée. ED : Entrevue départementale sur rendez-vous. FB/VR : Formulaire biographique et vérification des références. EM : Examen médical. FER : Formulaire d'évaluation du rendement.

Source : Biddle & Associates, Inc. Traduction et reproduction autorisées.

ou non les qualifications et les connaissances jugées essentielles pour adopter les comportements attendus et avoir un rendement adéquat. La matrice présentée dans l'encadré 7.5 décrit les méthodes permettant de mesurer les aptitudes ou les comportements spécifiés. Ces mesures deviennent des prédicteurs du rendement futur du candidat en ce qui a trait à chacune des dimensions du poste.

Les problèmes liés à l'évaluation du succès dans un poste. Il convient de définir avec précision les critères de succès associés à un poste. À cet effet, des études traitant de la validité de la sélection font souvent mention de deux catégories de critères : le critère théorique et le critère réel. Le critère théorique est une construction, une idée abstraite qui ne peut jamais se mesurer véritablement. Ce critère fait référence à un ensemble de facteurs qui représentent la réussite dans un emploi. Le critère réel fait plutôt référence à des facteurs mesurables permettant de circonscrire le succès. Par exemple, certaines organisations utilisent les résultats périodiques des évaluations du rendement ou retiennent le nombre de jours d'absence d'un employé.

Les relations existant entre les deux types de critères s'expriment en fonction de deux problèmes : la déficience et la contamination. L'encadré 7.6 montre le recoupement observé entre ces deux critères. Les cercles représentent le contenu conceptuel de chacun d'eux. Les indicateurs véritables et valides du succès d'un titulaire de poste se retrouvent dans la partie ombragée (la pertinence).

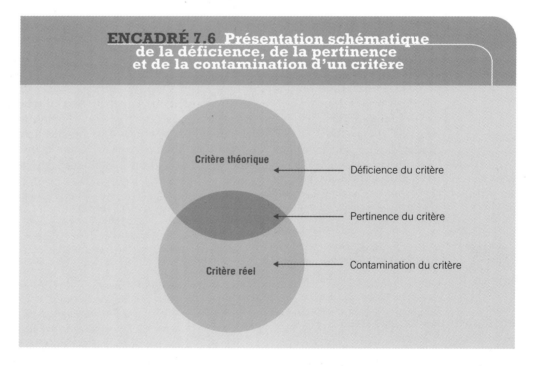

ENCADRÉ 7.6 Présentation schématique de la déficience, de la pertinence et de la contamination d'un critère

La déficience du critère indique le degré d'inadéquation du critère réel par rapport au critère théorique, inadéquation qui est due à l'omission, lors de l'élaboration des critères de sélection d'un poste, d'une dimension importante de celui-ci. C'est le cas, par exemple, d'une entreprise qui omet d'inclure, comme critère d'embauche d'un gestionnaire, l'aptitude de celui-ci à gérer son temps ou à travailler en équipe.

Les critères réels utilisés par les organisations comportent toujours un certain degré de déficience. Des études montrent qu'une organisation qui ne tient pas compte de l'analyse de poste accroît ses chances de négliger des dimensions importantes du poste et d'utiliser, par conséquent, des critères de sélection déficients.

La contamination du critère indique le degré d'inadéquation du critère réel par rapport au critère théorique, inadéquation qui est due à l'inclusion, lors de l'élaboration des critères de sélection pour un poste, de facteurs non reliés à l'emploi. C'est le cas, par exemple, d'une entreprise qui adopte, comme critère d'embauche d'une secrétaire, l'aptitude à préparer du bon café. L'utilisation d'un critère erroné peut également être un facteur de contamination. Ainsi, l'utilisation du volume des ventes pour évaluer le rendement des agents d'immeubles, alors qu'il est bien connu que les conditions du marché influencent fortement leur rendement, est un facteur de contamination. Par conséquent, si on retient le volume des ventes comme critère de réussite des agents, il faudrait utiliser le « volume des ventes rajusté », de manière à tenir compte des conditions du marché.

Les dirigeants de plusieurs organisations éprouvent des difficultés à prévoir les chances de succès d'un candidat à un poste. En fait, la décision de sélection n'est jamais simple. Le faible taux de succès de certaines entreprises en matière de sélection de personnel s'explique surtout par le fait qu'elles évitent ou négligent de définir en termes de comportements ou de résultats ce qu'elles attendent précisément du candidat. C'est pourquoi la première étape conduisant à l'amélioration du processus de sélection consiste à raffiner les instruments de mesure de la réussite professionnelle.

Le rôle des prédicteurs dans la sélection. Une organisation souhaite disposer d'un prédicteur ou d'un ensemble de prédicteurs lui permettant de prévoir le rendement d'un candidat en fonction des critères établis pour un poste donné. Un bon prédicteur doit donc prévoir adéquatement la chance de réussite d'un candidat dans un domaine déterminé s'il est embauché. Les décisions de sélection que prend une organisation se fondent généralement sur les résultats obtenus par un candidat pour un prédicteur de rendement. Ces résultats déterminent dans quelle mesure le candidat embauché aura un rendement correspondant aux divers critères définis. De façon générale, puisque ces résultats proviennent d'une combinaison de prédicteurs administrés selon une certaine séquence, les décisions de sélection respecteront également des étapes précises[1].

LES ÉTAPES DU PROCESSUS DE SÉLECTION

Consultez Internet

http://www.gov.on.ca/opp/recruit/french/constable_f.htm
Site présentant les étapes à suivre dans le processus de sélection des agents de police.

La collecte de l'information nécessaire aux décisions en matière de sélection s'effectue en plusieurs étapes. L'encadré 7.7 fournit un exemple typique des principales étapes que comporte le processus de sélection. L'ordre des étapes qu'on y présente reflète les pratiques habituelles, bien que cet ordre puisse varier selon le type de poste ou d'organisation[2]. On se doit cependant de noter que plusieurs entreprises établissent la séquence des étapes à leur convenance ou en fonction du nombre de candidats retenus.

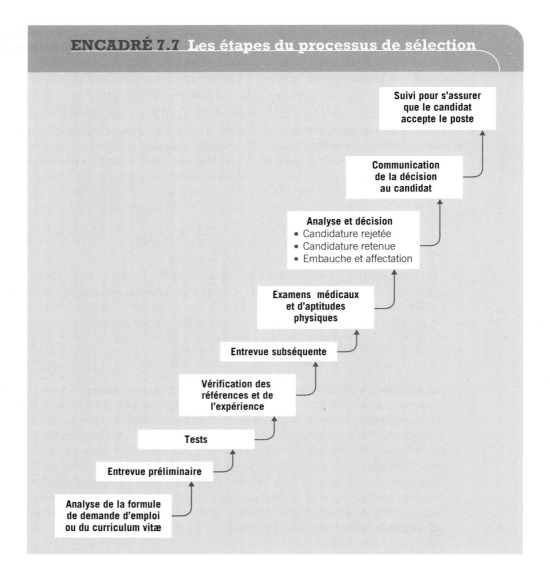

ENCADRÉ 7.7 Les étapes du processus de sélection

Analyse de la formule de demande d'emploi ou du curriculum vitæ

Entrevue préliminaire

Tests

Vérification des références et de l'expérience

Entrevue subséquente

Examens médicaux et d'aptitudes physiques

Analyse et décision
• Candidature rejetée
• Candidature retenue
• Embauche et affectation

Communication de la décision au candidat

Suivi pour s'assurer que le candidat accepte le poste

LES APPROCHES UTILISÉES DANS LA SÉLECTION

La première décision que devra prendre le gestionnaire de ressources humaines, avant même de déterminer les étapes du processus de sélection, consiste à choisir l'approche qu'il utilisera pour la sélection du personnel. Il existe une grande variété de prédicteurs dont l'utilité dépend toutefois des niveaux de validité et de fiabilité propres à chacun d'eux[3]. Parmi les deux approches les plus communes, l'une est dite à prédicteur unique, et l'autre, à prédicteurs multiples.

L'approche à prédicteur unique. Les gestionnaires de ressources humaines optent pour l'approche à prédicteur unique lorsqu'ils ont recours à une seule méthode ou à un seul élément d'information pour la sélection des candidats. Nombre d'entreprises retiennent cette approche, surtout si la validation des prédicteurs peut s'effectuer rapidement. C'est le cas lorsque le prédicteur retenu englobe la principale dimension du poste. Cependant, la majorité des postes comportent plusieurs dimensions et requièrent donc l'utilisation de multiples prédicteurs. Une combinaison de plusieurs prédicteurs, par exemple le recours à des tests écrits et aux formulaires de demande d'emploi, facilite les décisions en matière de sélection du personnel.

L'approche à prédicteurs multiples. La prise de décision en matière de sélection du personnel qui est effectuée à partir de la combinaison de plusieurs sources d'information est désignée sous le nom d'approche à prédicteurs multiples (encadré 7.7). Il existe diverses méthodes permettant de combiner l'information provenant de différentes sources, parmi lesquelles figurent les suivantes : (1) l'approche non compensatoire, (2) l'approche compensatoire ou (3) une combinaison de ces deux approches.

L'approche non compensatoire à prédicteurs multiples. Les décisions en matière de sélection fondées sur une approche non compensatoire font appel à l'un ou l'autre des deux modèles de sélection suivants : le modèle à seuils multiples et le modèle à étapes multiples. Ces modèles découlent du principe selon lequel le poste comporte plusieurs dimensions et requiert donc l'utilisation de prédicteurs multiples pour faciliter la prise de décision.

Le modèle à seuils multiples oblige le candidat à dépasser un certain niveau de compétence pour chacun des prédicteurs retenus. Ainsi, un score élevé obtenu par le candidat pour l'un des prédicteurs ne peut, en vertu de ce modèle, compenser un faible score ou l'échec du candidat pour un autre prédicteur. Par exemple, un candidat à un poste de contrôleur aérien ne peut en aucun cas compenser son échec à un test de reconnaissance visuelle. Pour cette raison, on qualifie cette approche de non compensatoire. Le modèle à étapes multiples, similaire au modèle à seuils multiples, s'en distingue en ce que les décisions qu'il implique sont prises de façon séquentielle. Dans le cas du modèle à seuils multiples, la sélection s'effectue à partir des seuls candidats ayant atteint ou dépassé le score minimal requis pour chacun des prédicteurs. À l'opposé, le modèle à étapes multiples requiert des candidats la réussite d'une épreuve comme condition d'admission à l'étape suivante. Il faut donc réussir chacun des tests. Par exemple, on peut poser comme condition préalable à la convocation des candidats à une entrevue leur réussite à un examen écrit.

Le modèle de sélection à étapes multiples n'exige pas que les candidats obtiennent ou dépassent un score minimal pour chacun des prédicteurs définis. Il arrive parfois qu'un candidat ayant enregistré un faible résultat pour l'un des prédicteurs fasse l'objet d'une embauche conditionnelle ou provisoire, l'organisation se réservant le droit de l'évaluer ultérieurement d'après son rendement au travail. Si le candidat a un rendement satisfaisant en ce qui a trait aux dimensions du poste qui lui avaient valu un faible score, l'entreprise peut décider de procéder à son embauche définitive. Bien que ce modèle assure un taux de succès plus élevé lors des décisions finales de sélection, il conduit à l'embauche de candidats qui auraient pu ne pas demeurer en lice au-delà de l'acceptation provisoire ou qui auraient tout simplement été écartés si on avait eu recours à une autre méthode, comme le modèle de sélection à seuils multiples. Le modèle à étapes multiples implique donc des coûts supplémentaires, bien qu'il fournisse un plus grand nombre de candidats susceptibles d'être retenus à la fin du processus.

Prenons l'exemple d'un hôpital dont la procédure d'embauche d'un cuisinier placerait l'examen médical en dernier lieu. On peut ainsi imaginer le cas d'un candidat qui, après avoir réussi un certain nombre d'épreuves préliminaires incluant la remise d'un formulaire de demande d'emploi, la participation à des entrevues et même à une simulation, se verrait écarté en dernière étape à la suite d'un examen médical révélant qu'il souffre de tuberculose, maladie infectieuse qui le rend inapte à la manipulation des aliments. Dans un tel cas, l'approche appropriée aurait consisté à déterminer les principales exigences du poste et à décider de l'ordre des épreuves en conséquence. Ici, la santé physique apparaît comme le critère déterminant et devrait donc précéder les autres.

Les pièges liés au modèle de sélection à étapes multiples. Puisque le modèle à étapes multiples implique que la décision relative à l'admission du candidat pour une étape subséquente dépend de la réussite de l'épreuve précédente, il importe d'établir correctement la séquence des différentes étapes. Or, plusieurs organisations décident de l'ordre des épreuves en fonction de considérations pratiques qui ne respectent pas nécessairement des critères de validité. Idéalement, il serait préférable d'ordonner les épreuves en fonction de leur validité relative. Il faudrait ainsi placer au début l'épreuve la plus importante et à la fin l'épreuve la moins importante. En somme, les organisations qui adoptent un modèle de sélection à étapes multiples devraient établir la séquence des étapes de manière à assurer leur validité plutôt que de faire appel à des considérations pratiques ou autres.

L'approche compensatoire à prédicteurs multiples. Les deux modèles présentés plus avant se fondent sur le postulat selon lequel un résultat exceptionnel enregistré pour un prédicteur donné ne peut compenser l'échec subi dans le cas d'un autre prédicteur. Par contre, une approche compensatoire à prédicteurs multiples admet le fait qu'un résultat supérieur obtenu pour un prédicteur donné puisse compenser un piètre score enregistré pour un autre prédicteur. Par exemple, un score élevé obtenu au niveau de la motivation pourrait compenser un faible score en matière d'aptitudes. On peut ensuite, à partir de cette hypothèse, procéder à une analyse pour combiner les prédicteurs du succès d'un employé dans un poste donné (les techniques statistiques sont généralement appropriées pour effectuer ce genre d'analyse).

L'approche combinée à prédicteurs multiples. Un grand nombre d'organisations associent plusieurs approches, et ce, dès l'étape du recrutement. L'approche combinée peut utiliser à la fois des éléments des approches compensatoires et non compensatoires. On débute généralement par le modèle à seuils multiples. À partir de l'étape de l'entrevue, on a recours à l'approche compensatoire. Par exemple, l'organisation peut établir comme préalable à l'embauche une exigence minimale telle qu'un diplôme de premier cycle en comptabilité ou une moyenne de notes élevée. Une fois cette condition satisfaite, les autres caractéristiques peuvent faire l'objet de négociations. Ainsi, le choix d'utiliser des prédicteurs multiples oblige les entreprises à étudier les caractéristiques des postes afin de déterminer le nombre de prédicteurs retenus et le degré de compensation jugé acceptable pour ces prédicteurs les uns par rapport aux autres.

Afin d'éviter les risques de poursuites ou des déboursés inutiles, l'employeur doit de plus s'assurer que les procédures de sélection adoptées sont liées aux exigences du poste et qu'aucune procédure ou information non pertinente aux fonctions n'intervient dans le processus de décision.

LES CONSIDÉRATIONS IMPORTANTES EN CE QUI A TRAIT AU CHOIX DES INSTRUMENTS DE SÉLECTION

La qualité et l'efficacité des décisions de sélection dépendent du nombre de bons candidats retenus ; il peut en résulter une amélioration du niveau global de la productivité de l'organisation. Lorsqu'une organisation fonde ses décisions relatives à la sélection sur des activités qui contribuent à influencer favorablement la productivité, on peut conclure qu'elle utilise des prédicteurs (critères) valides et fiables. Nous discuterons maintenant de la signification de la validité et de la fiabilité des instruments de sélection.

La fiabilité des instruments. La fiabilité fait référence à la stabilité et à la cohérence de l'instrument de sélection, c'est-à-dire du prédicteur ou du critère. Cette caractéristique implique que l'instrument choisi, qu'il s'agisse de données d'un test écrit ou d'impressions obtenues au cours d'une entrevue, devrait reproduire les mêmes résultats à la suite d'applications répétées dans des conditions identiques. La documentation disponible en gestion des ressources humaines traite de deux mesures de fiabilité : la stabilité des tests et la cohérence interne[4].

La fiabilité du test-retest. Le moyen le plus simple d'évaluer la fiabilité d'un instrument de mesure consiste à établir des mesures à deux moments différents et à comparer les scores obtenus. C'est ce qu'on désigne sous le nom de fiabilité du test-retest. On peut, par exemple, administrer un test d'intelligence à un groupe de candidats trois mois avant l'embauche et un nouveau test un mois avant la prise de décision. Les deux scores sont ensuite mis en corrélation pour obtenir un coefficient de corrélation ou coefficient de stabilité (ce coefficient reflète la stabilité du test dans le temps). Un coefficient de stabilité élevé traduit généralement un haut niveau de fiabilité de l'instrument de mesure. En règle générale, un coefficient de stabilité de 0,70 et plus est jugé acceptable[5].

La fiabilité par cohérence interne. La fiabilité par cohérence interne désigne le degré d'homogénéité du contenu de l'instrument de sélection. Elle détermine dans quelle mesure les différents éléments de l'instrument, un test par exemple, évaluent la même caractéristique. La cohérence interne est mesurée par le coefficient alpha de Cronbach qui doit être supérieur à 0,70[6].

La validité des instruments. La notion de validité a trait au niveau de précision ou d'exactitude de la mesure d'un attribut plutôt qu'à la cohérence interne de l'instrument. Alors que la fiabilité s'applique au test ou à l'instrument de sélection, la validité dépend plutôt de son utilisation. La validité implique l'utilisation appropriée d'un instrument de mesure donné afin de tirer des conclusions à partir des critères définis. Les ouvrages traitant de la gestion des ressources humaines font référence à plusieurs types de validité. Quatre d'entre eux paraissent particulièrement pertinents quant aux décisions en matière de sélection et d'affectation du personnel, à savoir la validité empirique ou validité reliée à un critère, la validité de contenu, la validité conceptuelle et la validité différentielle[7].

Bien que chacune de ces formes de validité ait son importance, les stratégies utilisées pour la collecte de l'information nécessaire sont très différentes. Les employeurs devraient se familiariser avec chacune d'elles afin d'être mieux en mesure de démontrer la validité de leurs prédicteurs en cas de contestation portant sur leur impact négatif.

La validité empirique ou liée à un critère. Comme son nom le suggère, ce type de validité désigne la relation existant entre un prédicteur et un critère défini permettant de mesurer le succès d'un candidat à un poste. On distingue deux types de stratégies de validation empirique, l'une concourante et l'autre prédictive. La *validité concourante* détermine la relation existant entre un prédicteur et le score qu'obtiennent, pour un critère donné, tous les employés participant à l'étude à une même période. Par exemple, les gestionnaires de ressources humaines peuvent, pour déterminer la validité concourante de la corrélation existant entre les années d'expérience et le rendement des superviseurs de premier niveau, recueillir de l'information portant sur les années d'expérience des superviseurs dans leurs fonctions respectives et sur les résultats des dernières évaluations du rendement global de chacun d'eux. Un coefficient de corrélation élevé signifie que les superviseurs possédant le plus d'expérience fournissent un meilleur rendement que les autres, et vice versa. La *validation prédictive* comprend un certain nombre d'étapes similaires à celles de la méthode précédente. Toutefois, dans ce cas, la mesure du prédicteur s'effectue antérieurement à celle du critère. On détermine ainsi la validité prédictive d'un test ou d'un prédicteur par l'évaluation d'un groupe donné de candidats en fonction d'un prédicteur puis par l'évaluation, à une date ultérieure, des résultats obtenus en fonction du critère choisi. La plupart des organisations préfèrent à cette procédure assez coûteuse la stratégie de la validité concourante.

Un faible degré de validité implique l'impossibilité de prédire, sur la base des résultats du test, si un candidat réussira mieux qu'un autre. De façon générale, la plupart des tests utilisés par les entreprises n'ont pas un niveau de validité parfaite et ne constituent donc pas des prédicteurs fiables du rendement des candidats. Cependant, dans la mesure où un test présente un certain niveau de validité, il demeure utile à l'entreprise pour déceler les candidats les plus susceptibles d'avoir un rendement exceptionnel. Il arrive fréquemment que les employeurs ne puissent démontrer à l'aide de données empiriques la validité du prédicteur utilisé et qu'ils doivent, par conséquent, utiliser d'autres méthodes de validation. La validité de contenu et la validité conceptuelle sont les méthodes les plus courantes.

La validité de contenu. La validité de contenu diffère de la validité empirique en ce qu'elle estime ou évalue la pertinence d'un prédicteur à titre d'indicateur du rendement, sans procéder à la collecte de l'information pour mesurer le rendement réel. Le choix d'un test de dactylographie pour la sélection de secrétaires est un exemple classique de l'utilisation d'un prédicteur auquel on attribue une validité de contenu. On remarquera que, dans ce cas, le prédicteur consiste en une aptitude directement reliée à une tâche incluse dans la définition du poste. Il apparaît donc évident que l'analyse des postes constitue un élément essentiel du processus de validation ; elle devrait, en effet, être à la fois le point de départ et l'élément permettant de faire le lien entre la sélection et la validation. Les principales étapes que comporte tout processus de validation sont présentées dans l'encadré 7.8.

La validité conceptuelle (construct validity). La validité conceptuelle requiert la démonstration de l'existence d'une relation entre une procédure de sélection ou un test, une mesure du « construit » et le trait psychologique (le « construit ») qu'il cherche à mesurer (un construit peut être constitué des traits psychologiques nécessaires pour occuper un poste comme le leadership, les aptitudes à la communication, la sensibilité interpersonnelle, la capacité d'analyse, etc.) Par exemple, un examen de niveau universitaire constitué d'une étude de cas permet-il de mesurer de façon fiable la capacité d'analyse des étudiants ? Afin de démontrer, dans ce cas,

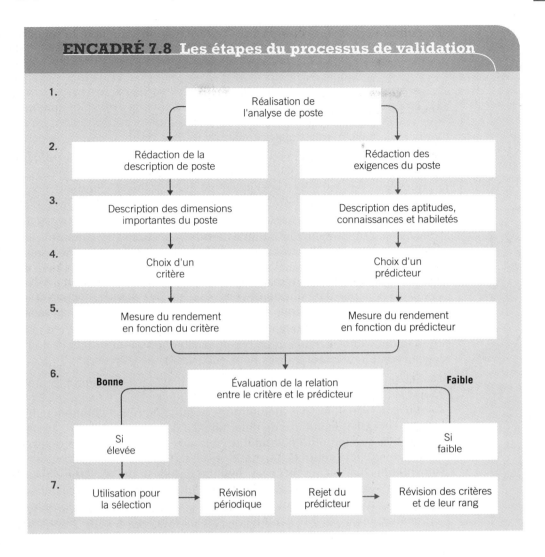

ENCADRÉ 7.8 Les étapes du processus de validation

1. Réalisation de l'analyse de poste

2. Rédaction de la description de poste | Rédaction des exigences du poste

3. Description des dimensions importantes du poste | Description des aptitudes, connaissances et habiletés

4. Choix d'un critère | Choix d'un prédicteur

5. Mesure du rendement en fonction du critère | Mesure du rendement en fonction du prédicteur

6. **Bonne** — Évaluation de la relation entre le critère et le prédicteur — **Faible**

Si élevée | Si faible

7. Utilisation pour la sélection → Révision périodique | Rejet du prédicteur → Révision des critères et de leur rang

la validité conceptuelle, il sera nécessaire de présenter des données montrant que les étudiants obtenant les notes les plus élevées au test analysent réellement une matière plus difficile et font preuve de capacités de réflexion supérieures aux candidats obtenant des résultats plus faibles. En outre, si le test est utilisé, par exemple, dans le cadre d'un processus de formation de gestionnaires, il serait également nécessaire de démontrer que la capacité d'analyse est une qualité reliée aux tâches mentionnées dans la description de poste.

Le choix du meilleur candidat et du moyen de sélection le plus approprié pour y parvenir n'est pas un processus simple. Bien qu'il aurait été plus facile d'opter pour une technique moins complexe, il est important de prendre en compte plusieurs facteurs d'ordre technique si on veut améliorer le processus de sélection, et à cet égard le choix du prédicteur demeure un élément déterminant. Nous procéderons maintenant à la description des techniques de sélection les plus utilisées par les organisations.

III Les instruments de sélection

Le formulaire de demande d'emploi et le formulaire biographique. Le formulaire de demande d'emploi recueille des renseignements portant à la fois sur la situation passée et actuelle du candidat, conformément au postulat selon lequel le comportement passé constitue un bon prédicteur du comportement ou du rendement futur. Ce formulaire, qui est une source de renseignements d'ordre biographique, est également appelé un curriculum vitæ. Les données que renferme le formulaire de demande d'emploi servent souvent, lors de la présélection, à déterminer si le candidat répond ou non aux exigences minimales du poste.

Presque toutes les lois provinciales et fédérales portant sur les droits de la personne interdisent à un employeur de formuler des questions discriminatoires (chapitre 13 et encadré 7.9). En dépit des contraintes légales, le formulaire de demande d'emploi permet de recueillir sur un candidat un nombre considérable d'informations pertinentes quant à l'exercice des fonctions. Les organisations ont parfois tendance à pondérer la valeur des renseignements recueillis, de manière à assurer leur utilisation optimale en fonction des exigences du poste. Elles pourront ainsi accorder davantage de poids à certains renseignements plutôt qu'à d'autres, à titre de prédicteurs de rendement[8]. Cet instrument se révèle particulièrement utile lors de l'analyse d'un large éventail de candidatures pour des postes spécifiques.

En plus du formulaire de demande d'emploi ou même en remplacement de celui-ci, certains employeurs ont mis au point un formulaire de renseignements biographiques. Ce dernier recueille généralement une somme de renseignements plus importante que ne le fait le formulaire de demande d'emploi. Par exemple, en plus des détails usuels tels que le nom du candidat, son adresse, ses références personnelles, ses compétences et le genre de formation qu'il a reçue, ce formulaire peut recueillir des informations sur les préférences du candidat en ce qui a trait à l'horaire de travail fractionné, aux mutations, au travail les fins de semaine, au travail autonome, etc. La nature du poste devrait déterminer le choix précis des éléments inclus dans le questionnaire. Si, par exemple, l'emploi exige un horaire de travail fractionné, le formulaire biographique devrait prévoir des questions portant sur l'intérêt du

---

ENCADRÉ 7.9 Renseignements qui ne devraient pas être demandés au moyen d'un formulaire de demande d'emploi ou dans le cadre d'une entrevue

- Le nom d'un membre du clergé à titre de référence.
- La présence d'enfants dans la famille ou la responsabilité de leur garde.
- La taille et le poids, à moins qu'il ne s'agisse d'exigences directement liées aux exigences du poste.
- L'état matrimonial.
- Le lieu et l'année d'obtention du diplôme, excepté pour les postes professionnels requérant un permis.
- L'existence d'un casier judiciaire, à moins qu'il ne s'agisse d'une exigence fortement reliée aux fonctions.
- Les raisons d'une exemption militaire.
- L'historique du crédit.
- Le nom de parents ou d'amis à l'emploi de l'organisation.
- L'âge, la couleur, le sexe, la religion, l'origine ethnique, la nationalité ou la race du candidat.

candidat pour ce mode de travail, car les réponses à ces questions peuvent constituer un bon prédicteur du roulement de la main-d'œuvre. La collecte de ces données ainsi que des autres renseignements d'ordre biographique repose sur l'hypothèse voulant que les expériences et le comportement passés du candidat constituent de bons prédicteurs de son comportement futur, et en particulier de son rendement.

Les études démontrent que le formulaire de demande d'emploi et le formulaire biographique peuvent, s'ils sont élaborés avec soin, constituer des instruments de prédiction utiles et équitables. Cependant, l'utilisation de ce type de prédicteurs soulève certains autres problèmes. Un premier problème a trait à l'honnêteté dont font preuve les personnes dans leurs réponses aux renseignements demandés par le biais des formulaires de demande d'emploi. À cet égard, il importe donc de vérifier l'exactitude des réponses. Un deuxième problème inhérent à l'utilisation de tels prédicteurs réfère à la stabilité des formulaires de demande d'emploi. La plupart des études montrent, en effet, un déclin avec le temps de la validité de l'information contenue dans les formulaires, qu'elles attribuent aux changements observés au niveau des banques de candidats, des conditions du marché du travail et des postes eux-mêmes. Il est, par conséquent, souhaitable de procéder à une révision périodique des éléments du questionnaire.

La vérification des références. Bien que la vérification des références intervienne généralement en quatrième lieu (encadré 7.7, p. 222) dans le processus de sélection, elle peut également s'effectuer plus tôt. Cette procédure largement répandue soulève certaines inquiétudes d'ordre juridique car elle peut engendrer des pratiques discriminatoires. Les employeurs devraient cependant disposer d'une certaine liberté dans leur recherche de l'information susceptible de leur permettre de distinguer les candidats les uns des autres, en particulier en ce qui à trait à leur rendement. Cependant, la liberté qu'ont les organisations de mener des enquêtes sur les candidats peut empiéter sur la vie privée de l'individu. Par conséquent, l'obtention de renseignements devient de plus en plus difficile à cause de la possibilité de poursuites en diffamation qu'elle peut entraîner. Les anciens employeurs deviennent ainsi prudents et limitent le genre de renseignements qu'ils fournissent sur les employés ayant quitté l'entreprise. Par ailleurs, lorsque le responsable de la gestion des ressources humaines effectue une vérification de références, il devrait, d'une part, se conformer à certains principes (encadré 7.10) et éviter, d'autre part, de poser certaines questions biaisées (encadré 7.11), pour s'assurer de recueillir une information exacte et fiable.

ENCADRÉ 7.10 Principes auxquels les professionnels de la gestion des ressources humaines doivent se conformer lors des vérifications des références

- Demander à la personne fournissant la référence de comparer le candidat à d'autres personnes qu'elle a déjà supervisées (par exemple, d'évaluer le candidat sur une échelle de 1 à 10, comparativement à d'autres subordonnés).
- Vérifier auprès d'autres sources les points négatifs signalés.
- Agir avec prudence et chercher à obtenir des éléments supplémentaires si le répondant se montre peu enthousiaste sans être négatif.
- Vérifier si le candidat pourrait satisfaire aux conditions requises pour être réembauché par l'entreprise ; la réponse à cette question représente à la fois le bilan et l'élément décisif de la vérification des références.
- Demander au répondant de désigner une personne dans l'organisation pouvant fournir une appréciation du candidat pour obtenir un deuxième avis.

ENCADRÉ 7.11 Choses à éviter lors de la vérification des références

- Poser des questions orientant la réponse telles que : « La candidate est une bonne gestionnaire, n'est-ce pas ? ».
- Négliger des données évidentes telles que les dates et la période couvertes par ces questions.
- Décrire l'emploi sollicité par le candidat avant d'avoir terminé la vérification.
- Laisser le répondant n'aborder que les aspects positifs ; un interrogatoire serré est toujours nécessaire.
- S'intéresser exclusivement à des questions liées aux exigences du poste ; il importe également d'obtenir des commentaires relatifs à certains autres comportements tels que l'engagement, le sens de l'urgence, l'attention portée aux détails, etc.
- Tenir compte des relations personnelles mentionnées par le candidat à titre de références, car elles ont tendance à ne pas révéler les points négatifs du candidat.

Les recherches portant sur la vérification des références ont montré que les références indiquées par le candidat peuvent ne pas se révéler aussi utiles que celles qui sont obtenues d'un ancien employeur, de collègues ou de subordonnés. Certaines des informations les plus fiables résultent de l'observation des candidats au cours de l'entrevue, ce qui permet de découvrir s'il existe une correspondance entre leur comportement et leurs réponses aux questions posées[9].

La plupart des études indiquent que peu d'employeurs se fient uniquement aux lettres de recommandation comme source de renseignements sur les candidats. Il semble que seules les références provenant des superviseurs antérieurs, soit ceux qui ont observé récemment le candidat en situation de travail, soient des prédicteurs précis du succès d'un candidat dans un nouvel emploi.

Consultez Internet

http://www.curryinc.com/Employment Interviewer Training Course

Site qui présente des modules permettant d'élaborer des entrevues fiables sans biais discriminatoires.

L'entrevue de sélection. L'entrevue demeure l'une des méthodes de sélection la plus courante. Cependant, alors qu'on reconnaît la pertinence de l'entrevue pour recueillir des renseignements factuels sur les antécédents du candidat, on souligne ses faiblesses en tant que méthode d'évaluation en raison de sa trop grande subjectivité[10]. Les employeurs continuent d'utiliser l'entrevue pour obtenir de l'information et appuyer leurs décisions, en dépit des pressions exercées par différentes commissions fédérales ou provinciales des droits de la personne pour les inciter à adopter des méthodes plus objectives, plus précises et plus fiables. Ces organismes insistent, en effet, sur le manque de fiabilité des entrevues, faisant observer que deux personnes qui interviewent un même candidat peuvent découvrir des faits différents et parvenir à des conclusions divergentes. De plus, les renseignements obtenus au moyen de l'entrevue peuvent servir ultérieurement à discriminer le candidat.

Consultez Internet

http://www.chrc-ccdp.ca/publications/

Guide portant sur la sélection des candidats.

Un certain nombre de raisons militent en faveur de l'utilisation des entrevues de sélection, en dépit des problèmes qui en résultent. Les professionnels des ressources humaines et les autres gestionnaires apprécient la possibilité que leur offre l'entrevue : a) de se faire une impression générale des candidats ; b) de mettre en valeur le poste et même l'organisation ; c) de répondre aux questions des candidats. Pour toutes ces raisons, plusieurs gestionnaires favorisent l'utilisation de cette méthode.

Étant donné la fréquence de l'utilisation des entrevues, une présentation détaillée et critique de cette méthode s'impose. Il s'agit de mettre en relief les moyens de rendre les entrevues plus fiables et de les relier davantage au contexte du poste. En général, les renseignements obtenus au cours de l'entrevue sont susceptibles de se limiter aux exigences du poste, dans la mesure où l'employeur respectera les interdictions énumérées précédemment en ce qui a trait aux formulaires de demande d'emploi. Plusieurs commissions des droits de la personne ont publié des guides de procédure en matière de sélection de personnel. Ces documents contiennent une liste de questions que les interviewers peuvent poser et de questions qu'ils devraient éviter lors de l'entrevue de sélection[11].

L'entrevue peut jouer un rôle important à deux moments du processus de sélection : soit au début, soit à la fin. La conduite de l'entrevue dépend du genre de poste disponible. Dans certains cas, une entrevue téléphonique permet de préciser certains renseignements auprès des candidats qui ont soumis leur curriculum vitæ directement à l'employeur ou encore par l'intermédiaire d'agences de placement. Lorsque les personnes intéressées par un emploi posent leur candidature suite à une annonce dans le journal ou par Internet, une première entrevue se déroule après une présélection des individus sur la base de leur curriculum vitæ.

Consultez Internet

http://www.interviewcoach.com/The Interview Coach
Site qui donne des conseils aux personnes qui effectuent les entrevues ainsi qu'aux interviewés.

Les types d'entrevues. On peut classer les entrevues selon la technique ou la forme d'entrevue retenue. L'entrevue en profondeur est relativement courante. L'interviewer dispose d'un plan général précisant l'ensemble des sujets qu'il doit aborder, et il s'acquitte souvent de cette tâche en privilégiant une approche non structurée. Il peut ainsi donner la possibilité aux personnes interviewées de s'exprimer sur des thèmes de leur choix. Il est difficile de s'assurer de la qualité de ce type d'entrevue car elle dépend de la compétence de l'interviewer. Les organisations ont donc souvent recours à une entrevue dirigée ou structurée. Cette entrevue prend souvent la forme d'un questionnaire oral, ce qui permet d'assurer une certaine constance d'un candidat à l'autre. Les études de validation indiquent que l'entrevue dirigée est véritablement utile pour prédire la réussite d'un candidat[12].

Dans les faits

Exemples de questions posées lors des entrevues

- Expliquez les dernières circonstances dans lesquelles vous avez eu à convaincre vos supérieurs de la justesse de l'une de vos idées originales et les arguments que vous avez utilisés pour y parvenir.
- Relatez une occasion que vous avez eue d'aider un employé à comprendre une politique complexe.
- Décrivez une de vos expériences d'implantation d'une procédure visant à faciliter l'accomplissement de votre travail[13].

L'entrevue peut impliquer la participation de plusieurs personnes. Il est alors question d'une entrevue en comité. Le coût relativement élevé associé à la constitution de comités de sélection incite les organisations à les réserver au recrutement du personnel de gestion. On a parfois recours à l'entrevue en situation de stress dans le cas de certains postes de gestion ou d'exécution exigeant de l'employé une capacité de demeurer calme et de travailler sous pression. Au cours de l'entrevue réalisée en situation de stress, l'interviewer peut intentionnellement ennuyer, embarrasser ou frustrer le candidat dans le but de connaître ses réactions. Ce type d'entrevue peut se prêter à certaines catégories d'emplois telles que des postes de policiers ou de militaires, mais il ne convient pas à la plupart des emplois qui existent au sein des organisations.

Enfin, l'entrevue descriptive du comportement repose sur le postulat selon lequel le comportement passé du candidat constitue le meilleur prédicteur de son rendement futur. Par conséquent, le candidat doit illustrer par des exemples les moyens qu'il a déjà utilisés pour résoudre des problèmes dans le passé ou pour s'acquitter des responsabilités qu'on lui a confiées.

Indépendamment de la technique ou de la forme d'entrevue utilisée, plusieurs problèmes peuvent influencer défavorablement l'entrevue. Il importe d'en prendre conscience pour réduire les risques d'apparition de ces problèmes. Le gestionnaire de ressources humaines peut jouer un rôle clé à ce niveau en s'assurant que les interviewers sont informés de telles situations.

Les problèmes inhérents à l'entrevue de sélection. Lors de l'entrevue, l'interviewer est susceptible de rencontrer plusieurs problèmes découlant à la fois des processus de collecte et d'évaluation de l'information (encadré 7.12). Dans leur rôle d'interviewers, les gestionnaires ne cherchent pas toujours à recueillir des informations sur l'ensemble des dimensions devant être prises en compte pour évaluer les chances de réussite d'un candidat dans ses fonctions. Il arrive fréquemment que les interviewers ne disposent pas d'une description exhaustive du poste disponible ou d'une évaluation adéquate de ses principales exigences ou des conditions de travail qui s'y rattachent. Néanmoins, tant pour des motifs de rendement au travail que de respect des lois, il importe que l'information recueillie soit liée aux exigences du poste[14].

Les gestionnaires explorent parfois les mêmes domaines au cours de l'entrevue et oublient de couvrir d'autres aspects importants liés à l'accomplissement des fonctions. Cette situation se produit surtout en présence de plusieurs interviewers. Il arrive, en fait, que le candidat ne passe pas quatre entrevues, mais quatre fois la même entrevue.

Les interviewers portent souvent un jugement instantané sur le candidat dès le début de l'entrevue, empêchant ainsi leur disponibilité à de nouvelles données utiles. Des recherches ont démontré que la plupart des interviewers forment ainsi leur opinion du candidat au cours des quatre ou cinq premières minutes de l'entrevue, et cherchent par la suite des indices et des faits qui confirment leurs impressions initiales.

Les gestionnaires peuvent laisser une seule caractéristique de l'emploi influencer leur évaluation des autres caractéristiques du candidat. Ce processus, appelé l'*effet de halo*, survient quand l'interviewer juge le potentiel d'un candidat pour un emploi

---

ENCADRÉ 7.12 Problèmes inhérents à l'entrevue de sélection

- L'information recueillie n'est pas liée aux exigences du poste.
- Les gestionnaires explorent parfois les mêmes domaines au cours de l'entrevue et oublient de couvrir des aspects importants.
- Les interviewers portent souvent un jugement instantané sur le candidat dès le début de l'entrevue, empêchant ainsi leur disponibilité à de nouvelles données utiles.
- Les gestionnaires peuvent laisser une seule caractéristique de l'emploi influencer leur évaluation des autres caractéristiques du candidat.
- Le jugement que les gestionnaires posent sur un candidat est influencé par les candidats disponibles. Deux biais à éviter : l'effet de contraste et l'effet d'ordre.
- Les gestionnaires omettent de faire suivre aux différents candidats le même processus de sélection.
- Les interviewers ne procèdent pas toujours à une intégration et à une discussion systématiques de l'information recueillie sur un candidat lors d'une entrevue.

à partir d'une caractéristique telle que la présentation du candidat, sa tenue ou son langage. L'effet de halo conduit dans certains cas l'interviewer à effectuer des choix médiocres ou discriminatoires ; il influence également le candidat, qui a alors tendance à percevoir l'interviewer comme le reflet de l'entreprise. Dans une telle situation, un candidat accordera plus d'importance au jugement qu'il porte sur l'interviewer qu'à la documentation fournie par l'entreprise et dont il a déjà pris connaissance.

Les gestionnaires peuvent avoir omis de structurer les divers éléments du processus de sélection. Il arrive que les principales références n'aient pas fait l'objet de vérifications avant l'entrevue, amenant ainsi les gestionnaires à procéder à l'interview de candidats non qualifiés. À l'occasion, les candidats ne suivent pas tous le même processus, certains d'entre eux étant soumis à des tests et d'autres non. Cette situation, qui est parfois source de confusion, se traduit en outre par des pratiques de sélection inéquitables et inefficaces.

Les interviewers ne procèdent pas toujours à une intégration et à une discussion systématiques de l'information recueillie sur un candidat lors d'une entrevue.

Si plusieurs interviewers possèdent des informations sur un candidat, ils peuvent se partager cette information « au petit bonheur », et négliger ainsi de déceler l'information pertinente pour le poste ou d'examiner les éléments ayant un caractère conflictuel. Cette approche désinvolte de la prise de décision permet parfois de gagner du temps et d'éviter des oppositions, mais il ne s'agit que d'un avantage à court terme. À long terme, toute l'organisation souffrira d'une décision d'embauche médiocre.

L'urgence à combler le poste influe souvent sur le jugement des gestionnaires, en les incitant à réduire leurs normes de sélection. S'il en résulte une décision fâcheuse, les gestionnaires sauront toujours trouver une justification pour leur piètre performance. Il arrive également que les gestionnaires décident d'embaucher un candidat ayant des exigences salariales plus faibles. Les responsables des ressources humaines peuvent éviter de telles situations en ne divulguant pas les demandes salariales. La meilleure ligne de conduite consiste à sélectionner d'abord la personne la plus compétente pour le poste, et à ne se soucier qu'ensuite du coût qui en résulte.

Le jugement que les gestionnaires posent sur un candidat est influencé par les candidats disponibles. Deux concepts sont importants à cet égard : l'*effet de contraste* et l'*effet d'ordre*. Dans le premier cas, un bon candidat paraît encore meilleur lorsqu'on le compare à un groupe de personnes se situant dans la moyenne ou sous la moyenne. De la même façon, un candidat moyen sera bien perçu ou jugé médiocre selon qu'on le compare à un groupe constitué de bons ou d'excellents candidats. Dans le deuxième cas, il faut considérer deux effets d'ordre, soit la première et la dernière impressions. Il arrive parfois que l'effet de la première impression soit important et durable ; dans un tel cas, la première personne peut alors devenir la norme servant à évaluer la qualité des autres candidats. Mais l'effet de la dernière impression peut se révéler important pour un interviewer, qui aura plus de facilité, surtout à la fin d'une longue journée d'entrevues, à se rappeler la dernière personne rencontrée que les candidats précédents. Les candidats devraient prendre conscience de ces effets et en tirer profit. Ils devraient idéalement tenter d'obtenir une entrevue au milieu d'un calendrier d'entrevue, bien que ce ne soit pas toujours possible[15].

Les moyens de résoudre les problèmes liés à l'entrevue. On peut surmonter de diverses manières, énumérées dans l'encadré 7.13, les problèmes évoqués ci-dessus. Les méthodes proposées ici consistent essentiellement à accroître la validité et la fiabilité de l'entrevue, ce qui s'obtient par la concentration sur les seules exigences du poste, par l'augmentation de l'éventail des caractéristiques mesurées ainsi que de la constance et de l'objectivité de l'information recueillie[16].

> ## ENCADRÉ 7.13 Quelques moyens pour résoudre les problèmes lors des entrevues
>
> - Se limiter à recueillir des informations pertinentes au poste.
> - Utiliser le comportement passé comme prédicteur du comportement futur. Il importe de rechercher des exemples spécifiques d'expériences se rapportant au rendement.
> - Coordonner l'entrevue préliminaire avec les entrevues subséquentes et avec les autres étapes de la collecte de l'information.
> - Requérir la participation de plusieurs gestionnaires à l'entrevue et à la prise de décision finale.

Le saviez-vous ?

Les indices non verbaux au cours de l'entrevue représentent une dimension importante de l'entrevue. Une partie de l'information se communique sans le recours à la parole, c'est-à-dire par les mouvements du corps, les gestes, la fermeté de la poignée de main, le contact visuel et l'apparence physique. Les interviewers attachent souvent plus d'importance aux indices non verbaux qu'aux idées formulées par le candidat. On estime qu'au plus 30 à 35 % du message transmis par le candidat est véhiculé verbalement. Seulement 7 % des sentiments qu'exprime le candidat sont communiqués par la parole, alors que les facteurs non verbaux comptent pour 93 % de cette information[17]. Il importe que les interviewers en prennent conscience, car ces indices contribuent fortement, à leur insu, à la formation de leurs impressions[18].

L'interviewer doit, à cet effet, se limiter à recueillir des informations pertinentes pour le poste. Cela implique de ne recourir qu'à des questions pouvant servir de prédicteurs du rendement futur. Cette condition exige au préalable l'analyse du poste vacant et, si possible, la validation des prédicteurs utilisés. La structuration de l'entrevue et l'utilisation de multiples interviewers permettra de subordonner davantage l'entrevue aux exigences de l'emploi. Cette procédure accroît la validité de l'entrevue en assurant une plus grande fiabilité de ses résultats. L'interviewer doit utiliser le comportement passé comme prédicteur du comportement futur. Il s'agit essentiellement de se concentrer sur la recherche d'informations concernant les expériences de travail précédentes du candidat. Ces données s'obtiennent facilement pendant l'entrevue préliminaire. Il importe de rechercher des exemples spécifiques d'expériences se rapportant au rendement et de coordonner l'entrevue préliminaire avec les entrevues subséquentes et avec les autres étapes de la collecte de l'information. On devrait faire preuve d'objectivité et de méthode dans la recherche de données pertinentes pour l'emploi. La coordination et la combinaison systématiques de l'information peuvent aider à réduire le risque de décisions rapides et biaisées. Finalement, il faut requérir la participation de plusieurs gestionnaires à l'entrevue et à la prise de décision finale. Bien qu'une seule personne puisse assumer la décision finale, il est préférable que plusieurs personnes jouent un rôle dans la collecte de l'information et dans l'évaluation des candidats[19].

Le test de sélection. Le test de sélection est une étape importante du processus de sélection visant à recueillir, à transmettre et à évaluer l'information portant sur les aptitudes, les expériences et les motivations du candidat. On estime qu'environ le tiers des employeurs canadiens ont recours à des tests de sélection[20]. Les types de tests les plus courants mesurent les aptitudes cognitives, mécaniques et psychomotrices, la personnalité, les intérêts et les préférences ainsi que l'intégrité des candidats.

La validité et la fiabilité des examens écrits sont de la plus haute importance pour le candidat, car elles assurent ce dernier de l'équité du processus de sélection.

Aux États-Unis, l'utilisation des tests écrits a soulevé des controverses et de nombreuses critiques depuis le début des années 60 sur des questions telles que l'équité, l'existence de biais culturels, de validité, et de présence de caractéristiques vagues et non pertinentes pour le poste.

Plusieurs des tests utilisés au Canada ont été conçus et validés aux États-Unis auprès de différents groupes de travailleurs. Un examen du catalogue des tests psychologiques offerts par l'Institut de recherches psychologiques du Québec, par exemple, révèle que moins de 10 % des tests disponibles ont été validés au Canada. Si cette estimation est exacte, il existe un risque important de discrimination. Dans un cas de ce genre, la Cour suprême du Canada a ordonné à la firme CN Rail de cesser d'utiliser le test de compréhension mécanique Bennett à cause de son impact négatif sur l'embauche des femmes au niveau d'entrée pour les emplois de cols bleus.

Bien qu'il soit essentiel que chaque organisation valide auprès de son personnel les tests dont elle se sert, cette condition n'exige pas qu'elle élabore ses propres tests, ce qui pourrait s'avérer trop coûteux. Le gestionnaire de ressources humaines peut choisir entre plus de 1 000 tests disponibles sur le marché. Les firmes de consultants en gestion qui distribuent ces tests seraient prêtes à adapter ou à concevoir davantage de tests pour satisfaire aux besoins des organisations.

Plusieurs des tests utilisés pour faciliter les décisions d'embauche sont des prédicteurs efficaces de réussite dans une grande variété d'organisations, mais on ne devrait pas les employer exclusivement. La meilleure approche demeure la combinaison d'un test ou d'une série de tests à d'autres méthodes de sélection telles que les données biographiques, les entrevues, les simulations, etc. Il demeure utile, à cet effet, de connaître les tests les plus fréquemment utilisés pour la sélection.

On peut classer les tests en fonction de l'information recherchée en ce qui a trait aux caractéristiques et aux habitudes personnelles des candidats. Les principales catégories sont : les tests d'aptitude, les tests de performance ou de compétence et les tests de personnalité, d'intérêts et de préférences[21].

Les *tests d'aptitude* évaluent le rendement potentiel des individus. Les tests servant à mesurer les aptitudes générales, qu'on désigne souvent sous le nom de tests d'intelligence, comprennent le *Wechsler Adult Intelligence Scale* et le *Stanford Binet Test*. Ces tests ont pour principal objectif de prédire le succès scolaire dans un contexte traditionnel. Parmi les tests multidimensionnels d'aptitudes conçus pour les besoins des organisations figurent le *Differential Aptitude Tests*, le *Flanagan Aptitude Classification Test*, le *General Aptitude Test Battery* et l'*Employee Aptitude Survey*. Comme ils sont standardisés, ces tests ne sont spécifiques à aucun emploi. Ils sont cependant assez fiables et généraux pour pouvoir servir à diverses catégories d'emplois et particulièrement pour appuyer les tests plus spécifiques.

Un autre groupe de tests d'aptitude, les *tests psychomoteurs*, évaluent une gamme d'aptitudes physiques et mentales. Les deux tests psychomoteurs les plus utilisés sont le *Mac Quarrie Test for Mechanical Ability* et le *O'Connor Finger and Tweezer Dexterity Tests*. Le test *Mac Quarrie* mesure l'aptitude à dessiner, à pointer, à copier, à localiser, à organiser en blocs, etc. Ce test semble un prédicteur valide du succès pour des postes de mécanicien ou de sténographe. Le test *O'Connor* est un prédicteur efficace du succès des opérateurs de machines à coudre industrielles, les étudiants en médecine dentaire et d'autres professions requérant des habiletés de manipulation. L'encadré 7.14 fournit un exemple des problèmes posés dans un test de compréhension mécanique.

Un dernier groupe de tests d'aptitude analyse les compétences personnelles et interpersonnelles. Un *test de compétence personnelle*, comme le *Career Maturity*

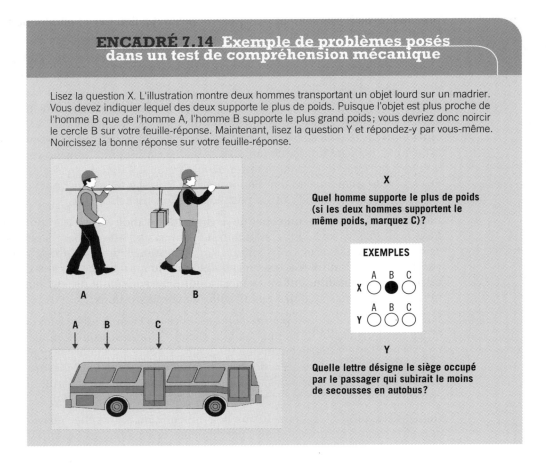

ENCADRÉ 7.14 Exemple de problèmes posés dans un test de compréhension mécanique

Lisez la question X. L'illustration montre deux hommes transportant un objet lourd sur un madrier. Vous devez indiquer lequel des deux supporte le plus de poids. Puisque l'objet est plus proche de l'homme B que de l'homme A, l'homme B supporte le plus grand poids; vous devriez donc noircir le cercle B sur votre feuille-réponse. Maintenant, lisez la question Y et répondez-y par vous-même. Noircissez la bonne réponse sur votre feuille-réponse.

X

Quel homme supporte le plus de poids (si les deux hommes supportent le même poids, marquez C)?

EXEMPLES

Y

Quelle lettre désigne le siège occupé par le passager qui subirait le moins de secousses en autobus?

Inventory, mesure la capacité des individus à prendre les bonnes décisions au moment qu'ils jugent opportun et à fournir l'effort nécessaire pour réussir. Les tests de compétence interpersonnelle visent à mesurer l'intelligence sociale. Ils incluent les aspects de l'intelligence se rapportant à l'information sociale et à l'information non verbale, qui entrent en jeu dans les interactions humaines où la conscience de l'attention, des perceptions, des pensées, des désirs, des sentiments, des humeurs, des émotions, des intentions et des actions des autres personnes est importante.

Les tests de performance visent à prédire le rendement d'un individu en fonction de ses connaissances. La validation est requise pour tous les tests utilisés par une organisation, mais il s'agit d'un processus direct. Les tests de performance se résument presque à un échantillon du travail à accomplir. Cependant, la décision d'embauche prise en fonction des tests de performance peut exclure des candidats qui n'ont pas eu la possibilité d'acquérir les qualifications requises pour occuper le poste. Il faut aussi noter que les tests de performance ne sont pas tous liés aux exigences du poste au même titre les uns que les autres.

Les tests écrits de performance ont tendance à être moins reliés à l'emploi parce qu'ils mesurent les connaissances théoriques des candidats et non leur capacité d'utilisation de ces connaissances. En dépit de cet inconvénient, on continue d'utiliser ces tests dans de nombreux domaines parce qu'ils sont bien connus et répandus. Par exemple, l'admission à la pratique du droit implique la réussite de l'examen du Barreau et l'admission à la pratique de la médecine est régie par des corporations médicales. L'utilisation de tests écrits dans de tels cas se fonde sur leur lien réel ou présumé avec le rendement exigé par le poste. Le lien avec l'emploi peut servir de justification légale à l'usage de ces tests.

Les tests de reconnaissance sont souvent utilisés pour la sélection des publicitaires et des mannequins. Au moment de l'entrevue, les candidats présentent leur portfolio ou des échantillons de leur travail. Cependant, ces travaux ne renseignent aucunement sur les conditions ou les circonstances dans lesquelles ils ont été effectués. Certaines organisations insistent pour voir des exemplaires de travaux scolaires, surtout dans le cas de postes exigeant des capacités de rédaction. Ces tests font appel au comportement passé.

Les tests de préférences et les tests de personnalité. Ces tests, parfois désignés sous le nom d'inventaires de la personnalité, visent à mesurer les préférences et la personnalité de l'individu en se concentrant sur ses traits caractéristiques[22]. Le *Edwards Personal Preference Schedule*, le *California Psychological Inventory*, le *Gordon Personal Profile*, le *Thurstone Temperament Survey*, le *Guilford-Zimmerman Temperament Survey* et le *Minnesota Multiphasic Personality Inventory* figurent parmi les tests multidimensionnels de la personnalité les plus courants. Ces inventaires de personnalité sont utiles pour prédire le rendement des employés de bureau et des commis aux ventes, par exemple. Actuellement, l'utilité des tests de personnalité pour la plupart des emplois apparaît plutôt limitée. Cependant, les tests de personnalité de même que les tests d'intérêts peuvent, à la suite de l'embauche, faciliter les décisions relatives à l'affectation du personnel et à la planification des carrières. Deux test d'intérêts, le *Strong Vocational Interest Blank* et les *Kuder Preference Records*, se distinguent comme les plus importants. Bien qu'ils ne puissent généralement pas permettre de prédire le rendement au travail, ils indiquent néanmoins le degré de correspondance existant entre la profession et les intérêts des individus[23].

La graphologie. Munis d'un texte manuscrit et d'une description détaillée du poste à combler, les graphologues examinent, entre autres, la pression et l'inclinaison de l'écriture, la forme des lettres, les marges et l'espacement du texte[24]. Née en France, la graphologie demeure pour l'essentiel une « créature » française. Elle sert à brosser un portrait détaillé d'un candidat[25]. Elle sert à révéler la capacité intellectuelle (vivacité d'esprit, logique, analyse, jugement), les réactions affectives (volonté, émotivité), le rythme d'activités (dynamisme, initiative), l'aptitude à la direction (indépendance d'esprit, autorité) et les qualités morales (intégrité, franchise, discrétion). Plusieurs chercheurs dont Aharon Tziner doutent de la pertinence, de la fiabilité et de la validité de la graphologie et affirment qu'elle est dénuée de tout fondement. D'après lui, « La graphologie peut être à la rigueur utilisée conjointement avec d'autres outils, mais uniquement pour mesurer la personnalité, jamais l'intelligence[26]. »

Les autres catégories de tests. Un nombre croissant d'organisations soumettent les candidats à un *test du détecteur de mensonges* pendant le processus de sélection, en particulier dans le cas de postes de confiance ou de postes impliquant l'accès de l'employé à des produits pharmaceutiques ou à de petits articles dotés d'une valeur de rachat[27]. L'usage du détecteur de mensonges a fait l'objet de contestations au plan psychométrique et au plan éthique. En effet, cet appareil ne mesure pas les mensonges mais plutôt les variations de la respiration, de la pression sanguine et du pouls d'une personne, et à partir de cette information un opérateur formé interprète les réponses données par la personne soumise au test. Les opposants à l'utilisation du détecteur de mensonges mettent en doute la compétence de ces opérateurs, faisant valoir l'insuffisance de leur formation, d'une durée moyenne de six à huit semaines. Le manque de fiabilité observé d'un candidat à l'autre, en ce qui a trait à l'interprétation des résultats, en fait un instrument de sélection contesté. Un deuxième problème concerne la constitutionnalité de cette méthode et son intrusion dans la vie privée des personnes interrogées[28].

Les coûts et les problèmes liés à l'utilisation du détecteur de mensonges incitent plusieurs entreprises à lui préférer les *tests écrits d'intégrité* qui consistent en des questionnaires mesurant des comportements précis (exemple de questions : Informeriez-vous votre patron si vous saviez qu'un employé vole la compagnie ? Est-il correct d'emprunter de l'équipement à la compagnie pour l'utiliser à la maison ? etc.)

Les tests d'intégrité sont légaux et ils coûtent moins cher que le détecteur de mensonges. Ils sont plus faciles à corriger et n'importe qui peut les faire passer au candidat. Étant donné que le test d'intégrité est issu du détecteur de mensonges, il mérite la même critique, particulièrement en ce qui concerne sa validité et sa fiabilité. Très peu de recherches ont porté sur cette question jusqu'à maintenant et les connaissances qu'on en possède sont anecdotiques[29].

Les simulations de situations de travail. Les simulations de situations de travail, souvent appelées tests d'exécution, consistent à demander aux candidats de réaliser des activités verbales ou physiques sous une supervision structurée et dans des conditions standards. Les tests d'exécution sont fréquemment utilisés pour les postes de secrétaires. On invite alors les candidats à dactylographier une lettre dans le bureau où ils seraient appelés à travailler. Ce genre de test comporte une dimension artificielle car le processus de sélection est source d'anxiété et de tension. Néanmoins, l'usage des tests d'exécution est fort répandu à cause de leur pertinence et de leur validité[30].

L'anxiété et la tension font partie intégrante des conditions de travail dans des domaines tels que la gestion. Un exercice de simulation de gestion appelé l'« *exercice du courrier* » consiste en un test élaboré pour évaluer les candidats à ce genre de poste. Ce test vise à simuler une situation réelle et à susciter ainsi des comportements typiques de l'emploi. Des feuilles de papier comportant une description de situations et de problèmes rencontrés au travail sont placées dans une corbeille de papier. Les problèmes ou situations décrits au candidat impliquent différents groupes de personnes : collègues de travail, subordonnés et personnes extérieures à l'organisation. On demande alors au candidat d'établir un ordre de priorité et de classer les papiers en conséquence, et à l'occasion, on peut exiger qu'il propose des moyens de résoudre les problèmes présentés. On alloue au candidat une limite de temps pour effectuer le test, mais il est souvent dérangé par le téléphone pour créer une pression et une tension supplémentaires.

D'autres tests, tels que les *discussions de groupe sans animateur* désigné et les *simulations de gestion*, ou *jeux d'entreprise*, sont utilisés pour la sélection des gestionnaires. Dans le cas des discussions de groupe sans animateur désigné, on demande à un groupe d'individus de discuter autour d'une table d'un sujet précis pendant un certain temps. Les simulations de gestion sont des variantes de ces discussions de groupe. Dans ce cas, les candidats doivent prendre des décisions et les assumer comme s'ils faisaient l'exercice du courrier. En raison de l'utilité, pour la sélection des gestionnaires, des diverses techniques que nous venons de présenter, les centres d'évaluation y ont fréquemment recours.

D a n s   l e s   f a i t s

Le programme d'évaluation des superviseurs de la production de General Motors constitué d'exercices et de tests a pour but de déterminer les possibilités de promouvoir des candidats à des postes d'agents de maîtrise. Le programme du centre d'évaluation de General Motors mesure huit dimensions des qualifications définies à partir de l'analyse de poste, qui sont jugées essentielles au bon rendement des superviseurs de la fabrication. Ces dimensions sont les suivantes :

1. l'organisation et la planification ;
2. l'analyse ;
3. la prise de décision ;
4. le contrôle ;
5. la communication verbale ;
6. les relations interpersonnelles ;
7. la capacité d'influence ;
8. la flexibilité.

Le saviez-vous ?

L'examen de 22 études a démontré la supériorité des centres d'évaluation en matière de prédiction du rendement[32]. La croyance générale selon laquelle le centre d'évaluation a une plus grande validité que les méthodes traditionnelles est fondée, mais les avantages économiques qui en résultent ne sont pas toujours évidents. À la lumière de ces connaissances, les arguments de certaines personnes en faveur de l'intégration des techniques du centre d'évaluation à des méthodes traditionnelles bien conçues prennent un poids additionnel. La forme et le contenu de ces méthodes hybrides demandent exploration et analyse[33].

Le centre d'évaluation. Dans un *centre d'évaluation*, on procède à l'évaluation du rendement des candidats ou des employés pour un poste de gestionnaire ou de niveau hiérarchique supérieur. Plus de 20 000 entreprises nord-américaines ont recours à cette méthode, et ce nombre augmente chaque année en raison de la validité du centre d'évaluation en tant qu'instrument pour prédire le succès en emploi des candidats[31].

Au Canada, des organisations telles que la Commission de la fonction publique du Canada, Hydro-Ontario et Northern Telecom ont adopté la technique du centre d'évaluation. L'organisation sélectionne habituellement de six à douze personnes et les convoque au centre d'évaluation.

L'entreprise retient habituellement les services et les locaux du centre pour une période de un à trois jours, et des gestionnaires de l'organisation formés en évaluation procèdent à l'évaluation du rendement des participants.

On réalise en outre, dans le cadre de ce programme, une évaluation globale des qualifications des candidats. Le contenu du programme inclut un large éventail de techniques d'évaluation telles que les problèmes de groupe, les entrevues, l'exercice du courrier, les tests, les exercices enregistrés sur vidéocassettes et les questionnaires. On tente de simuler des situations et des problèmes que les superviseurs de la fabrication rencontrent régulièrement dans le cours de leur travail. Pendant que les candidats réalisent ces exercices, des équipes d'évaluateurs formés et qui font partie de la direction observent leur rendement. Les évaluateurs rencontrent ensuite les candidats qui ont terminé le programme pour discuter avec eux et préparer les évaluations qui s'appuieront sur les jugements combinés de tous les évaluateurs[34].

Le rendement d'un candidat à l'ensemble des exercices et des tests sert souvent à établir ses possibilités de promotion et à planifier les exigences et les besoins en formation de l'organisation ainsi qu'à appuyer les décisions de celle-ci en matière de sélection et d'affectation. Les résultats de l'évaluation sont transmis au candidat qui pourra les utiliser pour des besoins personnels, en particulier, pour la planification de sa carrière[35].

Les examens médicaux et physiques. Un des sujets qui a le plus marqué le domaine de l'emploi ces dernières années est celui de l'usage de drogues et de l'existence de problèmes d'ordre médical sur les lieux de travail. Ces questions sont devenues des facteurs importants à considérer non seulement dans le cadre du processus de sélection des candidats mais également dans le monde du travail en général, et elles sont une source d'inquiétude tant pour les employeurs que les employés.

Le dépistage de drogues. Plusieurs problèmes que les drogues soulèvent à un niveau général ont également un impact sur les résultats de la sélection. Nous les examinerons de manière plus détaillée dans le chapitre 13.

Les problèmes associés à l'usage de drogues comportent à la fois des dimensions d'ordre économique et légal[36]. En 1991, environ 2,5 millions de Canadiens faisaient régulièrement usage de drogues illicites[37]. Comme l'utilisation de drogues atteint des proportions épidémiques, plusieurs employeurs sont partisans de l'administration de tests de dépistage visant à assurer leur propre protection ainsi que celle du public qu'ils servent.

Des points de vue divergents se font entendre en ce qui concerne l'usage de tests de dépistage de drogues, étant donné le fait que les avantages de ces tests peuvent entrer en conflit avec le droit des individus à la vie privée, principe que reconnaît clairement la Charte canadienne des droits et libertés. Les initiatives d'employeurs qui veulent obliger leurs employés à se soumettre à ces tests sont généralement interprétées comme des intrusions dans la vie personnelle des employés (voir chapitre 13).

Le saviez-vous ?

Trois situations en milieu de travail susceptibles de justifier qu'un traitement différent soit accordé aux employés atteints du virus (VIH) du sida.

- Lorsque ces employés ont la responsabilité de mettre en application des procédures touchant la vie privée des individus.

- Lorsque ces employés doivent voyager dans des pays dont l'accès aux personnes atteintes du sida est interdit.

- Lorsque la détérioration soudaine du cerveau ou des fonctions du système nerveux central de ces employés risque de compromettre la sécurité du public.

Le sida. La question de l'impact du sida (syndrome d'immunodéficience acquise) sur l'emploi soulève des controverses encore plus vives que celles qui concernent l'usage de drogues. Plusieurs entreprises tentent actuellement d'élaborer une politique claire à ce sujet. Cependant, seules quelques entreprises ont décidé de s'intéresser à ce problème, et les politiques qu'elles ont mises en œuvre consistent la plupart du temps en des programmes d'éducation ou en des programmes d'aide aux employés. On n'a pas encore adopté de politiques à propos du sida et de son impact sur la sélection et le recrutement de personnel. Cependant trois situations en milieu de travail, énumérées dans l'encadré ci-contre, sont susceptibles de justifier qu'un traitement différent soit accordé aux employés atteints du virus du sida (VIH).

Les enjeux soulevés par le problème du sida portent sur la recherche d'un équilibre entre les droits des employés et les responsabilités des entreprises, et entre le droit des employés au respect de leur vie privée et le droit des employeurs à l'information. Le débat public, qui frise parfois l'hystérie collective, alimente ces controverses. Les partisans du dépistage du sida invoquent des précédents historiques pour appuyer leur position. En effet, les préoccupations des populations sur les risques d'épidémies de tuberculose et de syphilis ont donné lieu dans le passé à la formulation de politiques rationnelles de dépistage, et dans les deux cas, le dépistage avait débuté avant qu'un traitement n'ait été découvert pour ces maladies. Les opposants au dépistage appuient leur argumentation sur le fait qu'une telle politique constitue une intrusion excessive dans la vie privée des personnes.

D'un point de vue légal, quelques décisions arbitrales ainsi que la politique de la Commission canadienne des droits de la personne fournissent aux entreprises un cadre pour l'élaboration d'une politique (voir le chapitre 13).

Les examens médicaux. L'examen médical constitue souvent une des étapes finales du processus de sélection. Certains employeurs exigent un examen médical de tous les candidats et n'en soumettent qu'un petit nombre à des examens spéciaux. Par exemple, les candidats à un poste de production peuvent devoir passer une radiographie du dos, alors que les candidats à un emploi de bureau en seront exemptés. D'ailleurs, les règlements gouvernementaux rendent obligatoires certains examens. Lorsqu'une des conditions énumérées dans l'encadré 7.15 existe sur le lieu de travail ou pendant le processus de travail, des règlements spécifiques peuvent exiger un examen médical préalable à l'embauche.

ENCADRÉ 7.15 Conditions de travail qui exigent un examen médical préalable à l'embauche

- L'utilisation d'appareils respiratoires.
- La plongée commerciale.
- Un niveau de bruit supérieur à 85 décibels.
- L'exposition au plomb, à l'amiante, à l'arsenic, au chlorure de vinyle, aux émissions de four à coke, à la poussière de coton, à l'oxyde d'éthylène, etc.[38].

Les examens médicaux devraient cependant servir à éliminer les candidats dans les seuls cas où les résultats des examens indiquent que l'état de santé de ces personnes risque d'influencer négativement leur rendement au travail.

On peut utiliser des examens médicaux en conjonction avec des tests d'habileté physique pour s'assurer que les candidats satisfont aux préalables à la tâche et pour procurer à l'employeur un dossier lui permettant de se prémunir contre les revendications salariales de la part d'employés pour des blessures antérieures qui seraient attribuées à des accidents de travail. Les capacités physiques que vérifient les tests courants sont la force dynamique, la force statique et la force d'arrêt.

Dans les faits

Une serveuse expérimentée a été congédiée dès sa première journée de travail à cause d'une claudication. La Commission des droits de la personne de la Colombie-Britannique a accordé à la serveuse la somme de 2 000 $ à titre de dédommagement pour l'humiliation et l'angoisse subies et a reconnu le propriétaire du restaurant coupable de discrimination fondée sur un handicap physique. Cette serveuse, qui comptait 11 années d'expérience, utilisait un soulier adapté et marchait en claudiquant à cause d'une poliomyélite contractée dans sa jeunesse. Ce handicap ne nuisait en rien à la qualité des services qu'elle offrait à ses clients.

Il importe de s'assurer que les tests d'habileté physique soient liées aux exigences du poste, car s'ils produisent des résultats négatifs, il faut pouvoir démontrer l'existence de ce lien. Par ce processus visant à établir si les capacités mesurées par les tests sont ou non des caractéristiques essentielles à l'accomplissement des fonctions, il est possible qu'on découvre que certains tests ne sont pas véritablement pertinents compte tenu de l'emploi et qu'il faille donc les modifier ou les remplacer. Ce processus peut en outre conduire à la modification d'aspects du poste susceptibles d'assurer une plus grande égalité d'accès aux emplois, en particulier aux femmes et aux personnes souffrant de handicaps, tout en maintenant l'intégrité du poste de travail.

Un récent usage de l'examen médical consiste à présélectionner les candidats en fonction de leurs caractères génétiques. La présélection génétique s'appuie sur le principe selon lequel certains individus sont plus sensibles que d'autres à des éléments de l'environnement de travail tels que les produits chimiques. La présélection s'effectue à partir de l'analyse du sang ou de l'urine du candidat. On retrouve actuellement 55 000 produits chimiques utilisés dans l'industrie et quelque 800 autres s'ajoutent à ce nombre chaque année. Les avantages que comporte cet examen pour les millions de travailleurs canadiens qui sont exposés quotidiennement à ces produits sont évidents. Les candidats à un emploi devraient être informés de leur susceptibilité génétique afin qu'ils puissent décider s'ils veulent travailler dans ce type d'environnement. Ces pratiques soulèvent toutefois des problèmes d'ordre juridique et éthique : Devrait-on permettre aux entreprises de sélectionner les employés selon leur probabilité génétique de souffrir d'une maladie ? Qui doit assumer les coûts d'aménagement des lieux de travail pour les employés les plus menacés ?

Il n'existe actuellement aucune loi réglementant les examens génétiques en milieu de travail. La présélection génétique constitue une pratique relativement nouvelle dont les applications ne font que croître. David Bennett, représentant du Congrès du travail du Canada à la Commission de la santé et de la sécurité du travail, prévoit que « les entreprises emploieront les examens génétiques pour réduire leurs coûts, au lieu d'assainir les lieux de travail pollués ; les employeurs chercheront des travailleurs génétiquement très résistants, à la manière d'un George Orwell version 2004[39] ». Les récentes recherches suggèrent cependant que l'usage de la présélection génétique serait plus adéquat pour appuyer les décisions d'affectation que celles de la sélection[40]. Lorsque tous les candidats démontrent une sensibilité égale aux agents chimiques présents dans un milieu de travail, l'information obtenue au moyen de la présélection génétique devrait servir à modifier le milieu de travail.

IV L'accueil et la socialisation des nouveaux employés

L'accueil est l'activité de la gestion des ressources humaines qui consiste à présenter au nouvel employé l'organisation, les tâches qui lui sont confiées et les personnes avec lesquelles il aura à travailler. L'accueil est suivi du processus de socialisation qui fait habituellement partie intégrante du processus d'intégration de l'employé à son nouvel environnement de travail. La socialisation vise plusieurs objectifs que vous trouverez énumérés dans l'encadré 7.16. Dans son ensemble, le processus d'intégration de l'employé procure à ce dernier des informations sur les normes et la culture propres à l'organisation, ce qui l'aidera à fonctionner efficacement. Dans un cadre organisationnel donné, l'individu fait l'apprentissage des valeurs et des comportements qu'il se doit d'adopter, ainsi que des connaissances sociales qui lui sont nécessaires pour assumer adéquatement son rôle. Un piètre processus de socialisation constitue une source supplémentaire de stress pour le nouvel employé et peut influer sur sa décision de demeurer ou non au sein de l'organisation.

Il importe de se rappeler que les nouveaux employés peuvent fournir un apport considérable à l'organisation et élargir ses perspectives. Cependant, une socialisation déficiente et un soutien inefficace de l'employé pendant la période de socialisation se traduisent souvent par la perte de l'enthousiasme, de la créativité et de l'engagement dont fait preuve le nouvel employé à ses débuts. Le service de gestion des ressources humaines doit donc mettre sur pied un programme de socialisation qui complétera les efforts de recrutement et de sélection et qui se traduira par l'efficacité, la motivation et l'engagement des employés au sein de l'entreprise.

Lºº
195

ENCADRÉ 7.16 Les objectifs des programmes de socialisation

- **La réduction des coûts d'intégration.** On s'attend à ce que le nouvel employé soit relativement peu efficace pour une certaine période. Une initiation adéquate de l'employé peut toutefois contribuer à réduire la durée de cette période.

- **La diminution du stress et de l'anxiété.** Un nouvel employé, qui cherche à se conformer à ce qu'on attend de lui et qui doit à cet égard faire ses preuves, éprouvera inévitablement du stress s'il perçoit que son rendement ne correspond pas aux normes établies. Une autre forme de stress découle des efforts de l'employé pour se faire accepter par les autres membres du groupe de travail.

- **La réduction du roulement de main-d'œuvre.** En facilitant l'intégration rapide de l'employé, ce dernier développera plus rapidement un sentiment d'appartenance. La socialisation influe donc sur le roulement de la main-d'œuvre.

- **Une économie de temps pour les superviseurs et les collègues de travail.** Les nouveaux employés auront besoin, au début, de l'aide de leurs collègues de travail et de leurs superviseurs pour devenir plus efficaces dans leurs fonctions. La socialisation contribuera à réduire le temps que ceux-ci devront consacrer à informer les nouveaux employés.

REVUE DE PRESSE

Il faut plus que du café et des muffins pour accueillir ses nouveaux employés
Un bon programme d'accueil double les chances de garder les meilleurs

Kathy Noël

C afé, muffins, distribution de sourires et de mots de bienvenue ; les intentions sont bonnes, mais il faut bien plus que ces pauses-détente pour accueillir un nouvel employé. Surtout si on veut le garder longtemps.

Selon la revue américaine *Training Magazine*, spécialisée dans la gestion des ressources humaines, les employés qui ont bénéficié d'un bon programme d'accueil sont deux fois plus nombreux à demeurer dans l'entreprise plus de deux ans.

Malgré cela, il semble que dans la majorité des cas, on sort encore l'ennuyeux vidéo corporatif et le tour guidé pour saluer les petits nouveaux, déplore Alain Ishak, psychologue industriel et conseiller au Groupe Hay, société conseil en gestion et en administration.

« Ce n'est pas suffisant, dit-il. Certains employés n'auront pas de problèmes à se présenter eux-mêmes, mais la plupart ont plutôt tendance à rester dans le bureau en attendant que les choses arrivent d'elles-mêmes. L'entreprise doit provoquer les choses. »

Au Groupe Hay, on n'a pas peur de la provocation. Chaque nouveau conseiller est embarqué illico dans un avion pour faire la tournée des bureaux et du siège social de Toronto.

À chacune des escales, des experts de chaque service font une présentation. Ce type de pratique n'est pas monnaie courante et coûte cher, mais le jeu en vaut la chandelle, selon le psychologue industriel.

« L'employé sera efficace beaucoup plus rapidement. Personnellement, cela m'a permis de mettre des visages sur les noms. Je savais qui appeler quand j'avais besoin d'information pour compléter un rapport. Cela permet aussi de créer des liens entre le siège social et les bureaux. »

Le conseiller n'en démord pas : une entreprise qui favorise le travail d'équipe et les bons contacts avec les clients doit révéler sa culture dès le premier jour.

Privilégier les contacts humains

Selon les experts, rien ne vaut un bon exposé de la clientèle cible, du marché ou de la mission de l'entreprise, plutôt qu'un document négligemment jeté sur le bureau du nouvel employé.

Le message sera mieux reçu s'il est transmis par un bon communicateur, capable de simplifier des concepts.

Une méthode à la mode ? Le parrainage. Il s'agit de jumeler l'apprenti avec un employé d'expérience.

Les parrains sont des alliés de taille pour les questions concernant le photocopieur, le télécopieur, bref, pour tous les qui fait quoi, où, comment et pourquoi.

Ils transmettent rapidement la culture de l'entreprise.

Intégrer santé et sécurité au travail

Pour les entreprises manufacturières, l'accueil est le moment privilégié pour aborder les questions de santé et de sécurité.

130—
132

Des chiffres publiés par le Centre patronal de santé et sécurité du travail du Québec révèlent que la majorité des accidents de travail surviennent quand les employés ont moins d'un an d'ancienneté.

Bien sûr, les accidents touchent aussi les vieux routiers devenus moins attentifs, mais un travailleur averti dès les premiers jours en vaut deux, comme le constate Isabelle Lessard, directrice de la formation et de l'information au Conseil.

« Dès le premier jour, les nouveaux employés devraient connaître les mesures d'urgence, savoir qui sont les secouristes et quoi faire en cas d'accident. Cela paraît banal, mais dans plusieurs usines, j'ai vu des employés qui ne savaient même pas où étaient les sorties d'urgence ! » s'étonne Mme Lessard.

Même si l'on conseille à la haute direction de se pointer le nez, c'est le superviseur immédiat qui joue le premier rôle dans l'accueil des nouveaux employés. Il fera le travail d'initiation : la présentation des collègues, la tâche à accomplir, le code vestimentaire, etc.

Il peut être soutenu par un conseiller en ressources humaines, qui s'occupera surtout des modalités (paie, pauses, horaire, etc.).

Il faut éviter d'inonder les nouveaux dès le premier jour, souligne Isabelle Lessard.

Un programme d'accueil peut s'échelonner sur toute la semaine.

Source : Les Affaires, 4 septembre 1999, p. 25.

LA DURÉE, L'AMPLEUR ET LE CONTENU DU PROGRAMME DE SOCIALISATION

Dans les faits

Hewlett Packard échelonne sur une période de 12 mois son programme d'intégration des nouveaux employés. Le programme de cette firme, dont l'encadré 7.17 présente les principaux aspects, est très complet et pourrait servir d'exemple aux autres entreprises.

Il existe de nombreux modèles de programmes de socialisation mis sur pied par les firmes canadiennes, dont le contenu, l'étendue et la durée varient.

Phase 1. L'initiation commence le premier jour de l'entrée en fonction de l'employé et même avant son arrivée. Les nouveaux employés reçoivent l'information permettant de faciliter leur intégration au nouvel environnement de travail.

Phase 2. La mise en perspective se poursuit au cours du premier mois. Les nouveaux employés sont informés des attentes du gestionnaire de leur service, des buts poursuivis par leur service et par la direction ainsi que des relations existant entre leur service et les divers services de l'entreprise.

Phase 3. L'obtention de l'information de base se poursuit pendant les deuxième et troisième mois. Les nouveaux employés recueillent les données essentielles en ce qui concerne leurs responsabilités et leurs buts, et acquièrent une perspective globale des philosophies et des objectifs de l'organisation.

Phase 4. L'intégration se déroule du quatrième au sixième mois. Les nouveaux employés approfondissent leur connaissance des philosophies et des processus de l'organisation ainsi que de leur rôle dans ce cadre organisationnel. Ils acquièrent également une compréhension du fonctionnement du processus d'évaluation du rendement et des modalités de leur participation à l'élaboration de leur programme de perfectionnement.

Phase 5. La planification de la formation continue s'étend du septième au douzième mois. Les nouveaux employés acquièrent les connaissances, les compétences et l'information nécessaires à la planification de leur programme de formation continue au sein de l'entreprise.

ENCADRÉ 7.17 Programme de socialisation des nouveaux employés de la Hewlett Packard

	Service du personnel	Gestionnaire	Nouvel employé
PHASE 1 Avant l'arrivée	• mise à jour des guides • expédition d'un guide d'information aux nouveaux employés • distribution des guides du gestionnaire et de l'employé à la direction	• réception des guides du gestionnaire et de l'employé • sélection d'un mentor pour l'accueil des nouveaux employés	• réception de l'information préalable à l'entrée en fonction
Premier jour/ première semaine	• rencontre des nouveaux employés et réalisation d'une séance d'information portant sur les avantages sociaux et sur le processus d'orientation	• accueil des nouveaux employés et présentation du guide de l'employé • vérification de la liste de contrôle du programme du premier jour	• rencontre d'employés des ressources humaines • rencontre du gestionnaire responsable de l'orientation • rencontre de groupes de travail et visite des installations
PHASE 2 Premier mois	• contact avec les nouveaux employés à propos des progrès réalisés	• rencontre avec l'employé pour les activités de la phase 2 (2 ou 3 rencontres d'une demi-heure)	• exécution des activités de la phase 2 du guide de l'employé et rencontres avec le gestionnaire
PHASE 3 Deuxième et troisième mois	• coordination du programme d'orientation des nouveaux employés	• vérification si les nouveaux employés comprennent leurs responsabilités • vérification si les nouveaux employés participent au programme d'orientation conçu à leur intention	• participation au programme d'orientation des nouveaux employés
PHASE 4 Du quatrième au sixième mois	• contrôle de la présence des nouveaux employés au programme d'orientation conçu à leur intention • communication avec le gestionnaire pour obtenir son appréciation du programme • rétroaction sur l'évaluation communiquée à la direction	• formulation d'un programme de formation pour les nouveaux employés • conduite de l'évaluation du rendement des six mois • processus d'orientation communiqué au coordonnateur de l'orientation	• élaboration avec le gestionnaire d'un programme de perfectionnement • remise du formulaire de révision du contenu et d'évaluation du programme d'orientation
PHASE 5 Du septième au douzième mois		• vérification des progrès du programme de perfectionnement • appui aux nouveaux employés pour l'accès aux ressources • tenue de l'évaluation du rendement après un an	• élaboration d'un programme de perfectionnement

Source : Hewlett Packard (Canada) ltée. Reproduction autorisée.

D'autres entreprises consacrent beaucoup moins de temps que la firme Hewlett Packard à la mise en œuvre des programmes de socialisation. Ceux-ci durent en moyenne de deux heures à une journée complète et se déroulent généralement pendant la première semaine de l'entrée en fonction du nouvel employé. Chez Via Rail, par exemple, la socialisation dure cinq semaines et se déroule sous la responsabilité d'une équipe permanente de formateurs qui initient les nouveaux arrivants aux différentes fonctions de l'entreprise. Bien que l'ampleur et la durée des programmes varient d'une entreprise à l'autre, les thèmes couverts par les séances sont sensiblement les mêmes (encadré 7.18).

> **ENCADRÉ 7.18 Contenu type d'une séance d'initiation des nouveaux**
>
> - Présentation de l'entreprise.
> - Revue des principales politiques et procédures organisationnelles.
> - Exposé des programmes d'avantages sociaux.
> - Vue d'ensemble des services.
> - Période de questions.

Dans les faits

Jostens Canada ltée est un producteur de photographies, de bagues et d'albums scolaires situé à Montréal. L'entreprise possède des bureaux à Winnipeg, à Montréal et à Sherbrooke, et son bureau de ventes et de marketing est établi à Mississauga, en Ontario. Étant donné la décentralisation de la production, chaque gestionnaire est responsable de la socialisation de ses employés. L'entreprise a adopté comme philosophie un Processus d'engagement de qualité totale (PEQT) et le cœur du programme de socialisation vise donc à intégrer chacun des nouveaux employés à ce processus. Par conséquent, la partie la plus importante de la socialisation consiste en une séance de sensibilisation. Le reste du programme de socialisation est réalisé sous la responsabilité du superviseur immédiat.

Certaines entreprises préparent un dépliant contenant des informations sur l'entreprise, ses produits et services, sa rentabilité et ses principaux clients. D'autres entreprises ont recours à une vidéocassette préparée à cette fin. Une des meilleures approches consiste à utiliser une combinaison de techniques audiovisuelles et de présentations verbales.

Dans la plupart des cas, la responsabilité de la conception et de la coordination du programme de socialisation incombe au service de la gestion des ressources humaines. Le superviseur joue un rôle clé dans la mise en œuvre de ce programme, puisqu'on s'attend à ce qu'il connaisse les politiques et les pratiques de l'organisation. Le service des ressources humaines prépare à l'intention des superviseurs une liste de contrôle du programme de socialisation, de manière à éviter qu'ils n'omettent une partie importante de l'information qu'ils doivent communiquer pendant cette séance.

LES ASPECTS IMPORTANTS DE LA SOCIALISATION DES RESSOURCES HUMAINES

Dans les faits

Allergan Canada est une entreprise pharmaceutique établie à Markham, en Ontario, qui se spécialise dans les produits de soins pour les yeux. Le responsable du recrutement au service de la gestion de ressources humaines assure la socialisation des nouveaux employés. Ce programme comporte deux étapes. La première étape, d'une durée de trois heures, est réalisée dans la salle de réunion du conseil d'administration. Cette étape comprend un discours d'ouverture et une présentation de l'entreprise. Cet exposé est complété par des brochures traitant des avantages sociaux, des règlements, de la philosophie de l'organisation, du régime de pension, des programmes d'assurance médicale et des divers programmes d'épargne. La rencontre se termine par un film présentant aux nouveaux employés les différentes divisions de l'organisation et ses principaux produits. La seconde étape se veut un suivi et a lieu de deux à quatre semaines après la phase initiale.

Les aspects importants qui influencent la socialisation sont les caractéristiques de l'emploi initial, la nature des premières expériences à ce poste, et le style du premier superviseur. La fonction initiale détermine souvent le succès futur du nouvel employé. Plus le poste comporte de défis et de responsabilités, plus l'employé est susceptible de réussir au sein de l'organisation. Une affectation de tâches qui est intéressante sans être écrasante implique que l'organisation attache une grande valeur à l'employé et croit en sa capacité de réussir. Les entreprises attribuent souvent des tâches simples aux nouveaux employés, ou leur font faire une rotation de postes dans les différents services pour leur permettre de se faire une opinion des divers postes. Cependant, les employés peuvent interpréter ces pratiques comme un manque de confiance de l'organisation en leurs capacités ou en leur loyauté.

L'expérience qu'acquiert un nouvel employé dans un nouveau poste de travail et avec un nouveau superviseur contribue à son apprentissage des valeurs, des normes, des attitudes et des comportements appropriés au contexte de l'entreprise. Les superviseurs des nouveaux employés peuvent leur servir de modèles et établir des attentes, exerçant ainsi sur eux une influence positive qu'on appelle l'*effet Pygmalion*. Si le superviseur croit au succès du nouvel employé, celui-ci a davantage de chances de se montrer à la hauteur des espoirs de son supérieur que si celui-ci semble peu confiant face à sa réussite.

Dans les faits

Elliot Marr and Company est une petite entreprise de distribution alimentaire localisée à London, en Ontario. Son programme de socialisation dure deux jours. Une liste de contrôle assure que tous les points du programme seront couverts. Le premier jour, le service de la gestion des ressources humaines, conjointement avec le superviseur de l'employé, présente l'entreprise et le poste de travail, et traite de tout autre sujet susceptible d'intéresser l'employé. Le deuxième jour, on montre à l'employé une vidéocassette qui décrit l'histoire de cette organisation.

La clé du succès individuel, lors d'une première affectation, réside dans la réaction de l'organisation, par l'intermédiaire du superviseur direct, aux succès et aux échecs du nouvel employé. Les employés éprouveront un sentiment positif envers l'entreprise s'ils ne reçoivent pas de sanctions pour leurs premières erreurs, s'ils obtiennent une rétroaction claire en ce qui a trait à leurs réalisations et à leurs insuffisances, si on leur explique les motifs de leur réussite ou de leur échec, et s'ils constatent qu'ils peuvent compter sur leurs superviseurs pour obtenir des conseils efficaces en cas d'échec. Il importe donc d'informer les superviseurs de l'impact de leur comportement initial sur le succès subséquent des nouveaux employés embauchés.

V Les nouvelles tendances en sélection et en socialisation des ressources humaines

La sélection, l'accueil et la socialisation des ressources humaines permettent aux entreprises d'identifier les bons candidats et de les intégrer dans leur nouveau poste de travail afin qu'ils puissent dans de courts délais être productifs. On constate que de plus en plus le processus de sélection tient compte d'une variété d'éléments. En plus de vérifier la capacité des employés à bien faire leur travail, les entreprises sont soucieuses de recruter des individus capables d'adhérer à la culture organisationnelle et de partager les valeurs et les normes de l'entreprise. Ainsi, les entreprises qui adoptent des structures organiques et valorisent le travail d'équipe doivent se doter de ressources humaines compétentes mais également en mesure de bien s'intégrer et de s'approprier les valeurs organisationnelles, comme en témoignent cinq grandes entreprises du Québec dans l'article qui suit.

REVUE DE PRESSE
Êtes-vous le candidat idéal ?

Cinq grandes entreprises du Québec nous disent comment elles recrutent le candidat idéal

Julie
Calvé

La multinationale
ALCAN
Guy Delisle
Directeur de la dotation et du développement,
Secteur électrolyse et chimie

N'entre pas qui veut chez Alcan. Le géant de l'aluminium emploie plus de 10 000 personnes, dont quelque 650 professionnels — comptables, informaticiens, ingénieurs, chimistes, métallurgistes de fine pointe, etc. — qui ont dû subir une batterie de tests avant d'obtenir un poste. Parce qu'il ne s'agit pas d'un simple poste mais d'un investissement.

« Avant tout, nos usines engagent une ressource pour Alcan. Il ne suffit pas que le candidat réponde aux critères de l'emploi. Il doit démontrer un potentiel d'avancement au sein de l'entreprise. Et être capable de relever des défis dans d'autres environnements », précise Guy Delisle.

C'est pourquoi on accorde une importance primordiale à la mobilité géographique du futur employé, qui pourrait être appelé à travailler à l'une ou l'autre des 12 unités administratives québécoises d'Alcan, voire à l'étranger.

La perle rare a tout le loisir de se mettre en valeur — ou de se caler ! — au cours de la sélection. Le candidat est évalué par le biais d'une grille d'entrevue détaillée — un standard chez Alcan — qui dépasse le simple niveau de compétences. Le « profil générique en 12 points » passe au crible l'intégrité, la maîtrise de soi, la motivation, la façon de gérer les relations interpersonnelles et le changement du candidat. Question de vérifier si son profil correspond bel et bien « aux valeurs organisationnelles et aux orientations stratégiques de l'entreprise », dit le directeur.

Les candidatures retenues pour la sélection finale dans les usines ont d'abord fait l'objet d'un premier tri par le siège social de Montréal. Raisonnement analytique, connaissance des langues et autres volets cognitifs auront été scrutés avant de transmettre le dossier aux usines.

Alcan planifie ses besoins en main-d'œuvre sur une période de cinq ans. L'entreprise a mis au point un système de gestion sophistiqué du bassin disponible. Les quelque 10 000 curriculum vitæ reçus annuellement sont parcourus en fonction d'une kyrielle de critères et enregistrés dans une banque de candidats informatisée. Besoin d'un ingénieur possédant cinq ans d'expérience et parlant le mandarin ? Quelques touches sur le clavier et l'ordinateur imprime la liste des candidats répondant à ces critères, incluant le curriculum vitæ !

La grande agence de publicité
COSSETTE
Monica Ruffo
Vice-présidente, Stratégie et conseils

« Une faute de français dans le curriculum vitæ et le candidat est immédiatement éliminé. Nous sommes une boîte de communication, alors il est évident que la personne doit savoir bien communiquer ! »

Chez Cossette, communication rime, entre autres, avec publicité, relations publiques, promotion et *branding*. Des secteurs qui empruntent le nom des différentes entreprises regroupées sous l'égide Cossette telles qu'Optimum, Blitz et Geyser.

« C'est de la communication convergente, en ce sens que le total des services offerts est plus grand que l'ensemble des ressources », indique celle qui est à la tête d'un bassin de quelque 350 personnes, un bassin qui ne cesse de croître. « Notre croissance annuelle est de l'ordre de 20 %, alors nous embauchons continuellement », dit-elle.

Cossette fait parfois appel à des chasseurs de tête pour combler des postes de haut niveau, mais en général, comme elle engage surtout des jeunes, elle utilise ses propres ressources. L'entreprise a d'ailleurs créé son propre programme de stages pour assurer une relève. Pendant trois mois, l'été dernier, 16 jeunes ont profité de l'expérience. Et ici, pas de *cheap labour*. « Ils sont formés », insiste la vice-présidente.

Les employés sont recrutés par le biais de ce programme et à partir d'une banque de candidats. Est-ce qu'on annonce ? « Rarement. Parfois dans des publications spécialisées. C'est un petit milieu. Pour cette raison, nous vérifions presque toujours les références. »

Au menu du candidat : entrevues serrées, avec des personnes différentes, parfois jusqu'à sept ! Tous les directeurs sont formés pour mener à bien une entrevue. Au-delà des compétences requises, l'employé de Cossette démontre un solide esprit d'équipe, et par conséquent, une aisance certaine dans sa façon de communiquer avec les autres. « Il doit s'exprimer clairement, avoir du vocabulaire, être créatif. Le candidat doit être capable de penser de manière créative à la résolution d'un problème. »

Difficile de trouver le candidat idéal ? « Le bassin de gens vraiment compétents est somme toute assez restreint. C'est pourquoi, lorsque nous engageons quelqu'un, nous pensons à long terme. »

Le grand bureau d'avocats
LAVERY, DE BILLY
Yvan Biron
Directeur de recrutement

Les finissants en droit, ceux qui rêvent du prestige associé à la profession d'avocat, font tout pour mettre les pieds dans ce grand cabinet québécois. Quelques-uns, une dizaine par année, y réussissent. Certains d'entre eux, et même parfois la totalité, y restent, une fois terminé le stage de six mois requis par le Barreau pour obtenir le titre d'avocat.

Lesquels ? « Ceux dont la personnalité se démarque des autres », rétorque Yvan Biron. La personnalité. C'est ce à quoi s'attarde Lavery, de Billy au cours du sévère processus de sélection des stagiaires, et ce, dès le premier tri effectué parmi les 400 dossiers reçus par année. Outre de bons résultats académiques, qu'a à offrir le candidat ? Maîtrise-t-il d'autres langues ? A-t-il voyagé ? Est-il engagé dans une association étudiante ? Un organisme à caractère social ? Fait-il du théâtre ? De la musique ? Bref, on recherche la personnalité équilibrée, celle dont les intérêts transcendent le strict domaine du droit.

Une centaine de candidats se présentent pour une entrevue d'une demi-heure devant un comité formé d'un jeune avocat et d'un associé possédant de l'expérience. Facilité à s'exprimer, faculté d'intégration, qualité de la langue, esprit d'analyse et autres aptitudes sont évalués. Lors de la sélection finale, la personnalité des aspirants tranche entre les gagnants et les perdants. On aborde des thèmes plus vastes, comme la vie politique, et on insiste sur l'apport du stagiaire au sein de l'entreprise.

Et l'éventuelle spécialisation des futurs avocats ? « Chaque stagiaire devra travailler dans les grandes familles du cabinet : litige, affaires, administration et travail. Il est important qu'il puisse faire les liens entre chaque famille, qu'il comprenne la dynamique de l'entreprise. »

Lorsque Lavery, de Billy recherche un avocat avec une expertise très pointue, un spécialiste du droit minier par exemple, elle annonce le poste à combler, fait appel au bureau de placement du Barreau ou engage un chasseur de têtes.

La société d'État en mutation
HYDRO-QUÉBEC
Yves Legris
Directeur principal au recrutement

« L'entreprise moderne gère le savoir. Elle engage donc des gens qui possèdent le savoir qui lui fait défaut. »

Aux orties, les bottes de travail et le casque de construction ! Chez Hydro-Québec, depuis l'arrivée du nouveau président André Caillé, on ne jure plus que par la maximisation des profits et la conquête de nouveaux marchés. La langue de la compétitivité se traduit par des rationalisations massives – plus de 4 000 emplois, soit 20 % de l'effectif, disparaîtront d'ici l'an 2000 – mais aussi par de la création d'emplois dans des secteurs stratégiques et intimement liés : le gaz naturel et le marché du Nord-Est américain.

Hydro-Québec a pris le contrôle de Noverco, qui est également actionnaire de Gaz Métropolitain, entreprise que présidait auparavant André Caillé. La société d'État mise, entre autres, sur cet atout supplémentaire pour vendre son énergie aux étrangers. La partie s'annonce mouvementée, difficile. Hydro-Québec entend devenir un joueur majeur de l'échiquier continental, et redéfinit en ce sens ses critères d'embauche de personnel.

« La structure de haut niveau est déjà en place, explique Yves Legris. Le processus de sélection formel en découlera, soit les mécanismes qui nous permettront d'aller chercher les meilleurs pour percer dans ces nouveaux marchés. »

Déjà, une évidence apparaît : le nouvel employé d'Hydro aura… le sens des affaires. « Il devra avoir un certain souci de rentabilité, une facilité dans ses relations avec le client, et bien sûr, une connaissance stratégique acquise par sa formation et par son expérience. » Ceux qui n'ont pas cette expérience devront à tout le moins démontrer une sensibilité à cet égard.

Pour un poste de gestionnaire, on exigera, outre ce « gabarit professionnel » doublé d'un souci de rentabilité, la faculté de transmettre une vision à l'équipe sous sa direction. Chez l'ingénieur, on privilégiera une expertise en haute technologie, sans pour autant sacrifier la dimension « affaires ». « Le candidat devra démontrer une expertise d'affaires dans son créneau, insiste le directeur. Celui qui a une grande connaissance, mais qui a passé 30 ans dans ce même domaine, dans une même entreprise, ne sera pas retenu. »

Hydro se prépare pour une guerre en territoire déréglementé. Et dans ses tranchées, elle convie des professionnels aguerris et dotés de la fougue nécessaire.

La pharmaceutique
WYETH AYERST
Michel Danis
Directeur des ressources humaines

Aucun bouleversement majeur n'est prévu chez Wyeth Ayerst, un important fabricant pharmaceutique dont l'usine de Saint-Laurent emploie environ 1 000 personnes. « Mais on travaille le dossier de l'embauche de façon régulière », tient à préciser Michel Danis. Comment ? « Nous n'avons pas de recette-miracle, poursuit le directeur. Nous procédons de façon traditionnelle, par le biais des journaux et de notre réseau de contacts, et nous convoquons les candidats à une entrevue bien structurée. »

Chimistes, gestionnaires, vendeurs et autres professionnels doivent, bien sûr, posséder la juste combinaison de formation et d'expérience propre à leur secteur, ou au moins la capacité de développer l'expérience déficiente.

Et qu'est-ce qui distingue le candidat idéal des autres ? L'attitude. « Ça se voit tout de suite en entrevue, pense Michel Danis. L'habileté à relever des défis, la capacité d'adaptation à un rythme rapide de changement. On sent tout de suite si la passion est là ou non. »

Wyeth Ayerst ne fait pas exception à la règle voulant que l'on fasse appel à des chasseurs de têtes pour des postes stratégiques, gestionnaires de haut niveau comme scientifiques de pointe. « Question d'être bien certain de faire le tour du jardin. » Des exemples ? « Nous faisons quelques recherches en ce moment, mais vous comprenez, nous savons que d'autres compagnies pharmaceutiques recherchent la même chose que nous. »

Source : Affaires Plus, *novembre 1997, p. 56-60.*

RÉSUMÉ

La sélection, l'accueil et la socialisation des ressources humaines visent à assurer que chaque personne occupe l'emploi qui lui convient, de manière à satisfaire les intérêts mutuels, à court et à long terme, de l'organisation et de l'employé. Il en résulte que les décisions en matière de sélection et de socialisation que prend l'organisation doivent s'appuyer sur l'information dont elle dispose en ce qui a trait à la motivation des individus à accepter un emploi, de même que sur les aptitudes de la personne et les exigences liées à l'emploi. L'appariement de ces deux aspects permettra à l'entreprise d'atteindre les objectifs qu'elle se fixe en matière de sélection et d'affectation.

Ces décisions requièrent, par conséquent, une quantité considérable d'informations que l'organisation peut recueillir au moyen d'entrevues, de formulaires de demande d'emploi, de références ainsi que de nombreux tests écrits et d'échantillons du travail requis par le poste. Le choix des méthodes utilisées dépend de l'information nécessaire et de la validité et de la fiabilité de ces méthodes. Le type de données recherchées est fonction de leur lien avec les exigences du poste.

La sélection d'employés qualifiés exige de l'organisation le recours à des instruments de sélection valides. Dans la mesure où elle respecte ce paramètre, l'organisation pourra continuer à améliorer ses décisions de sélection et d'affectation par l'utilisation de prédicteurs qui soient le plus liés possible aux exigences du poste et qui présentent, en outre, le meilleur rapport coûts-avantages.

L'amélioration de l'efficacité des décisions de sélection et de socialisation passe également par l'engagement de l'organisation dans un processus de socialisation qui lui permettra de réduire le roulement de main-d'œuvre et tout autre comportement négatif. La plupart des nouveaux employés ont une connaissance limitée des valeurs, des normes, des attitudes et des comportements que l'organisation souhaite voir adopter par ses membres. La socialisation vise à fournir l'information nécessaire à ces personnes pour qu'elles puissent s'intégrer à leur nouveau milieu de travail.

À la suite de la sélection et de la socialisation de son personnel, l'organisation doit surveiller le rendement des nouveaux employés. Ce suivi est le gage du succès de l'organisation et fournit des éléments essentiels à l'évaluation des méthodes et procédures de sélection et d'orientation.

Questions de révision et d'analyse

1. *Que signifie la notion de critère en matière de sélection ? Soulignez certains problèmes associés à cette question et les moyens de les minimiser.*

2. *On entend souvent dans les entreprises des phrases du genre : « François est le résultat d'une erreur de sélection. Nous n'aurions pas dû l'embaucher. » Quelles sont les conséquences à court et à long terme de ces erreurs de sélection ?*

3. *Pourquoi les instruments de sélection se doivent-ils d'être fiables ?*

4. *Les décisions fructueuses en matière de sélection et d'affectation de personnel dépendent souvent d'autres activités de la gestion des ressources humaines. Précisez la nature de ces activités et expliquez leur relation avec la sélection et l'affectation.*

5. *Sous quelles conditions une procédure de sélection à étapes multiples est-elle plus appropriée qu'une procédure compensatoire ?*

6. *Comment un formulaire de demande d'emploi peut-il être amélioré en tant que prédicteur de sélection ?*

7. *Puisque l'entrevue de sélection comporte des problèmes et des biais, pourquoi les employeurs continuent-ils d'y avoir largement recours ?*

8. *Expliquez le caractère controversé des tests de dépistage de drogues et de dépistage génétique ?*

9. *Quels avantages comportent les centres d'évaluation en tant que méthode de sélection des gestionnaires ? Quels sont leurs inconvénients ?*

10. *Pourquoi la socialisation des ressources humaines est-elle cruciale pour toutes les entreprises ?*

ÉTUDE DE CAS

Les tests : quel usage leur destiner ?

Comme c'est le cas dans d'autres industries, l'Association des employeurs maritimes (AEM) est confrontée aux problèmes causés par les changements technologiques. Alors que dans les différents ports sous sa juridiction le travail a depuis toujours été exécuté de façon manuelle, la pression pour l'accroissement de la compétitivité a incité l'AEM à opter pour l'automatisation de ses activités. L'AEM savait toutefois que la mise en œuvre de la nouvelle technologie ne se ferait pas sans heurts. Aux problèmes évidents que pose la recherche du financement nécessaire à l'achat des nouveaux équipements s'ajoute le problème de la négociation avec le syndicat pour résoudre la situation des travailleurs actuels.

En employeur responsable, l'AEM souhaite s'assurer que sa main-d'œuvre actuelle pourra tirer profit des changements technologiques envisagés. Elle est toutefois consciente du fait que les nouveaux postes d'« opérateurs » exigeront des connaissances et des qualifications différentes de celles que possèdent la plupart de ses débardeurs. Par conséquent, dans le but de respecter la convention collective, l'AEM s'est mise à la recherche d'une solution pouvant satisfaire les besoins de l'entreprise tout en minimisant l'effet des changements sur la sécurité d'emploi des travailleurs. Une part de la solution implique une stratégie à deux paliers :

1. Premièrement, l'entreprise s'efforcera de former tous ses employés permanents ; ensuite, ceux-ci seront évalués. Les employés obtenant une évaluation positive seront invités à demeurer au sein de l'entreprise alors que les autres seront licenciés de la manière la plus courtoise possible.

2. L'AEM emploie également environ 400 employés non permanents qui ont œuvré dans l'entreprise pour une période s'échelonnant de trois mois à deux ans. Tous ces employés devront se soumettre à un test mesurant leur aptitude à utiliser le nouvel équipement. Les personnes qui réussiront ce test seront par la suite formées et intégrées à la main-d'œuvre régulière. À l'inverse, celles qui échoueront seront immédiatement mises à pied.

Dans le cadre de sa participation à un séminaire de perfectionnement destiné aux dirigeants, Pierre Houle, vice-président aux ressources humaines de l'AEM, a appris l'existence d'une série de tests utilisés par les autorités du Port du New Jersey pour la sélection des débardeurs. Il décide de s'informer à ce sujet auprès d'un vieil ami, Louis Lepage, qui a obtenu un MBA de la même institution et la même année que lui, et il lui demande de lui procurer une copie de ces tests. À la suite de l'obtention de ces tests et d'une brève discussion portant sur les modifications qu'il devrait apporter à la description du poste d'opérateur de machines, Pierre conclut que ces tests correspondaient exactement à ce qu'il recherchait. Ces tests permettent, en effet, de déterminer si les employés possèdent les aptitudes liées à la mémoire, à l'acuité visuelle et à la dextérité manuelle, ainsi que la personnalité et les attitudes adéquates pour occuper les postes en question. Ces tests représentent, selon Pierre, la solution idéale au problème de l'AEM. Il confie ensuite à Louis Lepage le mandat d'obtenir des auteurs des tests le droit de les reproduire et de les traduire en français, puisqu'un bon nombre des employés de l'AEM sont francophones. « Quand tout sera prêt, fais-moi signe », ajoute Pierre. « Nous planifierons ensuite l'horaire des tests. »

Lepage, qui est également président d'une petite firme de consultants en gestion, est heureux d'avoir été retenu comme consultant dans ce projet. Bien qu'il ne possède aucune formation formelle en psychologie industrielle ou organisationnelle, sa firme, Évaluation de personnel inc., a conclu des ententes avec un certain nombre d'auteurs de tests pour la commercialisation et la distribution de leurs produits au Canada. Il croit avoir acquis, avec les années, une solide expérience. L'entente qu'il a conclue avec l'AEM comprend, outre la traduction des tests, les responsabilités de l'administration des tests, de leur correction, ainsi que de la production d'un rapport individuel et de recommandations pour chaque employé évalué.

Lors de ce qu'on a par la suite qualifié de « Jeudi noir » et de « Semaine sinistre », le premier groupe de 100 employés est convoqué dans un vaste hangar converti pour l'occasion en local d'administration des tests. Il est prévu que le reste des employés soient soumis aux tests dans les jours suivants. On ne fournit aucune explication aux employés lors du test, se contentant de leur déclarer que l'entreprise souhaite mieux connaître leurs aptitudes et sollicite leur collaboration en se soumettant à une série de tests. Or, la grande majorité des employés n'a jamais participé à un processus similaire.

Louis Lepage, devant se rendre à l'extérieur de la ville pour les deux premières journées des tests, confie à son assistante administrative la tâche de fournir aux employés les explications nécessaires et de superviser le déroulement du processus pendant son absence. Johanne vient tout juste d'être embauchée comme assistante administrative et cette tâche constitue en quelque sorte sa première responsabilité importante. Elle commence par lire les instructions que lui a laissées Louis, mais se montre incapable de répondre aux questions des employés sur les diverses composantes des tests. De plus, certains employés formulent des plaintes à propos de la faiblesse de l'éclairage dans le hangar, d'autres du froid, des pupitres inconfortables pour écrire, ou simplement du fait qu'ils ne comprennent pas le but de cette opération ni la manière dont ils doivent procéder. La tension croissante incite Johanne à passer outre aux instructions concernant le temps alloué pour certaines sections des tests et à octroyer quelques minutes supplémentaires à ceux qui en ont besoin, pour compenser les inconvénients qu'ils ont éprouvés : « Je suis nouvelle à ce poste, leur dit-elle, et j'estime que le fait que je ne puisse répondre à vos questions mérite que je vous accorde au moins un peu de temps supplémentaire ». Cependant, les employés testés dans les jours subséquents n'ont pas eu droit à du temps supplémentaire.

Afin de compiler les résultats et de faire ses recommandations, Louis Lepage décide de combiner les notes attribuées aux cinq parties du test et de diviser le résultat par cinq pour obtenir une note unique, sur une échelle de 0 à 100. Il établit ensuite, comme le font de nombreux programmes universitaires de haut niveau, la note de passage à 70 et conserve ce critère pour la formulation de ses recommandations concernant les employés.

À la suite des résultats obtenus, Pierre Houle fait parvenir 121 lettres aux employés non permanents ayant échoué le test pour les informer que leurs services ne sont désormais plus requis. Il expédie également au syndicat des débardeurs une copie de la lettre, accompagnée de la liste des employés licenciés. Aussitôt informé de cette situation, le syndicat dépose une injonction en Cour supérieure alléguant un mauvais usage des tests et soulignant la discrimination flagrante ayant entouré leur administration.

Questions

1. Si vous étiez un consultant à l'emploi du syndicat, quels arguments invoqueriez-vous en ce qui a trait à la fiabilité et à la validité du processus dans ce cas ?
2. L'entreprise aurait-elle pu éviter cette poursuite ? Comment ?
3. Quelles étapes devrait suivre une entreprise comme l'AEM lorsqu'elle élabore et met en application un programme de gestion des ressources humaines destiné à résoudre le problème de l'implantation d'une « nouvelle technologie » ?
4. Si vous aviez eu la responsabilité de Louis, comment auriez-vous compilé les résultats ?

NOTES ET RÉFÉRENCES

1 A. Tziner, C. Jeanrie et S. Cusson, *La sélection du personnel : concepts et applications*, Québec, Éd. Agence d'ARC, 1993.

2 M. A. Campion, D. K. Palmer et J. E. Campion, « A Review of Structure in the Selection Interview », *Personnel Psychology*, vol. 50, 1997, p. 655-702.

3 Public Service Commission of Canada, *Assessing for Competence : Tests for Personnel Selection*, Ottawa, janvier 1993, p. 8-9.

4 C. Balicco, *Les méthodes d'évaluation en ressources humaines : la fin des marchands de certitude*, Paris, Éd. d'organisation, 1997.

5 C. Balicco, *op. cit.* ; A. Tziner, C. Jeanrie et S. Cusson, *op. cit.*

6 C. Balicco, *op. cit.*

7 A. Tziner, C. Jeanrie et S. Cusson, *op. cit.*

8 D. G. Lawrence, B. L. Salsburg, J. G. Dawson et Z. D. Fasmen, « Design and Use of Weighted Application Blanks », *Personnel Administrator*, mars 1982, p. 47-53, 101.

9 R. Deland, « Recruitement : Reference Checking Methods », *Personnel Journal*, juin 1983, p. 460. Voir également S. McShane, « Most Employers Use Reference Checks, but Many Fear Defamation Liability », *Canadian HR Reporter*, 13 mars, 1995, p. 14.

10 Pour plus d'informations, voir : M. D. Hakel, « Employment Interviewing » dans K. M. Rowland et G. R. Ferris (dir.), *Personnel Management*, Boston, Allyn and Bacon, 1982, p. 129-155 ; « Interview Guide for Supervisors », *College and University Personnel Association*, Washington (D. C.), 1981 ; R. D. Arvey et J. E. Campion, « The Employment Interview : A Summary and Review of Recent Literature », *Personnel Psychology*, vol. 35, 1982, p. 281-322 ; T. Janz, « The Selection Interview : the Received Wisdom Versus Recent Research » dans S. L. Dolan et R. S. Schuler (dir.), *Canadian Reading in Personnel and Human Resource Management in Canada*, St. Paul, West Publishing, 1987, p. 154-161.

11 Pour obtenir ce guide, écrire à la Commission canadienne des droits de la personne (400-90, rue Sparks, Ottawa, Ontario, K1A 1E1) ou communiquer avec le bureau régional. Un autre guide intéressant se trouve dans « Shooting the Rapids », *Harvard Business Review*, juillet-août 1989.

12 D. Bouchet et C. Doyon, *La sélection du personnel : pour trouver l'excellence*, Québec, Éd. Agence d'ARC, Les presses du management, 1991.

13 Le docteur Tom Janz, anciennement professeur à l'Université de Calgary, a élaboré la méthode d'entrevue descriptive du comportement. Les exemples de questions sont tirés de : T. Janz, L. Hellervik et D. C. Gilmore, *Behaviour Description Interviewing*, Boston, Allyn and Bacon, 1986, p. 178-185.

14 M. McDaniel *et al.*, « The Validity of Employment Interviews : A Comprehensive Review and Meta-analysis », *Journal of Applied Psychology*, vol. 79, n° 4, 1994, p. 599-616.

15 T. Dougherty, D. Turban et J. Callender, « Confirming First Impressions in the Employment Interview : A Field Study of Interview Behavior », *Journal of Applied Psychology*, vol. 79, n° 5, 1994, p. 663.

16 A. Pell, « Nine Interviewing Pitfalls », *Managers*, janvier 1994, p. 29.

17 J. D. Hatfield, et R. D. Gatewood, « Nonverbal Cues in the Selection Interview », *Personnel Administrator*, janvier 1978.

18 J. D. Hatfield, et R. D. Gatewood, *op. cit.*, p. 37.

20 S. Cornshow, « The Status of Employment Testing in Canada : A Review and Evaluation of Theory and Professional Practice », *Canadian Psychology*, vol. 27, 1986, p. 183-195.

21 A. C. Spychalski, M. A. Quinnones, B. A. Gaugler et K. Pohley, « A Survey of Assessment Center Practices in Organizations in the United States », *Personnel Psychology*, vol. 50, 1997, p. 71-90.

22 L. M. Hough et R. J. Schneider, « Personality Traits, Taxonomies and Applications in Organizations », dans K.R. Murphy, *Individual Differences and Behavior in Organizations*, San Francisco, Ed. Jossey-Bass, 1996.

23 D. Ones, M. Mount, M. Barrick et J. Hunter, « Personality and Job Performance : A Critique of the Tett, Jacjson and Rothstein (1991) Meta-Analysis », *Journal Psychology*, vol. 47, n° 1, printemps 1994, p. 147-172.

24 J. Blanchet, « L'utilisation de la graphologie dans le cadre de processus de sélection du personnel : attention, pente glissante », *L'Orientation*, vol. 11, n° 2, été 1998, p. 31-32.

25 S. Cousineau, « Même si elle fait fureur en France, la graphologie reste controversée au Québec », *Les Affaires*, 10 avril 1993, p. 18.

26 S. Cousineau, *op. cit.*, p. 18

27 W. G. Iacono et D. T. Lykken, « The Validity of the Lie Detector : Two Surveys of Scientific Opinion », *Journal of Applied Psychology*, vol. 82, 1997, p. 426-433.

28 M. Smith, M. Gregg et D. Andrews, *Savoir recuter*, Paris, Éd. Eyrolles, 1990.

29 J. Collins et F. Schmidt, « Personality, Integrity, and White Collar Crime : A Construct Validity Study », *Personnel Psychology*, vol. 46, 1993, p. 295-311 ; D. S. Ones, C. Viswesvaran et F. L. Schmidt, « Comprehensive Meta-Analysis of Integrity Test Validities : Findings and Implications for Personnel selection and Theories of Job Performance », *Journal of Applied Psychology*, vol. 78, 1993, p. 679-703.

30 M. Chaudagne, J.-P. Rouyer, C. Lacour, S. Chevalier, H. L'Hoste, L. Benoudiz, I. Francou, D. Hiard, J. Landreau, C. Lacourcelle et N. Tavernier, *10 outils clés du recruteur*, Paris, GO édition, 1998.

31 A. C. Spychalski, M. A. Quinnones, B. A. Gaugler et K. Pohley, *op. cit.*, p. 71-90.

32 W. C. Byham, « Application of the Assessment Center Method » dans J. L. Moses et W. C. Byham (dir.), *Applying the Assessment Center Method*, New York, Pergamon, 1977.

33 Pour plus d'informations sur les centres d'évaluation, voir : S. L. Dolan et A. Tziner, « The Assessment Center Revisited : Critical Evaluation of Philosophy, Theory, Instruments and Practices » dans A. M. Herd et W. P. Ferris (dir.), *Empowerment in the Workplace and Classroom (Proceedings of the Twenty-Eighth Annual Meeting of the Eastern Academy of Management)*, Hartford (Connecticut), EAM, 1991, p. 170-173.

34 A. Tziner, C. Jeanrie et S. Cusson, *op. cit.* ; M. Smith, M. Gregg et D. Andrews, *op.cit.*

35 M. Chaudagne, J.-P. Rouyer, C. Lacour, S. Chevalier, H. L'Hoste, L. Benoudiz, I. Francou, D. Hiard, J. Landreau, C. Lacourcelle et N. Tavernier, *op. cit.*

36 C. Hoglund, « Mandatory Drug testing », *Human Resources Professional*, vol. 8, n° 1, janvier 1992, p. 21-22.

37 P. Buchingnany, « White Collar Drug Abuse : These Dope Addicts Wear Shirts and Ties. They Run Banks, Law Offices, and Multinational Corporations », *The Gazette*, 7 juillet 1991, p. A-5.

38 Article 29, *Code des règlements fédéraux*, Ottawa, Approvisionnements et Services Canada, 1989.

39 S. Yanchinski, « Employees Under a Microscope », *Globe and Mail*, 3 janvier 1990, p. D-3.

40 S. L. Dolan, et B. Bannister, « Emerging Issues in Employment Testing » dans Larocque, Bordeleau, Boulard, Fabi, Larouche et Rondeau (dir.), *Psychologie du travail et nouveaux milieux de travail*, Montréal, Presses de l'Université du Québec, 1987, p. 490-499.

Lectures supplémentaires

- N. Schmitt et D. Chan, *Personnel Selection : A Theoretical Approach*, Thousand Oaks (CA), Sage, 1998.
- W. Borman, M. Hanson et J. Hedge, » Personnel Selection », *Annual Review and Psychology*, vol. 48, 1997, p. 299-337.
- V. C. Smith, « Staffing Strategies », *Human Resources Executive*, janvier 1998, p. 44-45
- C. C. Snow et S. A. Snell, « Staffing as Strategy », *Personnel Selection in Organizations*, N. Schmitt *et al.*, 1993, p. 448-478.
- J. R. Burnett, C. Fan, S. J. Motowidlo et T. DeGroot, « Interview Notes and Validity », *Personnel Psychology*, vol. 51, 1998, p. 375-396.
- F. L. Schmidt et J. E. Hunter, « The Validity and Utility of Selection Methods in Personnel Psychology », *Psychological Bulletin*, vol. 124, 1998, p. 262-274.
- A. T. Dalessio et T. A. Silverhart, « Combining Biodata Test and Interview Information : Predicting Decisions and Performance Criteria », *Personnel Psychology*, vol. 47, 1994, p. 303-319.
- R. Folger et R. Cropanzano, *Organizational Justice and Human Resource Management*, Thousand Oaks (CA), Sage, 1998.
- F. A. Mæl, M. Connerley et R. A. Morath, « None of your Business : Parameters of Biodata Invasiveness », *Personnel Psychology*, vol. 49, 1996, p. 613-650.

Le développement
des ressources humaines

CHAPITRE

L'évaluation
du rendement
des employés

I L'évaluation
du rendement

La plupart des employés ressentent le besoin d'être informés relativement à leur niveau de rendement au travail. Souvent, faute de mesures formelles, ils ont recours à des sources officieuses et s'enquièrent de leur performance au travail grâce aux commentaires de leurs collègues ou de leurs supérieurs. Dans ce chapitre, l'évaluation du rendement est définie comme étant un système structuré et formel visant à mesurer, à évaluer et à influencer les caractéristiques, les comportements et les résultats d'un employé occupant un poste donné. Le système d'évaluation du rendement inclut l'examen des niveaux d'absentéisme, de productivité ainsi que les possibilités d'amélioration des employés[1]. Un système d'évaluation du rendement comprend plusieurs éléments que vous trouverez énumérés dans l'encadré 8.1.

Dans ce chapitre, nous mettrons généralement de côté les termes de superviseur et de gestionnaire, puisque tant l'évaluateur que la personne évaluée peuvent occuper des postes de direction ou de supervision. Nous utiliserons plutôt les termes de supérieur ou d'évaluateur pour désigner la personne effectuant l'évaluation, et de subordonné ou d'évalué pour référer à l'employé dont le rendement est soumis à l'examen.

ENCADRÉ 8.1 Les éléments composant un système d'évaluation du rendement

- Le ou les formulaires et la ou les méthodes utilisés pour la collecte des données.
- Les analyses des postes effectuées pour identifier les caractéristiques des emplois (critères), à partir desquelles sont établies les normes d'évaluation du rendement.
- La vérification de la validité et de la fiabilité des méthodes choisies pour mesurer le comportement et le rendement des individus.
- Les caractéristiques de l'évaluateur et de la personne évaluée susceptibles d'influencer l'entrevue.
- Le processus d'utilisation de l'information pour des besoins de formation et d'évaluation.
- L'appréciation de l'utilisation du système d'évaluation du rendement en regard des politiques et des objectifs de la gestion des ressources humaines.

L'IMPORTANCE DE L'ÉVALUATION DU RENDEMENT

L'amélioration de la productivité est une préoccupation organisationnelle constante. Pour y parvenir, les organisations doivent se préoccuper de la disponibilité de ressources technologiques, financières et humaines. Le rendement des employés comprend les résultats (en termes quantitatifs et qualitatifs), le comportement (la qualité du service, la politesse à l'égard des clients, etc.) et divers attributs reliés au travail (la coopération, l'esprit d'équipe, la loyauté). On peut utiliser une multitude de procédés pour évaluer et mesurer ces éléments. Cependant, le choix de la méthode a une profonde incidence sur la qualité de l'évaluation[2]. Les avantages résultant du choix d'une méthode d'évaluation exhaustive impliquant un processus de rétroaction et d'établissement d'objectifs ont été évalués, pour une entreprise de 500 employés, à plus de 5,3 millions de dollars pour une année[3]. Chaque élément du processus d'évaluation du rendement a une grande importance[4] (encadré 8.2). Les objectifs de

---

ENCADRÉ 8.2 L'importance des éléments d'un processus d'évaluation du rendement

- La préparation de la relève: l'évaluation du rendement permet l'identification des employés qui ont le potentiel pour occuper des postes avec des responsabilités accrues.
- La mesure du rendement: elle établit la valeur relative de la contribution d'un employé à l'organisation et aide à évaluer les réalisations personnelles de celui-ci.
- La rétroaction: elle souligne le niveau de rendement attendu des employés.
- La planification des ressources humaines: elle vérifie la capacité de l'entreprise à évaluer la disponibilité de ressources humaines aptes à assurer la relève.
- Le respect de la législation: elle aide à établir la validité des décisions d'embauche faites à partir d'informations sur le rendement. Elle contribue aussi à appuyer les décisions de mutation, de rétrogradation ou de congédiement que prend la direction.
- La communication: elle fournit un cadre de référence pour l'établissement d'un dialogue entre le supérieur et le subordonné tout en améliorant la compréhension des objectifs personnels et de carrière que se fixent les employés.
- L'approfondissement de la connaissance du poste par les superviseurs: il contraint les supérieurs à se tenir au courant des tâches accomplies par leurs subordonnés.

---

l'évaluation du rendement se résument en trois points : aider l'employé à améliorer son rendement, porter un jugement sur les résultats obtenus par l'employé et corriger certains processus de gestion[5].

LES LIENS ENTRE L'ÉVALUATION DU RENDEMENT ET LES AUTRES ACTIVITÉS DE LA GESTION DES RESSOURCES HUMAINES

L'évaluation du rendement est reliée à plusieurs autres activités de la gestion des ressources humaines que nous allons examiner. Notons que les aspects juridiques de l'évaluation du rendement revêtent une grande importance et qu'ils seront examinés dans le chapitre 13.

L'analyse des postes. L'analyse des postes est l'activité de la gestion des ressources humaines qui sert de fondement à l'évaluation du rendement. Si aucune analyse formelle de poste n'a établi la validité du formulaire d'évaluation du rendement, et donc la présence d'un lien entre les critères d'évaluation et les exigences du poste, l'entreprise s'expose à être accusée de discrimination.

La sélection et le placement. L'information recueillie lors de l'évaluation du rendement est essentielle à la prise de décisions en matière de sélection et de placement. En effet, le fait d'être en mesure de relier des critères de rendement à des profils d'exigences et de qualifications permet de prendre des décisions plus éclairées quant au profil du ou des candidats qui seront susceptibles d'avoir un bon rendement à un poste donné.

La rémunération. Un des buts poursuivis par l'évaluation du rendement est la motivation des employés. L'évaluation du rendement peut donc, à cet égard, servir de base pour l'établissement de la rémunération. Il est cependant nécessaire de disposer d'une technique d'évaluation valide afin que l'organisation puisse offrir une rémunération liée au rendement. L'information obtenue au moyen de l'évaluation est utile pour la détermination des niveaux de salaires et des augmentations de salaires, comme nous l'avons vu au chapitre 6.

Le développement des compétences et la gestion des carrières. Puisque le rendement d'un employé dépend à la fois de sa compétence et de sa motivation au travail, une formation adéquate peut donc contribuer à l'améliorer. Pour assurer aux employés une formation appropriée, il faut connaître leur niveau de rendement ainsi que tous ses aspects insatisfaisants. Il est également essentiel d'établir si les lacunes observées sont dues à un manque de qualifications ou à un manque de motivation, ou si elles sont liées aux conditions de travail. L'évaluation du rendement, associée à l'analyse des postes, permet de recueillir l'information nécessaire à l'implantation de programmes efficaces de formation. L'évaluation du rendement peut en outre être d'une grande utilité aux employés dans la planification de leur carrière.

La santé et la sécurité du travail. À l'aide des évaluations du rendement, on est en mesure de contrôler le comportement sécuritaire ou non des employés et d'apporter les corrections qui s'imposent.

Les relations au travail. Suite aux évaluations du rendement, le superviseur peut, dans certains cas, décider de congédier, de muter ou d'adopter une mesure disciplinaire à l'égard d'un employé. Il est donc nécessaire d'utiliser les bons outils de mesure pour se prémunir contre les erreurs et être en mesure de se défendre advenant une plainte.

II Le processus d'évaluation du rendement

LES ÉTAPES DU PROCESSUS D'ÉVALUATION DU RENDEMENT

Les étapes générales qui guident les professionnels des ressources humaines dans l'élaboration d'un processus d'évaluation du rendement sont illustrées dans l'encadré 8.3 inspiré de Jackson et Schuler[6]. Notons qu'un processus d'évaluation du rendement s'intègre dans un processus plus large de gestion de la performance au

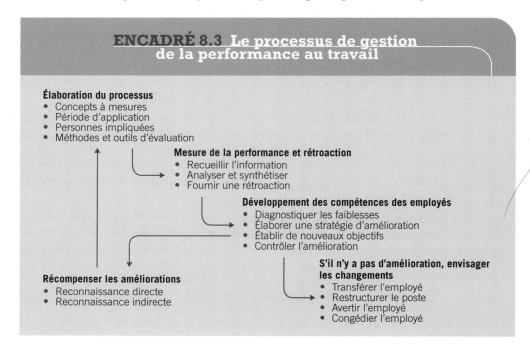

ENCADRÉ 8.3 Le processus de gestion de la performance au travail

Élaboration du processus
- Concepts à mesures
- Période d'application
- Personnes impliquées
- Méthodes et outils d'évaluation

Mesure de la performance et rétroaction
- Recueillir l'information
- Analyser et synthétiser
- Fournir une rétroaction

Développement des compétences des employés
- Diagnostiquer les faiblesses
- Élaborer une stratégie d'amélioration
- Établir de nouveaux objectifs
- Contrôler l'amélioration

S'il n'y a pas d'amélioration, envisager les changements
- Transférer l'employé
- Restructurer le poste
- Avertir l'employé
- Congédier l'employé

Récompenser les améliorations
- Reconnaissance directe
- Reconnaissance indirecte

travail puisqu'il vise, une fois le rendement de l'employé évalué, à initier, selon le cas, des stratégies d'amélioration ou des stratégies de reconnaissance. Nous aborderons donc dans ce chapitre le processus d'évaluation du rendement. Nous traiterons dans les chapitres 11 et 12 portant sur la rémunération des liens existant entre les évaluations du rendement, la rémunération directe et indirecte ainsi que les stratégies qui visent à améliorer la performance au travail.

LES CRITÈRES DE RÉUSSITE D'UN PROCESSUS D'ÉVALUATION DU RENDEMENT

Lors de l'élaboration du système d'évaluation du rendement, il est essentiel que les décisions concernant le choix des employés à évaluer (qui), des éléments à évaluer (quoi) et de la méthode d'évaluation (comment) soient prises avec précision. On essayera, dans la mesure du possible, de procéder à l'évaluation au moment propice et on portera attention à sa durée, de même qu'au contexte dans lequel elle sera effectuée[7].

LA DÉTERMINATION DES CRITÈRES

La fiabilité et la validité. Un système efficace d'évaluation du rendement requiert un haut niveau de fiabilité et de validité[8]. Un système *fiable* implique que les résultats obtenus ne varient pas en fonction de l'évaluateur ou du moment choisi pour l'évaluation. Si le système est fiable, un évaluateur devrait obtenir des résultats identiques à des périodes différentes, dans la mesure où le rendement de l'employé demeure stable[9]. Cependant, de nombreuses erreurs de notation peuvent se produire, réduisant ainsi la fiabilité du système d'évaluation, comme nous le verrons plus loin dans ce chapitre.

Dans les faits

Si le seul résultat attendu d'un poste consiste à vendre 100 unités d'un produit par mois, le système d'évaluation ne devrait mesurer que cet élément, soit le nombre d'unités vendues. Il n'existe donc, dans ce cas, qu'un seul critère de réussite. Dans ce même ordre d'idées, si la firme McDonald's décidait de retenir comme critère d'appréciation du gérant d'une franchise l'augmentation du volume des ventes pour une période donnée, le gérant devrait percevoir ce chiffre comme un but essentiel et s'efforcer d'atteindre ce seul critère.

Dans les faits

La vente de 100 unités par mois peut constituer l'unique critère ou être associé à d'autres critères tels que « l'effet des remarques faites aux clients », « la stabilité de la présence au poste » et même « les effets sur les collègues de travail ». Si l'analyse des postes révèle que tous ces critères sont importants, l'évaluation du rendement devra tous les mesurer.

Pour être *valide*, un système d'évaluation du rendement doit préciser, habituellement par le biais de l'analyse des postes, les critères de réussite les plus importants, qui sont directement liés aux exigences du poste. On peut évaluer l'apport des employés à l'organisation en établissant un rapport entre leur rendement et les objectifs déterminés par l'analyse des postes.

Les critères uniques ou multiples. L'analyse des postes précise généralement plusieurs critères de réussite reflétant l'apport des employés. Il est question de la déficience d'un formulaire d'évaluation du rendement lorsqu'on veut signifier que ce formulaire néglige des aspects importants du poste, par exemple, le comportement au travail ou les résultats de l'analyse de poste. De même, on réfère à la contamination d'un formulaire lorsque celui-ci inclut des éléments sans importance ou non pertinents pour le poste. Plusieurs des formulaires dont les entreprises font usage mesurent des comportements ou des caractéristiques qui n'ont aucun rapport avec les tâches du titulaire du poste[10].

La pondération des critères. Dans le cas des emplois qui comportent plus d'une tâche, une autre décision s'impose. En effet, dans ce cas, il importe d'établir les modalités de combinaison des divers aspects du rendement pour déterminer un score global facilitant la comparaison entre les titulaires de postes. Il est possible d'y parvenir en attribuant un poids égal à chacun des critères[11]. Cette méthode, la plus simple et la plus précise dont on dispose, consiste à utiliser la pondération définie lors de l'analyse des postes. On peut aussi assigner un poids à chacun des critères selon son utilité pour prédire le rendement global[12]. L'emploi de l'analyse de régression multiple permet également de décider de la pondération appropriée aux divers aspects du poste.

Dans les faits

La vente de 100 unités par mois peut représenter un excellent rendement, tandis que la vente de 80 unités sera définie comme un rendement moyen. Les entreprises se basent souvent sur les dossiers antérieurs des employés pour décider des normes possibles et pour déterminer ce qui constitue un rendement moyen ou excellent.

Les normes. La détermination du niveau de rendement des employés exige l'élaboration de normes. L'utilisation de normes confère un éventail de valeurs aux critères de réussite. Les études de temps et mouvements et les processus d'échantillonnage du travail, qui sont décrits au chapitre 4, constituent d'autres moyens d'établir des normes. Ces méthodes sont souvent utilisées pour les postes de cols bleus ne comportant aucune responsabilité de gestion[13].

LE CHOIX DES SOURCES D'INFORMATION

Les données d'évaluation de rendement émanent de diverses sources, notamment du superviseur de la personne évaluée, des pairs, des subordonnés (si la personne évaluée est un superviseur), de la personne évaluée elle-même (s'il s'agit d'une autoévaluation), de la clientèle, ainsi que d'un contrôle informatisé. Même si la plupart de ces sources sont utiles pour la collecte de l'information, il est toutefois nécessaire d'évaluer la pertinence de chacune d'elles en regard de nos besoins avant d'opter pour une méthode d'évaluation du rendement.

L'évaluation par les supérieurs. Le supérieur désigne le responsable immédiat sous les ordres duquel la personne évaluée accomplit ses tâches. On suppose généralement que le supérieur possède une très bonne connaissance du travail de son subordonné et qu'il est la personne la plus en mesure d'apprécier la qualité du rendement de celui-ci[14]. Cependant, l'évaluation par les supérieurs comporte quelques inconvénients dont ceux énumérés dans l'encadré 8.4.

ENCADRÉ 8.4 Les inconvénients que comporte l'évaluation par les supérieurs

- Les supérieurs disposent d'un pouvoir de récompense et de punition qui peut représenter une menace pour l'employé.
- L'évaluation est souvent un processus unilatéral qui place l'employé sur la défensive et l'incite à justifier ses actions.
- Le supérieur ne possède pas toujours les aptitudes interpersonnelles nécessaires pour donner une bonne rétroaction à l'employé.
- Le supérieur peut éprouver des réticences sur le plan de l'éthique à endosser le rôle de celui qui détermine la destinée d'un employé.
- En imposant des sanctions, le supérieur peut s'aliéner le subordonné.

À cause de ces difficultés potentielles, plusieurs organisations intègrent d'autres personnes au processus d'évaluation, attribuant même au subordonné un pouvoir plus étendu. Le fait d'accepter ainsi la contribution d'autres personnes crée un climat d'ouverture qui a pour effet d'améliorer la qualité des relations entre les subordonnés et les supérieurs.

L'évaluation par les pairs. Les évaluations réalisées par les collègues de travail constituent des indicateurs utiles du rendement des employés. C'est particulièrement le cas lorsque les supérieurs ont difficilement accès aux informations touchant certains aspects du rendement des employés. Cependant, la validité des évaluations faites par les pairs est quelque peu réduite si l'entreprise a adopté un système de rémunération au rendement, qui implique donc un haut niveau de concurrence entre les employés, et s'il existe un faible niveau de confiance entre les employés. Ces évaluations sont toutefois très utiles lorsque la culture de l'entreprise valorise le travail d'équipe et la gestion participative[15].

Dans les faits

Les évaluations sont réalisées sur une base annuelle chez Standard Life, sauf en des circonstances qui requièrent plus de suivi. Tous les évaluateurs reçoivent un guide intitulé « L'éthique de l'évaluation du rendement », qui fournit des orientations générales et signale les problèmes que les évaluateurs pourraient rencontrer. Les formulaires d'évaluation sont semi-structurés, et les normes de rendement sont laissées à la discrétion de l'évaluateur. Le titulaire, cependant, participe au processus afin de s'assurer que la liste des responsabilités rattachées au poste est complète. On attribue à chaque dimension un pourcentage indiquant son importance pour le poste, en fonction de trois catégories : (1) en dessous du minimum ; (2) de 80 % à 100 % ; (3) au-dessus de 100 %. De plus, les réalisations et les habiletés sont évaluées de manière similaire. En règle générale, l'évaluateur demande d'abord à l'évalué de fournir une autoévaluation pour chacune des dimensions du poste de travail. Une fois cette étape terminée, le superviseur recommande à son tour une note pour chacune de ces dimensions. Le chef du service révise les évaluations et rend une décision finale. Le tout est ensuite acheminé au service des ressources humaines.

Dans les faits

Plusieurs directeurs de services chez GM du Canada incitent les clients, de façon routinière, à évaluer la qualité du service en se prononçant sur des éléments tels que la courtoisie, la rapidité et la capacité d'expliquer la nature du problème décelé. De même, un grand nombre de restaurants proposent à leur clientèle de commenter la qualité de la nourriture, du service et d'autres éléments qu'ils jugent importants. Certains vont même jusqu'à offrir des récompenses (tirage de repas pour deux personnes, etc.) aux clients qui y participent.

L'évaluation par les subordonnés. Certains parmi vous ont eu l'occasion, à titre d'étudiants, de procéder à l'évaluation de leurs professeurs. Quelle est votre appréciation de ce processus ? Est-il utile ? Un avantage certain de cette forme d'évaluation est qu'elle permet aux professeurs de prendre connaissance de la façon dont ils sont perçus par leurs étudiants, ou de savoir si leurs étudiants ont compris leur enseignement. La même situation se produit en milieu de travail : les subordonnés peuvent effectivement donner une bonne idée de la perception qu'ils ont de leurs supérieurs. Par contre, ils peuvent évaluer leurs supérieurs sur la seule base de leur personnalité ou de leurs propres besoins plutôt que de ceux de l'organisation. En outre, les employés peuvent surestimer leurs supérieurs, plus particulièrement s'ils se sentent menacés ou si les évaluations ne sont pas anonymes[16].

L'autoévaluation. Le recours à l'autoévaluation, en particulier lorsque le subordonné participe à l'établissement des objectifs, est une pratique qui gagne en importance. En effet, en apportant leur contribution au processus d'évaluation, les subordonnés s'engagent davantage à atteindre les objectifs qu'ils se sont fixés ou qu'ils ont fixés avec leurs supérieurs. Il apparaît, de plus, que la participation des subordonnés à l'évaluation permet de réduire les conflits résultant d'une mauvaise définition des rôles en les clarifiant[17].

Les autoévaluations constituent souvent des outils efficaces pour l'élaboration de programmes de perfectionnement, de développement personnel et d'engagement à l'égard des objectifs organisationnels. Cependant, les autoévaluations engendrent dans un certain nombre de cas des erreurs ou une certaine distorsion dans les résultats, qui peuvent donner lieu à des discussions interminables entre le subordonné et le supérieur lors du processus d'évaluation. En effet, certaines études ont montré que l'auto-évaluation est généralement légèrement plus efficace que l'évaluation établie par les superviseurs[18].

L'évaluation par la clientèle. Une autre source d'information disponible dans le cadre du processus d'évaluation provient des clients des titulaires des postes. L'éva-luation effectuée par la clientèle est utile dans une variété de contextes. Cependant, il faut noter que les clients ne disposent pas d'assez d'informations pour pouvoir juger de la performance des employés. Il n'en demeure pas moins que les rensei-gnements obtenus de la part des clients renseignent sur leur satisfaction relative-ment au produit ou au service[19].

Consultez Internet

http://www.acd.ccac.edu/hr/EmploymentStatistics/
Demo360Feedback/fd00.htm

Démonstration en ligne de la méthode d'évaluation à 360 degrés.

La rétroaction à 360 degrés. La rétro-action à 360 degrés consiste à chercher l'information relative à la performance d'un employé auprès du plus grand nombre possible de personnes concer-nées[20]. Cette méthode préconise l'utilisa-tion combinée de plusieurs sources d'in-formation pour évaluer un employé[21]. D'après l'expérience de plusieurs organi-sations américaines (AT&T, Amoco, MassMutual Insurance), l'évaluation du rendement d'un employé serait plus efficace si elle était effectuée à la fois par les pairs, les super-viseurs, les subordonnés et les clients; d'où l'utilité des sources multiples d'informa-tion quand il s'agit d'effectuer des évaluations du rendement (encadré 8.5). Certaines entreprises vont jusqu'à inclure aussi dans cette combinaison l'autoévaluation[22].

Le contrôle informatisé. Une nouvelle tendance a émergé ces dernières années dans le domaine de l'évaluation du rendement. On peut maintenant recueillir l'infor-mation au moyen d'un logiciel conçu à cette intention. Bien que cette méthode puisse

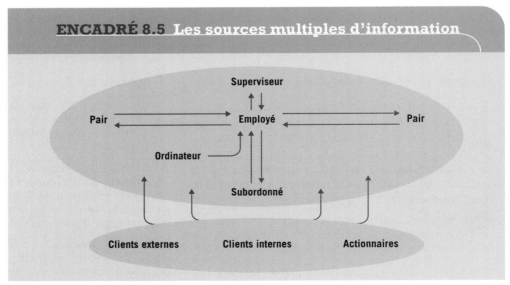

ENCADRÉ 8.5 Les sources multiples d'information

Source: J. M. Werner, «Que sait-on de la rétroaction à 360 degrés?», *Gestion*, vol. 19, n° 3, septembre 1994, p. 72.

sembler rapide et objective, elle engendre un nombre important de difficultés dans la gestion et l'utilisation des ressources humaines, notamment par son intrusion dans la vie privée des employés.

LE CONTEXTE DE L'ÉVALUATION DU RENDEMENT

Plusieurs études démontrent que l'évaluation du rendement est un outil de gestion largement utilisé en Amérique du Nord. Une enquête menée par le Conference Board of Canada auprès de moyennes et de grandes entreprises révèle que 93 % d'entre elles possèdent un système d'évaluation du rendement[23].

Cependant, la majorité des gestionnaires, bien qu'ils reconnaissent l'utilité de l'évaluation, n'apprécient pas du tout cette tâche et seraient heureux de s'y soustraire s'ils en avaient la possibilité. C'est pourquoi plusieurs organisations préfèrent la formule de l'évaluation annuelle. Selon un bon nombre d'experts de la gestion des ressources humaines, l'évaluation à caractère non officiel, au cours de laquelle les supérieurs fournissent une rétroaction et des orientations à leurs subordonnés, est un processus continu qui, s'il est réalisé sur une base quotidienne et hebdomadaire, peut remplacer les évaluations plus structurées. C'est souvent le cas, puisque la recherche indique que ni les gestionnaires ni les employés n'ont entièrement confiance en l'efficacité du système d'évaluation de l'organisation[24]. Une étude rapporte que seulement 10 % des gestionnaires de ressources humaines interrogés jugent leur système d'évaluation efficace. Un cadre supérieur a même affirmé : « Je n'ai jamais vu un système d'évaluation qui vaille le papier sur lequel il est imprimé[25]. »

En dépit de l'existence, dans la plupart des entreprises, d'un système formel d'évaluation du rendement, ces méthodes ne sont pas nécessairement efficaces et ne permettent pas toujours d'atteindre les objectifs visés[26]. Il arrive souvent que ces objectifs ne soient pas définis avec suffisamment de clarté ou se révèlent carrément contradictoires. Or, un système d'évaluation mal conçu ou mal implanté peut donner des résultats qui nuisent au rendement plutôt que de le rehausser ; il est donc essentiel d'apporter un soin particulier au choix des caractéristiques de ce système et aux détails de sa mise en œuvre.

L'ANALYSE DES ÉCARTS DE RENDEMENT

L'amélioration du rendement est un processus qui consiste à détecter les écarts de rendement, à en comprendre les causes et à élaborer des stratégies visant à les corriger.

Dans les faits

Un vendeur ayant vendu 1 000 disques compacts le mois dernier, mais seulement 800 ce mois-ci, semble présenter un écart de rendement. Cette méthode ne procure cependant aucune indication sur les causes des écarts observés. En effet, il se peut que la vente de 1 000 disques compacts représente le point culminant des ventes mensuelles de la saison. Par ailleurs, il est possible que le mois au cours duquel les ventes accusent une baisse soit celui où l'employé responsable a dû assister à un important séminaire traitant des stratégies d'augmentation des ventes à long terme.

Le repérage des écarts de rendement. Le rendement des employés, comme nous le verrons un peu plus loin, est évalué en termes de comportements, de résultats et d'objectifs. Ces éléments ne sont pas seulement utiles pour l'évaluation du rendement, ils permettent également de déceler les écarts de rendement. Il faut, pour cela, utiliser ces données dans une perspective différente. Par exemple, si l'objectif de rendement d'un employé consiste à réduire de 10 % le taux de rejet et qu'il ne parvienne à le réduire que de 5 %, on obtient un écart de rendement de 5 %. Ainsi, la différence existant entre le rendement réel et le rendement souhaité peut servir à la détermination de ces écarts. Cette méthode n'est toutefois valide que dans la mesure où les objectifs sont mesurables et ne se contredisent pas.

Une autre méthode de repérage des écarts de rendement consiste à établir des comparaisons entre les employés, les unités ou les départements. Les organisations qui possèdent de multiples divisions mesurent souvent le rendement de chacune d'elles en le comparant à celui des autres divisions. La division qui se classe en dernière position est considérée comme un secteur à problèmes, en ce sens qu'elle présente des écarts de rendement par rapport aux autres secteurs. Ce classement des individus ou des unités, bien qu'il permette de déterminer les écarts par voie de comparaison, ne fournit cependant pas un diagnostic précis des causes de ces différences. On peut enfin déceler les écarts de rendement en procédant à des comparaisons dans le temps.

La détermination des causes des écarts de rendement. Avant d'étudier le processus qui permet aux gestionnaires de découvrir les causes des écarts de rendement, il est nécessaire d'examiner les facteurs qui influent sur le rendement des individus. L'encadré 8.6 démontre la difficulté de cerner les aspects du comportement d'un employé qui sont susceptibles d'influencer directement son rendement, à cause de la multiplicité des variables, des expériences et des événements qui entrent en jeu. Les éléments qui jouent un rôle déterminant dans le comportement se ramènent à trois catégories principales : (a) les variables individuelles (c'est-à-dire les habiletés et les aptitudes, les antécédents et les variables démographiques) ; (b) les variables psychologiques (soit la perception, les attitudes, la personnalité, l'apprentissage et la motivation) ; et (c) les variables organisationnelles (c'est-à-dire les ressources disponibles, le type de leadership, le système de récompenses, la structure et la conception des tâches).

L'encadré 8.6 identifie un certain nombre de facteurs qui peuvent aider à identifier les causes des écarts de rendements.

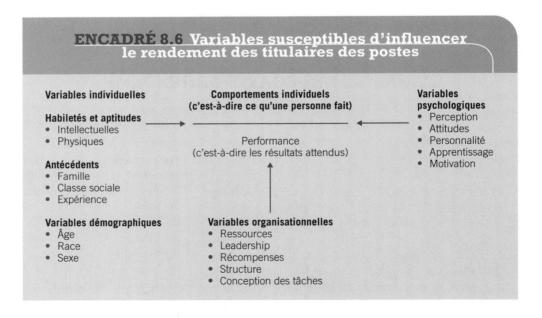

ENCADRÉ 8.6 Variables susceptibles d'influencer le rendement des titulaires des postes

Variables individuelles

Habiletés et aptitudes
- Intellectuelles
- Physiques

Antécédents
- Famille
- Classe sociale
- Expérience

Variables démographiques
- Âge
- Race
- Sexe

Comportements individuels (c'est-à-dire ce qu'une personne fait)

Performance (c'est-à-dire les résultats attendus)

Variables organisationnelles
- Ressources
- Leadership
- Récompenses
- Structure
- Conception des tâches

Variables psychologiques
- Perception
- Attitudes
- Personnalité
- Apprentissage
- Motivation

À partir de ces facteurs, une liste de questions pouvant servir à établir les causes des écarts de rendement peut être élaborée. Vous en trouverez un exemple dans l'encadré 8.7.

ENCADRÉ 8.7 Questions qui permettent d'identifier les causes des écarts de rendement

1. L'employé possède-t-il les compétences et les aptitudes nécessaires pour occuper ce poste?
2. Dispose-t-il des ressources adéquates pour effectuer ses tâches?
3. Est-il conscient des déficiences de son rendement?
4. À quel moment et dans quelles circonstances ce problème de rendement s'est-il manifesté?
5. Quelle est la réaction des collègues de travail de l'employé face aux problèmes de rendement de celui-ci?
6. Que peut faire le gestionnaire pour réduire ce problème de rendement?
7. L'employé fait-il preuve d'attitudes adéquates et d'une motivation suffisante pour occuper ce poste?

III Les méthodes et approches d'évaluation du rendement

Les organisations ont à leur disposition plusieurs méthodes et approches d'évaluation du rendement. Certaines d'entre elles conviennent à toutes les catégories d'emplois, alors que d'autres sont mieux adaptées à certaines occupations spécifiques. Pour plus de clarté, ces approches et méthodes ont été regroupées en trois catégories : (1) les approches comparatives ou normatives, (2) les approches comportementales, et (3) les approches axées sur la production. L'encadré 8.8 présente les méthodes d'évaluation du rendement classées selon leur catégorie.

ENCADRÉ 8.8 Les méthodes d'évaluation du rendement

Les approches comparatives ou normatives	• La méthode de rangement • La méthode de rangement alternatif • La méthode de comparaison par paires • La méthode de distribution forcée
Les approches comportementales	• L'évaluation descriptive • L'échelle d'évaluation conventionnelle • La méthode des incidents critiques • La liste pondérée d'incidents critiques • Le formulaire de choix forcé • Les échelles basées sur le comportement (BARS) • Les échelles d'observation du comportement (BOS)
Les approches axées sur la production	• La gestion par objectifs (GPO) • Les normes de rendement • Les indices directs • Les dossiers de réalisations

LES APPROCHES COMPARATIVES OU NORMATIVES

Plusieurs décisions touchant les ressources humaines se résument à la question de déterminer qui produit le meilleur rendement dans le groupe ou qui devrait être assigné à une tâche en particulier. Les approches comparatives ou normatives fournissent des réponses à ces questions.

La méthode de rangement. Cette méthode d'évaluation est la plus simple à implanter. La méthode de rangement (ou de rangement direct) consiste, pour le supérieur, à classer les employés en fonction de leur rendement global, du meilleur au plus faible. Il arrive également que le classement des titulaires des postes en regard de leur rendement prenne en compte des aspects spécifiques tels que la présence au travail, la capacité de respecter les échéances, la qualité des rapports fournis, etc. Cependant, ce genre de classification se révèle surtout utile aux petites entreprises. À mesure que s'accroît le nombre d'employés, il devient plus difficile de percevoir des différences de rendement entre eux, en particulier lorsqu'ils fournissent un rendement moyen[27].

La méthode de rangement alternatif. Cette méthode comporte plusieurs étapes. La première étape de la méthode de rangement alternatif consiste à placer le meilleur employé en tête de liste et le moins bon au bas de la liste, en se fondant généralement sur le rendement global de chacun des employés. Puis, le supérieur continue de désigner, à partir de la masse des titulaires de postes non sélectionnés, le meilleur et le plus faible, en les inscrivant à leur tour sur la liste. En vertu de cette méthode, les employés ayant fourni un rendement moyen sont enregistrés en dernier lieu. Cette approche présente l'avantage d'être à la portée des supérieurs autant que des subordonnés eux-mêmes. Elle est, en outre, particulièrement utile pour l'obtention de données sur le rendement d'un groupe d'individus qui accomplissent sensiblement les mêmes tâches. L'encadré 8.9 fournit un exemple de formulaire que plusieurs professeurs d'université mettent à la disposition des étudiants pour évaluer leur contribution respective à un projet de groupe.

La méthode de comparaison par paires. Cette méthode implique la comparaison de l'employé évalué à chacun des autres titulaires de postes, deux à deux, à partir d'une norme unique, pour désigner le meilleur des deux employés évalués.

ENCADRÉ 8.9 Formulaire d'évaluation du rendement des collègues

But:
Ce formulaire vous fournit l'occasion d'évaluer le rendement des membres de votre groupe. Rappelez-vous que ces évaluations constituent un aspect de votre niveau de participation. Vous êtes invité à présenter des commentaires détaillés au verso du formulaire.

Procédé:
Inscrire le nom de chaque membre du groupe, incluant votre propre nom, dans les espaces prévus à cette fin.
Ranger chaque personne dans les diverses catégories. Attribuer une note de 1 à 6, en fonction de l'échelle suivante: 1 = le meilleur; 2 = le second; et 6 = le moins bon.

NOM DU MEMBRE DU GROUPE	RESPONSABILITÉS A. Accomplit sa part du travail B. Se prépare aux réunions		INTERACTIONS C. Participe aux discussions D. A une attitude positive face aux critiques constructives		ÉVALUATION GLOBALE E.
	A	B	C	D	E
1.					
2.					
3.					
4.					
5.					
6.					

VEUILLEZ INDIQUER VOS COMMENTAIRES ADDITIONNELS AU VERSO DU FORMULAIRE

SIGNATURE: _____

Le classement final s'obtient en faisant le compte du nombre de fois où chacun des employés a été jugé supérieur à un autre employé. L'employé ayant recueilli le plus grand nombre de fois le meilleur classement se retrouve en tête de liste ; celui qui a obtenu le deuxième meilleur résultat occupe le deuxième rang, et ainsi de suite. La méthode de comparaison par paires présente, par rapport aux approches traditionnelles de rangement, l'avantage d'éliminer les problèmes liés à l'incertitude quant au rendement élevé de deux individus. En effet, l'évaluateur compare successivement le rendement de chacun des individus à tous les autres.

La méthode de distribution forcée. Cette méthode vise à résoudre les problèmes liés à l'utilisation des méthodes de rangement, qui attribuent à chacune des personnes un rang unique. En effet, il est difficile, dans plusieurs cas, de distinguer entre deux titulaires de postes ayant fourni des rendements très similaires. La méthode de distribution forcée surmonte ce problème en intégrant plusieurs facteurs (et non un seul) au processus de rangement[28]. L'expression distribution forcée vient du fait que l'évaluateur ne peut classer qu'une certaine proportion des employés dans les diverses catégories, en fonction de chacun des facteurs. L'échelle de distribution forcée se divise généralement en cinq catégories, chacune d'elles comportant un pourcentage déterminé du nombre total d'employés évalués. Cependant, dans le cadre de cette méthode, plusieurs universités nord-américaines ont recours à des lettres (soit A, B, C, etc.) plutôt qu'à des pourcentages. De façon générale, la distribution forcée suit ce que l'on appelle un modèle en forme de « cloche ». L'encadré 8.10 présente un exemple de cette méthode[29].

Les problèmes liés aux approches comparatives. Au-delà des différences existant entre les diverses approches comparatives, toutes ont pour fondement l'hypothèse voulant que le rendement soit mesuré plus adéquatement à l'aide d'un critère unique, soit le rendement global. Puisque ce critère est d'ordre général et ne se rattache pas à un indicateur objectif tel que le nombre d'unités vendues, par

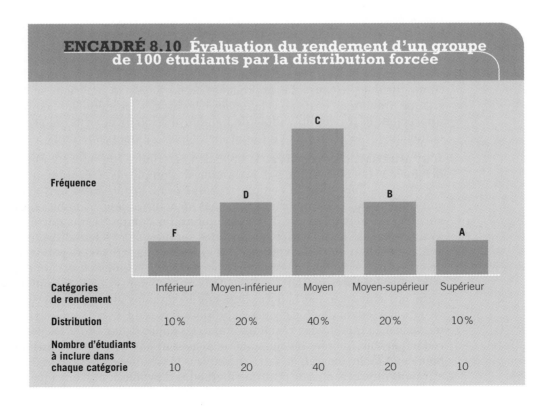

ENCADRÉ 8.10 Évaluation du rendement d'un groupe de 100 étudiants par la distribution forcée

Catégories de rendement	Inférieur	Moyen-inférieur	Moyen	Moyen-supérieur	Supérieur
Distribution	10 %	20 %	40 %	20 %	10 %
Nombre d'étudiants à inclure dans chaque catégorie	10	20	40	20	10

exemple, la subjectivité de l'évaluateur peut influencer le résultat. Le classement peut donc négliger certains aspects du comportement, et même donner lieu à des contestations d'ordre juridique. Par ailleurs, la méthode de rangement n'indique ni le degré de supériorité du « meilleur », ni le degré d'infériorité du « moins bon », c'est-à-dire que le niveau de rendement de chaque employé ne ressort pas claire-ment. Il peut en résulter une classification arbitraire. Quant à la méthode de com-paraison par paires, elle devient extrêmement complexe lorsque le nombre d'em-ployés est considérable.

Étant donné que ces méthodes produisent des données ordinales et non des données par intervalles, les gestionnaires parviennent difficilement à déterminer si la personne classée comme la meilleure a fourni un rendement excellent, moyen ou pauvre, ou si deux individus occupant une position adjacente dans l'échelle ont un rendement comparable ou très différent. L'utilisation de ce genre d'information pour l'octroi d'une promotion par exemple peut donc comporter un risque important. En effet, le rendement d'un employé peut être jugé moyen à l'intérieur d'un groupe et excellent dans un autre groupe. Un tel employé pourrait ainsi obtenir une promotion à cause de sa position dans un groupe de référence et non de son rendement réel.

Ces quatre méthodes comparatives postulent que chaque groupe d'employés comporte de bons et de mauvais éléments. Cependant, l'on sait par expérience que dans certaines situations, la majorité des individus d'un groupe présente un rendement similaire. La méthode de distribution forcée ne sera d'aucun secours dans ces situations, car il est impossible d'attribuer le premier rang à tous les employés. Les défenseurs de cette méthode font valoir toutefois qu'elle encourage une saine compétition entre les employés, qui savent que leur rendement sera, en dernier ressort, comparé à celui de leurs collègues ; par contre, les opposants à cette méthode estiment qu'elle peut favoriser l'individualisme et décourager la coopération. D'autres critiques portent sur le fait qu'elle établit un classement artificiel des employés.

LES APPROCHES COMPORTEMENTALES

Alors que dans le cadre des approches comparatives, le supérieur se doit d'évaluer chaque titulaire de poste en relation avec les autres, les méthodes comportementales apprécient le travail individuel de l'employé à partir de critères prédéfinis. On a actuellement tendance à opter pour les critères comportementaux.

L'évaluation descriptive. L'évaluation descriptive (ou narrative) constitue une des formes les plus simples d'évaluation des employés. L'évaluateur consigne les forces et les faiblesses de l'employé évalué et lui propose des moyens d'améliorer son rendement. Ces rapports n'étant pas structurés, leur contenu et leur longueur varient considérablement. Par conséquent, les comparaisons entre les employés évalués au sein d'un service ou entre les services se révèlent difficiles. De plus, ce genre d'évaluation ne fournit que des données qualitatives. Cependant, l'inclusion de critères de comportement comme les incidents critiques (qui sont définis un peu plus loin), les listes prédéterminées de comportements ou les formulaires de choix forcé enrichit cette méthode. Il importe de signaler en outre que certains super-viseurs possèdent de plus grandes aptitudes à la rédaction que d'autres, ce qui peut influencer la qualité des résultats. Ainsi, les superviseurs dont les compétences en rédaction sont limitées ou ceux qui ne disposent pas du temps requis pour mener à bien cette tâche (ce qui, en fait, est souvent le cas des gestionnaires hiérarchiques) auraient intérêt à choisir d'autres méthodes d'évaluation. L'encadré 8.11 propose un modèle de formulaire structuré qui permet d'améliorer cette méthode.

ENCADRÉ 8.11 Exemple de formulaire d'évaluation descriptive structurée

Nom de l'employé : _____

Titre du poste : _____

Donner des exemples de comportements efficaces de l'employé.

Donner des exemples de comportements inefficaces de l'employé.

Quelles dispositions ont été prises ou seront prises pour modifier ces comportements inefficaces ?

La description de poste du titulaire nécessite-t-elle une révision ?

Commentaires du superviseur (explications additionnelles portant sur les conditions et circonstances dans lesquelles se sont produits les comportements efficaces ou inefficaces observés)

Commentaires du titulaire (explications additionnelles portant sur les conditions et circonstances dans lesquelles se sont produits les comportements efficaces ou inefficaces observés, et autres commentaires pertinents)

_____

(Le fait de signer ce rapport d'évaluation indique que le titulaire en a pris connaissance et non qu'il en approuve le contenu.)

_____   _____
Signature du titulaire et date   Signature du superviseur et date

Remarquez que le titulaire du poste est invité à lire le contenu du formulaire, ce qui peut inciter le supérieur à adopter une attitude plus responsable dans la conduite de l'évaluation de l'employé[30].

L'échelle d'évaluation conventionnelle. Cette méthode est la forme d'évaluation du rendement la plus répandue. Les formulaires basés sur une échelle d'évaluation conventionnelle varient selon le nombre d'aspects du rendement retenus. Le terme « rendement » est ici utilisé délibérément, car un bon nombre de formulaires de notation conventionnelle font référence à des qualités personnelles plutôt qu'à des comportements réels comme indicateurs du rendement. Les traits de caractère qui font souvent l'objet d'un examen sont l'initiative, l'autonomie, la maturité et le sens des responsabilités, pour n'en nommer que quelques-uns. Plusieurs formulaires conventionnels comprennent divers indicateurs de production, notamment la quantité et la qualité du rendement. Ils varient également selon le nombre de traits de caractère et d'indicateurs de production qu'ils incorporent, ainsi que selon l'éventail des choix offerts pour chaque dimension évaluée et l'exhaustivité de la description de chacune d'elles[31]. L'encadré 8.12 nous présente un exemple de formulaire d'évaluation conventionnelle.

Les formulaires d'évaluation conventionnelle sont utilisés à grande échelle car leur conception est relativement facile et ils permettent de recueillir des données quantitatives qui facilitent la comparaison entre les employés évalués et entre les services. Ils présentent également l'avantage d'inclure plusieurs dimensions ou critères de réussite. Cependant, étant donné le contrôle total qu'exerce l'évaluateur sur leur utilisation, ces formulaires peuvent donner lieu à des erreurs d'indulgence, de sévérité, de tendance centrale ou à l'effet de halo (que l'on verra un peu plus loin). Un autre désavantage de cette méthode réside dans le fait qu'elle regroupe plusieurs éléments distincts, ce qui ne laisse aucune marge de manœuvre à l'évaluateur, qui doit cocher un espace unique. En outre, certains termes descriptifs utilisés dans les échelles comportent une signification différente pour les diverses personnes qui

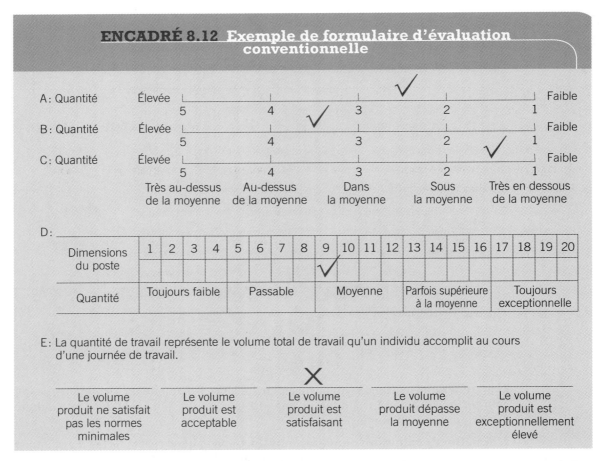

ENCADRÉ 8.12 Exemple de formulaire d'évaluation conventionnelle

procèdent à l'évaluation. Ainsi, les termes «motivation», «coopération» et «habiletés sociales» prêtent souvent à diverses interprétations, plus particulièrement lorsqu'ils sont associés à des qualificatifs comme ceux d'«excellent», de «moyen» ou de «très pauvre».

En plus des erreurs potentielles auxquelles ils donnent lieu, les formulaires conventionnels sont critiqués à cause de leur incapacité à servir à d'autres besoins que l'évaluation, par exemple à la détermination des besoins de perfectionnement. De plus ces formulaires ont pour faiblesse majeure de ne pas fournir d'orientation à l'employé quant aux moyens d'améliorer son rendement ou de planifier la poursuite de sa carrière. Par conséquent, les entreprises ont pris l'habitude de modifier la présentation de ces formulaires en ajoutant un espace permettant de consigner des éléments liés au perfectionnement aussi bien qu'à l'évaluation du rendement lui-même. L'encadré 8.13 en donne une bonne illustration.

La méthode des incidents critiques. Le taux d'insatisfaction causé par les méthodes de notation conventionnelle et les évaluations descriptives a conduit à l'élaboration d'autres formes d'évaluation axées sur le comportement. Ces méthodes se distinguent par leur portée et par leur structure. L'une des plus faciles à implanter est la méthode des incidents critiques. Ici, le supérieur observe et note les actions particulièrement efficaces ou inefficaces qu'accomplissent ses subordonnés dans le cadre de leurs fonctions. Les incidents rapportés fournissent généralement une description du comportement de la personne évaluée dans telle ou telle situation. Par exemple, un incident critique négatif relevé chez un agent d'assurance-vie serait d'«avoir trompé le client lors de la conclusion d'une vente». Tandis qu'un

ENCADRÉ 8.13 Exemple de formulaire amélioré d'évaluation conventionnelle

Nom:	Numéro de l'employé:	Date de l'évaluation:
Lieu de travail:	Poste:	Date de la dernière évaluation:

INSATISFAISANT	LÉGÈREMENT FAIBLE	BON	TRÈS BON	EXCELLENT	NOTE
1. Qualité: précision, perfection et présentation du travail					
2	4	6	8	10	
erreurs fréquentes; rendement inacceptable	moments d'inattention et erreurs	rendement satisfaisant; requiert une supervision normale	constamment au-dessus de la moyenne	travail extrêmement précis; aucune supervision requise en des circonstances normales	
2. Quantité: volume de travail accompli et temps requis pour l'exécuter					
2	4	6	8	10	
production en dessous des normes minimales; incapacité à remplir les tâches assignées	aide et suivi souvent requis	en général accomplissement de la charge de travail prévue à l'échéancier	production toujours au-dessus de la normale	efficacité exceptionnelle de l'employé; aucune aide ni suivi requis	
3. Connaissance de l'emploi: connaissance du travail et compétence manifestée dans son accomplissement					
2	4	6	8	10	
connaissance inadéquate du travail	manque de connaissances par rapport à certaines tâches	connaissances et qualifications suffisantes pour s'acquitter des tâches confiées	bonne connaissance du travail; compétence démontrée	connaissance approfondie du travail; haut niveau de compétence démontré	
4. Initiative: aptitude à entreprendre et à mettre en œuvre des actions efficaces					
2	4	6	8	10	
incapacité à affronter les situations nouvelles	surveillance étroite requise pour toute question échappant à la routine	gestion efficace des situations inhabituelles; aide requise à l'occasion	personne dynamique, faisant preuve d'un jugement sûr dans les situations inhabituelles	conception et implantation sans aide de solutions efficaces pour résoudre les situations inhabituelles	
5. Leadership: aptitude à orienter et à influencer les autres					
2	4	6	8	10	
incapacité d'autocontrôle de la part de l'employé	aucune preuve de l'aptitude de l'employé à diriger les autres	bonne aptitude de l'employé à guider et à diriger ses collègues sous une supervision normale	aptitude évidente de l'employé à diriger et à influencer les autres	obtention constante des résultats maximums par l'employé	

ENCADRÉ 8.13 *(suite)*

INSATISFAISANT	LÉGÈREMENT FAIBLE	BON	TRÈS BON	EXCELLENT	NOTE
6. Coopération : attitude envers le travail et aptitude à travailler avec les autres					
2	4	6	8	10	
incapacité à se conformer aux règlements de l'entreprise ou cause de frictions excessives	manque de coopération à l'occasion ; difficulté à s'entendre avec les autres personnes	coopération manifestée en général ; intérêt réel de l'employé pour son travail ; travail efficace avec les autres	coopération au-dessus de la moyenne ; tact et aptitude à éviter les conflits démontrés	coopération constante ; désir d'assumer des responsabilités	
7. Fiabilité : aptitude de l'employé à s'acquitter de ses tâches avec cohérence et efficacité					
2	4	6	8	10	
employé auquel on ne peut se fier	employé qui requiert une surveillance fréquente	rendement généralement conforme aux attentes	rendement se situant constamment au-dessus de la moyenne	personne exceptionnellement fiable	
8. Adaptabilité : aptitude de l'employé à faire face aux changements survenant dans l'environnement ou aux responsabilités liées à son poste					
2	4	6	8	10	
incapacité totale à accepter le changement	difficulté à affronter le changement	adaptation relativement bonne aux changements	haut degré de souplesse	grande souplesse face au changement	
9. Présence : présence et ponctualité					
2	4	6	8	10	
fréquence des absences ou retards injustifiés	nombreuses absences ; retards habituellement justifiés	présence satisfaisante ; retards toujours justifiés	bon dossier de présence et de ponctualité	aucun cas d'absence ou de retard au cours de la dernière année	
10. Apparence : présentation soignée au travail					
2	4	6	8	10	
présentation non conforme aux exigences minimales	présentation habituellement acceptable ; améliorations recommandées à l'occasion	généralement propre ; bien mis et présentable	toujours bien mis et vêtu avec goût	toujours vêtu de façon soignée et affichant une tenue impeccable	
				POINTS TOTAUX :	

Résumé de l'évaluation – Le rendement total de l'employé est de :

Sous 40	40 – 59	60 – 79	80 – 89	90 – 100
insatisfaisant	légèrement faible	bon	très bon	excellent

ENCADRÉ 8.13 (*suite*)

Forces : _____

_____

_____

_____

_____

Aspects à améliorer : _____

_____

_____

_____

_____

Commentaires généraux : _____

_____

_____

_____

_____

_____
Signature du superviseur   Date

Section complétée par l'employé évalué

J'ai obtenu des explications détaillées à propos de mon évaluation   _____

                                                  Signature de l'employé   Date

Je considère cette évaluation   juste ☐   injuste ☐

Je désirerais discuter de mon évaluation avec le service de gestion des ressources humaines ☐

Commentaires de l'employé : _____

_____

_____

Commentaires du gestionnaire du service : _____

_____

_____

_____

_____
Signature du gestionnaire du service   Date

_____
Signature du directeur des ressources humaines   Date

incident critique positif pourrait être le fait d'« avoir répondu à la plainte d'un client d'une manière rapide et cordiale ». Un avantage de cette méthode est que l'appréciation du supérieur peut s'appuyer, lors de la rétroaction, sur un comportement spécifique plutôt que sur des qualités personnelles, comme le sérieux, l'énergie au travail ou la loyauté de l'individu[32]. Cette dimension de la méthode des incidents critiques favorise l'amélioration du rendement de l'employé, puisque celui-ci apprend de façon précise ce qu'on attend de lui[33].

Les défenseurs de cette méthode insistent sur sa simplicité et sur l'importance qu'elle accorde au comportement. De plus, dans la mesure où les événements liés au rendement sont notés durant toute l'année, cette technique réduit le risque de partialité de l'évaluateur en évitant que la perception de celui-ci soit influencée par les seuls comportements récemment observés. En outre, plusieurs jugent plus logique de procéder à la notation des incidents critiques, ce qui exige peu de temps, que de recourir à des méthodes plus perfectionnées qui requièrent davantage de temps et dont les résultats peuvent comporter plusieurs erreurs ou déformations. Par ailleurs, étant donné que la plupart des employés ont un rendement moyen, cette technique permet de déceler les travailleurs ayant fourni un rendement exceptionnel ou un piètre rendement. Une absence totale d'information (absence d'incidents) peut dénoter un rendement médiocre.

La méthode des incidents critiques comporte plusieurs inconvénients. Ainsi, elle oblige le supérieur à tenir un registre (le fameux « petit livre noir ») pour chacun de ses subordonnés. Il convient de signaler en outre l'absence de critères quantitatifs dans cette méthode, le fait qu'elle ne distingue pas l'importance respective des incidents par rapport au rendement, ainsi que la difficulté d'établir des comparaisons entre les employés dont les événements répertoriés sont très différents. On peut toutefois pallier ces désavantages par une formation adéquate des superviseurs à cette technique et par la définition préalable des incidents critiques reliés au poste et leur intégration aux critères d'évaluation.

La liste pondérée d'incidents critiques. Les données relatives aux divers incidents critiques, qu'on aura recueillies auprès d'un certain nombre de supérieurs ou d'experts en évaluation ayant une bonne connaissance du poste, peuvent servir à préparer des listes pondérées d'incidents critiques. L'évaluateur n'a qu'à cocher les incidents observés chez chacun de ses subordonnés. On peut en outre structurer le formulaire de façon à inclure des catégories de fréquence pour les réponses telles que « toujours », « très souvent » ou « rarement ». L'évaluateur vérifie ainsi, à l'aide de ce formulaire, la fréquence de manifestation des divers incidents chez chacun des subordonnés. Cette méthode permet à l'évaluateur d'économiser du temps et de faire une synthèse de la note attribuée. Par contre, comme l'évaluateur ignore l'importance relative de chaque incident, il peut éprouver des difficultés à fournir une bonne rétroaction aux employés.

Le formulaire de choix forcé. Cette méthode a été conçue pour réduire les erreurs potentielles dues à une attitude trop indulgente de l'évaluateur, qui se caractérise, par exemple, par l'attribution d'une note élevée à tous les employés évalués, tendance dont il sera question plus loin. Cette méthode facilite en outre la comparaison objective entre les individus. Le formulaire de choix forcé diffère de la liste pondérée d'incidents critiques en ce qu'il oblige les supérieurs à évaluer chaque subordonné en choisissant celui des deux éléments proposés qui décrit le mieux l'employé. Ces éléments présentent un degré de désirabilité égal, mais ils diffèrent par leur pertinence en regard du rendement attendu ou de leur fonction discriminante. Seules des personnes qui ont une connaissance approfondie du poste sont aptes à faire ces choix. Cette structure a pour effet de réduire les erreurs dues à l'indulgence systématique de l'évaluateur et de rehausser la validité et la fiabilité de la méthode d'évaluation. En dépit de son utilité, la méthode du choix forcé a pour faiblesse de maintenir les évaluateurs dans l'ignorance de l'interprétation qui est faite des résultats. Cette situation ne rend pas seulement la rétroaction difficile, elle réduit aussi la confiance que les évaluateurs ont en leur organisation. Le coût d'élaboration de ces échelles est, de plus, relativement élevé, et les avantages qui en résultent ne sont pas toujours manifestes.

Les échelles fondées sur les études du comportement (BARS). L'une des principales percées de la méthode des incidents critiques a été son utilisation pour l'élaboration d'échelles d'évaluation fondées sur les études du comportement *(Behaviourally Anchored Rating Scales),* ou BARS. Ces échelles procurent aux subordonnés des résultats utiles à l'amélioration de leur rendement. Leur conception vise en outre à permettre aux supérieurs de fournir plus facilement une rétroaction à leurs employés. La première étape de cette méthode est assez similaire à celle de la méthode des incidents critiques. Elle consiste en un relevé des événements qui décrivent, dans chaque catégorie d'emploi, les comportements caractéristiques d'un rendement efficace, moyen ou inefficace. Ces incidents critiques sont par la suite regroupés en grandes catégories ou dimensions de rendement (par exemple, la compétence administrative ou les aptitudes interpersonnelles). Chacune de ces catégories constitue un critère servant à évaluer les subordonnés. En dernier lieu, on demande à un groupe distinct d'individus d'établir la liste des incidents critiques pertinents pour chacune de ces catégories.

L'encadré 8.14 donne un exemple de critère utilisé, soit la distribution d'informations à la clientèle, et des incidents critiques pertinents pour cette catégorie. Cet exemple provient de la firme Via Rail et se rapporte à un poste d'agent de ventes par téléphone.

ENCADRÉ 8.14 Échelle d'évaluation fondée sur les études de comportement (BARS) appliquée à une dimension d'un poste d'agent des ventes par téléphone

Poste: **Agent des ventes par téléphone**
Dimension du poste: **Maîtrise de l'information**

1. Rendement excellent	Détermine les besoins des clients et leur fournit de l'information appropriée et exacte en faisant preuve d'efficacité et de courtoisie dans 100 % des cas.
2. Bon rendement	Détermine les besoins des clients et leur fournit de l'information appropriée et exacte en faisant preuve d'efficacité et de courtoisie dans 95 % des cas.
3. Rendement moyen ou passable	Détermine les besoins des clients et leur fournit de l'information appropriée et exacte en faisant preuve d'efficacité et de courtoisie dans 85 % des cas.
4. Piètre rendement	Détermine les besoins des clients et leur fournit de l'information appropriée et exacte en faisant preuve d'efficacité et de courtoisie dans 70 % des cas.
5. Rendement inacceptable	Détermine les besoins des clients et leur fournit de l'information appropriée et exacte en faisant preuve d'efficacité et de courtoisie dans 50 % des cas.

Source: Reproduit avec l'autorisation de Via Rail.

La première étape a permis de définir les dimensions suivantes du poste pour les utiliser comme critères lors de la préparation d'échelles de type BARS :
- L'orientation de Via Rail (la connaissance du rôle fondamental de Via Rail) ;
- le dialogue avec le système informatisé de réservations (interprétation de l'information obtenue) ;
- la distribution d'informations appropriées à la clientèle concernant les voyages ;
- la collecte et la mise à jour des données sur le réseau ferroviaire (renseignements portant sur le rendement des trains) ;
- la vente de services à la clientèle ;
- la communication à la clientèle des changements touchant le service (la détermination des priorités de la liste d'attente) ;
- et la réponse aux demandes de la clientèle (attention apportée à ses besoins)[34].

L'encadré 8.15 est un exemple de dimension s'appliquant à un poste de gestionnaire, soit celle de l'organisation des activités de travail. Bien que le format de l'échelle soit sensiblement différent de celui de l'encadré 8.14, les principes utilisés pour l'élaboration des échelles BARS sont similaires.

À l'étape suivante, les supérieurs doivent accorder une note à leurs subordonnés à l'aide de l'ensemble des critères de comportement dont ils disposent. La réalisation

---

ENCADRÉ 8.15 Échelle d'évaluation fondée sur les études de comportement appliquée à une dimension d'un poste de gestionnaire

Poste : Gestionnaire
Dimension du poste : Organisation des activités de travail

Cette personne planifie et organise son temps avec soin de façon à maximiser les ressources disponibles et à respecter ses engagements.

9

8 Même lorsque cette personne doit remettre un rapport concernant un autre projet, elle se prépare adéquatement à la discussion portant sur votre projet.

7 Cette personne respecte les échéances fixées pour la remise d'un rapport, mais son

Cette personne planifie et organise son temps et ses efforts de manière à s'acquitter en premier lieu des tâches les plus importantes de son travail, respecte habituellement ses engagements, mais peut négliger de porter attention à ce que l'on pourrait appeler les tâches secondaires.

6 rendement peut se situer au-dessous des normes si d'autres échéances coïncident avec le jour de la remise de ce même rapport.

5 Les évaluations de cette personne ne reflètent probablement pas ses compétences en raison de ses engagements excessifs dans d'autres activités.

4

Cette personne semble faire peu de planification. Elle peut néanmoins fournir un rendement efficace grâce à ses efforts, en dépit d'une approche qui semble désorganisée et du fait que des échéances ne soient pas toujours respectées.

3

2 Cette personne arrive souvent en retard aux réunions, alors que d'autres personnes placées dans des circonstances similaires ne semblent pas éprouver de difficultés particulières à être ponctuelles.

1 Cette personne ne respecte jamais les échéances fixées, même lorsqu'elle dispose d'un délai suffisant.

de cette tâche fait appel à un formulaire clair, justifiable et relativement facile à utiliser. Cependant, la plupart des formulaires des échelles BARS limitent le nombre de critères de réussite (dans l'exemple précédent, sept critères sont définis), ce qui oblige à omettre plusieurs des incidents critiques tirés de l'analyse des postes. Par exemple, il se peut que les évaluateurs ne retrouvent aucune catégorie susceptible de décrire à leur satisfaction les comportements de leurs subordonnés. Il peut arriver également que les incidents critiques appropriés soient présents, mais qu'ils ne soient pas rédigés ou exprimés dans les mêmes termes que ceux utilisés pour la dimension. Il en résulte que les évaluateurs ne feront pas nécessairement le lien entre les comportements observés et les comportements associés à la dimension évaluée à l'aide du formulaire.

Un autre problème soulevé par cette méthode est qu'elle ne rend pas compte du fait qu'un titulaire de poste puisse afficher des comportements associés à la fois à un rendement élevé et à un rendement faible. Par exemple, l'agent des ventes par téléphone peut déterminer adéquatement les besoins de la clientèle et lui fournir de l'information précise en faisant preuve d'efficacité et de courtoisie dans 100 % des cas (ce qui caractérise un rendement excellent), mais il peut simultanément recevoir des plaintes quant à la pertinence de l'information fournie sur les voyages (ce qui caractérise un rendement inacceptable). Dans une telle situation, les évaluateurs éprouveront de la difficulté à décider si la note attribuée à une dimension spécifique devra être élevée ou faible.

L'échelle d'observation du comportement (BOS) pallie ces difficultés ainsi que d'autres aspects négatifs de l'échelle BARS, tout en conservant les avantages qui en découlent.

Les échelles d'observation du comportement (BOS). Les échelles d'observation du comportement *(Behavioural Observation Scales),* ou BOS, présentent exactement les mêmes caractéristiques que les échelles BARS, excepté en ce qui a trait à la dimension des échelles, à leur format et aux procédures de notation. On ne demande pas aux experts qui utilisent cette méthode d'indiquer le niveau du rendement des employés, mais plutôt la fréquence à laquelle se produisent les comportements observés chez les titulaires des postes. La note obtenue pour chacun des comportements est associée à une valeur numérique qui représente une appréciation de la fréquence d'apparition de ces comportements. On pourra, par exemple, accorder une note de 2 si le comportement en question est presque toujours observé. On additionne ensuite ces points pour obtenir une note globale. On peut aussi faire le total des points pour les divers éléments liés à une dimension particulière du rendement, puis multiplier le résultat par un coefficient de pondération. Les éléments du comportement observés dont la fréquence est trop élevée ou trop faible sont éliminés, car ils ne permettent pas de distinguer clairement les excellents rendements et les plus faibles.

L'encadré 8.16 illustre une série de comportements typiques de rendements efficace et inefficace, ainsi que les résultats des échelles de type BOS. Remarquez que les exemples de rendement inefficace ont une note inversée par rapport aux exemples de rendement efficace.

La méthode des échelles d'observation du comportement (BOS) comporte plusieurs avantages mais également des inconvénients directement liés à ces avantages que vous trouverez regroupés dans l'encadré 8.17.

ENCADRÉ 8.16 Échelle d'observation du comportement (BOS) d'un agent des ventes par téléphone, illustrant des rendements efficace et inefficace

Rendement efficace

1. L'agent des ventes par téléphone détermine les besoins des clients et procure de l'information exacte avec efficacité et courtoisie.

Presque jamais				Presque toujours
1	2	3	4	5

2. L'agent des ventes par téléphone vend d'autres services connexes.

Presque jamais				Presque toujours
1	2	3	4	5

Rendement inefficace

3. L'agent des ventes par téléphone néglige d'aviser les clients des changements qui surviennent dans les services.

Presque jamais				Presque toujours
1	2	3	4	5

4. L'agent des ventes par téléphone n'entre pas en dialogue avec le système informatique de réservation afin de répondre aux requêtes spéciales des clients.

Presque jamais				Presque toujours
1	2	3	4	5

Note: Sur le formulaire réel, les énoncés ne sont pas attribués à un rendement efficace ou inefficace.

ENCADRÉ 8.17 Les avantages et les inconvénients des échelles d'observation du comportement (BOS)

Avantages

- Elles se fondent sur une analyse systématique de poste.
- Les éléments des comportements sont clairement définis.
- Elles permettent aux employés de participer à l'élaboration des critères par le biais de la définition des incidents critiques, ce qui les aide à accepter des postes d'évaluation.
- Elles sont utiles lors de la rétroaction et favorisent l'amélioration du rendement, puisque des objectifs spécifiques peuvent être rattachés aux points attribués au comportement pertinent (l'incident critique).
- Elles paraissent également offrir une bonne protection contre les plaintes pour discrimination, puisque leur taux de validité et de fiabilité est relativement élevé.

Inconvénients

- Leur élaboration requiert du temps.
- Elles engendrent des coûts plus élevés à cause des genres de formulaires qui diffèrent de ceux de la notation conventionnelle.
- Certaines dimensions qui réfèrent uniquement à des comportements peuvent laisser échapper le sens véritable de plusieurs postes, en particulier lorsqu'il s'agit de postes de direction ou d'emplois routiniers.
- Lorsque les conditions se trouvent réunies, certaines personnes sont d'avis qu'il faut opter pour une méthode qui s'intéresse à l'atteinte des objectifs ou à la mesure de la production.
- Elles impliquent la possibilité pour l'évaluateur d'observer adéquatement le rendement des titulaires de postes. En effet, cette tâche peut devenir impossible pour le supérieur dont l'étendue des responsabilités est trop grande.

LES APPROCHES AXÉES SUR LA PRODUCTION

Alors que les méthodes décrites plus haut mettent l'accent sur les comportements ou sur les processus de travail, d'autres méthodes d'évaluation sont axées essentiellement sur la production. Il existe actuellement quatre variantes de cette méthode : la gestion par objectifs (GPO), l'approche des normes de rendement, l'approche des indices directs et l'approche du dossier de réalisations.

La gestion par objectifs (GPO). Cette méthode est probablement la plus répandue en matière d'évaluation des gestionnaires. La généralisation de son usage semble résulter de son harmonisation avec les valeurs et la philosophie des individus (par exemple, le principe selon lequel il est important de récompenser les personnes pour leurs réalisations). La gestion par objectifs assure une grande cohésion entre les objectifs individuels et organisationnels et réduit la possibilité que les gestionnaires occupent leur temps à des activités qui ne sont pas directement reliées à la poursuite des objectifs de l'entreprise (phénomène du déplacement des objectifs). La méthode de la gestion par objectifs se fait en quatre étapes énumérées dans l'encadré 8.18.

Dans les faits

Une grande entreprise de restauration rapide a décidé d'implanter la GPO auprès de ses gestionnaires d'unités. Un groupe de gestionnaires a donc négocié un quota des ventes supplémentaires à atteindre par rapport aux ventes réalisées l'année précédente dans la même unité. Les résultats obtenus à la fin de la première année ont engendré beaucoup d'insatisfaction et une baisse de motivation chez plusieurs d'entre eux. Ces gestionnaires se sont plaints de ne pas avoir eu de contrôle direct sur le critère unique utilisé, soit l'augmentation des ventes. En effet, des éléments comme le quartier, le prix de la viande et les politiques de mise en marché et de publicité du siège social ont exercé une influence plus déterminante sur l'atteinte des objectifs que les efforts des gestionnaires. Cette situation a rendu l'atteinte des objectifs très aléatoire. Un consultant en gestion invité à se prononcer sur la question leur a suggéré de remplacer le critère axé sur les ventes par un critère lié plus étroitement aux compétences personnelles des gestionnaires, comme la gestion des ressources humaines, la propreté de l'unité, etc. Cet exemple montre que même si l'utilisation de la GPO apparaît plausible en théorie, sa mise en œuvre peut donner lieu à plusieurs difficultés opérationnelles.

Bien que le recours à des objectifs lors de l'évaluation des gestionnaires soit efficace pour les motiver à accroître leur rendement, il n'est pas toujours possible de traduire l'ensemble des dimensions d'un poste en termes de résultats. Les modalités d'exécution du travail, c'est-à-dire le comportement au travail, peuvent être aussi révélatrices que les résultats. Par exemple, un gestionnaire qui atteint ses objectifs au mépris de l'éthique professionnelle ou par des procédés illégaux peut causer un tort considérable à l'entreprise. Et même si l'analyse de la production permettait de saisir l'essentiel d'un poste, le souci d'établir des objectifs présentant une égale difficulté pour tous les gestionnaires et leur offrant un défi suffisant continuerait d'être présent.

La GPO n'est pas utilisée aux seules fins d'évaluation du rendement ; elle constitue en outre une source de motivation pour les employés lorsqu'ils participent à la définition des objectifs. Il est donc impératif de s'assurer que les objectifs qui font l'objet d'une entente soient établis en fonction des habiletés, des aptitudes et des connaissances des employés, car l'exercice risquerait autrement de devenir contre-productif et démoralisant.

Afin d'aider à résoudre les différents problèmes rencontrés lors de la définition des objectifs, dans le cadre de la GPO, un certain nombre d'entreprises ont implanté une politique de notation multiple. Chez Alcan, par exemple, l'augmentation de salaire prévue pour l'atteinte des objectifs à long terme est définie à l'aide des résultats de l'évaluation individuelle du rendement, mais seule la moitié de la note totale de l'évaluation annuelle est prise en compte. L'autre moitié dépend de la façon dont la personne s'acquitte de ses principales responsabilités, c'est-à-dire de son rendement global[35].

ENCADRÉ 8.18 Les étapes de la gestion par objectifs

Étape 1

Déterminer les objectifs que chacun des subordonnés devra atteindre de concert avec les superviseurs. Les objectifs peuvent englober à la fois les résultats escomptés et les moyens ou activités permettant de les atteindre.

Étape 2

Déterminer le temps dont disposeront les subordonnés pour atteindre les objectifs fixés. Au fur et à mesure que le rendement s'accroît, les subordonnés peuvent gérer leur temps puisqu'ils connaissent le travail qui doit être réalisé, le travail déjà fait et le travail qui reste à accomplir.

Étape 3

Comparer les objectifs atteints et les objectifs qui avaient été fixés. Déterminer les raisons pour lesquelles les objectifs n'ont pas été atteints ou ont été dépassés. Dépister les besoins de formation. Identifier les conditions organisationnelles qui influencent le rendement des subordonnés et sur lesquelles ceux-ci n'ont aucun contrôle.

Étape 4

Établir de nouveaux objectifs et établir les stratégies qui permettront d'éliminer les obstacles rencontrés précédemment. Les subordonnés qui ont réussi à atteindre les objectifs initiaux pourront être invités à participer de façon plus active au processus d'élaboration des objectifs futurs.

Les normes de rendement. L'approche des normes de rendement s'apparente considérablement à la GPO. Elle diffère cependant de celle-ci par son emploi de mesures plus directes d'évaluation et par le fait qu'elle est surtout utilisée pour des employés qui n'occupent pas de postes de direction. Ces normes, tout comme les objectifs de la GPO, doivent être déterminées de façon spécifique, limitées dans le temps, conditionnelles, prioritaires, et elles doivent s'harmoniser aux objectifs organisationnels. Si on les compare aux objectifs, les normes sont généralement plus nombreuses et plus détaillées. Chaque norme est évaluée séparément, et le résultat obtenu est multiplié par un facteur de pondération lié à son importance. Il s'agit en fait d'une approche compensatoire du point de vue de l'évaluation globale, qui permet de neutraliser les effets de certaines déficiences enregistrées dans un domaine particulier, grâce au rendement élevé obtenu dans un autre domaine.

Le principal avantage de cette approche est qu'elle fournit aux titulaires des postes de l'information claire et précise concernant les résultats souhaités. En outre, lorsque l'on détermine ce qui constitue un rendement exceptionnel, ces échelles ont pour effet de motiver aussi bien les employés moyens que les employés qui fournissent un excellent rendement.

Les désavantages majeurs attribuables à cette méthode sont le temps et l'argent qu'elle requiert, ainsi que le climat de coopération particulier qu'elle nécessite. Comme c'est le cas pour la GPO, l'utilisation de l'approche des normes de rendement ne permet pas toujours de saisir l'essence d'un poste. Par conséquent, le processus d'évaluation peut ignorer certains comportements importants. Cette approche peut aussi engendrer un esprit de compétition indésirable parmi les employés dans leurs efforts pour se rapprocher à tout prix des normes imposées.

Les indices directs. Cette approche diffère des précédentes surtout par la façon dont le rendement est mesuré. L'approche des indices directs mesure le rendement des subordonnés à l'aide de critères objectifs tels que la productivité, l'absentéisme ou le taux de roulement. Par exemple, on peut évaluer le rendement d'un gestionnaire en mesurant le taux de roulement ou l'absentéisme existant parmi les employés de son service. Pour ce qui est des postes n'impliquant aucune fonction de direction, la mesure de la productivité sera habituellement le critère le plus approprié. Ces mesures sont qualitatives ou quantitatives. Les mesures qualitatives comprennent les taux de rejet, les plaintes des clients, ou le nombre d'unités ou d'éléments comportant des défauts de fabrication. Les mesures quantitatives font référence au nombre d'unités produites à l'heure, à la quantité de nouvelles commandes et au volume des ventes.

Les dossiers de réalisations. Cette approche relativement nouvelle a été conçue afin de s'adapter à la situation des professionnels qui prétendent que leur «dossier parle de lui-même» ou qu'il leur est très difficile d'établir des normes de rendement écrites puisque leurs tâches varient quotidiennement. L'approche du dossier de réalisations permet aux professionnels de décrire leurs réalisations en fonction des dimensions appropriées à leur poste de travail. C'est par la suite au supérieur qu'il incombe de vérifier l'exactitude des réalisations dont il est fait état. Une équipe d'experts provenant de l'extérieur est ensuite chargée d'en évaluer la teneur en terme de rendement global. Bien que cette méthode soit coûteuse en temps et en argent, puisqu'on a recours à des évaluateurs externes, elle s'est avérée particulièrement efficace pour la prévision du succès des avocats. Une méthode similaire est souvent utilisée par plusieurs universités quand il s'agit d'accorder des promotions ou le statut de titulaire à un de ses professeurs.

IV Les obstacles et les erreurs susceptibles de se manifester lors de l'évaluation du rendement

Bien que le recours à des systèmes d'évaluation du rendement soit très répandu parmi les organisations, nombre de personnes se déclarent insatisfaites de ces méthodes. Cette désillusion semble due à une série de facteurs que vous trouverez énumérés dans l'encadré 8.19.

L'évaluation du rendement se complexifie car elle requiert la compilation et l'analyse d'une grande quantité de données. Premièrement, l'évaluateur doit procéder à l'observation des comportements du titulaire du poste ou des résultats de son travail, et il conserve ensuite cette information. Le processus par le biais duquel l'évaluateur va choisir les éléments d'information pertinents implique, entre autres, l'intervention de la mémoire à court terme et de la mémoire à long terme. Bien que la plupart des éléments soient notés par écrit, il lui est parfois nécessaire de faire appel à

ENCADRÉ 8.19 Facteurs qui expliquent les échecs des évaluations du rendement

1. Les facteurs contextuels et la motivation de l'employeur.
2. Un certain nombre de caractéristiques inhérentes au processus d'évaluation utilisé, et la vulnérabilité des mesures due aux erreurs volontaires ou involontaires des évaluateurs et des personnes évaluées.
3. Les fausses attentes et les postulats erronés concernant le processus d'évaluation du rendement[36].

sa mémoire pour retrouver une information additionnelle pertinente qui permettra d'établir une comparaison entre les normes établies et les comportements observés. Cette comparaison se révèle particulièrement difficile lorsque l'évaluation du rendement s'étend sur une longue période. Enfin, l'évaluateur doit non seulement fonder en partie son appréciation sur la masse d'information extraite de sa mémoire, mais aussi sur toute autre information qu'il choisit ou non d'inclure. À cette étape, il est possible que l'évaluation soit révisée suivant les réactions du titulaire du poste ou d'un supérieur qui en aura pris connaissance. En fait, ce qui rend le choix et la classification des informations particulièrement complexes, c'est la variété des attitudes, des stéréotypes et des valeurs auxquels adhère l'évaluateur, en plus des divers facteurs ou circonstances pouvant influer sur son jugement ou ses décisions (par exemple, la position de l'évaluateur, l'impact de la décision sur la personne évaluée, etc.). Malheureusement, la mémoire des évaluateurs n'est pas infaillible. Par conséquent, ils peuvent être victimes d'un certain nombre d'erreurs d'évaluation, certaines se traduisant par un écart entre la note que mérite un employé et celle qui lui est attribuée[37].

LES FACTEURS CONTEXTUELS ET LA MOTIVATION DE L'ÉVALUATEUR

www Consultez Internet

http://www.acd.ccac.edu/hr/EmploymentStatistics/
Demo360Feedback/ad00.htm

Démonstration en ligne d'un programme d'évaluation de rendement.

Le contexte de l'évaluation du rendement se définit comme l'ensemble des facteurs qui ne sont pas spécifiquement reliés à l'instrument, à l'évaluateur, à l'évalué ou au processus d'évaluation du rendement, et qui font partie de l'environnement de l'évaluation[38]. Ces facteurs contextuels sont susceptibles d'influencer la précision de l'évaluation.

Le facteur contextuel le plus fréquemment cité est la raison d'être de l'évaluation. Il apparaît que ce facteur peut influencer l'évaluation du rendement en agissant sur la compétence et la motivation de l'évaluateur[39].

Les caractéristiques du groupe de travail et celles liées à la tâche de l'employé sont un deuxième facteur contextuel. Plusieurs études ont démontré que l'évaluation du rendement s'effectue sur une base comparative plutôt que sur une base absolue. L'interdépendance des membres qui réalisent une tâche au sein d'un groupe de travail peut influencer l'évaluation du rendement. Il est, en effet, difficile de déterminer la contribution spécifique de chaque individu en ce cas. Il y a donc moins de variance parmi les évaluations des membres du groupe de travail et il se peut que la précision des évaluations du rendement soit plus faible.

Un autre facteur contextuel qui peut influencer l'aptitude des évaluateurs à apprécier avec précision le rendement des employés est la possibilité réelle qu'ont les évaluateurs d'observer le rendement des employés. Plus les occasions d'observer des comportements pertinents au travail seront limitées, plus l'évaluateur aura de la difficulté à se faire une idée précise du rendement de l'employé. Dans une certaine mesure, ces occasions sont déterminées par la nature de l'emploi. Il est possible que l'emploi exige des déplacements de l'employé, comme c'est le cas, par exemple, pour le représentant des ventes, et ne se prête donc pas facilement à l'observation du comportement du subordonné.

Bien qu'il soit possible d'élaborer l'instrument idéal, de sélectionner et de former les meilleurs évaluateurs, on ne saurait obtenir des évaluations adéquates si le contexte de l'évaluation est défavorable. Dans ce cas, le climat négatif pourra ainsi réduire la motivation de l'évaluateur à fournir des évaluations exactes. Le constat selon lequel les instruments d'évaluation n'améliorent pas la précision des évaluations a axé les recherches sur la nécessité d'améliorer la motivation de l'évaluateur. Cette motivation est donc influencée par la confiance qu'a l'évaluateur en son aptitude à effectuer une évaluation adéquate ainsi que par sa prise de conscience des conséquences d'une telle évaluation.

Les conséquences de l'évaluation englobent les effets directs de l'évaluation tant pour l'évaluateur que pour l'évalué. Les conséquences de l'évaluation sur l'évalué (par exemple, l'ampleur de l'augmentation de salaire, la probabilité d'obtenir des promotions, l'effet sur l'estime de soi) représentent un souci important pour l'évaluateur ; en effet, une évaluation négative risque de compromettre sa relation immédiate et future avec son subordonné[40].

L'évaluation ne comporte pas uniquement des conséquences positives. Nous pouvons soutenir que les conséquences négatives l'emportent sur les conséquences positives (par exemple, obtention d'une promotion indésirable, réaction négative de l'employé face à l'évaluation, bris de la relation personnelle avec le subordonné). Ainsi, le fait que, dans la majorité des cas, l'évaluateur se montre peu motivé à fournir des évaluations précises ne devrait pas nous surprendre[41]. L'encadré 8.20 présente plusieurs raisons qui pourraient pousser l'évaluateur à surestimer ou à déprécier le rendement de l'évalué.

L'évaluation exige de l'évaluateur une capacité à faire face à l'employé pour discuter de son rendement[42]. Ainsi, l'évaluateur peut fournir une évaluation généreuse lorsqu'il s'attend à donner une rétroaction à l'employé, car le fait de devoir discuter ouvertement avec un employé de son évaluation et de la justifier peut représenter une situation inconfortable que l'évaluateur souhaite éviter, surtout s'il s'agit d'un employé dont le rendement est médiocre. Une évaluation trop positive devient ainsi un moyen d'éviter le face à face, et ce, surtout lorsque la rétroaction devrait être négative.

Par ailleurs, un certain nombre de facteurs contextuels peuvent influencer la motivation de l'évaluateur à réaliser une évaluation précise. La culture de l'organisation s'avère ici un facteur particulièrement important. En effet, dans la mesure où les cadres supérieurs de l'organisation appuient le processus d'évaluation du rendement

---

ENCADRÉ 8.20 Raisons pour lesquelles un évaluateur pourrait fausser une évaluation

Évaluation positive

- Obtenir une hausse maximale de salaire pour l'employé.
- Protéger ou encourager un employé dont le faible rendement est dû à des problèmes personnels.
- Éviter que des individus ne faisant pas partie du service soient sensibilisés aux problèmes de ce service.
- Éviter d'étayer et de justifier le constat de faible rendement à l'aide d'un rapport écrit qui demeurera dans le dossier de l'employé.
- Éviter de se trouver en conflit avec un employé à problèmes.
- Procurer un répit à un employé dont le rendement s'est amélioré.
- Accorder une promotion à un employé à problèmes ou à un employé qui ne convient plus au service.

Évaluation négative

- Réprimander sévèrement l'employé en lui signifiant qu'il doit améliorer substantiellement son rendement.
- Indiquer à un employé rebelle que l'évaluateur détient l'autorité sur lui.
- Inciter un employé à quitter l'organisation.
- Entreprendre la préparation d'un dossier documenté qui facilitera le congédiement de l'employé.

et valorisent le perfectionnement de l'employé, l'évaluateur se montrera particulièrement motivé à évaluer l'employé avec exactitude. D'autres facteurs contextuels comprennent la révision des formulaires d'évaluation, l'évaluation du processus de gestion du rendement par le supérieur immédiat de l'évaluateur ainsi que la détermination d'une limite de temps pour compléter les évaluations.

LES CARACTÉRISTIQUES DE L'ÉVALUATEUR ET DE LA PERSONNE ÉVALUÉE

Les caractéristiques de la personne évaluée. Comme on peut s'y attendre, c'est le niveau réel de rendement atteint par la personne évaluée qui exerce le plus d'influence sur la note obtenue lors de l'évaluation. Cependant, certaines caractéristiques personnelles influencent l'évaluation d'une façon particulière, surtout lorsque les critères de réussite ne sont pas définis avec précision. Le sexe de la personne évaluée et le genre d'emplois jouent un rôle important. Ainsi, les employés masculins reçoivent habituellement une évaluation plus élevée que leurs collègues féminines dans les postes où ils prédominent, alors que leur évaluation est équivalente à celle des femmes dans les postes traditionnellement féminins. De plus, à cause du concept de conformité perceptuelle, les personnes évaluées ont tendance à obtenir des notations plus élevées de la part des évaluateurs appartenant au même groupe racial qu'elles. En outre, bon nombre de gestionnaires associent la durée des fonctions à la compétence. Par conséquent, ils ont tendance à surévaluer les employés ayant le plus d'ancienneté. Une exception subsiste cependant dans les organisations du secteur public, qui font usage de systèmes de salaire au mérite, et où les employés comptant peu d'ancienneté reçoivent des appréciations plus élevées pour les faire progresser dans le système de salaire au mérite. L'âge et la scolarité ont tendance à ne pas influencer l'évaluation.

Les caractéristiques de l'évaluateur. Les caractéristiques de l'évaluateur influent d'une manière plus subtile et moins directe sur les évaluations du rendement que les caractéristiques de la personne évaluée. Certaines données indiquent que les évaluateurs de sexe féminin ont tendance à être plus indulgents que les évaluateurs de sexe masculin. De plus, lorsque des évaluateurs de sexe féminin disposent de normes précises de rendement, leurs évaluations ont tendance, dans le cas des rendements très élevés ou très faibles, à se rapprocher davantage des extrêmes que celles de leurs collègues masculins. Ce n'est que lors de l'évaluation d'un rendement moyen que le sexe de l'évaluateur ne semble faire aucune différence[43].

Quant aux évaluateurs plus jeunes et moins expérimentés et ceux à qui on a déjà attribué de faibles notes, ils ont tendance à être plus sévères que les évaluateurs plus âgés, plus expérimentés ou ayant l'habitude de fournir un rendement supérieur. Contrairement à la croyance populaire, les superviseurs qui évaluent le titulaire d'un poste qu'ils ont déjà occupé ont des perceptions relativement précises. Cependant,

Le saviez-vous ?

Certaines entreprises ont déjà adopté le principe de l'évaluation multiple. La firme Westinghouse, par exemple, accorde à l'employé la possibilité de désigner les personnes qui feront partie de l'équipe d'évaluation et de préciser les critères d'évaluation utilisés. Les entreprises Kodak et Walt Disney ont, quant à elles, opté pour un système d'évaluation multiple de type « TEAMS » (Team Evaluation And Management System), qui permet de déceler rapidement les tendances de l'évaluateur en fonction du sexe, de l'âge ou d'autres facteurs caractéristiques d'un groupe donné. Certains systèmes d'évaluation multiple mettent actuellement à profit les plus récentes découvertes en matière d'intelligence artificielle. Ces systèmes contribuent à accroître la confiance des employés dans la fiabilité des mesures d'évaluation et, par conséquent, leur confiance en l'ensemble du système.

la personnalité de l'évaluateur peut parfois influer sur l'exactitude de son jugement. Ainsi, un évaluateur doté d'une grande confiance en lui-même, rarement angoissé, qui jouit d'un bon niveau d'intelligence et d'une certaine stabilité émotive, pose généralement de meilleurs jugements que la moyenne des évaluateurs[44].

Il faut cependant préciser ici que les caractéristiques démographiques de l'évaluateur et de l'évalué n'expliquent qu'une très faible variance de l'évaluation du rendement.

LES PRINCIPALES ERREURS D'ÉVALUATION

Lorsque les critères d'évaluation ne sont pas définis de façon suffisamment précise et qu'aucun incitatif particulier n'est attaché à la conduite adéquate du processus, diverses erreurs peuvent se produire, compromettant ainsi la validité de l'évaluation. Nous décrirons dans cette section les erreurs commises le plus fréquemment.

L'effet de halo. L'erreur qui semble la plus commune se produit habituellement lorsque l'évaluation porte sur plusieurs dimensions du rendement. L'évaluateur aura alors tendance à évaluer le rendement de chacune des dimensions de façon équivalente, à partir de l'évaluation d'une seule dimension, soit celle qu'il perçoit comme étant la plus importante. C'est ce qu'on appelle l'effet de halo. Cette influence se produit en outre lorsqu'une note médiocre attribuée à un aspect du rendement influence négativement l'évaluation des autres dimensions, conduisant l'évaluateur à donner une appréciation globale du rendement plus faible qu'il ne l'est en réalité[45].

L'erreur d'indulgence. La deuxième erreur la plus fréquente, souvent commise de façon intentionnelle, est l'erreur d'indulgence. C'est surtout afin d'éviter les conflits potentiels avec leurs subordonnés que les supérieurs surestiment volontairement (ou non) le rendement des employés de leur groupe de travail. Cette situation se produit le plus souvent lorsque l'organisation n'oppose aucune sanction à ce genre de pratiques, que les récompenses attribuées pour le bon rendement ne sont pas limitées par un budget strict et qu'il n'existe aucune exigence concernant la notation.

L'erreur de sévérité. On retrouve à l'autre extrême l'erreur de sévérité, que l'évaluateur commet lorsqu'il fournit systématiquement une évaluation défavorable, peu importe le niveau de rendement constaté. Cette erreur émane la plupart du temps d'évaluateurs inexpérimentés, d'individus qui ont une faible estime d'eux-mêmes, de supérieurs récemment promus qui tentent d'impressionner leurs propres supérieurs par leur rigueur ou de personnes qui utilisent le système d'évaluation pour « régler des comptes ». Des séances de formation où l'on privilégie les renversements de rôles (supérieur-subordonné) et le renforcement de la confiance en soi peuvent limiter ce genre d'erreurs.

Il est possible de réduire les trois erreurs mentionnées précédemment par l'établissement de critères précis pour chacune des dimensions du rendement et par l'évaluation distincte de chacune de ces dimensions, la valeur globale du rendement étant obtenue par l'addition des notations.

L'erreur de tendance centrale. Plutôt que d'utiliser les extrêmes comme dans les cas mentionnés précédemment, certains évaluateurs ont tendance à « éviter les risques » et à maintenir leurs évaluations dans la moyenne, même lorsque les niveaux de rendement varient. Cette tendance est appelée erreur de tendance centrale. Elle se produit le plus souvent lorsque l'étendue des responsabilités des évaluateurs est trop grande et qu'il leur est donc difficile d'observer directement ou régulièrement le comportement de leurs subordonnés. Cette tendance apparaît aussi en partie comme la conséquence de certaines méthodes d'évaluation. Les diverses techniques de notation, et plus particulièrement la distribution forcée, exigent que la plupart des employés soient évalués dans la moyenne.

L'effet de la première impression et l'effet de la dernière impression. Il est extrêmement difficile pour les évaluateurs de se rappeler toutes les particularités des comportements des titulaires de postes, lorsque l'on considère qu'une période typique soumise à l'évaluation s'étend sur six à douze mois. Cette situation peut rendre les évaluateurs vulnérables à l'influence de l'information initiale et/ou récente. Dans le cas de l'effet de la première impression *(primacy effect),* les évaluateurs utilisent l'information initiale dont ils disposent pour catégoriser un employé comme bon ou mauvais. Par la suite, ils recherchent l'information susceptible de confirmer leur jugement premier et ignorent toute information qui entre en contradiction avec celui-ci[46]. À cause de l'importance accordée à l'information initiale recueillie, on apparente ce biais à la « première impression », ce dont nous avons discuté dans le cadre de l'entrevue d'évaluation, au chapitre 7.

À l'inverse, un évaluateur peut ne pas tenir compte du rendement d'un employé pendant la période d'évaluation, pour ne mettre finalement l'accent que sur l'information disponible immédiatement avant l'entrevue d'évaluation. Malheureusement pour l'individu évalué, ce sont les événements ou les résultats récents qui ont tendance à frapper l'imagination de l'évaluateur d'une façon particulière. Il en résulte que l'évaluateur accorde plus d'importance qu'il ne devrait à cette information lors de l'évaluation. La déformation due à l'effet de la dernière impression *(recency effect)* peut avoir de sérieuses conséquences pour un employé dont le rendement a été bon dans les six ou douze derniers mois mais qui commet une erreur sérieuse ou coûteuse une semaine ou deux avant l'évaluation. Les titulaires de postes et les supérieurs peuvent amoindrir ces deux formes d'erreurs par la tenue d'un registre de tous les événements critiques. En effet, malgré le temps consacré à cette procédure, ces dossiers permettent d'intégrer à l'évaluation la totalité de l'information provenant de la période d'évaluation dans son ensemble.

L'effet de contraste. L'effet de contraste se produit lorsque l'évaluation ou l'observation d'un autre employé influence l'évaluation en cours. Ainsi, la comparaison d'un employé avec des employés dont le rendement a été qualifié de faible peut donner l'impression qu'un employé moyen est excellent. De même, lorsqu'un employé moyen est comparé à des employés exceptionnels, il pourra sembler faible. Tout comme dans le cas des autres types d'erreurs, l'établissement de critères de rendement spécifiques avant la période d'évaluation permet de minimiser ces erreurs.

L'effet de débordement. Cet effet provient de l'influence injustifiée que l'on accorde aux évaluations ou observations passées (bonnes ou mauvaises) lors de l'évaluation en cours. L'effet de débordement *(spillover effect)* se produit la plupart du temps lorsqu'un gestionnaire informe le gestionnaire appelé à prendre sa relève des particularités du comportement de ses subordonnés. Cette transmission de connaissances a pour effet de véhiculer de l'information qui est *a priori* tendancieuse. Une des solutions à ce problème consiste à éviter de consulter les évaluations précédentes avant d'avoir réalisé sa propre évaluation. Toutefois, les évaluations antérieures pourront être consultées en conjugaison avec les évaluations actuelles afin de déceler les tendances comportementales et de donner une rétroaction aux employés.

L'erreur de similitude. La tendance de certains évaluateurs à surestimer le rendement des individus ayant certaines affinités avec eux peut donner lieu à une erreur de similitude. L'hypothèse implicite à cette attitude est que ces évaluateurs considèrent ces employés comme des « modèles » et leur attribuent *a priori* un bon rendement.

V Les éléments à considérer pour améliorer le processus d'évaluation du rendement

Plusieurs éléments sont à considérer pour améliorer le processus d'évaluation du rendement. Parmi ceux-ci, nous examinerons les stratégies qui visent à réduire les erreurs lors des évaluations, les éléments à considérer pour concevoir un processus d'évaluation du rendement efficace et pour choisir la meilleure technique.

STRATÉGIES VISANT À RÉDUIRE LES ERREURS LORS DES ÉVALUATIONS

Même les formulaires d'évaluation les plus fiables et les plus valides ne peuvent totalement échapper aux possibilités d'erreurs lorsque l'on constate le nombre de facteurs intervenant dans le processus. Cependant, l'encadré 8.21 présente quelques principes à respecter qui réduisent les possibilités d'erreurs lors des évaluations du rendement.

ENCADRÉ 8.21 Considérations à respecter pour réduire les risques d'erreurs des évaluations du rendement

- Chaque dimension du rendement qui est évaluée doit se rapporter à une seule tâche plutôt qu'à un ensemble de tâches.
- L'évaluateur peut observer le comportement de l'évalué sur une base régulière pendant que celui-ci accomplit ses tâches.
- On évite l'emploi de termes tels que «moyenne» sur l'échelle de notation puisque son sens peut varier d'un évaluateur à l'autre.
- L'évaluateur ne devrait pas évaluer de larges groupes d'employés.
- Les évaluateurs sont formés de façon à éviter les erreurs d'indulgence ou de sévérité, l'effet de halo, l'erreur de tendance centrale et l'impact des événements récents.
- Les dimensions évaluées sont faciles à comprendre, clairement définies et importantes.

Comme nous l'avons vu précédemment, l'impact négatif de plusieurs des erreurs signalées peut être réduit lorsque l'on fait prévaloir des considérations plus réalistes et que des étapes bien précises sont respectées lors de l'élaboration du processus d'évaluation du rendement.

Pour faire suite à ces considérations, il est important d'insister sur le fait qu'une formation adéquate de l'évaluateur permet d'améliorer l'efficacité et la précision de l'évaluation. L'encadré 8.22 présente cinq phases essentielles à respecter dans le processus de formation, chacune étant reliée à une aptitude particulière.

ENCADRÉ 8.22 Cinq éléments essentiels à inclure dans la formation des évaluateurs

1. Établir les objectifs et les niveaux de rendement attendus.
2. Observer l'accomplissement des tâches par l'employé et son rendement.
3. Noter ses observations.
4. Procéder à l'évaluation du rendement.
5. Fournir une rétroaction aux employés[47].

LES ÉLÉMENTS PERMETTANT LA CONCEPTION D'UN PROCESSUS D'ÉVALUATION DU RENDEMENT EFFICACE

Certains conflits inhérents aux évaluations du rendement peuvent compromettre leur efficacité. En effet, l'évaluation du rendement pose souvent un problème lorsque le superviseur et le titulaire du poste ne perçoivent pas l'activité de la même façon. Le titulaire du poste fonde habituellement sa perception sur des facteurs extérieurs ou environnementaux (par exemple, le superviseur lui-même, le manque de soutien, l'absence de coopération de la part des collègues de travail, les problèmes de machinerie, etc.) susceptibles d'influencer son rendement. À l'opposé, la perception du superviseur se concentre sur le titulaire et sur l'habilité et la motivation dont il fait preuve au travail. Ces différences de perspectives, généralement qualifiées de différences entre acteur et observateur, peuvent donner lieu à des conflits lorsqu'il faut déterminer les causes d'un faible rendement. Les conflits d'objectifs sont également à la source de nombreux problèmes. Les individus peuvent chercher au cours d'un processus d'évaluation à recevoir l'approbation de leur supérieur. Les supérieurs à leur tour peuvent estimer qu'un processus d'évaluation comporte nécessairement la communication d'appréciations négatives, ce qui peut engendrer une relation conflictuelle entre le supérieur et le subordonné caractérisée par un faible niveau de confiance réciproque.

On peut réduire ces difficultés en revoyant la structure du système d'évaluation et les caractéristiques de l'entrevue. Plusieurs éléments peuvent être incorporés à la structure du système d'évaluation afin de réduire les conflits inhérents à l'évaluation du rendement.

L'utilisation de données adéquates. L'utilisation de données qui mettent l'accent sur des comportements et des objectifs spécifiques aide à réduire les conflits inhérents au processus d'évaluation. Il est nécessaire en outre que les exigences en matière de rendement soient transmises clairement aux titulaires des postes avant le début de la période d'évaluation. Les données se rapportant aux caractéristiques ou qualités personnelles risquent cependant, davantage que les autres données, d'engendrer une attitude défensive à cause de leur haut niveau de subjectivité et, donc, de la difficulté qu'éprouvera le supérieur à justifier leur usage. En outre, ces données mettent directement en jeu l'image qu'ont les subordonnés d'eux-mêmes. Comme nous l'avons vu précédemment, les supérieurs peuvent faciliter la rétroaction sur le rendement par la sélection et l'utilisation des formulaires d'évaluation appropriés. S'ils désirent utiliser des données de nature comportementale, la méthode des incidents critiques ou l'échelle d'observation des comportements (BOS) peuvent s'avérer particulièrement efficaces, alors que les données se rapportant aux objectifs s'obtiendront plus facilement à l'aide de la gestion par objectifs ou de l'approche des normes de travail. Ces formulaires permettent aux superviseurs de contrôler à la fois les tâches accomplies par leurs subordonnés et la façon dont ils les accomplissent.

La distinction entre les évaluations des rendements antérieur, actuel et potentiel. Il est important de dissocier l'évaluation du rendement actuel de celle du rendement potentiel. En effet, le rendement actuel ne reflète pas nécessairement la totalité du potentiel de l'individu, et les supérieurs peuvent inconsciemment incorporer à l'évaluation actuelle certaines données qui se réfèrent plutôt au rendement potentiel. Il arrive de plus que les supérieurs y intègrent des éléments empruntés à des évaluations antérieures. Dans l'un ou l'autre cas, l'évaluation du rendement actuel est faussée dans la mesure où elle constitue plutôt un amalgame de données tirées des rendements antérieur, actuel et potentiel.

Une telle évaluation sera probablement, et à juste titre, considérée injuste par le subordonné. Prenons l'exemple d'employés dont le rendement potentiel est très élevé. Ceux-ci pourront recevoir une évaluation plus faible que certains de leurs collègues dont le rendement est équivalent au leur parce que leurs supérieurs ont des attentes plus grandes à leur égard. À l'inverse, le rendement adéquat d'individus qui possèdent un potentiel limité peut être évalué injustement à cause de leurs possibilités plus limitées. Dans les deux cas, il s'agit d'une confusion entre rendement actuel et potentiel. Dans le premier cas, le rendement actuel est évalué par comparaison avec un rendement potentiel plus élevé ; dans le second, il l'est par projection sur le rendement actuel d'un rendement potentiel faible, et ce, même si le rendement actuel est satisfaisant et que l'employé ne souhaite pas obtenir de promotion.

L'adoption de procédures équitables. Afin d'alléger le climat émotionnel plutôt lourd qui entoure inévitablement le processus d'évaluation du rendement, les gestionnaires chercheront à s'assurer que celui-ci se déroule de façon équitable. Pour atteindre cet objectif, il convient de respecter les étapes suivantes :

Favoriser les évaluations réciproques et les évaluations des supérieurs hiérarchiques. On devrait permettre aux subordonnés de procéder à l'évaluation de leurs supérieurs de façon à améliorer les relations entre supérieurs et subordonnés et instaurer un climat de plus grande ouverture face au processus d'évaluation du rendement. Les évaluations ascendantes peuvent aider à mieux équilibrer, sinon à uniformiser, le pouvoir que détiennent les supérieurs sur leurs subordonnés. Un tel équilibre atténue le caractère hiérarchique de la relation existant entre supérieurs et subordonnés, qui contribue largement aux réactions de défense et d'évitement qui se manifestent à la suite de l'évaluation.

Les organisations et les supérieurs peuvent faciliter considérablement le processus d'évaluation ascendante en fournissant des formulaires aux employés et en s'engageant dans des politiques de ressources humaines ou des procédures qui reflètent cette ouverture. Ils peuvent ainsi autoriser les employés à prendre part aux décisions touchant leurs propres augmentations de salaires ou les intégrer au processus d'analyse de leurs postes.

Encourager l'autoévaluation. La politique de l'autoévaluation va encore plus loin dans l'attitude d'ouverture et la recherche d'équilibre du pouvoir que nous venons d'évoquer. Cette technique est susceptible de fournir des informations supplémentaires au supérieur, de produire des résultats beaucoup plus réalistes et d'amener une meilleure acceptation de l'évaluation finale, tant de la part du subordonné que du supérieur.

Assurer l'uniformité du processus et permettre la remise en cause des évaluations traditionnelles. Les normes de rendement devraient s'appliquer de façon uniforme à tous les titulaires de postes. En conséquence, on ne devrait pas faire preuve d'une trop grande indulgence à l'égard des travailleurs ayant des problèmes particuliers ni exiger des meilleurs employés de fournir plus que leur juste part. De plus, le processus devrait autoriser les titulaires des postes à contester ou à réfuter les évaluations qui leur semblent injustes.

L'accroissement du pouvoir des titulaires de postes. Une des difficultés que pose la gestion du processus d'évaluation concerne la collecte et la mise à jour des informations relatives aux employés. Au fur et à mesure que l'étendue des responsabilités d'un supérieur augmente, cette tâche tend à prendre des proportions démesurées. Un moyen de résoudre ce problème, et de préserver par la même occasion l'équité, consiste à transférer la responsabilité de la tenue des dossiers de rendement aux titulaires des postes. Afin que les subordonnés puissent s'acquitter adéquatement de cette procédure, il est avant tout indispensable qu'ils reçoivent une formation portant sur la façon de rédiger les normes de rendement, ainsi que de recueillir et de noter l'information nécessaire à l'évaluation. De plus, l'instauration d'un processus de communication bilatérale efficace est indispensable si l'on veut que les titulaires sentent qu'ils disposent de la liberté nécessaire pour renégocier les normes désuètes ou devenues inaccessibles à cause de certaines contraintes.

La délégation de certaines responsabilités aux titulaires des postes leur procure plusieurs avantages liés à la planification du rendement, à la détermination des objectifs et à la gestion des dossiers. Premièrement, les titulaires cessent d'être des éléments passifs qui réagissent aux seules directives des supérieurs. Deuxièmement, ils ont dorénavant la responsabilité d'identifier et de porter à l'attention de leurs supérieurs les problèmes de rendement, ce qui a pour effet de réduire les réactions défensives. Troisièmement, la délégation de responsabilités libère le superviseur et lui permet de porter son attention sur la réalisation d'autres activités que la simple surveillance, par exemple, l'orientation et la gestion. Enfin, les titulaires sentent qu'ils ont véritablement la responsabilité du processus.

QUELLE EST LA MEILLEURE TECHNIQUE?

La recherche portant sur cette question demeure extrêmement limitée. Cependant, on perçoit clairement la nécessité de préciser en tout premier lieu les objectifs visés par l'organisation pour la conduite de l'évaluation du rendement. L'efficacité d'une technique pourra donc être évaluée en regard des critères suivants:

développement: motivation des subordonnés à atteindre un haut niveau d'efficacité, fourniture d'une rétroaction à cet effet et tendance à favoriser la planification des ressources humaines et le développement de carrières;

évaluation: prises de décisions en matière de promotion, de congédiement, de mise à pied, de rémunération, de mutation et, par conséquent, établissement de comparaisons entre les subordonnés et les services;

économie: coût d'élaboration, d'implantation et d'utilisation;

réduction d'erreurs: limitation des effets de halo, des erreurs d'indulgence, de tendance centrale, et augmentation du degré de fiabilité et de validité;

relations interpersonnelles: le degré de facilité avec lequel les supérieurs peuvent recueillir les informations utiles à la conduite d'une entrevue d'évaluation efficace;

mise en œuvre: facilité d'élaboration et d'implantation au sein de l'entreprise;

acceptation: la perception (fiabilité-validité-utilité) et l'approbation de la technique par les utilisateurs.

L'encadré 8.23 porte sur l'évaluation des diverses techniques en regard de chacun des critères mentionnés ci-haut.

ENCADRÉ 8.23 Appréciation des techniques d'évaluation du rendement

Approches	Critères d'évaluation						
	Développement	Évaluation	Économie	Réduction d'erreurs	Relations interpersonnelles	Mise en application	Niveau d'acceptabilité
Approches comparatives ou normatives:							
Rangement	F	E	E	F	F	B	F
Rangement alternatif	F	E	E	B	F	B	F
Comparaison par paires	F	E	E	F	F	B	F
Distribution forcée	F	B	E	E	B	B	F
Approches comportementales:							
Évaluation descriptive	F	F	E	F	F	F	F
Évaluation conventionnelle	F	B	E	F	F	F	F
Incidents critiques	B	F	B	B	B	B	E
Liste pondérée d'incidents critiques	B	B	B	B	F	B	E
Formulaire de choix forcé	F	B	F	E	F	B	F
BARS	B	B	F	B	E	B	E
BOS	B	B	F	B	E	B	B
Approches axées sur la production:							
Gestion par objectifs	E	E	F	B	B	B	B
Normes de rendement	B	E	F	B	B	E	B
Indices directs	F	E	E	B	B	E	B
Dossier de réalisations	E	E	F	B	B	B	E

Note: F: Faible; B: Passable à Bon; E: Très bon à Excellent

VI L'entrevue d'évaluation du rendement

Afin d'augmenter l'efficacité de l'évaluation du rendement, plusieurs aspects de l'entrevue d'évaluation doivent être pris en considération.

LA PRÉPARATION DE L'ENTREVUE

Le superviseur doit se préparer adéquatement à la réalisation de l'entrevue. Deux questions retiendront en particulier son attention : l'établissement du calendrier des entrevues et la collecte de l'information pertinente.

Fixer une rencontre. Le supérieur devrait aviser personnellement l'employé de l'heure, de la date et du lieu de l'entrevue, et ce, au moins quelques semaines avant le début de la période d'évaluation. Le fait de confier à une secrétaire la préparation du calendrier des entrevues accroît la possibilité de malentendus. De plus, l'envoi d'une note écrite ajoute au processus une dimension formelle qui n'est pas souhaitable puisqu'elle risque d'influer sur le climat de l'entrevue et le niveau de confiance mutuelle. Enfin, la prise de rendez-vous devrait impliquer une entente sur les objectifs et le contenu de l'entrevue. Il faudra, par exemple, déterminer si les titulaires des postes auront la possibilité d'évaluer le rendement de leurs supérieurs ou si l'évaluation sera unilatérale. Il est également utile, bien que ce soit parfois difficile, de choisir et d'utiliser pour l'entrevue un endroit neutre, pour faire en sorte que ni le superviseur ni le subordonné ne se trouve en position de supériorité. Par ailleurs, la rencontre sera jugée plus constructive si chaque partie dispose du temps nécessaire pour assumer sa part de la tâche.

La collecte de l'information pertinente. Si les titulaires s'engagent dans le processus, il sera utile de leur donner suffisamment de temps pour mettre à jour leurs dossiers de rendement et faire une révision succincte des éléments qu'ils contiennent. Dans le cas où les employés procèdent eux-mêmes à la révision des données de leur rendement, on devrait mettre à leur disposition les évaluations établies par leurs supérieurs afin qu'ils puissent les comparer à leur propre évaluation avant le début de l'entrevue.

De plus, l'évaluateur et l'évalué devraient systématiquement prendre note de toute information susceptible d'être utile à la discussion. À cet égard, on peut revoir les dossiers relatant des incidents critiques ou relevant des comportements. Il est également important de procéder à la révision de la description de poste de l'employé. De plus, un ordre du jour, auquel la personne évaluée peut faire des ajouts ou des amendements, peut être utile.

LES CATÉGORIES D'ENTREVUES

On peut distinguer quatre grandes catégories d'entrevues : (1) l'entrevue d'information et de persuasion ; (2) l'entrevue d'information et d'écoute ; (3) l'entrevue de résolution de problèmes ; et (4) l'entrevue mixte.

Information et persuasion. L'entrevue d'information et de persuasion, ou entrevue directive, vise à informer le subordonné de son niveau de rendement et à le convaincre de l'utilité d'établir des objectifs pour améliorer celui-ci, si nécessaire. Cette entrevue se révèle particulièrement utile pour stimuler l'engagement des subordonnés qui manifestent peu de désir de participer au processus. Bien que ce genre d'entrevue semble le plus approprié pour procéder à des évaluations, les subordonnés peuvent ressentir de la frustration en tentant de convaincre leurs supérieurs de porter attention aux motifs justifiant leur niveau de rendement.

Information et écoute. Cette approche ne privilégie aucune structure rigide. L'entrevue d'information et d'écoute exige cependant une bonne préparation et requiert de l'évaluateur certaines compétences pour formuler les bonnes questions, ainsi qu'une bonne capacité d'écoute. Cette entrevue offre la possibilité aux subordonnés de jouer un rôle actif et d'établir un véritable dialogue avec leurs supérieurs. Elle a pour but principal de permettre au supérieur de transmettre aux subordonnés une appréciation de leurs forces et de leurs faiblesses et de leur donner la possibilité de réagir. Les supérieurs reformulent et résument ensuite les réactions de leurs subordonnés, mais ils évitent généralement de définir des objectifs d'amélioration du rendement. Par conséquent, les subordonnés peuvent se sentir rassurés, sans que leur rendement ne soit amélioré pour autant.

Résolution de problèmes. À cause des faiblesses des approches décrites précédemment, un bon nombre d'évaluateurs perçoivent l'entrevue d'évaluation comme une tribune où ils peuvent, avec leurs subordonnés, régler des problèmes de rendement. L'entrevue de résolution de problèmes favorise un dialogue actif et ouvert entre le supérieur et le subordonné, impliquant une discussion portant sur les perceptions réciproques, les divergences et la recherche de solutions. Le supérieur et le subordonné fixent en outre d'un commun accord des objectifs d'amélioration du rendement. Ce genre d'entrevue est généralement plus complexe que les autres et nécessite souvent une formation en matière de résolution de problèmes.

L'entrevue mixte. L'entrevue mixte combine les particularités de l'entrevue d'information et de persuasion et de l'entrevue de résolution de problèmes. Elle peut s'avérer très efficace lorsque les évaluateurs ont reçu une formation suffisante et possèdent les compétences requises pour satisfaire les divers objectifs de l'entrevue, en particulier la capacité d'effectuer habilement la transition d'une dimension de l'entrevue à l'autre. Comme nous l'avons vu précédemment, il serait souhaitable d'avoir recours à l'entrevue d'information et de persuasion pour l'évaluation du rendement, et à l'entrevue de résolution de problèmes pour la détermination des besoins de perfectionnement, mais la réalisation de deux entrevues distinctes peut se révéler impossible. Par conséquent, une entrevue mixte unique permet souvent d'atteindre ces deux objectifs. Au début de l'entrevue, le supérieur communiquera ainsi à son subordonné une appréciation de son rendement, et une période de discussion se déroulera par la suite, au cours de laquelle seront établis d'un commun accord des objectifs d'amélioration du rendement.

LES MOYENS D'AMÉLIORER L'EFFICACITÉ DE L'ENTREVUE

L'entrevue mixte peut certainement constituer une structure efficace d'entrevue, quoique sa réelle efficacité dépende d'une multitude de facteurs. Ainsi, les modalités de la rétroaction auront une influence prépondérante sur son succès. L'encadré 8.24 présente les dix caractéristiques d'une rétroaction efficace.

Même lorsque la rétroaction se révèle efficace, il est nécessaire de procéder à un suivi, de façon à vérifier si l'entente impliquant la modification du comportement, qui a été négociée lors de l'entrevue, est respectée. Comme il est difficile de modifier un comportement, de nombreux évaluateurs négligent d'effectuer ce suivi et rangent le document d'entente dans un endroit inaccessible, pour ne le réexaminer qu'à la veille de la période d'évaluation suivante. À l'opposé, les gestionnaires efficaces s'assurent que les titulaires des postes adoptent une stratégie de changement et que les améliorations se poursuivent.

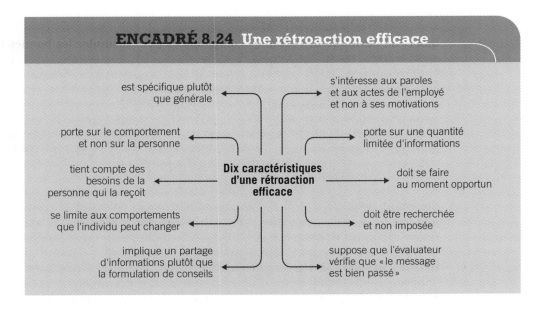

ENCADRÉ 8.24 Une rétroaction efficace

Dix caractéristiques d'une rétroaction efficace

- est spécifique plutôt que générale
- s'intéresse aux paroles et aux actes de l'employé et non à ses motivations
- porte sur le comportement et non sur la personne
- porte sur une quantité limitée d'informations
- tient compte des besoins de la personne qui la reçoit
- doit se faire au moment opportun
- se limite aux comportements que l'individu peut changer
- doit être recherchée et non imposée
- implique un partage d'informations plutôt que la formulation de conseils
- suppose que l'évaluateur vérifie que « le message est bien passé »

REVUE DE PRESSE
Les employés veulent l'heure juste
80 % du feedback devrait être donné avant l'évaluation annuelle

Kathy Noël

S'il n'y avait qu'un talent à développer dans l'art de donner du *feedback* à ses employés, ce serait d'être aussi précis et constant qu'un tireur d'élite. Quoique bien intentionnés, les patrons sont souvent trop vagues et irréguliers peu importe qu'ils félicitent ou qu'ils réprimandent.

« Pour être efficace, le feedback doit être précis, régulier, factuel et amener la personne à s'exprimer aussi », dit Claude Paquet, psychologue industriel, conseiller principal de Raymond Chabot, Ressources humaines.

Le feedback, ou la rétroaction, les employés en sont voraces, surtout les nouvelles recrues. Ils ne veulent pas attendre l'évaluation annuelle du rendement pour avoir l'heure juste. Est-ce que je suis correct ? Est-ce que je réponds aux exigences ? Bref, est-ce que ça va ?

Pris par le temps, les gestionnaires ont du mal à répondre à ces inquiétudes tout à fait naturelles. Ils privilégient la règle du « si nous ne disons rien, c'est que nous sommes contents ». Voilà une grave erreur, estime M. Paquet. Et seulement s'occuper de ceux qui vont mal, c'est oublier l'autre moitié qui fait du bon travail et qui tire l'entreprise dans le bon sens.

« L'absence de feedback régulier quand ça va bien peut être perçue négativement. Les employés peuvent avoir l'impression que ça ne vaut pas la peine de se forcer car personne ne le reconnaît. À l'inverse, ne pas le dire quand ça va mal encourage des comportements négatifs », dit-il.

En fait, selon le psychologue industriel, 80 % du feedback devrait avoir été donné pendant les activités courantes de l'entreprise. L'évaluation annuelle viendra préciser ou ajouter certaines observations. « Il faut donner son feedback le plus près possible du comportement positif ou négatif qu'on veut voir se répéter ou disparaître ».

Richard Gendron, vice-président, ventes et marketing, de Solutions d'affaires Téléglobe, est l'un de ceux qui battent le fer quand il est chaud. Séances de tapes dans le dos collectives, petits messages sur la boîte vocale pour les remerciements ; il n'est pas non plus du genre à s'accrocher au manuel du parfait petit *coach*.

« Nous travaillons dans un monde interactif, il faut se parler quand les choses sont fraîches », dit-il.

Les gens vont s'adapter plus rapidement aux changements s'ils ont rapidement des commentaires sur leur performance, constate également Normand Belisle, président du Groupe Pixcom. Mais le plus difficile, c'est d'être assidu. Le temps est une denrée rare et précieuse.

« Mon truc, c'est d'incorporer ça dans les discussions stratégiques. Une fois par mois, je rencontre un à un mes employés pour discuter des projets et j'en profite pour exprimer mes commentaires sur leur travail », dit-il.

Visez les conséquences, non la personne

Le feedback le plus efficace est celui qui est le plus précis. Il doit être basé sur des faits objectifs. « Au lieu de dire que c'est beau, il faut dire ce que l'on a apprécié exactement. Une tape dans le dos ne suffit pas, il faut préciser l'importance du comportement si on veut qu'il se répète », dit Alain Reid, vice-président de la Société Pierre Boucher, firme de psychologie industrielle.

Mais envoyer des fleurs est toujours plus facile et moins lourd de conséquences que de souligner ce qui cloche, admet M. Reid. « Dans ces cas, soit le gestionnaire n'en donne pas parce qu'il a peur de démolir la personne ou encore il le fait tout croche, ce qui, effectivement, risque fort de démolir la personne ! »

Dans ces situations hautement délicates, il suggère de s'isoler dans un endroit discret, d'y aller avec doigté et surtout de ne pas attaquer. Il faut centrer le feedback sur la conséquence du geste et non sur la personne pour montrer qu'on partage le problème.

« En fait, tu dis à l'employé : je t'apprécie et je ne voudrais pas que tu te replantes la prochaine fois. »

Certains préfèrent la ligne directe, comme Philippe Collard, président de Virtual Prototypes. « Il ne faut jamais trop essayer d'emballer les choses, il faut être direct. Quand ça ne va pas, je le dis. Je préfère me faire interrompre quand je dis quelque chose qui n'a pas de sens. Les gens prennent du temps avant de s'y habituer, mais ils n'ont jamais de surprise », dit-il.

L'erreur est de déballer son sac sans laisser le temps à l'autre de répliquer. Et que l'on soit du style direct ou du style politicien, rien n'empêche de se faire un petit scénario. Tout en restant sincère.

La sincérité, voilà pourquoi Normand Belisle préfère rester avare de commentaires positifs et laisser aller la spontanéité. « Rendre les félicitations plus rares leur donnent plus de valeur et des fois, c'est subtil. Vaut mieux être mesuré. J'ai connu certains gestionnaires qui en mettaient trop et qui disaient ça tellement souvent qu'on se disait que quand ce serait vraiment exceptionnel, il n'aurait plus de mots ! »

Source : Les Affaires, *samedi le 22 avril 2000, p. 25*

Les erreurs les plus fréquentes quand on donne du feedback

- Trop parler, ne pas écouter ;
- Être vague et imprécis ;
- Aborder le sujet avec des questions ouvertes du genre « Comment ça va chez nous ?... » ;
- Avoir la même approche pour tout le monde ;
- Imposer son point de vue et ses solutions ;
- Attendre l'évaluation annuelle ;
- Faire des commentaires devant les collègues ;
- Attaquer la personne sur des traits de personnalité ;
- Oublier de féliciter les plus performants ;
- Tourner autour du pot.

VII Les tendances dans le domaine de l'évaluation du rendement

Alors que la pression pour une plus grande compétitivité s'intensifie et que les lacunes des systèmes d'évaluation actuels apparaissent souvent au grand jour, les entreprises continuent de rechercher des moyens d'augmenter l'efficacité de leurs employés. Par exemple, des efforts ont été déployés ces dernières années pour améliorer les méthodes et les approches utilisées pour l'évaluation du rendement. En fait, il s'agit plutôt d'une tentative de réduire l'importance accordée aux caractéristiques individuelles pour mettre plus en évidence les comportements au travail. Cependant, ce virage n'a pas été suffisant dans la mesure où la validité et la précision des processus de notation demeurent problématiques, principalement à cause des erreurs des évaluateurs, de la faible motivation qu'ils démontrent dans l'exécution de cette tâche et du faible degré d'acceptation des systèmes d'évaluation du rendement par les employés. Certaines approches innovatrices, énumérées ci-dessous, visent actuellement à apporter des solutions à ces problèmes et méritent qu'on leur porte attention.

- Faire en sorte que la conduite de l'évaluation du rendement soit une tâche pour laquelle l'évaluateur sera lui-même évalué. En effet, il est à espérer que la reconnaissance de la fonction d'évaluation comme une partie importante du travail des superviseurs augmentera leur motivation à accomplir cette fonction et les incitera à procéder de façon plus consciencieuse.

- Amorcer un changement qui vise l'instauration de systèmes d'évaluation multiple (c'est-à-dire impliquant plusieurs évaluateurs) et qui favorise la contribution des pairs, plutôt que de s'en tenir à la seule évaluation du supérieur. Cette orientation est d'ailleurs davantage conforme à la tendance actuelle qui privilégie l'allégement des structures organisationnelles. On constate, en outre, qu'un bon nombre de méthodes d'évaluation sont désormais informatisées afin d'augmenter l'efficacité de la manipulation des données requises pour la notation et l'administration. De cette façon, une grande partie du fardeau administratif est transférée à l'ordinateur, ce qui permet de gagner beaucoup de temps.

- Une des composantes essentielles d'un système d'évaluation efficace a trait à la compétence des évaluateurs. La formation des évaluateurs assure l'application de façon uniforme des politiques et des procédures, dans la mesure où les évaluateurs comprennent l'importance des relations existant entre l'évaluation du rendement et le perfectionnement des individus. Ceci aura pour conséquence de valoriser les besoins réels de l'employé plutôt que les préoccupations liées à la rémunération.

AVIS D'EXPERT
L'évaluation du rendement
par Gary Latham

L'évaluation du rendement a pour objectif de veiller à la motivation et au perfectionnement des individus. Les évaluations du rendement sont effectuées afin d'accroître les connaissances et les compétences des employés et de leur inculquer une culture prônant le perfectionnement continu.

Les résultats d'une étude réalisée par Gary Latham et Nancy Naper auprès de deux compagnies américaines ont révélé que les gestionnaires essaient d'éviter les évaluations du rendement qu'ils considèrent comme inutiles. Ces résultats viennent une fois de plus confirmer les résultats d'études antérieures menées auprès de gestionnaires de General Electric par Herb Meyer qui révélaient que les évaluations du rendement contribuent à réduire la performance des employés au lieu de l'améliorer. C'est pour cette raison que les employés déplorent ces systèmes et remettent en cause la légitimité des évaluations du rendement.

Des recherches effectuées à la fin du XXᵉ siècle ont avancé des solutions qui permettraient de rendre les évaluations du rendement plus efficaces. Parmi ces solutions figure la nécessité d'aligner les évaluations du rendement sur la stratégie organisationnelle. Ainsi, les évaluations du rendement devraient être basées sur des analyses de postes afin d'identifier les comportements qui assureraient le meilleur rendement. De plus, des objectifs stimulants auront pour effet de motiver les individus au travail. Par ailleurs, la rétroaction devrait être de mise et devrait être transmise de façon continue. Elle devrait également provenir de diverses sources, à savoir les collègues, les supérieurs, les clients et les subordonnés. En effet, la rétroaction provenant d'une seule source risquerait de ne pas être assez représentative des comportements de l'individu à l'égard des autres intervenants dans l'organisation. D'ailleurs, la rétroaction à 360 degrés met en évidence cette nécessité. En outre, la rétroaction, basée sur une information objective, devrait être transmise à l'employé de manière à combler ses attentes et à renforcer sa confiance en lui afin qu'il soit en mesure d'atteindre les objectifs fixés. Finalement, les différents évaluateurs et observateurs devraient être formés afin de fournir des évaluations objectives.

Gary Latham a occupé le poste de *Motor Research Professor and Chairman of the Management and Organization* à l'Université de Washington. Depuis septembre 1990, il a accepté une chaire à l'Université de Toronto où il occupe le poste de *Secretary of State Professor of Organizational Effectiveness*.

RÉSUMÉ

L'évaluation du rendement des employés est une autre activité importante de la gestion des ressources humaines. Dans ce chapitre, nous l'examinons sous l'aspect d'un ensemble de processus et de procédures qui visent l'élaboration de normes, de critères et de mesures fiables, suffisamment souples cependant pour évoluer dans le temps.

Puisque l'évaluation du rendement est liée aux autres activités de la gestion des ressources humaines, il est important de bien comprendre les raisons pour lesquelles il est nécessaire de recueillir des données d'évaluation ainsi que l'utilisation qui en est faite. Un système efficace d'évaluation du rendement comporte de nombreuses composantes ; il sert généralement deux buts bien précis : (1) informer les titulaires des postes de leur contribution respective à l'organisation (rôle d'évaluation), et (2) informer et orienter les employés ayant des difficultés de rendement afin qu'ils puissent s'améliorer (rôle de formation).

Dans le cadre des évaluations du rendement, il est nécessaire de procéder à une analyse en profondeur des postes de façon à élaborer des critères d'évaluation directement reliés aux exigences du poste. L'expérience démontre que l'utilisation de méthodes dites subjectives entraîne une plus grande occurrence de poursuites judiciaires. Les entreprises ont adopté un nombre considérable d'approches et de méthodes d'évaluation au fil des ans ; nous avons choisi ici de les regrouper en trois catégories : (1) les approches comparatives ou normatives, (2) les approches comportementales, et (3) les approches axées sur la production. Le choix de l'approche la plus appropriée se fera en fonction de plusieurs critères incluant le but visé par l'évaluation (évaluation ou formation), le coût de l'élaboration et de l'implantation du système, le degré de réduction des erreurs d'évaluation souhaité et l'approbation du système par l'utilisateur.

Malgré le soin qu'apportent les professionnels de la gestion des ressources humaines au choix et à l'implantation d'un système, ils sont souvent frustrés par l'échec des gestionnaires hiérarchiques à mettre en œuvre de façon consistante et efficace le système. Un certain nombre d'obstacles peuvent contribuer à la résistance de l'évaluateur face à un système d'évaluation : l'évaluateur peut ne pas avoir l'occasion d'observer directement le rendement du ou des subalternes ; il peut ne pas disposer de critères de rendement bien définis ; à titre d'être humain, il est aussi sujet aux erreurs de jugement ; ou encore, il est possible que l'évaluateur lui-même perçoive l'évaluation du rendement comme une activité génératrice de conflits et tente par conséquent de l'éviter. On observe, en fait, un sentiment d'insatisfaction chez un certain nombre d'utilisateurs de systèmes d'évaluation du rendement, qui est attribuable à une série de facteurs : le contexte de l'évaluation et la motivation de l'employeur, les caractéristiques de l'évaluateur et de la personne évaluée, la vulnérabilité des mesures aux erreurs de l'évaluateur et des personnes évaluées, les postulats erronés concernant le processus d'évaluation du rendement.

La rétroaction doit faire partie intégrante d'un processus d'évaluation du rendement. La rétroaction sert à informer l'employé de ses problèmes de rendement et à élaborer avec lui des stratégies d'amélioration. Afin de fournir une rétroaction efficace à leurs subordonnés, les supérieurs doivent utiliser des données d'évaluation appropriées et spécifiques, poursuivre de façon distincte les objectifs d'évaluation et de perfectionnement, éviter de recourir aux données d'évaluations antérieures ou potentielles lors des évaluations actuelles, et tenter d'intégrer au processus l'évaluation des supérieurs par leurs subordonnés et les évaluations réciproques entre collègues. L'efficacité de l'entrevue et de la rétroaction peut être accrue si l'évaluation est conduite de manière équitable, en respectant les diverses dispositions juridiques. Ce résultat est atteint plus facilement lorsque le service de la gestion des ressources humaines procède à l'évaluation de tous les employés, en utilisant autant que possible des critères objectifs et en permettant aux subordonnés d'avoir accès à leurs rapports d'évaluation.

Questions de révision et d'analyse

1. *Que comprend un système d'évaluation du rendement ? Indiquez-en les principaux facteurs.*

2. *Quels sont les objectifs visés par l'évaluation du rendement ? Mentionnez au moins quatre objectifs distincts.*

3. *De quelle façon peut-on structurer des formulaires d'évaluation du rendement de manière à réduire l'impact des erreurs de l'évaluateur ?*

4. *Quel critère important permet de répondre à la question suivante : « Quel est le meilleur formulaire d'évaluation du rendement ? »*

5. *Quelles relations existent entre l'évaluation du rendement et les autres activités de la gestion des ressources humaines ? Soulignez-en au moins trois.*

6. *Quelles sont les trois principales approches d'évaluation du rendement ? Donnez un exemple de chacune d'entre elles.*

7. *Quelle différence fondamentale y a-t-il entre les échelles BOS et les échelles BARS ?*

8. *Nommez quelques-unes des erreurs typiques liées à l'évaluation du rendement ? Comment celles-ci peuvent-elles être amoindries ?*

9. *Quels sont les conflits inhérents à l'évaluation du rendement des employés ? Quelles en sont les conséquences ? Comment peut-on les réduire ?*

10. *Quelles considérations sont impliquées dans l'élaboration d'un système efficace d'évaluation du rendement ?*

11. *Quelles procédures doivent être entreprises préalablement à la réalisation de l'entrevue d'évaluation du rendement ?*

12. *Soulignez les caractéristiques des différents types d'entrevues utilisées dans le cadre de l'évaluation du rendement ?*

13. *Quels aspects de l'entrevue sont susceptibles d'augmenter l'efficacité de l'évaluation du rendement ?*

14. *Quel type de rétroaction et quels aspects des objectifs risquent d'empêcher l'employé d'atteindre un niveau de rendement acceptable ?*

15. *Quelles sont les principales causes des problèmes de rendement ?*

16. *Faites état de quelques-unes des nouvelles tendances dans le domaine de l'évaluation du rendement.*

ÉTUDE DE CAS
Les misères de l'évaluation du rendement

Luc Gendron, assis à son bureau, jette un coup d'œil sur le formulaire d'évaluation du rendement qu'il vient tout juste de compléter concernant Jean Lebon, un de ses agents d'assurances. Jean est justement en route vers le bureau de Luc pour leur rencontre d'évaluation annuelle. Luc redoute ces rencontres, même lorsqu'une rétroaction négative n'entraîne pas de face à face avec ses employés.

Il y a deux ans, la compagnie d'assurances Standard, qui a connu une croissance très rapide, a décidé d'implanter un système formel d'évaluation du rendement. Tous les superviseurs ont donc dû se familiariser avec le nouveau formulaire, qui comprend cinq sous-catégories, en plus d'un système de notation global. On a demandé aux superviseurs d'évaluer leurs employés pour chacun des paramètres à l'aide d'une échelle d'évaluation en cinq points, où la note 1 qualifie un comportement inacceptable et la note 5, un comportement exceptionnel. On a conseillé en outre aux superviseurs de constituer un dossier sur chaque employé dans lequel ils pourraient noter les événements typiques d'un bon ou d'un mauvais rendement survenus au cours de l'année, de manière à pouvoir s'y référer lors de l'évaluation annuelle du rendement. On leur a aussi indiqué qu'ils ne devaient attribuer une note globale de 1 ou de 5 que s'ils disposaient d'une information substantielle pour l'étayer. Luc n'a jamais attribué l'une ou l'autre de ces notes car il a négligé de consigner la totalité des incidents spécifiques à chacun de ses employés. Il estime que la procédure consistant à relever les événements significatifs appuyant une telle note exige trop de temps. Cependant, il croit que plusieurs employés de son service méritent la note 5, bien qu'aucun ne se soit encore plaint de ne pas l'avoir obtenue.

Jean est l'un de ces employés exceptionnels. Luc a consigné trois ou quatre exemples du rendement exceptionnel dans le dossier de Jean, mais en parcourant le formulaire d'évaluation, il lui est difficile de déterminer clairement la catégorie à laquelle ces incidents appartiennent. « Bon, se dit-il, je n'ai qu'à lui attribuer des notes de 3 ou de 4, ainsi je n'aurai pas à justifier ma décision, et d'ailleurs Jean ne s'est jamais plaint de mon évaluation auparavant. » Une des catégories s'intitule « analyse des outils de travail ». Luc n'a jamais vraiment compris ce que cela signifiait ni si c'était pertinent dans le cas d'un agent d'assurances. Il a donc coché la note 3 (satisfaisant) pour Jean, tout comme il l'a d'ailleurs fait pour toutes les évaluations qu'il a effectuées. Il comprend la signification des autres catégories – qualité du travail, quantité de travail, amélioration des méthodes de travail et relations avec les collègues de travail – mais il ne parvient pas à distinguer clairement la valeur des notes 3 ou 4 associées à chacune des catégories.

Jean frappe à la porte du bureau de Luc et entre. Luc lève les yeux et sourit. « Bonjour Jean, assieds-toi. Si tu veux, réglons rapidement cette question, et nous pourrons ensuite retourner au travail, d'accord ? »

Questions

1. *Quels problèmes semblent comporter le système d'évaluation utilisé par Luc ?*

2. *Quelles réactions peut-on attendre de la part de Jean qui récoltera des notes de 3 ou de 4, alors que l'on considère qu'il est un travailleur exceptionnel ?*

3. *Quelles suggestions faites-vous pour améliorer le système d'évaluation du rendement ?*

4. *Quelles suggestions faites-vous pour améliorer le fonctionnement de Luc ?*

NOTES ET RÉFÉRENCES

1 G. Boudreaux, « Response : What TQM Says About Performance Appraisal », *Compensation and Benefits Review,* mai-juin 1994, p. 20-24.

2 P. Laurin et D. Boisvert, *L'évaluation collaborative du rendement, guide méthodologique,* Sainte-Foy, Éd. Presses de l'Université du Québec,1997.

3 P. M. Podsakoff, M. L. Williams et W. E. Scott, « Myths of Employee Selection » dans R. S. Schuler, S. A. Youngblood et V. Huber, *Readings in Personnel and Human Resource Management,* 3e éd., West Publishing, 1988, p. 178-192.

4 C. G. Banks et K. E. May, « Performance Management : The Real Glue in Organizations », dans A. I. Kraut et A. K. Korman, *Evolving Practices in Human Resource Management,* San Francisco, Eds. Jossey-Bass, 1999.

5 G.-P. Réhayem, *Supervision et gestion des ressources humaines,* 2e édition, Boucherville, Éd. Gaëtan Morin, 1997.

6 S. E. Jackson et R. S. Schuler, *Managing Human Resources : A Partnership Perspective,* Cincinnati (Ohio), South-Western Publishing, 2000.

7 T. A. Judge et G. R. Ferris, « Social Context of Performance Evaluation Decisions », *Academy of Management Journal,* vol. 36, 1993, p. 80-105.

8 C. Viswesvaran, D. S. Ones et F. L. Schmidt, « Comparative Analysis of the Reliability of Job Performance Ratings », *Journal of Applied Psychology,* vol. 81, 1996, p. 557-574.

9 A. Bazinet, *L'évaluation du rendement, les méthodes d'évaluation des cadres de l'entreprise,* Québec, Éd. Agence d'ARC, 1980. Voir également A. Petit. et V. Haines, « Trois instruments d'évaluation du rendement », *Gestion,* septembre 1994, p. 59-68.

10 A. Bazinet, *op. cit.*; A. Tziner, *L'évaluation des emplois et du rendement, concepts et applications,* Montréal, Éd. Nouvelles, 1996.

11 D. Boucher et C. Doyon, *Sachez évaluer votre personnel, le chemin de la réussite,* Ottawa, Éd. Agence d'ARC, 1991.

12 G.-P. Réhayem, *op. cit.*

13 G.-P. Réhayem, *op. cit.*

14 K. Bhote, « Boss Performance Appraisal : A Metric Whose Time has Gone », *Employment Relations Today,* vol. 21, no 1, printemps 1994, p. 1-9.

15 J. M. Werner, « Que sait-on de la rétroaction à 360 degrés ? », *Gestion,* vol. 19, no 3, septembre 1994, p. 72.

16 T. J. Maurer, N. S. Raju et W. C. Collins, « Peer and Subordinate Performance Appraisal Measurement Equivalence », *Journal of Applied Psychology,* vol. 83, 1998, p. 693-702.

17 B. D. Cawley, L. M. Keeping et P. E Levy, « Participation in the Performance Appraisal Process and Employee Relations : A Meta-Analytic Review of Field Investigations », *Journal of Applied Psychology,* vol. 83, 1998, p. 615-633.

18 J. M. Werner, *op. cit.*

19 A. Tziner, *op. cit.* Voir également J. E Milliman, R. A. Zawacki, C. Norman, L. Powell et J. Kirksey, « Companies Evaluate Employees from All Perspectives », *Personnel journal,* vol. 73, no 11, 1994, p. 99-103.

20 J. M. Werner, *op.cit.*

21 M. R. Edwards et A. J. Ewen, *Providing 360 Degree Feedback : An Approach to Enhancing Individual and Organizational Performance,* Scottsdale (AZ), American Compensation Association, 1996.

22 D. A. Waldman et L. E. Atwater, *The Power of 360° Feedback : How To Leverage Performance Evaluation For Top Productivity,* Houston (TX), Gulf Publishing Co., 1998 ; M. Foschi, « Double Standards in the Evaluation of Men and Women », *Social Psychology Quarterly,* vol. 59, 1996, p. 237-254 ; M. R. Edwards et A. J. Ewen, « How to Manage Performance and Pay With 360-Degree Feedback », *Compensation and Benefits Review,* vol. 28, no 3, mai-juin 1996, p. 41-46.

23 M. Gibb-Clark, « Evaluating Work Performance of Employees », *The Globe and Mail,* 22 février 1989, p. B-13.

24 R. C. Mayer et J. H. Davis, « The Effects of the Performance Appraisal System on Trust for Management : A Field Quasi-Experiment », *Journal of Applied Psychology,* vol. 84, 1999, p. 123-136.

25 « Whitbreads's Employee Counselling Program », *Industrial Relations Review and Report,* 25 avril, 1989, p. 11-14 ; Voir également T. A. Judge et G. R. Ferris, *op. cit.*

26 D. Antonioni, « Improve the Management Process Before Discontinuing Performance Appraisals », *Compensation Benefits Review,* mai-juin 1994, p. 29.

27 G.-P. Réhayem, *op. cit. ;* A. Bazinet, *op. cit.*

28 A. Bazinet, op. *cit.*

29 A. Bazinet, *op. cit.*

30 G.-P. Réhayem, *op. cit.*

31 A. Tziner, *op. cit.*

32 D. Antonioni, « The Effects of Feedback Accountability on Upward Appraisal Ratings », *Personnel Psychology,* vol. 47, 1994, p. 349-360.

33 A. Bazinet, *op. cit.*

34 Les exemples utilisés pour la présentation des échelles BARS chez Via Rail ont été fournis par Sylvie Plante, une étudiante de l'Université McGill, dans le cadre d'un travail de session soumis au professeur S. L. Dolan en 1989.

35 L. E. Atwater, C. Ostroff, F. J. Yammarino et J. W. Fleenor, « Self-Other Agreement : Does It really Matter ? », *Personnel Psychology,* vol. 51, 1998, p. 577-598.

36 A. Gosselin et K. R. Murphy, « L'échec de l'évaluation de la performance », *Gestion,* vol. 19, no 1, 1995, p. 17-28.

37 J. M. Jerrell et J. F. Rightmyer, « Evaluating Employee Assistance Programs : A Review of Methods, Outcomes, and Future Directions », *Evaluation and Program Planning,* vol. 5, 1982, p. 255-267. Voir également T. A. Judge et G. R. Ferris, *op. cit.,* p. 80-105.

38 C. Frayne et G. Latham, « Application of Social Learning Theory to Employee Self-Management of Attendance », *Journal of Applied Psychology,* vol. 72, 1987, p. 387-392 ; G. Latham et C. Frayne, « Self Management, Training for Increasing Job Attendance : A Follow Up and Replication », *Journal of Applied Psychology,* vol. 74, 1989, p. 411-416 ; P. Karoly Pand et F. Kafner, *Self Management and Behaviour Change : From Theory to Practice,* New York, Pergamon Press, 1986 ; J. M. Conway, « Distinguishing Contextual Performance From Task Performance for Managerial Jobs », *Journal of Applied Psychology,* vol. 84, 1999, p. 3-13.

39 C. Fletcher, « Appraisal : An Idea Whose Time Has Gone ? », *Personnel Management,* septembre 1993, p. 34-37.

40 M. S. Taylor, S. S. Masterson, M. K. Renard et K. B. Tracy, « Managers' Reactions to Procedurally Just Performance Management Systems », *Academy of Management Journal,* vol. 41, 1998, p. 568-579.

41 C. Fletcher, *op. cit.*

42 K. Bhote, *op. cit.*

43 M. K. Mount, M. R. Sytsma, J. Fisher Hazucha et K. E. Holt, « Rater-Ratee Race Effects in Developmental Performance Ratings of Managers », *Personnel Psychology,* vol. 50, 1997, p. 51.

44 Résultats d'une recherche non publiés, fournis par S. L. Dolan.

45 L. Solomonson et C. E. Lance, « Examination of the Relationship Between True Halo and Halo Error in Performance Ratings », *Journal of Applied Psychology,* vol. 82, 1997, p. 665-674 ; K. R. Murphy, R. A. Jako et R. L. Anhalt, « Nature and Consequences of Halo Error : A Critical Analysis », *Journal of Applied Psychology,* vol. 78, 1993, p. 218-225.

46 S. J. Wayne et R. C. Liden, « Effects of Impression Management on Performance Ratings : A Longitudinal Study », *Academy of Management Journal,* vol. 38, 1995, p. 232-260.

47 S. B. Wehrberg, « Train Supervisors to Measure and Evaluate Performance », *Personnel Journal,* vol. 67, 2 février 1988, p. 78-79.

Lectures supplémentaires

- H. Church et D. W. Bracken, « 360 Degree Feedback Systems », Édition spéciale de *Group & organization Management,* Thousands Oaks (CA), Sage Publications, juin 1997.

- R. Lepsinger et A. D. Lucia, *The Art and Science of 360° Feedback,* San Francisco, Pfeiffer, 1997.

- C. E. Lance, J. A. Lapointe et A. M. Stewart, « A Test of the Context Dependency of Three Causal Models of Halo Rater Error », *Journal of Applied Psychology,* vol. 79, 1994, p. 332-340.

- M. Jawahar et C. R. Williams, « Where All the Children Are Above Average : The Performance Appraisal Purpose Effect », *Personnel Psychology,* vol. 50, 1997, p. 905-926.

- J. S. Kane, H. J. Bernardin, P. Villanova et J. Peyrefitte, « Stability of Rater Leniency : Three Studies », *Academy of Management Journal,* vol. 38, 1995, p. 1036-1051.

- T. J. Maurer, J. K. Palmer et D. K. Ashe, « Diaries, Checklists, Evaluations and Contrast Effects in Measurement of Behavior », *Journal of Applied Psychology,* vol. 78, 1993, p. 226-231.

- N. M. A. Hauenstein, « Training Raters to Increase Accuracy of Appraisals and the Usefulness of Feedback », dans J. W. Smither, *Performance Appraisal : State of the Art in Practice,* San Francisco, Ed. Jossey-Bass, 1998, p. 404-442.

- R. F Martell et M. R. Borg, « A Comparison of the Behavioral Rating Accuracy of Groups and Individuals », *Journal of Applied Psychology,* vol. 78, 1993, p. 43-50.

- K. Kirkland et S. Manoogian, *Ongoing Feedback : How to Get It, How to Use It,* Greensboro (NC), Center for Creative Leadership, 1998.

- V. U. Druskat et S. B. Wolff, « Effects an Timing of Developmental Peer Appraisals in Self-Managing Work Groups », *Journal of Applied Psychology,* vol. 84, 1999, p. 58-74.

- D. Harrington-Mackin, *The Team Building Tool Kit : Tips Tactics, And Rules for Effective Workplace Teams,* New York, Amacom, 1994.

- K. A. Guion, « Performance Management for Evolving Self-Directed Work teams », *ACA Journal,* hiver 1995, p. 67-75.

CHAPITRE

9

Le développement des compétences des ressources humaines

I Le développement des compétences : définition, importance et processus

Le succès des entreprises est fortement associé au développement des compétences de leurs employés. Les entreprises consacrent effectivement des sommes de plus en plus importantes au développement des compétences de leur main-d'œuvre, mais il ne s'agit pas d'une responsabilité qui leur est exclusive. Les gouvernements, les établissements d'enseignement et le milieu du travail doivent aussi apporter leur contribution dans ce domaine. En effet, certaines recherches indiquent que les pays qui adoptent une approche stratégique en matière de formation ont un avantage sur ceux qui laissent ces initiatives aux seules entreprises.

Consultez Internet

www.ocde.org

Site de l'Organisation de coopération et de développement économique, qui brosse un portrait statistique de la situation des différents pays membres.

La performance économique du Canada n'a pas été des plus réjouissantes au cours des années 80 et dans la première moitié des années 90, comme en témoignent le niveau élevé du chômage structurel, la baisse de la balance commerciale et la faible croissance de la productivité. L'analphabétisme et les pénuries de personnel qualifié semblent être à l'origine du manque de compétitivité de notre pays. Or, le nouveau millénaire sera caractérisé par une concurrence de plus en plus vive des entreprises, dans un contexte marqué par la signature d'ententes de libre-échange et par l'accroissement de la compétition mondiale. Il ne faut pas nier que, depuis les dernières années, la situation de la formation dans l'entreprise s'est nettement améliorée. En 1983, un sondage commandé par le gouvernement fédéral indiquait que la grande entreprise canadienne offrait en moyenne 4,5 jours de formation annuelle à près de 20 % de ses employés, ce qui représentait environ 0,9 jour par personne. Selon une enquête menée par Statistique Canada en 1987, les entreprises canadiennes auraient dépensé 1,3 milliard de dollars au chapitre de la formation, soit 0,24 % de la production totale de l'économie pour cette même année. En 1994, une enquête de Statistique Canada a révélé que les employés des entreprises canadiennes suivent en moyenne 44 heures de formation par année, dont 27 sont à la charge de l'employeur, alors que ceux des entreprises des Pays-Bas reçoivent 74 heures de formation, dont 52 sont assumées financièrement par l'employeur. Il semble donc que la situation soit en voie de s'améliorer[1]. Au Québec, les résultats d'une enquête de Lefebvre[2] ont indiqué que la moyenne d'heures de formation donnée à tous les types d'employés est de 28 heures, soit l'équivalent de 4 jours par année. Selon cette même enquête, le personnel cadre bénéficie d'une plus grande part de la formation que le reste du personnel ; paradoxalement, les employés qui reçoivent le moins de formation et dont la durée de la formation est la plus brève sont ceux qui travaillent dans les services à la clientèle et les ventes. Soulignons que le Canada se classe loin derrière le Japon, où le travailleur moyen reçoit entre six et huit jours de formation[3]. Par contre, les données portant sur la formation en entreprise au Québec et aux États-Unis sont relativement similaires[4] (encadré 9.1).

Les entreprises sont conscientes de la nécessité d'investir massivement pour améliorer les compétences de leurs employés. Les connaissances sont rapidement dépassées et les nouvelles technologies sont mises en application de plus en plus vite sur les lieux de travail[5, 6]. Les organisations devront donc porter une attention particulière à l'utilisation des techniques et des programmes dans ce domaine.

ENCADRÉ 9.1 Comparaison entre les bénéficiaires de la formation en entreprise au Québec et aux États-Unis

Types d'emplois	% des organisations offrant de la formation		Nombre d'heures par année, par employé	
	Québec	États-Unis	Québec	États-Unis
Haute direction	58%	72%	27	31
Cadres supérieurs	73%	59%	23	31
Cadres intermédiaires	66%	71%	24	33
Professionnels	57%	67%	31	36
Superviseurs de 1er niveau	50%	66%	23	32
Service à la clientèle	36%	49%	15	32
Vente	31%	40%	16	37
Soutien administratif	72%	68%	21	21
Opérations et entretien	52%	40%	32	32
Total	—	—	**28**	—

Source : P. Lefebvre, « Un portrait statistique de la formation des travailleurs au Québec », *Info Ressources humaines,* avril-mai-juin 1997, p. 36-39.

UNE DÉFINITION

Le *développement des compétences* des employés fait référence aux activités d'apprentissage susceptibles d'accroître le rendement actuel et futur des employés en augmentant leur capacité d'accomplir les tâches qui leur sont demandées par l'amélioration de leurs connaissances, de leurs habiletés et de leurs attitudes. Le rendement d'un employé peut être décrit au moyen de la formule suivante :

$$R = f \text{ (connaissances, habiletés, attitudes, situation)},$$

où le rendement (R) est fonction (f) des connaissances, des habiletés et des attitudes de l'employé, ainsi que de la situation qui prévaut.

Une formation est donnée aux employés lorsque leur rendement est déficient et que cette situation peut être attribuée à des lacunes observées sur le plan des connaissances, des habiletés et des attitudes (encadré 9.2). Mais rappelons-nous cependant que le rendement des employés dépend également de facteurs contextuels tels que la technologie utilisée ou la qualité de la supervision.

ENCADRÉ 9.2 Questions visant à cerner les faiblesses observées sur le plan du rendement

- Connaissances : L'employé possède-t-il les connaissances nécessaires pour faire le travail demandé ?
- Habiletés : L'employé est-il en mesure d'accomplir les tâches qu'on lui demande de faire ?
- Attitudes : L'employé est-il motivé par son travail ou désire-t-il l'accomplir efficacement ?

Le développement des compétences des employés consiste à permettre à ceux-ci de vivre des expériences d'apprentissage qui ont pour but d'améliorer leur rendement en modifiant leurs connaissances, leurs habiletés et leurs attitudes (encadré 9.3). La formation se rapporte à l'accroissement des habiletés dont les employés ont besoin pour accomplir plus efficacement leurs tâches actuelles. Le perfectionnement ou développement du potentiel des employés concerne l'amélioration de leurs connaissances afin qu'ils puissent mieux accomplir un travail futur. Ces deux approches visent néanmoins le développement des compétences des employés et sont donc traitées dans ce chapitre.

ENCADRÉ 9.3 Les objectifs des activités d'apprentissage

- Enrichir les connaissances des employés.
- Mettre à jour leurs habiletés.
- Les préparer à des changements de carrière.
- Combler leurs lacunes en matière d'habiletés et de connaissances.
- Susciter des attitudes positives chez les employés à l'égard de leur emploi et de l'organisation.

L'IMPORTANCE DU DÉVELOPPEMENT DES COMPÉTENCES DES EMPLOYÉS

Dans les faits

IBM Canada a affecté près de 40 millions de dollars à la formation et au recyclage de son personnel en 1990. L'essentiel de cet investissement était consacré à la remise à jour des habiletés de son personnel, qui étaient devenues désuètes, et à l'amélioration de son service à la clientèle. L'entreprise a également engagé 14 millions de dollars dans la formation des clients qui utilisent ses produits[7].

Nous l'avons déjà souligné, le développement des compétences vise à combler les lacunes – actuelles et futures – des employés sur le plan du rendement, qui limitent le travail qu'ils pourraient accomplir au service d'une entreprise. La formation est particulièrement importante pour les organisations qui sont aux prises avec des taux de productivité stagnants ou décroissants. Elle l'est également pour celles qui intègrent rapidement des technologies de pointe à leur processus de production et qui sont, par conséquent, particulièrement touchées par le manque de connaissances et d'habiletés de leurs employés.

On peut aussi voir le développement des compétences dans l'entreprise comme un moyen d'accroître le sentiment d'appartenance que les employés témoignent à l'organisation et d'améliorer la perception qu'ils en ont. Il peut en résulter des taux de roulement et d'absentéisme moins élevés, propres à favoriser une augmentation de la productivité. Bien plus encore, une organisation qui aide son personnel à acquérir des habiletés transférables dans un nouvel emploi peut obtenir de meilleurs résultats tant en période d'expansion et de développement que de réduction de personnel. Dans les deux cas, les employés y gagnent à la fois sur le plan des promotions et sur celui de la sécurité d'emploi.

LES LIENS ENTRE LE DÉVELOPPEMENT DES COMPÉTENCES ET LES AUTRES ACTIVITÉS DE GRH

Comme le montre l'encadré 9.4, le développement des compétences fait appel à un grand nombre de techniques et de procédés qui sont liés à diverses activités de gestion des ressources humaines, notamment à la planification des ressources humaines, à l'analyse des postes, à l'évaluation du rendement, au recrutement et à la sélection, à la planification et à la gestion des carrières, de même qu'à la rémunération. Notons que les aspects juridiques de la gestion des ressources humaines liés à la

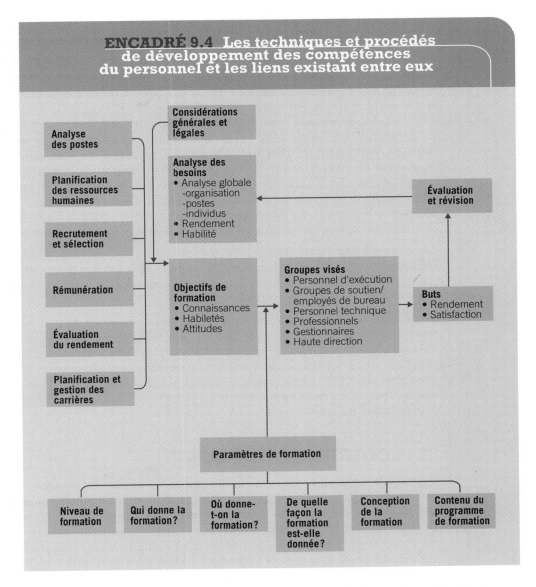

ENCADRÉ 9.4 Les techniques et procédés de développement des compétences du personnel et les liens existant entre eux

formation, en particulier l'application de la Loi sur la formation et le développement de la main-d'œuvre, seront traités dans le chapitre 14.

La planification des ressources humaines. Les changements organisationnels et technologiques obligent les organisations à faire face à un problème grandissant: combler leurs besoins en ressources humaines à partir du personnel existant. Les organisations prennent de plus en plus conscience de la nécessité de veiller à la formation et au développement de leurs employés et de structurer les activités de formation afin de faire en sorte qu'elles atteignent leurs objectifs.

L'analyse des postes et l'évaluation du rendement. Alors que la planification sert à établir le contexte général dans lequel le développement des compétences s'effectuera, l'analyse des postes et l'évaluation du rendement aident à préciser les besoins spécifiques de l'organisation en matière de développement des compétences. L'évaluation du rendement peut mettre en lumière certaines lacunes sur ce plan, lacunes que l'élaboration d'un programme de formation cherchera à atténuer. Par ailleurs, veiller à la formation d'une main-d'œuvre polyvalente peut permettre à une organisation de redéfinir le contenu des tâches et d'affecter du personnel aux postes ayant été modifiés.

Le recrutement et la sélection. Pour acquérir toutes les compétences dont elle a besoin, une organisation a deux possibilités : recruter les personnes possédant les compétences désirées à l'extérieur de l'organisation, ou former le personnel qui est à son emploi. Lorsqu'elle opte pour le recrutement externe, l'organisation doit assumer des dépenses supplémentaires. Du même coup, elle réduit les possibilités de promotion à l'intérieur de l'organisation qui peuvent servir de stimulants aux employés déjà en poste. C'est probablement en partie pour cette raison qu'un nombre important d'entreprises ont mis sur pied des programmes de développement des compétences afin d'accroître les habiletés du personnel, à la fois en fonction des postes actuels et de postes futurs. finalement, le développement des compétences fait partie intégrante du processus de socialisation, ce qui a pour effet de diminuer le temps qu'un employé consacre à l'apprentissage de ses nouvelles fonctions[8].

La gestion des carrières. Le développement des compétences peut également contribuer à réduire le roulement du personnel, en ce sens qu'il permet aux employés d'acquérir des habiletés qui leur donneront l'occasion de progresser dans l'entreprise et de se réaliser dans leur travail.

La rémunération. Une certaine forme de reconnaissance devrait être rattachée à toute activité de développement des compétences, car les employés ne seront pas nécessairement intéressés à améliorer leur rendement s'ils doivent le faire à leurs propres frais. L'utilisation de stimulants monétaires est importante, non seulement pour s'assurer de la participation des employés aux programmes de développement des compétences, mais également pour retenir les employés compétents, qui sont courtisés par les concurrents.

LE PROCESSUS DE FORMATION

De multiples raisons peuvent inciter les organisations à entreprendre un programme de formation, et celles-ci disposent pour ce faire d'un bon nombre de techniques. Néanmoins, la plupart des experts s'entendent pour dire que l'efficacité d'un programme de formation augmente s'il suit une succession de phases, commençant par l'analyse des besoins et se terminant par l'évaluation des résultats. Il arrive toutefois que des professionnels de la formation remettent en question cette progression. Nous présentons dans l'encadré 9.5 un modèle d'élaboration d'un programme de formation, constitué de trois phases : (1) la phase d'analyse, au cours de laquelle l'organisation détermine ses besoins en matière de développement des compétences ; (2) la phase de mise en application, au cours de laquelle certaines méthodes d'apprentissage et certains programmes seront utilisés pour susciter l'acquisition de nouvelles attitudes, habiletés et connaissances ; et (3) la phase d'évaluation des résultats de la formation.

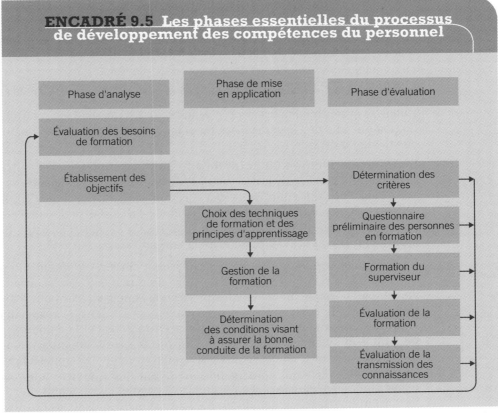

ENCADRÉ 9.5 Les phases essentielles du processus de développement des compétences du personnel

Source : Adaptation de Irwin L. Goldstein, *Training in Organizations*, 3e éd., p. 21. © 1993, 1986, 1974, Wadsworth, Inc. Adaptation et traduction autorisées par Brooks/Cole Publishing Company, Pacific Grove, CA 93950.

II La détermination des besoins de formation des ressources humaines

Les organisations décident trop souvent de s'engager dans des programmes de formation pour les mauvaises raisons : reproduire une formation qui a été mise en application par un concurrent ; récompenser les employés, dépenser l'excédent budgétaire de l'année en activités formation afin que les fonds affectés à ce domaine ne soient pas réduits l'année suivante, etc. Or, bien qu'elle soit coûteuse, la formation est vitale pour les organisations. Par conséquent, les critères de sélection et de mise en application d'un programme de formation devraient être basés sur les besoins réels des organisations.

Consultez Internet

www.trainingsupersite.com

Training SuperSite, un site spécialisé dans la formation en entreprise.

L'évaluation des besoins de formation est la première étape de l'élaboration d'un programme de formation viable. Cette étape aura une incidence sur l'élaboration et l'application des programmes de formation, puisqu'elle permet de déterminer le lieu où sera donnée la formation, son contenu, la clientèle visée et les types de connaissances, d'habiletés et d'attitudes que les employés devront acquérir.

Parmi les trois méthodes d'évaluation des besoins les plus connues – l'analyse du rendement, l'analyse des compétences et l'analyse générale –, cette dernière est la plus ancienne et la plus populaire. Nous la décrirons en détail, tout en donnant par la suite une brève description des deux autres méthodes.

L'ANALYSE GÉNÉRALE DES BESOINS DE FORMATION

L'analyse générale comporte trois niveaux d'analyse des besoins : une analyse effectuée du point de vue de l'organisation, du point de vue des tâches à effectuer et du point de vue de l'individu[9].

L'analyse effectuée du point de vue de l'organisation. L'analyse des besoins de formation de l'organisation débute par un examen des objectifs à court et à long terme de l'organisation dans son ensemble ainsi que des tendances sociales, économiques ou autres susceptibles d'influer sur ces objectifs. Elle comprend aussi une analyse des ressources humaines, une analyse des indices d'efficacité et une analyse du climat prévalant au sein de l'organisation.

L'analyse des ressources humaines consiste à établir, en tenant compte des objectifs de l'organisation, les besoins de celle-ci en matière de ressources humaines et de compétences, de même que les programmes nécessaires pour les satisfaire. Les programmes de développement des compétences jouent un rôle crucial au sein de l'organisation, car ils assurent l'équilibre entre l'offre et la demande de ressources humaines et de compétences. L'encadré 9.6 présente une analyse des ressources humaines à partir d'un cas hypothétique. Cet exemple fait appel à neuf paramètres. La différence observée entre les paramètres 1 et 2 indique un besoin pressant de former un nouvel employé. Le paramètre 3 permet de constater que deux employés prendront leur retraite bientôt et que leurs remplaçants devront suivre une formation. Les paramètres 4 et 5 montrent que neuf employés ont un rendement déficient au travail, c'est-à-dire des résultats discutables ou insatisfaisants, et qu'une analyse ultérieure devrait révéler si la formation peut contribuer à améliorer ces résultats. Le paramètre 6 met en évidence le fait qu'un manque de compétences empêche les employés d'être affectés à d'autres postes dans l'entreprise. Les paramètres 7 et 8 révèlent que l'entreprise a adopté une politique de recrutement externe pour combler ses besoins en main-d'œuvre, et que toutes les nouvelles recrues devront recevoir de 12 à 16 semaines de formation. Finalement, le paramètre 9 indique que, étant donné les taux de roulement enregistrés par le passé, cinq nouveaux travailleurs devront être formés sur une période de deux ans.

Une analyse des indices d'efficacité fournit de l'information sur l'efficacité actuelle des équipes de travail et de l'organisation dans son ensemble. Les indices auxquels on a recours sont les coûts de main-d'œuvre, le niveau de production, la qualité de la production, les pertes enregistrées, l'usure de l'équipement et les réparations effectuées. L'organisation peut établir des normes relatives à ces indices, puis analyser ces derniers de façon à évaluer l'efficacité générale des programmes de formation, et déterminer du même coup les besoins de formation des différents groupes.

Par ailleurs, l'analyse du climat prévalant au sein de l'organisation est souvent utilisée pour décrire l'ambiance qui y règne et la façon dont se sentent les employés par rapport à différents aspects du travail et à l'organisation en général. Comme l'analyse des indices d'efficacité, ce processus aide à déceler les convergences ou les divergences existant entre les perceptions qu'ont les employés de leur milieu de travail et les propres besoins et aspirations de ceux-ci. Lorsque des écarts importants entre ces deux réalités apparaissent pour un grand nombre d'employés, l'organisation peut tenter de les atténuer au moyen du développement des compétences. On sait que les

ENCADRÉ 9.6 L'analyse des ressources humaines à partir d'un cas hypothétique

1. Nombre d'employés dans cette classification d'emplois : 37

2. Nombre d'employés désirés : 38

3. Groupes d'âge :

Groupes d'âge :	29	33	45	47	50	51	53	55	59
Nombre d'employés par groupe d'âge :	2	8	7	10	3	2	2	1	2

Facteurs	Résultats satisfaisants	Résultats discutables	Résultats insatisfaisants
4. Habiletés :	32	2	3
5. Connaissances :	33	3	1

6. Habiletés et connaissances pour occuper d'autres emplois au sein de l'entreprise :

Classification	Nombre d'employés	Emplois
Aucun autre emploi	35	Aucun
Un autre emploi	1	Poste Z, service Y
Deux autres emplois ou plus	1	Poste Z, service Y ; poste A, service B

7. Remplaçants possibles et temps de formation :

À l'extérieur de l'entreprise	Au sein de l'entreprise	Temps de formation
0	1	Moins de 1 semaine
0	1	3 à 6 semaines
10	0	12 à 16 semaines

8. Temps de formation en milieu de travail pour les débutants : 12 à 16 semaines

9. Roulement (période de deux ans) : 5 employés ; 13,5 %

Source : Exemple adapté à partir de K. N. Wexley et G. P. Latham, *Developing and Training Human Resources in Organizations*, New York, Harper Collins, 1991, p. 38-40. Adaptation et traduction autorisées.

attitudes négatives des employés à l'égard de leur travail influent directement sur leur comportement et indirectement sur leur rendement au travail. Ces influences peuvent prendre la forme d'un engagement moindre, d'absences répétées et d'une baisse du moral. Le fait de vouloir changer les perceptions qu'ont les employés de leur travail et d'encourager leur engagement au moyen d'activités de formation peut donner des résultats positifs.

Un sondage portant sur le climat qui règne au sein d'une organisation s'effectue généralement à l'aide d'un questionnaire. Certains des plus connus sur le sujet ont été conçus par l'Institut de recherche sociale de l'Université du Michigan ; ils sont regroupés sous le titre de « Survey of Organizations ». D'autres questionnaires sont également populaires, notamment les suivants : *le Minnesota Satisfaction Questionnaire*, le *Porter and Lawler Job Attitudes* et le *Smith, Kendall & Hulin Satisfaction Questionnaire*[10].

En vue de satisfaire aux exigences des nombreuses lois fédérales et provinciales en matière d'équité[11], les organisations doivent aussi entreprendre des études démographiques afin de déterminer les besoins en formation propres à certaines catégories de travailleurs. Quelques entreprises canadiennes se sont engagées dans des programmes de formation qui visent à encourager les femmes et les minorités à acquérir des compétences dans des secteurs où elles ont été traditionnellement peu représentées. Par exemple, Hydro-Québec cherche à augmenter le nombre de femmes au sein de son équipe technique et de l'équipe d'ingénierie – domaine traditionnellement réservé aux hommes – au moyen d'une formation accrue. Des programmes semblables ont été mis en place à Canadien National, où l'on tente d'intégrer davantage de femmes à différents niveaux de supervision.

L'analyse démographique permet de constater que les besoins de formation diffèrent selon les groupes de travailleurs. Par exemple, les contremaîtres ont généralement des lacunes à combler sur le plan des tâches administratives (par exemple, dans la tenue de livres ou la communication écrite), tandis que les cours de gestion des ressources humaines sont très importants chez les cadres intermédiaires, et que les postes reliés à la haute direction nécessitent une formation d'ordre stratégique et conceptuel (par exemple, sur le plan de la formulation d'objectifs ou de l'acquisition d'habiletés de planification). Par ailleurs, selon une étude portant sur les gestionnaires féminins et masculins, les hommes auraient besoin d'acquérir des aptitudes touchant l'écoute, la communication verbale et non verbale, l'empathie et la sensibilité aux autres. Les femmes, quant à elles, auraient plutôt besoin d'améliorer leur confiance en elles-mêmes, leurs aptitudes à s'exprimer en public ainsi que leurs capacités à revendiquer et à négocier avec leurs subordonnés et avec leurs collègues masculins[12]. Les méthodes et le contenu de la formation varient également en fonction de l'âge des employés. Il est particulièrement important de prendre en considération cet aspect dans un contexte marqué par le vieillissement de la main-d'œuvre[13].

Dans les faits

À partir d'une description de poste, le processus d'analyse consiste à extraire les comportements observables qui sont liés à l'accomplissement d'un travail donné. À titre d'exemple, la liste des tâches d'un pompiste pourrait inclure les activités suivantes :

1. Remplir le réservoir d'essence selon le désir du client.
2. Vérifier le niveau d'huile.
3. Percevoir le paiement (en argent ou par carte de crédit) pour les services rendus.
4. Vérifier la pression d'air dans les pneus du véhicule.
5. Laver les vitres du véhicule.
6. Donner des indications routières aux clients.

L'analyse effectuée du point de vue des tâches. Bien qu'elle soit aussi importante que l'analyse des besoins globaux de l'organisation, l'analyse axée sur les tâches à effectuer est souvent négligée. Il est pourtant nécessaire de procéder à une telle étude afin d'être en mesure d'établir les besoins de formation liés à des emplois précis. Essentiellement, l'analyse menée du point de vue des tâches procure de l'information à l'organisation sur les tâches qui doivent être exécutées pour chacun des emplois (il s'agit de l'information de base contenue dans les descriptions de postes), les habiletés nécessaires pour accomplir ces tâches (établies en fonction des spécifications des emplois ou des compétences requises pour les occuper), et les normes minimales de rendement au travail s'appliquant à ces différentes tâches. Ces trois éléments d'information peuvent être obtenus auprès des employés eux-mêmes, à partir du dossier du personnel de l'organisation ou auprès du personnel cadre. L'encadré 9.7 décrit le processus d'analyse des besoins relatifs aux tâches.

Une analyse des diverses tâches accomplies dans l'organisation peut jouer un rôle décisif au moment du choix d'un programme de formation. Une fois cette étape franchie, l'organisation peut élaborer un programme de formation professionnelle conforme à ses besoins. Il ne fait pas de doute que les efforts de formation devraient

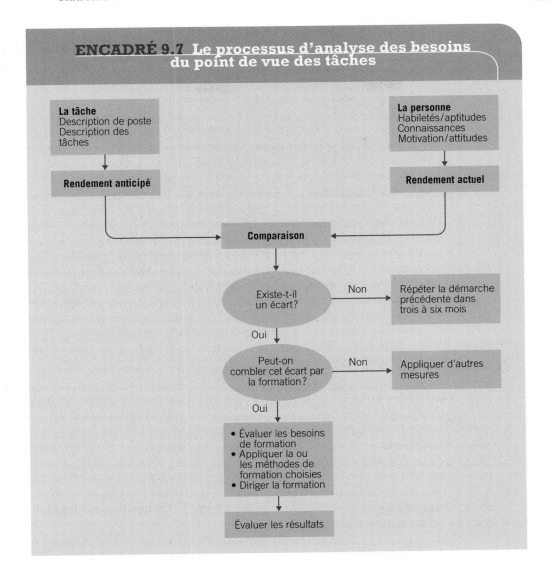

ENCADRÉ 9.7 Le processus d'analyse des besoins du point de vue des tâches

surtout porter sur les tâches qui sont effectuées fréquemment, qui sont jugées importantes et relativement difficiles à apprendre (encadré 9.8). D'autres méthodes peuvent également aider le formateur à déterminer le choix d'une méthode de formation, sa durée et les autres aspects de la formation. Dans le cas du pompiste, le propriétaire d'une station-service aurait avantage à porter plus d'attention à la formation d'un nouvel employé en ce qui concerne la manipulation de l'argent, puisqu'il s'agit là de la composante la plus importante du travail, et moins aux autres tâches.

ENCADRÉ 9.8 Énoncés de questions visant à déterminer la formation en fonction des tâches à accomplir

- Quelle est la fréquence de cette tâche?
- Quelle est l'importance de cette tâche pour l'organisation quant à sa valeur ajoutée et à ses répercussions possibles sur le rendement au travail)?
- En quoi l'apprentissage de cette tâche est-il difficile?

L'analyse effectuée du point de vue de l'individu. Lorsqu'une organisation procède à une analyse du point de vue de l'individu, elle analyse les besoins de chaque employé avant de fixer son choix sur un programme de formation précis. Les écarts de rendement d'un employé par rapport au rendement souhaité peuvent être décelés en comparant son rendement actuel aux normes minimales jugées acceptables. Un autre moyen consiste à comparer l'évaluation de ses capacités reliées à chacune des habiletés requises dans l'exécution de la tâche avec le niveau de compétence requis pour chacune de ces habiletés. La première méthode se base sur le rendement actuel de l'employé; elle peut donc servir à déterminer les besoins de développement des compétences ayant trait à l'emploi actuel. La seconde méthode peut être utilisée pour déterminer les mêmes besoins relatifs aux emplois futurs.

L'organisation devrait se poser deux questions au sujet de ces méthodes : L'employé sera-t-il en mesure d'effectuer le travail qu'on lui confie (première méthode)? L'employé continuera-t-il d'accomplir certaines tâches qu'il faisait auparavant (seconde méthode)? Ces deux questions ont une portée cruciale en matière d'égalité d'accès aux emplois et d'équité. Notons que l'analyse des besoins individuels influence les programmes d'équité en emploi que nous examinerons au chapitre 13. En effet, l'équité touchant l'accès à la formation demeure un moyen privilégié permettant une meilleure représentation des groupes cibles (femmes, minorités ethniques, employés vieillissants, personnes handicapées) aux divers paliers hiérarchiques organisationnels.

Une autre méthode de collecte de l'information portant sur les besoins de formation des individus, l'autoévaluation, gagne en popularité. L'individu fait une évaluation de ses propres besoins de formation reliés à son travail actuel ou à des postes qu'il convoite dans l'avenir. Comme cette méthode exige que l'on établisse les forces et les faiblesses de l'employé, le recours à l'information sur l'évaluation du rendement, s'ajoutant à celle que fournit l'autoévaluation, permet d'accroître la validité des résultats.

L'ANALYSE DU RENDEMENT

Bien qu'elle ressemble aux analyses des tâches et de l'individu, l'analyse du rendement vise à déceler les lacunes que présente un employé dans l'accomplissement de son travail. En effet, il faut noter qu'il existe deux types de lacunes au sein des organisations : des lacunes reliées aux compétences de l'employé, auxquelles on peut remédier par la formation, et des lacunes reliées à l'exécution du travail, qui peuvent découler d'une supervision inadéquate (par exemple, une organisation informe mal l'employé sur son rendement ou lui donne peu de renforcements positifs), ou d'autres causes. La formation ne peut corriger que le premier type de lacunes. Un certain nombre de questions peuvent aider à déterminer si la formation permettra de combler les lacunes observées (encadré 9.9).

Pour déterminer la cause de la plupart des problèmes de rendement et pour décider par la suite s'il est possible de les corriger au moyen d'activités de formation, il faudrait procéder à une analyse du rendement tenant compte des cinq dimensions suivantes : le contexte dans lequel se déroule le travail, les caractéristiques du travailleur, le comportement de celui-ci, les résultats du travail accompli et la rétroaction par rapport à ces résultats.

ENCADRÉ 9.9 **Énoncés de questions servant à déterminer si la formation peut pallier les écarts de rendement**

1. Le contexte dans lequel se déroule le travail est-il clair pour chacun des travailleurs ? Les travailleurs savent-ils à quel moment ils doivent être particulièrement efficaces ?
2. Les travailleurs sont-ils physiquement et mentalement capables d'exécuter leur travail ?
3. Les travailleurs savent-ils ce qu'ils ont à faire ? Ont-ils les compétences requises pour le faire ? Disposent-ils des ressources nécessaires – argent, temps et matériel ?
4. Les travailleurs sont-ils récompensés pour le rendement qu'ils fournissent ?
5. Les travailleurs reçoivent-ils une rétroaction sur leur rendement ? Un piètre rendement est-il critiqué ? Un bon rendement est-il apprécié[14] ?

L'ANALYSE DES COMPÉTENCES

L'analyse des compétences met l'accent sur les possibilités permettant d'accroître les compétences des employés. Les formateurs précisent la façon dont les travailleurs devraient accomplir leur travail et leur donnent ensuite la formation nécessaire à l'acquisition des compétences requises. Selon cette approche, les besoins de formation se ramènent à trois catégories : les besoins répétitifs, les besoins à court terme et les besoins à long terme.

Dans les faits

Bell Canada offre un programme de formation à long terme, dans lequel elle tente d'associer à chaque poste de travail un programme de formation visant à aider les employés à adopter une attitude qui les incitera à améliorer leurs compétences de base[15].

Les programmes de formation répétitifs sont offerts sur une base régulière. Ils comprennent, par exemple, un programme d'introduction au travail pour chacun des nouveaux employés. Ces derniers ont souvent des connaissances insuffisantes sur la culture de l'organisation, ses méthodes et ses règlements particuliers. Un programme d'initiation peut donc être élaboré pour combler ce type de besoins. D'autres programmes s'intéressent aux besoins à court terme ; c'est le cas, par exemple, d'un programme de formation offert aux travailleurs qui auront à utiliser une nouvelle machine. Finalement, il y a les besoins à long terme, qui comprennent, par exemple, la conception d'un programme de formation devant être utilisé sur une longue période ; c'est le cas notamment lorsqu'une organisation met en place un programme d'affectations successives du personnel ou un programme d'évaluation et de planification des carrières.

III La mise en application des programmes de développement des compétences des ressources humaines

L a mise en œuvre des programmes de développement des compétences dépend de la combinaison d'un certain nombre de facteurs : il est nécessaire de choisir les techniques de formation en fonction des utilisateurs, et leur application doit se faire dans de bonnes conditions. Les analyses des besoins aident à déterminer les paramètres clés dont il faut tenir compte.

LES COMPOSANTES D'UN PROGRAMME DE FORMATION

La phase d'élaboration d'un programme de formation nécessite une analyse des différentes composantes énumérées dans l'encadré 9.10.

ENCADRÉ 9.10 Les composantes d'un programme de développement des compétences

- Détermination des employés visés par le programme.
- Choix des personnes qui dispenseront la formation.
- Détermination de la méthode à utiliser.
- Détermination du niveau d'apprentissage souhaité.
- Détermination du lieu où la formation sera donnée.

À qui s'adresse la formation ? Les programmes de développement des compétences du personnel sont généralement conçus de manière à enseigner des habiletés particulières. Dans certaines situations, la formation couvre des aspects qui peuvent profiter à plusieurs emplois dans l'entreprise. Par exemple, on peut imaginer que les employés de la base et leurs superviseurs apprennent en même temps un nouveau procédé ou le fonctionnement d'une nouvelle machine, de façon qu'ils aient ainsi une même compréhension du nouveau procédé et de leurs rôles respectifs. Acquérir des compétences et des habiletés en matière de résolution de problèmes et de prise de décision est nécessaire à l'ensemble des employés qui sont engagés dans des formes de travail participatives comme les cercles de qualité ou les groupes semi-autonomes.

Une autre décision importante consiste à déterminer le nombre d'employés qui seront formés simultanément. Certaines conditions sont plus propices à la formation en milieu de travail ; c'est le cas, par exemple, lorsque la formation ne s'adresse qu'à un ou deux employés. Par contre, si un grand nombre d'individus doivent être formés sur une courte période, d'autres méthodes se révéleront plus efficaces, à coût égal.

Qui veillera à la formation ? Les programmes visant le développement des compétences des ressources humaines peuvent être dispensés par une ou plusieurs personnes présentes dans l'entreprise ou provenant de l'extérieur de celle-ci (encadré 9.11). Le choix du formateur dépend souvent de l'endroit où sera donnée la formation et des notions qui seront intégrées au programme. Par exemple, les habiletés professionnelles de base sont habituellement enseignées par les membres de l'organisation, à savoir les superviseurs ou les collègues de travail, alors que les habiletés touchant les relations interpersonnelles ou la maîtrise de concepts, qui sont utiles aux

---

ENCADRÉ 9.11 Les personnes susceptibles de dispenser de la formation

- Les superviseurs immédiats.
- Les collègues de travail.
- Le personnel du service des ressources humaines, notamment les directeurs de la formation.
- Les spécialistes travaillant dans d'autres secteurs de l'entreprise.
- Des consultants externes.
- Les associations professionnelles ou industrielles.
- Le corps enseignant des universités.

---

gestionnaires, sont souvent enseignées par des professeurs d'université ou des consultants externes.

Dans les faits

Dans les grandes organisations comme McDonald's, IBM, Xerox et Air Canada, qui comptent un grand nombre d'employés, les services de formation peuvent mettre en place divers programmes, y compris ceux qui visent l'amélioration des habiletés de gestion.

Des problèmes peuvent toutefois survenir lorsque les superviseurs immédiats et les collègues de travail agissent à titre de formateurs : ils peuvent très bien accomplir le travail qui leur est demandé sans pour autant posséder les habiletés nécessaires pour donner la formation. Il est donc possible qu'ils apprennent aux employés leurs propres méthodes de travail « approximatives » plutôt que celles recommandées par l'organisation. Il faut, par conséquent, donner aux superviseurs et aux collègues de travail une formation portant sur la façon de mener des séances de formation, et leur donner suffisamment de temps pour qu'ils puissent travailler avec les employés qu'ils ont à former.

Quelle méthode utilisera-t-on lors de la formation ? Il existe diverses méthodes permettant de communiquer de l'information. Dans bon nombre de collèges et d'universités, les méthodes de base suivantes sont utilisées : séminaires, séminaires suivis de discussions, études de cas, et parfois programmes d'autoformation. La décision de choisir une méthode de formation plutôt qu'une autre est étroitement liée au type d'information qui sera transmis au cours de la formation. Le choix de la méthode peut évidemment dépendre des préférences du formateur, mais des recherches ont indiqué que certaines méthodes sont plus appropriées que d'autres pour un type d'apprentissage donné. Les fonds affectés à la formation doivent également être pris en compte. De façon générale, ce sont les méthodes qui font appel à divers principes d'apprentissage et qui exigent des répétitions et des exercices qui sont les plus coûteuses.

Dans les faits

Certains magasins de vente au détail forment leurs directeurs de service en utilisant une combinaison de la technique de la modélisation comportementale et de la technique du vidéo. Les gestionnaires commencent d'abord par regarder une vidéocassette dans laquelle un individu (un acteur) occupant le même emploi qu'eux agit de façon idéale. Ensuite, on donne aux gestionnaires la possibilité d'imiter le comportement de l'acteur immédiatement sur vidéocassette.

Nous verrons plus loin dans ce chapitre les techniques de formation les plus courantes, de même que leurs avantages et désavantages. Il existe toutefois une combinaison de techniques pouvant conduire à de meilleurs résultats. En conclusion, la règle générale qui prévaut au moment du choix d'une méthode de formation est la suivante : plus la méthode fait appel à la participation de l'employé, plus ce dernier retiendra l'information qui lui est transmise.

Quel devrait être le niveau d'apprentissage auquel les employés devraient avoir accès ? En plus de choisir la méthode de formation appropriée, il faut adapter le contenu des programmes de formation aux types d'habiletés qui seront enseignées. Il existe trois niveaux d'apprentissage (encadré 9.12). Au niveau le plus bas, l'employé doit acquérir des connaissances fondamentales, c'est-à-dire parvenir à une compréhension de base de son secteur d'activité et se familiariser avec le langage, les concepts et les relations qui y sont associés. Le deuxième niveau d'apprentissage est l'acquisition d'habiletés ou de compétences permettant d'accomplir un travail dans un secteur particulier. Le niveau le plus élevé vise à améliorer les capacités d'exécution de l'employé en lui faisant vivre une expérience de travail additionnelle dans son secteur d'activité ou en améliorant ses compétences. L'encadré 9.13 propose un classement des niveaux d'apprentissage.

ENCADRÉ 9.12 La détermination des niveaux d'apprentissage

NIVEAU I — **Acquisition de connaissances fondamentales :**
Compréhension de base du secteur d'activité, apprentissage du langage, des concepts et des relations qui y sont associés.

NIVEAU II — **Acquisition d'habiletés :**
Acquisition de compétences permettant d'accomplir un travail dans un secteur particulier.

NIVEAU III — **Amélioration des capacités d'exécution :**
Expérience de travail additionnelle vécue par l'employé dans son secteur d'activité ou aide reçue pour améliorer ses compétences.

ENCADRÉ 9.13 Classement des niveaux d'apprentissage

Habiletés de base
Bon nombre d'organisations s'intéressent de plus en plus aux habiletés de base, notamment à la grammaire, aux mathématiques, à la lecture, à l'écoute et à l'écriture. Ces habiletés font souvent défaut chez les nouveaux employés, mais beaucoup d'autres qui sont déjà en place depuis très longtemps éprouvent aussi des lacunes sur ce plan.

Habiletés dans les relations interpersonnelles
Ces habiletés incluent les communications, les relations humaines, le leadership et la négociation. Les habiletés liées à des questions d'ordre juridique, à la gestion du temps et à l'organisation en font également partie. La demande relative à ces types d'habiletés est plus forte en ce qui concerne les agents de maîtrise, mais ces habiletés sont également nécessaires à tous les autres paliers de gestion. Pour les employés qui sont directement en contact avec le public, tels que les réceptionnistes ou le personnel des ventes, l'acquisition de telles habiletés est particulièrement importante.

Habiletés dans la maîtrise de concepts
Des habiletés en matière de planification stratégique et opérationnelle, de planification des installations et d'élaboration des politiques sont habituellement nécessaires à la haute direction. Mais celle-ci a aussi besoin d'acquérir des habiletés qui lui permettront d'améliorer sa prise de décision afin de répondre plus adéquatement aux changements et à la complexité de l'environnement. Plus précisément, ce sont la créativité, l'habileté à diriger et l'entrepreneuriat qui constituent l'essentiel des habiletés que doit acquérir la haute direction.

Où la formation sera-t-elle donnée ? Le lieu où se déroulera la formation constitue le dernier élément à considérer dans l'élaboration d'un programme de formation. Cette décision doit être prise en tenant compte d'un certain nombre de facteurs : le type d'apprentissage, le niveau d'apprentissage désiré, les coûts et le temps nécessaire. À la base, les organisations ont deux options : la formation en milieu de travail et la formation externe.

De façon générale, les aptitudes professionnelles de base sont enseignées sur les lieux de travail. L'essentiel de la formation liée à la maîtrise de concepts est donné hors des lieux de travail. L'expression «formation en milieu de travail» fait souvent référence à la formation donnée sur les lieux de travail, tandis que l'expression «formation externe» fait référence à la formation reçue à l'extérieur des lieux de travail.

L'OPTIMISATION DU PROCESSUS D'APPRENTISSAGE

Même lorsque le choix de la méthode de formation se révèle judicieux, l'apprentissage peut se révéler un échec si l'organisation n'a pas utilisé de façon optimale les principes d'apprentissage qui devraient faciliter la formation. En effet, il importe de suivre certaines étapes avant, pendant et après la formation, de façon à augmenter l'efficacité du processus et à assurer l'assimilation des connaissances[16].

Avant la formation. Avant d'entreprendre un programme de formation, le formateur doit chercher à maximiser ses chances de succès. Ses responsabilités sont précisées dans l'encadré 9.14. Lorsqu'un grand nombre d'employés sont engagés dans une formation, le formateur devrait tenter de classer les individus en groupes homogènes selon leurs capacités d'apprentissage et le style d'apprentissage qu'ils préfèrent. Ce principe de base, qui permet de tirer le meilleur parti possible des différences individuelles, a déjà été exploité dans beaucoup d'écoles élémentaires et secondaires, et les résultats sont très encourageants. Que les personnes soient classées ou non en groupes, les objectifs de formation demeurent similaires. L'homogénéité des groupes permet toutefois au formateur d'adopter des méthodes et un rythme d'apprentissage différents, favorisant du même coup l'amélioration des résultats. Il est possible de regrouper les employés en formation selon un grand nombre de critères : le style d'apprentissage (concret ou abstrait), le niveau d'apprentissage, le rythme d'apprentissage, etc.

ENCADRÉ 9.14 Les responsabilités du formateur avant le début de la formation

- Utiliser une terminologie et un langage clairs et accessibles.
- Préciser les comportements attendus à la fin de la formation ou à certains moments durant la période de formation.
- Indiquer le niveau de rendement minimal jugé acceptable.
- Énoncer les conditions selon lesquelles le rendement sera mesuré après la formation.

La capacité des employés à participer à un programme de formation est un autre aspect à considérer. Puisque les facteurs déterminants du succès d'une formation sont la motivation et la capacité d'apprentissage, celles-ci devraient être évaluées avant d'entreprendre une formation de quelque nature que ce soit. Si les employés sont désireux de changer et d'acquérir de nouveaux comportements, la formation sera probablement plus facile et les chances de succès plus élevées. Pour obtenir de l'information sur l'intérêt des employés pour la formation, les organisations peuvent recourir à l'autoévaluation et demander l'avis des superviseurs. Avant d'entreprendre un programme de formation, le formateur doit également analyser la façon dont l'information sera transmise et le contexte dans lequel elle le sera. Des recherches ont indiqué que l'apprentissage est augmenté lorsque le formateur donne des instructions claires et qu'il définit ses attentes par rapport aux comportements désirés. Il doit aussi préciser les situations au cours desquelles les employés doivent atteindre les objectifs fixés en matière de rendement. En d'autres mots, les objectifs de la formation, y compris les attentes relatives au rendement, doivent être communiqués aux personnes qui suivent la formation et être compris de celles-ci.

Le saviez-vous ?

On peut recourir à des tests de sélection pour évaluer la capacité des employés à participer à un programme de formation, prévoir le succès de la formation ainsi que le rendement au travail des candidats retenus.

Ces tests comprennent les étapes suivantes :

1. À partir d'une méthode standard de formation et d'évaluation du rendement, le formateur enseigne une tâche au candidat retenu.

2. Le candidat est appelé à exécuter sans aide la tâche requise.

3. Le formateur note le rendement du candidat en relevant ses lacunes à partir d'une liste standard d'erreurs possibles reliées à chaque occupation et en évaluant son rendement probable au cours de la formation (généralement sur une échelle de cinq points)[17].

Il est également utile d'associer des récompenses aux niveaux de rendement désirés. Un travailleur en formation sera plus motivé s'il sait qu'un rendement satisfaisant peut entraîner des réactions positives (par exemple, une promotion, une augmentation de salaire, une certaine forme de reconnaissance) ou le protéger de certaines réactions négatives de la part de la direction (par exemple, d'un congédiement, de critiques)[18].

De plus, on obtiendra plus facilement les comportements désirés en utilisant les principes de la modélisation comportementale ; celle-ci consiste en une représentation visuelle du comportement attendu. Le modèle peut être un superviseur, un coéquipier de travail ou un expert en la matière, et cette démonstration peut être faite directement ou enregistrée sur vidéocassette. Ce qui est important, en fait, c'est de montrer aux employés les comportements qu'ils doivent adopter pour atteindre le rendement désiré. L'efficacité de ce processus peut aussi être augmentée en établissant une classification des comportements, allant du moins difficile à acquérir au plus difficile. Par exemple, quelques organismes communautaires forment leurs nouveaux travailleurs sociaux en leur enseignant d'abord à faire face à des cas mineurs puis, graduellement, lors des deuxième et troisième séances, à des cas plus complexes. Bien qu'elles soient controversées, certaines recherches indiquent que le fait de présenter simultanément un modèle négatif (un rendement déficient) et un modèle positif (un bon rendement) facilite le transfert de l'apprentissage à d'autres situations du quotidien[19, 20].

Pendant la formation. Des études montrent que l'apprentissage peut être amélioré si certains facteurs sont pris en considération pendant la formation. Premièrement, il semble que la personne suivant une formation accomplisse mieux les tâches qui lui sont demandées si elle participe activement au processus d'apprentissage ; cette participation peut être directe ou indirecte (jeux de rôle ou simulations). Il en résulte que la personne demeure plus alerte et se sent plus confiante que si elle demeure passive.

De plus, qu'il apprenne de nouvelles habiletés ou acquière de nouvelles connaissances, l'employé en formation devrait toujours avoir l'occasion de mettre en application ce qui lui a été enseigné. La pratique demeure également essentielle à la suite de la formation. Il est, en effet, peu courant de rencontrer un joueur de tennis professionnel ou un pianiste reconnu qui ne s'exerce pas plusieurs heures par jour. L'une des décisions importantes à prendre a justement trait à cette période de pratique : doit-on diviser la période de formation en plusieurs segments ou la réaliser sur une durée continue ? Ce dilemme est souvent désigné par l'expression « exercices répartis » ou exercices continus. La réponse à cette question n'est pas si simple qu'elle en a l'air et dépend de la nature de la tâche à enseigner. Il semble que les exercices répartis donnent de meilleurs résultats en ce qui concerne l'apprentissage d'habiletés qui font appel à la motricité. Beaucoup d'entreprises préfèrent cependant donner la formation en continu parce qu'elles sont pressées d'en finir avec cette activité et souhaitent que les employés reviennent à la production le plus tôt possible. Cette attitude peut nuire à l'organisation à long terme car, pour maîtriser adéquatement certaines tâches, les exercices répartis dans le temps demeurent essentiels.

Consultez Internet

www.astd.org
Site de l'American Society for Training & Development.
On y obtient de l'information concernant
des programmes de formation.

L'établissement des objectifs permet aussi d'accélérer l'apprentissage, particulièrement lorsqu'il s'accompagne de la communication des résultats. Les individus travaillent généralement mieux et apprennent plus rapidement lorsqu'ils se sont fixé des objectifs, et encore plus si ces objectifs sont stimulants. Les buts trop faciles ou impossibles à atteindre sont cependant peu motivants. La motivation agit seulement si les gens estiment qu'ils sont capables d'atteindre les buts fixés. Elle peut augmenter encore plus lorsque les employés participent au processus d'établissement des objectifs. Quand le directeur ou le formateur et les employés travaillent ensemble à déterminer les buts de la formation, les forces et les faiblesses de chaque employé peuvent ainsi être décelées. Différents aspects du programme de développement des compétences pourront ensuite être élaborés en fonction des traits caractéristiques d'employés particuliers, ce qui peut accroître l'efficacité du programme en question.

Le saviez-vous ?

La prophétie ayant pour effet de déclencher l'événement est aussi connue sous le nom d'effet Pygmalion. Une légende raconte que Pygmalion tomba un jour amoureux d'une statue et que, grâce à ses prières assidues et sincères, la vie fut finalement rendue à sa bien-aimée. Le désir profond de Pygmalion, son désir le plus cher, était devenu réalité.

Si le processus d'établissement des objectifs influe sur la motivation des employés qui suivent une formation, il en va de même des attentes du formateur. Certaines études ont révélé que les attentes fonctionnent souvent comme des prophéties qui suscitent l'événement. Donc, plus les attentes du formateur seront élevées, meilleur sera le rendement des employés formés. Il faut dire que les responsabilités qui incombent au formateur sont considérables (encadré 9.15). Par ailleurs, pour en arriver à maîtriser de nouveaux concepts et à acquérir de nouvelles habiletés, les employés suivant une formation doivent recevoir une rétroaction se rapportant exactement à leur rendement. En matière de formation, la rétroaction doit être précise, effectuée au bon moment, pratique et s'attacher aux comportements et non à la personnalité des individus. Ces qualités correspondent aux principes de renforcement positif qui ont été étudiés dans le chapitre 11 portant sur la rémunération au rendement. La rétroaction, appelée aussi connaissance des résultats, doit être gérée efficacement.

ENCADRÉ 9.15 Les responsabilités du formateur pendant la formation

- Donner une rétroaction à l'employé en formation le plus tôt possible après avoir observé le comportement de celui-ci.
- S'assurer que la relation entre le comportement et la rétroaction est claire.
- Faire en sorte que la quantité d'information donnée et le contenu de la rétroaction soient proportionnels à l'étape d'apprentissage de l'employé.
- Donner dans la mesure du possible une rétroaction positive, puisque les recherches indiquent qu'elle est mieux perçue et retenue que la rétroaction négative.
- Enrichir la rétroaction en utilisant un nombre varié de renforcements. Un bon formateur doit donc être créatif dans le choix des moyens de renforcement utilisés et la façon dont il fournit une rétroaction à l'employé.
- Soigner le contenu du matériel. Le matériel est plus facilement assimilable lorsqu'il est pratique et important pour les personnes suivant une formation.

Après la formation. Une fois la formation terminée, il est important de mettre sur pied un mécanisme de contrôle visant à s'assurer que les nouveaux comportements ont été effectivement adoptés. Il arrive trop souvent que des employés qui désirent pourtant modifier leur comportement au travail reviennent à leur poste et retombent dans leurs anciennes habitudes. Cela réduit évidemment l'efficacité des programmes de formation. Une grave erreur, souvent commise lors de l'élaboration de ces programmes, est justement d'oublier de définir des systèmes, des politiques ou des programmes de suivi assurant l'utilisation des nouvelles habiletés, connaissances et attitudes acquises par les employés nouvellement formés. Voici un exemple de questionnaire pouvant servir de guide pendant une rencontre de suivi (encadré 9.16).

Il en résulte souvent que l'employé n'essaiera jamais de mettre en application à son poste de travail ses acquis récents. Par ailleurs, les efforts de l'employé pour

---

ENCADRÉ 9.16 Questionnaire pouvant être utilisé dans une rencontre de suivi

1. Depuis votre retour de la session de formation :
   a) Y a-t-il eu des événements dans l'entreprise qui vous imposaient de faire des changements (changer la structure, les tâches, les systèmes d'information, les processus d'affaires, etc.) pour améliorer le fonctionnement de l'organisation ou celui de votre unité administrative? Si oui, présentez-en un en quelques mots.
   b) Y a-t-il eu des changements que vous avez décidé vous-même d'apporter (changer la structure, les tâches, les systèmes d'information, les processus d'affaires, etc.) pour améliorer le fonctionnement de l'organisation ou celui de votre unité administrative? Si oui, présentez-en un en quelques mots.
   c) Y a-t-il des changements que vous vous proposez d'amorcer prochainement? Si oui, présentez-en un en quelques mots.
2. Dans les changements apportés ou à venir, quels ont été ou quels seront les principaux objectifs visés? Parlez de ces objectifs en quelques mots.
3. Dans les changements apportés ou à venir, quels ont été ou quels seront les principaux obstacles à surmonter et les principaux facteurs facilitants? Parlez de ces obstacles et de ces facteurs facilitants en quelques mots.
4. Depuis votre retour de la session de formation, avez-vous constaté que pour devenir un gestionnaire plus efficace de changement, il y avait lieu pour vous de changer des comportements, des habitudes, des attitudes ou des pratiques de gestion? Exemple: faire telle chose que vous ne faisiez pas avant, procéder différemment dans telle situation… Si oui, parlez de ces changements en quelques mots.

ENCADRÉ 9.16 *(suite)*

5. Dans les semaines qui ont suivi la session de formation, vous avez eu des situations à analyser et des problèmes à régler. Vous est-il arrivé, devant ces situations et ces problèmes, de faire consciemment appel à des choses qui ont été traitées durant la session de formation? Si oui, parlez-en en quelques mots.

6. Quel genre de questions aimeriez-vous poser aux collègues qui seront présents à la rencontre? Par exemple: qu'est-ce qui arrive si on fait telle chose de telle façon; qu'auriez-vous fait dans telle situation; que me conseillez-vous de faire maintenant?

7. Quel est votre principal objectif en venant à cette rencontre de suivi?

Dans la mesure où les échanges porteront sur les actions entreprises par vous et vos collègues de même que sur vos projets et vos préoccupations liés à la gestion du changement, accepteriez-vous de faire une courte présentation (15 minutes) de votre situation?

Oui _____ Non _____ Je préfère décider sur place _____

Source: G. Archambault, «La formation de suivi et le transfert des apprentissages», *Gestion – Revue internationale de gestion,* vol. 22, nº 3, 1997, p. 120-125.

adopter de nouveaux comportements appris sur une certaine période peuvent aussi être anéantis par le manque de soutien. Il est donc important qu'un programme de formation contienne des dispositions visant à favoriser le transfert des comportements appris durant la formation au travail. Il est évident que les conditions du programme de formation doivent être identiques à celles existant au travail. La deuxième est de prévoir une séquence qui vise à enseigner la façon de transposer à la situation de travail les comportements appris en situation de formation. Plusieurs stratégies servant à renforcer les comportements à adopter après la formation ont été résumées dans l'encadré 9.17.

ENCADRÉ 9.17 Stratégies en vue de s'assurer que les nouveaux comportements ont bien été adoptés au travail

Demander à chaque participant de rédiger une lettre d'engagement	À la fin du programme de formation, chaque participant doit rédiger un document dans lequel il indique quels aspects du programme lui seront le plus bénéfiques lorsqu'il sera de retour au travail. Il accepte ensuite d'adopter les nouveaux comportements appris. Chaque participant doit également remettre une copie de la lettre à un collègue ayant suivi la formation. Ce dernier accepte par le fait même de surveiller régulièrement les progrès de l'autre participant, à quelques semaines d'intervalle.
Élaborer un système de notation par points	Ce système, qui vise à mettre en lumière les progrès à la suite de l'apprentissage, est l'une des stratégies par lesquelles les comportements clés, particulièrement ceux qui ne sont pas faciles à observer et qui constituent l'arrière-plan cognitif du travail, sont résumés et signalés à l'employé.
Prévoir des récompenses	Ces récompenses peuvent être accordées aux travailleurs pour les encourager à adopter les nouveaux comportements appris. Ces renforcements, qui peuvent prendre la forme d'une reconnaissance sociale, financière ou autre, doivent toujours être fonction du rendement.
Définir formellement des objectifs à atteindre	L'établissement d'objectifs à atteindre permettra aux employés de disposer d'une base pour juger de leur évolution. Ces buts se doivent d'être réalistes si l'on veut que les participants à la formation les perçoivent comme étant réalisables.
Confier à des superviseurs et à des coéquipiers la tâche de faire des évaluations	Des superviseurs et des coéquipiers de travail peuvent aussi être formés pour évaluer les changements de comportement et les susciter, puisque les formateurs ne peuvent pas toujours être présents pour superviser l'évolution des apprentissages. Au début, les superviseurs se doivent d'être patients et tolérants envers ceux qui commettent des erreurs afin de ne pas les décourager. Par ailleurs, des critiques non constructives ne sauraient inciter l'employé à adopter de nouveaux comportements.

LE CHOIX D'UN PROGRAMME

Pour être en mesure de choisir le programme de formation le mieux adapté à ses besoins particuliers, une organisation doit connaître les principes d'apprentissage liés aux trois catégories d'habiletés qui sont nécessaires aux employés dans l'exercice de leur travail, les méthodes de formation existantes ainsi que les avantages et désavantages de chacune d'elles. Les réponses aux trois questions ci-dessous aideront l'organisation à choisir un programme de formation.

- Quelles sont les habiletés et les connaissances que les employés ont besoin d'acquérir ?
- Quel est le niveau d'apprentissage désiré ?
- Quels sont les programmes de développement des compétences les plus appropriés pour acquérir ces connaissances et ces habiletés et atteindre le niveau d'apprentissage désiré ?

Dans les faits

Les agents de bord reçoivent une formation continue à Air Canada. Le service de formation du personnel navigant a d'ailleurs mis au point une méthodologie poussée visant à répondre aux besoins de formation du personnel de cabine. La méthodologie fait appel à plusieurs techniques, notamment à des séminaires portant sur divers sujets, comme la marche à suivre en cas d'évacuation, l'excellence du service, les habiletés sur le plan des relations interpersonnelles et les directives se rapportant aux vêtements et aux soins personnels. La formation technique est de loin la composante la plus importante. L'apprentissage se fait alors au moyen d'une série d'exercices de simulation effectués dans un environnement réaliste imitant l'intérieur d'un avion. Des situations d'urgence simulées, allant du passager ivre ou malade au bris de matériel, viennent très souvent interrompre ces exercices. De façon générale, Air Canada estime que ces techniques de formation sont très efficaces.

Les compétences, les habiletés et les connaissances requises. Les compétences ne sont pas une donnée stable qui, une fois acquise, ne subira aucune modification[21]. L'arrivée de nouvelles technologies sur le marché peut faire en sorte que les compétences perdent de leur pertinence et que les connaissances deviennent obsolètes. Dans le même ordre d'idées, l'évolution des formes d'organisation du travail a eu un effet considérable sur les compétences, les habiletés et les comportements attendus. À la lumière de ce qui vient d'être énoncé, soulignons que les analyses des besoins doivent viser à déceler les lacunes sur le plan des compétences actuelles et futures en vue de les corriger au moyen de la formation. Par exemple, s'il y a des lacunes sur le plan du rendement chez les superviseurs et les employés d'un même département, la formation devrait inévitablement être axée sur le développement des compétences techniques. D'autre part, le principal besoin des cadres intermédiaires devrait être d'acquérir des habiletés en matière de relations interpersonnelles, tandis que la haute direction a besoin généralement d'acquérir des habiletés lui permettant de remplir ses fonctions administratives ou ses fonctions de gestion. La connaissance de ces arrangements peut faciliter la gestion de la carrière des employés et la planification de programmes de développement des compétences[22]. Dans cette même veine, l'encadré 9.18 explique les compétences qui sont requises en fonction des changements organisationnels.

Le niveau d'apprentissage désiré. Pour mettre à profit les combinaisons ci-dessus, il est nécessaire de connaître le niveau d'apprentissage désiré en ce qui a trait aux habiletés et aux connaissances à acquérir, par exemple, l'amélioration de la capacité d'exécution, du niveau de compétence ou des connaissances fondamentales. Les résultats des analyses des besoins de l'individu et des tâches à accomplir permettent de déterminer ce niveau, en particulier en ce qui concerne la formation nécessaire pour occuper les postes actuels. Pour ce qui est de la formation relative aux emplois futurs, les niveaux désirés dépendent de l'analyse des besoins de l'organisation aussi bien que des analyses des besoins de l'individu et des tâches à effectuer.

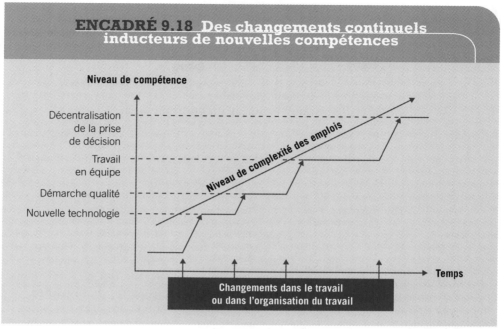

ENCADRÉ 9.18 Des changements continuels inducteurs de nouvelles compétences

Source: D. Bouteiller, « Le syndrome du crocodile et le défi de l'apprentissage continu », *Gestion – Revue internationale de gestion,* automne 1997, vol. 22, nº 3, p. 14-25.

Dans les faits

Chez Marconi, des formateurs sont affectés à chacune des divisions. Une analyse des besoins de formation est menée sur une base hebdomadaire. Les gestionnaires et les formateurs discutent alors des situations ou des événements qui se sont produits et se demandent si la formation peut résoudre les problèmes décelés. Si c'est le cas, une analyse plus structurée des tâches est entreprise et le service des ressources humaines prépare des prévisions relatives aux coûts et aux avantages de cette formation à l'intention de la haute direction. On obtient ainsi un aperçu des coûts de la formation et des économies qu'elle peut engendrer. La plupart du temps, la formation est donnée sur le lieu de travail (dans le cadre ou en dehors des activités régulières) par des techniciens supérieurs, des superviseurs ou des formateurs professionnels. L'entreprise n'embauche qu'occasionnellement des consultants externes. Les principales méthodes de formation utilisées sont les séminaires et l'assistance professionnelle.

Le choix du programme. Le choix du programme le plus adéquat, compte tenu des habiletés qui doivent être enseignées et du niveau d'apprentissage désiré, constitue l'étape finale de la mise en œuvre d'un programme de formation. Un guide aidant à effectuer ce choix est présenté dans l'encadré 9.19. Par exemple, la formation professionnelle est adéquate pour les employés qui ont besoin d'améliorer leur capacité d'exécution dans les habiletés techniques de base, tandis que les études de cas sont plus adaptées à l'amélioration des connaissances et des habiletés conceptuelles ou administratives pour chacun des niveaux de compétence requis.

ENCADRÉ 9.19 Le choix d'un programme de développement des compétences des ressources humaines

		Habiletés requises		
		Habiletés de base	**Habiletés dans les relations interpersonnelles**	**Habiletés dans la maîtrise de concepts**
Niveau de compétence requis	**Connaissances fondamentales**	Rotation d'emplois Direction polyvalente Formation professionnelle Initiation au travail	Jeux de rôles Groupes de formation Cours traditionnels	Rotation d'emplois Direction polyvalente Simulation Études de cas
	Développement des habiletés	Rotation d'emplois Direction polyvalente Simulation Assistance professionnelle	Jeux de rôles Groupes de formation Rotation d'emplois Direction polyvalente Simulation	Rotation d'emplois Direction polyvalente Simulation Études de cas
	Efficacité opérationnelle	Rotation d'emplois Direction polyvalente Apprentissage Formation donnée par un professionnel Simulation Internat et assistanat Assistance professionnelle	Jeux de rôles Rotation d'emplois Direction polyvalente Apprentissage Initiation au travail Simulation	Rotation d'emplois Direction polyvalente Simulation Études de cas

Source : Adapté de T. J. Von der Embose, «Choosing Identer a Management Development Program : A Decision Model», *Personnel Journal,* octobre 1973, p. 911. Traduction et reproduction autorisées par le *Personnel Journal,* Costa Mesa, CA. Tous droits réservés.

IV Les méthodes et les supports d'apprentissage visant le développement des compétences des ressources humaines

Une quantité impressionnante de programmes de formation, de méthodes et de supports d'apprentissage sont offerts actuellement. Il est courant de classer les programmes selon l'endroit où la formation sera donnée, c'est-à-dire en milieu de travail ou à l'extérieur du lieu de travail. Ces méthodes comportent des avantages, mais également certains inconvénients que nous avons regroupés dans l'encadré 9.20.

Outre le fait qu'il tient compte des principaux avantages et inconvénients présentés, le choix d'une méthode de formation peut également dépendre du type d'apprentissage désiré (par exemple, l'acquisition de connaissances de base, de connaissances techniques ou d'habiletés dans les relations interpersonnelles, ou encore la maîtrise de concepts). Les avantages et les inconvénients doivent donc tenir compte du type d'apprentissage et de la méthode choisie.

ENCADRÉ 9.20 **Résumé des avantages et des désavantages des programmes de formation offerts en milieu de travail et à l'extérieur du milieu de travail**

	Avantages	Désavantages
Formation sur les lieux de travail pendant les heures de travail	• procure des expériences d'apprentissage directement liées aux tâches à exécuter; • correspond à un réel apprentissage; • ne nécessite pas l'interruption du travail pendant que l'on acquiert de nouvelles connaissances; • facilite le transfert de l'apprentissage; • permet une rétroaction constante sur le travail effectué.	• suscite du mécontentement chez le consommateur; • risque d'engendrer des désagréments pour les formateurs (superviseurs ou collègues de travail); • risque de provoquer des dommages au matériel, des erreurs coûteuses; • n'est pas toujours conçue de manière structurée.
Formation sur les lieux de travail, en dehors des activités régulières	• permet un apprentissage rapide et individualisé; • maintient des contacts avec différentes unités de travail; • rend le perfectionnement possible sans que les activités régulières quotidiennes soient modifiées.	• est un processus dont la conception est coûteuse (matériel, formateurs, etc.); • nécessite du temps.
Formation à l'extérieur des lieux de travail	• donne la possibilité au travailleur d'acquérir des compétences en demeurant à l'abri des pressions qui s'exercent au travail; • suscite des discussions; • réduit les possibilités de faire des erreurs coûteuses ou d'endommager du matériel; • est recommandée lorsque le but de la formation est de parvenir à maîtriser des habiletés complexes; • permet l'utilisation de ressources externes compétentes.	• engendre des coûts habituellement plus élevés que pour la formation en milieu de travail; • entraîne des difficultés de transfert de connaissances du lieu où la formation est donnée au lieu de travail. À ce sujet, des recherches ont indiqué que plus l'environnement où se déroule la formation est différent de l'environnement de travail existant, plus les employés en formation ont du mal à appliquer l'apprentissage reçu dans leur milieu de travail.

De façon générale, les programmes offerts par les organisations se divisent en deux catégories : ceux offerts sur les lieux de travail et ceux dispensés à l'extérieur de la formation dans le cadre des activités régulières et la formation offerte à l'extérieur de ce cadre. La formation en milieu de travail est souvent conçue et mise en place par l'organisation (encadré 9.21).

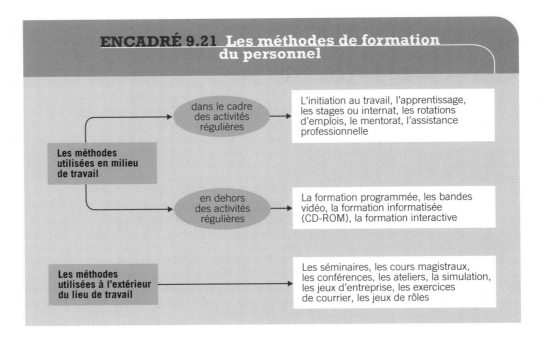

ENCADRÉ 9.21 Les méthodes de formation du personnel

Les méthodes utilisées en milieu de travail

→ dans le cadre des activités régulières → L'initiation au travail, l'apprentissage, les stages ou internat, les rotations d'emplois, le mentorat, l'assistance professionnelle

→ en dehors des activités régulières → La formation programmée, les bandes vidéo, la formation informatisée (CD-ROM), la formation interactive

Les méthodes utilisées à l'extérieur du lieu de travail → Les séminaires, les cours magistraux, les conférences, les ateliers, la simulation, les jeux d'entreprise, les exercices de courrier, les jeux de rôles

LES MÉTHODES UTILISÉES EN MILIEU DE TRAVAIL

Les techniques adoptées dans le cadre des activités régulières. Plusieurs techniques peuvent être implantées dans le cadre d'activités régulières de formation en entreprise. L'*initiation au travail* a été mise en place afin de fournir une formation tant aux cols bleus et aux cols blancs qu'aux techniciens. Puisqu'il s'agit là d'une technique plutôt que d'un programme de formation, il est possible de l'adapter aux programmes de formation ayant cours dans le cadre des activités régulières ou en dehors de celles-ci. La technique comprend quatre étapes : (1) le choix du formateur et du participant et leur préparation adéquate pour l'expérience d'apprentissage qui suivra ; (2) des explications et une démonstration complètes données par le formateur portant sur la tâche que devra accomplir l'employé en formation ; (3) une évaluation du rendement de l'employé pendant sa formation ; (4) une séance de rétroaction au cours de laquelle le formateur et l'employé discuteront du rendement de ce dernier et des exigences de l'emploi.

Consultez Internet

www.mss.gouv.ca/mes/doc/emplqc/regime.htm

Site qui explique le fonctionnement du régime de qualification. Il s'agit d'un processus de formation en milieu de travail qui permet à l'apprenti salarié d'acquérir la maîtrise de son métier sous la supervision d'une travailleuse ou d'un travailleur d'expérience, le compagnon.

L'*apprentissage* est une autre méthode très utile aux organisations qui emploient des ouvriers spécialisés, des techniciens et des professionnels. En fait, cette formation est même obligatoire pour ceux qui désirent être admis au sein d'un bon nombre de corps professionnels désignés. Pour être efficaces, les composantes internes et externes du milieu de travail d'un programme de ce type doivent tenir compte des différences individuelles dans les capacités d'apprentissage, et être suffisamment flexibles pour faire face aux changements dans les exigences et la technologie des métiers. Certains pays comme l'Allemagne utilisent largement cette méthode et sont capables de satisfaire à la demande de main-d'œuvre. Les programmes d'apprentissage s'étalent sur une période de deux à cinq années et combinent la formation en milieu de travail avec un nombre minimal d'heures passées en classe et en atelier.

D'autres techniques moins structurées et moins utilisées que l'apprentissage existent également : il s'agit des stages ou internat et de l'assistanat. Les *stages* ou *internats* résultent souvent d'une entente entre les écoles et collèges et les organisations locales. À l'exemple de l'apprentissage, les participants à de tels programmes obtiennent une rémunération pendant leur formation, mais à un taux moindre que celui qu'obtiennent les employés à temps plein ou les travailleurs qualifiés passés maîtres dans leur domaine. L'internat n'est pas uniquement une source de formation ; il permet également aux participants d'être soumis aux exigences d'un emploi et aux conditions de travail existant dans une organisation donnée. Les étudiants engagés dans de tels programmes sont souvent mieux en mesure de comprendre l'application des concepts enseignés en classe que les étudiants dépourvus d'expérience de travail.

Par ailleurs, l'*assistanat* est une méthode qui consiste à affecter un travailleur à plein temps à une grande variété de tâches. Cependant, comme l'essentiel des fonctions de ce dernier consiste à prêter assistance aux autres travailleurs, son expérience d'apprentissage s'en trouve souvent réduite. Cet inconvénient peut être corrigé par l'utilisation de la méthode de la rotation d'emplois.

Les *programmes de rotation d'emplois* sont utilisés pour former et habituer les employés à un large éventail de tâches et de situations dans lesquelles ils doivent prendre des décisions. Bien que ces programmes permettent aux travailleurs d'acquérir une plus grande mobilité professionnelle, l'étendue de la formation et les avantages à long terme risquent d'être surévalués. En effet, les résultats peuvent ne pas être concluants si l'employé n'est pas affecté assez longtemps à un même travail ou s'il n'est pas motivé réellement, car il sait qu'il occupera un autre poste dans un avenir rapproché.

Il existe encore deux autres méthodes de formation en milieu de travail : l'assistance professionnelle et le mentorat. Ce sont les programmes de formation les moins bien structurés. Ils consistent à fournir quotidiennement de l'assistance et des services d'orientation aux travailleurs sur la façon d'effectuer leurs tâches et de bien satisfaire les attentes de l'organisation. L'efficacité de l'*assistance professionnelle* dépend de la capacité du superviseur d'instaurer un climat de confiance mutuelle entre les employés et lui, de leur offrir des possibilités de croissance et de leur déléguer des tâches. Le *mentorat* est une forme d'assistance professionnelle, à l'exception toutefois que le rôle du mentor est assumé par un employé bien établi dans l'organisation, qui servira de guide à un travailleur moins expérimenté (son « protégé »)[23]. Bien qu'à l'origine le mentorat ait consisté en un processus informel entre deux personnes, l'une expérimentée, l'autre

Le saviez-vous ?

Ce concept tire ses origines de la mythologie grecque : Ulysse demanda un jour à son ami Mentor de montrer à son fils Télémaque tout ce que l'on pouvait retirer de la lecture des livres et de l'observation des destinées du monde.

étant en début de carrière, certaines organisations en sont venues à adopter officiellement une politique d'appariement de mentors et de protégés. Le gain de popularité de cette méthode tient peut-être au fait que de plus en plus de femmes cherchent à obtenir des promotions à des postes de gestion et que le mentorat apparaît comme un moyen privilégié permettant aux femmes de réussir à obtenir des postes élevés dans des milieux dominés par des hommes[24].

Les techniques utilisées en dehors des activités régulières. Les nouvelles technologies ont fait augmenter rapidement le nombre de possibilités offertes aux organisations qui désirent mettre à la disposition de leurs employés des programmes de formation sur les lieux de travail. Une des principales méthodes d'autoformation est la formation programmée. Le matériel d'apprentissage est divisé en plusieurs parties, chacune de celles-ci correspondant à une petite composante de l'ensemble du sujet faisant l'objet de l'apprentissage, et devant être exécutée avec succès avant de pouvoir passer à la partie suivante. Pour faciliter le processus d'apprentissage, le participant reçoit immédiatement une rétroaction concernant la justesse des réponses qu'il a fournies. Cette méthode exige que les habiletés et les tâches enseignées soient découpées adéquatement. Quand c'est le cas, les probabilités pour un individu d'apprendre au moyen de la formation programmée sont élevées parce que cette méthode permet à chacun de déterminer son propre rythme et de recevoir une rétroaction immédiate et impersonnelle. Il n'en demeure pas moins qu'un bon nombre d'habiletés et de tâches ne peuvent être découpées de la sorte. De plus, la conception de la formation programmée est très coûteuse. On estime, en effet, qu'une heure de formation programmée demande 50 heures de conception. Par conséquent, pour que cette méthode soit rentable, compte tenu des coûts devant être engagés, il faut que les conditions d'apprentissage puissent permettre l'utilisation de programmes déjà conçus (par exemple, des tuteurs en informatique), ou qu'un grand nombre d'employés participent au programme de formation.

Les *bandes vidéo* peuvent être utilisées à l'intérieur ou à l'extérieur du lieu de travail ; elles constituent un support visuel de choix, remplaçant avantageusement les films. Dans sa forme la plus simple, la formation par vidéo fait appel à de l'information enregistrée sur une bande magnétique ; ce mode de formation est pratique, car il est possible d'arrêter et de mettre en marche l'appareil au moment désiré. Comme les bandes vidéo sont moins coûteuses que les films traditionnels, on en trouve de plus en plus sur le marché. L'un des avantages de cette méthode est lié au fait que la formation peut être uniformisée, ce qui est particulièrement intéressant pour les entreprises dispersées géographiquement. Les *vidéoconférences* peuvent également constituer une méthode de formation qui permet de rejoindre des formateurs dans des pays ou des unités d'affaires situés dans diverses parties du monde.

Consultez Internet

www.tft.co.uk
Site du Technologies for Training fournissant de l'information et des conseils en matière de formation informatisée.

La *formation* et la *formation interactive par vidéo* combinent les avantages de la formation programmée avec ceux de la formation par bandes vidéo[25]. Les programmes de formation interactive par vidéo sont constitués généralement d'un court vidéo accompagné d'un exposé narratif, à la suite duquel on demande au participant de répondre à des questions ou d'exprimer son opinion sur le sujet. L'équipement vidéo est habituellement relié à un ordinateur personnel, et l'employé en formation répond aux questions posées lors du visionnement en utilisant le clavier de l'ordinateur ou en touchant l'écran[26]. Cet ensemble multimédia destiné à la formation permet véritablement un apprentissage individualisé[27]. Comme il est également divertissant, il aide à maintenir la motivation du participant élevée. Dans le même ordre d'idées, les classes virtuelles utilisent également les nouvelles technologies de l'information pour créer des environnements assimilables à l'environnement de travail et faciliter ainsi le transfert de l'apprentissage[28, 29].

Dans les faits

Entre 1989 et 1991, près de 2 000 employés de la Société canadienne des postes ont reçu une formation informatisée à l'aide d'équipement vidéo.

Par contre, les coûts de conception du matériel sont très élevés[30] et incluent les frais relatifs à l'achat du matériel informatique en plus de l'élaboration de programmes très perfectionnées qui nécessitent de nombreuses heures de travail.

Grâce à la technologie des disques compacts, de nouvelles tendances se dessinent en matière de formation interactive. La formation informatisée, qui a précédé dans le temps la formation interactive par vidéo, comporte un certain nombre des composantes de cette dernière, mais demeure moins coûteuse. Des centaines de logiciels sont offerts sur le marché pour aider les gens à comprendre le mode d'emploi de divers types de logiciels ou d'un ordinateur. Apple et IBM ont mis sur pied un cours montrant comment utiliser leurs ordinateurs. La formation informatisée permet également d'enseigner d'autres programmes populaires comme les programmes de traitement de texte (WordPerfect), d'analyse statistique (SPSS, SAS), d'entretien (Norton Utilities, PC Tools), de gestion des données (Excel, Lotus 1-2-3, dBase) et beaucoup d'autres encore. La popularité que la formation informatisée a acquise dans l'industrie peut s'expliquer en partie par le fait qu'elle contribue à réduire les coûts des voyages de formation et le temps de formation. De plus, on estime que cette méthode permet d'augmenter la rétention de l'information de 80 %[31].

Consultez Internet

www.training.ibm.com

Site d'IBM Global Campus ; un exemple de programme de formation en technologie de l'information à la compagnie IBM.

LES MÉTHODES UTILISÉES À L'EXTÉRIEUR DU MILIEU DE TRAVAIL

La méthode des cours traditionnels ou séminaires. Elle est utilisée dans beaucoup de programmes de formation en raison de la masse d'information qu'il est possible de transmettre efficacement à un grand nombre de personnes réunies en un même lieu. Bien que plus de 83 % des organisations l'utilisent, elle fait fréquemment l'objet de critiques à cause de ses multiples lacunes[32]. Cette méthode perpétue en fait la structure d'autorité présente dans les organisations traditionnelles et entrave la progression de l'étudiant, car le processus d'apprentissage ne peut être soumis à aucun contrôle de la part du participant. Souvent effectué dans des universités, des cégeps ou des écoles techniques, ce type de formation est limité, sauf en ce qui concerne l'apprentissage de connaissances et de concepts, le transfert de compétences et d'habiletés à une tâche donnée en milieu de travail. De plus, la nécessité de s'exprimer largement durant les séminaires de formation suivis dans des institutions d'enseignement peut se révéler menaçante pour les individus

Consultez Internet

http://inforoutefpt.org/

Site qui permet de se familiariser avec les différents programmes de formation offerts aux entreprises par les institutions et les centres de formation.

qui ont peu d'expérience en cette matière ou peu d'aptitudes verbales. La méthode du séminaire n'assure pas non plus une formation personnelle basée sur les différences individuelles existant en matière d'habiletés, de champs d'intérêt et de personnalité. C'est pourquoi les directeurs de la formation des grandes entreprises rappellent, sondage après sondage, que les séminaires représentent la méthode la moins efficace pour les activités de formation[33]. Cependant, les recherches ont aussi indiqué que les séminaires ont davantage de succès pour l'acquisition de connaissances que pour l'acquisition d'habiletés ou pour la modification d'attitudes. Beaucoup d'organisations utilisent des séminaires enregistrés en raison de la taille de leur entreprise ou de l'emplacement de leurs différents bureaux ou usines ; elles font parvenir les enregistrements aux employés. Les séminaires enregistrés demeurent beaucoup moins coûteux que la production complète d'une bande vidéo ou d'un film. Un certain nombre d'universités optent pour cette méthode en diffusant des cours télévisés. De cette façon, l'étudiant éloigné de l'université n'a plus besoin de se déplacer pour assister à un seul séminaire. Les enregistrements des séminaires sont généralement accessibles en bibliothèque pour les étudiants qui n'ont pu les visionner en classe. Une université américaine a même décidé d'adopter une approche innovatrice pour mieux satisfaire les besoins de sa clientèle.

La méthode des conférences ou ateliers. Celle-ci est semblable à la précédente, sauf qu'elle exige la participation des étudiants, ce qui rend l'apprentissage plus dynamique. Tout comme pour la méthode des séminaires, elle se révèle plus efficace pour l'acquisition de connaissances que tout autre type d'apprentissage. Les études de cas constituent des descriptions narratives de situations réelles ou fictives, préparées dans un but de formation ; il existe une version écrite pour la plupart de ces études de cas, et il a été prouvé qu'elles étaient stimulantes pour les individus suivant une formation, en particulier lorsque des présentations sont faites devant de petits groupes. Les individus s'investissent alors dans le cas et reçoivent immédiatement des commentaires et une rétroaction de la part de leurs pairs. Les études de cas donnent aussi l'occasion aux étudiants d'appliquer leurs connaissances conceptuelles et théoriques. Elles possèdent néanmoins certains désavantages : l'expérience qu'elles apportent aux participants est très limitée et ne ressemble pas toujours aux situations qui se vivent au travail. De plus, pour que cette formation soit réellement efficace, un formateur très expérimenté doit guider adéquatement les participants à travers l'analyse.

La simulation et les jeux de rôles. La *simulation* est une méthode qui consiste à présenter aux participants des situations similaires à celles auxquelles ils font face dans leur emploi actuel. Elle peut être utilisée tant pour les gestionnaires que pour les employés d'autres catégories professionnelles. La méthode du vestibule est couramment employée pour ces derniers. Il s'agit de simuler l'environnement de travail actuel de l'individu. Cependant, comme l'environnement demeure malgré tout irréel et généralement plus sûr et moins agité qu'il ne l'est en réalité, l'ajustement de l'environnement simulé au contexte de travail réel peut être difficile. C'est pourquoi certaines entreprises préfèrent donner la formation dans le véritable cadre de travail. On invoque toutefois certains arguments à l'appui de la simulation : cette méthode préserverait les employés en formation des réactions d'insatisfaction des consommateurs qui interagissent avec les employés. Elle réduirait également la frustration de l'employé suivant une formation et pourrait faire économiser beaucoup d'argent à l'entreprise en diminuant les accidents susceptibles de se produire au cours de la formation. La *méthode du centre d'évaluation* est une autre technique de simulation employée de plus en plus pour la formation des gestionnaires.

Le centre d'évaluation a été présenté dans le chapitre 6 comme un mode de sélection des gestionnaires. Cependant, certains aspects de cette méthode, comme les jeux d'entreprise et les exercices du courrier, sont excellents pour la formation et la détermination des besoins de formation potentiels. Les *jeux d'entreprise* ou simulations de gestion constituent un autre type de simulation qui comporte presque toujours une certaine part de compétition entre différentes équipes d'employés au cours de la formation. À l'inverse, les *exercices du courrier* sont des jeux plus individuels. Au cours de ces exercices, le participant travaille à une série de documents placés sur son bureau le matin (comme tout gestionnaire est appelé à faire). Il doit établir des priorités dans le traitement des différents documents, suggérer des solutions aux problèmes soumis et prendre des mesures immédiatement, le cas échéant. Bien que les exercices du courrier puissent être stimulants et agréables, le développement des compétences de l'employé en formation dépend en partie de ce qui se produit après les exercices. Le compte rendu et l'analyse de ce qui a été fait par le participant et de ce qui aurait dû être fait aident l'employé à apprendre comment un gestionnaire accomplit son travail. En l'absence d'un compte rendu ou d'une analyse du travail des employés, les possibilités d'amélioration de leurs habiletés peuvent être considérablement réduites ; les participants n'ont alors aucune idée des connaissances ou des habiletés qui doivent être transférées du jeu au travail.

Consultez Internet

www.ccl.org

Site du Center for Creative Leadership qui propose du matériel destiné aux personnes qui participent à des cours de formation en matière de leadership.

Si les exercices de simulation peuvent être utiles pour aider les employés à acquérir des habiletés liées à la maîtrise de concepts et à la résolution de problèmes, il existe d'autres méthodes de formation visant à améliorer les capacités des gestionnaires dans le domaine des relations interpersonnelles (par exemple, la conscience de soi et des autres), à changer leurs attitudes et à mettre en pratique leurs habiletés en matière de relations humaines (telles que le leadership et la technique des entrevues). Les *jeux de rôle* constituent l'une de ces méthodes de formation. Dans ce cas, on s'intéresse davantage aux aspects émotionnels, soit les relations humaines, qu'aux faits eux-mêmes. L'essentiel d'un jeu de rôle est de créer une situation réaliste et de faire en sorte que les employés en situation de formation y jouent des rôles correspondant à diverses personnalités. L'utilité des jeux de rôle dépend beaucoup de l'intensité que chaque participant met à jouer son rôle. S'il vous est déjà arrivé de participer à ce genre de jeu, vous savez à quel point il est difficile de s'y engager pleinement et combien il serait plus facile de se contenter de lire son texte. Lorsque les participants assument pleinement le rôle qui leur a été attribué, Il en résulte, de la part de l'employé, une plus grande sensibilité aux traits distinctifs (sentiments, intérêts) de ce rôle.

REVUE DE PRESSE

La formation de cadres... dans un camp de vacances !

Améliorer ses méthodes de gestion en dirigeant un camp où sont réunis 40 enfants

Pierre
Théroux

Un nouveau mode de formation et de perfectionnement pour les cadres serait en voie de s'implanter au Québec : la gestion de camp de vacances ! « On apprend beaucoup d'une telle expérience, tant au niveau personnel que professionnel », note Sonia Morissette, gestionnaire au sein de la division Contrats stratégiques, de Nortel.

« Le camp offre une approche unique orientée sur des aspects beaucoup plus pratiques », précise son collègue Pierre Aubin, coordonnateur de produits, en comparant ce séjour à d'autres cours de perfectionnement auxquels il s'est inscrit ces dernières années.

Ces deux cadres faisaient partie d'un groupe de 10 gestionnaires de Nortel qui, à l'été 1997, ont participé à un cours de formation particulier visant à améliorer les méthodes de gestion. Son originalité tient au fait que les participants sont appelés, pendant une semaine, à diriger un camp de vacances réunissant 40 enfants âgés de 9 à 11 ans.

Or, comment la gestion d'un tel camp peut-elle influer sur la façon de mener un département administratif, voire une entreprise ? « Le *feedback* est immédiat, tu sais immédiatement à quoi t'en tenir avec eux et cela t'amène à réagir promptement », fait observer Mme Morissette.

« Les enfants sont des clients exigeants, ne serait-ce qu'au point de vue de l'encadrement et de la qualité de la communication », affirme Andrée Jalbert, directrice générale de Barton Canada.

« Ils n'ont pas encore appris à être *politiquement corrects*. S'il y a quelque chose qui cloche, s'ils s'ennuient ou ne veulent pas faire certaines activités, mais surtout si la relation entre eux et les cadres n'est pas bien établie, ils l'expriment facilement, sans détour, et forcent les participants à s'ajuster rapidement. »

Une idée venue du Royaume-Uni

Sur place, mais aussi transposée en entreprise, cette approche singulière offre l'occasion d'apprendre à mieux travailler en équipe et de perfectionner diverses aptitudes de gestion comme le leadership, la planification ou la communication, affirment les participants.

« Chacun découvre ses forces et ses faiblesses, au fil de la semaine, et en retire une expérience de gestion différente qu'il peut mettre en pratique dans le cadre de son travail » commente M. Aubin.

Ce concept a été importé du Royaume-Uni où, depuis le début des années 1990, la firme de consultants en formation Barton y a offert de tels cours aux entreprises Barclays Bank, Castle Cement et Nortel. C'est lors d'un séjour d'études chez *Nortel Monkstown*, à Belfast en Irlande du Nord, que Geneviève Lebrun, ingénieure de la firme de Saint-Laurent, s'est familiarisée avec ce nouveau mode de formation.

« Elle m'en a parlé avec grand enthousiasme et elle souhaitait qu'une telle formation soit offerte aux employés d'ici », se rappelle Liliane Pelini, chef Formation et services intérieurs, observant aussi des changements pour le mieux, notamment en termes de travail d'équipe et d'écoute, de la part de la vingtaine de gestionnaires ayant déjà participé à ce cours.

L'entreprise décidait donc, en 1996, de participer à un projet pilote et, devant le succès obtenu, de renouveler l'expérience l'année suivante. Elle s'apprête, en 1998, à déléguer une dizaine d'autres membres du personnel cadre en août prochain.

Travail d'équipe

Les gestionnaires participants se présentent au camp le vendredi afin de préparer l'arrivée des enfants, le dimanche, et la semaine d'activités qui se termine le vendredi suivant. Ils doivent également s'assurer de la sécurité des enfants.

Le séjour se fait sous la supervision de professionnels en formation et en gestion, de conseillers pédagogiques de même qu'avec l'appui des animateurs du camp de vacances, en l'occurrence pour Nortel, le camp *Jeune-Air* dans les Laurentides. C'est le soir, une fois les enfants au lit, que la formation théorique prend le dessus. On en profite alors pour faire le bilan de la journée.

« Nous ne sommes pas là pour leur dire quoi faire, mais plutôt pour les amener à explorer leurs compétences personnelles et professionnelles et à trouver eux-mêmes des pistes de solution », dit Mme Jalbert, présente au cours à titre de spécialiste en formation.

« Nous analysons avec eux certaines idées préconçues en fonction des résultats obtenus pendant le camp. Plusieurs croient que le rôle d'un leader, par exemple, c'est de dire aux autres quoi faire. »

« Or, un vrai leader se présente comme le gardien de la vision de l'entreprise, celui ou celle qui s'assure notamment que les habiletés et les compétences de chacun des membres du personnel sont reconnues et utilisées en fonction de la réalisation des objectifs communs. »

Aussi, même si une entreprise forme des équipes de travail, cela ne signifie pas pour autant que les membres de l'équipe travaillent justement en équipe.

En fait, Mme Jalbert déplore que bon nombre d'entreprises adoptent ce mode de fonctionnement non pas dans un processus de création pour la réalisation de la vision, mais plutôt en réaction, afin de corriger certains problèmes à court terme.

Rappelons enfin que ce type de formation, grâce à l'appui financier de l'entreprise-cliente, vise également à offrir à des enfants méritants, provenant de milieux moins favorisés, la possibilité de passer une semaine sans frais dans un camp de vacances.

Source : Les Affaires, *4 avril 1998 p.35.*

V Les autres activités importantes relatives au développement des compétences des ressources humaines

Le développement du potentiel des employés, la formation des équipes de travail et les programmes visant le perfectionnement des cadres comptent également parmi les activités importantes qui ont trait au développement des compétences des ressources humaines et qui seront examinés dans cette section.

LE DÉVELOPPEMENT DU POTENTIEL DES EMPLOYÉS

Développer le potentiel des employés est considéré comme faisant partie intégrante de la planification de carrière dans de nombreuses organisations. Nous traiterons de ce sujet en profondeur dans le chapitre 10. Il n'empêche que, au cours des 20 dernières années, les efforts de perfectionnement ont été centrés sur les employés occupant des fonctions de gestion ainsi que sur les professionnels. Une variété de programmes, officiels ou non, ont été conçus pour ces catégories de travailleurs. Les entreprises n'ont commencé que récemment à se rendre compte que, pour atteindre leurs objectifs stratégiques à long terme, il leur fallait s'intéresser aux besoins de formation des autres catégories d'employés (encadré 9.22). Depuis lors, les programmes de formation à la gestion et aux relations humaines ou les programmes de création d'équipes ne sont plus réservés à la haute direction. Cette évolution résulte certainement d'une meilleure compréhension du fait que les habiletés qui ne sont pas nécessairement liées aux tâches à accomplir (telles que la négociation, l'amélioration de la capacité de mémorisation, l'écoute, le service à la clientèle) pourraient profiter à l'organisation à long terme. En investissant dans de tels programmes, les entreprises reconnaissent donc que les individus – et non pas uniquement la technologie – sont à la source de leurs réalisations. Bien que le perfectionnement des employés se distingue de la formation régulière, ses résultats devraient également faire l'objet d'une évaluation, même si les mécanismes, le cadre temporel et les objectifs de ce processus sont différents. L'encadré 9.23 établit une comparaison entre le Québec et les États-Unis en ce qui a trait aux types de formation offerts dans les entreprises. Les données proviennent d'une enquête effectuée en 1995 auprès de 229 organisations appartenant aux secteurs public et privé.

ENCADRÉ 9.22 Les raisons qui incitent les organisations à favoriser le développement du potentiel des employés

- La forte croissance des industries axées sur la prestation de services exige des employés qu'ils possèdent un sens poussé des relations humaines et une extrême sensibilité dans les relations avec les clients.

- Au fur et à mesure que la technologie et l'automatisation prennent de l'importance et que de moins en moins de gestionnaires sont nécessaires pour mener les opérations, les employés deviennent plus indépendants et se gèrent eux-mêmes, avec l'aide de leurs collègues. Le besoin d'améliorer les habiletés des employés en matière de prise de décision et de relations interpersonnelles devient de plus en plus évident. Or, les programmes conçus pour enseigner aux travailleurs comment faire fonctionner des équipes d'autogestion ou acquérir des qualités de leader sont rares et de piètre qualité[34].

ENCADRÉ 9.23 Comparaison entre les types de formation existant au Québec et aux États-Unis)

Types de formation	% des organisations qui ont offert ce type de formation en 1996 au Québec	% des organisations qui ont offert ce type de formation en 1996 aux États-Unis
Formation technique		
Informatique de base	69 %	88 %
Compétences techniques	64 %	85 %
Nouvelles méthodes/procédures	44 %	78 %
Travail de bureau/secrétariat	34 %	62 %
Relations de travail	19 %	58 %
Compétences générales		
Habiletés de gestion	62 %	84 %
Habiletés de supervision	53 %	81 %
Service à la clientèle	39 %	74 %
Vente	30 %	55 %
Développement personnel	30 %	68 %
Développement de la haute direction	29 %	72 %
Enseignement de base	13 %	42 %

Source : P. Lefebvre, « Un portrait statistique de la formation des travailleurs au Québec », *Info Ressources humaines,* avril-mai-juin 1997, p. 36-39.

Les cadres supérieurs et les formateurs qui ne sont pas favorables aux programmes de perfectionnement estiment qu'on ne retire pas grand-chose de ce type d'investissement. Les résultats des programmes de perfectionnement sont souvent flous, et ils se reflètent rarement dans les comportements au travail. Par conséquent, ces programmes sont souvent qualifiés de formation « douce ou *soft* ».

La formation « douce ou *soft* » est beaucoup plus difficile à instituer que la formation technique ou tout autre type de formation. Si les chances de succès d'une formation technique – en supposant, évidemment, que le programme soit bien élaboré et mis en application correctement – peuvent atteindre 90 % ou même 100 % ; celles d'une formation basée sur l'enseignement d'habiletés comme le leadership, les communications interpersonnelles, la résolution de problèmes et l'aide aux consommateurs peuvent n'atteindre que 20 %, et les employés risquent de retourner à leurs anciennes habitudes[35].

LES PROGRAMMES DE DÉVELOPPEMENT DES COMPÉTENCES VISANT LES ÉQUIPES DE TRAVAIL

La formation en groupe et la formation axée sur les relations humaines ont été des méthodes très populaires dans les années 60 et 70. Elles sont davantage orientées vers le développement des individus que la croissance de l'organisation (sauf dans le cas où elles sont intégrées au programme de perfectionnement d'une organisation). La formation par groupe est également appelée formation à la sensibilité, groupe de rencontre, groupe-marathon ou formation en laboratoire Il s'agit d'une méthode qui met largement l'accent sur les principes de la dynamique de groupe et qui est axée sur l'acquisition d'habiletés relatives à la connaissance de soi et des autres[36]. On procède par l'observation et la participation à diverses situations de groupe. Concrètement, des personnes se retrouvent au sein d'un groupe non structuré et échangent leurs idées et leurs sentiments par rapport à des situations qui se vivent sur-le-champ, et non par rapport à des situations abstraites. Bien que ces expériences donnent l'occasion aux participants de comprendre comment et pourquoi eux-mêmes ou les autres participants se sentent et réagissent de telle ou telle façon, cette méthode a fait l'objet de critiques. On soutient que les résultats de tels exercices ne sont pas bénéfiques aux employés parce que les habiletés enseignées ne sont pas transférables en milieu de travail. Bien plus, certains participants sortiraient psychologiquement ébranlés de ces séances de formation. La formation axée sur les relations humaines, de son côté, a pour but d'humaniser l'employé en le rendant plus sensible aux problèmes humains. Cette école de pensée tire ses origines des études de Hawthorn.

La création d'équipes est une méthode qui a d'abord été appliquée dans les programmes de perfectionnement de la direction et des cadres supérieurs. Actuellement, on fait largement appel à ce type de formation, qu'on a étendu à diverses autres catégories d'employés. Les équipes de travail, les cercles de qualité, les équipes conjointes syndicales-patronales, les comités d'action et les groupes de travail autogérés découlent tous de cette approche. Même si le but de la création d'équipes est très clair, le processus permettant d'y arriver par la formation n'est pas toujours évident. L'encadré 9.24 rapporte les erreurs à éviter afin de maximiser les chances de succès des programmes de formation destinés aux équipes de travail.

ENCADRÉ 9.24 Dix erreurs à éviter lors de la conception d'un programme de formation visant des équipes de travail

- Confondre «création d'équipes» et «travail d'équipe». La création d'équipes vise à mettre les individus à l'aise les uns avec les autres. Le travail d'équipe, de son côté, vise à s'assurer que le groupe exécute le travail selon les normes, même si des conflits de personnalité ou des problèmes dans les relations interpersonnelles se produisent.
- Considérer les équipes comme des systèmes fermés. Souvent, la formation oublie d'aller au-delà de l'équipe elle-même et de montrer sa relation avec l'ensemble de l'entreprise.
- Ne pas utiliser un modèle systématique de plan de création d'équipes. Un modèle de référence expliquant comment une équipe peut obtenir du succès est nécessaire.
- Entreprendre une formation d'équipe sans avoir évalué les besoins de l'équipe en question.
- Inviter les membres de l'équipe à suivre la formation individuellement plutôt qu'en équipe.
- Considérer la formation d'équipes comme une technique de gestion japonaise.
- Supposer que toutes les équipes de travail sont semblables[37].
- Penser que la formation peut suffire. Un suivi des équipes doit être fait et différentes mesures doivent être adoptées pour renforcer les effets de la formation.
- Considérer la création d'équipes comme un programme plutôt que comme un processus.
- Ne pas tenir les équipes de travail pour responsables de l'utilisation de ce qu'elles ont appris au cours de la formation.

LE PERFECTIONNEMENT DES CADRES

On fait appel à un grand nombre des techniques mentionnées ci-dessus, de même qu'à certains programmes de formation traditionnels, pour assurer le perfectionnement des dirigeants. En raison de la forte concurrence qui existe entre les entreprises à l'échelle mondiale, ces dirigeants doivent faire en sorte que leur organisation satisfasse à des normes de productivité de plus en plus élevées, recherche la qualité et fasse preuve d'efficacité pour assurer sa survie[38]. Le perfectionnement du personnel dirigeant est un processus continu, conçu pour aider les cadres supérieurs à devenir plus compétitifs, et ce, d'une façon tangible et mesurable. Le contenu des programmes est établi en fonction des objectifs particuliers de chaque entreprise, mais la priorité est donnée à la formation au leadership, à la capacité de devenir un chef de file sur le marché et de s'approprier une partie de la clientèle, à la façon d'élaborer et d'appliquer une stratégie et à la manière de gérer le changement. L'encadré 9.25 souligne les compétences les plus importantes qui sont exigées des cadres au XXIe siècle[39].

ENCADRÉ 9.25 Les compétences des cadres

- Créer et inspirer une vision organisationnelle.
- Attirer et développer des talents.
- Bien communiquer à la fois individuellement et au sein des groupes.
- Permettre aux employés de montrer leurs capacités.
- Questionner et guider les employés dans l'analyse.
- Aider les autres, être confiant dans ses capacités.
- Aider les employés à définir leurs besoins de planification de carrière.
- S'entourer de conseillers efficaces.

Source : S. Caudron, « Building Better Bosses », *Workforce,* mai 2000, p. 32.

Avant de concevoir quelque programme que ce soit, une évaluation systématique des besoins doit être faite, habituellement au moyen d'entrevues menées en profondeur avec le personnel de direction. Un sondage réalisé récemment indique que, parmi les 12 méthodes d'apprentissage les plus importantes, celle qui est la plus employée dans les programmes de perfectionnement des cadres au cours des années 90 est le recours à des experts externes[40].

VI Les tendances dans le domaine du développement des compétences : pistes de réflexion

Quels sont les pièges à éviter ? Quelles sont les tendances qui semblent de plus en plus marquer le développement des compétences ? Telles sont les dimensions présentées dans cette section.

PIÈGES À ÉVITER

Diverses opinions et perceptions sont fréquemment véhiculées au sujet de la formation ; elles reflètent quelques-unes des nombreuses difficultés que le développement des compétences au sein des entreprises doit s'efforcer de résoudre. Voici quelques réflexions que font les employés : « Toutes ces questions de formation et de perfectionnement sont bien intéressantes, mais c'est mon patron qui en aurait besoin. » Les spécialistes soutiennent que « si seulement la haute direction apportait son soutien au programme de formation, on obtiendrait certainement plus de succès. » Quant à la haute direction, elle estime souvent que : « Le perfectionnement de la direction ? Le soutien actif aux divers programmes de formation ? Mais c'est ce que nous faisons à longueur de journée[41] ! »

Ces trois commentaires montrent bien la tendance générale à rejeter la responsabilité sur les autres lorsqu'il s'agit de formation au sein des organisations. Cette façon de réagir est en partie la cause de l'échec de certains efforts de formation (encadré 9.26).

ENCADRÉ 9.26 Les raisons qui expliquent les échecs des programmes de formation

- Effectuer des analyses des besoins en formation de manière précipitée et superficielle, de sorte que les besoins réels et la clientèle visée ne sont pas clairement établis.
- Substituer la formation à la sélection, et compter trop fortement sur l'effet magique de la formation pour améliorer les habiletés des individus qui ont des compétences et des capacités réduites.
- Limiter la formation et le perfectionnement aux cours traditionnels, ne tenant ainsi pas compte des autres méthodes et techniques de formation.
- Prendre tous les besoins de formation et de perfectionnement en bloc, de sorte qu'il est difficile d'implanter des programmes adaptés aux différents besoins.
- Oublier de prêter une attention soutenue à l'ensemble du processus de formation et de perfectionnement.
- Ne pas donner l'occasion de mettre en application les comportements nouvellement appris et ne prévoir aucun système de soutien.

Des observateurs notent qu'en plus de ces problèmes d'ordre général, beaucoup de programmes de formation au Canada connaissent des problèmes particuliers, notamment le peu d'attention porté à la formation de la direction et l'insuffisance de formateurs qualifiés (beaucoup de responsables de la formation ont une expérience fort limitée dans leur domaine)[42].

LES TENDANCES LOURDES EN MATIÈRE DE DÉVELOPPEMENT DES COMPÉTENCES

La formation des travailleurs expérimentés. À la lumière des données démographiques, la main-d'œuvre vieillissante sera de plus en plus présente dans les organisations, ce qui amènera une nouvelle façon de concevoir les programmes de formation, soit en fonction du rythme d'apprentissage, de la pertinence de la formation chez les travailleurs plus âgés. Les organisations devront nécessairement adopter une nouvelle pédagogie et recourir à des méthodes innovatrices et adaptées aux caractéristiques individuelles des employés.

Les cultures internationales. Le développement des affaires à l'étranger fait en sorte que la nécessité d'apprivoiser des cultures étrangères devient plus pressante qu'auparavant. Cette nouvelle réalité affectera les programmes de développement des compétences : ceux-ci devront tenir compte de l'intégration d'aspects culturels et linguistiques afin de pouvoir réduire les distances culturelles entre les différentes unités organisationnelles[43].

L'alphabétisation en milieu de travail. Il s'agit d'une préoccupation qui marque la fin du XXe siècle et qui fait son chemin dans le XXIe. La capacité de lire, d'écrire et d'utiliser l'information numérique est essentielle à la réussite des individus au sein des organisations[44]. Une étude récente de Statistique Canada montrait le degré de concordance entre les capacités de base individuelles et les exigences des emplois et soulignait l'importance qu'il fallait accorder à l'utilisation des compétences de base des employés dans l'exercice de leurs fonctions afin que l'entreprise puisse atteindre des niveaux de productivité lui permettant de mieux concurrencer les autres sur les marchés internationaux[45].

Les études de l'OCDE ont levé le voile sur une réalité fort méconnue. Les besoins de formation de la main-d'œuvre sont considérables et les connaissances de base insuffisantes de centaines de milliers de travailleuses et travailleurs imposent un fardeau énorme à la capacité du Canada de moderniser son économie. Rappelons-en les principales données concernant le Québec :

- 6 % de la population adulte éprouve des difficultés très importantes à lire et est considérée comme analphabète.
- 13 % peut tout au plus repérer un mot familier dans un texte simple et ne peut se servir de matériel écrit que pour accomplir des tâches très élémentaires.
- 24 % peut utiliser du matériel écrit dans la mesure où les tâches à faire sont simples et où le texte est clair.

Seulement 57 % des adultes québécois sont capables de satisfaire aux exigences de la lecture courante et de faire preuve de polyvalence dans leurs capacités de lecture[46].

La création d'un climat d'apprentissage. Ne pas se limiter à enseigner aux employés des façons de faire s'impose comme une tendance au sein des organisations et représente une priorité pour elles. Les organisations apprenantes se fondent sur des compétences individuelles et collectives, des structures de soutien et des attitudes qui poussent les individus à apprendre. Ce sont des normes culturelles qui encouragent ou freinent l'apprentissage. Établir une culture dans laquelle la curiosité est encouragée et qui pousse les employés à vouloir apprendre, savoir reconnaître les conflits et les erreurs, créer un modèle de direction qui accepte les incertitudes et les expérimentations, créer des équipes et instaurer le travail en équipe figurent parmi les nombreux conseils pratiques qui aident les entreprises à créer un climat propice à l'apprentissage[47].

REVUE DE PRESSE

Le coaching, la formation fétiche des gestionnaires

Plus de la moitié des entreprises québécoises y ont déjà eu recours

Michel De Smet

Parmi tous les outils de formation destinés aux gestionnaires, le coaching demeure incontestablement le plus populaire.

La dernière étude publiée en 1998 par la firme Zins Beauchesne pour le compte de l'association des entreprises privées de formation le confirme : 52 % des entreprises québécoises ont déjà eu recours au moins une fois à une activité de coaching. Et la proportion ne cesse de progresser à chaque nouvelle enquête menée par la société de sondage.

En contrepartie, les organisations se montrent particulièrement frileuses quant à l'adoption des programmes de formation qui, à l'instar du coaching, ont également pour effet de développer les habiletés comportementales des gestionnaires : le leadership, l'amélioration des relations interpersonnelles et le travail en équipe ne touchent, au mieux, que le tiers de nos entreprises.

Selon Stéphan Lavigne, président du cabinet-conseil en développement des ventes Groupe Lavigne, la popularité croissante du coaching tient notamment au fait que la démarche n'amène pas de bouleversements structuraux dans l'organisation comme le ferait, par exemple, un programme de formation visant l'implantation en entreprise d'équipes semi-autonomes.

« Le coaching ne forcera pas une organisation à modifier ses processus d'affaires ou de production. Il contribue à développer les aptitudes de communication entre le cadre et ses subalternes. En somme, il a pour effet de créer un climat plus stimulant de travail dans une équipe de travailleurs. »

Améliorer la performance

L'objectif des entreprises qui proposent à leurs cadres une formation de coaching n'est évidemment pas en priorité de leur offrir un outil susceptible de développer leurs aptitudes de communication. C'est bien l'amélioration de la performance qui est visée par les organisations.

« Un bon coach, c'est le gestionnaire qui, plutôt que d'imposer son point de vue à ses travailleurs, va les motiver à trouver eux-mêmes la solution à un problème donné », souligne Pierre Charbonneau, associé de Raymond Chabot, ressources humaines.

« C'est bien connu que l'on n'est jamais aussi efficace que lorsque que l'on est en prise directe avec le travail exécuté : d'où l'importance de responsabiliser au maximum les travailleurs de la base. »

Pour les maisons de formation, le coaching représente une véritable manne. « Tout le monde est *coachable*, estime M. Lavigne. L'important est d'avoir le soutien de la haute direction de l'entreprise lorsque le cadre se mettra à fonctionner en mode coach au sein de son équipe. »

Il n'y a d'ailleurs pas que les responsables de premier niveau — contremaîtres et superviseurs — qui tirent profit d'une telle formation. Les cadres supérieurs peuvent également bénéficier d'une forme externe de coaching, assumée par un consultant expérimenté. « Dans ce cas, il s'agit de maintenir le gestionnaire en perpétuel éveil, dit Jean-Pierre Fortin, président de Coaching de gestion. Le rôle du consultant consiste alors à renforcer le leadership du cadre supérieur en le forçant sans cesse à penser et à agir en mode coach, plutôt qu'en maintenant un style de gestion autocratique. »

Les obstacles

Si tous les cadres, du superviseur au gestionnaire supérieur, sont coachables, il n'en reste pas moins que la réussite de la formule est liée à l'appui que donnera l'équipe dirigeante de l'entreprise.

Un second obstacle au coaching peut également venir des subalternes, c'est-à-dire des personnes coachées.

« Les travailleurs qui ont été habitués à exécuter les ordres transmis par leur supérieur immédiat se font soudain demander de prendre eux-mêmes des initiatives, d'être plus responsables par rapport à leur travail. Pour beaucoup d'entre eux, c'est déstabilisant, voire inquiétant », indique M. Lavigne.

C'est pourquoi beaucoup de consultants prévoient, à l'intérieur de leur programme de formation, un module qui s'adresse également aux futurs coachés : en expliquant clairement les objectifs de la formule, il s'agit de désamorcer les résistances et autres comportements défensifs chez ces derniers.

Cependant, l'écueil le plus redoutable à surmonter pour un cadre qui se lance dans l'aventure du coaching demeure le temps. Les trois spécialistes interviewés par *Les Affaires* sont unanimes : la formule nécessite énormément de temps, une denrée rare dans un monde du travail axé sur l'atteinte rapide de résultats.

« La tentation est grande pour un gestionnaire de donner des ordres plutôt que d'instaurer un dialogue permanent et de fabriquer des solutions avec les avis exprimés par ses subalternes. Dans ce cas, le coaching risque beaucoup d'être perçu comme une démarche synonyme de gaspillage de temps », fait remarquer M. Charbonneau.

Source : Les Affaires, *15 avril 2000, p. 69.*

RÉSUMÉ

Les changements technologiques, la concurrence et la rapidité avec laquelle les connaissances et les habiletés du personnel deviennent désuètes exercent une pression importante sur les organisations, qui doivent former et perfectionner rapidement leurs employés. Il leur faut donc porter une attention particulière aux trois principales phases de la formation et du perfectionnement du personnel que sont l'évaluation des besoins, la conception d'un programme et la mise en œuvre du processus de formation.

Au moment de l'élaboration des programmes de formation, un grand nombre de critères doivent être pris en compte, à commencer par les réponses aux questions : Qui ? Quoi ? et Où ? Diverses méthodes et techniques de formation sont mises à la disposition des directeurs de la formation et du perfectionnement du personnel, mais la sélection de ces méthodes et techniques devrait être faite en fonction des objectifs du programme et des coûts relatifs de chacun de ces moyens de formation. Indépendamment des méthodes choisies, le contenu de la formation devrait être élaboré de manière à optimiser l'apprentissage. Il faudrait recourir à des renforcements positifs pendant et après la formation si l'on veut atteindre cet objectif.

Questions de révision et d'analyse

1. *Comment les entreprises procèdent-elles lorsqu'elles prennent la décision d'investir ou non dans la formation ? Quels facteurs pourraient les inciter à ne pas investir dans cette activité ?*

2. *À partir de votre propre expérience de travail présente ou passée, dites quels sont les avantages que votre employeur a pu retirer de la formation qu'il vous a offerte. Développez votre réponse.*

3. *Nommez quelques points importants dont il faut tenir compte dans le choix d'une méthode de formation. Quels sont les principaux inconvénients liés à l'utilisation de la méthode de formation fondée sur les cours traditionnels ou séminaires ?*

4. *Énumérez certains des principes fondamentaux qu'il faut respecter lorsqu'on élabore un programme de formation, si l'on veut optimiser l'apprentissage.*

5. *Il arrive souvent que les organisations négligent de faire l'évaluation de leurs programmes de formation et de perfectionnement du personnel. Comment pouvez-vous expliquer cette situation ?*

6. *Vous êtes contremaître et vous constatez que l'un de vos subordonnés a un rendement déficient. À quels indicateurs aurez-vous recours pour déterminer si ce problème résulte d'une erreur de sélection du personnel ou s'il reflète un besoin de formation ? Illustrez cette situation à l'aide d'un exemple puisé dans votre expérience de travail passée ou actuelle.*

ÉTUDE DE CAS

Une mauvaise évaluation des besoins de formation ou d'autres erreurs ?

Suzanne Champlain, la représentante de la formation du bureau régional d'une grande entreprise de services, a manifesté beaucoup d'enthousiasme pour le nouveau programme de formation lorsque, il y a six mois, le service des ressources humaines du siège social l'a informée de l'acquisition par l'entreprise d'un programme de formation à la lecture rapide conçu par une société très réputée. D'après les statistiques, lui a-t-on dit, ce programme s'est révélé très efficace dans d'autres entreprises.

Suzanne est consciente du fait que les personnes travaillant dans les bureaux régionaux doivent traiter quotidiennement une masse de documents : notes de service internes, rapports sur la législation fédérale, avis concernant des politiques et des méthodes nouvelles ou révisées, lettres de clients, etc. Elle pense qu'une formation à la lecture rapide aiderait sûrement la plupart des employés à effectuer leur travail.

Le siège social a convoqué les représentants régionaux à une séance spéciale de formation sur la façon de mener le programme de lecture rapide. Suzanne a ensuite démarré le programme avec confiance dans son bureau régional. Elle a dirigé cinq groupes de 30 employés au cours du programme, divisé en neuf séances de deux heures chacune. La formation a été donnée sur les lieux de travail. En tout, 1 200 employés de l'entreprise ont participé à cette formation, dont le coût approximatif était de 110 $ par participant (incluant le matériel de formation et le temps de formation). Le programme a été très bien accueilli par les participants. Des examens de vitesse ont eu lieu avant et après la formation, montrant qu'en moyenne la vitesse de lecture s'est améliorée de 250 % sans que cela nuise à la compréhension des textes.

Quelques mois plus tard, Suzanne a demandé spontanément à quelques employés qui avaient participé à la formation s'ils appliquaient les principes appris à leur travail et s'ils réussissaient à maintenir leur vitesse de lecture. Ces employés lui ont répondu qu'ils ne faisaient pas de lecture rapide au travail, mais que cette méthode leur était très utile à l'extérieur du travail. Suzanne a posé la même question à plusieurs autres participants, qui lui ont donné la même réponse. Tous les employés ont dit utiliser dans leurs lectures personnelles ou leurs activités scolaires ce qu'ils avaient appris, mais ils ont admis qu'ils n'en tiraient pas profit au travail. Lorsque Suzanne leur a demandé pourquoi ils ne se servaient pas de leurs compétences pour traiter toute la paperasse qui s'accumulait sur leurs bureaux tous les jours, ils lui ont répondu que, de toute façon, ils ne lisaient jamais les notes de service ni les nouvelles mesures qui leur étaient communiquées !

Questions

1. Suzanne a-t-elle fait un mauvais usage des fonds de formation ?
2. Suzanne devrait-elle maintenant mettre sur pied un programme qui inciterait les employés à lire les notes de service et les mesures qui leur sont communiquées ?
3. Comment Suzanne aurait-elle pu éviter la situation dans laquelle elle se trouve maintenant ?
4. Les organisations devraient-elles offrir aux employés des programmes de formation visant à améliorer des compétences qui peuvent leur servir à l'extérieur du travail ?

NOTES ET RÉFÉRENCES

1 C. Kapsalis, « Formation des employés : une comparaison internationale », *Perspectives*, printemps 1998, p. 24-30.

2 P. Lefebvre, « Un portrait statistique de la formation des travailleurs au Québec », *Info Ressources humaines*, avril-mai-juin 1997, p. 36-39.

3 D. G. Tremblay et V. Rolland, « La formation au Japon, en Suède et en Allemagne : quelques éléments de comparaison », *Gestion*, vol. 22, nº 3, septembre 1997, p. 61.

4 *Ibid.*

5 C. Wiley, « Training for the 90s : How Leading Companies Focus on Quality Improvement, Technological Change and Customer Service », *Employment Relations Today*, printemps 1993, p. 80.

6 R. Saggers, « Training Climbs the Corporate Agenda », *Personnel Management*, vol. 26, nº 7, 1994, p. 40-45.

7 M. Gibb-Clark, « IBM Budgets Millions for its Employees' Skill Training », *Globe and Mail,* 24 janvier 1990, p. B 1 et B 4.

8 G. Chao *et al.*, « Organizational Socialization : Its Content and Consequences », *Journal of Applied Psychology*, vol. 79, nº 5, 1994, p. 730-743.

9 G. Freeman, « Human Resources Planning-Training Needs Analysis », *Human Resources Planning*, vol. 39, nº 3, p. 32-34.

10 Pour de plus amples renseignements sur les mesures, leur structure, leur validité et leur fiabilité, voir J. C. Taylor et D. G. Bowers, *Survey of Organizations*, Ann Arbor (Mich.), University of Michigan ISR, 1967 ; D. J. Weiss, R. V. Dawis, G. W. England et L. H. Lofquist, *Manual for the Minnesota Satisfaction Questionnaire*, University of Minnesota IR Center, 1967 ; C. P. Smith, M. Kendall et C. L. Hulin, *The Measurement of Satisfaction in Work and Retirement*, Chicago Rand McNally, 1969 ; L. W. Porter et E. E. Lawler III, *Managerial Attitudes and Performance*, Homewood, Irwin, 1968.

11 M. Belcourt et P. C. Wright, « Equity in Training », Human Resources Division, *Administrative Sciences Association of Canada Conference Proceedings*, vol. 15, nº 9, 1995.

12 R. S. Schuler et V. L. Huber, *Personnel and Human Resource Management*, 4ᵉ éd., St. Paul (Minn.), West Publishing Co., 1990, p. 377.

13 V. Larouche, « Tendances lourdes et nouveaux contenus en formation et développement des ressources humaines », *Gestion*, automne 1997, vol. 22, nº 3, p. 26-33.

14 W. J. Rothwell et H. C. Kazanas, *Strategic Human Resources Planning and Management*, Englewood Cliffs, Prentice Hall, 1988, p. 300.

15 *Bell News*, 11 février 1991, p. 5.

16 M. Belcourt et P. C. Wright, *Managing Performance Through Training and Development*, Nelson Canada, Toronto, 1996, p. 139-166.

17 I. T. Robertson et S. Downs, « Work-Sample Tests of Trainability : A Meta-Analysis », *Journal of Applied Psychology,* vol. 74, 1989, p. 402-407 ; I. T. Robertson et S. Downs, « Learning and the Prediction of Performance : Development of Trainability Testing in the U. K. », *Journal of Applied Psychology*, vol. 64, 1979, p. 42-50.

18 V. L. Huber, « A Comparison of Goal Setting and Pay as Learning Incentives », *Psychological Reports*, vol. 56, 1985, p. 223-235.

19 T. T. Baldwin et J K. Ford, « Transfer of Training : A Review and Direction for Future Research », *Personnel Psychology*, vol. 41, 1988, p. 63-105.

20 A. M. Saks et R. R. Haccoun, « Easing the Transfer of Training », *Human Resources Professionnal*, juillet-août 1996, p. 8-11.

21 D. Bouteiller, « Le syndrome du crocodile et le défi de l'apprentissage continu », *Gestion*, vol. 22, nº 3, automne 1997, p. 14-25.

22 L. Côté, « Réingénierie de la formation : pour une approche renouvelée de l'analyse des besoins de formation en entreprise », *Gestion*, vol. 22, nº 3, automne 1997, p. 137-140.

23 C. Benanou, « Le mentorat structuré, un système efficace de développement des ressources humaines », *Effectif*, juin-juillet-août 2000, p. 48-52.

24 R. A. Noe, « Women and Mentoring : A Review and Research Agenda ». *Academy of Management Review*, vol. 13, 1988, p. 65-78.

25 A. Czarnecki, « Technology-Based Training : Powerful Tool, but Not a Panacea », *Canadian HR Reporter,* Special Section « Learning in the Workplace », 20 mai 1999, p. L 28-L 29.

26 S. Lebrun, « IBM Moves the Classroom to the Laptop », *Canadian HR Reporter*, 27 janvier 1997, p. 7.

27 M. Shostak, « The Promise of New Media Learning » *Canadian HR Reporter*, 7 avril 1997, p. 15-19.

28 G. Archambault, « La formation de suivi et le transfert des apprentissages », *Gestion*, vol. 22, nº 3, 1997, p. 120-125.

29 L. Toupin, « Un transfert nommé désir », *Gestion*, vol. 22, nº 3, 1997, p. 114-119.

30 P. D. Munger, « High-Tech Training Delivery Methods : When to Use Them », *Training and Development*, janvier 1997, p. 46-47.

31 R. Neff, « Videos are Starring in More and More Training Programs », *Business Week*, 7 septembre 1987, p. 108.

32 *Training, The Magazine of Human Resources Development*, octobre 1988.

33 S. J. Carroll, F. T. Paine et J. J. Ivancevich, « The Relative Effectiveness of Training Methods – Expert Opinions and Research », *Personnel Psychology*, vol. 25, 1972, p. 495-510.

34 J. C. Georges, « The Hard Reality of Soft-Skills Training », *Personnel Journal*, avril 1989, p. 41-45.

35 *Ibid.*, p. 43.

36 J.-P. Souque, « Focus on Competencies : Training and Development Practices, Expenditures, and Trends », *Conference Board du Canada*, rapport 177-96, Ottawa, 1996, p. 10.

37 G. E. Huszczo, « Training for Team Building », *Training and Development Journal*, février 1990, p. 37-43.

38 J. Warda et J. Zieminski, « Building an Innovative Canada : A Business Perspective », *Conference Board du Canada*, rapport nº 178-96, 1996.

39 S. Caudron, « Building Better Bosses », *Workforce*, mai 2000, p. 32

40 J. F. Bolt, « Executive Development as a Competitive Weapon », *Training and Development Journal*, février 1990, p. 37-43.

41 R. J. House, « Experiential Learning : A Social Learning Theory Analysis », dans R. D. Freedman, C. Cooper et S. A. Stumpf (dir.), *Management Evaluation*, Londres, John Wiley and Sons, 1982, p. 9-10.

42 R. Rajsic, « Organized Learning : Training That Pays », dans *Human Resource Management in Canada*, vol. 5, Prentice Hall, octobre 1985, p. 434.

43 D. C. Thomas et E. C. Ravlin, « Responses of Employees to Cultural Adaptation by a Foreign Manager », *Journal of Applied Psychology*, vol. 80, 1995, p. 133-146.

44 M. Bloom, M. Burrows, B. Lafleur et R. Squires, « Avantages économiques du renforcement de l'alphabétisme en milieu de travail », *Conference Board du Canada*, rapport nº 206-97, août 1997.

45 H. Krahn et G. S. Lowe, « L'alphabétisation en milieu de travail », *Perspectives*, été 1999, p. 41-49.

46 Jean-Guy Fournier, « Beaucoup de travailleurs n'ont pas une formation de base suffisante », *La Presse,* 24 novembre 1992, p. 8.

47 N. Boblin et P. Brenner, « L'art de mesurer l'apprentissage organisationnel », *Expansion Management Review*, mars 1996, p.17-23.

Lectures supplémentaires

- D. Stamps, « Are We Smart Enough for Our Jobs », *Training*, avril 1996, p. 44-50.
- K. Winkler et I. Jangler, « You're Hired ! Now How Do We Keep You ? », *Across the Board*, juillet-août 1998, p. 14-23.
- C. J. Bachler, « The Trainer's Role : Is Turning Upside Down », *Workforce*, juin 1997, p. 93-105.
- R. N. Olson et E. A. Sexton, « Gender Differences in the Returns to and the Acquisition of On-the-Job Training », *Industrial Relations*, vol. 35, janvier 1996, p. 59.
- J. B. Tracey, S. I. Tannenbaum et M. J. Kavanagh, « Applying Trained Skills on the Job : The Importance of the Work Environment », *Journal of Applied Psychology*, vol. 80, 1995, p. 239-252.
- R. J. Sternberg et E. L. Grigorenko, « Are Cognitive Styles Still in Style ? », *American Psychologist*, vol. 52, juillet 1997, p. 100-712.
- K. Kraiger, J. K. Ford et E. Salas, « Application of Cognitive, Skill-Based and Affective Theories of Learning Outcomes to New Methods of Training Evaluation », *Journal of Applied Psychology*, vol. 78, 1993, p. 311-328.

- J. D. Facteau, G. H. Dobbins, J. E. A. Russell, R. T. Ladd et J. D. Kudisch, « The Influence of General Perceptions of the Training Environment on Pretraining Motivation and Perceived Training Transfer », *Journal of Management*, vol. 21, 1995, p. 1-25.
- R. Ganzel, « What Price Online Learning ? », *Training*, février 1999, p. 50-54.
- R. E. Riggio et B. T. Mayes (dir.), « Assesssment Centers : Research and Applications », *Journal of Social Behavior and Personality*, vol. 12, 1997, p. 1-131.
- G. M. McEvoy et P. F. Buller, « The Power of Outdoor Management Development », *Journal of Management Development*, vol. 16, n° 3, 1997, p. 208-217.
- W. C. Byham, « Grooming Next Millenium Leaders », *HR Magazine,* février 1999, p. 46-50.

Sites Internet

http://www.tcm.com/trdev Site fournissant des liens avec d'autres sites dans des domaines clés de la formation et du perfectionnement de la main-d'œuvre. Les items des liens sont : séminaires, forums de discussions, assistance au gestionnaire.

CHAPITRE 10

La gestion des carrières

I L'importance de la carrière et de la gestion des carrières

Comme la main-d'œuvre est de mieux en mieux formée, ses attentes augmentent, particulièrement en ce qui concerne les possibilités que peut lui offrir une organisation de progresser tant sur le plan individuel que sur le plan professionnel. Les entreprises font face à une situation de plus en plus difficile : d'un côté, elles reconnaissent la nécessité de satisfaire les besoins des employés qualifiés en créant les conditions pour qu'ils puissent réaliser leurs objectifs professionnels et demeurer au sein de l'entreprise ; de l'autre, elles prennent conscience du fait que les possibilités de promotion sont de plus en plus réduites en raison des nouvelles structures mises en place par les organisations, de leur recherche constante d'une plus grande flexibilité, et parfois, des chances limitées d'avancement qui peuvent se présenter à l'intérieur de l'organisation. Il n'en demeure pas moins que la gestion des carrières est au cœur de la gestion des ressources humaines. Commençons donc par proposer des définitions des diverses notions de carrière et de gestion de carrière, pour ensuite établir l'importance de cette dernière et préciser ses liens avec les autres activités de gestion des ressources humaines.

DÉFINITIONS

La carrière se définit comme une suite de fonctions et d'activités liées au travail qu'occupe une personne au cours de sa vie et auxquelles on associe des attitudes et des réactions particulières. Pour bien comprendre la notion de carrière, il est utile de dissocier ses composantes individuelle et organisationnelle. En ce qui concerne la composante individuelle, le terme de carrière peut être défini simplement sous l'angle des expériences de travail d'un individu. Il s'agit d'observer les étapes cruciales qui marquent la progression professionnelle d'une personne en particulier. Ces étapes ne sont pas nécessairement déterminées de manière précise ; elles varient grandement selon les catégories professionnelles auxquelles appartiennent les travailleurs, la culture et la structure organisationnelle, les préférences des individus et leurs aspirations, etc. Ainsi, l'obtention d'une promotion constitue un exemple d'étape cruciale du déroulement d'une carrière. Les cheminements de carrière ont une incidence sur les individus et les organisations. Ils influent sur la performance des individus au travail, sur leur satisfaction, leur santé et leur bien-être.

Pour ce qui est de la composante organisationnelle, la gestion des carrières consiste à planifier les mouvements de main-d'œuvre dans le but de retenir les employés compétents et de combler les besoins organisationnels futurs. C'est donc un système qui concilie les aspirations professionnelles des employés et les besoins de l'organisation (encadré 10.1). La mise en œuvre de ce système exige de l'entreprise qu'elle procède à l'analyse de l'information accumulée à partir des évaluations formelles ou informelles du rendement, de façon à pouvoir ensuite repérer les employés les plus performants et les encourager à accéder à des postes comportant de plus grandes responsabilités en leur offrant des conditions propices à leur développement[1].

ENCADRÉ 10.1 Un système de gestion des carrières : conciliation des besoins organisationnels et des besoins individuels

Besoins organisationnels

Quels sont les objectifs stratégiques organisationnels pour les deux ou trois prochaines années ?

- Quels sont les besoins et les défis auxquels l'organisation devra faire face au cours des prochaines années ?
- Quelles sont les compétences, les connaissances et l'expérience qui seront requises pour relever ces défis ?
- Quelles exigences se posent en matière de recrutement ?
- L'organisation a-t-elle les attributs nécessaires pour relever ces défis ?

ENJEU :

Les employés parviennent-ils à se développer de manière à atteindre les objectifs stratégiques ?

Besoins individuels de carrière

Comment définir un plan de carrière qui est susceptible :

- d'utiliser mes forces ?
- de satisfaire mon besoin de me développer ?
- de me donner des défis à relever ?
- d'être conforme à mes intérêts ?
- de correspondre à mes valeurs ?
- de correspondre à mon style personnel ?

Source : Adapté de T. G Gutteridge, Z. B. Leibowitz et J. E. Shore, *Organizational Career Development : Benchmark for Building a World Class Workforce,* San Francisco, Jossey-Bass, 1993.

L'IMPORTANCE DE LA GESTION DES CARRIÈRES

La gestion des carrières a suscité de multiples débats. Comme nous l'avons précisé, de nombreux auteurs s'accordent pour la définir comme un processus qui concilie les besoins des individus et ceux de l'organisation. L'encadré 10.2 énumère les besoins individuels et les besoins organisationnels que la gestion des carrières permet de combler.

ENCADRÉ 10.2 L'importance de la gestion des carrières

Pour les individus

- Jouir d'une sécurité d'emploi dans la mesure du possible.
- Pouvoir développer leurs compétences.
- S'intégrer dans l'entreprise, être considérés comme des membres à part entière de celle-ci.
- Satisfaire leurs besoins d'estime et de reconnaissance (augmentation de leurs responsabilités, de leur pouvoir, de leur influence, etc.).
- Se réaliser au travail en permettant le développement et l'utilisation de leur potentiel dans l'accomplissement de leur travail.

Pour l'organisation

- Utiliser et développer le potentiel humain dont elle dispose.
- Améliorer sa flexibilité.
- Mettre en place une relève de qualité.
- Renforcer sa culture.
- Mobiliser les employés en vue de l'atteinte de ses objectifs.

Source : Adapté de G. Guérin et T. Wils, « La carrière, point de rencontre des besoins individuels et organisationnels », *Revue de gestion des ressources humaines,* nos 5/6, 1993, p. 13-30.

Cependant, malgré ses nombreux avantages, la gestion des carrières doit tenir compte de plusieurs considérations. Il ne faut cependant pas perdre de vue que les individus ont des aspirations qui diffèrent en fonction de caractéristiques individuelles comme la personnalité, la scolarité, l'âge et le sexe, et n'abordent pas tous nécessairement leur carrière de la même façon. Les organisations, de leur côté, vivent des périodes d'instabilité et de turbulence qui réduisent quelque peu leur capacité à offrir des cheminements de carrière stables et prévisibles.

LES LIENS ENTRE LA GESTION DES CARRIÈRES ET LES AUTRES ACTIVITÉS DE GESTION DES RESSOURCES HUMAINES

L'analyse des postes. Alors que la planification des ressources humaines fournit un cadre général dans lequel s'insère la gestion des carrières, l'analyse des postes sert plutôt à déterminer les connaissances, les habiletés et les attitudes liées au cheminement de carrière. Les travailleurs peuvent également s'inspirer de cette information pour établir leur propre plan de carrière ou pour faire le meilleur usage possible de leurs expériences passées lorsqu'ils désirent changer d'emploi pour occuper un poste plus stimulant. Fonder la gestion des carrières sur l'analyse des postes comporte toutefois certains risques. D'une part, les descriptions de postes sont souvent trop restreintes, ce qui peut nuire à l'avancement de carrière. D'autre part, la rapidité avec laquelle s'effectuent les changements technologiques et l'évolution des besoins des organisations rendent difficile la prévision des nouveaux postes dont l'entreprise aura besoin. Dans l'avenir, il faudra élargir la définition des postes et permettre que des changements fréquents y soient apportés[2].

La planification des ressources humaines. La détermination des besoins de l'organisation en matière de planification et de gestion des carrières est liée à la planification des ressources humaines. Ces exigences, comme nous l'avons précisé au chapitre 4, découlent des plans et des objectifs de l'organisation, de ses besoins en main-d'œuvre à la fois en termes qualitatifs et quantitatifs, et de ses prévisions quant aux ressources nécessaires pour combler ces besoins. Pour les organisations, il est de plus en plus difficile d'élaborer et de maintenir un plan de gestion des carrières cohérent, en raison des changements technologiques, des transformations touchant la main-d'œuvre et ses habitudes de travail, ainsi que des modifications apportées aux chartes des droits de la personne. Par ailleurs, la gestion des carrières assurera la planification de la relève et le respect des lois en matière d'équité.

Le recrutement. Lorsqu'elles ont des postes à combler, un grand nombre d'organisations accordent la priorité aux employés qui sont déjà à leur service et n'ont recours à des personnes de l'extérieur que lorsque les candidats internes ne satisfont pas aux exigences de ces emplois. À ce propos, certaines politiques adoptées par les organisations en matière de promotion et de déplacement du personnel sont dites ouvertes, tandis que d'autres sont dites fermées. Dans le cas d'une politique de promotion ouverte, l'organisation s'engage à fournir toute l'information dont elle dispose sur les postes à combler et donne la possibilité aux employés de choisir ceux auxquels ils désirent poser leur candidature. Dans le cas d'une politique fermée, les employés sont simplement informés du fait qu'ils ont été sélectionnés.

La sélection. L'employeur doit aussi déterminer les critères de sélection qui permettront d'identifier et de sélectionner les employés afin de les destiner à des emplois plus intéressants et d'accroître leur mobilité.

La rémunération. La rémunération croît avec les promotions, qui sont considérées comme les voies traditionnelles de développement de carrière. Or, les organisations, qui sont aux prises avec des structures plus aplaties et une philosophie de gestion de type organique, devront concevoir des programmes de rémunération pour inciter les personnes à opter pour une orientation de carrière à l'horizontale.

L'évaluation du rendement. Un des aspects de la gestion des carrières réside dans la reconnaissance de l'excellence des employés, du moins dans le cas des promotions verticales. Il est donc nécessaire que l'organisation mette en œuvre une politique et des techniques d'évaluation du rendement qui soient solides et fiables, de façon à mener une gestion des carrières intelligente. Dans certains cas, par exemple après avoir constaté l'existence d'écarts entre le rendement désiré et les résultats enregistrés, l'employeur peut décider de muter un employé à un autre poste ou de l'affecter à un autre genre de travail. Ce cas est courant chez les employés qui, ayant atteint le plafond dans leur cheminement de carrière, désirent voir s'ouvrir d'autres perspectives pour eux.

L'évaluation du rendement peut également être utilisée comme un outil permettant le développement de carrière de l'employé, où le superviseur est appelé à jouer un rôle d'appui et de renforcement. La séance d'évaluation fournit au superviseur et à l'employé l'occasion de discuter des buts et du plan de carrière à long terme de ce dernier. Le superviseur peut, à partir du rendement passé de l'employé, lui suggérer des moyens d'améliorer son rendement à court terme pour que celui-ci puisse atteindre ses objectifs à plus long terme.

Le développement des compétences. Cette activité fait partie intégrante de la gestion des carrières. Elle correspond à l'élaboration des outils permettant aux employés d'acquérir des compétences afin d'occuper les postes auxquels ils aspirent. Après avoir fixé les buts qu'ils désirent atteindre au cours de leur carrière, les employés peuvent chercher à participer aux programmes de formation susceptibles d'améliorer leurs connaissances, leurs habiletés et leurs attitudes, et de favoriser leur progression et l'atteinte de leurs objectifs. Certaines recherches indiquent que les individus qui se sont engagés activement dans l'orientation de leur carrière réussissent mieux leur formation que les autres[3].

II Les modèles de carrière

Les différents modèles de carrière sont analysés en référence au type de carrière, aux étapes du déroulement de la carrière et au rythme de sa progression[4].

LES TYPES DE CARRIÈRE

Divers auteurs se sont penchés sur l'analyse des types de carrière. Nous présentons dans cette section les typologies les plus connues, soit celles de Holland[5], de Driver[6] et de Schein[7].

La théorie de Holland portant sur les types de carrière. Cette théorie est reconnue comme la plus approfondie et la mieux documentée sur les orientations de carrière[8]. Elle s'intéresse aux facteurs qui influent sur les choix de carrière et se base sur le concept de congruence ou, en d'autres mots, sur l'adaptation d'un individu à son environnement. Selon l'auteur de cette théorie, J. L. Holland, les individus recherchent un environnement qui leur permettra d'utiliser leurs compétences, d'exprimer leurs attitudes et leurs problèmes, et d'exercer les rôles qu'ils se sentent appelés à jouer. Holland soutient qu'il existe six personnalités types qui correspondent chacune à des aspirations et à des choix de carrière précis.

La personnalité traditionnelle. Ce type de personnalité est probablement celui que l'on retrouve le plus couramment chez les gens qui occupent des emplois liés à l'administration des affaires. En règle générale, ce sont des personnes bien organisées, qui aiment manipuler des données et des facteurs numériques, qui se fixent des objectifs précis et qui sont incapables de tolérer les situations ambiguës. Elles sont décrites comme des personnes discrètes, ordonnées, efficaces et pratiques. On leur attribue aussi des traits moins flatteurs : on dit alors qu'elles manquent d'imagination, qu'elles sont inhibées et inflexibles. Les comptables seraient représentatifs de cette personnalité type.

La personnalité artistique. Ce type de personnalité est celui qui s'éloigne le plus de la personnalité traditionnelle. Les personnes qui en possèdent les caractéristiques ont une prédilection pour les activités musicales, artistiques, littéraires et dramatiques. Elles se considèrent comme des êtres imaginatifs, intuitifs, impulsifs, introspectifs et indépendants. Elles possèdent plus d'aptitudes pour l'expression verbale que pour les mathématiques. Elles sont cependant très émotives et très désorganisées.

La personnalité réaliste. Ce type de personnalité est propre à des personnes que l'on décrit tant comme des gens honnêtes, stables et pratiques que comme des gens peureux, effacés et conformistes. Ces personnes possèdent généralement des habiletés mécaniques et seront vraisemblablement à l'aise comme travailleurs spécialisés ou comme artisans (par exemple, plombiers, ouvriers d'une chaîne de montage), c'est-à-dire dans des postes qui nécessitent des connaissances techniques précises mais qui demandent peu d'habiletés sur le plan interpersonnel, telles que la capacité de négocier avec les gens et de les persuader.

La personnalité sociale. La personnalité sociale est à l'opposé de la personnalité réaliste. Les personnes qui correspondent à ce type préfèrent les activités qui comportent une transmission d'information, qui supposent que l'on apporte son aide à quelqu'un ou que l'on se consacre aux autres. Elles travaillent dans un environnement ordonné et contrôlé. On les décrit comme des gens sociables, diplomates, amicaux, compréhensifs et serviables. Ces gens peuvent cependant se révéler dominateurs et manipulateurs. Ils travaillent généralement dans des domaines tels que les soins infirmiers et l'enseignement, le marketing, la vente, le développement des compétences de la main-d'œuvre.

La personnalité entreprenante. Tout comme la personnalité sociale, la personnalité entreprenante aime travailler avec les autres. La principale différence entre les deux réside dans le fait que ces personnes préfèrent avoir la main haute sur d'autres individus (plutôt que de les aider et de les comprendre), de façon à atteindre certains buts au sein de l'organisation. Ces personnes font généralement preuve de beaucoup de confiance en elles-mêmes, elles sont ambitieuses, énergiques et loquaces. Elles peuvent cependant être dominatrices, centrées sur le pouvoir et impulsives.

La personnalité investigatrice. Ce dernier type de personnalité est l'opposé de la personnalité entreprenante. Les personnes qui conviennent à ce type préfèrent les activités faisant appel à l'observation et à l'analyse de phénomènes, de façon à pouvoir enrichir leurs connaissances et leur compréhension des choses. Elles sont décrites comme des êtres compliqués, originaux et indépendants aussi bien que désordonnés, dépourvus de sens pratique et impulsifs. Les biologistes, les sociologues

Consultez Internet

http://www.ressources-web.com/rh/sommaire.htm

Annuaire thématique des sites francophones consacrés aux RH : législation, gestion des carrières, sociétés- conseils, syndicats, etc.

et les mathématiciens correspondent bien à ce type de personnalité. Dans les organisations, on retrouve ces personnes dans les postes axés sur la recherche et le développement et au sein du personnel professionnel, tâches qui exigent de procéder à des analyses complexes sans recourir nécessairement à la persuasion ou à la négociation avec d'autres personnes.

Il arrive qu'une personne ne puisse être assimilée à un seul type de personnalité, mais soit plutôt le résultat d'une combinaison de deux ou trois types différents. Dans ce cas, selon J. L. Holland, les gens seront influencés surtout par les facteurs propres à une situation et à un moment donnés, de sorte que, plutôt que de choisir eux-mêmes leur emploi, ce sera le genre d'emploi exercé qui expliquera leur cheminement professionnel.

Une autre classification des types de carrières a été avancée par Schein[9, 10], qui a distingué entre les carrières de types vertical, horizontal et radial. Cette typologie reflète les mouvements que les individus sont susceptibles de suivre à l'intérieur de l'organisation, à savoir le déplacement vers des niveaux hiérarchiques plus élevés, entre des fonctions de même niveau et vers le cœur de l'organisation, c'est-à-dire vers les centres de décision[11]. En 1990, Schein a mis au point une typologie centrée sur les ancres de carrière, lesquels sont susceptibles d'expliquer les préférences des individus quant au type de cheminement qu'ils préfèrent suivre dans l'organisation[12, 13] (encadré 10.3).

ENCADRÉ 10.3 Les huit ancres de carrière selon Schein

Ancres de carrière	Type de travail	Système de promotions
Technique	• Travail qui teste les habiletés techniques et professionnelles, en proposant des défis ; • Accent mis sur le contenu du travail et non sur le contexte dans lequel il est effectué ; • Travail à caractère professionnel et accès à des budgets illimités ; • Travail comportant des difficultés avec les gestionnaires.	• Promotions d'ordre professionnel ; • Élargissement des tâches ; • Soutien technique très important ; • Préférence pour un comité visant à améliorer les processus plutôt que pour l'obtention de promotions verticales.
Managériale	• Spécialisation considérée comme un piège ; • Travail de généraliste ; • Travail axé sur les promotions ; • Compétences analytiques requises ; • Accent sur les relations interpersonnelles ; • Capacités d'influence, de leadership, stimulation par des défis et des problèmes émotifs, des crises ; • Intérêt pour des responsabilités de haut niveau, possibilité de contribuer au succès de l'organisation.	• Promotions basées sur le mérite, sur la performance ; • Capacité à produire des résultats rapides considérée comme un critère de promotion.

ENCADRÉ 10.3 *(suite)*

Ancres de carrière	Type de travail	Système de promotions
Autonomie	• Incapacité de supporter la dépendance à l'égard d'une autre personne ; • Opposition à l'idée de s'habiller d'une certaine façon ; • Désir de faire les choses à sa façon ; • Besoin permanent d'autonomie ; professions autonomes ; en gestion, orientation vers la consultation ou l'enseignement.	• Promotions basées sur les réalisations passées ; • Accroissement des responsabilités ou octroi d'un rang plus élevé pouvant mettre en péril son autonomie.
Sécurité/Stabilité	• Besoin de se sentir en sécurité ; • Loyauté envers l'organisation accordée en échange de la stabilité ; • Acceptation d'une grande intervention de l'employeur dans la carrière ; • Progression rapide des plus talentueux et atteinte de niveaux supérieurs ; plafonnement des moins talentueux ; • Intérêt plus grand pour le contexte de l'emploi que pour son contenu.	• Promotions basées sur l'ancienneté ; • Systèmes de promotions fondés sur le rang et les grades. Ex. : universités.
Créativité	• Effort de création de nouvelles entreprises ; • Tentative de bâtir des entreprises en recourant à des prouesses financières ; • Création de produits, de services, d'entreprises ; • Risque constant de lassitude ; • Besoin de créer et d'innover en permanence.	• Pouvoir de changer de rôle au besoin.
Sens du service	• Désir d'améliorer le monde d'une certaine façon ; • Importance plus grande accordée à la mission inhérente au travail qu'aux compétences qui sont en demande ; • Volonté d'influencer l'entourage.	• Promotions reconnaissant la contribution de l'individu à son milieu.
Défis	• Capacité de faire n'importe quoi, n'importe quand ; • Prépondérance accordée à la compétition.	
Style de vie	• Organisation de la vie en fonction d'autres intérêts que le travail : la famille et les loisirs ; • Faible loyauté organisationnelle.	

Source : Adapté de E.H. Schein, *Career Anchors,* San Diego, University Associates, 1990.

Une autre typologie du développement de carrière a été conçue par Driver. Ce dernier a défini quatre types de cheminements de carrière[14]. Tout d'abord, le cheminement homéostatique, qui se limite à un champ d'activité, se rapporte aux individus motivés par la stabilité d'emploi, les relations interpersonnelles, un climat de travail sain, et l'amélioration de leurs compétences. Le cheminement linéaire est caractéristique des gens qui souhaitent occuper des postes de gestion et sont assoiffés de pouvoir et de domination, et qui s'intéressent aux relations interpersonnelles. Le cheminement transitoire implique des changements fréquents ; les gens qui l'adoptent recherchent la variété des tâches, les salaires élevés et les objectifs clairs. Finalement, le cheminement spiralique est propre aux individus qui aspirent à des changements majeurs cycliques, à l'autonomie, à la croissance personnelle et à la liberté d'action[15].

LES ÉTAPES DU DÉVELOPPEMENT D'UNE CARRIÈRE

Selon divers écrits, le cheminement d'une carrière comporte plusieurs étapes. Les étapes du déroulement d'une carrière sont constituées d'une suite d'événements prévisibles qu'une personne est appelée à vivre au cours de sa vie, indépendamment du type d'emploi qu'elle occupe. La connaissance des étapes du déroulement d'une carrière peut aider les personnes et les organisations à comprendre les problèmes et les événements spécifiques qui se présentent au fil des ans. Nous examinerons brièvement cinq étapes de la progression d'une carrière, selon Hall[16] (encadré 10.4).

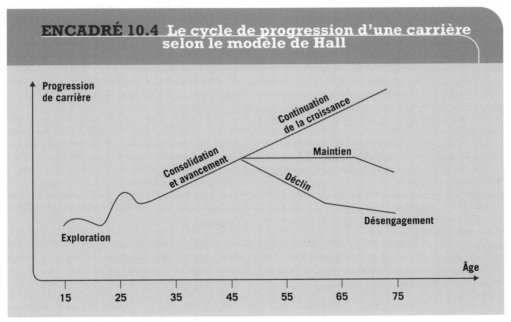

ENCADRÉ 10.4 Le cycle de progression d'une carrière selon le modèle de Hall

Source : Adapté de D. Hall, *Careers in Organizations*, Santa Monica, Goodwear, 1976.

Étape 1 : La préparation au marché du travail. Cette première étape s'étend de la naissance à l'âge d'environ 25 ans. C'est au cours de cette période qu'une personne fait son premier choix professionnel et poursuit des études qui lui permettront de s'y consacrer. L'image associée à une profession donnée prend forme progressivement au cours de l'enfance, de l'adolescence, et au début de l'âge adulte.

Étape 2 : L'entrée sur le marché du travail. Le choix d'un emploi et d'une organisation forme l'essentiel de cette deuxième étape. L'un des principaux problèmes qu'une personne est appelée à vivre durant cette période est désigné par l'expression « choc de la réalité ». Ce choc résulte du fait que les individus peuvent avoir des attentes irréalistes par rapport aux emplois qu'ils désirent occuper et trouver, une fois arrivés sur le marché du travail, que les postes d'entrée dans les organisations ne sont pas particulièrement stimulants. Cette étape survient habituellement entre 18 et 25 ans.

Étape 3 : La carrière à ses débuts. Amorcer une carrière au sein d'une organisation donnée constitue le cœur de cette étape, qui se divise en deux périodes : le passage au monde adulte, puis la recherche du succès dans le secteur d'activité choisi. Les personnes ont généralement entre 25 et 40 ans lorsqu'elles franchissent cette étape.

Étape 4 : La carrière à mi-chemin. Cette étape se situe généralement entre l'âge de 40 et 55 ans. Elle marque la transition entre le début de l'âge adulte et l'âge mûr. Les personnes réévaluent alors le mode de vie qui a caractérisé leur carrière jusque-là. Elles peuvent opter pour un nouveau mode de vie qui soit en accord avec le précédent ou, au contraire, complètement différent. C'est également au cours de cette étape que ces personnes passent en revue les buts qu'elles ont atteints et songent aux autres buts qu'elles pourraient se fixer dans l'avenir. Le plafonnement de carrière et des compétences insuffisantes sont des problèmes caractéristiques de cette étape.

Étape 5 : La fin de carrière. Cette dernière étape est marquée par la poursuite de l'activité professionnelle et la préparation à un retrait de la vie active. Au cours de cette période, certains individus envisagent de rester actifs sur le plan professionnel, alors que d'autres décident d'amorcer un retrait graduel ou définitif du marché du travail.

Le rythme du déroulement de la carrière. La progression d'une carrière varie d'un individu à l'autre. De plus, la notion de succès professionnel, qui fait référence à l'évaluation par un individu de ses réalisations dans le cadre de ses expériences de travail, comprend deux concepts clés : le succès objectif et le succès subjectif. Le succès objectif est défini comme un jugement porté par d'autres sur les réalisations d'un individu durant sa carrière à l'aide de critères observables tels que le niveau de rémunération atteint, le nombre de promotions obtenues au cours de la carrière et le poste occupé. Le succès subjectif fait référence au sentiment et à la satisfaction qu'éprouvent les individus face à leur carrière[17, 18].

Le succès professionnel comporte à la fois des conséquences pour l'organisation et pour l'individu. Le sentiment réel ou perçu de ne pas réussir sa carrière peut mener à l'adoption d'attitudes et de comportements contre-productifs[19] et à la manifestation de problèmes de santé d'ordre physique ou psychologique[20]. Les individus insatisfaits de leur carrière en viendront à réduire leur engagement envers l'organisation et à exprimer davantage que les autres l'intention de laisser leur emploi. Sur le plan des attitudes et des comportements, la perception de l'échec de leur carrière amènerait les individus, par exemple, à trouver d'autres sources d'intérêt à l'extérieur de l'organisation, à adopter une vision instrumentale du travail, à refuser d'accorder leur soutien à leurs collègues, à résister à tout changement organisationnel, à s'absenter sans raison valable et à manquer de ponctualité[21]. Sur le plan du bien-être physique et psychologique, plusieurs recherches ont montré que les individus vivent un sentiment d'aliénation, de frustration et d'ennui[22]. Avec le temps, ils deviendraient également plus irritables que les autres, peu énergiques, taciturnes, cyniques, et seraient portés à adopter une mentalité de perdant. Les répercussions psychologiques de la stabilisation de la mobilité se manifesteraient aussi par un épuisement émotif, une perte d'identité, une dépression, une diminution de l'estime de soi et une augmentation de l'anxiété. Cette situation pourrait également mener à l'expression d'un ressentiment, dont les symptômes physiques pourraient inclure l'insomnie, les maux de tête, la dépendance aux drogues et à l'alcool.

III Les défis de carrière en fonction du cycle de vie professionnelle de l'employé

Comme il est mentionné dans la section précédente, les individus progressent dans leur carrière en fonction du temps qu'ils y consacrent et du rythme qu'ils adoptent. À chaque étape de la carrière sont associés des problèmes spécifiques que nous allons succinctement examiner, pour ensuite proposer des pistes de solutions.

LA GESTION DES JEUNES DIPLÔMÉS ET DES JEUNES EMPLOYÉS NOUVELLEMENT EMBAUCHÉS

Les problèmes professionnels que vivent les individus nouvellement embauchés et qui en sont à leur premier emploi se distinguent de ceux auxquels font face les employés qui ont atteint le milieu de leur vie professionnelle ou qui s'approchent de la retraite. Leurs attentes, qui sont énumérées dans l'encadré 10.5, attestent de la variété de leurs aspirations. Il va sans dire que l'entreprise doit satisfaire celles-ci si elle veut garder les employés performants et les encourager à poursuivre leur carrière en son sein[23, 24, 25].

ENCADRÉ 10.5 Les attentes des professionnels au début de leur carrière

- Avoir un plan de carrière.
- Bénéficier d'un encadrement.
- Se voir confier des responsabilités.
- Jouir d'une autonomie.
- Avoir une QVT.

- Avoir de bonnes conditions de travail.
- Bénéficier d'un soutien organisationnel.
- Avoir des possibilités de se développer.
- Pouvoir être mobile.
- Utiliser pleinement son potentiel.

Source: J. Carrière, *L'explication et la gestion du phénomène de démobilisation chez les diplômés universitaires récemment embauchés*, thèse de doctorat, Université de Montréal: École de relations industrielles, 1998.

Afin de répondre aux attentes des professionnels en début de carrière, diverses mesures s'imposent. Nous les résumons dans l'encadré 10.6. Comme nous l'avons mentionné dans le chapitre 7, l'accueil et la socialisation ont une grande importance. Parmi les pratiques qui permettent de bien gérer le début de carrière des employés, soulignons le rôle crucial que joue le supérieur dans l'intégration du nouvel employé, ainsi que le fait qu'il lui attribue un travail intéressant et enrichissant[26].

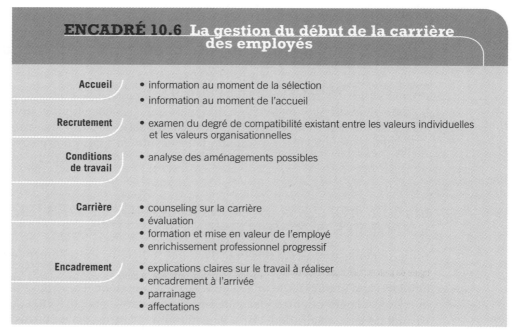

ENCADRÉ 10.6 **La gestion du début de la carrière des employés**

Accueil
- information au moment de la sélection
- information au moment de l'accueil

Recrutement
- examen du degré de compatibilité existant entre les valeurs individuelles et les valeurs organisationnelles

Conditions de travail
- analyse des aménagements possibles

Carrière
- counseling sur la carrière
- évaluation
- formation et mise en valeur de l'employé
- enrichissement professionnel progressif

Encadrement
- explications claires sur le travail à réaliser
- encadrement à l'arrivée
- parrainage
- affectations

Source: Adapté de J. Carrière, *L'explication et la gestion du phénomène de démobilisation chez les diplômés universitaires récemment embauchés,* thèse de doctorat, Université de Montréal: École de relations industrielles, 1998.

LA GESTION DU PLAFONNEMENT DE CARRIÈRE

La réduction des niveaux hiérarchiques et l'aplatissement des organisations exigent l'acquisition de nouvelles compétences qui dépassent les connaissances techniques, mais qui ont pour effet de restreindre les possibilités de progression des carrières des employés. Pour survivre dans ce nouvel environnement, les individus doivent diversifier leurs connaissances, maîtriser les nouvelles technologies de l'information, travailler en équipe, assumer des responsabilités, prendre des décisions et accepter d'effectuer des mouvements de carrière latéraux[27, 28, 29].

À la suite des premières vagues de restructuration et des premiers signes de plafonnement de carrière, des solutions permettant aux organisations de remplacer leur politique de progression de carrière par diverses pratiques ont été mises de l'avant[30, 31]. En ce qui concerne les pratiques axées sur la mobilité, les auteurs ont suggéré de favoriser les mouvements latéraux et interfonctionnels, la création de projets spéciaux, les mutations, les échanges de postes entre deux employés et la progression dans des filières professionnelles afin d'acquérir des compétences. Offrir des occasions d'apprentissage, promouvoir l'autoformation, fournir une rétroaction honnête et réaménager les postes pour accommoder les employés aspirant à de plus grandes responsabilités comptent parmi les solutions privilégiées en matière de développement de carrière. La rémunération fondée sur les compétences acquises et non sur le poste occupé doit accompagner les efforts des personnes qui ont pris la peine d'acquérir de nouvelles connaissances.

Le concept de mobilité qualifiante mis de l'avant par Wils, Tremblay et Guérin[32] explique la nécessité de faire du changement d'emploi une expérience positive pour les individus et de maximiser leurs possibilités d'apprentissage. L'intervention des cadres à titre de moniteurs et de formateurs devient un facteur de succès puisqu'ils sont appelés à intervenir en s'appuyant non pas sur leur autorité, mais sur leurs qualifications pour conseiller leurs employés et les aider à améliorer leurs compétences.

REVUE DE PRESSE
L'autoformation, encore largement méconnue

Michel De Smet

Si vous interrogez Roland Foucher sur la popularité actuelle de l'autoformation en milieu professionnel, vous risquez de le plonger dans la plus grande perplexité.

Étonnant de la part de ce professeur à l'*École des sciences de la gestion* de l'Université du Québec à Montréal (UQAM), président du *Groupe interdisciplinaire de recherche sur l'autoformation et le travail* (GIRAT), qui fait figure de pionnier des recherches sur le phénomène de l'auto-apprentissage au Québec.

« Il paraît audacieux de dresser un portrait de cette approche spécifique de formation. En réalité, de très nombreux gestionnaires font largement référence à l'autoformation, mais l'emploi du terme même me semble souvent galvaudé. »

M. Foucher fait remarquer, à titre d'exemple, que, pour beaucoup de dirigeants d'entreprise, l'autoformation est synonyme de formation à distance ou d'utilisation – toujours dans un but d'auto-apprentissage – de cédéroms, d'Internet ou encore d'un intranet.

« En somme, cela équivaut à confondre des outils qui permettent l'approche d'autoformation avec le concept lui-même. Comme démarche d'apprentissage, l'autoformation implique à la fois que l'on fournisse aux travailleurs des moyens et des outils pour faciliter leur apprentissage.

« De plus, il est fondamental que les gestionnaires créent un climat favorable à l'autoformation dans leur organisation et soient prêts à accorder une forme d'autodirection des travailleurs sur leur formation. »

Selon Alain Gosselin, professeur à l'École des Hautes Études Commerciales (HEC) de Montréal, également membre du GIRAT, une des résistances principales à la mise en place d'une approche d'autoformation en entreprise vient précisément des dirigeants eux-mêmes.

« Toute initiative efficace d'auto-apprentissage implique que les dirigeants acceptent de céder une partie significative de leur contrôle sur les employés qui choisissent de s'auto-former. Or, le réflexe naturel de la plupart des organisations, c'est davantage de contrôler que de déléguer. »

M. Gosselin, qui a récemment mené une recherche sur les perceptions et les intentions des employés face à l'autoformation, en arrive à la conclusion qu'il y a un lien direct et fort entre la motivation des travailleurs à assumer eux-mêmes la responsabilité de leur formation et le degré de soutien que l'équipe dirigeante accorde à cette approche.

Pour sa part, M. Foucher souligne que la relative réticence de certains dirigeants ou de responsables des ressources humaines en entreprise pourrait être liée à une conception idéalisée de l'apprentissage conventionnel.

« Dans la formation traditionnelle, les employés assistent à une formation de type scolaire, dans un local de l'organisation, dans un établissement scolaire, voire même à l'occasion d'un colloque. Or, l'idée reçue consiste à prendre pour acquis que l'assistance d'un groupe à une activité de formation signifie *ipso facto* que tous les participants ont assimilé le contenu donné du fait de leur simple présence physique à l'événement. C'est là une illusion. »

Reste que les avantages des formules d'autoformation demeurent nombreux. Première évidence : en autoresponsabilisant les travailleurs face à leurs activités de formation, l'employeur devrait logiquement obtenir une motivation plus grande de ceux-ci et, vraisemblablement, une adhésion plus importante de leur part aux objectifs de leur entreprise.

M. Gosselin rapporte que, lors de sa recherche, les travailleurs sondés ont exprimé leur satisfaction pour une formule qui leur donne la possibilité d'apprendre au moment opportun et à leur propre rythme. Ils ont également mentionné que ce type de formation semblait permettre un meilleur transfert de l'apprentissage que les approches traditionnelles de formation.

Source : Les Affaires, « *Guide du gestionnaire* », édition 2001, p. 25.

Adoptées déjà dans plusieurs organisations, ces solutions continueront d'être cruciales, car elles tiennent compte d'un grand nombre de transformations qui se produisent dans le milieu du travail, notamment des phénomènes de plafonnement de carrière et de la mise en place des nouvelles formes d'organisation du travail. Une réévaluation de la notion de succès de carrière doit accompagner les différentes mesures proposées afin de faciliter les périodes transitoires et de faire accepter aux employés l'idée de la disparition des progressions verticales[33].

LA DOUBLE CARRIÈRE DANS LE COUPLE

Le saviez-vous ?

Selon un rapport de Statistique Canada publié en 1988, le travail tient une importance plus grande que le mariage et la famille dans la vie des foyers canadiens[34].

La famille et le travail sont les deux principales constituantes qui procurent de la satisfaction à l'individu. Cependant, elles peuvent entrer en conflit quand les conjoints mènent tous deux une carrière. Le nombre de ménages pouvant compter sur un double salaire est en hausse.

Cette situation est attribuable en partie au besoin des ménages d'augmenter leurs revenus afin de s'assurer d'un niveau de vie décent, mais l'augmentation de la proportion de femmes parmi les professionnels entrant sur le marché du travail et qui souhaitent faire carrière y contribue également[35, 36, 37].

L'expression « double carrière » fait référence à un type de structure familiale dans lequel le mari et la femme mènent une carrière. Les couples avec enfants qui exercent tous deux une activité professionnelle sont aux prises avec une multitude de problèmes dans leur vie quotidienne[38] :

- Lorsqu'elle poursuit une carrière, la femme est surchargée de travail puisque, en plus de son travail professionnel, elle doit effectuer le travail à la maison. Il lui faut déployer des efforts continus, surtout quand elle assume presque seule l'entretien de la maison et l'éducation des enfants.
- Des problèmes d'identité peuvent surgir, étant donné la confusion existant entre les rôles assignés, dans notre culture, aux hommes et aux femmes, et les rôles qu'ils jouent réellement.
- Lorsqu'il y a conflit entre la progression des carrières des deux membres du couple, ou entre les exigences du travail et les responsabilités familiales, il devient nécessaire de trouver des mesures d'adaptation.

Dans le cas où les deux conjoints veulent poursuivre une carrière, il arrive que le couple retarde la venue des enfants ou décide de ne pas en avoir afin de réduire les risques de conflits. Les anglophones utilisent l'expression « DINKS » (*Double Income No Kids*) pour désigner les couples « sans enfants, à double salaire » (SEDS). Ce phénomène a considérablement influencé l'émergence d'une société sans enfants.

Consultez Internet

www.cyfc.umn.edu/word.html
Site de Work and Family Issues, qui porte sur la problématique de l'équilibre travail-famille.

Les pratiques visant à gérer la double carrière au sein du couple ou les conflits engendrés par la nécessité de concilier le travail et la famille sont résumées dans l'encadré 10.7. Elles sont regroupées en quatre catégories, correspondant aux pratiques relatives à l'aménagement du temps de travail, à l'aide aux membres de la famille (services de garde, équipes volantes, etc.), aux congés et aux avantages sociaux, et enfin, à la gestion des carrières. Ces dernières assureront plus précisément aux couples qui mènent une double carrière et qui ont de la difficulté à équilibrer leur vie professionnelle et leur vie familiale des chances équitables de s'épanouir au sein de l'organisation. Ces pratiques ont également pour objectif de régler le conflit que peuvent vivre les personnes qui ont à concilier des responsabilités familiales et des responsabilités professionnelles. L'expression « responsabilités familiales » fait référence à la fois aux parents qui ont la charge d'enfants et aux employés qui ont la charge d'un parent.

ENCADRÉ 10.7 Les différentes pratiques reliées à l'équilibre travail-famille

A. Aide aux membres de la famille
1. Services de garderie
2. Aide financière pour les frais de garde
3. Garde des enfants d'âge scolaire
4. Aide financière à l'éducation
5. Aide d'urgence
6. Aide aux personnes à charge à autonomie réduite
7. Services d'information et de référence

B. Congés et avantages sociaux
8. Compléments de salaire et de congés à la naissance ou à l'adoption
9. Congés pour raisons personnelles
10. Programme d'aide aux employés
11. Assurance collective familiale
12. Services domestique à accès rapide

C. Aménagement du temps de travail
13. Horaire flexible
14. Horaire comprimé volontaire
15. Horaire à la carte
16. Travail à temps partiel volontaire
17. Travail partagé volontaire
18. Travail à domicile

D. Gestion des carrières
19. Cheminement de carrière adapté aux exigences familiales
20. Aide aux familles des employés déplacés géographiquement

Source: G. Guérin, S. St-Onge, R. Trottier, M. Simard et V. Haines, «Les pratiques organisationnelles de l'équilibre travail-famille: la situation au Québec», *Gestion – Revue internationale de gestion*, vol. 19, n° 2, mai 1994, p. 74-82.

LA GESTION DE LA FIN DE LA CARRIÈRE

Au fur et à mesure que la génération des «baby-boomers» vieillit, les employés qui auront la cinquantaine sont de plus en plus nombreux sur le marché du travail (encadré 10.8). Les organisations devront inévitablement gérer efficacement cette catégorie de main-d'œuvre et lui offrir des conditions d'emploi propres à assurer sa progression[39].

ENCADRÉ 10.8 Le vieillissement de la main-d'œuvre

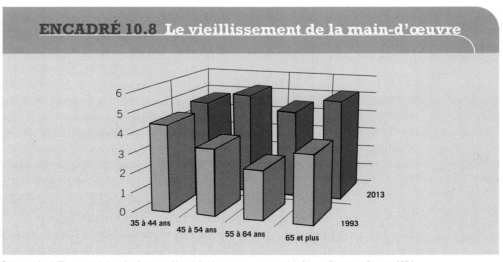

Source: «Le vieillissement de la main-d'œuvre», *L'emploi et le revenu en perspective*, Ottawa, Statistique Canada, 1994.

Or, si le déclin de la carrière est un phénomène inéluctable, l'évolution des aspirations et des capacités des travailleurs vieillissants rend cependant inévitable la nécessité d'élargir les perspectives de carrière de ces travailleurs pour sortir des modèles de carrière traditionnels qui associent la phase de la fin de la carrière à la retraite définitive. Les aspirations de la fin de la carrière sont reproduites dans l'encadré 10.9 et regroupées en trois grandes catégories. La première catégorie a trait aux aménagements touchant les conditions de travail, la deuxième, aux aménagements relatifs au contenu du travail, et la troisième catégorie, aux aménagements portant sur les conditions de la retraite[40].

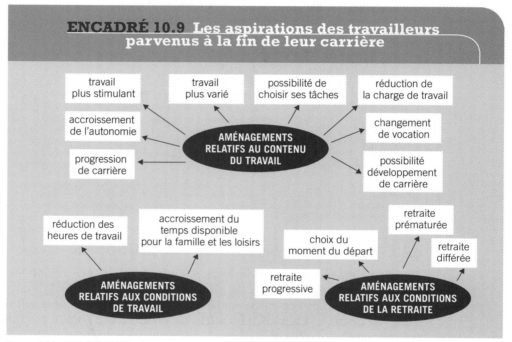

ENCADRÉ 10.9 Les aspirations des travailleurs parvenus à la fin de leur carrière

Source : T. Saba, G. Guérin et T. Wils, « Gérer l'étape de fin de carrière », Gestion 2000, 1997, p. 165-181.

À partir d'une analyse des besoins des employés vieillissants, il serait souhaitable que l'on propose à ceux-ci de nouvelles avenues de carrière afin de permettre à ceux qui le souhaitent de jouer un rôle actif au sein de l'organisation et de contribuer à son succès. Pour faciliter ces réorientations de carrière, il est toutefois nécessaire de repenser certaines pratiques de gestion (encadré 10.10). Planifier l'étape de la fin de la carrière, continuer à offrir des possibilités d'avancement et de mobilité aux employés productifs, même s'ils sont arrivés au terme de leur vie professionnelle, et évaluer les employés plus âgés constituent des avenues qui favorisent la mobilisation d'une main-d'œuvre dont l'effectif croîtra au sein des organisations et sur laquelle reposera l'atteinte des objectifs organisationnels. Prévoir des aménagements particuliers tels que la définition de nouveaux rôles et l'établissement d'horaires flexibles, et élaborer des programmes de rémunération permettant à cette main-d'œuvre d'échapper au plafonnement salarial contribueront à la transformer en un avantage compétitif pour l'organisation[41].

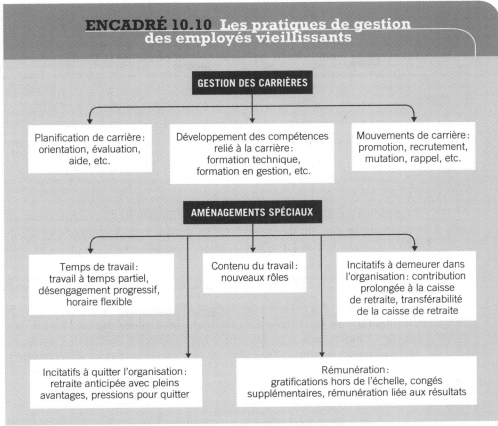

ENCADRÉ 10.10 Les pratiques de gestion des employés vieillissants

GESTION DES CARRIÈRES

Planification de carrière: orientation, évaluation, aide, etc.

Développement des compétences relié à la carrière: formation technique, formation en gestion, etc.

Mouvements de carrière: promotion, recrutement, mutation, rappel, etc.

AMÉNAGEMENTS SPÉCIAUX

Temps de travail: travail à temps partiel, désengagement progressif, horaire flexible

Contenu du travail: nouveaux rôles

Incitatifs à demeurer dans l'organisation: contribution prolongée à la caisse de retraite, transférabilité de la caisse de retraite

Incitatifs à quitter l'organisation: retraite anticipée avec pleins avantages, pressions pour quitter

Rémunération: gratifications hors de l'échelle, congés supplémentaires, rémunération liée aux résultats

Source: T. Saba, G. Guérin et T. Wils, « *Gérer l'étape de fin de carrière* », *Gestion 2000,* 1997, p. 165-181.

IV Les pratiques de gestion des carrières

Le processus de gestion des carrières dans les organisations est constitué de trois étapes: la planification, la mise en œuvre, et l'évaluation[42, 43, 44] (encadré 10.11). La planification consiste à informer d'abord les employés des possibilités de carrière existant dans l'organisation, puis à élaborer un plan de carrière. La mise en œuvre du processus de carrière consiste, d'une part, à déceler les problèmes particuliers qui font obstacle à la carrière et, d'autre part, à mettre en application des pratiques organisationnelles qui visent à aider les employés à orienter leur carrière (programmes de formation, mentorat, rotation d'emplois, etc.). L'évaluation consiste à établir la pertinence et l'efficacité du processus de gestion des carrières. La détermination de critères de performance permet d'évaluer si le système est en mesure à la fois de satisfaire les besoins individuels et de doter l'organisation d'une main-d'œuvre compétente, disponible, mobilisée et prête à prendre la relève. Cette étape sera étudiée dans le chapitre 16 portant sur l'évaluation de la gestion des ressources humaines.

Consultez Internet

http://www.canworknet.ca

Site parrainé par Développement des ressources humaines Canada (DRHC). C'est une source d'informations sur les carrières, l'éducation et le marché du travail.

ENCADRÉ 10.11 Typologie des activités de gestion des carrières

	Planification des carrières	Mise en œuvre des carrières	Évaluation des carrières
Aide aux processus individuels	Aide à la planification individuelle de carrière	Aide à la résolution de problèmes individuels de carrière	Redéfinition du succès individuel de carrière
Gestion des processus organisationnels	Plans de développement de carrière	Développement de carrière	Contrôle des carrières

Source: G. Guérin et T. Wils, «La gestion des carrières: une typologie des pratiques», *Gestion – Revue internationale de gestion*, vol. 17, nº 3, septembre 1992, p. 48-63.

Commençons d'abord par examiner les étapes de la planification et de la mise en œuvre de la gestion des carrières en mettant en évidence les pratiques de gestion des carrières nécessaires à leur mise en application.

PREMIÈRE PHASE: LA PLANIFICATION DES CARRIÈRES

La planification des carrières est constituée d'activités permettant à l'individu de se fixer des objectifs de carrière qui sont à la mesure de ses aptitudes et de ses intérêts. Bien que la démarche reliée à cette étape appartienne à l'individu, l'entreprise peut fournir son assistance à celui-ci (encadré 10.12): elle peut l'aider à découvrir ses préférences en matière de carrière en lui offrant des ateliers de formation au choix d'une carrière, de la documentation, des logiciels et des vidéos, de façon à ce qu'il soit en mesure de faire un choix réfléchi et réaliste[45].

Offrir à l'employé l'assistance d'un conseiller peut également s'avérer extrêmement utile, puisque ce dernier pourra formuler un avis professionnel et aider l'employé à faire ses choix et à analyser ses possibilités de carrière. Le mentor peut également jouer un rôle de conseiller et guider l'employé dans les décisions touchant sa carrière[46, 47].

Dans les faits

La CIBC, l'un des chefs de file des institutions financières du Canada, a entrepris un programme de planification des carrières au début des années 90. En vertu de ce programme, chaque employé reçoit un manuel de planification de carrière qui le guide dans chacune des étapes de sa carrière, de façon à lui permettre d'évaluer et de planifier adéquatement sa vie professionnelle. Le processus débute par une autoévaluation et se termine par la formulation d'objectifs de carrière et par un suivi du travail que l'employé accomplit. Différentes parties du manuel traitent de sujets tels que les suivants: comment faire l'inventaire de ses compétences et analyser son profil de carrière; comment analyser ses réalisations; comment déterminer son propre style de travail et ses préférences; comment évaluer ses compétences en général; comment tester et clarifier ses valeurs; comment évaluer ses choix de carrière et de vie; comment mener des évaluations réalistes en allant chercher, entre autres moyens, la rétroaction des autres; comment explorer ses perspectives de carrière et obtenir des renseignements sur les autres emplois offerts dans l'entreprise.

ENCADRÉ 10.12 L'aide à la planification individuelle de la carrière

- Autoévaluation.
- Détermination des possibilités de carrière.
- Élaboration d'un projet personnel de carrière.
- Ateliers et counseling.

Une fois cette étape terminée, une deuxième démarche doit être entreprise, toujours dans le cadre de la planification de la carrière : il s'agit de formaliser le plan de carrière entre l'employé et le représentant de l'organisation (encadré 10.13). L'entretien relié à la carrière peut suivre une évaluation de rendement et servir à la formalisation du plan de carrière. Cette étape est d'autant plus importante qu'elle permet de concilier les aspirations des employés et les besoins organisationnels[48, 49].

ENCADRÉ 10.13 L'élaboration des plans de carrière des employés

- Entretien de carrière (ambiance favorable, écoute attentive, point de vue des gestionnaires, possibilités, élaboration conjointe d'un plan de carrière).
- Planification de la relève (identification des postes clés, élaboration des plans de carrière individuels).

Source : Adapté de G. Guérin et T. Wils, « La gestion des carrières : une typologie des pratiques », *Gestion – Revue internationale de gestion*, vol. 17, n° 3, septembre 1992, p. 48-63.

C'est au cours d'un entretien de carrière que les supérieurs peuvent orienter la carrière de leurs subordonnés. Il faut cependant noter que cet entretien doit obéir à certains critères. Créer une ambiance favorable aux échanges, assurer une écoute attentive, présenter un éventail de possibilités et réussir à élaborer un plan conjoint d'orientation de la carrière figurent parmi les principales conditions à respecter pour parvenir à une entente claire et satisfaisante pour les deux parties[50, 51].

Dans les faits

La Banque Royale procure à tous ses employés un certain nombre de ressources en matière de planification qui peuvent les aider à définir leur propre stratégie de carrière. Ces ressources incluent : un manuel de planification qui permet aux employés d'évaluer leurs forces, leurs faiblesses et leurs intérêts ; des guides détaillés contenant de l'information sur les emplois de gestion et tous les autres postes existants ; et un livre dans lequel sont présentées un grand nombre des ressources d'apprentissage mises à la disposition des employés qui veulent améliorer leurs compétences. La planification des carrières à la Banque Royale compte aussi parmi les aspects examinés au moment de l'appréciation annuelle du personnel, au cours de laquelle on définit les besoins des employés et on désigne les programmes qui pourraient leur être profitables. L'engagement financier de la Banque en matière de formation et de perfectionnement est l'un des plus importants au Canada. De 1987 à 1991, l'institution y a consacré plus de 308 millions de dollars. Le budget de 1992 se rapportant à cette activité dépasse les 80 millions de dollars.

La planification de la relève est, au sein de l'organisation, un des éléments de la planification de carrière par lequel une organisation gère les ressources humaines qui seront affectées à des postes supérieurs. Par ce processus, l'organisation repère les gestionnaires hautement compétents et les encourage à faire partie de la prochaine génération de dirigeants ou, en d'autres mots, découvre les forces de remplacement qui assumeront des postes clés au sein de l'organisation. Il va sans dire qu'il s'agit là d'une opération délicate, puisqu'elle nécessite une passation des pouvoirs. Il arrive souvent qu'une mauvaise coordination des mouvements des travailleurs soit une source de conflit. Par exemple, un employé ne pourra exercer ses nouvelles fonctions parce que personne n'est en mesure à ce moment-là d'occuper le poste qui deviendra vacant. Ce genre de situation peut perturber le mouvement ordonné des travailleurs dans l'organisation, et il est important que la personne responsable de la planification des ressources humaines en tienne compte et soit disposée à modifier ses plans dans de brefs délais. Dans la plupart des organisations, la haute direction conçoit généralement son propre plan de relève de façon qu'il s'ajuste aux traits caractéristiques de l'organisation[52].

Le processus de planification de la relève a suscité un nouvel intérêt pour l'évaluation et le développement des compétences des gestionnaires. Cet intérêt vient également des structures des organisations actuelles (décentralisation des pouvoirs). Ces structures font appel plus que jamais au leadership des cadres supérieurs mais, paradoxalement, peu de postes sont disponibles dans les niveaux hiérarchiques supérieurs. Par ailleurs, les employés sont actuellement mieux formés et un grand nombre d'entre eux représentent, par conséquent, des candidats de choix. Le besoin de trouver des méthodes judicieuses pour déceler les candidats dont le potentiel est élevé est donc croissant. Les aspects les plus importants de la planification de la relève demeurent l'examen des postes clés et des titulaires de ces postes, de même que l'identification des candidats potentiels qui sont aptes à assurer leur remplacement.

DEUXIÈME PHASE : LA MISE EN ŒUVRE DU PLAN DE CARRIÈRE

La mise en œuvre du plan de carrière se divise en deux étapes. Il s'agit d'abord pour l'organisation de déterminer les pratiques de planification des carrières qui permettront l'atteinte des objectifs de carrière (encadré 10.14). Ensuite, l'organisation doit offrir des moyens et des outils afin de résoudre les problèmes éventuels que pose la progression des carrières[53].

ENCADRÉ 10.14 Les pratiques visant le développement de carrière

- Aménagement du poste de travail.
- Établissement de filières promotionnelles.
- Définition de filières professionnelles.
- Attribution de promotions internes.
- Rotation des emplois.

- Affectations temporaires.
- Affichage de postes.
- Appariement informatique.
- Remboursement des frais de scolarité.
- Attribution de congés d'études.

Source : Adapté de G. Guérin et T. Wils, « La gestion des carrières : une typologie des pratiques », *Gestion – Revue internationale de gestion*, vol. 17, n° 3, septembre 1992, p. 48-63.

L'étape de mise en œuvre du plan de carrière consiste à déterminer les pratiques qui permettront aux individus de réaliser le plan de carrière établi dans la première phase. Il existe une abondance d'écrits sur cette question, qui désignent une panoplie de pratiques servant à aider les individus à assurer la progression de leur carrière. Guérin et Wils[54] font référence à trois grandes séries de pratiques, à savoir les aménagements envisagés concernant l'emploi actuel, la concrétisation des mouvements planifiés et la formation.

Parmi les aménagements envisagés touchant l'emploi actuel, citons la filière professionnelle, qui favorise le développement et la progression de la carrière, sans pour autant rendre nécessaires les mouvements d'emploi. Les employés engagés dans une filière professionnelle progressent en acquérant des niveaux supérieurs de responsabilité, de statut et d'autonomie.

Les mouvements planifiés de carrière désignent des politiques de promotion interne qui ont pour objectif d'offrir en priorité les postes vacants aux employés actuels de l'organisation. La rotation d'emplois, les affectations temporaires et les projets spéciaux permettent aux employés d'acquérir de nouvelles compétences. Ces pratiques sont particulièrement utiles pour relancer les carrières des individus dans des contextes marqués par le ralentissement de la croissance et lorsque la mobilité verticale devient presque impossible à réaliser. Les individus peuvent être mis au courant des postes vacants et des possibilités de changement par plusieurs moyens. L'appariement informatique, l'affichage de postes et l'intranet constituent autant de moyens permettant aux individus de postuler à des postes hiérarchiquement plus élevés ou de même niveau que celui qu'ils occupent mais qui comportent de nouveaux défis.

Consultez Internet

http://www.tcm.com/trdev

Site fournissant des liens avec d'autres sites dans des domaines clés de la formation et du perfectionnement. Ces liens sont les suivants : séminaires, forums de discussions, assistance au gestionnaire, développement de carrière, et centres de formation et de développement.

Le développement des carrières exige la mise sur pied de programmes de formation accessibles et pertinents. Rembourser les frais de formation suivis dans des institutions externes, octroyer des congés d'études, concevoir des programmes de formation interne sur mesure constituent des exemples de pratiques visant l'acquisition de compétences par les travailleurs en vue de l'atteinte de leurs objectifs de carrière.

L'aide à la résolution des problèmes individuels reliés à la carrière constitue une étape cruciale dans la phase de mise en œuvre de la gestion des carrières dans les organisations, puisqu'elle aide les employés à surmonter leurs difficultés et tient compte des conditions individuelles qui peuvent prévaloir et différer d'un employé à l'autre. Les problèmes occasionnés par la gestion de nouveaux diplômés, d'employés « plafonnés » pour qui les chances d'avancement dans l'organisation sont pratiquement inexistantes, de personnes vieillissantes, des couples qui poursuivent une double carrière, des personnes qui sont à mi-parcours de leur carrière constituent des défis de taille qui réclament des solutions individualisées. Nous examinerons les différentes problématiques dans la prochaine section, en nous limitant à énumérer les moyens auxquels l'organisation peut avoir recours pour aider les individus qui sont aux prises avec des problèmes liés à leur carrière.

Dans les faits

Bell Canada est reconnue pour l'importance qu'elle accorde à la planification de la carrière de ses employés, en particulier de ses nouvelles recrues. Lorsqu'un étudiant diplômé obtient un poste de gestion chez Bell Canada, il travaille avec un superviseur expérimenté qui devient aussitôt responsable de son plan de formation professionnelle. Cela peut être fait en collaboration avec un conseiller en ressources humaines. Des évaluations et des séances de rétroaction régulières constituent d'autres moyens de prêter son appui à l'employé.

Parmi les moyens susceptibles d'aider les employés à surmonter les problèmes qui entravent leur progression professionnelle, citons les programmes d'intégration dont il a été fait mention dans le chapitre 7. Ces programmes couvrent les pratiques de formation qui ont pour objet d'aider l'employé à se familiariser avec son nouvel environnement de travail et la culture organisationnelle. L'engagement du supérieur et des collègues dans la socialisation des nouveaux arrivés augmente la satisfaction de ces derniers et joue un rôle déterminant dans leur maintien en emploi[55].

La pratique du mentorat occupe une place de choix parmi les activités qui contribuent au développement de la carrière des employés, et en particulier des femmes, dont la représentation aux postes stratégiques de l'entreprise est insuffisante, ainsi que des jeunes et des nouvelles recrues[56]. Un gestionnaire peut effectivement influer de façon importante sur l'amélioration des capacités des employés en se concentrant sur les buts que vise chaque travailleur et sur son potentiel. En ce sens, presque tous les gestionnaires ont la responsabilité implicite de contribuer au développement des compétences des employés, responsabilité que l'on désigne sous le terme de

« mentorat ». Les relations qui s'établissent entre un mentor et son protégé sont souvent informelles ou spontanées. Il arrive cependant que les entreprises décident d'officialiser la pratique du mentorat. Le mentorat structuré sera alors défini comme une relation privilégiée entre un mentor et son protégé. Cette relation est établie délibérément en fonction des stratégies générales de l'entreprise et pour une durée préalablement déterminée. Le mentor joue divers rôles auprès de son protégé (encadré 10.15), auquel il sert de modèle, et il exerce une influence déterminante sur la carrière de celui-ci ; une relation d'estime réciproque et durable s'établit entre le mentor et son protégé[57].

ENCADRÉ 10.15 Les rôles attribués au mentor

Rôle professionnel

- Précise les besoins de perfectionnement de son protégé et les moyens lui permettant d'y parvenir.
- Assure la formation de son protégé sur les plans technique et administratif.
- Communique à son protégé les stratégies générales de l'organisation et les lui explique.
- Affecte son protégé à des postes stratégiques.
- Lui donne une rétroaction sur sa performance et ses attitudes.
- S'assure qu'il reçoit toute la reconnaissance qu'il mérite.

Rôle politique

- Assure à son protégé l'accès à de l'information privilégiée.
- L'introduit dans des réseaux décisionnels.
- L'aide à se familiariser avec les aspects officiels de l'entreprise.
- Lui sert de représentant ou d'« avocat ».
- Lui assure une certaine visibilité.

Rôle socio-affectif

- Écoute son protégé, l'encourage et le conseille.
- Lui donne l'exemple de comportements appropriés.
- Peut devenir pour lui un ami, un confident.

Source : C. Benabou, « Mentors et protégés dans l'entreprise : vers une gestion de la relation », *Revue internationale de gestion,* vol. 20, n° 4, p. 18-24.

La progression de l'employé peut également être facilitée par le parrainage, l'assistance professionnelle, les affectations à des tâches stimulantes. Une série d'activités de soutien comme le jeu de rôle, la consultation et l'amitié visent à aider le travailleur débutant à se façonner une identité propre.

Les programmes d'aide à la gestion du stress professionnel, le counselling de carrière spécialisé et les congés sabbatiques comptent parmi les moyens mis à la disposition des personnes vivant des situations de plafonnement ou des crises du milieu de la vie. En étant appelés à jouer de nouveaux rôles (de formateur, de mentor, de conseiller, de porte-parole), les employés vieillissants verront leur carrière prendre un sens nouveau. Une culture organisationnelle qui valorise l'expérience de même qu'un engagement clair de la direction en faveur de la main-d'œuvre vieillissante plaideront pour la nécessité de maintenir au travail des employés productifs et d'offrir des possibilités de préretraite à ceux qui le désirent. Les programmes de retraite et de préretraite réduisent l'anxiété des travailleurs qui se trouvent à la fin de leur carrière et leur permettent d'envisager plus sereinement l'étape de la retraite. Les pratiques visant la redéfinition du succès de la carrière incluent la mise en place de groupes de réflexion et la diffusion de documents de réflexion. Finalement, l'entreprise pourra procéder au contrôle de la gestion des carrières par un suivi, un contrôle et une évaluation des progressions individuelles.

LES SOLUTIONS DE RECHANGE À LA CARRIÈRE TRADITIONNELLE

Les pratiques qui offrent des solutions de rechange à la carrière traditionnelle peuvent être regroupées en quatre catégories : les rétrogradations, les transferts, les mouvements de croissance et les groupes de travail[58] (encadré 10.16).

Par ailleurs, face à la réduction des possibilités de promotion, divers auteurs[59, 60, 61, 62] suggèrent des solutions de rechange à l'évolution traditionnelle de la carrière, qui permettraient aux individus d'acquérir un ensemble d'habiletés et de croître de façon continue dans l'organisation. Ainsi, la notion de mouvement, qui est implicite à celle de carrière, ne se limitera plus aux mouvements verticaux, mais comprendra également des déplacements horizontaux et même des mouvements vers le bas. Les solutions envisagées engloberont aussi les mouvements de croissance dans l'emploi occupé, la participation à des groupes d'étude ou à des projets spéciaux, la rotation de postes, les échanges de responsabilités entre collègues et les stages de recherche dans des institutions d'enseignement[63, 64, 65].

ENCADRÉ 10.16 Les solutions de rechange à la carrière traditionnelle

Les rétrogradations

- Rétrogradation avec augmentation de salaire.
- Rétrogadation temporaire permettant d'acquérir de nouvelles compétences et de récupérer par la suite le poste occupé auparavant.
- Rétrogradation horizontale avec diminution de salaire.
- Rétrogradation sans diminution de salaire.
- Rétrogradation en fin de carrière afin de permettre à un jeune de progresser dans l'organisation.
- Rétrogradation en vue d'éviter la perte de l'emploi due à une restructuration.
- Rétrogradation en vue d'éviter la perte de l'emploi due à des problèmes de performance au travail.

Les transferts

- Mutation horizontale dans une autre région.
- Promotion dans une autre région.
- Mutation horizontale dans la même région.
- Mutation dans une maison d'enseignement (recherche, enseignement, projets spéciaux).

Les mouvements de croissance

- Élargissement des responsabilités.
- Enrichissement des responsabilités.

Les groupes de travail

- Participation à une équipe de projet.
- Participation à une équipe d'étude spéciale.

Source : L. Lemire et T. Saba, « Plafonnement de carrière subjectif : Impacts organisationnels dans le secteur québécois », dans *GRH face à la crise: GRH en crise*, Actes du VIIIe Congrès de l'AGRH, M. Tremblay (éd.), Montréal, HEC, 1997, p. 371-382.

V Les défis et les tendances en matière de gestion des carrières

Les professionnels de la gestion des ressources humaines ne doivent pas seulement concevoir des programmes de gestion des carrières qui permettent aux employés de relever les problèmes et les défis qui accompagnent le cycle du déroulement de leur carrière, mais ils doivent également faire preuve de beaucoup d'imagination. En effet, à la difficulté de concevoir des cheminements susceptibles de remplacer les progressions traditionnelles s'ajoute la nécessité de relever un certain nombre de défis. Une nouvelle culture doit donner un nouveau sens au mot carrière et remplacer le succès objectif évalué en termes de promotion et de statut par un succès d'ordre psychologique. Tous les employés ne vont pas accepter nécessairement cette nouvelle vision de la carrière, et le problème du plafonnement provoque de l'insatisfaction chez les employés qui demeurent trop longtemps à un même poste et qui n'entrevoient pas de possibilités d'avancement[66]. Les programmes de gestion des carrières ont intérêt à s'harmoniser avec les besoins changeants de l'environnement de l'organisation et avec les modifications dans la composition de la main-d'œuvre.

Finalement, mentionnons que la création d'emplois non traditionnels remet en question la gestion des carrières et appelle à la formulation de solutions novatrices, toujours dans le but de motiver et de retenir les employés compétents ainsi que de planifier la relève. La carrière tend à devenir davantage une responsabilité individuelle qu'une responsabilité organisationnelle[67, 68]. Nous présenterons quelques pistes de réflexion mettant en lumière les changements aux systèmes de gestion des carrières mis en place dans les organisations.

L'AMÉLIORATION DE L'EMPLOYABILITÉ

De nouvelles pratiques provoquées par les vagues de rationalisation se sont ajoutées aux solutions proposées ci-dessus. Notons l'émergence de politiques d'entreprise qui favorisent l'apprentissage continu, dans le but de faire en sorte que les employés acquièrent non seulement les compétences nécessaires à leur travail dans l'exercice de leurs fonctions, mais aussi des compétences qui augmenteront leur valeur sur le marché du travail. Les employés souscrivent aux pratiques de développement de carrière qui maximiseront leurs chances de se trouver un emploi comparable dans le cas où des licenciements se produiraient plus tard.

L'ÉLABORATION D'UN NOUVEAU CONTRAT PSYCHOLOGIQUE

Le contrat psychologique défini par Schein[69] vise essentiellement à établir un ensemble d'attentes tacites entre les membres d'une organisation et leurs gestionnaires. Robinson et Rousseau[70] raffinent cette définition en affirmant qu'il s'agit de l'établissement de promesses et d'obligations réciproques entre l'employeur et l'employé (encadré 10.17). L'organisation s'engage à agir dans un certain sens si l'individu entreprend certaines actions et adopte des comportements précis. Le contrat psychologique est perceptuel, subjectif, et informel, et il se définit constamment en fonction de l'évolution des rapports entre l'employeur et l'employé. Récemment, les praticiens et les chercheurs ont affirmé que la nature du contrat psychologique s'était

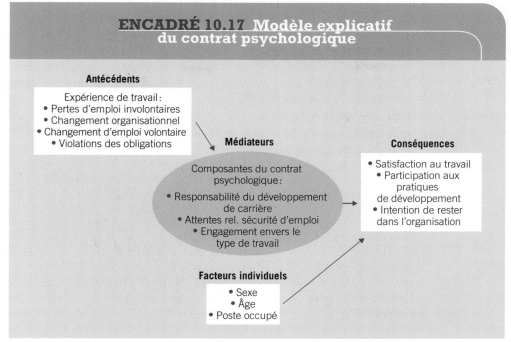

ENCADRÉ 10.17 Modèle explicatif du contrat psychologique

Antécédents

Expérience de travail:
• Pertes d'emploi involontaires
• Changement organisationnel
• Changement d'emploi volontaire
• Violations des obligations

Médiateurs

Composantes du contrat psychologique:
• Responsabilité du développement de carrière
• Attentes rel. sécurité d'emploi
• Engagement envers le type de travail

Conséquences

• Satisfaction au travail
• Participation aux pratiques de développement
• Intention de rester dans l'organisation

Facteurs individuels

• Sexe
• Âge
• Poste occupé

Source: M. A. Cavanaugh et R. A. Nœ, «Antecedents and Consequences of Relational Components of the New Psychological Contrast», *Journal of Organizational Behavior,* vol. 20,1998, p. 323-340.

modifiée. Selon l'ancien contrat psychologique, l'employeur était perçu comme un pourvoyeur[71, 72]. Les individus performants se voyaient garantir un emploi jusqu'à la retraite, en contrepartie de leur bonne performance et de leur loyauté. Dans le cadre du nouveau contrat psychologique, tant que les parties respectent les ententes conclues tacitement, les employeurs peuvent compter sur la loyauté et la bonne performance de leurs employés, et les employés, sur le respect des obligations que l'employeur a assumées[73]. Il va sans dire que ce sont les employés qui ont déjà été victimes de licenciements qui croient davantage à cette nouvelle relation établie entre l'employeur et l'employé. La notion d'équité sous-tend la réussite du nouveau contrat psychologique[74].

Le nouveau contrat psychologique porte sur des éléments comme les attentes à l'égard de la performance, l'étendue de la sécurité d'emploi, les possibilités de carrière, le développement des compétences, et la rémunération. Un contrat psychologique peut exister même s'il n'y a pas d'accord entre les parties sur l'ensemble des dimensions qu'il englobe. Il suffit qu'il y ait une présomption qu'un accord existe. Ce nouveau contrat psychologique constitue un mode de gestion des carrières. Les cheminements de carrière étant si difficiles à planifier et à préciser, le seul moyen de surmonter ce problème consiste à établir un accord explicite et clair portant à la fois sur les nouvelles attentes des individus et celles de l'employeur en fonction du contexte organisationnel et des aspirations des employés. Rousseau affirme que, lorsque l'organisation est aux prises avec des conditions incertaines et requiert beaucoup de flexibilité, les employés doivent en être informés[75]. Perpétuer une relation d'emploi basée sur des promesses mensongères est futile et risque de causer des torts aux deux parties[76].

LES CARRIÈRES INTERNATIONALES

Consultez Internet

http://www.careermosaicquebec.com

Non seulement ce site donne accès à des listes d'emplois offerts au Québec et à l'échelle internationale, mais il donne aussi des conseils sur les CV et la planification de carrière.

Élargir l'horizon des carrières en y greffant des affectations internationales constitue certainement une nouvelle avenue qui prend de l'expansion, malgré les multiples contraintes qu'il présente. La double carrière au sein du couple, les difficultés d'adaptation et d'intégration, les coûts associés à la mobilité, les considérations d'ordre juridique et les difficultés que pose le rapatriement des employés sont autant de facteurs qui vont à l'encontre de la tendance à considérer la mobilité internationale comme un mode de planification des carrières[77]. Il n'en demeure pas moins que l'élaboration et la mise en œuvre de stratégies internationales reposent sur des individus possédant une expérience internationale. Toute entreprise qui envisage d'élargir ses horizons doit se doter de leaders internationaux et de « globe-trotters » dont le perfectionnement ne peut se faire qu'au moyen d'affectations internationales[78]. Les assignations à l'étranger offrent aux employés à la fois des possibilités d'apprentissage, une plus grande autonomie et de nouvelles perspectives de carrière[79].

REVUE DE PRESSE

L'organisation spaghetti, une forme inusitée mais très efficace

Chez Oticon, les employés doivent exercer plusieurs métiers et définir leur travail en fonction de leurs qualités et compétences

Céline Poissant

Oticon est ce fabricant danois d'aide auditive dont l'ex-président, Lars Kolind, a modifié de fond en comble la structure organisationnelle. Elle est passée, à la fin des années 1980, d'une entreprise qui avait du mal à survivre à la concurrence que lui livraient Philips, Siemens et Sony à une entreprise devenue leader mondial dans son secteur.

« M. Kolind a implanté ce qu'il appelle l'organisation spaghetti, surtout parce qu'elle lui faisait penser à un entrelacement compact de pâtes qui représentent les nombreux rôles que doivent jouer les gens dans l'organisation et qui sont également entrelacés », explique Suzanne Rivard, professeure titulaire en technologies de l'information (TI) à l'École des Hautes Études Commerciales (HEC) de Montréal.

Chez Oticon, les employés doivent exercer plusieurs métiers et définir leur travail en fonction de leurs qualités et compétences. Ils ont également le mandat de faire évoluer leur emploi. Le président y a éliminé les descriptions de tâche qu'il qualifie de limitatives quand vient le temps d'exploiter tout le potentiel des employés. « Kolind a aussi éliminé tous les titres, les services et fait tomber tous les murs intérieurs du siège social. Ainsi, tout le monde travaille dans une vaste pièce ouverte où aucun pupitre n'est assigné à quiconque.

« Les postes de travail comportent tous une table, une chaise, un ordinateur et un téléphone et les employés décident où s'installer le matin selon le projet auquel ils travaillent. »

Chaque employé ne possède qu'un petit panier qu'il prend le matin en entrant et qui n'est guère assez grand que pour contenir une dizaine de dossiers et des objets personnels.

Chaque employé doit pouvoir être en mesure d'emporter ses pénates en moins de cinq minutes.

On a ensuite éliminé tout papier pour favoriser la communication verbale. Des bars à café installés un peu partout dans l'immeuble et des sofas installés en rond favorisent le dialogue et l'interaction entre les employés et la tenue de réunions spontanées.

Une seule pièce à papier demeure et elle est symboliquement bien placée en vue dans l'entrée principale. On y reçoit le courrier extérieur dont 95 % est balayé sur ordinateur puis déchiqueté.

Philosophie et principe de gestion

Chez Oticon, on est passé d'un mode de gestion basé sur la technologie à un mode de gestion basé sur les connaissances. On a libéré le personnel de titres encombrants et on a encouragé les employés à donner leur maximum et à faire de leur mieux en interagissant entre eux sans qu'il y ait de contrôle ni supervision. En fait, on a créé un environnement de travail où l'intelligence, la créativité et les avancements se produisent naturellement grâce à l'interaction humaine.

Comme on peut l'imaginer, tout cela ne s'est pas fait sans heurt, mais puisque Lars Kolind avait l'intention arrêtée de remplacer sa structure organisationnelle rigide par une structure plus souple, il a retenu quatre grandes valeurs fondamentales pour son entreprise.

La *transparence* fait en sorte que chaque employé a accès à la plus grande quantité d'informations possible. On encourage tout le personnel à partager l'information et la connaissance ne constitue jamais une source de pouvoir.

Le *choix* permet au personnel de constamment présenter de nouveaux projets et de monter une équipe autour de ceux-ci. Les postes vacants sont affichés dans le système informatique, ce qui permet de recruter des gens de talent et intéressés.

Les *métiers multiples*, dans une approche de projet, ont fait se créer un réseau d'experts ayant réussi à développer des entreprises dans divers secteurs. Oticon s'est ainsi créé un réseau intelligent très performant.

Enfin, la *gestion non interventionniste* permet aux projets d'émerger d'un environnement qui semble parfois chaotique.

Les projets ne connaissent pas de restrictions de budget ni de ressources. Cependant, les employés sont animés de la très forte croyance que toutes les occasions seront repérées, saisies et exploitées et qu'ils atteindront leurs objectifs financiers qu'ils se sont eux-mêmes fixés.

Pendant le règne de M. Kolind à la barre d'Oticon, qui a duré jusqu'à 1998, l'entreprise a doublé ses revenus et décuplé ses profits. « Oticon exporte aujourd'hui 90 % de sa production dans une centaine de pays grâce à un réseau de succursales et d'agents bien établi. »

Source: Les Affaires, *Guide du gestionnaire, Édition 2001, p. 34.*

L'« INTRANEURSHIP »

Selon Baruch et Peiperl, les entreprises seront, dans l'avenir, à la recherche de personnes capables de déterminer par elles-mêmes leur cheminement de carrière et de faire le bilan de leurs compétences[80]. Cette approche contredit les courants prônant le contrôle et l'efficacité organisationnelle et, à cet égard, il faudrait inventer de nouvelles orientations. Étant donné que la nouvelle devise est « Small is beautiful », mot d'ordre auquel s'ajoute ces temps-ci celui de « Small is flexible » peut-être faudra-t-il penser que l'« intraneurship » est un moyen efficace pour gérer les carrières des employés dotés d'un haut potentiel et les garder dans les organisations.

AVIS D'EXPERT
La gestion des carrières : le concept de l'employé « protéen »

par Douglas T. Hall

Dans son livre « The Career Is Dead, Long Live the Career », Hall proclame la mort de l'ancien concept de gestion des carrières et la naissance d'un nouveau modèle, celui de la « protean career ». D'après Hall, le développement de carrière se réalise par l'intermédiaire des relations que les membres d'une organisation entretiennent les uns avec les autres. Dans ce nouvel environnement de travail, les défis que l'employé recherche se trouvent dans les interactions avec ses collègues, ses supérieurs et les clients de l'organisation. La carrière progresse par l'expérimentation d'une série de nouvelles affectations dont chacune constitue en elle-même une source d'apprentissage. Les caractéristiques individuelles des collègues de travail, notamment l'origine ethnique, l'âge, le sexe, le niveau de scolarité, les attitudes et les habiletés représentent une mine intarissable de connaissances qu'il est possible d'acquérir à travers les échanges entre les pairs. Les clients, particulièrement dans les entreprises qui adoptent des approches clients, représentent un excellent moyen d'information et une source de savoir. Finalement, les expériences de mentorat, le réseautage, les équipes de travail et le rôle de guide constituent des pratiques qui mettent l'accent sur les échanges et les interactions et offrent des possibilités de développement de carrière. Le rôle de l'organisation revient alors à instaurer une culture organisationnelle appuyant cette philosophie de gestion et à mettre en place les mécanismes appropriés.

Les modèles qui partent de l'idée que l'organisation est une pyramide et que les systèmes de gestion des carrières planifient les progressions de carrière et la mobilité verticale entre les divers postes tendent à disparaître. Par contre, les systèmes de gestion des carrières qui tiennent compte de la nouvelle composition de la main-d'œuvre et qui offrent des cheminements et des possibilités de développement de carrière adaptés à la situation particulière des individus ou des groupes d'individus auront certainement plus de chances de survivre à l'évolution du marché du travail et à la transformation des entreprises. Ces systèmes exigent une nouvelle vision du système de gestion des carrières. Le changement dans les valeurs des employés, les expériences passées, l'évolution vertigineuse de certains secteurs d'activités et l'émergence de nouvelles formes d'organisation appellent à des solutions encore plus exceptionnelles et plus fortuites qu'auparavant. Pour mieux comprendre la gestion des carrières telle qu'elle se présente dans les organisations des années 2000, il convient de séparer ses composantes, à savoir, le travail, les personnes, les identités et les sous-identités, les différences, les communautés, le sens, les processus d'apprentissage et le développement et l'organisation.

Douglas Tim Hall est professeur de comportement organisationnel et directeur de l'Executive Development Roundtable, à l'École de gestion de l'Université de Boston. Il est l'auteur de *Careers in Organizations and Career Development,* et le co-auteur des ouvrages suivants : *The Career Is Dead, Long Live the Career : A Relational Approach to Careers ; Organizational Climates and Careers : The Work Lives of Priests ; The Two-Career Couple ; Experiences in Management and Organizational Behavior ; Turbulence in the American Workplace ; Human Resource Management, and Career Development in Organizations.* Ses intérêts sur le plan de la recherche portent sur les carrières organisationnelles, la formation au leadership, la planification de la relève, la gestion de la diversité et l'équilibre travail-famille.

RÉSUMÉ

La gestion des carrières est une activité de gestion des ressources humaines qui vise à retenir les employés dans l'entreprise, à les motiver en leur offrant des perspectives d'avenir et à planifier la relève au sein des organisations. Nous l'avons examinée à partir de deux perspectives : l'approche centrée sur l'individu et l'approche centrée sur l'organisation. Pour un individu, mener une carrière suppose de faire un choix professionnel judicieux, de décider de son développement professionnel et de le mener à terme en définissant ses objectifs personnels, en obtenant de l'avancement et en acquérant les compétences nécessaires à l'atteinte des objectifs de carrière. Nous avons également examiné les principales étapes se rapportant à l'évaluation des choix de carrière, à l'élaboration des objectifs et à l'établissement d'un plan qui permettra de gérer tous ces aspects. En ce qui concerne l'aspect organisationnel, nous avons présenté les programmes destinés à créer des possibilités d'avancement. Ces programmes ont également été décrits en tenant compte des problèmes et des enjeux de carrière qui accompagnent le cycle de vie de l'employé. En conclusion, ce chapitre a examiné les défis que l'activité de gestion des carrières doit relever, et il offre au lecteur des pistes de réflexion sur l'avenir de cette activité.

Questions de révision et d'analyse

1. *Pourquoi la gestion des carrières est-elle si importante au sein des organisations ?*

2. *De quelles façons la gestion des carrières est-elle liée aux autres activités de la gestion des ressources humaines d'une organisation ?*

3. *Quels sont les facteurs qui ont eu ou qui auront une incidence sur votre choix de profession ? Pourquoi ?*

4. *Expliquez quelques-uns des problèmes auxquels le gestionnaire doit faire face en ce qui a trait à la supervision de travailleurs se trouvant à différentes étapes de leur carrière.*

5. *Commentez la théorie de Holland sur les types de carrière. Pouvez-vous l'appliquer à vos préférences en matière de choix d'une carrière ?*

6. *L'étape du développement de carrière que constitue l'entrée sur le marché du travail semble indiquer que le choc de la réalité est un fait de la vie des organisations. Que peuvent tenter les directeurs des ressources humaines pour atténuer les effets de ce choc ?*

7. *Qu'est-ce que la planification de la relève ? Pourquoi les entreprises s'engagent-elles dans une planification de ce genre ?*

8. *Étant donné l'évolution des structures organisationnelles, la gestion des carrières telle qu'elle est définie traditionnellement pourra-t-elle continuer de s'appliquer dans les organisations ?*

ÉTUDE DE CAS
Le retraité toujours en poste

Problème d'épuisement professionnel ou autre phénomène?

Georges Marchand, le nouveau chef de la division de l'amélioration des méthodes et du contrôle de la production de l'entreprise Benlux, fait face à un problème complexe de gestion des ressources humaines. Le rendement au travail de l'un de ses employés qui a un très grand nombre d'années de service, Martin Lenoir, n'est pas satisfaisant. En questionnant quelques-uns de ses employés, Georges Marchand apprend que Martin Lenoir n'a effectivement pas beaucoup travaillé depuis bien des années. Pire encore, il paraîtrait que les réalisations de cet employé ont été une source d'embarras pour toute la division. Georges Marchand a noté par ailleurs que cet employé arrivait au travail tous les matins avec près de 45 minutes de retard et qu'il commençait sa journée en essayant de se remettre d'une soirée passée en compagnie d'amis dans les bars. La journée de cet employé se résume ainsi : (1) il lit le journal pendant environ une heure tout en fumant et en sirotant son café ; (2) il fait la tournée du bureau, le café à la main, pour discuter avec ses nombreux amis de la division ; (3) il prend un dîner de deux heures, arrosé de trois martinis ; et (4) il fait la sieste au cours de l'après-midi, installé confortablement dans son bureau. Le chef de la division s'attendait à ce que les autres employés formulent des critiques sur le comportement de Martin Lenoir et sur la piètre qualité de son travail. Malheureusement, il a eu la surprise de constater que cet employé était apprécié de presque tous et même considéré comme un héros par les employés de l'exécution. Il a donc décidé de se pencher plus à fond sur ce cas avant de prendre des mesures.

À partir des registres de l'entreprise, Georges Marchand apprend que l'employé en cause travaille pour Benlux depuis 15 ans. Il a débuté dans l'entreprise à titre de spécialiste de la gestion interne. Il effectuait alors à la fois des tâches de gestion et les opérations qui ne relevaient pas de la fabrication. À ses débuts, Martin Lenoir réussissait assez bien dans ses fonctions. D'après les évaluations de son rendement, c'était un employé ingénieux qui comprenait bien les systèmes complexes de contrôle de la production qu'utilisait l'entreprise. Il a conçu de nouveaux procédés de travail qui ont occasionné moins de fatigue pour le travailleur et réduit les accidents de travail. En outre, plusieurs de ses suggestions ont permis d'apporter des améliorations substantielles à la qualité du produit dans le service de la fabrication. Pour le récompenser de son excellent rendement, l'entreprise lui a accordé une première promotion de même que de nombreuses primes au cours de ses sept premières années de service.

Au cours de sa huitième année, la candidature de Martin Lenoir a été envisagée pour un travail de supervision au sein de la division. L'entreprise ne possédait pas à ce moment-là de programme officiel de développement de carrière, mais tous les employés ont été surpris de la décision de la haute direction de recourir finalement à un autre employé du service de recherche et développement pour combler le poste. Il semble que Martin Lenoir ait accueilli la nouvelle avec un brin d'indifférence. Il a continué à entretenir avec le personnel les relations chaleureuses qui lui avaient valu beaucoup d'amis dans la division. Mais, huit mois plus tard, un projet dont il avait la responsabilité a semblé ne jamais devoir démarrer réellement en raison de son manque de leadership et de son incapacité à susciter l'enthousiasme nécessaire chez les autres analystes participant au projet. Les affectations suivantes de cet employé ont été marquées par une détérioration de son rendement. Des erreurs qu'il avait commises ont conduit à l'élaboration de méthodes de travail et de techniques de contrôle de la production qui se sont révélées inadéquates. Son superviseur avait noté pendant cette période que Martin Lenoir semblait boire beaucoup et qu'il éprouvait des difficultés familiales. L'accumulation de tous ces problèmes – mauvais rendement, retards, abus d'alcool – a amené son superviseur à refuser de lui confier d'autres projets d'envergure. On l'a donc relégué aux tâches de routine et aux projets d'importance secondaire ; avec le temps, Martin Lenoir ne s'est plus vu confier aucun mandat de quelque nature que ce soit.

Questions

1. Quels facteurs peuvent expliquer le mauvais rendement de Martin Lenoir ?

2. Qui est responsable de son rendement actuel ?

3. Est-ce que le superviseur précédent de Martin Lenoir aurait dû agir autrement avec lui ? Quelles mesures aurait-il pu prendre ?

4. Qu'est-ce que le chef de division, Georges Marchand, devrait faire maintenant ? Devrait-il le congédier ?

5. Si vous étiez un consultant en ressources humaines embauché pour trouver une solution à ce problème, quelles seraient vos recommandations ?

NOTES ET RÉFÉRENCES

1 T. G. Gutteridge, Z. B. Leibowitz et J. E. Shore, *Organizational Career Development : Benchmark for Building a World Class Workforce*, San Francisco, Jossey-Bass, 1993.

2 Les descriptions détaillées de postes constituent la forme la plus simple d'analyse des postes. L'analyste collecte alors le plus de données qualitatives possible à partir des sources qui sont disponibles.

3 R. A. Noe et N. Schmitt, « The Influence of Trainee Attitude on Training Effectiveness : Test of a Model », *Personnel Psychology*, automne 1986, p. 497-523.

4 G. Guérin et T. Wils, « La carrière, point de rencontre des besoins individuels et organisationnels », *Revue de gestion des ressources humaines*, nᵒˢ 5-6, 1993, p. 13-30.

5 J. L. Holland, *Making Vocational Choices : A Theory of Careers*, Englewood Cliffs, Prentice Hall, 1973.

6 M. Driver, « Career Concepts and Career Management in Organizations », dans C. Cooper (dir.), *Behavioral Problems in Organizations*, Englewood Cliffs, Prentice Hall, 1979.

7 E. H. Schein, *Career Anchors*, San Diego, University Associates, 1990.

8 J. L. Holland, *op. cit.*

9 E. H. Shein, *op. cit.*

10 G. Guérin et T. Wils, *op. cit.*

11 *Ibidem.*

12 E. H. Shein, *op. cit.*

13 T. J. DeLong, « Reexamining the Career Anchor Model », *Personnel,* mai-juin 1982, 50-61.

14 M. Driver, *op. cit.*

15 T. Wils et G. Guérin, « La gestion du système de carrière », dans R. Blouin (éd.), *Vingt-cinq ans de pratique en relations industrielles au Québec,* Montréal, Corporation des CRI, 1990.

16 D. Hall, *Careers in Organizations,* Santa Monica, Goodwear, 1976.

17 T. A. Judge, D. M. Cable, J. W. Boudreau et R. D. Bretz Jr, « An Empirical Investigation of the Predictors of Executive Career Success », *Personnel Psychology,* 1995, p. 485-519.

18 U. E. Gattiker et L. Larwood, « Predictors for Career Achievement in the Corporate Hierarchy », *Human Relations,* vol. 43, nᵒ 8, 703-726.

19 J. A. Raelin, « An Examination of Deviant/Adaptive Behaviors in the Organizational Careers of Professionals », *Academy of Management Review*, vol. 9, nᵒ 3, 1984, p. 413-427.

20 L. Lemire, T. Saba et Y.-C. Gagnon, « Managing Career Plateauing in the Quebec Public Sector », *Public Personnel Management,* vol. 28, nᵒ 3, 1999, p. 375-390.

21 *Ibidem.*

22 L. Lemire et T. Saba, « Plafonnement de carrière subjectif : Impacts organisationnels dans le secteur québécois », dans *GRH face à la crise : GRH en crise*, Actes du VIIIᵉ Congrès de l'AGRH, M. Tremblay (éd.), Montréal, HEC, 1997, p. 371-382.

23 J. Carrière, *L'explication et la gestion du phénomène de démobilisation chez les diplômés universitaires récemment embauchés*, thèse de doctorat, Université de Montréal : École de relations industrielles, 1998.

24 G. Guérin, J. Carrière et T. Wils, « Facteurs explicatifs de la démobilisation chez les diplômés universitaires récemment embauchés », *Relations industrielles*, vol. 54, nᵒ 4, 1999, p. 643-672.

25 J. Carrière et G. Guérin, « L'encadrement du diplômé universitaire », *Effectif*, vol. 3, nᵒ 3, 1999, 32-35.

26 *Ibidem.*

27 M. Tremblay et T. Wils, « Les plateaux de carrière : analyse d'un phénomène complexe et sensible », *Gestion 2000*, nᵒ 6, 1995, p. 177-193.

28 T. Wils, M. Laberge et C. Labelle, « Le système de développement de carrière : une étude empirique québécoise », dans *GRH face à la crise : GRH en crise*, Actes du VIIIᵉ Congrès de l'AGRH, M. Tremblay (éd.), Montréal, HEC, 1997, p. 586-594.

29 L. Lemire., T. Saba et Y.-C. Gagnon, *op. cit.*

30 S. H. Appelbaum et D. Finestone, « Revisiting Career Plateauing : Same Old Problem - Avant-Garde Solutions, *Journal of Managerial Development*, vol. 9, nᵒ 5, 1994, p. 12-21.

31 M. Tremblay et T. Wils, *op. cit.*

32 T. Wils, M. Tremblay et C. Guérin, « Repenser la mobilité intra-organisationnelle : une façon de contrer le plafonnement de carrière », *Gestion 2000,* vol. 13, nᵒ 1, 1997, p. 151-164.

33 M. Tremblay, « Comment gérer le blocage des carrières », *Gestion*, septembre 1992, p. 73-92.

34 Statistique Canada, *Rapport sur les mariages et les divorces*, Ottawa, 15 novembre 1988.

35 J. Carrière, *op. cit.*

36 C. Truss, « Human Resource Management : Gendered Terrain », *The International Journal of Human Resource Mangement*, vol. 10, nᵒ 2, avril 1999, p. 180-200.

37 N. Rinfret et M. Lortie-Lussier, « L'impact de la force numérique des femmes cadres : illusion ou réalité ? » *Revue canadienne des sciences du comportement,* vol. 25, nᵒ 3, 1993, p. 465-479.

38 R. Tucker, M. Moravee et K. Ideus, « Designing a Dual Career-Track System », *Training and Development*, vol. 6, 1992, p. 55-58.

39 T. Saba, G. Guérin et T. Wils, « Gérer l'étape de fin de carrière », *Gestion 2000*, 1997, p. 165-181.

40 *Ibidem.*

41 *Ibidem.*

42 M. London et S. A. Stumpf, *Managing Careers*, Massachusets, Addison-Wesley, 1982.

43 Z. B. Leibowitz, C. Farren et B. L. Kaye, *Designing Career Development Systems*, San Francisco, Jossey Bass,1986.

44 G. Guérin et T. Wils, « La gestion des carrières : une typologie des pratiques », *Gestion*, vol. 17, n° 3, 1992, p. 48-63.

45 *Ibidem.*

46 Z. B. Leibowitz, C. Farren et B. L. Kaye, *op. cit.*

47 G. Guérin et T. Wils, *op. cit.*

48 M. London et S. A. Stumpf, *op. cit.*

49 G. Guérin et T. Wils, *op. cit.*

50 T. G. Gutteridge, Z. B. Leibowitz et J. E. Shore, *op. cit.*

51 F. Otte et P. Hutcheson, *Helping Employees Manage Careers*, Englewood Cliffs (NJ), Prentice Hall, 1992, p. 5-6.

52 K. Nowack, « The Secrets of Succession », *Training and Development*, novembre 1994, p. 49-55.

53 R. Jacobs et R. Bolton, « Career Analysis : The Missing Link in Managerial Assessment and Development », *Human Resource Management Journal*, vol. 3, n° 2, 1994, p. 55-62.

54 G. Guérin et T. Wils, *op. cit.*

55 G. Guérin, J. Carrière et T. Wils, *op. cit.*

56 T. Scandurg, « Mentorship and Career Mobility : An Empirical Investigation », *Journal of Organizational Behavior*, vol. 13, n° 2, mars 1992, p. 169-174.

57 C. Benabou, « Mentors et protégés dans l'entreprise : vers une gestion de la relation », *Revue internationale de gestion*, vol. 20, n° 4, p. 18-24.

58 L. Lemire et T. Saba, *op. cit.*

59 D. T. Hall et L. A. Isabella, « Downward Movement and Career Development » *Organizational Dynamics*, été 1985, p. 5-23.

60 G. Guérin et T. Wils, *op. cit.*

61 D. Hall et associés, *The Career is dead, long live the Career*, San Francisco, Jossey Bass, 1996.

62 G. D. Kissler, « The New Psychological Contract », *Human Resource Management*, vol. 33, 1994, p. 335-352.

63 U. E. Gattiker et L. Larwood, *op. cit.*

64 R. Jacobs et R. Bolton, *op. cit.*

65 W. Rothwell, H. C. Kazanas et D. Haines, « Issues and Practices in Management Job Rotation Programs as Perceived by HRD Professionals », *Performance Improvement Quarterly*, vol. 5, n° 1, 1992, p. 49-69.

66 « Switch Rather than Stew », *Training and Development Journal*, vol. 29, n° 10, 1985.

67 T. Saba, « La gestion des carrières : un vrai défi pour les années 2000 », *Effectif*, juin-juillet-août 2000, p. 20-26.

68 E. Gosselin, J.-F. Tremblay et M. Bénard, « La nouvelle gestion organisationnelle des carrières : et si ce n'était qu'une fable », *Effectif*, juin-juillet-août 2000, p. 40-44.

69 E. H. Schein, *Organizational Psychology*, 3e éd., Englewood Cliffs, Prentice Hall, 1980.

70 S. L. Robinson et D. M. Rousseau, « Violating the Psychological Contract : Not the Exception but the Norm », *Journal of Organizational Behavior*, vol. 15, 1994, p. 245-259.

71 G. D. Kissler, *op. cit.*

72 S. L. Robinson et D. M. Rousseau, *op. cit*

73 M. A. Cavanaugh et R. A. Noe, « Antecedents and Consequences of Relational Components of the New Psychological Contrast », *Journal of Organizational Behavior*, vol. 20, 1998, p. 323-340.

74 J. M. Parks et D. L. Kidder, « Till Death Do Us Part... Changing Work Relationships in the 1990's », dans C. L. Cooper et D. M. Rousseau (éd.), *Trends in Organizational Behaviour*, vol. 1, Somerset, John Wiley and Sons, 1998, p. 111-136.

75 D. M. Rousseau, « Changing the Deal While Keeping the People », *Academy of Management Executive*, vol. 10, 1995, p. 50-61.

76 Y. Baruch et M. Peirperl, « High-Flyers : Glorious Past, Gloomy Present, Any Future ? », *Career Development International*, vol. 2 , n° 7, 1997, p. 354-358.

77 T. Saba et R. Chua, « Une carrière à l'international : difficultés d'adaptation et pratiques de gestion », *Psychologie du travail et des organisations*, vol. 5, n°s 1 et 2, 1999, p. 5-34.

78 V. Pucik et T. Saba, « Developing Global Versus Expatriate Managers : A Review of the State-of-the-Art », *Human Resource Planning*, vol. 21, n° 4, p. 40-53.

79 *Ibidem.*

80 Y. Baruch et M. Peirperl , *op. cit.*

Rémunération
et reconnaissance
de la performance
des employés

CHAPITRE 11

La rémunération directe

I La rémunération globale

L a compétition entre les organisations sur les plans national et international contraint les entreprises à considérer la rémunération comme un moyen d'attirer des candidats qualifiés, de les maintenir à leur poste et de les motiver. La rémunération devient donc, en cette période de prospérité économique, un outil important et utile pour atteindre les objectifs organisationnels. C'est pour cette raison que les gestionnaires doivent innover en matière de rémunération tout en établissant un lien entre les salaires et le coût de la rémunération d'une part, et la productivité et la compétitivité de l'organisation d'autre part.

Ce chapitre s'intéresse à certains aspects cruciaux de la rémunération directe. Plus spécifiquement, ce chapitre couvre : (1) le mode de détermination des salaires ; (2) les méthodes utilisées pour établir l'équivalence des fonctions et pour évaluer les emplois ; (3) les principaux aspects de la gestion de la rémunération, incluant les enquêtes salariales, l'équité salariale et la confidentialité des salaires ; (4) l'application de la Loi sur l'équité salariale ; (5) les régimes de rémunération variable, leurs avantages et leurs désavantages ; et (6) les aspects importants de la gestion de la performance au travail.

Il faut noter que les aspects juridiques qui entourent la rémunération seront traités au chapitre 13. Cependant, étant donné l'influence de la Loi sur l'équité salariale sur la détermination des catégories d'emplois, sur l'évaluation des postes et sur la détermination des salaires, nous avons choisi exceptionnellement de lui consacrer une section dans ce chapitre.

LA RÉMUNÉRATION GLOBALE : UNE DÉFINITION

La rémunération globale est l'activité consistant à évaluer la contribution des employés à l'organisation afin de déterminer leur rétribution monétaire et non monétaire, directe et indirecte, en accord avec la législation existante et la capacité financière de l'organisation. Comme le montre l'encadré 11.1, il existe deux catégories de rémunération directe : le salaire de base et la rémunération basée sur le rendement, dite rémunération variable. La rémunération indirecte, qui sera présentée au prochain chapitre (chapitre 12), a trait aux divers avantages sociaux tant privés que publics ainsi qu'aux divers programmes de reconnaissance de la performance et des privilèges offerts aux employés. La rémunération globale représente la valeur totale des paiements directs et indirects versés aux employés.

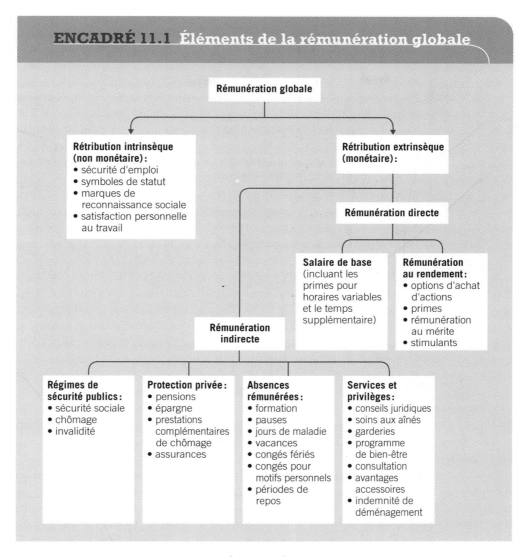

ENCADRÉ 11.1 Éléments de la rémunération globale

Rémunération globale

Rétribution intrinsèque (non monétaire):
- sécurité d'emploi
- symboles de statut
- marques de reconnaissance sociale
- satisfaction personnelle au travail

Rétribution extrinsèque (monétaire):

Rémunération directe

Salaire de base (incluant les primes pour horaires variables et le temps supplémentaire)

Rémunération au rendement:
- options d'achat d'actions
- primes
- rémunération au mérite
- stimulants

Rémunération indirecte

Régimes de sécurité publics:
- sécurité sociale
- chômage
- invalidité

Protection privée:
- pensions
- épargne
- prestations complémentaires de chômage
- assurances

Absences rémunérées:
- formation
- pauses
- jours de maladie
- vacances
- congés fériés
- congés pour motifs personnels
- périodes de repos

Services et privilèges:
- conseils juridiques
- soins aux aînés
- garderies
- programme de bien-être
- consultation
- avantages accessoires
- indemnité de déménagement

L'IMPORTANCE DE LA RÉMUNÉRATION

Consultez Internet

http://www.acaonline.org

Site de la American Compensation Association. L'ACA est maintenant appelée Worldatwork. Vous trouverez sur ce site des informations sur des conférences, des résultats d'enquêtes sur la rémunération, un forum de discussion, des séminaires et des programmes de formation.

L'importance de la rémunération est liée aux multiples buts qu'elle poursuit, qui se trouvent résumés dans l'encadré 11.2. La rémunération doit attirer les travailleurs, les inciter à demeurer dans l'entreprise et les motiver au travail[1]. La satisfaction de ces objectifs dépend toutefois de l'importance que les employés attachent aux revenus monétaires; or, ce facteur varie selon les besoins de chacun. Les individus ont souvent le désir de se joindre à une organisation et de lui fournir un bon rendement pour des motifs qui dépassent la seule question monétaire. Des récompenses non monétaires telles que le statut et le prestige du poste, la sécurité d'emploi, le climat de travail, les responsabilités et la variété des tâches que comporte le poste peuvent ainsi jouer un rôle important dans la motivation au travail.

ENCADRÉ 11.2 L'importance de la rémunération globale

Attirer des candidats qualifiés	La politique de rémunération globale permet de s'assurer que le salaire est suffisant pour intéresser, au moment opportun, des personnes qualifiées à se joindre à l'entreprise afin d'occuper des postes convenant à leurs qualifications. La rémunération est donc reliée au recrutement et à la sélection.
Conserver les employés compétents	Si la politique de rémunération globale n'est pas perçue comme équitable, à l'intérieur de l'organisation, et concurrentielle, à l'extérieur, les employés compétents sont susceptibles de quitter l'organisation dès qu'ils en auront l'occasion.
Motiver les employés	La rémunération globale aide à améliorer la motivation au travail des employés en établissant un lien entre la rémunération et le rendement par le biais de régimes incitatifs.
Administrer les salaires conformément aux lois	Les organisations doivent connaître et respecter la réglementation touchant la rémunération globale.
Faciliter l'atteinte des objectifs stratégiques	Une organisation peut, pour créer un climat positif et stimulant et pour attirer les meilleurs candidats, élaborer un régime de rémunération globale attrayant qui l'aidera à atteindre ses objectifs de croissance rapide, de survie ou d'innovation.
Avoir un avantage concurrentiel grâce au contrôle des coûts salariaux	La rémunération constitue une partie importante des budgets de la plupart des organisations.

Comme le montre l'encadré 11.3, ces modes de rétribution comprennent les symboles de statut, les marques de reconnaissance sociale et la satisfaction personnelle au travail. Les deux chapitres portant sur la rémunération directe et indirecte mettent l'accent sur la rétribution sous forme monétaire, qui représente la majeure partie de la rémunération. Les formes de reconnaissance qui n'ont pas de valeur pécuniaire seront examinées au chapitre 12.

LES LIENS ENTRE LA RÉMUNÉRATION ET LES AUTRES ACTIVITÉS DE LA GESTION DES RESSOURCES HUMAINES

La rémunération globale entretient un ensemble de relations avec les autres activités de la gestion des ressources humaines ; elle en demeure toutefois une des composantes les plus importantes. Elle dépend des données fournies par certaines activités, par exemple, l'analyse des postes et l'évaluation du rendement. La rémunération influence d'autres activités telles que le recrutement, la sélection, les relations patronales-syndicales et la planification des ressources humaines.

L'analyse de poste. La rémunération est étroitement liée à l'analyse des postes. Le processus d'évaluation des emplois qui détermine leur valeur relative se fonde en grande partie sur la description des postes. L'évaluation et l'analyse des postes influencent la structure salariale de l'organisation, y compris les classes d'emplois et les taux de salaires rattachés aux individus et aux postes. Cette activité joue un rôle d'autant plus crucial étant donné son importance dans le cadre de l'application de la Loi sur l'équité salariale.

ENCADRÉ 11.3 Modes de rétribution offerts par les organisations

RÉTRIBUTION SOUS FORME MONÉTAIRE (incluant les avantages sociaux)		SYMBOLES DE STATUT	MARQUES DE RECONNAISSANCE SOCIALE	SATISFACTION PERSONNELLE AU TRAVAIL
Salaire	Billets de théâtre ou billets pour un événement sportif	Grandeur et emplacement du bureau	Rencontres amicales	Travail intéressant
Augmentation de salaire	Accès à des installations récréatives	Attribution d'un bureau avec fenêtre	Reconnaissance informelle	Sentiment d'accomplissement
Options d'achat d'actions	Accès au stationnement privé de l'entreprise	Tapis	Éloges	Prestige de l'emploi
Régime de participation aux bénéfices	Pauses	Rideaux	Sourires	Diversité des tâches
Primes	Congé sabbatique	Tableaux	Rétroaction	Rétroaction sur le rendement
Prime de Noël	Cartes de membres de clubs	Montres	Compliments	Confiance en soi
Rémunération différée, y compris échappatoires fiscales	Escompte sur achats divers	Anneaux	Signes non verbaux	Planification du travail
Salaire et congé de formation	Prêts personnels à des taux avantageux	Reconnaissance formelle	Tape dans le dos	Horaire de travail
Régime d'assurance-maladie	Conseils juridiques gratuits	Plaque murale	Invitation à dîner	Participation au développement de l'entreprise
Attribution d'une automobile	Conseils en planification financière personnelle		Rencontres sociales après le travail	Choix de la localisation géographique
Cotisation à un régime de retraite	Primes d'assurance-habitation gratuites			Autonomie au travail
Réduction sur l'achat de produits	Fourniture d'un système d'alarme et d'une protection personnelle			
Voyages	Indemnité de déménagement			
	Aide à l'achat d'une maison			

Source : P. M. Podsakoff, C. N. Greene, J. M. McFillen, «Obstacles to the Effective Use of Reward Systems», dans R. S. Schuler, S. A. Youngblood (dir.), *Readings in Personnel and Human Resource Management,* 2ᵉ éd., St. Paul, West Publishing, 1984, p. 257. Traduction et reproduction autorisées par les auteurs. © 1984, West Publishing Company. Tous droits réservés.

La planification des ressources humaines. La rémunération s'intègre normalement à la planification stratégique de l'organisation. C'est en fonction du type de main-d'œuvre que l'entreprise désire attirer, du contexte qui prévaut (cas de pénurie de main-d'œuvre ou de surplus) et de la stratégie d'affaires que l'organisation décidera des programmes de rémunération à implanter.

Le recrutement et la sélection. Les employés n'accordent pas tous la même valeur à la rémunération. Si le service des ressources humaines parvient à déterminer l'importance que lui attribuent les employés de l'organisation, il recrutera le personnel à partir d'options spécifiques en termes de rémunération. Il semble que pour attirer et conserver les meilleurs candidats, il ne soit pas nécessaire d'offrir le niveau de salaires le plus concurrentiel. En effet, les individus prennent leurs décisions en matière d'emploi à partir de plusieurs facteurs parmi lesquels figurent l'emplacement de l'organisation, sa réputation comme milieu de travail, le climat organisationnel, de même que la nature de l'emploi et le niveau de la rémunération offerte. Par conséquent, à l'emploi offrant le meilleur salaire, les individus préfèrent souvent celui qui satisfait le plus grand nombre possible de facteurs, et ce, par ordre de priorité.

L'évaluation du rendement. La relation entre la rémunération et l'évaluation du rendement est peut-être l'aspect le plus important pour les individus, particulièrement dans les organisations qui ont implanté des programmes liant le salaire au rendement. Mesurer le rendement d'une façon valide et fiable afin de déterminer la portion du salaire attribuée au mérite comporte des incidences individuelles, légales et organisationnelles.

Les relations patronales-syndicales. La présence d'un syndicat a un effet sur la détermination des salaires. Cette influence s'exprime à la fois par des concessions et des gains salariaux. Le syndicat peut aussi jouer un rôle actif dans le processus d'évaluation des emplois et dans la détermination de la politique de rémunération de l'organisation. Nous en discuterons plus en détail au chapitre 14.

L'encadré 11.4 comporte une présentation schématique des liens existant entre la rémunération et d'autres activités de la gestion des ressources humaines. Il montre également que plusieurs facteurs externes influencent le processus de rémunération

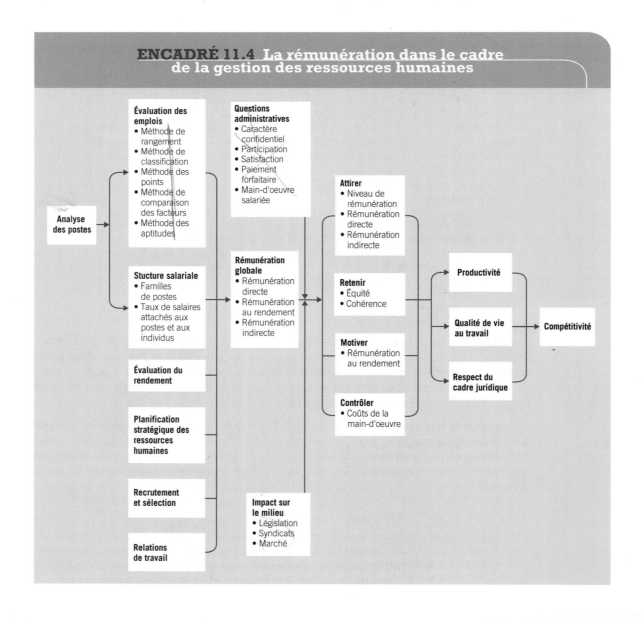

ENCADRÉ 11.4 La rémunération dans le cadre de la gestion des ressources humaines

globale d'une organisation, et donc sa capacité à attirer de nouveaux candidats, à les maintenir dans l'entreprise ainsi qu'à les motiver à améliorer leur productivité et leur qualité de vie au travail. Étant donné l'importance de certains de ces facteurs, il en sera également question dans le prochain chapitre.

FACTEURS INFLUANT SUR LA RÉMUNÉRATION

De nombreux facteurs influencent les systèmes de rémunération dans l'organisation. Aux influences de l'environnement s'ajoutent les caractéristiques organisationnelles dont celle des employés.

L'influence de l'environnement. Le marché, le secteur d'activité économique, les politiques gouvernementales et la localisation de l'entreprise comptent parmi les facteurs environnementaux qui influencent les systèmes de rémunération.

Le marché. Le marché influe directement et indirectement sur la détermination des taux de salaires. Il les détermine directement en ce qu'il fournit des points de comparaison (emplois repères) à partir desquels les organisations peuvent fixer les taux de salaires de leurs emplois. Et il y participe indirectement en ce sens que les organisations réalisent d'abord une évaluation des emplois, puis établissent les échelles de salaires et les familles d'emplois (ou classes d'emplois), et examinent ensuite le marché pour connaître les salaires payés par les autres organisations. Les organisations n'établissent généralement pas leurs taux de salaire en fonction du seul marché. Ces taux sont plutôt fixés grâce à la fois à l'information recueillie sur le marché et à la politique salariale propre à l'organisation. Cette politique se veut la réponse à des questions telles que : L'entreprise veut-elle jouer un rôle de leadership en matière de rémunération ? et Quels critères l'entreprise désire-t-elle utiliser pour la fixation du salaire (le contenu de l'emploi, l'ancienneté, le rendement ou le coût de la vie) ? Ces questions sont prioritaires pour la détermination des salaires de base dans la plupart des organisations.

En plus des différents niveaux de salaires du marché, d'autres critères contribuent à fixer les salaires, parmi lesquels figurent les conditions du marché du travail (le nombre de personnes sans emploi et en recherche d'emploi), ainsi que l'indice des prix à la consommation (qui aide à déterminer les hausses du coût de la vie).

REVUE DE PRESSE
La rémunération piétine au Québec

Hélène Bégin

C'est bien connu, la rémunération des salariés au Québec évolue très lentement depuis quelques années. Ce qui est inquiétant, c'est que les hausses de salaire ont peine à rejoindre l'inflation qui gravite sous la barre des 2 % depuis au moins cinq ans. Cela se traduit évidemment par un recul graduel du pouvoir d'achat des travailleurs.

Le premier semestre de l'année a été particulièrement décevant en ce qui a trait au revenu d'emploi. En effet, la rémunération hebdomadaire moyenne des salariés du Québec a diminué de 0,6 % en première moitié d'année. Le revenu brut des employés, avant toutes les déductions gouvernementales, a donc atteint une moyenne de 569,42 $ pour les six premiers mois de 1999, comparativement à 572,73 $ à la même période l'an passé.

La situation est également préoccupante au Canada puisque la rémunération des salariés est demeurée stable au cours du premier semestre. En moyenne, le salaire brut des employés au pays se situe à 607,42 $ par semaine, soit à un niveau de 7 % plus élevé que la moyenne québécoise.

En général, les entreprises sont incitées à bonifier les salaires lorsque la main-d'œuvre requise se fait rare. Les employés qualifiés deviennent alors une denrée précieuse et un relèvement de la rémunération est souvent le meilleur remède pour conserver ou attirer les travailleurs qui sont sollicités de toutes parts. La rémunération a plutôt tendance à diminuer ou stagner lorsque les travailleurs disponibles sont plus nombreux que la demande. Actuellement, l'absence de progression des salaires indique qu'un tel déséquilibre persiste sur le marché du travail. Avec un taux de chômage aux alentours de 9 %, la plupart des employeurs du Québec n'ont pas besoin d'offrir de hausses salariales significatives pour maintenir leurs effectifs au niveau souhaité.

La majorité des grands secteurs d'activité ont contribué à la baisse de la rémunération des travailleurs en première moitié de 1999. Le recul a été particulièrement prononcé dans les industries primaires, qui ont été frappées de plein fouet par la crise internationale. À la suite de l'affaissement de la demande mondiale, les effectifs ont dû être considérablement réduits dans les secteurs liés aux ressources naturelles.

Cet excédent de travailleurs a exercé une pression à la baisse sur le revenu moyen des employés qui sont restés. En outre, dans le secteur des mines, des carrières et des puits de pétrole, la rémunération hebdomadaire moyenne a chuté de 5,8 % au premier semestre. Malgré cette dégradation, le salaire moyen versé dans cette branche d'activité est supérieur à 900 $ par semaine.

Le secteur forestier a également souffert de la réduction de la demande mondiale. Les travailleurs ont vu leur rémunération s'affaiblir de près de 10 % au cours du premier semestre, à 622,15 $ par semaine. Bien que la situation semble se rétablir peu à peu dans les secteurs liés aux produits de base, il faudra attendre plusieurs mois avant que cela se répercute par un relèvement des revenus des employés.

Ceux-ci récupéreront graduellement le terrain perdu, mais le surplus de main-d'œuvre disponible dans ce secteur devra d'abord se résorber. Les travailleurs des industries manufacturières se sont bien tirés d'affaire en première moitié d'année. La vigueur de l'économie américaine, en voie de connaître une croissance économique frisant les 4 % cette année, ainsi que la faiblesse de notre devise ont stimulé les expéditions. Une demande aussi florissante a favorisé une faible progression des salaires de l'ordre de 1,3 % au cours du premier semestre.

Les employés du secteur public n'ont pas échappé à la tendance. Le salaire moyen des travailleurs spécialisés en enseignement a reculé de 0,3 % au premier semestre pour s'établir à 664,17 $. Mince consolation, ce niveau reste au-dessus de la moyenne de l'ensemble des secteurs qui se situe à 569,42 $ par semaine. Du côté de la santé et des services sociaux, la rémunération a fondu de 2 %.

Parmi les branches rattachées aux services, seule celle de l'hébergement et de la restauration a connu une augmentation supérieure à l'inflation. Toutefois, même si la rémunération s'est accrue de 2,3 % en première moitié d'année, les employés de ce secteur sont toujours les moins bien payés de toutes les industries. La baisse graduelle du taux de chômage attendue d'ici le tournant du siècle sera bien sûr favorable à un rehaussement des salaires. Néanmoins, comme le taux de chômage du Québec restera assez élevé, c'est-à-dire autour de 9 %, il est peu probable que les employeurs soient tentés de relever les salaires de façon significative. Dans un contexte de faible inflation, il serait surprenant que les augmentations salariales dépassent les 2 % dans un avenir rapproché. Bien sûr, il n'est pas exclu que certains travailleurs qui bénéficient d'une meilleure conjoncture dans leur domaine d'activité se voient accorder des hausses plus substantielles.

Dans l'ensemble, les salariés du Québec ne pourront donc pas compter sur une bonification de leur revenu d'emploi pour améliorer leur pouvoir d'achat à court terme. Pour l'instant, des baisses d'impôts significatives de la part des gouvernements fédéral et provincial sont plus que nécessaires pour donner un peu d'air frais aux travailleurs.

Source : Les Affaires, *4 septembre 1999, p. 14.*

D a n s   l e s   f a i t s

Auparavant les salaires du secteur public québécois étaient plus avantageux que ceux du secteur privé. En 1998, l'Institut de la statistique du Québec a affirmé que, depuis les compressions budgétaires, ils étaient devenus comparables. (www.stat.gouv.qc.ca)

Le secteur d'activité économique. Selon Thériault et St-Onge[2], les salaires attribués pour un même poste varient aussi en fonction du secteur économique et la différence peut être comprise en examinant deux composantes : l'ampleur de la concurrence dans le secteur et la proportion des coûts de rémunération dans les coûts d'exploitation. Ainsi, plus la concurrence est grande, plus le contrôle des coûts devient une considération importante et moins la possibilité d'offrir des conditions salariales supérieures est possible. Également, plus la proportion des coûts relatifs à la main-d'œuvre est élevée, plus l'entreprise réalise l'importance de contrôler sa masse salariale et de maintenir les salaires à un bas niveau. Le fait d'appartenir au secteur public, parapublic ou privé est une autre considération puisque les particularités des différents secteurs affectent les modes de rémunération.

Consultez Internet

www.eoa-hrdc.com/3519/docs/prowagex.stm

Site sur les salaires minimums des provinces.

Les politiques gouvernementales. Diverses lois dont la Loi sur le salaire minimum, la Loi sur les normes du travail et la Loi sur l'équité salariale, que nous examinerons plus loin dans ce chapitre, affectent nécessairement les taux de rémunération dans une entreprise ainsi que la rémunération du temps chômé et des vacances, et d'autres avantages sociaux que nous examinerons en détail au chapitre 12.

L'emplacement de l'entreprise. Que ce soit sur le plan national, international ou régional, l'emplacement de l'entreprise affecte les modes de rémunération. Ainsi, les disparités relatives au coût de la vie, au système de taxation, aux lois en vigueur et aux pratiques courantes dans les différentes régions sont parmi les facteurs qui influencent les systèmes de rémunération. De plus, ces facteurs ajoutent au défi d'établir des modes de rémunération qui respectent en même temps l'équité interne et externe des organisations tout en préservant leurs capacités concurrentielles. Le tableau ci-dessous offre un exemple de comparaison entre les salaires offerts dans les grandes villes canadiennes et ceux offerts à Toronto.

Niveau de rémunération selon les villes canadiennes

	Vancouver	Calgary	Winnipeg	Toronto (Index = 100)	Montréal	Ottawa	Halifax
Professionnels et techniciens	101	98	95	100	97	96	92
Employés de bureau	101	97	94	100	96	96	90
Service et production	101	98	90	100	96	96	91

Source : N. B. Carlyle, «Compensation Planning Outlook», *Conference Board of Canada*, Ottawa, 1999.

L'influence des facteurs internes à l'organisation. L'évolution de la structure salariale de l'organisation est indéniablement affectée par plusieurs caractéristiques organisationnelles. Nous examinerons les effets de la présence d'un syndicat, de la culture et de l'organisation du travail, de la stratégie organisationnelle ainsi que des caractéristiques de la main-d'œuvre sur les systèmes de rémunération.

Les syndicats. Les syndicats et les associations d'employés ont joué un rôle majeur dans la détermination des structures salariales, des niveaux de salaires et des salaires individuels, et ce, même dans les entreprises non syndiquées. L'action syndicale influence chaque phase de l'application de la politique de rémunération, depuis l'analyse des postes et de l'évaluation des emplois jusqu'à l'établissement des taux de salaires et la sélection des critères utilisés pour définir ceux-ci. En effet, les syndicats contribuent, dans de nombreux cas, à la conception, à la négociation de l'implantation ou à la modification des programmes élaborés par les entreprises. Même si l'évaluation des postes ne sert pas toujours les intérêts des syndicats à la table de négociation, elle doit tenir compte à la fois de la perspective du syndicat et de celle de la direction de l'entreprise. Il faut ajouter que les stratégies d'évitement de la syndicalisation ont également pour effet d'influencer les systèmes de rémunération.

Depuis 1980, les demandes syndicales sont de moins en moins axées sur les hausses de salaires et des avantages sociaux. Ce phénomène est dû en bonne partie au fait que plusieurs organisations ont éprouvé de graves difficultés financières qui ont mis en péril leur survie au cours de la dernière récession. De fait, plusieurs industries étaient aux prises avec des conditions si critiques que les travailleurs ont dû accepter une réduction de leurs salaires ou ont accepté de nouveaux modes de rémunération pour éviter les licenciements.

La stratégie, la culture organisationnelle et la situation financière de l'entreprise. La rémunération est un outil qui permet de mettre en œuvre la stratégie organisationnelle[3]. Ainsi, une entreprise qui poursuit une stratégie d'innovation devrait implanter des pratiques de rémunération qui favorisent la créativité des employés et les encouragent à prendre des initiatives et à partager leurs idées[4]. Dans ce même ordre d'idées, une culture organisationnelle participative rendra plus facile l'implantation de modes de rémunération basés sur le rendement collectif. Notons également qu'il est important de considérer les pratiques de rémunération qui prévalent et qui sont largement acceptées par les employés quand vient le temps d'implanter de nouvelles pratiques. Les pratiques courantes affectent la manière de concevoir les modes de rémunération et freinent souvent le changement[5]. La situation financière est sans contredit un des facteurs déterminants pouvant influencer les modes de rémunération. Ainsi, les entreprises détermineront les primes et partageront les bénéfices en fonction des résultats des exercices financiers. Lorsqu'une entreprise est publique et cotée en bourse, cela lui permet d'offrir des régimes d'achat et d'octroi d'actions à ses employés.

L'organisation du travail. Les différentes formes d'organisation du travail ont été examinées au chapitre 3. Les pratiques de rémunération doivent appuyer l'organisation du travail de façon à renforcer son efficacité. Si l'entreprise favorise des modes de rémunération traditionnels et rigides, cela réduira les possibilités d'implanter des modes de gestion plus souples tels que l'organisation du travail autour d'équipes autonomes ou semi-autonomes. Les emplois atypiques, la main-d'œuvre contractuelle, temporaire ou à temps partiel requièrent également des aménagements particuliers en ce qui concerne la rémunération, les avantages sociaux et autres privilèges, et les conditions de travail qui sont couverts par la rémunération globale.

Les caractéristiques de la main-d'œuvre. Le niveau de scolarité, l'âge, le sexe, l'ancienneté et le statut civil sont autant de caractéristiques qui déterminent les besoins des employés et font en sorte qu'ils développent des aspirations diversifiées en termes de rémunération. Les modes de rémunération et particulièrement les gammes d'avantages sociaux et de privilèges pécuniaires ou non pécuniaires ne seront efficaces que s'ils permettent de tenir compte des particularités individuelles des employés.

II Le processus de détermination des salaires

L a gestion des salaires comprend plusieurs activités dont les plus importantes sont énumérées dans l'encadré 11.5. Elle se fait en trois étapes que nous examinerons en détail. L'évaluation des emplois a pour principal objectif d'établir une *équité interne* dans la manière d'attribuer les salaires. Les enquêtes salariales ont pour effet de concilier équité interne et équité sur le marché du travail afin de veiller à attirer et à conserver les employés compétents[6]. Finalement la troisième étape établit les différences salariales entre les individus occupant une même catégorie d'emplois.

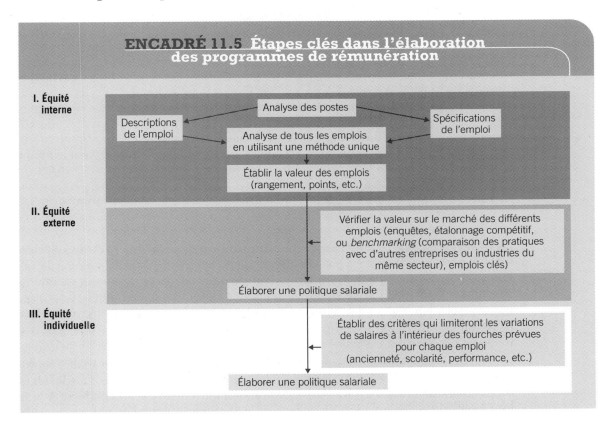

ENCADRÉ 11.5 Étapes clés dans l'élaboration des programmes de rémunération

I. Équité interne

Analyse des postes

Descriptions de l'emploi

Spécifications de l'emploi

Analyse de tous les emplois en utilisant une méthode unique

Établir la valeur des emplois (rangement, points, etc.)

II. Équité externe

Vérifier la valeur sur le marché des différents emplois (enquêtes, étalonnage compétitif, ou *benchmarking* (comparaison des pratiques avec d'autres entreprises ou industries du même secteur), emplois clés)

Élaborer une politique salariale

III. Équité individuelle

Établir des critères qui limiteront les variations de salaires à l'intérieur des fourches prévues pour chaque emploi (ancienneté, scolarité, performance, etc.)

Élaborer une politique salariale

L'ÉVALUATION DES EMPLOIS

L'évaluation des postes, qui se fait en quatre étapes détaillées dans l'encadré 11.6, constitue le fondement de tout programme équilibré de rémunération. Son objectif est d'attribuer une valeur relative à chacun des postes d'une organisation et de leur associer un taux ou une classe de rémunération spécifique. Cette évaluation des postes doit en outre chercher à établir une équité interne entre les différents postes d'une même organisation. Il se peut que la rémunération pour un emploi soit décidée à partir de l'estimation que fait le gestionnaire de la valeur d'un poste. Cependant, pour assurer l'équité du processus d'évaluation des emplois d'une organisation, on a souvent recours à des méthodes plus formelles. L'évaluation des postes de travail d'une organisation consiste à comparer des postes pour déterminer leur valeur relative, et ce, en utilisant des procédures formelles et systématiques.

Une fois les postes formellement évalués, on les groupe en classes ou en échelons. À l'intérieur de chacune de ces classes, les postes sont ordonnés en fonction de leur importance, et les échelles de salaires sont établies à l'aide d'enquêtes salariales.

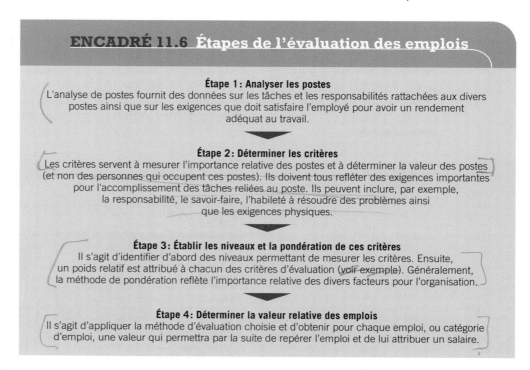

ENCADRÉ 11.6 Étapes de l'évaluation des emplois

Étape 1 : Analyser les postes
L'analyse de postes fournit des données sur les tâches et les responsabilités rattachées aux divers postes ainsi que sur les exigences que doit satisfaire l'employé pour avoir un rendement adéquat au travail.

Étape 2 : Déterminer les critères
Les critères servent à mesurer l'importance relative des postes et à déterminer la valeur des postes (et non des personnes qui occupent ces postes). Ils doivent tous refléter des exigences importantes pour l'accomplissement des tâches reliées au poste. Ils peuvent inclure, par exemple, la responsabilité, le savoir-faire, l'habileté à résoudre des problèmes ainsi que les exigences physiques.

Étape 3 : Établir les niveaux et la pondération de ces critères
Il s'agit d'identifier d'abord des niveaux permettant de mesurer les critères. Ensuite, un poids relatif est attribué à chacun des critères d'évaluation (voir exemple). Généralement, la méthode de pondération reflète l'importance relative des divers facteurs pour l'organisation.

Étape 4 : Déterminer la valeur relative des emplois
Il s'agit d'appliquer la méthode d'évaluation choisie et d'obtenir pour chaque emploi, ou catégorie d'emploi, une valeur qui permettra par la suite de repérer l'emploi et de lui attribuer un salaire.

La détermination des critères d'évaluation ou encore des facteurs et des sous-facteurs. L'entreprise doit décider, avant de mettre en place un système d'évaluation des postes, si elle utilisera un seul programme ou des programmes multiples. Traditionnellement, les programmes d'évaluation varient selon les familles de postes, par exemple, les employés de bureau, les employés qualifiés ou les employés professionnels. Le fondement de cette approche est que le contenu du travail des postes d'une même famille est trop varié pour être intégré à un seul programme[7].

Cependant, les défenseurs des principes de l'équivalence des fonctions et de l'équité salariale imposent l'utilisation d'un système de rémunération unique. Ces derniers soutiennent qu'il existe des critères d'évaluation universels qui s'appliquent à tous les emplois. Effectivement, il est essentiel de recourir aux mêmes critères pour la détermination de la valeur relative des emplois, car l'utilisation de systèmes distincts peut engendrer facilement des pratiques discriminatoires dans le cas de certaines classes spécifiques de postes. Pour éviter de tels phénomènes, il faudrait donc avoir recours à des critères universels dont les caractéristiques figurent dans l'encadré 11.7.

L'identification des niveaux et la pondération des critères ou des facteurs. La pondération des critères revêt une importance cruciale. Il s'agit d'abord d'associer à chacun des facteurs ou des sous-facteurs (critères) différents degrés selon leur intensité, leur difficulté ou leur fréquence. Même définis de façon détaillée en sous-facteurs, les indicateurs ne sont pas encore opérationnels pour évaluer les catégories d'emplois. Ces derniers exigent généralement des degrés différents pour un même sous-facteur : par exemple, la scolarité requise peut aller d'un diplôme d'études secondaires à un doctorat ; la concentration mentale exigée peut être intense et de longue durée ou au contraire légère et de faible durée, et ainsi de suite. Il est nécessaire

ENCADRÉ 11.7 Caractéristiques des critères utilisés dans le cadre des évaluations d'emplois

- Englober tous les aspects importants du contenu du poste que l'entreprise souhaite prendre en compte dans la rémunération (critères d'évaluation), notamment les qualifications, l'effort, les responsabilités et les conditions de travail.
- N'impliquer aucune duplication excessive.
- Pouvoir être définis et mesurés.
- Pouvoir être facilement compris des employés et des administrateurs.
- Impliquer des coûts d'implantation et d'administration qui ne soient pas excessifs.
- Respecter le cadre juridique.

par conséquent de graduer les sous-facteurs en niveaux selon l'intensité, la durée, la fréquence ou toute autre variable pertinente.

Le nombre de niveaux ou les degrés peuvent varier d'un sous-facteur à l'autre. On établit le nombre de niveaux de manière à permettre une différenciation entre les emplois. Parfois, il s'avère nécessaire d'ajouter un niveau pour plus de précision ou d'éliminer ceux qui n'ont pas été utilisés après l'évaluation de tous les emplois. L'encadré 11.8 illustre la pondération différentielle des critères.

ENCADRÉ 11.8 Exemple de la méthode des points

CRITÈRES D'ÉVALUATION	1er degré	2e degré	3e degré	4e degré	5e degré	Pondération %
1. Connaissance professionnelles	50	100	150	200		10%
2. Résolution de problèmes	50	100	150	205	260	5%
3. Impact	60	120	180	240		5%
4. Conditions de travail	10	30	50			7%
5. Supervision nécessaire	25	50	75	100		5%
						100%

La détermination de la valeur relative des emplois. La dernière étape de l'évaluation des emplois consiste à attribuer une cote ou une valeur relative à chaque emploi de manière à pouvoir par la suite déterminer le salaire du poste. Il convient de nommer une personne ressource qui sera en charge du système d'évaluation et qui se chargera de communiquer avec les employés au sujet de leur rémunération, cette dernière étant une composante importante qui influence la situation financière et le statut des salariés. Dans la section qui suit, sont examinées les méthodes et techniques d'évaluation des postes.

LES MÉTHODES ET LES TECHNIQUES D'ÉVALUATION DES POSTES

Il existe deux types de méthodes d'évaluation des emplois. Les méthodes dites globales et les méthodes analytiques. Les méthodes globales englobent la méthode de comparaison avec le marché et la méthode de rangement. Elles établissent la valeur des emplois en les considérant dans leur ensemble. Les méthodes analytiques regroupent la méthode de classification, la méthode des points, la méthode de classification par points, la méthode Hay et la méthode d'évaluation des qualifications ou la méthode d'évaluation selon les compétences. Celles-ci décomposent les emplois et les considèrent selon leurs diverses facettes. Nous exposerons donc succinctement les méthodes les plus usitées.

La méthode de comparaison avec le marché. La méthode de comparaison avec le marché consiste à identifier des emplois repères et à vérifier leurs exigences et leur rémunération sur le marché. Ensuite, l'organisation procède à un rangement de ses emplois selon ces résultats. Il va sans dire que cette méthode privilégie l'équité externe et ne tient pas compte des particularités de l'entreprise puisqu'il est parfois très difficile de trouver sur le marché des emplois comparables à ceux de l'organisation. Dans ce cas, le salaire de l'emploi en question est déterminé par comparaison aux emplois pour lesquels il existe des comparateurs[8]. Cette méthode est surtout utilisée pour la détermination des salaires des employés de direction dans les petites entreprises[9] parce qu'elle assure la détermination de salaires compétitifs. De plus, elle est relativement simple et facile à comprendre et à appliquer. Cependant, elle est tout à fait contraire au principe de l'équité salariale et reproduit la discrimination qui peut provenir du marché[10].

La méthode de rangement. L'information recueillie lors de l'analyse des postes sert à construire une hiérarchie ou une échelle des postes. Cette hiérarchie reflète la difficulté relative des postes ou la valeur globale que leur attribue l'organisation. Cela constitue l'essentiel de la méthode de rangement. Bien que l'analyste puisse utiliser plusieurs critères d'évaluation, il examine souvent l'ensemble de la tâche sur la base d'un seul critère, soit la difficulté ou la valeur de ce poste. Cette méthode convient particulièrement à l'évaluation d'un nombre réduit de postes dont l'évaluateur a une bonne connaissance. À mesure que le nombre de postes augmente et que la probabilité que l'évaluateur les connaisse adéquatement diminue, l'information détaillée provenant de l'analyse des postes prend de l'importance et le rangement est confié à un comité. Lorsque le classement porte sur un nombre important de postes, le comité utilise des postes repères pour faire la comparaison.

Cette méthode est surtout efficace pour l'évaluation de postes différents les uns des autres. Il est souvent difficile de faire ressortir de fines distinctions entre des postes similaires et cela peut engendrer des désaccords. Ces difficultés font que cette méthode est surtout utilisée par les petites organisations. Elle peut en outre servir à valider les résultats obtenus par l'évaluation effectuée par le biais des méthodes analytiques.

La méthode de classification. La méthode de classification des postes est semblable à la méthode du rangement, à l'exception toutefois qu'on établit d'abord des classes ou des échelons et qu'on situe ensuite les postes à l'intérieur de ces classes. On procède habituellement à une évaluation globale des postes, à partir d'un critère comme la complexité des fonctions ou encore à partir d'une synthèse de facteurs. L'analyse des postes est utile pour leur classification, et on définit des postes repères pour chaque classe. La classification des postes comporte l'avantage de pouvoir s'appliquer à un nombre et à une variété considérables de postes. Cependant, à mesure que le nombre et la variété des postes augmentent dans une organisation, leur classification tend à devenir plus subjective. Cette situation se vérifie en particulier dans le cas des organisations qui ont plusieurs usines ou bureaux comportant des postes de même désignation mais dont le contenu peut différer. Comme il est difficile d'évaluer chaque poste séparément en de tels cas, la désignation de fonction devient souvent un guide plus important pour la classification que son contenu.

Un sérieux inconvénient de la méthode de classification des postes tient à son utilisation d'un critère unique ou d'une synthèse intuitive de critères. Le recours à un seul critère pose un problème, car ce critère ne s'applique pas nécessairement à tous les postes. C'est le cas de la complexité des tâches, qui renvoie à des qualifications précises. En effet, certains postes exigent des qualifications élevées, alors que d'autres comportent de lourdes responsabilités. Ceci ne veut pas dire que les postes comportant des responsabilités importantes doivent être moins bien classés que ceux qui exigent une grande compétence. On devrait, en fait, considérer les deux facteurs simultanément. L'évaluation et le classement des postes devraient tenir compte de tous les critères que l'organisation juge importants. Cependant, la pondération des critères pour déterminer la valeur relative des postes engendre parfois des malentendus avec les employés et les syndicats. Pour éviter ces conflits, certaines organisations utilisent des méthodes d'évaluation plus quantifiables.

La méthode des points. Connue également sous l'appellation « méthode des points et facteurs », il s'agit sans contredit de la méthode d'évaluation des postes la plus courante. La méthode des points consiste à attribuer des valeurs en points aux critères d'évaluation déterminés antérieurement et à les additionner pour obtenir le total. Cette méthode présente plusieurs avantages présentés dans l'encadré 11.9.

ENCADRÉ 11.9 Avantages de la méthode des points

- Elle permet de comparer les postes sur une même base entre les entreprises.
- Elle est la plus simple.
- Les valeurs en points attribuées à chaque poste peuvent être facilement converties en classes de postes et de salaires, et n'engendrent alors que peu de confusion et de distorsion.
- Elle est très stable si elle est bien conçue. On peut l'appliquer à un large éventail de postes durant une longue période. Ses principaux avantages sont la cohérence, l'uniformité et un champ d'application très étendu.
- Elle respecte les exigences de la Loi sur l'équité salariale.

La méthode des points présente cependant quelques limites. Son coût est relativement élevé et elle est difficile à gérer, car elle peut donner lieu à des demandes de reclassification ainsi qu'à des injustices lors de l'attribution d'une valeur monétaire aux points. Une carence particulièrement cruciale concerne l'hypothèse selon laquelle il est possible de décrire tous les postes à l'aide des mêmes critères. Plusieurs organisations éludent cette difficulté par la mise en application d'une méthode de points différente pour chaque groupe d'employés.

La méthode des points, comme les autres méthodes d'évaluation des postes, comporte une part de subjectivité provenant de l'analyste. Elle présente donc des risques de discrimination salariale. Il arrive qu'on constate la présence de partialité ou de subjectivité : (1) dans la sélection des critères d'évaluation ; (2) dans l'établissement de la pondération relative (degrés) des critères ; et (3) dans l'imputation des degrés de comparaison des postes soumis à l'évaluation. Une telle situation met en jeu l'égalité de rémunération et la comparabilité des postes. Pour s'assurer que le système d'évaluation soit exempt de partialité et que sa mise en application s'effectue le plus objectivement possible, l'organisation peut faire appel à la contribution du titulaire du poste, du superviseur, d'experts en évaluation des postes ainsi que de spécialistes du service des ressources humaines.

La méthode de classification par points. La méthode de classification par points élaborée par la firme Towers Perrin, combine la méthode de classification et la méthode des points. Les avantages de cette approche hybride sont nombreux. Elle établit une équité interne entre les différents postes évalués au moyen d'un système de points et permet une comparaison directe entre les différentes familles de postes et le marché au moyen d'un système de classification. Cette approche réduit au minimum la participation des cadres supérieurs au processus d'évaluation puisqu'elle favorise la décentralisation tout en assurant une cohérence globale entre les différents évaluateurs. Elle peut être facilement expliquée aux employés et demeure relativement facile à mettre en œuvre.

La difficulté associée à cette méthode se retrouve dans la sélection des critères d'évaluation spécifiques à l'organisation. Chaque critère est divisé en une série de degrés dont le nombre et la définition sont décidés par consensus entre les personnes concernées. Des postes repères sont déterminés dans chacun des groupes de postes, de même que des niveaux de responsabilité clé. En dernière étape, on prépare une analyse de régression multiple pour établir une corrélation statistique entre les résultats non pondérés de l'évaluation et les valeurs des postes repères sur le marché, et pour vérifier les relations existant entre ces deux éléments. Lorsque la pondération des critères et les échelles d'évaluation sont achevées, on établit la valeur relative ou le classement de tous les postes et de tous les échelons des familles de postes. Le total des points fournit à la fois le rang global du poste et son rang relatif dans une famille de postes. La pondération finale des critères reflète donc les systèmes de valeurs internes et les pratiques de marché externes.

La méthode Hay. Cette méthode est l'une des plus largement utilisées au monde. Tout comme la méthode de classification par points de Towers Perrin, elle combine les meilleures caractéristiques de la méthode des points et de la méthode de comparaison des facteurs, mais elle ne retient que trois grands facteurs, comme le montre l'encadré 11.10. La méthode Hay est très souvent utilisée pour évaluer les postes de direction et de cadres. On considère que les trois facteurs sélectionnés – savoir-faire, résolution de problèmes et responsabilité – constituent les aspects les plus importants des postes de direction et de cadres. Il y a, en pratique, huit facteurs : le savoir-faire se divise en trois sous-facteurs, la résolution de problèmes en deux sous-facteurs et la responsabilité en trois sous-facteurs. Pour en déduire le profil final, on n'alloue des points qu'aux trois principaux facteurs. On obtient l'évaluation complète de l'emploi en totalisant les points attribués aux connaissances, à la résolution de problèmes et à la responsabilité.

La méthode d'évaluation des qualifications (évaluation selon les compétences requises pour le poste). Alors que les méthodes précédentes font correspondre le salaire au poste, l'évaluation fondée sur les qualifications fait correspondre le salaire aux titulaires de postes[11].

Trois types de compétences peuvent servir de critères pour établir la rémunération. Les compétences qui leur permettent d'aller plus en profondeur dans leur matière et d'avoir une plus grande spécialisation dans leur domaine d'expertise (*depth skills*).

ENCADRÉ 11.10 Facteurs d'évaluation des postes définis par la méthode Hay

RÉSOLUTION DE PROBLÈMES (activité intellectuelle)	SAVOIR-FAIRE	RESPONSABILITÉ

RÉSOLUTION DE PROBLÈMES (activité intellectuelle)

La somme des capacités de réflexion et d'initiative originales que requiert le poste en termes d'analyse, d'évaluation, de création et de raisonnement logique.

L'activité intellectuelle de résolution de problèmes comporte deux dimensions:

- le degré de liberté utilisé pour l'application du processus de réflexion à l'atteinte d'objectifs d'emploi, sans l'aide de normes, de précédents ou de directives;
- le type d'activité intellectuelle que cela implique; la complexité, l'abstraction ou l'originalité de pensée requise.

La résolution de problèmes est exprimée en pourcentage de connaissances pour la simple raison que les individus réfléchissent à partir de ce qu'ils savent. Le pourcentage jugé adéquat à l'emploi est appliqué à la valeur en points attribuée au facteur connaissances; le résultat représente la pondération accordée au facteur de résolution de problèmes.

SAVOIR-FAIRE

La somme des connaissances et de compétences acquises qui sont nécessaires pour fournir un rendement satisfaisant dans le cadre de l'emploi (évalue l'emploi et non le titulaire de l'emploi).

Le savoir-faire comporte trois dimensions:

- la somme de connaissances pratiques, spécialisées ou techniques requises;
- l'étendue de la capacité de gestion, ou l'aptitude à réaliser harmonieusement plusieurs activités et fonctions, le poste de président d'entreprise, par exemple, possède plus d'étendue que celui de superviseur d'un service;
- l'exigence en terme d'aptitude à motiver les gens .

À l'aide d'un diagramme, on attribue un coefficient au niveau de savoir-faire requis pour un poste. Ce coefficient de pondération indique l'importance relative du facteur savoir-faire dans l'emploi évalué.

RESPONSABILITÉ

L'effet mesuré de l'emploi sur les buts de l'organisation.

La responsabilité comporte trois dimensions:

- la liberté d'action, ou le degré de contrôle et d'orientation exercés directement ou par le biais de procédures. On la détermine par la réponse à la question suivante: Dans quelle mesure le titulaire du poste dispose-t-il d'une liberté d'action, d'une autonomie? Par exemple, un directeur d'usine jouit d'une liberté plus grande que le superviseur qui agit sous sa direction;
- l'importance en dollars, soit une mesure des ventes, du budget, de la valeur en dollars des achats, de la valeur ajoutée ou de toute autre donnée significative en dollars qui se rapporte à l'emploi;
- l'impact de l'emploi sur l'importance en dollars, consistant à déterminer si l'emploi a un effet premier sur le résultat final ou a plutôt un effet partagé, contributif ou éloigné.

On accorde au facteur responsabilité une pondération indépendante des deux autres facteurs.

Note: L'évaluation totale d'un emploi s'obtient par l'addition des points obtenus pour la résolution de problèmes, le savoir-faire et la responsabilité.

Dans les faits

La division de Shell située à Sarnia, en Ontario, est un exemple d'entreprise qui utilise cette méthode pour les cols bleus. Au départ, tous les employés reçoivent le salaire du niveau d'entrée. Ils progressent ensuite d'un échelon de salaire pour chaque emploi avec lequel ils se familiarisent. Les employés reçoivent successivement, dans un ordre variable, une formation pour les divers emplois existant dans l'entreprise. Les membres de chaque équipe s'assurent que les fonctions des postes sont enseignées correctement et, lorsqu'ils estiment que l'employé maîtrise le poste, ils le signalent. Lorsqu'ils ont été formés à tous les postes, les employés reçoivent le taux de salaire maximum.

Les compétences que les employés développent de façon horizontale leur permettent d'effectuer de nouvelles tâches et d'occuper d'autres postes dans l'organisation. Les compétences que les employés développent de façon verticale ont trait à la gestion, au leadership et à la coordination, et leur permettent de parfaire leur capacité à fonctionner au sein des équipes de travail ou à les diriger[12].

Évaluer les emplois en fonction des compétences n'est pas une panacée. En fait, il y a de fortes chances que les employés perçoivent les systèmes comme injustes. De plus, si la méthode d'évaluation des qualifications ne s'harmonise pas avec la stratégie organisationnelle, ce programme se révèle inopportun et augmente indûment la masse salariale.

L'ÉLABORATION DES STRUCTURES SALARIALES

L'élaboration des structures salariales comporte plusieurs étapes que nous allons examiner dans les pages qui suivent.

La détermination des familles ou des classes d'emplois. Après avoir évalué les postes et avant de déterminer les salaires, on définit les familles (ou classes) d'emplois. Les familles d'emplois sont construites à partir des résultats de l'évaluation des postes de travail, et regroupent tous les emplois similaires tels que les postes de bureau ou les postes de direction. Les emplois d'une même famille peuvent différer par leur contenu, mais ils doivent posséder une valeur équivalente pour l'organisation. On attribue à tous les emplois d'une même famille un taux de salaire ou un éventail de taux de salaires. La constitution de familles d'emplois facilite l'administration des salaires et permet de justifier les faibles différences de salaires existant entre certains postes. Finalement, les classes d'emplois permettent d'éliminer de légères erreurs qui se seraient glissées lors de l'évaluation des postes. Cependant, les employés peuvent remettre en cause les résultats de la classification s'ils jugent que leur poste est regroupé avec des postes qui leur paraissent moins importants. De plus, la différence existant entre les postes regroupés dans une même famille risque d'être trop grande si le nombre de familles d'emplois est restreint. Toutefois, il est approprié de limiter le nombre de familles lorsque les emplois sont de valeur égale.

La détermination de la structure salariale. Une fois les emplois évalués et les familles d'emplois définies, il s'agit de déterminer l'éventail des salaires. Même si la constitution des familles d'emplois vise à fixer les taux de salaires, celles-ci se fondent souvent sur les taux de salaires existant dans l'organisation. Cette pratique peut être renversée, mais elle est commune à plusieurs organisations. En effet, la plupart des entreprises ont des structures salariales fortement établies et ne ressentent le besoin de définir des familles d'emplois que pour y intégrer de nouveaux emplois ou pour procéder à une analyse approfondie des postes. Les nouvelles organisations étant généralement de petite taille, la détermination de la rémunération des emplois s'effectue à partir d'enquêtes sur les salaires en vigueur dans d'autres organisations.

Les enquêtes salariales. Les enquêtes salariales servent à fixer les niveaux de rémunération, les structures salariales et le mode de rémunération (le rapport entre la rémunération directe et la rémunération indirecte). Alors que l'évaluation des postes de travail assure l'équité interne, les enquêtes salariales fournissent une information susceptible de garantir une équité externe. Les deux formes d'équité salariale sont importantes si l'organisation souhaite attirer des candidats qualifiés, et retenir et motiver ses employés. De plus, les résultats des enquêtes salariales révèlent aussi la philosophie qui sous-tend la rémunération des organisations concurrentes. Par exemple, une importante entreprise spécialisée en électronique décide de rémunérer ses employés à un taux supérieur de 15 % au taux du marché (la moyenne de tous les taux pour le même emploi dans une région donnée) ; une organisation de service d'une certaine taille décide de fixer ses salaires au taux du marché ; le taux des salaires d'une grande banque est inférieur de 5 % au taux du marché. La plupart des organisations utilisent régulièrement les enquêtes salariales. Des enquêtes sont publiées pour des catégories professionnelles spécifiques et les organisations peuvent s'abonner à ces publications. Ainsi, des enquêtes sont réalisées pour les employés de bureau, les professionnels, les cadres et le personnel de direction. Les raisons motivant la tenue d'enquêtes distinctes pour diverses catégories professionnelles tiennent à la fois à des différences de qualification des employés et de structure du marché du travail[13].

Des résultats similaires ont été observés lors d'une enquête réalisée par le Conference Board of Canada portant sur les années 1998 et 1999, résultats présentés dans le tableau ci-dessous. La moyenne des augmentations de salaires était de 4,4 % pour les membres de la haute direction. Les augmentations sont de l'ordre de 3,9 % pour les dirigeants, de 3,4 % pour les gestionnaires et de 3,4 % pour les professionnels. Les employés de production sont ceux qui reçoivent les augmentations les moins élevées, soit de l'ordre de 2,8 %.

**Augmentations des salaires en 1998
et augmentations planifiées pour 1999
*(employés non syndiqués)***

Poste occupé	Augmentation salariale moyenne 1998 (%)	Employés qui recevront des augmentations (%)	Salaire moyen 1998 ($)	Augmentation planifiée pour 1999 (%)
Membres de la haute direction	4,4	85	183 085	3,3
Dirigeants (cadres intermédiaires)	3,9	87	124 276	3,3
Gestionnaires (cadres inférieurs)	3,4	88	76 159	3,2
Professionnels	3,4	89	58 047	3,2
Techniciens	3,3	90	48 493	3,1
Employés de bureau	3,1	89	33 707	3,0
Service/Production	2,8	89	38 921	2,8

Source: N. B. Carlyle, «Compensation Planning Outlook», *Conference Board of Canada,* Ottawa, 1999.

Après avoir procédé à la collecte des données de l'enquête, l'organisation doit décider des modalités selon lesquelles elles seront utilisées. L'une des options possibles consiste à n'utiliser que la moyenne des niveaux de salaires de l'ensemble des entreprises comprises dans l'enquête pour déterminer ses propres niveaux de salaires ou à pondérer ces niveaux par le nombre d'employés. Une autre option serait d'établir ses propres échelles salariales à partir de celles de l'ensemble des autres entreprises. Après avoir circonscrit l'information qu'elle désire, l'organisation met au point une structure salariale à taux multiples pour chaque catégorie d'emplois.

La structure salariale. L'encadré 11.11 présente un exemple-type de structure salariale par échelons. Cette structure se fonde sur une évaluation des postes de travail, effectuée à l'aide de la méthode des points. Chaque bloc est associé à un éventail de points résultant de l'évaluation des postes (la classe d'emploi), et à l'éventail des échelons de salaires. Essentiellement, ces échelons de salaires correspondent aux familles ou classes d'emplois. Par conséquent, on peut retrouver des emplois différents dans un même bloc parce qu'ils sont très similaires en termes de points.

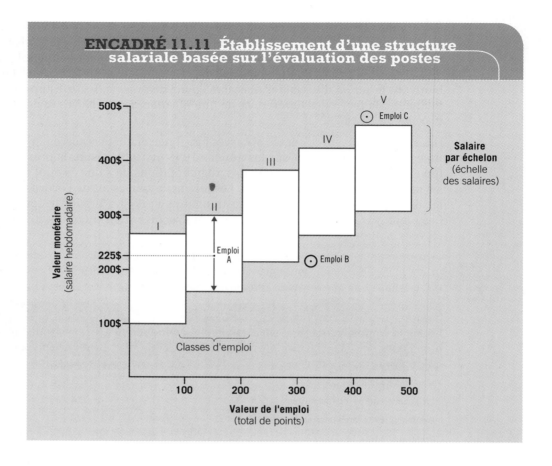

ENCADRÉ 11.11 Établissement d'une structure salariale basée sur l'évaluation des postes

Comme le montre l'encadré 11.11, les blocs s'élèvent de gauche à droite, ce qui reflète une augmentation de la valeur de l'emploi ainsi que des échelons de salaires plus élevés (axe vertical) associés aux emplois plus valorisés. Ces échelons ont été établis à l'aide de l'information recueillie au moyen des enquêtes sur les salaires du marché, ce qui permet d'assurer une équité externe.

Le taux de salaire de chaque poste est ensuite établi en fixant son échelon et en se déplaçant sur un point de l'axe vertical, comme le montre l'encadré 11.11 dans le cas de l'emploi A de l'échelon II. Notons qu'il existe des limites minima et maxima de salaire pour les emplois se rattachant à chaque classe. Il est essentiel de rester à l'intérieur de ces limites (l'échelle des salaires) pour maintenir une équité interne, dans l'hypothèse où le système d'évaluation des postes est valide[14].

Pour qu'un employé obtienne une augmentation sensible de salaire, il doit changer de classe d'emploi ou être promu à un emploi d'un échelon plus élevé. Cependant, l'employé peut aussi toucher une augmentation de salaire à l'intérieur d'une classe donnée. Généralement, chaque poste comporte un éventail de taux de salaires. Tel qu'illustré, l'emploi A comporte une échelle de salaires comprise entre 150 $ et 300 $ par semaine. La médiane est de 225 $. L'employé peut débuter au bas de l'échelle et progresser à l'intérieur de cette dernière. Plusieurs entreprises cherchent cependant à maintenir la majeure partie des employés à un salaire moyen, c'est-à-dire au milieu de l'échelle.

*L'élargissement des bandes salariales (**broadbanding***)**. L'élargissement des bandes salariales figurent parmi les pratiques de rémunération avant-gardistes. Cette pratique a pour but de répondre au besoin grandissant de flexibilité en termes de rémunération. Elle permet également aux entreprises d'offrir des salaires intéressants lorsqu'à cause de la réduction des paliers hiérarchiques dans les organisations, il ne leur est plus possible d'offrir des occasions d'avancement de carrière[15]. Selon Thériault et St-Onge, l'élargissement des bandes salariales peut être effectué par un élargissement des classes d'emplois, par un allongement des échelles salariales ou par une combinaison des deux. La pratique la plus courante du *broadbanding* consiste à regrouper un certain nombre de classes d'emplois de la structure organisationnelle déjà existante à laquelle est associée une échelle salariale plus étendue. Ainsi, de nouvelles règles de détermination des salaires sont élaborées. Les avantages des bandes salariales élargies sont de pouvoir appuyer les stratégies organisationnelles et de permettre plus de flexibilité dans la détermination des salaires, particulièrement dans un contexte de gestion participative et de gestion d'équipes de travail[16]. Le *broadbanding* correspond parfaitement à la rémunération selon les compétences puisque des emplois dont les exigences sont variées peuvent être réunis dans une même classe. Il restreint les efforts d'évaluation et diminue le nombre de facteurs servant à l'évaluation des emplois[17]. Parmi les désavantages de cette pratique, on compte une plus grande difficulté à contrôler la masse salariale. De plus, étant donné la confusion qui peut entourer la détermination des salaires individuels au sein des classes élargies, il y a de plus grands risques que cette pratique soit perçue comme inéquitable. Une bonne communication et une saine gestion sont donc de rigueur.

La détermination des salaires individuels. La structure salariale étant établie, il ne reste plus qu'à répondre à la question suivante : Quel salaire sera attribué à chaque individu ? Par exemple, considérons les cas de Christine et de Yves qui effectuent le même travail. Si l'échelle de salaires est comprise entre 2 000 $ et 3 500 $, Christine pourrait recevoir 3 000 $, et Yves, 2 750 $. Qu'est-ce qui pourrait justifier cette disparité ? Bien que le rendement est une explication valable, des caractéristiques personnelles comme l'ancienneté, le sexe et l'expérience contribuent aussi à influencer les salaires individuels. De fait, l'ancienneté est fréquemment perçue comme un facteur important. Dans certains cas, le potentiel de l'employé, ses talents de négociateur et son pouvoir jouent aussi un rôle dans la détermination des niveaux de salaires.

Consultez Internet

http://www.payroll.ca

Site de l'Association canadienne de la paye. Informations sur tout ce qui se rattache aux déductions, aux pensions, aux avantages imposables, aux paies de vacances, etc.

Dans les faits, la fixation des salaires prend souvent en compte les facteurs personnels et le rendement. Pourtant, l'âge et l'ancienneté aussi bien que le rendement peuvent influer sur le salaire. Cependant, plusieurs gestionnaires sont d'avis que les différences de salaires fondées sur le rendement sont plus équitables que celles fondées sur des facteurs individuels tels que l'ancienneté. Par ailleurs, les syndicats défendent l'ancienneté en tant que facteur crucial dans la fixation des taux de salaires pour plusieurs raisons : (1) la rémunération selon l'ancienneté est une reconnaissance de l'expérience (en supposant l'existence d'une courbe de maturité, on pourrait argumenter que les personnes plus âgées sont celles qui contribuent le plus à l'organisation) ; (2) par souci d'égalité, tous les employés auront la chance d'accéder à des taux élevés de salaire ; et (3) c'est un moyen de reconnaître la loyauté des employés vis-à-vis l'organisation.

III L'équité salariale[18]

Le 21 novembre 1996, fut adoptée à l'unanimité la Loi sur l'équité salariale par l'Assemblée nationale du Québec. Même si le principe visant à interdire toute discrimination salariale est consacré depuis plus de 20 ans par l'article 19 de la Charte des droits et libertés de la personne du Québec, cette loi est un renouveau dans la mesure où elle est proactive. En effet, l'article 51 mentionne que :

Consultez Internet

http://www.ces.gouv.qc.ca
Site de la Commission de l'équité salariale.

« *L'employeur doit s'assurer que chacun des éléments du programme d'équité salariale, ainsi que l'application de ces éléments, sont exempts de discrimination fondée sur le sexe.* »

Le saviez-vous ?

Le processus d'équité salariale revient à comparer le plus souvent des emplois très différents dans le but d'établir leur équivalence et de mesurer les écarts salariaux. Par exemple en Ontario, dans une chaîne de supermarchés, l'emploi de caissière, jugé équivalent à celui de commis aux stocks, a bénéficié d'une augmentation salariale de 1 477 $ par an ; l'emploi de secrétaire juridique, dans un cabinet d'avocats, a obtenu une augmentation de 4,28 $ de l'heure pour rejoindre celui d'enquêteur, jugé équivalent. Similairement, dans une usine pétrochimique, l'emploi d'infirmière en santé du travail, considéré équivalent à celui de comptable, a reçu une majoration de 1,81 $ de l'heure[19].

À l'obligation de fin – éliminer la discrimination salariale – s'ajoute une obligation de moyens – suivre un processus non discriminatoire. La Loi impose aux employeurs de s'engager dans un processus d'établissement de l'équité salariale selon un échéancier prédéterminé. Au Québec, les entreprises ont eu quatre ans à partir du 21 novembre 1997 pour déterminer le montant des corrections salariales et ont quatre autres années pour verser les montants résultant des ajustements à leurs employés.

En outre, cette loi impose des critères méthodologiques de mise en œuvre qui ont trait autant à la participation des salariés qu'à l'élaboration même du programme d'équité salariale ou aux recours mis à la disposition des employeurs et des salariés[20].

LE CHAMP D'APPLICATION DE LA LOI

Les modalités d'application varient selon le nombre de salariés. Les entreprises de 100 salariés et plus sont tenues de former un comité d'équité salariale chargé d'élaborer le programme d'équité salariale. Celles qui ont entre 50 et 99 salariés doivent établir un programme d'équité salariale et entreprendre une démarche conjointe patronale-syndicale ; les modalités d'une telle démarche ne sont cependant pas précisées. Enfin, les entreprises de moins de 50 salariés ont simplement une obligation de résultat, celle de déterminer les ajustements salariaux nécessaires. Elles ne sont pas tenues d'établir un programme, ni de constituer un comité.

LES COMITÉS D'ÉQUITÉ SALARIALE

Pour les entreprises de 100 salariés et plus, le comité d'équité salariale, constitué conjointement par l'employeur et les salariés, est chargé de la mise en œuvre du processus d'équité salariale dans l'entreprise. Notons que la participation à ce comité n'est pas réservée aux représentants des employés syndiqués mais s'étend aussi aux employés non syndiqués ; dans ce dernier cas, l'employeur est tenu de leur permettre de se réunir sur les lieux de travail afin d'élire leurs représentants.

L'IMPLANTATION D'UN PROGRAMME D'ÉQUITÉ SALARIALE : UNE DÉMARCHE À QUATRE ÉTAPES

Le programme d'équité salariale, exigé des entreprises ayant de 50 à 99 salariés, joue simultanément deux rôles : d'une part, c'est un instrument de diagnostic permettant d'établir s'il existe ou non des écarts salariaux entre des emplois à prédominance féminine et des emplois à prédominance masculine équivalents et de déterminer les modalités de versement des ajustements chez un employeur donné ; d'autre part, c'est un indicateur de l'ampleur des corrections requises et des modalités selon lesquelles elles seront effectuées.

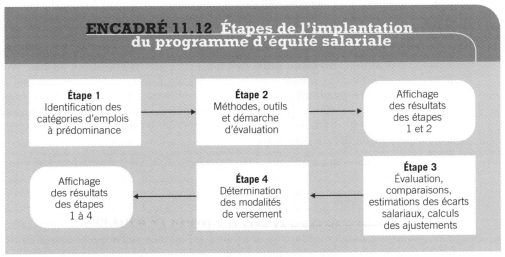

ENCADRÉ 11.12 Étapes de l'implantation du programme d'équité salariale

Étape 1
Identification des catégories d'emplois à prédominance

Étape 2
Méthodes, outils et démarche d'évaluation

Affichage des résultats des étapes 1 et 2

Étape 3
Évaluation, comparaisons, estimations des écarts salariaux, calculs des ajustements

Étape 4
Détermination des modalités de versement

Affichage des résultats des étapes 1 à 4

Source : M.-T. Chicha, *L'Équité salariale - mise en œuvre et enjeu*, 2ᵉ édition, Montréal, Éditions Yvon Blais, 2000, p. 119.

Quatre étapes, entre lesquelles s'insèrent deux affichages, marquent la séquence d'établissement d'un programme d'équité salariale, chacune d'elles ayant un contenu et une finalité bien spécifiques (encadré 11.12).

Établissement des catégories d'emplois à prédominance féminine et des catégories d'emplois à prédominance masculine au sein de l'entreprise. Étant donné que toute la démarche d'équité salariale repose essentiellement sur un principe de comparaison, il est essentiel, dès le départ, de déterminer ce que l'on va comparer, c'est-à-dire les catégories d'emplois à prédominance féminine et celles à prédominance masculine. Afin, dans un premier temps, de déterminer les catégories d'emplois de l'entreprise, trois critères devront être nécessairement être observés :
- les fonctions et les responsabilités semblables ;
- les qualifications semblables ;
- la même rémunération, soit un même taux, soit une même échelle de salaire.

Le terme « semblable » qui est utilisé laisse une certaine marge d'interprétation, ce qui n'aurait pas été le cas si le terme « identique » avait été utilisé.

Selon Chicha[21], il ne s'agit pas de remettre en question toute la classification des emplois de l'entreprise mais plutôt de s'assurer qu'elle est pertinente en regard de la Loi sur l'équité salariale.

Une fois la liste établie, il est nécessaire alors de passer à la détermination de la prédominance sexuelle de chacune des catégories d'emplois. Quatre indicateurs peuvent être utilisés pour déterminer la prédominance sexuelle d'un emploi :

- Un pourcentage de 60 % ou plus de salariés du même sexe dans la même catégorie d'emplois : si, dans une entreprise donnée, 65 % des commis comptables et 95 % des réceptionnistes sont des femmes, chacune de ces catégories d'emplois pourra être considérée comme étant à prédominance féminine.
- Un écart significatif entre le taux de représentation des femmes ou des hommes dans une catégorie d'emplois et leur taux de représentation dans l'effectif total de l'employeur : si, dans une entreprise par exemple, les femmes représentent 45 % des contrôleurs de qualité alors que dans l'effectif total elles ne représentent que 9 %, la catégorie « contrôleurs de qualité » pourra être considérée à prédominance féminine.
- Une évolution historique du taux de représentation qui révèle que la catégorie d'emplois a traditionnellement été à prédominance féminine ou masculine : si, par exemple, dans une entreprise donnée en 1997, la catégorie d'emplois « analyste de marché » est masculine à 52 % mais que durant les cinq années précédentes, ce taux se maintenait à 80 %, on considérera fort probablement cette catégorie comme étant à prédominance masculine.
- L'existence d'un stéréotype occupationnel relatif à la catégorie d'emplois. Par exemple, dans une entreprise d'entretien immobilier, la catégorie d'emplois « plombier » est masculine à 50 % : devra-t-on la considérer comme neutre, c'est-à-dire sans prédominance ? Il est probable que dans ce cas, le stéréotype masculin de l'occupation soit plus déterminant que le pourcentage. Cet indicateur est le seul à référer à des données externes, les autres étant toujours calculés à partir des effectifs de l'employeur.

On remarque donc qu'une certaine marge de manœuvre existe, permettant d'adapter les décisions du comité, ou de l'employeur, aux données spécifiques de l'entreprise. Les membres du comité pourront choisir l'un ou l'autre de ces indicateurs ou les combiner et décider de la prédominance sexuelle d'une catégorie d'emplois à partir d'une image d'ensemble. Les catégories d'emplois sans prédominance sexuelle sont considérées comme mixtes ou neutres et ne font pas partie du programme d'équité salariale.

La méthode d'évaluation, facteurs et sous-facteurs. La Loi sur l'équité salariale n'impose aucune méthode d'évaluation en particulier, on peut donc avoir recours aux méthodes globales ou analytiques. Par contre, est obligatoire la prise en compte des quatre facteurs d'évaluation suivants :

- les qualifications requises ;
- les responsabilités assumées ;
- les efforts requis ;
- les conditions dans lesquelles le travail est effectué.

Ces facteurs, requis dans toutes les législations proactives, ne permettent pas toutefois de saisir les caractéristiques spécifiques qui différencient divers emplois au sein d'une même entreprise ; c'est pourquoi une opération importante dans l'établissement de la méthode d'évaluation est la décomposition des facteurs en sous-facteurs.

La détermination des niveaux des sous-facteurs. Un moyen rapide de vérifier si, à priori, la répartition par niveau semble conforme à l'exigence de non-discrimination est de comparer le nombre de niveaux des sous-facteurs typiques des emplois féminins à celui des emplois masculins. Si on constate que l'un des deux groupes comporte systématiquement un plus grand nombre de niveaux que l'autre, il sera nécessaire de déterminer les causes de ce déséquilibre et de le corriger. Dans l'ensemble, il ne devrait pas y avoir de disparités importantes non justifiables fondées sur le sexe entre le degré de détail des sous-facteurs. L'encadré 11.13 présente les sous-facteurs d'évaluation pouvant favoriser les emplois féminins ou masculins.

ENCADRÉ 11.13 Sous-facteurs d'évaluation pouvant favoriser les emplois féminins ou masculins

	FAVORISANT LES EMPLOIS MASCULINS	NEUTRES	FAVORISANT LES EMPLOIS FÉMININS
Compétence	Expérience Éducation Connaissance des machines et des équipements Capacité de différencier les sons	Communication Initiative Originalité Jugement Rédaction	Précision Organisation de l'information Attention aux détails Dextérité Compétence de dactylographie
Effort	Calcul Résolution de problèmes	Coopération Prise de décision Fatigue Endurance	Concentration visuelle Stress dû à une clientèle malade ou agressive Effort psychique
Responsabilité	Finances Équipements Produits Normes	Supervision Sécurité d'autrui Imputabilité Protection de la confidentialité	Contacts internes et externes Relations publiques Soins Relations humaines
Conditions de travail	Travail à l'extérieur Exposition aux accidents Journées de travail longues	Pression par rapport au temps Saleté	Interruptions constantes Monotonie Modifications fréquentes des horaires de travail

Source: Adapté de *Job Evaluation*, Pay Equity Bureau, Île du prince-Édouard, non daté, p. 13-15.

La pondération des facteurs et sous-facteurs. La pondération est une opération déterminante pour le processus d'établissement de l'équité salariale. En effet, si l'on tient compte de tous les sous-facteurs typiques des emplois féminins mais qu'on leur attribue systématiquement un faible poids, on risque d'aboutir à des résultats discriminatoires. Il est utile, dans cette optique, d'examiner plus spécifiquement les facteurs et sous-facteurs qui reçoivent les pondérations les plus faibles et les plus élevées afin d'éviter que les catégories d'emplois à prédominance masculine ou féminine ne soient arbitrairement avantagées ou désavantagées[22]. Dans le but de réduire autant que possible le risque de biais discriminatoires, des praticiens recommandent d'effectuer la pondération après l'évaluation des emplois plutôt que seulement après la détermination des niveaux. La pondération devrait ainsi prendre place après que l'on ait déterminé, pour chaque catégorie d'emplois à prédominance féminine ou masculine, le degré de tous les sous-facteurs qui lui correspondent[23].

La collecte des données sur les emplois. Avant de passer à l'évaluation proprement dite, les membres du comité doivent recueillir les informations sur les emplois faisant partie du programme. Cependant, il n'est pas recommandé de se limiter aux descriptions de tâches car elles peuvent contenir certains biais. La collecte des données est donc une phase indispensable dans l'établissement d'un programme d'équité salariale non discriminatoire et opérationnel. Elle peut être effectuée de diverses façons : questionnaires, entrevues, observation ou groupes de discussion. Dans la pratique, il semblerait que certains outils, tels que le questionnaire fermé, soient plus appropriés aux programmes d'équité salariale. Il oblige les répondants à faire un choix entre plusieurs réponses prédéterminées plutôt qu'à élaborer la leur[24].

L'évaluation des catégories d'emplois. À partir des outils élaborés et des données recueillies, l'évaluation de chaque catégorie d'emplois à prédominance masculine ou féminine peut alors être réalisée, permettant ainsi les comparaisons salariales. L'évaluation est un processus délicat. La subjectivité des différents évaluateurs, leurs préjugés ou leurs préférences peuvent entrer en jeu et, de façon parfois subtile, ces éléments peuvent influencer les résultats. L'effet de halo représente une illustration des distorsions possibles. Il consiste à attribuer un degré élevé à la plupart des sous-facteurs d'une catégorie d'emplois prestigieuse ou caractérisée par d'importantes responsabilités. Une autre distorsion possible peut être créée lorsque les évaluateurs connaissent les salaires des emplois. Selon Chicha[25], il est possible de réduire ces distorsions par l'utilisation de certaines techniques. L'une d'elles serait de procéder à une évaluation transversale des catégories d'emplois, un sous-facteur à la fois. Selon cette technique, on évaluerait donc un sous-facteur à la fois pour toutes les catégories d'emplois, puis on passerait au sous-facteur suivant et ainsi de suite.

La comparaison des emplois. À cette étape du processus, les variables à analyser sont surtout de nature économique et financière : salaires, avantages sociaux et nouvelles formes de rémunération. La connaissance de techniques statistiques étant, dans plusieurs cas, indispensable à ces analyses, le comité pourra avoir recours à des experts pour effectuer certaines opérations. Toutefois, afin d'effectuer des choix judicieux et non discriminatoires, il faudra que les membres du comité puissent comprendre les résultats qui leur sont présentés.

Lorsque les comparaisons sont possibles dans l'entreprise, ce qui couvre en principe la majorité des cas, la Loi québécoise permet de choisir entre une méthode de comparaison globale et une méthode de comparaison individuelle. La première est désignée couramment par l'expression «*emploi à courbe*» et consiste à comparer, dans l'entreprise, la rémunération et la valeur en points de chaque catégorie à prédominance féminine à une courbe salariale représentant la rémunération et la valeur des catégories à prédominance masculine (encadré 11.14).

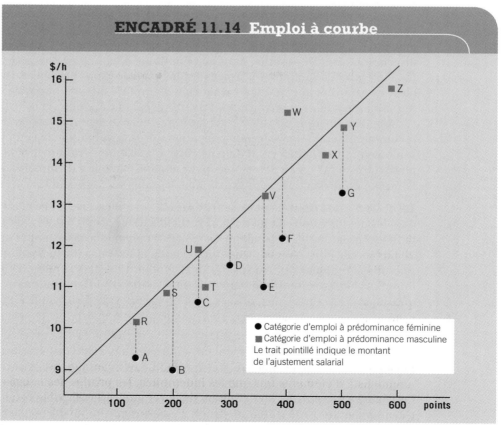

ENCADRÉ 11.14 Emploi à courbe

Source : M.-T. Chicha, *L'Équité salariale - mise en œuvre et enjeu*, 2e édition, Montréal, Éditions Yvon Blais, 2000, p. 119.

La deuxième, appelée «comparaison par paire», consiste à comparer une catégorie féminine à une catégorie masculine de même valeur (encadré 11.15). Des moyens complémentaires à cette méthode, par exemple le calcul de la valeur proportionnelle, sont prévus pour répondre à des cas particuliers, tels que l'absence de comparateur masculin de même valeur[26]. L'objectif poursuivi par cette flexibilité est de permettre aux entreprises de choisir la méthode la plus adaptée à leurs caractéristiques. L'employeur a cependant l'obligation de s'assurer que la méthode choisie n'exclut aucun emploi à prédominance féminine.

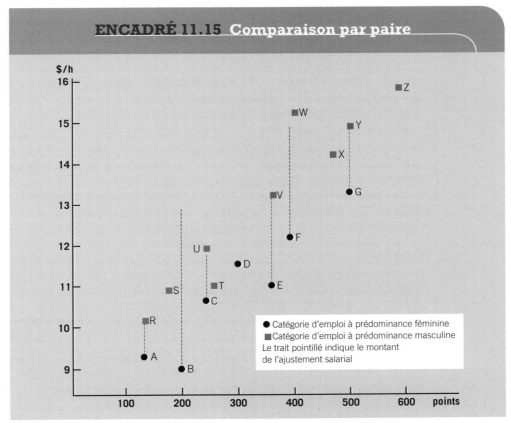

ENCADRÉ 11.15 Comparaison par paire

Source : M.-T. Chicha, *L'Équité salariale - mise en œuvre et enjeu*, 2ᵉ édition, Montréal, Éditions Yvon Blais, 2000, p. 119.

Selon Chicha[27], la simplicité de la méthode de comparaison par paire est son principal avantage. Cependant, si dans certaines situations on est amené à la compléter par la méthode de la valeur proportionnelle, elle risque de se compliquer. Par contre, un désavantage important de cette méthode est la personnalisation des comparaisons. En effet, les employés d'une catégorie à prédominance féminine savent exactement à quelle catégorie à prédominance masculine ils ont été comparés et vice versa.

L'estimation des écarts salariaux. L'estimation des écarts salariaux s'effectue sur la base de la rémunération globale, le salaire de base, les avantages sociaux et la rémunération flexible. Tel que stipulé à l'article 54 de la Loi, en ce qui concerne le salaire de base, le taux maximum de salaire ou, s'il existe des échelles salariales, le plus haut niveau de l'échelle doit être retenu. Les avantages sociaux regroupent une longue liste d'éléments tels que les indemnités, les primes, les congés de maladie et les régimes de retraite. La définition de la rémunération flexible retenue dans la Loi recouvre notamment la rémunération basée sur la compétence ou le rendement, les régimes d'intéressement aux bénéfices, etc. En outre, les avantages sociaux et la rémunération flexible ne devront être pris en considération que s'ils ne sont pas accessibles à toutes les catégories d'emplois.

À la suite de l'estimation des écarts salariaux, le comité doit déterminer les montants résultant des ajustements salariaux dus aux employés dans les catégories d'emplois à prédominance féminine. Le montant de ces ajustements individuels ne sont pas nécessairement égaux aux écarts salariaux. En effet, dans le cas des échelles salariales, ces écarts sont calculés sur la base du taux maximum alors que les employés se situent sur divers échelons et pourraient avoir droit à des montants inférieurs. La disparité dans la longueur des échelles salariales, que l'on constate dans plusieurs milieux de travail, entre les catégories à prédominance féminine et les catégories à prédominance masculine va certainement poser des problèmes. En effet, les premières ont dans plusieurs cas des échelles beaucoup plus longues. Ainsi, comment mettre en pratique l'égalité des salaires entre les échelles dont la structure est très différente ? La Loi ne donne aucune indication à ce sujet. Le Comité consultatif ayant effectué les travaux préalables au projet de loi avait d'ailleurs recommandé entre autres une harmonisation des échelles salariales afin de faciliter la mise en œuvre et le maintien de l'égalité[28].

La détermination des modalités de versement des montants résultant des ajustements salariaux. Une fois estimés, les ajustements salariaux doivent être effectués dans un délai de quatre ans au maximum. Si l'employeur choisit d'étaler les versements, les montants annuels doivent alors être d'égale valeur. Compte tenu de ces exigences légales, l'employeur peut établir divers scénarios, par exemple, ajuster d'abord les plus bas salaires ou commencer par les emplois pour lesquels l'écart salarial à combler est le plus faible ou le plus élevé, etc. Il s'agit de la seule étape du programme d'équité salariale où le comité n'a qu'un rôle consultatif, la décision finale revenant exclusivement à l'employeur. Ces deux étapes terminées, les versements doivent commencer au plus tard le 21 novembre 2001 et être complétés avant le 21 novembre 2005. Une exception subsiste à cet échéancier : si l'employeur éprouve des difficultés financières, la Commission de l'équité salariale peut l'autoriser à prolonger d'un maximum de trois ans la période d'étalement des versements.

L'affichage. Une fois les deux premières étapes terminées (voir l'encadré 11.12), la Loi sur l'équité salariale exige que le comité ou l'employeur en affiche les résultats dans des endroits visibles et facilement accessibles aux employés. Un nouvel affichage, comprenant les résultats de l'ensemble du programme, doit être effectué ; les salariés disposant des mêmes recours et délais qu'à l'affichage précédent. Le but de l'affichage est de permettre aux employés, dans un délai de 60 jours, de faire des observations et des commentaires sur les résultats et d'obtenir éventuellement des modifications.

LA LOI SUR L'ÉQUITÉ SALARIALE : AUTRES CONSIDÉRATIONS IMPORTANTES

Le maintien des résultats. L'obligation de maintien des résultats du programme d'équité salariale comprend notamment la création de nouvelles catégories d'emplois, la modification d'emplois existants ou des conditions qui leur sont applicables, la négociation ou le renouvellement d'une convention collective. Ces changements peuvent survenir en cours d'élaboration du programme ou une fois celui-ci terminé. Des variations de la valeur ou des salaires des emplois comparés pourraient en résulter. La responsabilité du maintien des résultats du programme d'équité salariale relève de l'employeur, sauf dans le cas d'un renouvellement des conventions collectives, où la responsabilité est partagée avec le syndicat.

Le nombre de programmes chez un même employeur. En principe, la Loi québécoise n'exige qu'un programme d'équité salariale par employeur. Cependant, elle permet une exception dans trois cas. Si un employeur possède des établissements dans diverses régions et qu'il constate que des disparités régionales justifient l'élaboration d'un programme d'équité salariale par établissement et par région. Dans ce cas, il doit s'adresser à la Commission de l'équité salariale pour lui en demander l'autorisation. Si, dans une entreprise, une association accréditée demande à l'employeur d'établir un programme exclusif aux salariés qu'elle représente. S'il existe d'autres associations accréditées, on peut prévoir qu'elles demanderont également des programmes distincts. Dans ce cas, un programme distinct devra être implanté pour les employés non syndiqués. Enfin, si employeur a plusieurs établissements et un ou plusieurs syndicats, les deux parties peuvent alors s'entendre pour élaborer un programme par établissement et éventuellement par syndicat. Si les établissements sont décentralisés géographiquement, cette entente annule l'obligation de recourir à l'autorisation de la Commission, mentionnée plus haut. Une limite est édictée dans le cas où il n'existe aucune catégorie d'emplois à prédominance masculine dans un programme. Dans un tel cas, l'obligation légale est de les comparer à l'ensemble des catégories d'emplois à prédominance masculine de l'entreprise. Il sera nécessaire de développer des « passerelles » entre les différentes grilles d'évaluation afin de permettre les comparaisons[29].

L'absence de comparateur masculin dans l'entreprise. Dans le cas où une entreprise ne compte que des catégories d'emplois à prédominance féminine (par exemple, une garderie d'enfants ou une boutique de vêtements), la Loi oblige l'employeur à effectuer des comparaisons selon une méthodologie qui sera ultérieurement précisée par un règlement de la Commission de l'équité salariale. L'employeur, dans une telle situation, dispose d'un délai supplémentaire de deux ans, après l'entrée en vigueur du règlement, pour déterminer les ajustements requis[30].

Les comités sectoriels et les associations patronales. La possibilité de créer des comités sectoriels paritaires au sein d'un même secteur d'activité économique est une clause de la Loi sur l'équité salariale pouvant contribuer à réduire les coûts administratifs du programme d'équité salariale. Ces comités ont pour mandat de développer des éléments du programme d'équité salariale, par exemple, une méthode d'évaluation ou un questionnaire sur les emplois qui, par la suite, devront être soumis à l'approbation de la Commission de l'équité salariale. Une suggestion de collaboration plus souple et moins formelle est aussi proposée dans la Loi. Les employeurs peuvent se regrouper pour élaborer en commun les éléments d'un programme d'équité salariale, et ce, sans l'approbation de la Commission. Par contre, ils ne peuvent entreprendre une telle démarche sans l'accord de leurs comités d'équité salariale respectifs[31].

Les zones grises. Selon Chicha[32], la difficulté de déterminer qui est le « véritable employeur » d'un employé a soulevé de nombreux litiges en Ontario, dont plusieurs ont été soumis au Tribunal de l'équité salariale. Dans les situations complexes, qui surgiront inévitablement, il sera indispensable de recourir à un avis juridique pour identifier l'employeur.

Un autre point d'interrogation est relatif à la « notion d'entreprise ». Le législateur n'offre aucune définition de cette entité. On peut faire l'hypothèse que, en pratique, l'interprétation retenue s'appuiera notamment sur l'article 1525 du Code civil du Québec. Cette disposition met l'accent sur le caractère organisé de l'activité économique ainsi que sur sa finalité, soit essentiellement la production de biens ou de services.

L'exclusion des cadres supérieurs. L'exclusion des cadres supérieurs du champ d'application de la Loi risque également de susciter quelques controverses. En effet, qui est considéré comme cadre supérieur ? La définition couramment acceptée en relations de travail est celle du cadre relevant directement du propriétaire de l'entreprise ou de son conseil d'administration. De plus, ce cadre doit avoir sous son autorité d'autres cadres. En outre, la Commission de l'équité salariale a récemment apporté quelques précisions quant à la notion de cadres supérieurs, disponibles sur son site Internet.

Les exceptions. La Loi prévoit quelques exceptions qui permettent de considérer comme non discriminatoire un écart salarial. En effet, l'ancienneté, les cas de pénurie de main-d'œuvre, les primes d'éloignement, l'absence d'avantages à valeur pécuniaire dans les emplois saisonniers ou temporaires, les affectations à des fins de formation et le salaire étoilé sont des exceptions qui justifient des écarts salariaux. Dans ce cas, il est admis qu'une catégorie d'emplois à prédominance masculine puisse recevoir un salaire supérieur à celui d'une catégorie d'emploi à prédominance féminine de même valeur.

IV Les régimes de rémunération variable

Les régimes de rémunération au rendement établissent un lien direct entre la rémunération et le rendement. Ils contiennent généralement des mesures incitatives et il en existe plusieurs types selon qu'ils sont basés sur le rendement individuel, qu'ils sont des régimes incitatifs de groupe ou collectifs ou qu'ils sont implantés au sein des équipes de travail[33].

LES RÉGIMES DE RÉMUNÉRATION BASÉS SUR LE RENDEMENT INDIVIDUEL

Jusqu'au milieu des années 80, au Canada, la plupart des régimes incitatifs consistaient en des systèmes de rémunération à la pièce ou à normes horaires[34]. L'utilisation de ces régimes varie beaucoup selon l'industrie et la région. Les régimes individuels d'encouragement au rendement sont nombreux. Parmi ceux-ci, on compte principalement la rémunération à la pièce, à normes horaires, à la journée, à la commission et les régimes incitatifs destinés aux cadres.

 REVUE DE PRESSE

Le temps d'une dinde est révolu !

De plus en plus, les entreprises partagent les profits avec leurs employés

Kathy
Noël

Il est bien loin le temps où les entreprises se contentaient de récompenser leurs employés avec une dinde à Noël et un petit *bonus* au jour de l'An…

De nos jours, elles sont de plus en plus nombreuses à partager les profits de toute une année avec eux ou encore à leur donner des options d'achat d'actions.

Le partage des bénéfices d'une entreprise peut prendre la forme d'un montant forfaitaire ou d'actions. Bien que plus récente, cette dernière forme de récompense connaît une popularité grandissante. Selon des analyses comparatives faites par la firme de consultants Hewitt & Associés, la proportion des entreprises offrant des options d'achat d'actions est passée de 3 %, en 1996, à 40 %, en 1999 !

« Les nouvelles entreprises en technologie de l'information, par exemple, ne disposent pas d'une masse salariale suffisante pour attirer des employés.

Elles vont être plus enclines à utiliser ce genre d'incitatifs basés sur les perspectives futures de profit », explique Isabelle Lord, associée chez Hewitt.

Souvent, ces entreprises vont imposer une certaine période de temps avant l'exécution des options « afin d'éviter les *hit and run*, c'est-à-dire que l'employé touche son option et quitte par la suite ». Le personnel a aussi le choix d'accepter un salaire moindre avec options ou un salaire plus élevé et moins d'options.

Quant au partage des bénéfices sous la forme d'un montant forfaitaire, il se retrouve dans 17 % des entreprises manufacturières et financières, selon une analyse plus ciblée réalisée cette fois par la firme Hay/McBer. La majorité de ces sociétés récompensent les employés de tous les niveaux hiérarchiques. Dans 83 % des cas, leur programme inclut le personnel de bureau, les techniciens et les employés de production.

Un pionnier

C'est le cas de Cascades, une pionnière au Québec dans ce type de rémunération. Deux fois par année, avant Noël et les vacances d'été, les 12 000 employés des 114 usines de la société touchent une fraction des profits réalisés par leur unité. Une volonté des frères Lemaire depuis les débuts de la compagnie, selon Éric Saint-Laurent, responsable des ressources humaines au siège social de la papeterie, à Kingsey Falls.

« Bernard Lemaire avait comme philosophie que dès qu'il ferait de l'argent, il en ferait profiter ses employés. En 1964, Cascades donnait 5 $ et une grosse dinde pour Noël ! »

Les temps ont bien changé. L'an dernier, l'entreprise a redistribué près de 38 M$ à ses employés, sur un bénéfice net de 58 M$. Ils ont reçu une somme d'environ 3 000 $ chacun. La cagnotte varie en fonction des résultats de chacune des usines.

« Cela incite les gens à produire de la qualité et de la quantité. Surtout dans les emplois liés à la production, les gars sont capables de savoir combien ils auront en produisant tant de tonnes de papier », commente Éric Saint-Laurent.

Chez Cascades, il est déjà arrivé que certaines usines moins rentables ne puissent pas verser de primes, mais comme chacune est autonome, les résultats de l'une ne nuisent pas aux autres. Et, syndiqués ou pas, les employés ne peuvent réclamer un dû. Ce n'est pas acquis, même si certains ont tendance à gonfler leurs cartes de crédit avant le versement…

« Le partage des profits n'est pas négociable dans une convention collective, précise le porte-parole. Les frères Lemaire pourraient décider d'arrêter tout ça. C'est toutefois leur désir de maintenir cette forme de rémunération. »

Un montant record

L'un des plus gros montants individuels jamais distribué par une entreprise a été versé au début de cette année par Dofasco, le deuxième producteur d'acier du Canada. La société a partagé 53,3 M$ entre ses 7 000 employés. Ils ont empoché 7 906 $ chacun.

Ce type de récompense, en actions de l'entreprise ou en argent, est appelé à prendre de l'ampleur, selon Isabelle Lord, de Hewitt.

« Notre étude révèle que 20 % des entreprises disent vouloir attacher plus d'importance à ce type de rémunérations pour augmenter la motivation et accroître la loyauté. Elles comptent ajouter des programmes, entre autres les options, ou rendre ceux existants accessibles à des échelons plus bas d'employés. »

Cependant, les régimes de ce genre comportent leurs faiblesses : les employés ont parfois du mal à voir le lien entre leur rendement individuel et celui de l'entreprise car de nombreux facteurs extérieurs influencent les bénéfices ou le cours de l'action.

Il y a aussi le problème des employés moins performants, qui en profitent aussi. Aux États-Unis, la tendance est de lier le pourcentage de partage des bénéfices ou l'option d'achat d'actions à des objectifs de rendement individuel précis.

Source : Les Affaires, *20 mai 2000, p. 25.*

Les régimes à la pièce. Les régimes de rémunération à la pièce sont le type de salaire au rendement le plus courant. En vertu de ce régime, on garantit aux employés un taux de salaire standard pour chaque unité produite. Le taux de rémunération à l'unité est fréquemment déterminé à partir d'études des temps et des mouvements et d'enquêtes salariales[35]. Par exemple, si la rémunération de base pour un poste est de 45 $ par jour et si l'employé peut produire 45 unités par jour, le taux à la pièce peut être fixé à 1 $ l'unité. Ce taux de base est habituellement supérieur à celui déterminé par les études des temps et des mouvements parce qu'il est supposé représenter une efficacité de 100 %. Il est souvent ajusté pour refléter le pouvoir de négociation des employés, les conditions économiques existant au sein de l'organisation et de la communauté environnante, ainsi que le salaire payé par les concurrents.

Les régimes à normes horaires. Le deuxième régime le plus utilisé est le régime de rémunération à normes horaires. Il s'agit essentiellement d'un régime à la pièce dont les standards sont définis en fonction du temps requis par unité de production plutôt que d'un taux de salaire. Les tâches sont divisées selon le temps requis pour les effectuer. On peut faire cette opération à partir des dossiers de production, d'études de temps et de mouvements ou d'une combinaison des deux. Le temps nécessaire à la réalisation de chaque tâche devient alors un temps standard.

Les régimes à la journée de travail. Les régimes de rémunération à la journée atténuent le lien entre les taux de salaire et les standards de production. On définit les normes de production à partir desquelles on évalue le rendement de l'employé. Toutefois, ces normes sont moins précises que dans le cas des régimes à normes horaires. Par exemple, les standards peuvent être déterminés à partir des résultats de l'évaluation ou du rangement plutôt qu'à l'aide d'un critère objectif comme les unités produites.

Les régimes d'incitation à la vente. Tous les régimes de rémunération à caractère incitatif dont nous venons de discuter ont pour caractéristique commune le fait d'être généralement utilisés pour les cols bleus et les employés de bureau. Les régimes d'incitation à la vente désignent les régimes fondés sur le paiement de commissions aux vendeurs et à une certaine catégorie de gestionnaires. Les 2/3 du personnel des ventes reçoivent une rémunération composée d'un salaire de base auquel on additionne une commission. Dans l'immobilier cependant, une très forte proportion des agents (75 %) ne touche que des commissions. On estime que dans les autres secteurs de la vente, seulement 22 % des agents sont payés uniquement par commissions, et que seulement 11 % travaillent sans rémunération minimum garantie[36]. Bien que ces données ne soient pas récentes, il semble que cette tendance se poursuive toujours aujourd'hui.

Dans les faits

Certaines organisations versent aux employés jusqu'à 30 % des économies réalisées au cours de l'année qui suit l'application de leurs suggestions. Depuis le lancement de ce régime chez Eastman Kodak, les employés ont formulé plus de 1,8 million d'idées dont 30 % ont été mises en œuvre ; ces suggestions ont rapporté 2 millions de dollars aux employés. En 1983, le Conseil du Trésor du Canada a accordé 250 000 $ pour des économies de presque 11,5 millions de dollars. IBM Canada a économisé près de 25 millions de dollars grâce à des suggestions d'employés. Celles-ci ont en retour valu 680 000 $ en primes à leurs auteurs[37].

Dans les faits

L'entreprise E. D. Smith and Sons utilise un vaste système de suggestions portant sur la réduction des coûts. En 1989, des économies de 1,5 million de dollars ont donné lieu au versement aux employés de sommes variant entre 1 850 $ et 3 500 $. Plus de la moitié des 260 employés ont participé au programme, et consacré ainsi une heure de travail par semaine à la recherche d'idées ou de suggestions.

Les programmes d'encouragement de l'initiative. Les *régimes de primes à l'initiative* (ou programmes de suggestions) récompensent les employés qui soumettent des suggestions qui aident à réduire les coûts de production ou à accroître les revenus de l'entreprise. Environ 80 % des 500 plus grandes entreprises nord-américaines possèdent des programmes de primes à l'initiative. Ce régime est très utilisé et peut donner lieu au versement de sommes considérables aux employés et contribuer à des économies importantes pour l'entreprise.

Malgré tout, les régimes de primes à l'initiative n'ont pas une très bonne réputation parce que les montants touchés par les employés sont généralement très faibles. De plus, dans certains cas, les employés ne sont pas tenus au courant des résultats de leurs suggestions, ou les entreprises réalisent des économies plus substantielles qu'elles ne le reconnaissent, et elles ne récompensent donc pas les employés en fonction des véritables gains réalisés. Dans certains cas, une suggestion non retenue dans l'immédiat est reprise plus tard par la direction sans qu'une rétribution ne soit versée à l'employé. Une telle pratique engendre l'hostilité, le ressentiment et la méfiance des employés à l'égard de la direction. La boîte à suggestions peut elle-même, dans certains cas, être tournée en dérision.

La rémunération basée sur le mérite. Elle consiste à déterminer les augmentations de salaire accordées aux employés en tenant compte de leur rendement individuel selon des conditions spécifiques[38]. Généralement, la progression du salaire des employés se fait à l'intérieur d'une échelle salariale et dépend de leur rendement individuel. L'augmentation salariale est intégrée au salaire et est utilisée pour le calcul des augmentations subséquentes[39]. Le rendement des employés doit être mesuré par des évaluations périodiques et servira de base au calcul des augmentations[40]. Le budget alloué aux augmentations salariales est généralement fonction de la situation économique de l'entreprise et de la place qu'elle désire occuper sur le marché. L'encadré 11.16 vous présente un exemple de la rémunération basée sur le mérite.

ENCADRÉ 11.16 Exemple de régime de rémunération au mérite

Évaluation du rendement	POSITION DANS LA FOURCHETTE SALARIALE			
	Premier quartile	Deuxième quartile	Troisième quartile	Quatrième quartile
Excellent	13-14 % augmentation	11-12 % augmentation	9-10 % augmentation	6-8 % augmentation
Supérieur à la moyenne	11-12 % augmentation	9-10 % augmentation	7-8 % augmentation	6 % augmentation ou moins
Bon	9-10 % augmentation	7-8 % augmentation	6 % augmentation ou moins	délai augmentation
Satisfaisant	6-8 % augmentation	6 % augmentation ou moins	délai augmentation	aucune augmentation
Insatisfaisant	aucune augmentation	aucune augmentation	aucune augmentation	aucune augmentation

Les rajustements de vie chère. Nombre de grandes organisations procèdent périodiquement à un rajustement de vie chère. Ces indemnités versées à tous les employés ne sont pas reliées au rendement. On les retrouve surtout dans les entreprises syndiquées où la convention collective prévoit ce type d'augmentation, et cette mesure s'étend généralement aux employés non syndiqués. De telles augmentations peuvent représenter une part importante du budget prévu à cet effet.

Plusieurs organisations souhaitent remplacer les systèmes de rajustements de vie chère par un régime de rémunération au mérite, car ces hausses de salaires sont très coûteuses et n'ont aucun effet sur le rendement ; de plus, ces hausses échappent au contrôle que l'organisation exerce sur les salaires. Enfin, comme ces indemnités sont généralement reliées à l'indice des prix à la consommation, les salaires augmentent de façon arbitraire parallèlement à la hausse de l'indice et grugent les sommes disponibles pour la rémunération au mérite. L'encadré 11.17 présente la proportion des employés bénéficiant d'une forme de rémunération variable.

ENCADRÉ 11.17 Les employés qui bénéficient d'une forme de rémunération variable

(organisations de 200 employés et plus)	
Vendeurs	63 %
Cadres	48 %
Employés de production	40 %
Professionnels	38 %
Employés de bureau	32 %
Contremaîtres	37 %
Techniciens	27 %
Personnel d'entretien et de service	24 %

Source : Institut de la statistique du Québec, *Rémunérations des salariés : État et évolution comparés*, Québec, Coll. Le travail et la rémunération, 1999.

LES RÉGIMES INCITATIFS DE GROUPE

Au fur et à mesure que les organisations se diversifient, un nombre croissant d'emplois deviennent interdépendants. Certains emplois font partie d'une séquence d'opérations alors que d'autres font partie d'un effort conjugué nécessaire à l'obtention de bons résultats. Dans chaque cas, la mesure du rendement individuel est difficile à réaliser. Des stimulants individuels ne sont pas appropriés dans ces conditions parce qu'ils ne réussissent pas à récompenser la coopération, ce que font les régimes collectifs.

La plupart des régimes collectifs d'incitation sont des adaptations des régimes individuels. On a souvent recours aux régimes à normes horaires et aux régimes de participation aux bénéfices dans le cas de groupes. Le taux de base sert alors à rémunérer un rendement standard alors que la prime récompense le rendement supérieur du groupe par rapport à cette norme. Cependant, pour que le régime incitatif de groupe réussisse effectivement à motiver les employés à améliorer leur performance, plusieurs conditions doivent être remplies. On peut diviser les régimes incitatifs de groupe en deux : ceux à court terme dont les régimes de participation aux bénéfices, le plan Scanlon et les partages de gains de productivité d'une part ; d'autre part, les régimes qui ont une portée à plus long terme dont les possibilités d'octroi ou d'achat d'actions, les options d'achat d'actions et la participation réelle ou fictive à l'organisation[41].

Les régimes de participation aux bénéfices. Les organisations dont le bon fonctionnement nécessite une grande coopération entre les employés utilisent des régimes incitatifs au niveau de l'ensemble de l'organisation. Plusieurs entreprises canadiennes ont mis au point des régimes de primes dans l'entreprise ou prévoient diverses modalités de participation aux bénéfices[42].

En vertu de ces régimes, les employés reçoivent sous forme de prime un pourcentage de leur salaire de base si l'organisation atteint un objectif donné. Donc, tous les employés ayant le même salaire de base ou le même taux de salaire reçoivent la même prime. Les régimes de participation aux bénéfices ne sont pas toujours considérés comme une rémunération incitative car les employés n'ont qu'un contrôle partiel et indirect sur les bénéfices de l'organisation. Cependant, étant donné que le contrôle que possède l'employé sur son rendement, dans un programme de participation aux bénéfices, est relatif, nous en discutons comme régime incitatif s'appliquant à l'ensemble de l'organisation. Plusieurs régimes de participation aux bénéfices sont enregistrés à Revenu Canada, conformément aux lois fiscales. Il existe deux groupes principaux de régimes de participation aux bénéfices. Dans le cadre des régimes de primes en espèces, les employés reçoivent une part des bénéfices à intervalles réguliers, mensuellement ou annuellement. Le pourcentage des bénéfices distribué varie entre 8 % et 75 %. Si la compagnie ne réalise pas de bénéfices, aucun paiement n'est fait aux employés. Le partage des bénéfices améliore la productivité et engendre des revenus supplémentaires susceptibles d'être partagés entre les parties[43].

Les régimes de rémunération fondés sur les dividendes déterminent le pourcentage des bénéfices versés aux employés en fonction des dividendes payés aux actionnaires. Ces régimes visent à améliorer la concordance des objectifs des employés et des actionnaires. Les employés les perçoivent souvent comme plus équitables que les primes en espèces[44].

Il existe de plus en plus de régimes de participation aux bénéfices dans les entreprises canadiennes. Parmi les entreprises ayant recours à ces régimes, on compte la IPSCO Steel de Regina, la Dominion Envelope, les industries Supreme Aluminium, DOFASCO et la Canadian Tire Corporation. Cependant, alors que les régimes américains s'étendent à tous les employés, plus de 95 % des régimes canadiens limitent la participation aux cadres supérieurs. Une étude effectuée aux États-Unis montre que les compagnies qui utilisent un régime de participation aux bénéfices connaissent une amélioration du rendement supérieure à celles qui n'y recourent pas.

Les régimes de partage des gains de productivité. Ce type de régime correspond autant à une philosophie des relations employeur-employés qu'à un régime incitatif à l'échelle de l'entreprise. Il met l'accent sur la participation commune aux opérations et à la rentabilité de l'entreprise. Les plans de partage des gains de productivité sont adaptables à différentes entreprises et à des besoins diversifiés et sont utilisés autant dans des entreprises syndiquées que non syndiquées.

Ce régime se fonde sur la coopération régnant dans l'ensemble de l'entreprise, que des stimulants sous forme de primes encouragent. La prime est fixée à partir des économies réalisées en coûts de main-d'œuvre, qui sont mesurées en comparant la masse salariale à la valeur de la production (en ventes) sur une base mensuelle ou bimensuelle. Les ratios de la valeur des salaires sur la valeur des ventes des mois précédents contribuent à définir les coûts de main-d'œuvre anticipés. Les économies en coûts de main-d'œuvre sont alors réparties entre les employés (75 %) et l'employeur (25 %). Parce que tous les employés se partagent les économies réalisées, un groupe ne fait pas de gains aux dépens d'un autre. La prime que reçoit chaque employé est calculée en convertissant le fonds de primes en pourcentage de la masse salariale totale et en appliquant ce pourcentage à la paie mensuelle de chaque employé.

Les régimes de partage des gains de productivité se classent en trois catégories : les plans Scanlon, Rucker et Improshare. Il faut dire qu'à chaque fois qu'on change une composante du programme, on se retrouve avec un nouveau régime, ce qui revient à dire que les variations et les programmes sont bien plus nombreux que les trois nommés.

L'objectif d'un plan Scanlon est d'accroître l'efficacité de l'entreprise en réduisant les coûts de main-d'œuvre et en partageant les gains. Ce régime repose sur deux éléments essentiels : la participation des employés et l'attribution de primes basées sur des gains de productivité. En fait, le plan Scanlon peut être assimilé à un programme qui rémunère les suggestions des employés, à la différence qu'il estime les gains à leur juste valeur et les distribue à tous les employés. Bien que les plans

Scanlon puissent avoir du succès, leur valeur incitative réelle est parfois de courte durée. Cela se produit lorsque les employés ont l'impression qu'ils ne peuvent plus améliorer leur rendement et, conséquemment, les ratios. À ce moment, le rendement des employés plafonne et le plan Scanlon perd sa valeur de stimulant. Le problème est cependant minimisé lorsque les méthodes de production et les produits changent régulièrement. En de telles conditions, les employés sont plus susceptibles de croire en la possibilité d'améliorer constamment leur rendement.

Le régime Rucker repose sur les mêmes prémisses que le plan Scanlon, mais nécessite pour la détermination de la base normative de production que les états financiers soient détaillés et accessibles aux syndicats et aux employés. De plus, c'est la valeur ajoutée à la production et non la valeur des ventes de la production qui est prise en considération en plus des coûts de la main-d'œuvre dans l'estimation de la mesure de productivité[45].

Le régime Improshare repose sur une mesure de la productivité physique. La prime correspond à la division du nombre d'heures de travail estimées par le nombre d'heures de travail réelles. Généralement les entreprises qui utilisent ce régime considèrent des augmentations de productivité de l'ordre de 60 %. Si la productivité augmente de plus de 60 % et qu'elle se maintient à ce niveau pendant un certain temps, l'entreprise accorde aux employés des primes en conséquence.

L'octroi ou l'achat d'actions. Parmi les incitatifs qui ont une portée à plus long terme, le régime d'achat d'actions consiste à permettre aux participants d'acheter, à des conditions avantageuses, un certain nombre d'actions de l'entreprise au cours d'une courte période (1 à 2 mois) à un certain prix (fixe ou variable), ou encore selon un mode de paiement particulier qui peut également être fixe ou variable. Thériault et St-Onge expliquent que les régimes peuvent prendre différentes formes. La possibilité d'acheter des actions pour une valeur n'excédant pas 6 % du salaire peut être offerte aux employés après un an de service. L'entreprise peut fournir entre 25 % et 85 % du prix d'achat des actions selon les bénéfices réalisés[46].

Le saviez-vous ?

En Amérique du Nord, 94 % des 300 sociétés les plus importantes en matière de capitalisation boursière offrent des options à leurs dirigeants[48].

L'octroi d'actions donne des actions ou les accorde à un prix inférieur à leur valeur sur le marché boursier. Généralement, les employés ne peuvent vendre les actions pendant une période déterminée (4 ou 5 ans) mais peuvent recevoir les dividendes ou exercer leur droit de vote. Ces régimes sont généralement offerts aux cadres supérieurs et encouragent les bénéficiaires à demeurer au service de l'entreprise.

Les régimes d'options d'achat d'actions (ROAA). Un régime d'options d'achat d'actions accorde à des personnes le droit d'acheter des actions de l'entreprise à un prix fixé d'avance durant une période de temps déterminée (5 à 10 ans). La récompense potentielle des détenteurs d'une option correspond à la différence entre la valeur des actions sur le marché au moment où ils décident de lever leur option et le prix de levée de leur option[47].

LES RÉGIMES DE RÉMUNÉRATION VARIABLE AU SEIN DES ÉQUIPES DE TRAVAIL

Long[49] identifie trois types de régimes qui visent à reconnaître la performance des équipes de travail. Ainsi, une première façon de faire est de partager un montant équivalent entre les membres de l'équipe qui est établi en fonction de ses réalisations et de l'atteinte des objectifs. Un deuxième type fait référence à des montants accordés aux équipes les plus performantes. Cependant, ce régime a comme principal désavantage de susciter des animosités ou un manque de collaboration entre les équipes puisque chacune d'elles tente d'obtenir de meilleures primes. Finalement, une troisième manière de reconnaître la performance des équipes de travail est d'accorder des primes à la fois sur une base individuelle et de groupe. Ainsi, un montant total correspondant à la prime d'équipe peut être déterminé sur la base des réalisations de l'équipe. Ce montant sera ensuite partagé entre les membres de l'équipe en fonction de leur rendement individuel[50].

REVUE DE PRESSE

La rémunération variable gagne du terrain au Canada

Michel De Smet

Dans sa dernière étude annuelle portant exclusivement sur le sujet, et dont *Les Affaires* ont obtenu la primeur, la firme Hewitt et associés souligne que le phénomène gagne de plus en plus la faveur des grandes entreprises.

Partant d'une base de données comprenant 146 grandes entreprises, la firme de consultants en relations industrielles et en ressources humaines en arrive au constat que plus de 70 % d'entre elles ont implanté une forme ou une autre de rémunération variable. Le rapport démontre que la pratique prend de l'expansion et ne se limite pas à certaines catégories de travailleurs, comme les cadres ou encore le service des ventes pour lesquels l'usage de versements de primes est monnaie courante. Précisons que les sociétés interrogées disposent pratiquement toutes d'implantations au Québec.

À l'origine, la rémunération variable a été utilisée par les entreprises pour orienter les comportements des employés et récompenser les plus performants, explique André Dupras, associé chez Hewitt.

« Aujourd'hui, les programmes de rémunération variable sont davantage intégrés à ce que l'on appelle la gestion de la performance. »

Grande diversité

M. Dupras souligne toutefois qu'il est impossible de donner une définition satisfaisante du concept. L'étude fait d'ailleurs ressortir la grande diversité de nature des programmes de rémunération variable. Ainsi, 18 % des sociétés qui ont répondu au dernier sondage ont indiqué qu'elles versaient des primes basées sur le rendement individuel de leurs salariés. Par contre, la majorité d'entre elles ont plutôt tendance à accorder une récompense à une équipe ou à une usine méritante.

Enfin, la notion même de rémunération fait problème puisqu'il peut s'agir de montants en espèces tout autant que de récompenses sous forme de produits, d'activités sociales (billets de spectacle, tournois de golf, etc..) ou de voyages.

Jean-Charles Lima, directeur du bureau montréalais de Hewitt et associés, mentionne que le phénomène de la rémunération variable n'est pas limité à la grande entreprise.

Toutefois, la complexité d'une gestion efficace d'un tel programme nécessite des ressources internes — ou externes dans le cas de consultants — importantes, pas toujours accessibles à la PME.

Outil de communication

Pour M. Lima, un programme de rémunération variable est d'abord un outil de communication. Par cette mesure, l'entreprise indique sans ambiguïté à ses employés les objectifs que la société veut atteindre ainsi que les éléments les plus importants de sa culture et de sa mission.

Le directeur n'hésite d'ailleurs pas à prétendre qu'un programme habilement communiqué qui comporte des lacunes dans sa conception atteindra malgré tout mieux ses objectifs qu'un programme bien conçu, mais mal diffusé auprès des travailleurs. « La réussite dépend de l'effort d'information que déploiera l'entreprise. Un petit mémo signalant l'existence du programme épinglé sur un coin de babillard, c'est le moyen le plus sûr d'aller droit à l'échec. »

Fragilité des programmes

L'étude souligne d'ailleurs la fragilité de tels programmes. Alors que 80 % des répondants rapportent avoir réussi à améliorer leurs résultats d'entreprise, à peine 47 % estiment que ces derniers ne furent pas à la mesure de leurs attentes. M. Dupras attribue en partie ce désenchantement au fait que les sociétés qui pratiquent la rémunération variable lui prêtent des vertus excessives.

« Ce n'est pas la panacée universelle. Un tel programme ne doit jamais résumer, comme le pensent certains,

toute la stratégie de gestion des ressources humaines d'une entreprise. Il vient en accompagnement, en soulignement d'autres mesures. »

M. Dupras relève enfin que la popularité grandissante de la rémunération variable a une incidence évidente sur le mode de rémunération global des travailleurs. C'est ainsi que les employeurs ont de plus en plus tendance à rétribuer leurs travailleurs en fonction du risque d'entreprise.

« Jusqu'à présent, outre le salaire de base, le travailleur voyait sa rémuné-

ration augmenter au gré de ses promotions », a rappelé M. Dupras.

« Or, cette portion du salaire, que l'on peut appeler au mérite, est de plus en plus liée au rendement de la compagnie. Une large majorité des répondants qui ont instauré cette formule de salaire à risque se déclarent très satisfaits des résultats obtenus. »

Source : Les Affaires, *31 janvier 1998, p. B5.*

V La gestion
de la rémunération

Si l'employeur veut attirer de nouveaux employés et maintenir un niveau élevé de satisfaction à l'égard de la rémunération, celle-ci doit être analogue à celle versée dans des organisations comparables ; autrement dit, il doit exister une équité externe. De plus, les salaires doivent être fixés de façon à promouvoir et à respecter le principe de l'égalité de rémunération pour des fonctions équivalentes. Par ailleurs, pour assurer une équité interne, il importe que la détermination de la valeur des emplois prenne en compte les facteurs que les employés et l'organisation jugent les plus importants.

Plus encore, les régimes de rémunération au rendement doivent comporter une méthode de mesure précise du rendement des employés et être suffisamment transparents pour que les employés voient clairement la relation entre le rendement et la rémunération. Les taux de salaires et les structures salariales devraient être revus et mis à jour aussi souvent que nécessaire. Avec le temps, le contenu de l'emploi peut changer, amenant ainsi une distorsion entre la valeur réelle et la valeur estimée du poste.

Finalement, les employés doivent avoir l'impression que l'organisation se préoccupe de leurs intérêts autant que du sien. Un climat de confiance et de cohérence doit régner car, autrement, la satisfaction que les employés tireront de leur salaire risque d'être faible. Dans une telle situation, l'administration de la rémunération donnera lieu à des plaintes non fondées sur des problèmes réels.

Nous examinerons dans un premier lieu certaines considérations qui ont trait à la gestion des salaires pour ensuite aborder les obstacles et les difficultés associés à la gestion de la rémunération variable.

LA GESTION DES SALAIRES

La satisfaction à l'égard du salaire. Si les organisations veulent réduire au minimum l'absentéisme et le roulement de main-d'œuvre à l'aide de la rémunération, elles doivent s'assurer que les employés sont satisfaits de leurs salaires. Comme la motivation au travail n'est pas toujours fonction d'une telle satisfaction, il est nécessaire d'en connaître les facettes spécifiques. Or, le niveau des salaires est un facteur déterminant de la perception qu'a l'individu de son salaire. Les personnes comparent leur perception avec ce qu'elles croient leur être dû. Si le niveau « attendu » de la paie correspond au niveau effectif, elles sont satisfaites. Au contraire, elles manifestent de l'insatisfaction lorsque le niveau de leur salaire est inférieur au niveau « attendu ».

Les politiques salariales. Certaines entreprises pratiquent une politique d'ouverture en matière de gestion des salaires. L'entreprise poursuit une politique d'ouverture lorsqu'elle encourage ses employés à s'engager dans le processus de prise de décisions en ce qui concerne les salaires. Les employés sont aussi invités à participer à l'évaluation des emplois pour acquérir une large compréhension du processus de définition de la valeur des emplois. Une enquête réalisée auprès de 10 grandes entreprises canadiennes a révélé que la moitié des entreprises interrogées ont qualifié leurs politiques salariales d'ouvertes, bien que ce terme varie d'un répondant à l'autre (c'est-à-dire allant d'une politique complètement ouverte à partiellement ouverte)[51].

Les politiques salariales ouvertes comportent certains avantages et des inconvénients. La raison la plus souvent invoquée pour justifier la confidentialité des salaires est que cette politique contribue à réduire les comparaisons défavorables entre les salaires des employés. Des études démontrent que cette affirmation n'est cependant aucunement fondée, puisqu'il paraîtrait que les employés comparent de toute façon leurs salaires à ceux de leurs collègues, de leurs subordonnés et de leurs superviseurs. Pire, les employés ont tendance à surestimer la rémunération de leurs collègues ou de leurs subordonnés et à sous-estimer la rémunération de leurs supérieurs, ce qui peut les rendre insatisfaits de leur propre rémunération. Cette situation est la cause première du développement d'un sentiment d'injustice au sein des organisations. Selon les personnes qui croient que les politiques salariales implantées par les organisations sont injustes, la confidentialité des salaires peut occasionner des coûts élevés aux employeurs. En effet, selon eux, les employés insatisfaits fourniront des efforts moindres au travail jusqu'à ce qu'ils en arrivent à percevoir une équité au sein de l'organisation. Par ailleurs, une politique salariale ouverte peut forcer l'entreprise à adopter une politique de rémunération claire et rationnelle. Effectivement, l'absence de logique en matière de rémunération risquerait d'aggraver ce sentiment d'injustice et d'entraîner des pertes plus importantes pour l'organisation. En conclusion, les entreprises qui ont une politique de rémunération claire et systématique auraient avantage à instaurer une politique salariale ouverte, alors que celles qui en sont dépourvues feraient mieux de maintenir le caractère confidentiel des salaires des employés.

LA GESTION DE LA RÉMUNÉRATION VARIABLE

Bien que la rémunération au rendement augmente sensiblement la productivité, sa conception et sa mise en œuvre présentent plusieurs obstacles qui limitent son efficacité potentielle.

Les obstacles à l'efficacité des régimes de rémunération au rendement. Il existe essentiellement trois catégories d'obstacles reliés à la conception et à la mise en œuvre des régimes de rémunération au rendement: (1) les difficultés reliées à la définition et à la mesure du rendement ; (2) les difficultés à identifier les récompenses les plus appréciées (le salaire n'étant qu'une des nombreuses récompenses possibles) ; et (3) les difficultés que pose l'établissement d'un lien entre les récompenses et le rendement. De plus, les employés appréhendent eux-mêmes les régimes de rémunération au rendement pour plusieurs raisons exposées dans l'encadré 11.18.

ENCADRÉ 11.18 Appréhension des employés à l'égard des régimes de rémunération variable

- Ils provoquent une accélération du rythme de travail, augmentent la tension nerveuse des travailleurs et peuvent affecter leur santé.
- Ils encouragent la concurrence entre les travailleurs et entraînent le congédiement des travailleurs moins rapides.
- Ils provoquent le chômage en poussant les employés à quitter certains emplois.
- Ils détruisent les métiers, par le biais des études de méthodes, en réduisant les exigences au plan des qualifications.
- Ils servent à éviter les augmentations de salaires méritées.
- Ils augmentent la fréquence des changements de méthodes de travail.
- Ils exigent des travailleurs un rendement supérieur à celui d'une journée de travail normale.
- Ils impliquent un manque de confiance de la direction à l'égard des travailleurs.
- Les gains varient dans le temps, rendant plus difficiles la gestion du budget du ménage et même l'emprunt sur hypothèque pour une maison.
- Les normes sont établies de façon inéquitable.

Pour récompenser adéquatement le rendement, il faut d'abord le définir, ensuite, déterminer les relations entre les niveaux de rendement au travail et les modes de rémunération, et enfin, mesurer le rendement avec précision. Il est souvent difficile d'y parvenir à cause des changements constants qui se produisent dans la nature du travail, de son caractère multidimensionnel, des progrès technologiques, du manque de formation des superviseurs ainsi que du système de valeurs des gestionnaires. L'encadré 11.19 expose ces problèmes en détail, de même que leurs implications pour la direction.

La deuxième catégorie d'obstacles réfère à la sélection des récompenses monétaires ou non monétaires. La rémunération sous une forme non monétaire peut comporter une valeur incitative plus forte que la rémunération en espèces, en particulier dans le cas des employés dont les augmentations de salaires sont en grande partie absorbées par les impôts. Par conséquent, il importe de découvrir les modes de rémunération que préfèrent les employés et de choisir ceux qui ont un effet de renforcement plus marqué.

La troisième catégorie d'obstacles se rapporte à la difficulté d'établir un lien étroit entre la rétribution et le rendement. Il n'est pas toujours facile, par exemple, de créer des conditions incitatives adéquates ou de définir des mesures précises d'évaluation du rendement. De plus, l'opposition des employés constitue parfois un obstacle majeur à la mise en œuvre de la rémunération au rendement et, surtout, de régimes incitatifs.

La plupart de ces convictions stéréotypées découlent d'un manque de confiance envers la direction. Cette situation a des répercussions immédiates sur l'établissement des taux et des normes sur lesquels s'appuient les régimes incitatifs. Les travailleurs peuvent tenter de tromper les ingénieurs chargés du chronométrage des tâches qui servira à mesurer le rendement (voir le chapitre 3). Pour compliquer encore plus la question, les ingénieurs (qui savent que les travailleurs cherchent parfois à contrecarrer leur travail en leur cachant certains aspects de la réalité) incorporent dans leurs données des estimations qui en tiennent compte. Cette combinaison de mesures d'observation scientifique et d'estimations basées sur des connaissances acquises peut donner des taux imprécis ou inéquitables qui réduisent la valeur incitative du système, la rentabilité de l'entreprise ou même les deux.

ENCADRÉ 11.19 Obstacles à l'efficacité des régimes de rémunération au rendement et leurs implications pour la direction

OBSTACLES	CAUSES	IMPLICATIONS POUR LA DIRECTION
A. Difficultés à définir et à mesurer le rendement	1. Changements dans la nature du travail: • augmentation des emplois axés sur le service à la clientèle; • augmentation des postes de cols blancs, de gestion et de professionnels; • augmentation de l'interdépendance des emplois et de la complexité des tâches. 2. Nature multidimensionnelle du travail: • les mesures de rendement conçues à partir d'un critère unique sont souvent inadéquates; • l'évaluation de plusieurs emplois exige aujourd'hui le recours à plusieurs critères de rendement. 3. Changements technologiques: • les changements technologiques conduisent souvent à utiliser des méthodes n'ayant pas été testées auparavant; • les emplois dont le rythme de travail est réglé par la cadence des machines permettent peu de variation du rendement. 4. Absence de formation au niveau de la supervision: • utilisation de superviseurs inexpérimentés dans le processus d'évaluation; • perceptions tendancieuses. 5. Système de valeurs des gestionnaires: • manque d'intérêt ou inaptitude à distinguer les bonnes et les mauvaises performances; • difficulté à évaluer les conséquences à long terme de modes de rémunération différents pour les employés.	1. Élaboration de techniques précisant les comportements jugés désirables et clarifiant les objectifs de l'organisation. 2. Utilisation de procédures d'évaluation reconnaissant la nature multidimensionnelle du rendement au travail. 3. Conception d'un système d'évaluation du rendement fiable et valide, fondé sur des résultats et/ou sur des normes comportementales. 4. Formation des superviseurs pour qu'ils puissent utiliser adéquatement un système d'évaluation du rendement et comprendre les sources potentielles de biais. 5. Définition claire des conséquences à long terme des pratiques de rémunération reliées ou non au rendement.
B. Problèmes à identifier les récompenses adéquates	1. Choix des récompenses: • choix de récompenses qui ne procurent aucun renforcement positif. 2. Utilisation de récompenses insuffisantes: • manque de ressources; • politiques de l'entreprise. 3. Récompenses offertes au moment inopportun: • taille de l'entreprise: bureaucratie; • standardisation/formalisation des mécanismes de rétroaction; • complexité du processus de rétroaction.	1. Informer les gestionnaires des effets des récompenses sur le rendement et la satisfaction des employés. 2. Former les gestionnaires à découvrir les récompenses appréciées de leurs subordonnés. 3. Offrir des récompenses d'une importance suffisante. 4. Offrir les récompenses dans un délai relativement court suivant la reproduction des comportements attendus.
C. Difficultés à relier les récompenses au rendement	1. Difficultés à relier efficacement les récompenses et le rendement: • manque de connaissances, de capacités ou d'expérience; • système de croyances; • problèmes de gestion. 2. Création de conditions inadéquates: • récompenses accordées pour des comportements qui n'ont pas d'effet sur le rendement; • récompenses accordées pour le comportement A alors qu'on espère une amélioration du comportement B. 3. Annulation des conditions souhaitées: • utilisation d'instruments inappropriés pour l'évaluation du rendement; • utilisation inadéquate des instruments d'évaluation du rendement; • problèmes à utiliser l'information obtenue; • application incohérente. 4. Opposition des employés: • individuellement: méfiance, injustice, inéquité; • socialement: restrictions posées par la peur de perdre son travail; • intervention externe: les syndicats.	1. Former les gestionnaires à établir les liens appropriés entre le rendement et les récompenses. 2. Utiliser les informations obtenues lors des évaluations du rendement pour l'attribution des récompenses. 3. Assurer une application uniforme du programme de récompenses aux employés. 4. Obtenir la participation des employés dans l'élaboration et la gestion du système de rémunération.

Les conditions de succès des régimes incitatifs basés sur le rendement individuel. Bien que la plupart des régimes d'encouragement de l'initiative soient conçus pour obtenir et récompenser les suggestions individuelles, certains sont axés sur les groupes d'employés. Un tel programme fait alors partie du plan Scanlon. Les régimes de primes à l'initiative sont uniques parce qu'ils sont conçus pour augmenter le nombre de bonnes idées plutôt que la production.

Pourquoi les programmes d'encouragement individuels sont-ils efficaces ? Pour que des stimulants puissent jouer leur rôle, il faut qu'il existe dans l'entreprise des programmes de renforcement positif. Il importe aussi que les employés sachent jusqu'à quel point ils atteignent les buts spécifiques qui leur sont assignés et de quelle façon les récompenses sont reliées aux améliorations apportées.

Pour établir un programme de renforcement positif, l'employeur doit définir ses attentes en termes de comportements par rapport au travail devant être effectué et évaluer jusqu'à quel point celui-ci est bien exécuté. Les objectifs de rendement au travail doivent être formulés en termes mesurables, tels que la rencontre des délais fixés ou les niveaux de qualité et de quantité. Une fois ces critères définis, les employés peuvent recevoir des informations à propos de leur propre rendement en regard de ces objectifs[52].

Une des prémisses du renforcement positif est que le comportement peut être compris et modifié par le jeu des conséquences. De fait, tous les régimes incitatifs sont basés sur cette prémisse : pas de rendement sans récompense au rendement. Plusieurs organisations n'offrent pas de récompenses monétaires. Pour qu'un programme de renforcement positif permette d'assurer une constance des comportements ou du rendement désiré, certaines conditions doivent être remplies. Les paramètres d'un renforcement efficace en matière de rémunération sont reliés à :

1. La nature de l'agent de renforcement. Seuls les compliments appréciés par l'employé sont efficaces.
2. Le moment choisi pour le renforcement. Seuls les agents de renforcement dont l'intervention suit immédiatement le comportement désiré sont efficaces. Une réaction telle que « Vous avez fait du bon travail, je vais recommander qu'on vous accorde une augmentation de salaire au prochain budget » sera un agent de renforcement inefficace.
3. L'importance de l'agent de renforcement. Seuls les agents importants et reliés directement au comportement désiré sont efficaces.
4. La spécificité de l'agent de renforcement. Seuls les agents très spécifiques et clairement compris par l'employé sont efficaces. Une rétroaction vague et imprécise ne constitue pas un agent de renforcement positif efficace.
5. Le caractère routinier de l'agent de renforcement. Les agents utilisés de façon répétitive perdent leur impact avec le temps. Les employés s'y habituent et prennent pour acquis la récompense attendue. C'est le cas de la prime annuelle de Noël.
6. La programmation de l'agent de renforcement. La plupart des récompenses constituent un moyen de renforcement continu ou partiel. Un renforcement est continu si on y a recours chaque fois que le comportement désiré se manifeste. Par exemple, un directeur peut complimenter (ou rétribuer) des employés chaque fois qu'ils ont un bon rendement. Un renforcement est partiel s'il est appliqué à des intervalles spécifiques et non pas à chaque fois que le comportement désiré se manifeste. Les travaux de recherche ont montré qu'un renforcement partiel donne lieu à un apprentissage plus lent mais il assure des effets plus prononcés et permanents.

Les facteurs à considérer lors de l'implantation des régimes de rémunération variable. Pour que la rémunération influence le rendement des employés, certaines conditions s'imposent et visent à la fois les individus et l'organisation (voir tableau ci-dessous). Pour choisir et utiliser avec succès un régime de rémunération au rendement, il faut avant tout connaître les conditions qui existent au sein de l'organisation.

Conditions pour l'implantation de régimes de rémunération variable

Conditions individuelles	Conditions organisationnelles
• L'employé doit percevoir une relation étroite entre le rendement et la rémunération.	• Inspirer un haut niveau de confiance aux employés.
• L'employé doit attribuer une valeur importante à la rémunération.	• Informer les employés du fonctionnement du système de rémunération.
• L'employé doit être capable d'atteindre un rendement élevé (c'est-à-dire posséder les qualifications nécessaires et connaître les attentes de son employeur).	• S'assurer que l'employé puisse exercer un contrôle sur son rendement.
• L'employé ne doit pas être exposé à des dangers ou à des conflits en tentant d'obtenir un supplément de salaire.	• Utiliser un système juste d'évaluation du rendement, c'est-à-dire ne comportant aucune partialité.
• La mesure du rendement doit être équitable. Si les évaluations du rendement sont jugées partiales, le salaire ne constituera pas une motivation pour les employés.	• Former les gestionnaires à donner une rétroaction aux employés.
	• Prévoir des sommes d'argent pour la rémunération au mérite qui soient suffisamment élevées pour que l'effort supplémentaire requis en vaille la peine.
	• L'évaluation des emplois doit être valide pour que la relation salariale dans son entier soit équitable.

AVIS D'EXPERT

La Loi sur l'équité salariale : un atout pour la gestion des ressources humaines

par Marie-Thérèse Chicha

La mise en œuvre de l'équité salariale dans les organisations suscite divers motifs d'appréhension : augmentation des coûts salariaux, charge de travail supplémentaire pour les gestionnaires, conflits entre les parties patronales et syndicales dans les comités chargés d'élaborer le programme, insatisfaction possible des salariés qui n'obtiennent pas d'augmentation salariale ou qui en obtiennent moins qu'ils ne l'anticipaient. Sans nier le bien-fondé de ces appréhensions relatives aux coûts, il est nécessaire de mieux situer leur ampleur et de noter également que certains bénéfices pour les employeurs découlent aussi de la mise en œuvre de l'équité salariale.

De façon générale il est important de souligner au départ la différence capitale qui existe, du point de vue de la mise en œuvre de l'équité salariale, entre une approche proactive et une approche judiciaire, comme celle qui a fait les manchettes à la fin des années 90 et qui opposait l'Alliance de la fonction publique du Canada au Conseil du Trésor fédéral. L'ampleur des montants en *cause (près de 3 milliards de dollars) était due non seulement au nombre très élevé de travailleuses couvertes mais surtout à la rétroactivité sur une quinzaine d'années des montants versés. Un programme d'équité salariale dans une approche proactive ne comporte pas de rétroactivité si l'employeur respecte l'échéancier légal prévu. En Ontario, le coût des ajustements salariaux a varié entre 0,5 % et 1,4 % de la masse salariale dans le secteur privé et a atteint 2,2 % dans le secteur public. Quant aux coûts administratifs, leur montant a varié entre 9 000 $ et 121 245 $ par employeur, selon la taille de l'entreprise et son secteur d'appartenance.*

Y a-t-il des effets secondaires bénéfiques associés à l'équité salariale ? L'expérience ontarienne indique qu'il y en a même plusieurs. La mise en œuvre de la Loi sur l'équité salariale au Québec semble également pointer dans le même sens. Un bénéfice important que les gestionnaires ontarien et québécois soulignent est la rationalisation de leur système de rémunérations. Celui-ci s'est souvent construit au fil des années à partir de critères qui ne sont plus nécessairement adaptés aux nouveaux défis technologiques ou économiques auxquels fait face l'entreprise. De la même façon, les niveaux de certains salaires ont été influencés par des considérations essentiellement subjectives : la personnalité ou les liens familiaux de la personne qui occupait la fonction au moment de sa création. Le programme d'équité salariale révèle ces incohérences et offre une occasion de réviser les pratiques de rémunération. En outre, tout le processus d'équité salariale repose sur une analyse attentive et systématique des exigences réellement nécessaires pour accomplir certaines tâches. Il s'ensuit que dans plusieurs entreprises les descriptions de postes sont mises à jour, les exigences d'emploi périmées éliminées et d'autres, plus récentes, clairement identifiées. Cette actualisation du processus de dotation ne peut qu'avoir un effet bénéfique sur l'efficacité de l'entreprise.

L'amélioration des relations de travail a également été notée par des employeurs ontariens comme étant un effet secondaire positif. Le caractère coopératif de l'élaboration du programme d'équité salariale explique ce résultat. Cependant, pour obtenir cette amélioration des relations de travail, il est fortement conseillé que les représentants des parties au sein du comité d'équité salariale ne soient pas ceux qui négocient les conventions collectives, afin d'éviter les affrontements.

Enfin, au terme d'un programme d'équité salariale, où une stratégie de communication a permis une bonne circulation de l'information, la perception d'équité chez les employés va augmenter, comme l'indique ici aussi l'expérience ontarienne. Le climat de travail et la productivité peuvent ainsi s'en ressentir de façon positive. Tout compte fait, un programme d'équité salariale bien conçu, adapté à la réalité de l'entreprise et appliqué dans un esprit de coopération peut, en bout de ligne, représenter un atout en matière de gestion des ressources humaines pour une entreprise.

Marie-Thérèse Chicha, Ph. D. en sciences économiques est professeure titulaire à l'École de relations industrielles de l'Université de Montréal. Spécialiste des questions de discrimination et d'égalité au travail, elle est l'auteure de nombreuses publications sur le sujet, notamment de l'ouvrage *Discrimination systémique : Fondements et méthodologie des programmes d'accès à l'égalité en emploi* et de *L'Équité salariale : Mise en œuvre et enjeux*. En 1995, elle a présidé pour le gouvernement du Québec le Comité d'expertes chargé d'effectuer les consultations et de faire des recommandations en vue d'une Loi proactive sur l'équité salariale.

RÉSUMÉ

Faisant face au marché international d'aujourd'hui, les entreprises constatent que pour obtenir un avantage concurrentiel, elles doivent attirer, retenir et motiver les meilleurs employés qu'elles peuvent recruter. La rémunération devient une activité très significative en gestion des ressources humaines et un outil approprié pour remplir cette dernière mission. La rémunération globale comprend la rémunération directe et la rémunération indirecte. Ce chapitre a mis l'accent sur la rémunération directe, qui se divise en deux catégories : le salaire de base et la rémunération au rendement. Les aspects juridiques de la rémunération directe se concentrent sur la question de l'égalité de la rémunération pour des fonctions équivalentes, ou de la « véritable valeur » des occupations.

Il existe quatre déterminants principaux de la rémunération de base. Le premier est la détermination de la valeur relative des emplois, par le biais de diverses méthodes d'évaluation des emplois, qui vise à établir une équité interne entre les différents emplois. La deuxième composante est la détermination des classes d'emplois. Cette étape est suivie de l'établissement de structures salariales à partir des informations obtenues lors des enquêtes salariales, qui permettent d'assurer l'équité externe de la rémunération. L'étape finale consiste à déterminer le salaire individuel, le plus souvent à partir du rendement et des contributions individuelles.

Les programmes de rémunération variable ont pris de l'ampleur et sont perçus de plus en plus comme le meilleur moyen de récompenser le rendement exceptionnel. Le succès de plusieurs programmes qui prennent en considération le rendement des employés dépend des circonstances de leur mise en œuvre. Par exemple, l'implantation des régimes incitatifs requiert un système efficace d'évaluation du rendement. En effet, plus les mesures du rendement seront objectives, plus le régime incitatif sera efficace. De plus, les paramètres d'un renforcement positif efficace en matière de rémunération ont besoin d'être satisfaits. Ces paramètres incluent des conditions quant à la nature, à la durée, à l'importance, à la spécificité, à la régularité et au moment auquel intervient le renforcement.

Les régimes de rémunération variable ont pour fondement de récompenser la performance par des augmentations salariales au mérite. L'utilisation efficace des régimes de rémunération au mérite implique de déterminer l'importance des augmentations de salaires reliées au mérite, les périodes les plus favorables à leur attribution, et la relation entre les augmentations salariales et la position des emplois dans la classe salariale correspondante. Plusieurs grandes organisations procèdent périodiquement à des rajustements de vie chère des salaires de leurs employés. Les entreprises souhaiteraient leur élimination au profit de régimes de rémunération au mérite, puisque ces indemnités sont souvent dispendieuses et ne sont pas reliées au rendement.

Plusieurs facteurs entrent en jeu dans le choix des régimes de rémunération au rendement, parmi lesquels figurent le niveau de mesure du rendement au travail (individuel, de groupe, ou de l'ensemble de l'organisation), l'étendue de la coopération nécessaire entre les groupes, et le niveau de confiance existant entre le personnel de gestion et les autres employés. Il est possible d'utiliser simultanément plusieurs régimes pour récompenser différents groupes d'employés pour leur rendement satisfaisant. On constate cependant qu'une organisation peut limiter le recours à de tels régimes pour des raisons telles que le désir des gestionnaires de recevoir une rémunération au rendement, l'engagement de la direction à prendre le temps d'élaborer et d'implanter un ou plusieurs systèmes, l'étendue de l'influence réelle exercée par les employés sur l'élaboration du système, et le degré de confiance des employés envers l'entreprise.

La plupart des entreprises ne disposent pas des moyens leur permettant de rémunérer leurs employés uniquement à partir de régimes incitatifs. Néanmoins, un nombre croissant d'entreprises cherchent à réduire les obstacles à l'application de tels régimes en favorisant une large participation des employés à l'élaboration, à l'implantation et à l'administration des régimes de rémunération au rendement ; ce mode de fonctionnement procure aux employés une compréhension claire du système. Cette méthode leur fournit également la possibilité d'en appeler des décisions concernant la rémunération et offre, autant que possible, des récompenses pour le rendement au travail dans un délai relativement court. Parmi les questions d'actualité qui touchent la gestion de la rémunération figurent la confidentialité des salaires, la satisfaction des employés à l'égard de leurs salaires, et la possibilité d'instaurer le salariat pour l'ensemble de la main-d'œuvre.

Questions de révision et d'analyse

1. *Expliquez les raisons de l'existence d'un lien étroit entre l'analyse des tâches et la rémunération.*

2. *Que signifie le concept d'égalité de rémunération pour fonctions équivalentes et en quoi est-il relié à la rémunération ?*

3. *Quelles sont les principales composantes de la rémunération ?*

4. *Comparez en termes de similitudes et de différences deux méthodes d'évaluation des emplois.*

5. *Quels facteurs contribuent à la satisfaction des employés à l'égard de leur salaire ?*

6. *Quelles sont les conditions nécessaires à l'implantation efficace d'un régime de rémunération au rendement ? Dans quel contexte un régime incitatif de groupe est-il plus approprié qu'un régime incitatif individuel ?*

7. *Décrivez un régime de rémunération au rendement dont vous avez déjà fait l'expérience. Ce régime fonctionnait-il ? Sinon, pourquoi ?*

8. *Décrivez le processus d'équité salariale.*

9. *Quels sont les comparateurs qui permettent de déterminer les salaires ?*

10. *Quelles sont les étapes du processus d'évaluation des emplois ?*

ÉTUDE DE CAS
Double déception en une seule réunion

« Que les lundis matin sont ennuyeux », se dit Mario Hamel en se rendant à la réunion mensuelle des superviseurs. Mario est en retard ce matin, car il a fait un arrêt à la banque pour solliciter un prêt en vue d'acquérir une nouvelle automobile qu'il compte offrir à sa femme. Mario occupe depuis les 15 dernières années un poste de superviseur à la papeterie Papelart, située près de Sherbrooke. En se rendant à sa place pour la réunion, Mario prend une copie de l'ordre du jour et y jette rapidement un coup d'œil. À première vue, il n'y trouve rien d'inhabituel : point 1- discussion sur l'amélioration de la productivité ; point 2- production et planification ; point 3- concurrence internationale ; point 4- prime annuelle. Mario a hâte d'en apprendre davantage sur ces primes annuelles. Il a déjà planifié depuis quelque temps l'utilisation de cette rémunération supplémentaire ; il a prévu d'affecter cette somme au remplacement de la vieille Chevrolet de sa femme. Cela fait des années que le couple poursuit ce projet, mais les dépenses imprévues ont toujours empêché sa réalisation. Cette fois, se dit Mario, c'est le moment d'offrir ce cadeau à ma femme. Son anniversaire approche, et ce serait pour elle la surprise idéale.

À son grand étonnement, il constate que la réunion a débuté par le point 4. Des rumeurs, qui circulaient depuis quelque temps dans l'entreprise, voulaient que les primes annuelles ne soient pas accordées cette année. Mario pense que la présence de Marie Vanier, vice-présidente des ressources humaines, devrait mettre un terme à cette rumeur. Bien que la prime annuelle ait toujours varié d'une année à l'autre, l'organisation l'a toujours versée bon an mal an, et elle est devenue partie intégrante du régime de rémunération des employés. Mario remarque que le ton de la discussion autour de la table s'échauffe. « Il n'est pas question que des employés de la même équipe que nous obtiennent un salaire supérieur au nôtre », affirme Benoît Caron, un collègue que Mario respecte beaucoup. Il lui faut encore quelques minutes de plus pour recevoir un double choc : pour la première fois de l'histoire de l'entreprise, les salaires de tout le personnel de supervision seront bloqués et il n'y aura pas de prime annuelle cette année. Comme le souligne Benoît, cette décision de la direction signifie que la majorité des superviseurs obtiendront une rémunération moindre que celle de leurs subordonnés.

« Vous avez absolument raison », s'exclame Bertrand Sarrasin, de l'autre bout de la table. « De nos jours, il vaut mieux être un travailleur syndiqué dans cette entreprise qu'un gestionnaire. Au moins, en tant que travailleur, on est payé pour les heures supplémentaires effectuées et on peut faire plus d'argent », ajoute-t-il mécontent. La vice-présidente aux ressources humaines, Marie Vanier, réplique : « Messieurs, vous savez que cette entreprise vous a toujours traités de façon juste. Nous faisons en sorte de maintenir une différence raisonnable entre votre salaire et celui de vos subordonnés. Cette année, malheureusement, les profits ont beaucoup diminué et l'organisation a décidé de bloquer les augmentations de salaires pour ses employés non admissibles, et ce, à tous les niveaux de l'entreprise, y compris moi-même et le président. Naturellement, en cette période difficile, nous ne pouvons pas vous offrir la prime annuelle habituelle. Vous savez que dans le passé, lorsque l'entreprise enregistrait des profits, nous avons su être généreux. En ce qui concerne vos employés, nous sommes vraiment coincés. La convention collective signée l'an dernier prévoit un rajustement de vie chère et une augmentation supplémentaire de 5 % pour la plupart des postes. Il est également vrai que la convention collective assure la rémunération du temps supplémentaire à 1,5 fois le taux normal. Mais cette situation est temporaire, et je suis certaine que la situation sera corrigée dans l'avenir. »

Vincent Renaud, un employé récemment promu au poste de superviseur, ajoute : « Vous savez, mes subordonnés se moquent constamment de moi. Ils ont de bonnes raisons de croire qu'il n'existe aucune motivation à devenir contremaître dans cette entreprise. Nous assumons davantage de responsabilités et d'heures de travail que les autres employés, et notre salaire final est maintenant inférieur au leur. Et voilà, nous perdons en plus notre prime annuelle. Je trouve cela très décourageant ».

La réunion se termine sans qu'une solution particulière ne soit apportée. Tout le monde en ressort profondément frustré. Mario songe à la façon dont il devra annoncer la nouvelle à sa femme. Il pense également aux démarches qu'il devrait entreprendre pour annuler le prêt qu'il avait déjà sollicité pour l'automobile. En ce qui concerne le travail, il est finalement entendu qu'on demandera au président d'assister à la prochaine réunion de groupe et Marie se charge de préparer un résumé de la situation.

Questions

Assumant le rôle de Marie Vanier, la vice-présidente aux ressources humaines :

1. Quels sont les principaux problèmes que vous avez décelés ?

2. Quelles suggestions pourriez-vous faire pour corriger cette situation ?

Assumant le rôle de Mario Hamel, le superviseur :

3. Quelle erreur de compréhension avez-vous faite ? Pourquoi ?

4. Que direz-vous à vos subordonnés qui aspirent à devenir superviseurs ?

NOTES ET RÉFÉRENCES

1 M.-T. Chicha, *L'Équité salariale - mise en œuvre et enjeu*, Montréal, Éditions Yvon Blais, 1997 ; B. Sire, *Gestion stratégique des rémunérations*, Paris, Éd. Liaisons, 1993.

2 R. Thériault et S. St-Onge, *Gestion de la rémunération, théorie et pratique*, Montréal, Ed. Gaëtan Morin, 2000.

3 H. W. Risher, « Strategic Salary Planning », *Compensation and Benefits Review*, vol. 25, n° 1, 1993, p. 46-50.

4 L. R. Gomez-Mejia, « Executive Compensation : A Reassessment and a Future Research Agenda », *Research in Personnel and Human Resource Management*, vol. 123,

1994, p. 161-222 ; L. R. Gomez-Mejia, « Structure and Process of Diversification, Compensation Strategy and Firm Performance », *Strategic Management Journal*, vol. 13, 1992, p. 381-397.

5 M. Bloom, « The Performance Effects of Pay Dispersion on Individuals and Organizations », *Academy of Management Journal*, vol. 42, 1999, p. 25-40.

6 Institut de la statistique du Québec, *Rémunérations des salariés : État et évolution comparés*, Québec, Coll. Le travail et la rémunération, 1999.

7   K. Davis Jr. et W. Sauser Jr., « A Comparison of Factor Weighting Methods in Job Evaluation : Implications for Compensation Systems », *Public Personnel Management*, vol. 22, n° 1, 1993, p. 91-103.

8   R. Thériault et S. St-Onge, *op. cit.*

9   D. Gaucher, *L'équité salariale au Québec : révision du problème-résultats d'une enquête*, Québec, Publications du Québec, 1994.

10   M.-T. Chicha, *op. cit.*

11   M. Tremblay, « Payer pour les compétences validées : une nouvelle logique de rémunération et de développement des ressources humaines », *Gestion*, vol. 21, n° 2, juin 1996, p. 32-44 ; S. St-Onge, « Rémunération des compétences : où en sommes-nous ? », *Gestion*, vol. 23, n° 4, hiver 1998-1999, p. 24-33.

12   K. Cofsky, « Critical Keys to Competency-Based Pay », *Compensation and Benefits Review*, novembre-décembre 1993, p. 46-52 ; L. R. Gomez-Mejia et D. B. Balkin, *Compensation, Organizational Strategy, and Firm Performance*, Cincinnati, South-Western Publishing, 1992, chapitre 2.

13   Institut de la statistique du Québec, *op. cit.*

14   Pour un exposé sur la validité des systèmes d'évaluation des emplois, voir : T. A. Mahoney, « Compensating for Work », dans K. M. Rowland et G. R. Ferris (dir.), *Personnel Management*, Boston, Allyn and Bacon, 1982, p. 257-258.

15   G. T. Milkovich et J. M. Newman, *Compensation*, 4ᵉ éd., Homewood (IL), BPI-Irwin, 1999.

16   S. Johnson, « Work Teams : What's Ahead in Work Design and Rewards Mangement », *Compensation and Benefits Review*, mars-avril 1993, p. 35-41 ; A. M. Saunier et E. J. Hawk, « Realizing the Potential of Teams Through Team-Based Rewards », *Compensation and Benefits Review*, vol. 26, n° 4, 1994, p. 24-33.

17   CESO (Commission de l'équité salariale de l'Ontario), *Bulletin n° 2*, vol. 7, octobre 1995, p. 4-5.

18   Cette section du chapitre est largement inspirée de M.-T. Chicha, *op. cit.*, et de M.-T. Chicha, « Le Programme d'équité salariale : une démarche complexe à plusieurs volets », *Gestion*, vol. 23, printemps 1998, p. 23-33.

19   CESO, *op. cit.*

20   M. Merino-Beaudoin, « L'équité salariale : Absence de moyens ou de volonté ? », *Recto Verso*, n° 274, septembre-octobre 1998, p. 48-49.

21   M.-T. Chicha, *L'Équité salariale - mise en œuvre et enjeu*, Montréal, Éditions Yvon Blais, 1997.

22   CESO (Commission de l'équité salariale de l'Ontario), « Comparaison non sexiste des emplois », *Directives de mises en œuvre révisées*, n° 9, 1994.

23   M.-T. Chicha, « Le Programme d'équité salariale : une démarche complexe à plusieurs volets », *Gestion*, vol. 23, printemps 1998, p. 23-33.

24   R. Thériault et S. St-Onge, *op. cit.*

25   M.-T. Chicha, *L'Équité salariale - mise en œuvre et enjeu*, Montréal, Éditions Yvon Blais, 1997.

26   M.-T. Chicha, *L'Équité salariale - mise en œuvre et enjeu*, Montréal, Éditions Yvon Blais, 1997.

27   M.-T. Chicha, *L'Équité salariale - mise en œuvre et enjeu*, Montréal, Éditions Yvon Blais, 1997.

28   M.-T. Chicha, E. Déon et H. Lee-Gosselin, *Une loi proactive sur l'équité salariale*. Rapport et recommandations à la ministre responsable de la Condition féminine, Gouvernement du Québec, 1995, cité dans M.-T. Chicha, « Le Programme d'équité salariale : une démarche complexe à plusieurs volets », *Gestion*, vol. 23, printemps 1998, p. 23-33.

29   M.-T. Chicha, « Le Programme d'équité salariale : une démarche complexe à plusieurs volets », *Gestion*, vol. 23, printemps 1998, p. 23-33.

30   M. Merino-Beaudoin, « L'équité salariale : Absence de moyens ou de volonté ? », *op. cit.*

31   M. Merino-Beaudoin, « L'équité salariale : Absence de moyens ou de volonté ? », *op. cit.*

32   K. Cofsky, *op. cit.*

33   S. E. Gross et J. P. Bacher, « The New Variable Pay Programs : How Some Succeed, Why Some Don't », *Compensation and Benefits Review*, vol. 25, n° 1, 1993, p. 51.

34   D. Nightingale, « Profit Sharing : New Nectar for the Worker Bees », *The Canadian Business Review*, printemps 1984, p. 11-14.

35   J. Domat-Connell, « Labor Market Definition and Salary Survey Selection : A New Look at the Foundation of Compensation Program Design », *Compensation and Benefits Review*, mars-avril 1994, p. 38-46.

36   « Compensating Field Representatives », *Studies in Personnel*, Policy 2s02, New York, National Industrial Conference Board, 1966.

37   W. Carr, « Communicating With ESP – Current Matters / New Ideas », *Human Resources Management in Canada*, 1985, p. 5 et 342.

38   R. Thériault et S. St-Onge, *op. cit.*

39   J. M. Newman et D. Fischer, « Strategic Impact Merit Pay », *Compensation and Benefits Review*, vol. 24, n° 4, 1992, p. 38.

40   G. Bassett, « Merit Pay Increases Are a Mistake », *Compensation and Benefits Review*, vol. 26, n° 2, 1994, p. 20-25.

41   L. K. Ross, « Sharing the Pain Rather than the Gain : Can Profit Sharing Plans Motivate Staff to Achieve Corporate Goals When Pay-Outs Are Shrinking », *Canadian HR Reporter*, vol. 6, n° 1, 1992, p. 8-9.

42   Voir W. Lilley, « A compensation Special : More money », *Canadian Business*, avril 1985, p. 48-57 ; et, à propos de la participation aux bénéfices au Canada, voir : D. Nightingale, « Profit Sharing : New Nectar for the Worker Bees », *The Canadian Business Review*, vol. 2, n° 1, 1984, p. 11-14. Voir également D. Beck, « Implementing a Gainsharing Plan : What Companies Need to Know », *Compensation and Benefits Review*, vol. 24, no 1, 1992, p. 23.

43   R. J. Long, « The Incidence and Nature of Employee Profit Sharing and Share Ownership in Canada » *Relations Industrielles*, vol. 47, n° 3, 1992, p. 463-488 ; R. J. Long, « Motives for Profit Sharing, a Study of Canadian Chief Executive Officers », *Relations industrielles*, vol. 52, n° 4, 1997, p. 712-733.

44   S. St-Onge, « L'efficacité des régimes de participation aux bénéfices : une question de foi, de volonté et de moyens », *Gestion*, février 1994, p. 22-31

45   S. Renaud, « Unions, Wages and Total Compensation in Canada : An Empirical Study », *Relations industrielles*, vol. 53, n° 4, 1998, p. 710-729 ; R. Thériault et S. St-Onge, *op. cit.*

46   S. St-Onge, M. Magnan, S. Raymond et L. Thorne, « Les options d'achat d'actions : Qu'en pensent les dirigeants ? », *Gestion*, vol. 24, n° 2, été 1999, p. 42-53 ; S. St-Onge, M. Magnan, S. Raymond. et L. Thorne, « L'efficacité des régimes d'option d'achat d'actions : qu'en sait-on ? » *Gestion*, vol. 21, n° 2, juin 1996, p. 20-31.

47   S. St-Onge, M. Magnan, S. Raymond et L. Thorne, « Les options d'achat d'actions : Qu'en pensent les dirigeants ? », *Gestion*, vol. 24, n° 2, été 1999, p. 42-53 ; S. St-Onge, M. Magnan, S. Raymond. et L. Thorne, « L'efficacité des régimes d'option d'achat d'actions : qu'en sait-on ? » *Gestion*, vol. 21, n° 2, juin 1996, p. 20-31.

48   G.T. Milkovich et J. M. Newman, *op. cit*

49   R. J. Long, *Compensaton in Canada : Strategy, Practice and Issues*, Toronto, Nelson, 1998.

50   G. T. Milkovich et J. M. Newman, *op. cit.*

51   A. Laplante, « Abolishing Pay Secrecy : An Inexpensive Way to Gain Employee Satisfaction and Increase Motivation », (Document non publié préparé pour un cours en gestion des ressources humaines), Montréal, Université McGill, novembre 1988.

52   W. J. Kearney, « Pay for Performance ? Not Always », *MSU Business Topics*, printemps 1979, p. 6, reproduit avec l'autorisation de l'éditeur, Division of Research, Graduate School of Business Administration, Université d'État du Michigan.

Lectures supplémentaires

- G. Ferland, « Modes de rémunération et structures de salaire au Québec (1980-1992) », *Relations industrielles*, vol. 51, nᵒ 1, 1996, p. 120-135.

- Gaucher, *L'équité salariale au Québec : révision du problème- résultats d'une enquête*, Québec, Publications du Québec, 1994.

- D. Lamaute et B. Turgeon, *De la Supervision à la gestion des ressources humaines*, Montréal, Chenelière/McGrwa-Hill, 1999, p. 262.

- F. Mayer, « Les effets de la mobilité temps complet-temps partiel sur la rémunération future », *Relations industrielles*, vol. 53, nᵒ 4, 1998, p. 691-709.

- G. T. Milkovich et J. Stevens, « De la paie à la rémunération : 100 ans de changements », *Effectif*, avril-mai 2000, p. 48-56.

- M. Quinty, « Votre salaire en l'an 2000 », *Affaires plus*, novembre 1999, p. 29-30.

- I. Kerry, « Compensation Planning Outlook 1996 », *Conference Board of Canada*, Ottawa, 1996.

- N. B. Carlyle, « Compensation of Boards of Directors », *Conference Board of Canada*, Ottawa, 1997.

- N. B. Carlyle et S. Payette, « Compensation Planning Outlook 1998 », *Conference Board of Canada*, Ottawa, octobre 1997.

- K. C. O'Shaugnessy, « The Structure of White-Collar Compensation and Organizational Performance », *Relations industrielles*, vol. 53, nᵒ 3, 1998, p. 459-485.

- D. E. Tyson, *Profit Sharing in Canada : The Complete Guide to Designing and Implementing Plans That Really Work*, New York, Wiley, 1997.

- W. White et R. Fife, « New Challenges for Executive Compensation in the 1990s », *Compensation and Benefits Review*, janvier-février 1993, p. 27-35.

- G. Flynn, « Pizza as Pay ? Compensation Gets too Creative », *Workforce*, août 1998, p. 91-96.

- B. Murray et B. Gerhart, « An Empirical analysis of A Skill- Based Pay Program and Plan Performance Outcomes », *Academy of Management Journal*, vol. 41, 1998, p. 68-78.

- J. S. Kane et K. A. Freeman, « A Theory of Equitable Performance Standards », *Journal of Management*, vol. 23, nᵒ 1, 1997, p. 37-58.

- C. M. Solomon, « Using Cash Drives Strategic Change », *Workforce*, février 1998, p. 77-81.

- R. J. Green, « Effective Variable Compensation Plans », *ACA Journal*, printemps 1997, p. 32-39.

CHAPITRE

La rémunération indirecte

La rémunération indirecte représente une portion significative de la rémunération globale. En moyenne, la rémunération indirecte représente de 30 % à 40 % de la rémunération globale. Elle comprend l'ensemble des avantages sociaux, le temps chômé, les avantages complémentaires et les conditions de travail qu'un employeur peut offrir à ses employés.

I La rémunération indirecte

Les employés manifestent beaucoup d'intérêt pour la rémunération indirecte. Elle est ainsi un élément majeur de la gestion des ressources humaines puisqu'elle vise à augmenter la satisfaction des employés à l'égard de leurs conditions de travail, à gagner leur loyauté vis-à-vis de l'organisation, à réduire le roulement du personnel et à améliorer l'image de l'entreprise.

Dans certaines entreprises, on utilise parfois les termes « avantages sociaux » ou « avantages accessoires » pour désigner la rémunération indirecte. De façon plus formelle, la rémunération indirecte peut être divisée en trois catégories[1] :
- les régimes publics et privés de sécurité du revenu ;
- les absences et congés rémunérés ;
- les services et privilèges offerts aux individus.

Consultez Internet

http://www.benefitscanada.com

Site de la revue en ligne de Benefits Canada.

Informations sur les régimes de pension et de santé.

Résultats d'enquêtes sur la rémunération.

Les avantages sociaux comprennent les régimes privés et publics de retraite et les assurances qui visent à protéger les employés contre les différents aléas de la vie : maladie, invalidité, mortalité, etc. Certains de ces avantages sociaux sont obligatoires en vertu des lois fédérales et provinciales et doivent donc être gérés dans ce cadre, et d'autres sont instaurés à l'initiative des entreprises.

Le temps chômé comprend les jours de vacances et de congés que les employeurs offrent à leurs employés, conformément aux exigences de la Loi sur les normes du travail ; mais les entreprises peuvent choisir de dépasser ces exigences.

Les services et les privilèges octroyés aux employés comprennent les gratifications ou le remboursement de certaines dépenses comme l'automobile, les frais de représentations, les frais de scolarité, les programmes d'aide aux employés, etc.[2].

L'IMPORTANCE DE LA RÉMUNÉRATION INDIRECTE

Comme nous l'avons vu au chapitre précédent, la rémunération indirecte fait partie de la rémunération globale et elle partage donc plusieurs buts avec cette dernière. Plus spécifiquement, certains aspects, examinés dans l'encadré 12.1, doivent être considérés lors de l'élaboration du programme de rémunération indirecte puisqu'ils peuvent avoir une incidence sur l'attrait et la rétention du personnel et affectent le contrôle des coûts. Le fait d'utiliser la rémunération indirecte comme élément motivateur est une méthode plutôt récente.

Du point de vue de l'employeur, l'importance première des avantages sociaux réside précisément dans leur capacité à réduire les facteurs de stress environnementaux

ENCADRÉ 12.1 Aspects à considérer lors de l'implantation de programmes de rémunération indirecte

Attrait	L'attrait comporte deux conditions. Premièrement, les avantages sociaux doivent correspondre aux besoins des employés. Deuxièmement, les avantages sociaux doivent avoir pour effet de convaincre les employés que l'entreprise est un lieu de travail intéressant.
Rétention	Les avantages sociaux ainsi que les privilèges devraient constituer un moyen de retenir les employés que l'on désire garder au sein de l'entreprise. Les employés qui sont satisfaits dans une organisation sont moins enclins à considérer l'option de la quitter. Certains avantages sociaux stimulent la production et le dévouement à l'entreprise.
Contrôle des coûts	Le contrôle des coûts est un facteur très important étant donné que les avantages sociaux sont coûteux pour l'entreprise. Le niveau de productivité de l'entreprise doit justifier les coûts des avantages sociaux ; une évaluation de l'ensemble de la rémunération indirecte s'avère donc nécessaire.

susceptibles d'influer sur le rendement des employés. Les employeurs jouissent d'une exemption d'impôts pour un bon nombre de ces avantages sociaux, ce qui les stimule encore plus à inclure de tels incitatifs dans le régime de rémunération globale.

Cependant, pour que la rémunération indirecte atteigne les résultats escomptés, elle doit être soigneusement planifiée en fonction des besoins prioritaires des employés. Une bonne façon de connaître les besoins des employés est de procéder à un sondage contenant plusieurs questions concernant les avantages sociaux. Le sondage devra répondre à deux questions importantes :
- Quels avantages sociaux considérez-vous comme les plus importants ? Pourquoi ?
- Comment pourrions-nous améliorer le régime de rémunération indirecte afin de mieux répondre à vos besoins ?

Il est important de noter que la rémunération indirecte représente souvent, pour les employés, une condition de travail parmi d'autres, plutôt qu'une récompense. Les employés perçoivent les avantages sociaux comme des mesures de sécurité assumées par les organisations en vertu de la responsabilité sociale qui leur incombe : « Les employés ont une vision de plus en plus étendue de ce qui doit faire partie de leurs droits et de leurs conditions d'emploi[3]. » La difficulté de gérer la rémunération indirecte réside dans la capacité de l'employeur d'offrir, d'une part, des régimes intéressants qui soient adaptés aux besoins des employés et, d'autre part, des régimes assez intéressants et compétitifs pour attirer et conserver les employés compétents.

LES COÛTS DE LA RÉMUNÉRATION INDIRECTE

Les avantages sociaux sont évidemment coûteux, mais les employeurs sont obligés de respecter les lois concernant l'assurance-emploi, la rémunération des travailleurs et les régimes de pensions du Québec et du Canada. Le coût annuel des avantages sociaux par employé est présenté dans l'encadré 12.2. Ce tableau prend pour exemple un employé qui travaille en Ontario dans le secteur manufacturier, qui a une femme et des enfants, et qui gagne 40 000 $ par année.

ENCADRÉ 12.2 Coût annuel des avantages sociaux par employé

AVANTAGES SOCIAUX	Coût ($)
Avantages obligatoires en vertu de la loi (pension, assurance-chômage, assurance-maladie en Ontario)	4 900
Assurances médicale et dentaire	800
Régime de retraite	2 700
Vacances et congés fériés	3 800
Avantages divers (assurance-vie collective, assurance-accident, indemnité hebdomadaire, invalidité prolongée, programme d'aide aux employés, repas, stationnement, etc.)	2 800
TOTAL	**15 000**

En raison, entre autres, du vieillissement de la population, les coûts relatifs aux soins médicaux ont augmenté de 10 % à 15 % chaque année au cours de la dernière décennie ; certaines compagnies offrant des régimes d'assurances ont réagi en augmentant les franchises et en resserrant certaines clauses des régimes. D'autres, afin de continuer à offrir des régimes d'assurances avantageux, ont dû recourir à l'élaboration de régimes dont les coûts sont partagés entre l'employeur et les employés. De plus, l'employeur devrait informer les employés du rôle véritable que joue le régime d'assurance collective de l'organisation. De telles approches proactives aident à maîtriser les coûts des soins de santé dans un contexte où le système des soins médicaux subit des compressions qui iront croissant dans les années à venir[4].

LES LIENS ENTRE LA RÉMUNÉRATION INDIRECTE ET LES AUTRES ÉLÉMENTS DE LA GESTION DES RESSOURCES HUMAINES

Bien que les relations, décrites au chapitre 11, entre la rémunération globale et les autres activités de la gestion des ressources humaines s'appliquent également ici, il convient de faire ressortir les relations particulières que les avantages sociaux et autres privilèges offerts aux employés établissent, notamment, avec le recrutement et la sélection, la formation et le perfectionnement, ainsi que la santé et la sécurité du travail.

Le recrutement et la sélection. Puisque la rémunération indirecte fait l'objet de demandes accrues, les entreprises doivent en offrir davantage pour attirer des candidats qualifiés. L'entreprise qui n'offre pas des avantages sociaux comparables à ceux offerts par d'autres employeurs du même secteur d'activité ou de la même région risque de perdre des personnes qualifiées au bénéfice de ses concurrents.

Les avantages sociaux exercent un effet d'attrait ou de rétention notamment sur les cadres et les professionnels. Il n'est donc pas surprenant que, dans les annonces classées rédigées à l'intention des cadres et des professionnels, l'employeur offre des conditions d'emploi que les autres employés ne peuvent habituellement obtenir, notamment des régimes d'assurances dentaire et médicale avantageux, un salaire concurrentiel, un régime de primes, un emplacement intéressant du bureau, une atmosphère de travail agréable et l'attribution de diverses tâches stimulantes. L'encadré 12.3 donne un exemple représentatif de ce genre d'annonce classée.

ENCADRÉ 12.3 Annonce type de recrutement comportant des avantages sociaux spécifiques

Directeur adjoint à la comptabilité

Notre entreprise, Stora Forest ltée, est à la recherche de candidats diplômés en comptabilité pour combler le poste de directeur adjoint de son service de comptabilité.

Les candidats doivent posséder une expérience pertinente dans les domaines de la vérification des coûts, des ventes, de la comptabilité générale et salariale, et avoir des connaissances spécialisées concernant les taxes de vente et l'import-export.

Un minimum de cinq années d'expérience à titre de superviseur dans une industrie des pâtes et papiers ou dans une industrie similaire, de même qu'une connaissance des systèmes informatisés les plus complexes, sont souhaitables pour occuper ce poste.

Nous offrons la gamme habituelle des avantages sociaux courants dans l'industrie des pâtes et papiers, y compris un régime de retraite contributif, une assurance-vie collective totalement défrayée par l'entreprise, des assurances médicale et dentaire, ainsi qu'une assurance-invalidité à court et à long terme. Une indemnité de déménagement est également offerte.

Si vous croyez posséder toutes les qualifications requises, faites parvenir votre curriculum vitæ à l'adresse suivante:

S. H. (Sam) Wilson
Contrôleur et directeur de la comptabilité
Stora Forest ltée
B. P. 59
Port Hawkesbury, Nouvelle-Écosse
B0E 2V0

Source: Stora Forest ltée. Traduction et reproduction autorisées.

Pourquoi énumère-t-on ainsi les avantages sociaux dans une annonce classée? Prenons le cas des régimes médical et dentaire. Le coût des soins dentaires augmente annuellement selon le Guide canadien des honoraires dentaires. Le régime gouvernemental d'assurance dentaire ne couvre que les enfants âgés de moins de 12 ans. Seules les assurances personnelles peuvent couvrir les personnes au-delà de cet âge. Par ailleurs, les coûts des soins de santé augmentent chaque année. Le régime d'assurance-maladie au Canada procure une certaine protection au-delà de laquelle les coûts doivent être assumés par le bénéficiaire. Là encore, les assurances personnelles et familiales doivent combler les lacunes du régime. Par conséquent, le fait de bénéficier de régimes variés d'assurances financés en partie par la contribution de l'employeur est grandement appréciable.

Le développement des compétences. En cette période de changements constants, les employés préfèrent travailler pour des entreprises qui les incitent à poursuivre leur formation. En effet, l'acquisition continue de connaissances permet aux employés de planifier une carrière à l'intérieur même de l'entreprise; elle leur procure également une certaine mobilité et des perspectives d'emploi en cas de mises à pied. Le début des années 1990 a été caractérisé par de nombreuses pertes d'emplois dans tous les secteurs, et les employés spécialisés ont réussi à réintégrer plus rapidement le marché du travail que les employés non qualifiés. Même si les employeurs considèrent la formation continue comme une nécessité et non comme un avantage social, ils perçoivent souvent les programmes de formation comme une rémunération indirecte.

La santé et la sécurité au travail. Les problèmes de santé et de sécurité liés au travail augmentent sans cesse dans les entreprises, et le taux d'indemnisation augmente en conséquence. Pour les entreprises, ce phénomène a pour effet d'accroître le coût de la rémunération indirecte. Et même si ce coût comme tel n'augmentait pas, les poursuites en dommages et intérêts contre l'employeur entraînent une augmentation effective de la rémunération globale.

II Les régimes publics d'avantages et de sécurité du revenu

Les régimes que nous examinerons dans cette section sont offerts par les organismes publics et sont imposés par la loi. Ces régimes offrent des prestations en cas de maladie, d'invalidité ou de décès et vont jusqu'à garantir un revenu à la retraite.

Consultez Internet

http://www.rrq.gouv.qc.ca
Site du régime des rentes du Québec. Informations sur les régimes de rentes, les régimes privés de retraite, et les régimes d'invalidité, de retraite et de décès.

LES SOINS HOSPITALIERS ET MÉDICAUX

Au Canada, ce sont les provinces qui légifèrent en matière de santé. Chaque province offre son propre système d'assurance-maladie et décide des modalités de financement avec l'aide du gouvernement fédéral. Le Québec finance son régime de santé à l'aide des cotisations des employeurs et des résidants. Bien que les régimes varient d'une province à l'autre, ils couvrent tous les soins infirmiers dispensés aux patients, l'utilisation d'une salle d'opération, les examens de laboratoire, les médicaments et les soins en consultation externe. Plusieurs provinces ont étendu la portée de leur régime d'assurance-maladie pour y ajouter des protections complémentaires applicables selon certaines modalités[5]. Parmi ces protections complémentaires, on compte les soins dentaires aux enfants, les examens annuels de la vue et les médicaments sur ordonnance aux personnes de 65 ans et plus et aux prestataires de l'aide sociale. Mentionnons que depuis 1997, tous les résidants du Québec sont couverts par un régime universel d'assurance-médicaments. Ils sont ainsi obligés de souscrire soit à un régime collectif privé soit au régime public offert par la Régie de l'assurance-maladie du Québec[6].

Consultez Internet

www.ramq.gouv.qc.ca/cit/assmed/cotis.htm
Site présentant les renseignements sur le régime d'assurance-médicaments du Québec.

LA PROTECTION DU REVENU RELIÉE À L'INVALIDITÉ

Consultez Internet

http://www.hrdc-drhc.gc.ca/isp/cpp/cpplcqax.shtml
Site sur les modifications apportées au régime de pensions du Canada.

Le régime de pensions du Canada et le régime des rentes du Québec sont financés à parts égales par les employeurs et les employés. Les cotisations sont déductibles pour les employeurs et les prestations sont imposables pour les employés.

LES RÉGIMES DE RETRAITE

Ce sont les régimes de pensions du Canada et le Régime de rentes du Québec qui assurent le revenu des personnes à la retraite. Tous deux sont des régimes obligatoires auxquels les employés cotisent tout au long de leur carrière et auxquels contribuent également les employeurs. Les cotisations des employés et employeurs s'élèvent à 6,4 % des gains assurables et pourront augmenter jusqu'à 9,9 % en l'an 2003 pour ensuite se maintenir à ce niveau. Les personnes sont admissibles à ces régimes à partir de 65 ans. La rente mensuelle est indexée à chaque année. Les employés y ont droit avant 65 ans avec une réduction de 6 % par année. Par contre, la rente est augmentée de 6 % par année si l'employé décide de la retirer après 65 ans.

Le 5 juin 1997, la Loi sur les régimes complémentaires de retraite a été modifiée favorisant la retraite progressive et la retraite anticipée. Ces mesures s'appliquent à tous les travailleurs du Québec qui participent à un régime de retraite régi par cette loi. Les dispositions permettent aux employés entre 55 et 69 ans, qui s'entendent avec leur employeur pour réduire leur temps de travail, de demander une compensation financière du régime complémentaire de retraite.

L'ASSURANCE-EMPLOI

Consultez Internet

www.hrdc-drhc.gc.ca/common/news/insur/
Site présentant des renseignements sur la cotisation de l'assurance-emploi pour les employés et les employeurs et sur l'admissibilité à l'assurance-emploi.

Cette assurance est financée à l'aide des cotisations des employés et des employeurs, cotisations déductibles d'impôts. L'assurance-emploi prévoit un remplacement du revenu des particuliers entre deux emplois, selon certaines conditions. Cette assurance couvre également les cas d'invalidité.

LES INDEMNITÉS D'ACCIDENTS DU TRAVAIL

Toutes les provinces canadiennes disposent de lois sur les accidents de travail. Des systèmes d'indemnisation sont prévus pour remplacer le revenu de la personne victime d'un accident de travail, et ce, sans égard à sa responsabilité dans l'accident. Au Québec, le système d'indemnisation est financé par les contributions exclusives des employeurs qui sont déductibles de leur revenu et qui sont versées à la Commission de la santé et sécurité du travail.

LES AUTRES RÉGIMES DE SÉCURITÉ DU REVENU

Consultez Internet

www.gouv.qc.ca
Site du gouvernement du Québec.
www.canada.gc.ca
Site du gouvernement du Canada.

Plusieurs autres régimes ont pour vocation de suppléer les revenus perdus des employés. Nous nous contenterons ici de les énumérer puisqu'il est possible d'obtenir plus d'information à ce sujet sur les sites Internet des gouvernements fédéral et provincial. Parmi ces régimes, nous comptons l'aide sociale, financée par les impôts des contribuables, qui peut

pallier la différence entre les besoins d'une famille et ses revenus, l'assurance-automobile, financée par la Régie de l'assurance automobile du Québec, qui remplace jusqu'à 90 % du revenu des personnes accidentées.

III Les avantages sociaux offerts par les employeurs

Les employeurs offrent aux employés des régimes qui ont pour objectif de compléter les régimes publics auxquels les employés ont droit ou de leur octroyer des avantages sociaux auxquels l'État ne prévoit aucune contribution. Nous les examinerons brièvement.

Consultez Internet

http://ww.us.kmpg..com/compben

Site présentant les analyses des avantages sociaux de la firme KPMG Peat Marwick.

LES SOINS DE SANTÉ

Les employeurs peuvent choisir de mettre à la disposition de leurs employés un régime d'assurance-maladie complémentaire. Même si tous les citoyens canadiens sont protégés par les régimes provinciaux d'assurance-maladie (pour les soins hospitaliers et les services médicaux requis), les régimes complémentaires octroient une couverture pour les services exclus de ces régimes, tels que l'accès à une chambre privée ou semi-privée dans un hôpital, le transport par ambulance, les services de réadaptation professionnelle en cas de longue convalescence, et d'autres services connexes. Les employeurs offrent à leurs employés, par le biais d'une assurance collective, une protection plus large en ce qui a trait aux soins de santé. Depuis quelques années on assiste à une gamme plus étendue de services admissibles, dont les soins dentaires, les soins optiques et les médicaments sur ordonnance. Le remboursement se fait généralement sur présentation de pièces justificatives et d'une demande d'indemnisation à la compagnie d'assurance. Un montant correspondant à la franchise est généralement déduit du remboursement.

> **Dans les faits**
>
> La compagnie CP offre à ses administrateurs, à ses directeurs et à ses spécialistes certains avantages et services particuliers, en plus de ceux qu'elle offre à l'ensemble de ses employés. Ces principaux suppléments sont : une assurance médicale élargie, une assurance dentaire entièrement payée par l'entreprise jusqu'à un montant maximal de 8 000 $ par année, une assurance-salaire en cas de maladie ou d'accident à court terme et d'invalidité à long terme, un régime de retraite régulier et des prestations aux survivants incluant une assurance-vie, une assurance-accident personnelle et un régime d'épargne.

LES RÉGIMES D'ASSURANCE-VIE ET DE PRESTATIONS D'INVALIDITÉ

L'assurance-vie vise à assurer une sécurité financière aux conjoints et aux enfants de la personne décédée. L'assurance-vie temporaire et renouvelable pour une durée d'un an est la formule la plus répandue. Il faut cependant mentionner que l'assurance-vie collective revêt plusieurs modalités. La plupart des employeurs offrent également une protection du revenu en cas d'invalidité causée par la maladie ou par un accident qui est ou n'est pas relié au travail. Les assurances peuvent cependant varier et couvrir seulement certains types d'invalidité (par exemple, elles peuvent couvrir seulement les invalidités à long terme ou celles qui sont complètes, etc). Alors que les régimes d'assurance-maladie couvrent généralement les courtes absences du travail pour cause de maladie, un régime d'assurance-invalidité couvre les absences du travail occasionnées par une incapacité temporaire. Les absences de longue durée sont couvertes par des régimes d'assurance-maladie ou d'assurance-invalidité prolongée. La protection à court terme contre l'invalidité est offerte par un plus grand nombre

Le journal *The Gazette* est le plus grand quotidien anglais de Montréal et il fait partie du groupe Southam. Cette entreprise offre un large éventail d'avantages sociaux à ses employés permanents incluant : une assurance-vie collective, une assurance-invalidité à court terme et à long terme, une assurance en cas de mort accidentelle ou de perte de membres, une assurance-accident et voyage, une assurance dentaire, une assurance médicale élargie et un régime de retraite conjoint et contributif. D'autres avantages plus spécifiques incluent : l'achat d'actions de Southam à 95 % de leur valeur, des prêts sans intérêts jusqu'à 50 % du salaire de base, une aide aux études couverte à 100 % par l'entreprise et un programme d'aide aux employés.

d'entreprises que la protection de longue durée. Presque toutes les entreprises consultées possèdent un régime d'assurance-maladie à court terme. La majorité des employeurs qui instaurent des régimes d'invalidité à long terme y contribuent généreusement. Cela peut aller de 50 % à 100 % des contributions et on compte plusieurs régimes non contributifs (auxquels l'employé ne contribue pas)[7]. Il reste cependant avantageux pour l'employé de contribuer à un régime d'assurance-invalidité parce que, dans ce cas, les prestations reçues ne sont pas imposables.

LES RÉGIMES DE RETRAITE

La firme Marconi est une firme de technologie électronique de pointe, chef de file dans son domaine au Canada. Pour demeurer compétitive, elle offre à ses employés une variété d'avantages sociaux et de services. Les plus importants incluent : trois semaines de vacances après trois ans de service, une contribution de 90 % au régime de retraite (la contribution de l'employé n'étant que de 10 %) et la possibilité d'une retraite anticipée à 55 ans pour les employés qui ont au moins 10 ans de service dans l'organisation. L'entreprise offre également un régime collectif qui inclut une assurance-vie, un revenu aux survivants, une assurance-invalidité à court et à long terme, des soins médicaux et dentaires supplémentaires, une assurance en cas de mort accidentelle et de perte d'un membre, et une assurance-vie pour les personnes à charge.

Environ 40 % de tous les employés canadiens sont protégés par des régimes de retraite. La plupart des employeurs contribuent à ces régimes, principalement lorsque les employés sont syndiqués. Les employeurs peuvent opter pour un régime contributif de retraite ou pour un régime non contributif. Bien que la réglementation exige toujours que l'employeur verse des cotisations minimales, il peut être nécessaire ou souhaitable que les employés contribuent eux aussi. Les régimes de retraite contributifs sont ceux dont le fonds est alimenté à la fois par les employeurs et les employés. Les principaux avantages des régimes contributifs sont les suivants : (1) la constitution d'un fonds plus important ou la réduction du fardeau pour l'employeur ; (2) un intérêt et une sensibilisation accrus des employés à l'égard des coûts du régime ; et (3) des cotisations déductibles d'impôts. Les régimes de retraite non contributifs sont ceux qui sont financés uniquement par l'employeur et ils présentent aussi des avantages : (1) des coûts de rémunération et de comptabilité moindres ; (2) une plus grande loyauté des employés et moins d'exigences de leur part en termes de salaires ou d'avantages sociaux ; et (3) une plus grande autonomie dans la conception des régimes et la gestion des investissements.

REVUE DE PRESSE

Davantage de flexibilité dans les régimes de retraite

Pierre Théroux

La vague des régimes flexibles dans le domaine des assurances collectives pourrait dorénavant s'étendre aux régimes de retraite.

« Les employés veulent avoir plus de choix et un nombre grandissant d'employeurs songent à introduire davantage de flexibilité dans les régimes traditionnels à prestation déterminée », constate Daniel Fortin, vice-président, au Groupe-conseil Aon.

« Le récent projet de règlement du gouvernement du Québec, jumelé aux modifications déjà apportées par Revenu Canada, devrait favoriser l'implantation de régimes de retraite flexibles », soutient Danielle Éthier, actuaire chez Watson Wyatt.

En 1990, rappelons-le, la réforme fiscale des pensions adoptée par le gouvernement fédéral introduisait, entre autres, des règles relatives au facteur d'équivalence. Cependant, ces nouvelles mesures pénalisent les participants à un régime de retraite qui, dans bien des cas, se retrouvaient dans l'obligation de réduire leurs cotisations à un régime enregistré d'épargne retraite (REER).

Afin de combler cette lacune, les régimes de retraite ont fait leur apparition. Ainsi, dans le cadre de ce régime à prestation déterminée, chaque participant peut verser des cotisations optionnelles, jusqu'à un certain maximum, en vue de toucher des prestations accessoires supplémentaires, comme une indexation, des rentes anticipées ou encore une amélioration des prestations aux survivants.

De même, comme ces cotisations servent à obtenir des prestations accessoires, qui ne modifient pas le taux d'accumulation des prestations du régime, « le facteur d'équivalence du participant ainsi que ses droits de cotisation à un REER demeurent inchangés. Il peut alors verser des sommes additionnelles à l'abri de l'impôt », explique Mme Éthier.

Toutefois, pour diverses raisons qui touchent notamment les paramètres d'agrément d'un régime de retraite flexible, ces régimes n'ont guère été populaires jusqu'à présent. En effet, on en dénombre seulement une trentaine au pays, dont près de la moitié au Québec.

Par conséquent, en novembre 1996, Revenu Canada a décidé de corriger certains irritants. Il en restait cependant un de taille auquel le gouvernement du Québec vient d'apporter un élément de solution : « L'employeur doit s'engager à verser à tout participant une somme égale aux cotisations additionnelles qui ne peuvent être utilisées pour la constitution de prestations accessoires », précise le projet de règlement présenté le 7 avril dernier par le ministre de la Solidarité sociale, André Boisclair.

En effet, la réglementation fédérale actuelle stipule que si les cotisations flexibles d'un participant dépassent la valeur des prestations accessoires pouvant lui être versées au moment de la cessation d'emploi, il perd la différence au profit de la caisse de retraite.

« Ce projet de règlement permettrait alors à l'employeur de remettre les cotisations versées en trop en dehors du cadre qui réglemente le régime de retraite », commente Mme Éthier.

Autre fait saillant du projet de règlement qui vise à favoriser la mise en place des régimes de retraite flexibles au Québec : l'homogénéisation des règles. En effet, constatant que les exigences de Revenu Canada pouvaient entrer en conflit avec certaines dispositions de la *Loi sur les régimes complémentaires de retraite*, « le règlement vise donc à soustraire ces régimes à l'application des dispositions inconciliables de la loi », a indiqué le ministre.

Alors que par le passé les régimes de retraite excédentaires n'étaient offerts qu'aux cadres supérieurs, la tendance incite à proposer ces régimes à un plus grand groupe d'employés.

« Le gel des plafonds depuis 20 ans, alors que les salaires ont augmenté considérablement, fait en sorte que de plus en plus de gens atteignent maintenant les limites maximales de cotisation permises dans le cadre des régimes agréés ou enregistrés de retraite. Ces plafonds ne touchent plus uniquement que les cadres supérieurs », souligne Mme Éthier.

Les résultats obtenus par la firme dans le cadre d'une enquête sur les régimes excédentaires menée auprès de plus de 400 entreprises canadiennes montrent qu'en moyenne 26 % des employés devraient gagner en 2005 plus de 75 000 $ (niveau de salaire qui permet d'atteindre la limite de cotisation de 13 500 $), comparativement à 13 % en 1998.

Aussi, 46 % de ces entreprises proposent à leurs employés un régime excédentaire alors qu'un tiers des participants, en 1996, déclaraient avoir mis en place cet outil d'épargne-retraite non agréé afin de suppléer aux prestations d'un régime de pension agréé.

L'une des principales contraintes repose sur le non-provisionnement de ces régimes qui, en cas de faillite d'une entreprise par exemple, pose alors le problème de la sécurité des avoirs.

Or, les mécanismes jugés trop coûteux et encombrants constituent la raison principale invoquée par les entreprises à l'encontre du provisionnement des régimes excédentaires. Rappelons que la *Loi de l'impôt sur le revenu* prévoit le prélèvement temporaire de 50 % sur toutes les cotisations et sur les gains de placement réalisés. Ces sommes sont remboursées sans intérêt lors du versement des prestations.

Source : Les Affaires, *15 mai 1999*, p. 29.

Dans les faits

La retraite anticipée dans quelques entreprises canadiennes

Les employés d'Imperial Oil qui ont entre 55 et 65 ans et qui possèdent un minimum de 10 années de service se voient offrir un ensemble de dispositions relatives à la retraite, comprenant l'ajout de 7 années de service (maximum) et un paiement en argent pour combler l'écart entre les revenus de la retraite et les prestations fédérales de pension.

Chez la Metropolitan Life Insurance, les employés ayant 20 ans de service reçoivent une rémunération équivalant à une année et demie de travail (sous forme de montant forfaitaire ou de salaire continu), et on leur offre un programme de relogement gratuit. De plus, on continue de verser à l'employé son salaire durant 6 mois supplémentaires s'il n'a pas réussi à trouver un autre emploi.

Sears, quant à elle, offre 10 % du salaire en vigueur pour chaque année de service, une gamme complète d'avantages sociaux comprenant une assurance à vie couvrant 100 % des soins médicaux et dentaires.

L'Inco de Toronto offre aux employés admissibles la possibilité d'augmenter leurs prestations de pension de 12 % pour toute la durée de la retraite, à condition qu'ils renoncent à percevoir leurs prestations au cours de la première année de la retraite.

Les Canadiens reçoivent maintenant la totalité des prestations s'ils prennent leur retraite à 65 ans, et 70 % des prestations s'ils la prennent à 60 ans. Ceux qui attendent à 70 ans reçoivent 130 % des prestations normales. Revenu Canada limite les offres des employeurs par un régime enregistré de retraite fixé à 2 % du salaire annuel de l'employé (basé sur le salaire moyen des trois meilleures années, ou un maximum de 1 715 $). Ainsi, les prestations maximales de pension d'un cadre gagnant 200 000 $ par année, après 35 ans de service, seraient fixées à 60 000 $. Pour compenser la perte subie par la personne qui gagne de hauts revenus, quelques entreprises améliorent leurs conditions d'emploi par l'addition d'un ensemble d'avantages sociaux. Par exemple, étant donné le maximum prescrit par Revenu Canada, un employeur peut offrir un supplément annuel de 80 000 $ aux cadres qui gagnent 200 000 $ et qui ont travaillé pour l'entreprise pendant 35 ans. Les prestations de pension correspondraient alors à 70 % du salaire de l'employé avant la retraite.

LES RÉGIMES DE RETRAITE ANTICIPÉE

Des milliers de Canadiens ont profité des offres alléchantes des régimes de retraite anticipée. Cette tendance s'est manifestée au cours de la récession de 1981-1982 et s'est maintenue durant la première moitié des années 90[8]. Certains employeurs ont conçu des stratégies susceptibles d'encourager les employés les plus âgés et le personnel le mieux rémunéré à prendre une retraite anticipée, afin de réduire leurs coûts d'exploitation ou de créer des emplois pour les jeunes. Dans le secteur privé, les principaux chefs de file en la matière sont : l'entreprise gigantesque de produits forestiers MacMillan Blœdel Ltd. située à Vancouver (12 000 employés), la Metropolitan Life Insurance d'Ottawa (2 800 employés), la General Motors of Canada d'Oshawa (45 000 employés) et l'Imperial Oil Ltd. de Toronto (14 700 employés). Ces entreprises ont mis en place des régimes leur permettant d'épargner près de 30 % du montant qu'elles auraient dû verser en gardant au travail jusqu'à 65 ans les employés les plus âgés.

Pour rendre ces programmes plus attrayants, les entreprises ont eu recours à toute une gamme d'incitatifs. La plupart de ces programmes compensent en partie les employés plus âgés pour la portion de la pension qu'ils auraient reçue en plus s'ils avaient travaillé jusqu'à 65 ans. Certaines entreprises accordent un montant forfaitaire qui peut être converti en régime enregistré d'épargne retraite (REER). D'autres permettent aux retraités de conserver les avantages sociaux que leur offrait la compagnie tels que l'assurance-vie et l'assurance-maladie.

Cependant, l'insistance des employeurs à pousser les employés à se retirer plus tôt de la vie active pourrait influencer l'économie tout entière, et il est à prévoir que le pays ne sera peut-être plus capable d'aider financièrement sa population vieillissante. De plus, les pertes de compétences qui en résultent sont assez dramatiques et poussent les entreprises à envisager des stratégies différentes à l'égard de leur main-d'œuvre vieillissante, à savoir revoir les possibilités d'extension de la vie professionnelle ou encore opter pour des formes de retraite progressive.

Les régimes complémentaires de retraite anticipée. Un petit nombre d'organisations offrent à leurs employés une protection contre la perte de revenus avant la retraite. Les prestations complémentaires de chômage souvent appelées « régime complémentaire de retraite anticipée » s'adressent aux employés mis à pied. Lorsque ces prestations se combinent aux prestations d'assurance-chômage, les employés possédant de nombreuses années d'ancienneté acceptent plus facilement d'être mis à pied, ce qui permet aux employés plus jeunes de continuer à travailler. Les régimes complémentaires d'assurance-chômage sont surtout implantés dans l'industrie de l'automobile, et ils sont le résultat de négociations collectives.

IV Les absences rémunérées

L'administration des absences rémunérées est moins complexe que celle des programmes d'avantages sociaux, mais elle implique pour l'organisation des coûts presque aussi importants que ceux-ci. Cependant, les récentes concessions résultant des négociations collectives ont eu pour effet de réduire plutôt que d'augmenter la durée des vacances annuelles et le nombre de congés payés. On distingue deux catégories principales d'absences rémunérées : celles prévues par l'État et celles qui sont octroyées par l'employeur.

LES CONGÉS CHÔMÉS

Ce sont les législations provinciales qui déterminent le nombre de jours fériés, la durée normale de la semaine de travail et les heures supplémentaires. Au Canada, les principaux jours fériés sont les suivants : le jour de l'An, le Vendredi saint, La fête de la Reine, la fête de la Confédération, la fête du Travail, l'Action de grâces, le jour de Noël et le lendemain de Noël. La durée normale de la semaine de travail est de 40 heures et les lois provinciales prévoient généralement au moins deux semaines de vacances pour les employés ayant accumulé jusqu'à quatre années d'ancienneté et trois semaines pour ceux qui ont cinq années ou plus d'ancienneté.

LES CONGÉS OCTROYÉS PAR L'EMPLOYEUR

Le saviez-vous ?

Les vacances annuelles peuvent varier entre 2 et 4 semaines et plus par année, et les congés fériés, de 6 à 13 jours par année.

Les absences rémunérées de l'employé à l'extérieur du lieu de travail représentent une part importante du coût total de la rémunération indirecte. Ce temps rémunéré comprend notamment les vacances annuelles, les congés fériés, les congés de maladie, les congés pour raisons personnelles et les congés sabbatiques.

Dans les faits

Dome Petroleum a déjà payé à son président, au moment de son départ, 416 274 $ en jours de vacances accumulés[9].

La politique relative aux vacances et aux congés diffère selon les entreprises. La nouvelle tendance est de rémunérer les employés pour les vacances non prises. L'employé sera rémunéré pour les jours accumulés de vacances qu'il n'a pas utilisés.

Des sondages effectués par le Conference Board of Canada ont révélé que les employés considèrent que certains avantages contribuent à résoudre des problèmes reliés aux ressources humaines. Par exemple, les congés sabbatiques sont jugés efficaces ou très efficaces pour résoudre les problèmes ayant trait au recrutement (59 %), à la rétention (69 %), et au moral (57 %) du personnel. Cependant, les répondants sont partagés quant au degré d'efficacité de ce type de congé, eu égard à la productivité et au rendement des employés. De plus, les congés sabbatiques ne se révèlent pas utiles en ce qui a trait aux problèmes d'absentéisme et de retards[10].

V Les services et privilèges offerts aux employés

Certains services et privilèges font partie de la rémunération indirecte, et nous les examinerons dans cette section.

LES FORMES DE RECONNAISSANCE NON PÉCUNIAIRES

Les gestionnaires peuvent témoigner de diverses façons de leur reconnaissance à l'égard de leurs employés. St-Onge[11] mentionne parmi ces moyens la communication, les comportements, les symboles honorifiques et la visibilité. Ainsi, un employé à qui la reconnaissance est communiquée oralement, par écrit ou par des gestes telle une poignée de main saura que ses bons coups sont soulignés. Parmi les comportements que peuvent adopter les gestionnaires envers leurs employés, on peut retenir le fait d'aider, d'approuver, d'appuyer, de sourire, d'écouter, de respecter, de parrainer, de défendre, etc. comme des façons de soutenir un employé et de reconnaître ses compétences et sa contribution à l'organisation. Les symboles honorifiques, soit l'attribution d'un trophée, l'invitation à un dîner-gala d'excellence, les activités sociales et les aménagements du bureau, témoignent de l'importance et du statut accordés aux employés compétents. Finalement la visibilité accordée à un employé grâce à des félicitations publiques ou lors de réunions, à la publication de ses importantes réalisations dans le journal de l'entreprise ou dans la rédaction d'une lettre de félicitations tient lieu d'une forme de reconnaissance fort appréciée.

LES FORMES DE RECONNAISSANCE MATÉRIELLES

Parmi les formes de reconnaissance qui sont indirectes mais qui toutefois ont une incidence financière, on retrouve les biens et services octroyés aux employés qui se démarquent par leur performance, comme les voyages, les cadeaux, les billets d'abonnement, les repas au restaurant, etc. Les avantages offerts par les organisations varient beaucoup : des billets pour des centres de plein air ou des parcs de loisirs, des abonnements au club de tennis de l'entreprise, des contributions financières pour la réalisation de certaines activités sportives ou des billets gratuits pour la participation à des événements culturels locaux.

Il est possible de reconnaître la performance d'un employé par l'amélioration de ses conditions de travail. Ainsi, les congés supplémentaires, le choix du quart de travail, les prêts à taux préférentiels et les promotions figurent parmi les nombreux moyens qui visent à reconnaître la compétence ou les années de service des employés. Des récompenses sont accordées aux employés qui ont plus de 25 ans de service dans l'entreprise, par exemple, deux semaines supplémentaires de vacances et une prime d'ancienneté de 1 500 $ après impôts. Les employés peuvent également recevoir des prix annuels, participer à des réceptions à chaque période de cinq ans de service complétée, ou encore recevoir des cadeaux à la date anniversaire de leur embauche.

Dans un souci de préserver la santé des employés, il est aussi possible de leur offrir la possibilité de passer certains examens médicaux sur les lieux de l'entreprise ou dans des centres médicaux privés. Des séances d'exercices physiques peuvent avoir lieu pendant l'heure du dîner ou après le travail ou l'entreprise peut aussi défrayer une partie du coût des programmes suivis à l'extérieur de l'établissement. L'organisation peut aussi offrir, sur les lieux de travail, un centre de conditionnement physique et peut participer financièrement à un programme d'aide à l'abandon de la cigarette.

Finalement, l'entreprise peut offrir, en guise de reconnaissance, des programmes de perfectionnement des compétences. Elle peut ainsi permettre à un employé de poursuivre des études telles qu'un diplôme de M.B.A. intensif afin de le promouvoir à des postes de gestion, ce qui montrera l'importance accordée aux efforts qu'il a fournis. Ces services comprennent des dîners-conférences, des cours de langue, des programmes d'amélioration de la retraite et des programmes d'aide aux employés.

On peut offrir aux employés d'utiliser jusqu'à 1 500 $ de la prime annuelle de participation aux bénéfices pour financer l'achat éventuel d'une maison ou pour réduire l'hypothèque de leur maison. Les entreprises peuvent également défrayer les dépenses personnelles de transport ou de repas, offrir un programme de bourses d'études (ou le remboursement des frais de scolarité) aux employés et aux personnes à leur charge, permettre l'utilisation de comptes de dépenses de l'entreprise pour couvrir des frais de voyages, de repas et de loisirs personnels et autoriser l'utilisation des avions de l'entreprise pour des besoins personnels ou professionnels.

LES PROGRAMMES D'AIDE AUX EMPLOYÉS

Dans les faits

La Corporation de services de PAE CanCare Canada rapporte dans sa brochure les données suivantes :
- Un employé présentant des problèmes émotionnels coûte en moyenne 1 622 $ annuellement à l'entreprise.
- Soixante-cinq pour cent des congédiements sont associés à des facteurs émotionnels.

Les programmes d'aide aux employés (PAE) sont conçus pour venir en aide aux employés qui présentent des problèmes chroniques d'assiduité et de rendement au travail. Les objectifs de ces programmes et le genre de personnes qu'ils visent sont respectivement présentés dans les encadrés 12.4 et 12.5. Ils sont souvent d'une grande utilité dans les cas d'alcoolisme, de toxicomanie, de maladies liées au stress ou de graves difficultés conjugales. Depuis que l'on a reconnu que ces problèmes sont en partie dus au travail ou sont susceptibles de l'affecter considérablement, plusieurs entreprises canadiennes ont adopté divers programmes d'aide aux employés.

ENCADRÉ 12.4 Objectifs et portée des PAE

- La démonstration d'une attitude bienveillante envers les employés.
- Une aide constructive aux employés en difficulté.
- La promotion du bien-être général.
- La réduction des risques de maladies.
- Le contrôle et l'amélioration de la qualité de vie des employés et de leurs familles.
- Le contrôle des coûts des services médicaux.
- La hausse de la productivité et des profits.
- La réduction des comportements de retrait (accidents, retards, absentéisme et roulement de main-d'œuvre).
- La réduction du nombre de griefs et de cas d'arbitrage.
- L'atténuation de la responsabilité de l'employeur.
- La prise de décisions plus éclairées.
- La résolution de certains conflits de gestion.

ENCADRÉ 12.5 Les utilisateurs des PAE

Une étude visant à caractériser les utilisateurs de ces programmes par rapport aux autres employés a relevé les données suivantes :

1. Profil démographique des non-utilisateurs. Les employés qui ne se sont pas prévalus des services de PAE : (a) occupaient des postes de cadres supérieurs, de cadres intermédiaires, ou de professionnels (73 %) ; (b) étaient âgés de 50 ans ou plus (61 %) ; (c) étaient de sexe masculin (42 %) ; et (d) souffraient d'un haut niveau de stress au travail (79 %).

2. Perception des non-utilisateurs. L'étude a révélé que les attitudes, les croyances et les sentiments exprimés par les non-utilisateurs étaient les suivants : (a) la négation du problème ou du besoin de services (11 %) ; (b) le sentiment de pouvoir compter uniquement sur soi-même (10 %) ; (c) l'opinion voulant que le recours à un PAE soit dévalorisant (7 %) ; (d) la conviction que le PAE s'adresse aux autres ; (e) la crainte d'une absence de confidentialité (6 %) ; (f) le manque d'informations concernant leur PAE ; (g) la résistance au changement (5 %) ; (h) le sentiment que les superviseurs n'encouragent pas les employés à utiliser le PAE (5 %) ; et (i) des craintes concernant leur sécurité d'emploi (5 %).

3. Perception des utilisateurs. Les indicateurs suivants reflètent les attitudes, les croyances et les sentiments des utilisateurs des PAE : (a) la confiance dans les services fournis par le biais du PAE (20 %) ; (b) l'ouverture au changement (10 %) ; (c) l'encouragement des collègues à utiliser les services (10 %) ; (d) la perception du PAE comme un outil gratuit et accessible (7 %) ; (e) la conviction que les superviseurs approuvent le recours au PAE (6 %) ; (f) la conviction que le recours au PAE peut leur permettre de garder leur emploi (5 %) ; (g) le sentiment d'avoir besoin d'aide (5 %)[12].

De nombreuses sources confirment l'essor que ces programmes ont connu au cours des deux dernières décennies, au sein des entreprises canadiennes. On estime, en effet, que 10 % de la main-d'œuvre canadienne en bénéficie. Une entrevue publiée dans le *Employee Assistance Quarterly* révèle que 15 % des organisations canadiennes ont mis sur pied des programmes d'aide aux employés, ou encore sont associées à des programmes d'aide aux employés ou à des groupes qui en offrent[13]. La multiplication des programmes d'aide aux employés est liée à plusieurs facteurs, les principaux étant reliés aux difficultés de rendement. Le *Financial Post* indique qu'en 1988, de 65 % à 80 % des départs d'employés pouvaient être attribués à des facteurs personnels plutôt que techniques[14]. Devant la hausse alarmante de l'incidence des difficultés d'ordre émotionnel et des problèmes de santé mentale chez les employés dus, par exemple, à la dépression, au divorce, à l'abus d'alcool et de drogues, au stress ou à la monoparentalité, plusieurs organisations ont pris conscience que l'instauration de programmes d'aide aux employés pouvait servir tout autant les objectifs organisationnels que les intérêts individuels.

D'autres facteurs contribuent à expliquer l'importance qu'ont pris ces programmes d'aide aux employés depuis une vingtaine d'années : la législation fédérale ou provinciale, l'appui des organisations syndicales (par exemple, le Congrès du travail du Canada), la prise de conscience, de la part des entreprises, de la possibilité d'utiliser ces programmes comme outil pour améliorer la productivité et minimiser les coûts, la conviction qu'une politique résolument axée sur les personnes assure le succès des entreprises, et enfin, la complexité croissante de la société dans laquelle nous vivons.

Ces objectifs peuvent être avantageux pour l'employé (par exemple, la réduction des risques pour la santé, la promotion du bien-être, l'amélioration de la qualité de vie) ou pour l'employeur (par exemple, la hausse de la productivité et des profits, la résolution de problèmes de gestion, l'atténuation de la responsabilité de l'employeur). Certains de ces avantages s'appliquent aux deux parties ; c'est le cas notamment des programmes axés sur l'amélioration du moral des employés et le counseling offert aux employés en difficulté.

Les résultats de certaines recherches témoignent du bien-fondé de l'implantation des PAE. Parmi les conséquences positives d'un PAE, notons la diminution du nombre de journées de maladie ou d'incapacité, une réduction du taux d'absentéisme de l'ordre de 43 % à 50 %, un maintien de l'abstinence pour une durée de 6 à 12 mois chez 50 % à 75 % des employés traités pour alcoolisme et une diminution du nombre de griefs de l'ordre de 79 %[15].

LES PROGRAMMES D'ÉQUILIBRE TRAVAIL-FAMILLE

D a n s   l e s   f a i t s

Les entreprises établissent des services de garderie et certaines entreprises apportent même une contribution financière lors de l'adoption d'enfants, un montant qui peut être habituellement compris entre 1 500 $ à 5 000 $ par adoption.

D a n s   l e s   f a i t s

Suite à l'implantation d'un PAE :

- La firme Babcock and Wilcox Canada, qui compte 950 employés, a réduit son taux moyen d'absentéisme de 22 jours à 12 jours, soit un gain évalué à 400 000 $.
- La firme Warner-Lambert estime, quant à elle, que son PAE lui permet d'économiser entre 180 000 $ et 200 000 $ par année. Elle attribue environ 80 % de cette économie à la diminution du taux d'absentéisme, le 20 % restant étant attribuable à la réduction des coûts de l'assurance collective et des pertes de production dues aux accidents. Elle estime que chaque dollar dépensé dans le cadre du PAE engendre des économies d'environ 7 $ à 10 $.

On met beaucoup l'accent aujourd'hui sur les services qui procurent du bien-être et un style de vie sain aux employés. En offrant de tels services, les employeurs bénéficient en retour d'une augmentation de la productivité de leurs employés[16].

Les soins aux enfants et aux personnes âgées font également partie de cette gamme de services. La présence de plus en plus importante de femmes sur le marché du travail a entraîné un intérêt grandissant pour les garderies[17]. Bien qu'il y ait plusieurs avantages à offrir de tels programmes, la plupart des recherches montrent que les organisations ne disposent pas toutes des fonds nécessaires pour mettre sur pied de telles infrastructures sur le lieu du travail[18]. Néanmoins, les organisations qui ont pu mettre sur pied une garderie rapportent que ce service réduit la durée

- La firme General Motors du Canada rapporte avoir épargné plus de 81 000 $ en congés rémunérés pour maladies et accidents lors de la première année d'implantation du PAE pour 104 employés. General Motors affirme retirer environ 5 $ de chaque dollar dépensé pour son programme d'aide aux employés. L'entreprise estime à environ 10 000 le nombre d'employés qui se sont prévalus de ces services, ce qui représente une économie annuelle de 3 700 $ par employé, soit une économie totale de 37 millions par année. La mise sur pied du PAE a entraîné une baisse de l'absentéisme de 40 % et une diminution des accidents et des problèmes de discipline de l'ordre de 50 %.

du transport des employés, qu'il leur procure une tranquillité d'esprit et qu'enfin, il suscite l'entraide entre les employés quand surviennent des cas d'urgence. Les employeurs de leur côté bénéficient d'une diminution des retards et d'une augmentation de l'engagement et de la motivation des employés. Par ailleurs, les raisons de procurer des soins aux personnes âgées sont bien particulières. Étant donné que la population canadienne vieillissante s'accroît, les employeurs sont contraints de trouver des moyens d'assister les travailleurs qui ont à s'occuper de personnes âgées dans leur famille. À cet égard, la formule la plus courante de soins prévue par les employeurs consiste en un programme d'information sur les différents services communautaires susceptibles d'aider l'employé. De plus, certaines entreprises apportent même un soutien financier, par exemple, en payant une partie des frais de soins de répit ou en défrayant elles-mêmes la garde des adultes le jour[19].

LES PROGRAMMES D'AVANTAGES À L'INTENTION DES CADRES

Pour les cadres, les régimes incitatifs prennent habituellement la forme de primes qui visent à rétribuer le rendement du service, de la direction ou de l'organisation. Ces régimes, qui présentent de nombreux avantages énumérés dans l'encadré 12.6, comprennent aussi les régimes d'options d'achat d'actions et d'octroi d'actions en récompense du rendement. Les régimes d'options d'achat d'actions offrent la possibilité aux gestionnaires d'acheter des actions de l'entreprise à une date ultérieure mais au prix du marché qui prévaut lors de l'octroi de l'option. Le principe sous-jacent à ces régimes est que les gestionnaires travailleront plus fort pour augmenter leur rendement et la rentabilité de l'entreprise (faisant ainsi augmenter le prix des actions de la compagnie) s'ils peuvent participer aux bénéfices à long terme de l'entreprise. Si le prix des actions de l'entreprise augmente avec le temps, les gestionnaires peuvent utiliser leurs options pour acheter des actions à un prix plus faible et réaliser

ENCADRÉ 12.6 Avantages des régimes d'encouragement des cadres

- Elle fournit aux cadres supérieurs un moyen d'accumuler du capital à des taux d'imposition relativement favorables.
- Elle minimise l'impact potentiel du programme sur les gains.
- Elle comporte pour l'entreprise, et souvent pour l'employé, un traitement fiscal avantageux.
- Elle minimise les sorties de liquidités et les risques de dilution des gains.
- Elle motive les gestionnaires à maximiser la croissance et la rentabilité de l'entreprise.
- Elle permet à l'entreprise de garder les cadres présentant un rendement supérieur et d'en attirer de nouveaux.

des bénéfices. Plus encore, les gouvernements reconnaissent aussi l'achat d'actions comme un moyen de stimuler l'économie. Pour encourager ce comportement, la province de Québec, par exemple, accorde aux employés des exonérations fiscales pour l'acquisition d'actions des entreprises pour lesquelles ils travaillent.

LES CLAUSES DORÉES D'EMPLOI

Les employeurs recourent de plus en plus aux « clauses dorées » pour retenir le personnel de direction ou le personnel cadre au sein de l'entreprise.

Les « parachutes dorés ». Les « parachutes dorés » consistent généralement à accorder une protection financière aux cadres supérieurs dans l'éventualité d'une fusion ou d'une acquisition d'entreprises. Cette protection prend la forme soit d'un emploi assuré, soit d'une indemnité de départ dans le cas d'un licenciement ou d'une démission. Ce besoin s'est particulièrement fait sentir depuis le début des années 80, qui ont été marquées par plusieurs fusions ou acquisitions d'entreprises. Ces avantages visent à affaiblir la résistance de la haute direction aux fusions et aux acquisitions désirées par certaines compagnies et leurs actionnaires. Ainsi, les cadres supérieurs qui pourraient être remplacés à la suite d'une prise de contrôle resteraient encore à l'aise financièrement. Des programmes similaires existent pour les employés travaillant à des échelons inférieurs dans l'entreprise ; on appelle ces clauses de « petits parachutes ».

Les « cercueils dorés ». Semblables aux « parachutes dorés », les « cercueils dorés » visent à procurer une assistance financière aux cadres de haut niveau lorsque survient un décès dans la famille. Tous les frais funéraires et autres dépenses associées sont alors assumés par l'entreprise. Certaines entreprises offrent également des indemnités aux survivants (conjoint et enfants) lorsqu'il y a mort subite d'un cadre.

> **D a n s   l e s   f a i t s**
>
> L'entreprise Coca-Cola informait ses actionnaires que le président et directeur général avait reçu une part d'un million d'actions restreintes, par le biais d'un programme de rémunération indirecte de longue durée pour les cadres[20].

Les « menottes dorées ». Alors que les « parachutes dorés » ont pour but d'aider les cadres à quitter l'entreprise, les « menottes dorées » ont pour but d'inciter ceux-ci à demeurer membres de l'organisation. Si une organisation désire retenir un cadre supérieur, elle peut faire en sorte qu'il soit très coûteux pour le cadre en question de quitter l'organisation. Les régimes d'options d'achat d'actions et les régimes de retraite constituent les moyens les plus fréquemment utilisés pour retenir les cadres supérieurs. En quittant l'entreprise, le cadre supérieur perd ces avantages. La revente des actions est limitée puisque celles-ci doivent être remises lorsque l'individu quitte l'entreprise pour d'autres raisons que la mort, l'invalidité et la retraite.

L'encadré 12.7 compare les services et privilèges offerts au personnel cadre des trois secteurs économiques suivants : les organisations industrielles, les institutions financières et les organismes de la fonction publique.

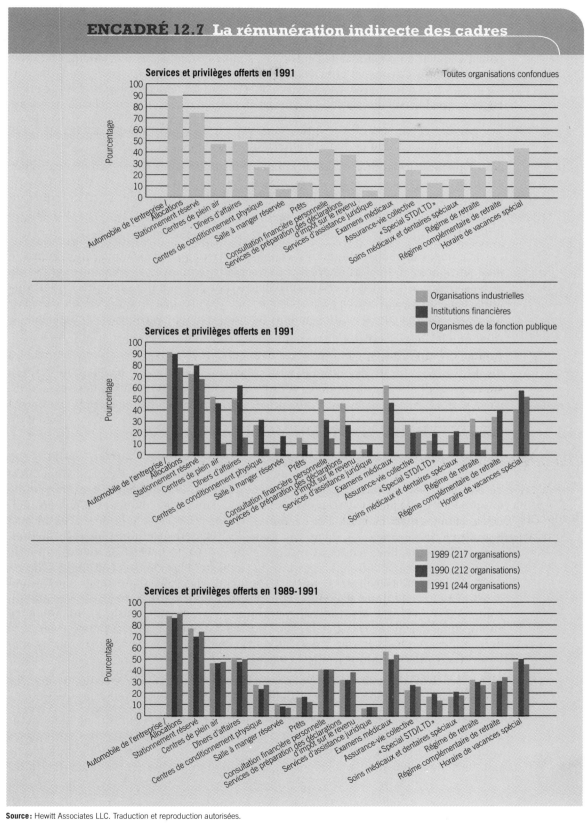

ENCADRÉ 12.7 La rémunération indirecte des cadres

Source : Hewitt Associates LLC. Traduction et reproduction autorisées.

VI La gestion de la rémunération indirecte

Comme nous l'avons vu plus avant, il existe de nombreuses stratégies de récompenses non monétaires. Les services offerts sont largement tributaires de la mode et des restrictions relatives à l'impôt gouvernemental. À cause de la complexité croissante de la gestion des finances personnelles, la consultation financière est devenue un service souvent en demande ; l'utilisation d'une automobile de l'entreprise est aussi un autre avantage très populaire. Cependant, les nouvelles répercussions en termes d'impôts ont réduit l'intérêt que les employés manifestaient à l'égard de ce dernier privilège.

Plusieurs industries accordent divers avantages financiers à leurs employés. Par exemple, elles s'associeront à des institutions financières pour assurer des taux d'intérêts très bas sur les emprunts contractés par leurs employés.

Ces avantages ne représentent qu'un faible pourcentage de la rémunération indirecte mais ils sont grandement appréciés par certains employés et souvent qualifiés de nécessaires par d'autres. Certains privilèges représentent des éléments importants du système de prestige établi par l'entreprise. Par contre, des services, tels que la garde d'enfants, représentent un moyen de rendre le travail accessible à un employé.

Bien que les organisations aient tendance à considérer la rémunération indirecte comme une forme de récompense, les bénéficiaires la considèrent plutôt comme un dû. Cette attitude incite donc les entreprises à s'intéresser à l'ensemble de la rémunération indirecte et aux différentes façons de l'administrer.

LA DÉTERMINATION DU VOLUME GLOBAL DE LA RÉMUNÉRATION INDIRECTE

Pour déterminer le volume global de la rémunération indirecte, l'organisation tâche de concilier ses intérêts avec ceux de ses employés. Elle doit donc procéder à une analyse des préférences des employés pour déterminer le volume et la composition des avantages qu'elle offrira. Par exemple, les employés peuvent préférer l'assurance dentaire à l'assurance-vie, même si l'assurance dentaire coûte moins cher. Actuellement, le temps libre est un avantage relativement recherché. Il est autant prisé par les jeunes travailleurs que par les plus âgés qui cherchent à équilibrer leur vie personnelle et leur vie professionnelle. De leur côté, les travailleurs âgés manifestent souvent le désir d'une augmentation substantielle des prestations de retraite. En somme, ces préférences variées engendrent une plus grande diversification dans la composition des avantages sociaux.

LA DIVERSIFICATION DE LA RÉMUNÉRATION INDIRECTE

Quand les employés expriment clairement leurs besoins, il est plus facile pour l'employeur d'y répondre efficacement et dans l'intérêt commun. Plusieurs entreprises canadiennes ont fait cette expérience. Par exemple, 75 % des 1 800 employés de Cominco ont choisi de participer à un régime d'avantages sociaux flexibles.

L'entreprise accorde à tous les employés un régime de base comprenant le paiement des cotisations au régime provincial d'assurance-maladie, une protection médicale complémentaire moyennant une franchise de 500 $, une assurance-vie prévoyant le paiement du salaire d'une année au bénéficiaire, une assurance couvrant les accidents, le décès ou la perte d'un membre équivalant au triple du salaire annuel de l'employé, une assurance-invalidité de courte et de longue durée, des vacances, un régime de retraite et un régime collectif enregistré d'épargne-retraite. De plus, un éventail d'avantages optionnels s'ajoute au régime de base[21]. Certains avantages du régime de base peuvent être « revendus » à Cominco qui portera le montant au compte individuel de l'employé. Par ailleurs, si l'épouse d'un employé est déjà protégée par sa propre assurance médicale complémentaire au travail, l'employé peut obtenir un crédit pour sa participation à un régime semblable. Aussi, en fonction des années d'ancienneté, cinq congés peuvent être convertis en une somme d'argent qui servira à acheter d'autres avantages. D'autres options sont aussi offertes : une couverture médicale complémentaire moyennant une franchise de 25 $, trois types d'assurance dentaire, une assurance-vie assortie de six clauses avantageuses dans les cas de mort accidentelle, de perte d'un membre ou d'invalidité à long terme[22].

L'entrée d'un plus grand nombre de femmes sur le marché du travail, la diminution du nombre de familles traditionnelles (c'est-à-dire celles où l'homme est le seul soutien de la famille) et l'augmentation du nombre de familles monoparentales ont suscité l'émergence de régimes destinés à satisfaire les besoins changeants des employés. Cependant, on estime que seulement 30 % des entreprises canadiennes offrent des régimes d'avantages sociaux flexibles à leurs employés[23].

Seule la planification d'une rémunération indirecte flexible peut répondre aux besoins variés des employés. Plusieurs avantages offerts à un coût relativement bas ont des effets bénéfiques sur les employés. Trois approches sont communément utilisées dans l'élaboration des régimes flexibles :

- Le régime de base à options. Un régime global est offert aux employés admissibles. De plus, on offre des options qui permettent d'augmenter ou d'élargir la protection de base ; dans certains cas, les employés peuvent remplacer certains des avantages sociaux par des montants d'argent.
- Le régime modulaire. Il permet aux employés de sélectionner, parmi différents modules, les conditions qu'ils préfèrent. Ces différents modules sont structurés de façon à satisfaire les besoins les plus couramment exprimés par les travailleurs.
- Le régime de dépenses flexibles. Ce régime fonctionne comme un compte de banque dans lequel l'employeur crédite à l'employé, par exemple, ses dépenses médicales ; l'employé est remboursé par la suite. L'attrait principal de ce régime est son efficacité, puisqu'il comporte même un remboursement préalable de taxes. De plus, ce régime est souvent utilisé en combinaison avec l'un ou l'autre des régimes précédents[24].

Dans les faits

Le régime flexible adopté par la firme Liptons avait été élaboré en prenant pour modèle une famille traditionnelle où la femme est à la maison et s'occupe, en moyenne, de deux enfants. Malheureusement, pas un seul des employés de Liptons ne correspondait à ce modèle. Par conséquent, on a mis sur pied un comité qui, conjointement avec le directeur des ressources humaines, avait pour tâche de déterminer les paramètres d'un régime adéquat. Une fois l'exercice terminé, Liptons a instauré un nouveau régime dont les coûts étaient de 15 % à 20 % plus élevés que ceux du régime précédent. Cependant, les employés se sont montrés très satisfaits du nouveau régime[25].

Dans les faits

Comparaison entre deux contenus possibles d'avantages sociaux optionnels

Le régime de l'institution financière compte cinq paramètres :

- un taux d'intérêt préférentiel sur les emprunts ;
- un taux d'intérêt préférentiel sur le solde des cartes de crédit ;
- un régime d'épargne : la banque souscrit 25 % du montant que l'employé souscrit lui-même, jusqu'à un maximum de 1 500 $;
- un régime de retraite dans lequel les contributions sont assumées à parts égales par l'employeur et par les employés ;
- la valeur totale des avantages sociaux doit représenter 31,5 % du salaire.

Une entreprise appartenant à l'industrie de l'automobile, par ailleurs, a élaboré un régime optionnel qu'elle a appelé « Programme plus ». Le concept majeur de ce régime est le « flexidollar ». L'entreprise donne à chaque employé un montant en flexidollars égal à 2,5 % de son salaire annuel. Ce montant n'est pas imposable. Cependant, les employés peuvent investir leurs flexidollars dans un ou plusieurs des régimes suivants :

- une assurance-maladie additionnelle ;
- un régime collectif d'épargne-retraite grâce auquel un employé peut investir des montants d'argent additionnels à n'importe quel moment de l'année. De plus, un employé peut transférer ses épargnes personnelles de retraite dans un régime collectif d'épargne-retraite et peut aussi inscrire son conjoint dans ce régime ;
- un régime hypothécaire qui permet d'utiliser les flexidollars pour réduire l'hypothèque déjà contractée.

L'objectif principal des régimes flexibles est de répondre pleinement aux besoins des employés tout en créant des moyens plus efficaces de gérer les coûts. Les responsables de la gestion des ressources humaines doivent être sensibilisés aux réactions des employés à l'égard des régimes. Sinon, les efforts déployés par l'employeur pourraient avoir un effet contraire et devenir contre-productifs.

REVUE DE PRESSE

Les avantages sociaux traditionnels appelés à s'élargir

Pierre
Théroux

Abonnement à un club sportif, planification financière et conseils juridiques, congés sabbatiques : la définition traditionnelle des avantages sociaux est appelée à s'élargir afin d'ajouter de tels éléments aux programmes habituels d'assurance-vie, maladie et invalidité.

« Il faut introduire davantage de flexibilité non seulement dans les régimes d'avantages sociaux, mais aussi sur le plan des conditions de travail », indique Alain Robillard, conseiller de la firme conseil Watson Wyatt.

Ainsi, comme les employés recherchent également des conditions de travail plus souples, des solutions comme le télétravail ou les horaires flexibles deviendraient de plus en plus essentielles pour les aider à mieux concilier les exigences du travail avec celles de leur vie personnelle.

Or, les entreprises semblent sous-estimer l'importance des avantages sociaux quand vient le temps d'attirer ou de garder les meilleurs candidats. En effet, un sondage de la firme démontre que l'insatisfaction à l'égard des avantages sociaux compte pour 32 % dans l'opinion des employés, comparativement à 10 % chez les employeurs, parmi les principales causes de départ des employés les plus performants.

Par ailleurs, 42 % des employés estiment que la difficulté de concilier travail et famille constitue une raison suffisante de départ contrairement à 10 % pour la direction.

« Les entreprises doivent saisir l'importance de dynamiser leurs régimes d'avantages sociaux et de mieux les positionner comme un outil de gestion du capital humain », prévient le conseiller en assurance collective et en gestion des soins de santé.

Car, précise-t-il, le recrutement et la rétention du capital humain constitueront un défi important, au cours des prochaines années. L'émergence des firmes de la nouvelle économie, aux prises avec un exode des cerveaux interentreprises qui semble suivre le rythme même des développements technologiques, met d'autant plus en relief ces enjeux.

Par ailleurs, l'élargissement de l'éventail des avantages liés à l'emploi et aux conditions de travail pourrait se faire à moindre coût, croit M. Robillard. « Les entreprises et les employés pourraient simplement allouer les sommes destinées aux avantages sociaux vers ceux ayant une réelle valeur à leurs yeux. »

Dans ce contexte « si une entreprise veut se démarquer par rapport à la concurrence il est essentiel qu'elle connaisse les principales caractéristiques du profil de son capital humain, d'aujourd'hui et de demain », conseille M. Robillard.

Ainsi, il donne en exemple les trois profils types de la main-d'œuvre que l'on retrouve souvent au sein d'une entreprise. Il y a d'abord l'employé en début de carrière, généralement sans personne à charge et avec peu d'obligations, qui présente un faible taux d'absentéisme mais une plus grande mobilité. Il aura tendance à rechercher un régime de base, des conditions de travail flexibles ou encore l'accès à l'actionnariat.

L'employé qui en est au point culminant de sa carrière miserait sur des régimes d'assurance plus complets alliant notamment des programmes de mieux-être et d'accumulation de capital. La conciliation travail-famille s'avère aussi importante.

Enfin, l'employé en fin de carrière qui désire préserver ses acquis et assumer sa transition vers la retraite pourrait apprécier une réduction des heures de travail, des conseils pour sa planification financière et des régimes enrichis en assurance-santé.

« Une entreprise devrait même s'assurer que son régime soit modelé de façon à plaire aux profils d'employés qui joueront un rôle déterminant au sein de l'entreprise dans les prochaines années. »

Au cours des deux dernières décennies, un grand nombre d'entreprises ont transformé leur régime d'avantages sociaux traditionnels en un régime flexible. Le but : mieux contrôler les coûts actuels et futurs, attirer et retenir de meilleurs éléments, voire responsabiliser les employés en leur offrant des choix.

Source : Les Affaires, *27 mai 2000, p. 37.*

L'INFORMATION SUR LA RÉMUNÉRATION INDIRECTE

Dans les faits

La firme Standard Life offre elle aussi plusieurs avantages sociaux à ses employés. Pour chacun des avantages énumérés ci-après, l'entreprise prépare une brochure expliquant l'objectif, l'admissibilité et les mécanismes d'administration du régime. Ces avantages incluent : un régime d'épargne-retraite, une assurance-vie collective, un régime d'invalidité à court terme qui inclut les congés de maladie pour le personnel salarié, une pension au conjoint et aux orphelins et un régime hypothécaire. L'entreprise offre également des conditions de transfert du régime de retraite. De plus, l'entreprise a élaboré un système de rabais à l'achat dans divers magasins et services disponibles pour les employés.

La diversification de la rémunération indirecte est utile non seulement pour répondre aux besoins des employés mais aussi pour rendre ceux-ci conscients de la variété et du coût des avantages sociaux dont ils profitent. Par conséquent, les objectifs du régime d'avantages sociaux ne seront atteints que dans la mesure où les organisations auront pour priorité d'informer les employés à leur sujet. Bon nombre d'organisations disent avoir cette priorité, mais la majorité d'entre elles ne dépensent à cet effet que 1 % de la masse salariale[26].

Les employés peuvent, bien sûr, plus facilement apprécier la portion strictement monétaire de leur rémunération, puisque cette portion est visible et se base sur leur horaire de travail. La rémunération indirecte n'est malheureusement pas véritablement visible, et la plupart des employés ne prendront conscience des avantages dont ils profitent qu'après avoir fait une réclamation ou après avoir utilisé pour la première fois un service[27]. Cette situation est encore plus courante dans les entreprises où les contributions sont versées uniquement par les employeurs. Réciproquement, les régimes qui requièrent les contributions des employés ou qui présentent une grande diversité demandent plus d'engagement de la part des employés.

On constate donc que plusieurs objectifs de la rémunération indirecte ne sont pas atteints, et ce, probablement à cause de l'inefficacité des techniques d'information qui entourent leur promotion et la manière dont leur présence est communiquée aux employés. Presque toutes les entreprises utilisent des documents d'information impersonnels, qui ne suscitent que peu d'intérêt chez les employés. Seulement

Consultez Internet

http ://www.hrdc-drhc.gc.ca/arb/publications/bulletin/vol4n1/i1Of.html

Site présentant les résultats d'une enquête, réalisée par Développement des ressources humaines Canada, sur les avantages sociaux offerts par les employeurs.

quelques entreprises font appel à des moyens de communication plus personnels et actifs, tels que la projection de diapositives et les rencontres régulières avec les employés. Jamais la diffusion de l'information sur la rémunération indirecte ne devrait être tenue pour acquise.

Pour qu'une stratégie d'information soit efficace, elle doit permettre aux employés de comprendre tous les aspects de la rémunération indirecte. Aujourd'hui, de plus en plus d'organisations ont pris conscience de l'importance d'une bonne stratégie d'information pour assurer le succès de leur régime flexible d'avantages sociaux. Par exemple, certaines entreprises communiquent leur information à l'aide de cassettes vidéo où l'on explique en détail les principes de base de l'ensemble des régimes. D'autre part, les séminaires composés de groupes de 25 à 30 employés se révèlent plus efficaces puisque cette formule offre la possibilité aux employés de poser des questions et de recevoir des réponses. Avant de mettre en branle un nouveau régime flexible de rémunération indirecte, l'employeur aurait intérêt à engager un consultant externe en communication. Cette façon de procéder semble garante de meilleurs résultats[28].

REVUE DE PRESSE

Une bonne stratégie de communication est essentielle

Nathalie Vallerand

Des entreprises consacrent beaucoup d'énergie à la préparation de leur régime collectif mais négligent de bien en communiquer la teneur à leur personnel, déplore Dany Dumas, conseiller en communication organisationnelle de la firme d'actuaires Towers Perrin.

« Or, la compréhension des régimes et des objectifs qui les sous-tendent a un impact appréciable sur la perception qu'en ont les employés », dit M. Dumas.

Mais attention ! La communication ne se résume pas à la publication d'un dépliant explicatif. « On confond souvent stratégie et moyens de communication », souligne Mike Paterson, chef de pratique en communication pour Watson Wyatt, une firme de conseillers en ressources humaines et en avantages sociaux.

La stratégie inclut la raison des changements proposés, leurs liens avec les valeurs et les décisions stratégiques de l'entreprise, la consultation des employés, les messages clés à livrer et, finalement, les moyens utilisés pour diffuser les messages. « Elle se fait en parallèle avec la construction du nouveau régime et non après », dit M. Patterson.

La consultation du personnel quant à ses attentes et à ses besoins permet de maximiser les chances de succès. Comment y arriver ? En formant, une équipe de projet regroupant un représentant des différents groupes d'employés, de la direction, du service des ressources humaines et du syndicat. En organisant des groupes de discussion qui permettront de définir les principales orientations du régime ou encore en menant des sondages.

La stratégie de communication peut être segmentée en fonction de différentes clientèles. « Le personnel d'une entreprise n'est pas toujours homogène, explique M. Dumas. On peut identifier les groupes les plus représentatifs, établir les enjeux qui concernent chacun et identifier les messages clés à leur livrer. »

Divers outils de communication

La présentation du nouveau régime et de la raison d'être des changements peut se faire par la combinaison de différents moyens : publication d'une brochure, présentation par petits groupes, Intranet, dépliant questions-réponses, formation de personnes-ressources au sein de l'entreprise, etc.

Il peut être pertinent de tester le matériel écrit auprès d'un échantillon d'employés avant d'aller sous presse. « On peut parfois réaliser que le slogan ou le thème de la campagne d'information est inadéquat », indique M. Dumas.

Une fois le nouveau régime en place et expliqué aux employés, la communication ne doit pas s'arrêter là ; elle doit s'exercer en continu. Pour que les régimes d'avantages sociaux soient bien perçus et compris, il est bon en effet d'y revenir souvent.

« Un moyen très efficace consiste à diffuser régulièrement des capsules d'information sous forme, par exemple, de questions-réponses, suggère M. Patterson. Il y a plus de chances que les employés en prennent connaissance que si on leur distribue une volumineuse brochure une fois par année. » Finalement, il importe de soigner la communication avec les employés en congé de maladie.

Source : Les Affaires, *27 mai 2000*, *p. 38.*

RÉSUMÉ

La croissance de la rémunération indirecte a été deux fois plus rapide que celle de la rémunération directe. Cette croissance s'est réalisée même s'il n'a pas été établi que la rémunération indirecte facilite vraiment l'atteinte des objectifs de la rémunération globale. En effet, le salaire, les défis et les possibilités de promotion contribuent autant, sinon plus, à l'atteinte des objectifs de la rémunération que les avantages sociaux, particulièrement pour les employés qui aspirent à des postes de cadres. Cependant, cela ne veut pas dire que les employés ne désirent pas d'avantages sociaux. Si les entreprises leur en offrent en si grand nombre, c'est que les employés les réclament. Toutefois, les employés n'apprécient pas toujours à leur juste valeur les avantages spécifiques accordés par l'entreprise, de même qu'ils ne connaissent pas tous les avantages offerts. Le manque d'information explique en partie la fausse perception qu'en ont les employés. Par conséquent, certaines entreprises sollicitent les employés pour qu'ils expriment leurs préférences. Elles sont aussi sensibilisées au problème de la diffusion de l'information sur la rémunération indirecte. Une meilleure communication et une plus grande participation des employés à l'élaboration des régimes peuvent augmenter les chances de l'entreprise de tirer profit de la rémunération indirecte. Également, l'entreprise doit procéder à une évaluation minutieuse de l'efficacité de sa rémunération indirecte et comparer ses régimes d'avantages sociaux à ceux de ses concurrents.

Questions de révision et d'analyse

1. *Quels sont les objectifs et les éléments constitutifs de la rémunération indirecte ?*

2. *Comment le régime d'assurance-chômage est-il financé ? Quelles sont les modalités de versement des prestations ?*

3. *Énumérez et décrivez les principaux régimes privés d'assurance offerts par les employeurs.*

4. *Énumérez et décrivez les principaux régimes privés d'assurance offerts par l'État.*

5. *Parcourez la section des « Carrières et professions » d'un quotidien et relevez les avantages sociaux innovateurs qu'offrent les entreprises canadiennes. Évaluez la pertinence de ces avantages.*

6. *Expliquez brièvement le contenu et les objectifs des « clauses dorées » d'emploi.*

7. *Quels sont les avantages et les inconvénients que présentent les régimes d'avantages sociaux flexibles ?*

8. *Pourquoi est-il important d'informer les employés du contenu des programmes de rémunération indirecte ? Comment peut-on réaliser cette opération efficacement ?*

Suggestion de projet

Élaborez un questionnaire dont vous vous servirez pour interviewer le directeur des ressources humaines d'une entreprise locale que vous choisirez. L'entrevue aura pour objectif d'obtenir de l'information concernant les régimes de rémunération indirecte de cette entreprise, et de répondre, entre autres, aux questions suivantes : Quels changements le régime de rémunération indirecte de l'entreprise a-t-il connus depuis les débuts de l'entreprise ? Quelles sont les méthodes utilisées par l'entreprise pour communiquer aux employés de l'information sur les avantages sociaux ? À quel point ce régime est-il efficace ? Présentez et commentez votre recherche devant les étudiants de la classe.

ÉTUDE DE CAS

Les congés de maladie : un droit ou un avantage social ?

Le 1er décembre, l'hôpital Métro signe une nouvelle convention collective. L'entente prévoit, entre autres, que tous les employés ayant plus de trois années d'ancienneté ont droit à 10 jours de congés de maladie (sans certificat médical) et qu'en aucun cas, on ne peut accumuler plus de 15 jours. Lors d'un congé de maladie, l'employé reçoit 100 % de son salaire. L'accord stipule aussi que le certificat médical est requis pour un congé de maladie de trois jours consécutifs et plus. Dans les cinq années précédant cette convention, l'absentéisme moyen chez les infirmières était d'environ 2,5 jours. Lorsqu'une infirmière était malade, il était nécessaire de la remplacer. Ainsi, en vertu de l'ancienne convention collective, personne n'était rémunéré pour les maladies de courte durée, puisque l'hôpital devait assumer les dépenses additionnelles de remplacement. Six mois après l'entrée en vigueur de la nouvelle convention collective, on remarqua une situation inquiétante. La moyenne des congés de maladie réclamés par les infirmières en était à 6 jours et, dans certaines unités comme les soins intensifs et la salle d'urgence, cette moyenne s'élevait à 7 jours. Cette situation inquiéta Marc Gagnon, le directeur du service des ressources humaines de l'hôpital Métro. Non seulement elle engendrait des difficultés administratives sérieuses telles que le remplacement urgent du personnel, mais elle augmentait aussi substantiellement son budget de fonctionnement. Il convoqua son personnel à une réunion spéciale pour discuter des correctifs appropriés à la situation.

Questions

1. Quelles suggestions feriez-vous à Marc Gagnon ?
2. Comment pourrait-on s'assurer que les infirmières n'abusent pas des congés de maladie ?
3. À l'exception d'une stratégie faisant intervenir la rémunération, quelles autres stratégies peuvent être envisagées ?

NOTES ET RÉFÉRENCES

1 G. M. Hall, *Guide Mercer sur les régimes de retraite et les avantages sociaux du Canada,* 11e édition, Québec, Éd. CCH, 1997 ; R. Thériault et S. St-Onge, *Gestion de la rémunération, théorie et pratique,* Québec, Éd. Gaëtan Morin, 2000.

2 J. Cole, « Auto and Home Insurance : The New Employee Benefit », *HR Focus,* décembre,1997, p. 9.

3 J. O'Toole, « The Irresponsible Society », C.S. Sheppard et D. C. Carroll (dir.), *Working in the 21st Century,* New York, John Wiley Sons, 1980, p. 156.

4 L. Dixon, « Containing Health Care Costs », *Benefits Canada,* février 1991, p. 24-26 ; C. L. Taylor, « Réactions des entreprises devant le coût croissant des soins de santé », *Conference Board of Canada,* Rapport no 184-96, décembre 1996.

5 L. Thornburg, « What to Do Now about Health Care Costs », *HR Magazine,* vol. 39, no 1, 1994, p. 44-47.

6 R. Thériault et S. St-Onge, *op. cit.*

7 *Canadian Benefits Administration Manual,* Toronto, Richard de Boo Publisher, 1990.

8 D. Burn, « Wheel of Fortune : How Much Should an Organization Gamble on Early Retirement Planning ? », *Human Resource Professional,* vol. 11, no 4, 1994, p. 13-17.

9 *The Globe and Mail,* 2 septembre 1991.

10 H. Paris, « The Corporate Response to Workers With Family Responsibilities », *Conference Board of Canada,* Rapport no 43-89, 1989, p. 30.

11 S. St-Onge, « Reconnaître les performances », *Gestion,* septembre 1994, p.88-98.

12 A. C. Browne, « Employee Drug and Alcohol Use Estimates : Assessment Styles and Issues », *Employee Assistance Quarterly,* 1988, vol. 3 (3-4), p. 265-278.

13 J. Santa-Barbara, « Characteristics of Some EAP Models and Their Consequences », *EAP Digest,* juillet-août et septembre-octobre 1984 ; L. Stennett-Brewer, « Interview : Anthea Stewart – A Comparison of Canadian and U.S. EAPs », *Employee Assistance Quarterly,* 1986, vol. 2 (1), p. 87-97.

14 W. Shepell, « Does your EAP Pass the Scrutiny Test : Guidelines for Selecting an Employee Assistance Program », *Human Resource Professional,* 6 septembre 1989, p. 7-8.

15 J. M. Jerrell et J. F. Rightmyer, « Evaluating Employee Assistance Programs : A Review of Methods, Outcomes, and Future Directions », *Evaluation and Program Planning,* vol. 5, 1982, p. 255-267.

16 G. Guérin, S. St-Onge, V. Haines, R. Trottier et M. Simard, « Les pratiques d'aide à l'équilibre emploi-famille dans les organisations du Québec », *Relations Industrielles,* vol. 52, 1997, n° 2, p. 274-303.

17 J. Landauer, « Bottom-Line Benefits of Work/Life Programs », *HR Focus,* juillet 1997, p.3.

18 T. J. Rothauser, J. A. Gonzalez, N. E. Clarke et L. L. O' Dell, « Family-Friendly Backlash-Fact of Fiction ? The Case of Organizations' On-Site Child Care Centers », *Personnel Psychology,* vol. 51, 1998, p. 685-706.

19 C'est le cas de Hallmark Cards. Voir « Eldercare : Employers Taking Action », *Bulletin of Management,* 20 février 1988, p. 64 ; J. Haupt, « Employee Action Prompts Management to respond to Work-and-Family Needs », *Personnel Journal,* vol. 72, n° 2, 1993, p. 96-107.

20 *The Globe and Mail,* 20 mars 1992.

21 M. Cusipag, « A Healthy Approach to Managing Disability Costs », *Human resources Professional,* juin-juillet 1997, p. 13.

22 W. Lilley, « A Compensation Special », *Canadian Business,* avril 1985, p. 57 ; T. Thompson, J.F. Burton Jr. et D. E. Hyatt, *New Approaches to Disability in the Workplace,* Madison (WI), Industrial relations Research Association, 1998.

23 S. Felix, « Healthy Alternative », *Benefits Canada,* février 1997, p. 47.

24 Pour plus d'informations, voir : G. E. Sutherland, « Demographics Partially Underlies Push Toward flexible Compensation », *The Canadian Human Resource Reporter,* 14 décembre 1987.

25 « How Liptons Launched flexible Benefits Program », *The Canadian Human Resource Reporter,* 30 novembre 1987.

26 W. P. Cooke, « Telling Employees About Benefits », *Human Resources Management in Canada,* Prentice-Hall, 1988, p. 5 et 339.

27 P. Gauthier, « Rémunération : attention aux avantages sociaux ! », *La Revue municipale et les travaux publics,* vol. 75, n° 9, septembre 1997, p. 8-9.

28 « Communication is the Key », *Benefits Canada,* mai 1990, p. 46.

Lectures supplémentaires

- J. Laabs, « Cool Relo Benefits to Retain Top Talent », *Workforce,* mars 1999, p. 89-94.

- M. M. Markowich et J. Dortch, « Employees Can Be Smart Benefits Shoppers. Really », *Workforce,* septembre 1998, p. 64-70.

- M. W. Barringer et G. T. Milkovich, « A Theoretical Exploration of the Adoption and Design of flexible Benefits Plans : A Case of Human Resource Innovation », *Academy of Management Review,* vol. 23, 1998, p. 305-324.

- A. M. Rappaport, « The New Employment Contract and Employee Benefits : A Road Map for the Future », *ACA Journal,* été 1997, p. 6-15.

- J. G. Kilgour, « Twenty-Four Hour Coverage : Melding Group Health Insurance With Workers' Compensation », *ACA Journal,* printemps 1997, p. 56-64.

- S. Caudron, « Employee, Cover Thyself », *Workforce,* avril 2000, p. 34-42.

- D. Fandray, « What is Work/Life Worth ? », *Workforce,* mai 2000, p. 64-71.

- J. L. MacBride-King, « Managing Corporate Health Care Costs, Issues and Options », *Conference Board of Canada,* Rapport n° 158-95, 1995.

Les aspects juridiques de la gestion des ressources humaines

CHAPITRE

Le respect
des droits des employés

Les employés, dans le cadre de leur emploi, doivent jouir de certaines conditions de travail et d'un traitement juste et respectueux de la part de l'employeur. Ce chapitre traitera dans un premier temps des droits des employés qui sont couverts par les différentes lois du travail. Une première section est consacrée aux obligations juridiques reliées aux activités de gestion des ressources humaines qui ont été examinées dans cet ouvrage. Dans une deuxième section, les droits plus généraux qui ont trait aux conditions de travail seront présentés. Étant donné que les problèmes personnels et professionnels influent sur la productivité des employés, la gestion des ressources humaines tient compte et tente de régler les problèmes des employés qui ont une incidence sur leur rendement. C'est la raison pour laquelle, dans une troisième section, nous traiterons des employés en difficulté et du traitement auquel ils peuvent s'attendre de la part de leur employeur. Étant donné l'importance des politiques d'entreprise qui confèrent aux employés des droits, la notion de justice organisationnelle et son impact sur les perceptions d'équité dans les lieux de travail seront examinés dans une quatrième section. L'évolution de ces droits a des répercussions significatives sur la gestion des ressources humaines. L'établissement de politiques permet de réaliser un équilibre qu'il serait souhaitable d'établir entre les droits des employés et les droits de la direction d'une entreprise. Cependant, force est de constater que l'élaboration de politiques ne suffit pas, l'employeur doit se donner les moyens de diffuser les politiques auprès des employés afin d'assurer une application équitable. Tel est l'objet de la dernière section de ce chapitre.

I Les obligations juridiques entourant les activités de gestion des ressources humaines

Pour la plupart des organisations, les contraintes et les obligations juridiques influencent les activités de gestion des ressources humaines et les autres décisions concernant le personnel. C'est au gestionnaire des ressources humaines qu'incombe la responsabilité de démêler cet écheveau de lois et de règlements. Dans cette section, nous décrivons les principales contraintes liées aux diverses activités de gestion des ressources humaines examinées dans cet ouvrage.

LE RECRUTEMENT ET LA SÉLECTION

Consultez Internet

http://www.tbs-sct.gc.ca/
Site présentant les politiques et les publications concernant l'équité en matière d'emploi.

L'équité en matière d'emploi. Le concept d'« *équité en matière d'emploi* » recouvre en principe toute forme de discrimination au travail. Il existe deux sortes de discrimination : la discrimination intentionnelle, qui est pratiquée consciemment, et la discrimination systémique, qui est pratiquée inconsciemment. Le concept même d'équité en matière d'emploi peut se définir comme « le processus visant à assurer la représentation équitable, sur les lieux de travail, des groupes désignés et à pallier ou à prévenir les effets de la discrimination intentionnelle et systémique[1] ».Il y a discrimination systémique lorsqu'une pratique d'embauche, neutre en apparence, a un effet défavorable sur l'un ou l'autre des groupes désignés dans la législation sur les droits de la personne, c'est-à-dire les femmes, les minorités visibles et les personnes handicapées. Les méthodes d'évaluation des qualifications justifiant l'embauche ont évolué avec le temps afin de répondre aux besoins spécifiques des travailleurs œuvrant dans des marchés bien précis. L'analyse de la discrimination systémique a pour principal objectif de déterminer si les pratiques d'embauche ont un effet défavorable sur les groupes désignés alors qu'elles ne sont fondées sur aucun autre motif justifiant leur pertinence et leur validité.

La Loi sur l'équité en matière d'emploi : un défi pour le gestionnaire des ressources humaines. La Loi fédérale sur l'équité en matière d'emploi, en vigueur depuis le 24 octobre 1996, a pour objet de corriger les désavantages subis par certains groupes. Cette loi oblige les entreprises qui relèvent de l'autorité fédérale et les sociétés d'État d'au moins 100 employés à identifier et à éliminer les obstacles rencontrés par les groupes désignés par la Loi, à implanter des programmes d'équité en matière d'emploi, à favoriser la représentation équitable de ces groupes au sein de l'entreprise et à produire un rapport annuel soulignant les résultats obtenus. Ces rapports sont ensuite déposés à la Chambre des communes et diffusés dans le réseau des bibliothèques publiques du Canada. La publication de ces rapports est une exigence importante de la Loi. Ainsi, les employeurs sont obligés de s'acquitter de leurs obligations juridiques et de faire connaître à tous les intéressés les mesures qu'ils ont prises en ce sens. Les employeurs qui négligent de soumettre leur rapport annuel sont passibles d'une amende.

L'implantation d'un programme d'équité en matière d'emploi rend le système de gestion des ressources humaines beaucoup plus juste et efficace. Elle permet, en outre, d'élargir la réserve des demandeurs d'emploi et stimule le recrutement interne. L'encadré 13.1 présente des suggestions pour favoriser des pratiques équitables en matière de recrutement.

ENCADRÉ 13.1 Suggestions pour favoriser des pratiques équitables en matière de recrutement

- Procéder à la vérification régulière de la politique du service des ressources humaines afin de s'assurer du respect des exigences de la loi.
- Établir une procédure d'appel à l'intention des employés et prévoir un mécanisme leur permettant de rapporter les infractions à la Loi sur l'équité en matière d'emploi.
- Élaborer une politique de formation des employés de façon à augmenter le nombre des individus, membres des quatre groupes désignés, admissibles à une promotion.
- Utiliser un système d'information sur les ressources humaines afin de faciliter la recherche et l'identification des membres des groupes désignés et de vérifier les progrès dans la poursuite des objectifs d'équité en matière d'emploi.
- Élaborer une politique des ressources humaines qui soit avantageuse pour les femmes (par exemple, un service de garderie ou un horaire flexible), afin d'inciter les femmes qui ont la garde de leurs enfants à rejoindre le marché du travail ou à y rester[2].

L'équité en matière d'emploi et le programme fédéral destiné aux entrepreneurs. Le programme, appelé « programme de contrats fédéraux » ou programme d'obligation contractuelle, est administré par Développement des ressources humaines Canada. Bien que son mode d'opération soit différent, ce programme poursuit les mêmes objectifs que la Loi sur l'équité en matière d'emploi. Le programme stipule que les entreprises qui emploient 100 personnes et plus et qui déposent des soumissions au gouvernement pour des contrats de plus de 200 000 $ doivent s'engager à éviter de créer des obstacles injustes lors de la sélection, de l'embauche, de la formation et de la promotion des individus appartenant aux quatre groupes désignés par la Loi. Des programmes similaires ont été mis en place en Ontario et au Québec. Au Québec, ce programme s'applique également aux entreprises qui bénéficient de subventions gouvernementales. Même si l'engagement des entreprises est volontaire, celles-ci sont astreintes aux mêmes exigences que les programmes gouvernementaux d'équité en matière d'emploi : collecte des données, planification et analyse, établissement d'objectifs et d'un calendrier et production de rapports (ces rapports ne font pas partie intégrante des programmes mais sont cependant sujets à vérification).

L'implantation d'un programme d'équité en matière d'emploi. Selon la Loi, « l'employeur doit implanter le programme d'équité en matière d'emploi de concert avec les personnes désignées par les employés pour les représenter, ou avec l'agent négociateur mandaté à cette fin[3] ». C'est l'employeur qui a la responsabilité d'implanter le programme d'équité en matière d'emploi dans l'entreprise. Le processus d'implantation comprend cinq étapes principales reproduites dans l'encadré 13.2.

ENCADRÉ 13.2 Les étapes d'un programme d'équité en matière d'emploi

ÉTAPE	DESCRIPTION	RECOMMANDATION
1re étape : la préparation	Le processus débute par un engagement ferme de la haute direction à promouvoir l'équité en matière d'emploi qu'il communique aux cadres intermédiaires. La responsabilité de l'ensemble du projet devrait être confiée à un cadre supérieur, provenant habituellement du service des ressources humaines ; ce gestionnaire aura la tâche principale de s'assurer que les objectifs seront atteints.	Établir une stratégie de communication dans le but de créer une ambiance propice à l'implantation du programme et aider les employés qui font partie des groupes désignés à s'auto-identifier (par exemple, des notes de service émanant de la direction, la présentation de vidéos, des réunions et des séminaires).
2e étape : l'analyse	Étape qui sert à l'identification des difficultés spécifiques de l'entreprise par la comparaison des données internes, recueillies auprès des groupes désignés, aux données externes.	Les spécialistes de l'équité en matière d'emploi recommandent que l'information pertinente soit recueillie lors de la demande d'emploi ou de l'embauche, lors de promotions ou de mutations, ou encore lors des stages de formation des employés permanents, à temps partiel ou occasionnels. Un questionnaire confidentiel sur l'équité en matière d'emploi est souvent utilisé à cette fin. L'encadré 13.3 reproduit le questionnaire que la Banque Nationale du Canada a préparé à l'intention de ses employés. On procède ensuite à l'analyse de l'information afin de déterminer s'il y a sous-représentation de certains groupes et on élabore, le cas échéant, une stratégie permettant de remédier à la situation. L'examen des systèmes d'embauche permet également de mettre en évidence les obstacles que rencontrent ces groupes.
3e étape : la planification	Les résultats de l'analyse permettent ensuite d'élaborer un plan d'action visant à corriger la situation. Le but est, bien sûr, d'augmenter la représentation des groupes désignés dans l'entreprise. Il est en outre essentiel que ce plan d'action soit étroitement relié à la planification des ressources humaines.	Le programme d'équité en matière d'emploi devrait comporter une énumération des objectifs portant sur l'embauche, la formation et la promotion, et fixer des délais pour leur accomplissement. On doit également identifier les personnes responsables de l'implantation du programme et définir les structures d'évaluation destinées à mesurer les progrès et l'atteinte des objectifs.

ENCADRÉ 13.2 *(suite)*

ÉTAPE	DESCRIPTION	RECOMMANDATION
4ᵉ étape: **l'implantation**	Les modalités d'implantation des programmes d'équité en matière d'emploi varient selon les organisations. Certaines organisations fixent des taux d'embauche pour les membres des minorités visibles ou les autochtones. D'autres, comme les universités, fixent à 50 % le taux d'embauche des femmes et favorisent une plus grande participation des femmes à certains programmes administratifs.	
5ᵉ étape: **le suivi**	Comme c'est le cas pour tout plan d'action, on doit assurer le suivi du programme d'équité. Parfois, le suivi consiste en un simple calcul des résultats obtenus.	La désignation d'un responsable chargé de s'assurer que les objectifs sont atteints est un élément important du processus. En bref, les objectifs du programme d'équité en matière d'emploi doivent être traités avec autant d'attention que les autres objectifs organisationnels.

ENCADRÉ 13.3 Questionnaire sur l'équité en matière d'emploi utilisé par la Banque Nationale du Canada

Numéro d'employé :

Garantie

- Nous garantissons la confidentialité des renseignements que vous fournirez.
- Ces renseignements seront utilisés exclusivement par les personnes responsables du programme, et ce, aux seules fins de l'équité en matière d'emploi. Ils n'apparaîtront donc pas dans votre dossier personnel.
- Aucune personne ne pourra obtenir de renseignements sur vous ou sur les autres participants.
- Vous pourrez, en tout temps, mettre à jour et apporter des corrections à ces renseignements.

Aux employés de la Banque Nationale

Au début de l'année 1991, la Banque Nationale s'est dotée d'un programme d'équité en matière d'emploi, programme visant à assurer l'égalité en emploi et à supprimer les obstacles auxquels pourraient être confrontés certains groupes en milieu de travail.

Les actions entreprises jusqu'à présent ont permis d'améliorer la représentation des membres des groupes désignés au sein du personnel de la Banque soit les femmes (dans certains secteurs d'activités), les autochtones, les membres des minorités visibles et les personnes handicapées. Afin de continuer à progresser sur cette voie, la Banque doit établir un profil de sa main-d'œuvre et surveiller son évolution. Les renseignements qui vous sont demandés dans ce questionnaire nous permettront d'établir un portrait exact de nos employés, de mettre en œuvre de nouvelles politiques d'équité en matière d'emploi, de mesurer nos progrès dans le temps et, finalement, de rendre compte de nos résultats dans le rapport que nous devons présenter chaque année au gouvernement fédéral.

Votre participation à cette collecte de renseignements se veut volontaire. Toutefois, je me permets de solliciter fortement votre collaboration; nous avons besoin des réponses de tous les employés pour être en mesure de poser des gestes concrets et relever le défi de l'équité au sein de la Banque Nationale. Soyez assuré que les renseignements que vous fournirez sont strictement confidentiels et n'apparaîtront pas dans votre dossier personnel.

Que vous décidiez ou non de remplir le questionnaire, veuillez le faire parvenir dans l'enveloppe ci-jointe au Service dotation, équité et recrutement dans les 5 jours suivant sa réception. Si vous avez besoin de renseignements supplémentaires, de mesures spéciales pour vous aider à répondre au questionnaire (ex. : écriture en braille, magnétophone, etc.) ou si vous désirez nous faire part de vos commentaires et suggestions, veuillez communiquer avec le Service dotation, équité et recrutement au (514) 394-6359.

Je vous remercie à l'avance de votre collaboration.

Gisèle Desrochers
Première vice-présidente
Ressources humaines et administration

ENCADRÉ 13.3 (suite)

Instructions

Veuillez lire attentivement chacune des questions

- Utilisez un stylo bleu ou noir ou un crayon HB.
- Répondez à chacune des questions en noircissant entièrement les cases appropriées. Ex.: ■ Oui ☐ Non
- Ne pas faire de marques inutiles sur la feuille-réponse.

Question 1

L'expression « *autochtone* » désigne les Indiens, les Inuits et les Métis.

Vous considérez-vous comme faisant partie des autochtones? 1 ☐ Oui 2 ☐ Non

Question 2

Font partie des minorités visibles, les personnes, **autres que les autochtones**, qui ne sont pas de race blanche ou qui n'ont pas la peau blanche. Cette définition n'est pas fondée sur le lieu de naissance ni la citoyenneté.

Selon la définition, êtes-vous membre d'une minorité visible? 1 ☐ Oui 2 ☐ Non

Si oui, noircissez la case indiquant votre ou vos groupe (s) d'appartenance. *Cette sous-question permet à la Banque d'établir un profil détaillé de sa main-d'œuvre et d'adopter des politiques d'équité en matière d'emploi qui reflètent la diversité de son personnel.*

1. ☐ Noirs *(ex.: les Noirs d'Afrique, des Antilles, du Canada et des États-Unis)*
2. ☐ Chinois
3. ☐ Japonais
4. ☐ Coréens
5. ☐ Philippins
6. ☐ Asiatiques du Sud *(ex.: Bengalais, ressortissants du sous-continent indien, Pakistanais, Sri Lankais)*
7. ☐ Asiatiques occidentaux et Arabes *(ex.: Afghans, Arméniens, Égyptiens, Iraniens, Irakiens, Jordaniens, Libanais, Palestiniens, Syriens, Turcs)*
8. ☐ Asiatiques du Sud-Est *(ex.: Birmans, Cambodgiens, Kampuchéens, Laotiens, Malais, Thaïlandais, Vietnamiens)*
9. ☐ Latino-Américains *(ex.: Mexicains et les autres personnes ayant des origines de l'Amérique centrale ou du Sud qui ne sont pas de race blanche ou qui n'ont pas la peau blanche)*
10. ☐ Autres *(ex.: Indonésiens et ressortissants des Îles du Pacifique)*

Question 3

L'expression « *personnes handicapées* » désigne les personnes qui ont une déficience durable ou récurrente soit de leurs capacités physiques, mentales ou sensorielles, soit d'ordre psychiatrique ou en matière d'apprentissage et:
a) soit considèrent qu'elles ont des aptitudes réduites pour exercer un emploi ;
b) soit pensent qu'elles risquent d'être classées dans cette catégorie par leur employeur ou par d'éventuels employeurs en raison d'une telle déficience.

La présente définition vise également les personnes dont les limitations fonctionnelles liées à leur déficience font l'objet de mesures d'adaptation pour leur emploi ou dans leur lieu de travail.

Selon la définition, êtes-vous une personne handicapée? 1 ☐ Oui 2 ☐ Non

Si oui, noircissez la case en indiquant la nature de votre handicap.

Cette sous-question est inscrite seulement dans le but de vous aider à mieux vous identifier.

1. ☐ Problèmes de coordination ou de dextérité *(ex.: paralysie cérébrale)*
2. ☐ Troubles de mobilité *(ex.: déplacement en fauteuil roulant, prothèse, canne)*
3. ☐ Déficit fonctionnel *(d'un bras, d'une main, d'une jambe, d'un pied)*
4. ☐ Troubles de l'ouïe *(ex.: malentendant, sourd)*
5. ☐ Troubles de la vue *(excepté le port de lunettes et de lentilles cornéennes)*
6. ☐ Troubles de la parole *(ex.: aphasie)*
7. ☐ Troubles non visibles *(ex.: hémophilie, épilepsie, diabète)*
8. ☐ Difficultés d'apprentissage *(ex.: dyslexie, hyperactivité)*
9. ☐ Troubles de santé mentale
10. ☐ Autres troubles *(visibles ou non visibles)*

Faites-nous part de vos commentaires et suggestions:

_____
_____
_____

Signature: _____ Date: _____

Les lois fédérale et provinciale prohibant la discrimination en emploi. La Loi canadienne sur les droits de la personne stipule que chaque individu devrait bénéficier d'autant de chances que les autres de mener l'existence qu'il désire, conformément à ses devoirs et obligations, sans en être empêché par des pratiques discriminatoires fondées sur la race, la nationalité ou l'origine ethnique, la couleur de la peau, la religion, l'âge, l'état matrimonial, un handicap physique, ou encore sur l'état de personne graciée. Cette loi empêche également toute discrimination dans les activités entourant le recrutement, la sélection, la promotion, la mutation, la formation et le licenciement des individus.

Les dix provinces et les deux territoires canadiens ont promulgué des lois sur les droits de la personne qui sont assez semblables à la loi fédérale. L'encadré 13.4 présente les principaux motifs de discrimination en matière d'emploi interdits au Canada.

La Charte des droits et des libertés de la personne du Québec (Charte québécoise) établit les motifs de discrimination (indiqués dans le tableau ci-après) dans son article 10. La Charte défend la discrimination spécifiquement lors de l'embauche dans son article 16. L'article 18 prohibe aux bureaux de placement de discriminer dans la réception, la classification ou le traitement d'une demande d'emploi ou dans un acte visant à soumettre une demande à un employeur éventuel.

Les considérations juridiques spécifiques au processus de sélection. L'employeur doit s'abstenir lors de l'entrevue de sélection de poser toute question qui puisse viser à recueillir des informations à caractère discriminatoire (motifs de discrimination indiqués dans l'encadré 13.4). La Charte québécoise interdit dans son article 18 alinéa 1 de demander, dans un formulaire de demande d'emploi ou lors d'une entrevue, des renseignements relatifs aux motifs visés dans l'article 10 sauf si ces renseignements sont utiles à l'application d'un programme d'accès à l'égalité existant au moment de la demande[4].

Quelles sont les informations que l'on peut obtenir d'un candidat ? Selon l'article 19, alinéa 2, il n'y a pas de discrimination si la distinction, l'exclusion ou la préférence est fondée sur les aptitudes ou les qualités requises pour un emploi (article 20). La Charte n'interdit pas à un employeur de demander à un candidat s'il a un casier judiciaire. Cependant, elle lui interdit de refuser de l'embaucher pour ce motif sauf si l'infraction a un lien direct avec l'emploi auquel postule le candidat (article 18).

Le processus de sélection repose sur la bonne foi des deux parties. L'article 9 de la Loi sur la protection des renseignements personnels dans le secteur privé comporte une disposition qui permet à un candidat de refuser de répondre à certaines questions qu'il juge de nature personnelle et l'employeur ne peut l'écarter pour ce motif[5]. Toujours selon cet article, l'employeur peut exiger une réponse si les renseignements sont nécessaires pour la conclusion du contrat de travail, si l'obtention de ces renseignements est permise par la Loi et si l'employeur a des motifs sérieux de croire que le candidat ne peut légalement occuper le poste. Quant à la vérification des références, il faut noter que selon la Loi sur la protection des renseignements personnels c'est au candidat qu'il faut demander de se les procurer. Si l'employeur entend enquêter, il doit obtenir une autorisation formelle pour le faire[6] en l'incluant par exemple dans le formulaire de demande d'emploi. Également, l'employeur antérieur doit être autorisé avant de dévoiler des renseignements personnels sur un ancien salarié. Notons finalement qu'un candidat non retenu est autorisé à consulter son dossier personnel (formulaire de demande d'emploi, notes de l'interviewer et résultats des examens ou tests). Il serait donc prudent que les dossiers d'embauche soient bien constitués et conformes à la Loi.

ENCADRÉ 13.4 Motifs de discrimination dans l'emploi interdits au Canada

	Fédérale	Colombie-Britannique	Alberta	Saskatchewan	Manitoba	Ontario	Québec	Nouveau-Brunswick	Île-du-Prince-Édouard	Nouvelle-Écosse	Terre-Neuve	Territoire du Nord-Ouest	Yukon
Race	X	X	X	X	X	X	X	X	X	X	X	X	X
Origine nationale ou ethnique[1]	X			X	X	X	X	X	X	X	X	X	X
Ascendance			X	X	X	X	X	X				X	X
Lieu d'origine			X	X	X	X	X	X				X	X
Couleur de la peau	X	X	X	X	X	X	X	X	X	X	X	X	X
Religion	X	X	X	X	X	X	X	X	X	X	X	X	X
Âge	X	X 19-65	X 18+	X 18-64	X	X 18-65	X	X	X	X	X 19-65	X	X
Sexe (y compris grossesse ou accouchement)[2]	X	X	X	X	X	X	X	X	X	X	X	X	X
État matrimonial[3]	X	X	X	X	X	X	X	X	X	X	X	X	X
Situation de famille	X	X	X	X	X	X	X	X	X	X		X	X
Personne graciée	X	X				X	X				X		
Dossier judiciaire		X					X		X				X
Handicap ou incapacité physique	X	X	X	X	X	X	X	X	X	X	X	X	X
Déficience ou incapacité intellectuelle	X	X	X	X	X	X	X	X	X	X	X	X	X
Dépendance par rapport à l'alcool ou aux drogues	X	X	X	X	X	X	X	X	X	X	X		
Par association					X	X		X	X	X			X
Convictions politiques[4]		X			X		X		X	X			X
Transfert ou saisie de salaire[5]												X	
Source de revenus			X	X	X		X		X	X			
Conditions sociales							X				X		
Langue					X		X						X
Origine sociale							X				X		
Orientation sexuelle[6]	X	X	X	X	X	X	X	X	X	X	X		X

1. Saskatchewan et les territoires du Nord-Ouest utilisent le terme « nationalité », ajout du terme « citoyenneté » dans le Code ontarien.
2. Au Québec, la grossesse constitue, comme telle, un motif de discrimination.
3. Le Québec utilise l'expression « état civil », pour les motifs « état matrimonial » et « situation de famille ».
4. À Terre-Neuve l'« opinion politique » constitue un motif de distinction illicite.
5. Au Québec le motif saisie de salaire est inclus dans le motif « condition sociale ».
6. En 1998, inclusion dans l'*Alberta Human Rights, Citizenship and Multiculturalism Act* par la Cour suprême du Canada au moyen de l'interprétation large.

L'employeur peut-il exiger un examen médical ? L'employeur ne peut se servir d'un test ou d'un examen médical pour refuser d'embaucher un candidat à moins que le test ne révèle une inaptitude à effectuer le travail. L'examen médical ne doit en aucun cas servir à favoriser des candidats en meilleure santé ou servir comme investigation de l'état de santé d'un candidat mais doit se limiter à préciser la capacité du postulant à effectuer son travail. Le candidat a toujours accès à son dossier. S'il s'avère que le candidat souffre d'un handicap ou d'une maladie qui n'affecte pas sa capacité à effectuer le travail, l'employeur ne peut écarter sa candidature sous prétexte de la maladie (personnes cardiaques, personnes porteuses du VIH, personnes diabétiques, etc.). Nous traiterons des tests médicaux en cours d'emploi dans la prochaine section.

Quelle est la marge de manœuvre d'un employeur lors de l'embauche d'un candidat ? Un employeur qui respecte les dispositions qui ont été examinées précédemment est libre d'embaucher la personne de son choix. Certaines exceptions provenant des différentes lois qui encadrent la gestion des ressources humaines s'appliquent et ont été recensées dans l'encadré 13.5.

ENCADRÉ 13.5 Raisons qui ne peuvent motiver le refus d'embaucher un candidat

- Candidat ne connaît aucune autre langue que le français sauf si l'accomplissement des tâches le requiert (par exemple, clientèle anglophone, etc.).
- Candidat qui a déjà été victime d'une lésion professionnelle ou a été fréquemment par le passé en arrêt de travail.
- Candidat qui a exercé un droit résultant du Code du travail (par exemple, avoir participé à des activités syndicales).
- Candidat coupable d'une infraction pénale qui n'a aucun lien avec l'emploi convoité.

L'employeur ne peut embaucher les personnes suivantes :

- Candidat qui est un enfant de moins de 16 ans pendant les heures de fréquentation scolaire.
- Candidat à un poste qui requiert un titre professionnel alors que la personne n'est pas membre de l'Ordre professionnel en question.
- Candidat qui doit exercer un métier mais qui ne détient pas une carte de compétence (source CCH).

L'ÉVALUATION DU RENDEMENT

Les aspects juridiques influent de plus en plus sur l'élaboration des systèmes d'évaluation du rendement. La conformité aux dispositions de la Charte canadienne des droits et libertés et des diverses autres lois fédérales et provinciales relatives aux droits de la personne requiert des procédures valides d'évaluation du rendement. Toutes les décisions visant l'acquisition et l'évaluation des ressources humaines reposent sur des critères liés directement aux exigences du poste. Contrairement à la situation qui prévaut aux États-Unis, on a enregistré peu de litiges au Canada concernant les systèmes d'évaluation du rendement. Cependant, un certain nombre de causes portées devant les tribunaux ou de différends soumis à l'arbitrage concernant des licenciements, des congédiements et parfois même des promotions font indirectement référence au système d'évaluation du rendement. Nous pouvons toutefois conclure, à la lumière des premières décisions rendues, que lorsque des décisions arbitraires de la direction sont contestées, les jugements des tribunaux et des commissions d'enquête ont tendance à être favorables aux employés.

Lorsque les critères d'évaluation ont été déterminés, on a recours à des formulaires (instruments) pour la collecte d'informations concernant ces critères (les composantes principales et essentielles de l'emploi). Le fait d'utiliser un critère inapproprié peut conduire à une évaluation inadéquate. Si ce critère sert par la suite à appuyer une décision d'embauche ou de congédiement, une plainte pour discrimination peut en résulter. L'encadré 13.6 présente les lignes directrices, en matière juridique, dont il faut tenir compte dans l'élaboration des systèmes d'évaluation du rendement[7].

ENCADRÉ 13.6 Facteurs juridiques à considérer lors de l'application de l'évaluation du rendement

- Les processus décisionnels relatifs aux ressources humaines ne doivent pas varier selon la race, le sexe, la couleur, la nationalité, l'état matrimonial, la religion ou l'âge des personnes touchées par ces décisions.
- Il faudrait, dans la mesure du possible, avoir recours à des données objectives, exemptes de jugement de valeur et de contamination.
- Un système formel de révision ou d'appel devrait exister pour traiter des désaccords relatifs à l'évaluation.
- Il importe de choisir plus d'un évaluateur indépendant.
- Les décisions touchant les ressources humaines devraient s'appuyer sur un système formel, normalisé.
- Les évaluateurs devraient disposer de plusieurs occasions d'observer le rendement des employés, avant d'établir une notation.
- L'évaluation ne devrait pas porter sur des traits tels que la dépendance, le dynamisme, les aptitudes ou les attitudes.
- Il est essentiel de procéder à la validation empirique des données de l'évaluation du rendement.
- Il faudrait informer les employés des normes de rendement qu'on s'attend à ce qu'ils respectent.
- Les évaluateurs devraient disposer de directives écrites quant aux modalités de réalisation d'une évaluation.
- L'évaluation des employés devrait porter sur des dimensions spécifiques du travail plutôt que sur une mesure globale.
- Les notations extrêmes devraient s'appuyer sur une documentation comportementale appropriée (par exemple, les incidents critiques).
- Les évaluateurs devraient recevoir une formation pour les rendre plus aptes à diriger l'évaluation du rendement.
- Le contenu du formulaire d'évaluation du rendement devrait se fonder sur l'analyse des postes.
- Les employés devraient avoir la possibilité de réviser leurs évaluations.
- Les décideurs en gestion des ressources humaines devraient posséder une connaissance et une formation appropriées en matière de législation touchant la discrimination sous toutes ses formes.

Source: Cette liste a été adaptée de H. J. Bernardin et W. F. Cascio, « Performance Appraisal and the Law », dans R. S. Schuler, S. A. Youngblood et V. L. Huber (dir.), *Readings in Personnel and Human Resource Management,* 3ᵉ édition, St. Paul, West Publishing, 1988.

LE DÉVELOPPEMENT DES COMPÉTENCES

Consultez Internet

http://www.chrc-ccdp.ca

Site de la Commission canadienne des droits de la personne.

http://www.cdpdj.qc.ca

Site de la Commission des droits de la personne et des droits de la jeunesse du Québec.

En vertu de la Loi sur la formation professionnelle des adultes de 1967, le gouvernement fédéral peut apporter son soutien financier aux employeurs qui offrent des programmes de formation. Il leur est possible de recevoir des fonds pour une période allant jusqu'à trois ans. Selon les dispositions de la politique d'équité en matière d'emploi, la Commission de l'emploi et de l'immigration du Canada a veillé à ce que les fonds versés à l'industrie augmentent de façon régulière à travers l'élaboration du Programme canadien de formation de la main-d'œuvre en industrie (PCFMI). Ces subventions ont augmenté non seulement en termes absolus, mais aussi par rapport aux dépenses liées à la formation institutionnelle. En 1982, la Loi nationale sur la formation fut adoptée. Une formation professionnelle devait alors être offerte en vue de favoriser l'adaptation des compétences de la main-d'œuvre aux besoins et à l'évolution de l'économie, et d'augmenter les possibilités de gain et d'emploi des travailleurs indépendants. Le programme de formation mis sur pied comprenait des cours variés, allant du développement des habiletés de base à la formation professionnelle proprement dite. Certaines dispositions de la Loi visaient aussi à encourager la formation des femmes qui désiraient pratiquer des métiers non traditionnels. Dans le cadre de l'objectif général de formation, le gouvernement fédéral accordait une attention spéciale à la formation de certains groupes socialement désavantagés tels que les femmes, les minorités visibles, les personnes handicapées et les autochtones.

Consultez Internet

http://www.mss.gouv.qc.ca

Site du ministère de la Solidarité sociale dont Emploi-Québec fait partie et qui permet une consultation détaillée de la Loi sur la formation professionnelle et donne accès aux documents permettant l'obtention de subventions.

Le gouvernement québécois a adopté le 22 juin 1995 la Loi favorisant le développement de la formation de la main-d'œuvre. L'objectif de cette loi a été d'améliorer la qualification de la main-d'œuvre en favorisant l'emploi, l'adaptation et l'insertion en emploi ainsi que la mobilité de la main-d'œuvre. Cette loi oblige tout employeur dont la masse salariale excède 250 000 $ à investir un montant représentant au moins 1 % de cette masse salariale en formation. La Loi offre aux employeurs la liberté de choisir le moyen de formation qui leur convient sans la contrainte de faire approuver le plan ou l'activité de formation. Ce sont les conseillers d'Emploi-Québec qui se chargent de fournir de l'assistance aux employeurs afin de planifier et de coordonner les activités de formation.

LA GESTION DES CARRIÈRES

Certains aspects de la gestion des carrières risquent d'avoir des conséquences juridiques. Discriminer dans l'accès aux services de consultation ou aux promotions est illégal. Les perspectives de carrière offertes aux femmes et aux minorités visibles sont particulièrement importantes. Les organisations comprennent dorénavant que, pour aider les femmes et les minorités visibles à avancer dans l'organisation, elles doivent concevoir des programmes capables de dissiper le « plafond de verre », expression désignant les aspects « invisibles » du plafonnement de carrière. Souvent, la carrière de ces groupes d'employés a en effet été bloquée pour des raisons à caractère discriminatoire et donc non fondées. Beaucoup d'organisations travaillent actuellement à corriger ces situations.

LA RÉMUNÉRATION

Comme c'est le cas de nombreuses activités de la gestion des ressources humaines, plusieurs lois provinciales et fédérales, des jugements de tribunaux et des décisions des commissions des droits de la personne ont un impact sur la rémunération globale des employés.

Le Code canadien du travail. Il s'agit de la loi du travail la plus exhaustive (partie III du Code), qui réglemente plusieurs aspects de la rémunération et s'applique à tous les employés relevant de la compétence fédérale. Cette loi touche le salaire minimum, le temps supplémentaire, l'âge minimum requis pour occuper un emploi et les heures de travail. On retrouve une législation similaire dans toutes les provinces. Le Code canadien oblige l'employeur à rémunérer les employés à un taux d'au moins 1,5 fois le taux horaire pour toute heure supplémentaire effectuée au-delà des 40 heures normales de travail hebdomadaire. Il fixe aussi un salaire minimum, qui exclut toutefois les stagiaires ainsi que les apprentis embauchés par le gouvernement fédéral. Plusieurs lois provinciales touchent également les salaires et les heures de travail. Toutes les provinces possèdent une loi sur le salaire minimum couvrant les employés qui ne relèvent pas de la compétence fédérale. Cependant, le salaire minimum diffère selon les provinces.

Le Code canadien du travail comporte des dispositions relatives aux heures de travail. Les employés ne peuvent travailler plus de 48 heures par semaine sauf en cas d'urgence. Le Code oblige en outre les employeurs à tenir un registre détaillé précisant les heures travaillées, les taux de salaire payés, le nombre d'heures supplémentaires et les retenues à la source effectuées, les sommes supplémentaires versées ainsi que les divers renseignements reliés à la rémunération. Tous les dossiers relatifs à la rémunération doivent être conservés au moins 36 mois après que le travail a été effectué et doivent être disponibles en tout temps à des fins de vérification.

Le Code, ou une partie de ses clauses, ne s'applique pas à certaines catégories d'employés. Par exemple, les employés de la direction et le personnel professionnel ne sont pas couverts par les clauses relatives aux heures de travail. L'exclusion de certaines catégories d'employés des dispositions du Code est liée à leurs responsabilités, à leurs fonctions et à leur mode de rémunération. De façon générale, les dirigeants, les administrateurs et les professionnels sont des employés non admissibles aux clauses du Code relatives au temps supplémentaire et au salaire minimum. Les employeurs ne sont donc pas tenus, par exemple, de les rémunérer en temps supplémentaire pour le travail effectué au-delà de 40 heures par semaine. Les employés non admissibles reçoivent normalement un traitement mensuel ou bimensuel. Par contre, les employés rémunérés sur une base horaire ou journalière font normalement partie des employés admissibles. Cette pratique est cependant en voie de se modifier, et il devient difficile d'établir des principes généraux quant à l'admissibilité ou non des employés salariés et à la pièce.

Les lois touchant la rémunération varient d'une province à l'autre et changent constamment, ce qui devrait inciter les responsables des ressources humaines à se tenir renseignés sur ce sujet. La plupart de ces lois relèvent du ministère provincial du Travail, qui fournit de l'information à tous ceux qui en font la demande.

Consultez Internet

http://www.cnt.gouv.qc.ca

Site de la Commission des normes du travail du Québec.

La législation québécoise qui encadre la rémunération. Au Québec, le salaire minimum est fixé par le gouvernement (encadré 13.7). C'est la Commission des normes du travail qui se charge de le diffuser. Certains employés sont exclus de l'application des dispositions se rapportant au salaire minimum[8]. Parmi ceux-ci, notons à titre d'exemple le salarié entièrement rémunéré à la commission qui a une activité à caractère commercial à l'extérieur de l'établissement et dont les heures de travail sont incontrôlables, le stagiaire dans un cadre de formation professionnelle reconnue par la Loi et l'étudiant employé dans un organisme à but non lucratif et à vocation sociale ou communautaire. Le salaire doit normalement être payé à des intervalles réguliers qui n'excèdent pas 16 jours[9].

La semaine normale de travail est de 40 heures (depuis le 1er octobre 2000). Elle varie cependant pour certaines personnes dont les domestiques et les gardiens et certains salariés qui travaillent dans une exploitation forestière, une scierie, un endroit isolé ou sur le territoire de la Baie James (CCH). Les cadres et certains autres

ENCADRÉ 13.7 Les taux du salaire minimum au Québec

Les taux du salaire minimum	au 1er octobre 1998	au 1er février 2001
Taux général	6,90 $/heure	7,00 $/heure
Salariés qui reçoivent habituellement des pourboires	6,15 $/heure	6,25 $/heure
Domestiques qui résident chez leur employeur	271,00 $/semaine	280,00 $/semaine

Le saviez-vous ?

Au Québec, près de 2 552 000 salariés sont assujettis à la Loi sur les normes du travail, dont 1 400 000 qui n'ont que cette loi pour encadrer leurs conditions de travail. La Commission des normes du travail estime aussi que près 178 000 employeurs sont assujettis à cette loi, dont 141 000 qui n'ont que cette loi pour encadrer les conditions de travail au sein de leur entreprise.

salariés qui occupent des emplois spécifiés par l'article 54 de la Loi sur les normes du travail sont également exclus de l'application de la règle concernant la semaine normale de travail. Il est important de déterminer la durée de la semaine de travail étant donné que l'employeur est tenu de majorer de 50 % le taux horaire du salarié qui fait des heures supplémentaires[10].

Les congés payés déterminés par le législateur sont ceux mentionnés dans le chapitre 11. Ils sont déterminés par la Loi sur les normes du travail et sont les suivants : le 1er janvier, le vendredi saint ou le lundi de Pâques (au choix de l'employeur), le lundi qui précède le 25 mai, le 1er juillet ou le 2 juillet si le 1er tombe un dimanche, le 1er lundi de septembre, le 2e lundi d'octobre, le 25 décembre et le 24 juin ou le 25 juin si le 24 tombe un dimanche. Tout salarié a également droit à une période de congé annuel payé. La durée de ce congé est calculée en fonction du nombre d'années de service et le congé lui-même doit être pris dans les 12 mois qui suivent la période de référence. Les salariés qui auront accumulé moins d'un an de service ont droit à un congé d'un jour par mois de service jusqu'à concurrence de deux semaines. Ceux qui auront accumulé un an de service continu ont droit à un minimum de deux semaines de congés continus et finalement ceux qui auront accumulé cinq années de service ont droit à un congé annuel d'une durée minimale de trois semaines[11]. C'est l'employeur qui détermine le moment où le salarié, selon l'article 72 de la Loi sur les normes du travail, a le droit de connaître la date de son congé annuel, soit au moins quatre semaines à l'avance. La Loi sur les normes du travail accorde également des congés payés à la suite du décès d'un parent proche[12]. Également, certains événements comme le mariage, la naissance ou l'adoption d'un enfant donnent droit à des congés payés[13].

II Les droits des employés relativement à leurs conditions de travail

Les employés ont le droit de travailler dans un environnement sain et sécuritaire. Les conditions de travail qui prévalent dans l'entreprise doivent respecter le droit à l'intégrité de leur personne, le droit à la vie privée et leur liberté d'opinion et d'expression. Les lois du travail protègent également le travailleur lors d'application de mesures disciplinaires et à l'occasion de licenciements collectifs.

LE DROIT À UN ENVIRONNEMENT SAIN ET SÉCURITAIRE

La Loi canadienne sur les droits de la personne prévoit que le harcèlement sexuel constitue un acte discriminatoire et l'interdit. Depuis le 1er janvier 1994, le Code civil du Québec oblige l'employeur à prendre les mesures appropriées à la nature du travail en vue de protéger la santé, la sécurité et la dignité du salarié. La Loi sur la santé et sécurité du travail prévoit également que tout travailleur a droit à des conditions de travail qui respectent sa santé, sa sécurité et son intégrité physique[14].

Or, le harcèlement sexuel est défini par la Commission des droits de la personne comme suit : «[...] une conduite se manifestant par des paroles, des actes ou des gestes à connotation sexuelle, répétés et non désirés, et qui est de nature à porter atteinte à la dignité ou à l'intégrité physique ou psychologique de la personne ou de nature à entraîner pour elle des conditions de travail défavorables ou un renvoi[15]».

Le harcèlement sexuel peut revêtir diverses formes qui sont subtiles ou flagrantes. Savoie et Larouche ont présenté une typologie largement utilisée par les tribunaux pour définir un acte de harcèlement sexuel (encadré 13.8)

ENCADRÉ 13.8 Les formes et degrés du harcèlement sexuel au travail (Savoie et Larouche)

Degré	Forme		
	Non verbale	**Verbale**	**Physique**
Contrariant	Regards* Sifflements* Photos, textes, etc.*	Blagues, remarques* Poser des questions intimes, etc.*	Frôlement* Tapotements, etc.*
Contraignant	Petits présents* Flâner devant son domicile ou lieu de travail*	Demandes de sorties* Offres concernant travail* Offres vie hors travail, etc.*	Caresser Embrasser Pincer Empoigner Soulever vêtement Acculer dans un coin, etc.
Agressant	Lettres de menaces anonymes, de menaces Aller au domicile Suivre la personne harcelée Exhibitionnisme, etc.	Téléphones obscènes, anonymes, de menaces Insinuation à autrui Menaces concernant travail Propositions sexuelles Refus d'accepter fin des relations amoureuse, etc.	Arracher vêtement Assaut Tentative de viol Viol

*Ces comportements doivent être répétés, sauf si des représailles s'ensuivent.

Critères permettant de définir opérationnellement le harcèlement sexuel au travail selon les concepts de pouvoir, de sexualité et de milieu de travail

Concepts	Critères

Pouvoir (Harcèlement)	• Les comportements ont pour but ou effet de contrarier ou contraindre une personne.
	• Les comportements sont répétés sauf :
	  a) lorsque l'effet est clairement contraignant ;
	  b) lorsque plusieurs personnes posent le même geste ;
	  c) lorsque des représailles suivent.
	• Les comportements sont non réciproques.

Sexualité	• Les comportements ont une connotation sexuelle.
Milieu de travail	• Le harceleur est une personne reliée au milieu de travail de la victime.

Source : D. Savoie et V. Larouche, « Le harcèlement sexuel au travail », *Relations industrielles / Industrial Relations*, vol. 43, n° 3, 1988, p. 524.

Un acte de harcèlement sexuel ou racial engage la responsabilité du harceleur et de l'employeur. Le tribunal pourra ordonner au harceleur de cesser une telle pratique et de compenser la personne harcelée. La Cour suprême du Canada a fondé la responsabilité de l'employeur sur la Loi canadienne des droits de la personne selon laquelle la responsabilité d'éliminer la discrimination incombe à l'employeur. Au Québec, la Commission des droits de la personne a adopté une politique dans laquelle elle reconnaît la responsabilité de l'employeur lors d'un harcèlement et a établi les principes selon lesquels devra être élaborée une politique pour contrer le harcèlement sexuel. D'abord, l'employeur doit sensibiliser tous les gestionnaires et les employés au problème de harcèlement en milieu de travail afin de démontrer sa volonté de le contrer. Par la suite, il doit mandater une ou plusieurs personnes pour l'élaboration de la politique. Une fois complétée, la politique doit faire l'objet de publicité auprès des employés de façon continue. Finalement, il faudra nommer des personnes qui se chargeront de son application[16].

Dans le cas d'une entreprise syndiquée, il serait opportun d'impliquer le syndicat dans l'élaboration et la diffusion de la politique. Il ne faut cependant pas oublier que sa position peut être délicate dans le cas où un membre du syndicat est le harceleur et qu'un autre membre est la personne harcelée. Étant donné l'obligation du syndicat de protéger tous ses membres, il faudrait que le processus soit établi en fonction de la personne harcelée. L'absence de politique peut constituer un motif important pour condamner l'employeur à verser des dommages à la victime[17].

LE DROIT À L'INTÉGRITÉ DE SA PERSONNE

En principe, exiger d'un salarié de se soumettre à un examen médical avant son embauche formelle ou en cours d'emploi constitue une violation de droit à l'intégrité physique ainsi qu'au respect de la vie privée[18]. Nous avons déjà fait mention qu'un examen médical durant le processus de sélection serait admissible pourvu qu'il puisse servir à évaluer l'aptitude à effectuer le travail et qu'il soit relié aux tâches à exécuter. Nous nous attarderons dans cette section davantage aux examens médicaux en cours d'emploi[19].

Notons pour commencer que l'employeur est autorisé à faire subir un examen médical à l'un de ses employés lorsque la loi l'autorise expressément à le faire, tel est le cas de la Loi sur les accidents du travail et les maladies professionnelles et la Loi sur la santé et sécurité du travail. Des examens médicaux périodiques peuvent être administrés dans le cadre d'un programme de prévention par exemple et l'employé ne peut s'y soustraire, sous peine de sanction. La convention collective peut également le prévoir. Le droit de l'employeur de faire subir des tests médicaux à ses salariés est également reconnu lorsqu'il a des motifs sérieux de croire que leurs conditions physiques ou psychologiques ne leur permettent pas d'exécuter leurs tâches et qu'elle compromet leur santé ou celle d'autrui. Qu'en est-il des tests de dépistage ? Un employeur qui voudrait confirmer ses soupçons peut-il exiger que l'employé subisse un test de dépistage de drogues ? Un employeur qui fait face à de sérieux problèmes de toxicomanie à l'intérieur de son entreprise peut-il instaurer une politique de dépistage dès l'embauche ou de façon régulière en cours d'emploi[20]? La législation fédérale accorde une importance accrue au respect de l'intégrité de la personne et des droits fondamentaux et établit le principe selon lequel le consentement de l'employé doit être requis avant de procéder à ce type de test[21]. Le consentement peut être donné dès l'embauche ou dans un contrat de travail. Il n'en demeure pas moins que certains tests de dépistage demeurent justifiés et l'employé doit y donner son consentement sous peine de sanction. Ainsi, l'employeur qui soupçonne sérieusement un des salariés d'être toxicomane peut exiger, en vertu des droits de gérance, qu'il se soumette à des tests de dépistage et son refus pourrait entraîner des mesures disciplinaires. Également, au retour au travail, l'employeur peut exiger d'un employé qui s'est absenté pour subir une cure de désintoxication de passer des tests démontrant sa capacité à effectuer son travail[22].

REVUE DE PRESSE

L'absentéisme : le grand mal des entreprises

Les travailleurs canadiens manquent 72 M de jours de travail par année

Kathy Noël

Le taux d'absentéisme augmente dans les entreprises. Et parmi les principales causes, le stress, la dépression, l'alcoolisme et la toxicomanie remplacent les maux de dos, la grippe et les accidents.

Le phénomène prend de l'ampleur, note Gilles Normandeau, conseiller en gestion des ressources humaines au Groupe-conseil Aon. « L'absentéisme a toujours préoccupé les entreprises. Ce qui est de plus en plus grave, ce sont les absences liées à des problèmes de santé mentale. »

Il se perd une journée de travail de plus par année par personne au Canada depuis cinq ans. Selon Statistique Canada, le taux d'absentéisme est passé de 6,9 jours en 1995 à 7,8 jours en 1998. Au total, l'an dernier, les travailleurs canadiens ont manqué 72 M de jours de travail.

« On n'a pas isolé le nombre de jours manqués pour des raisons de santé mentale, mais les données des assureurs nous démontrent que les réclamations liées à ce type d'invalidité ont plus que doublé, parfois même triplé pour certains », dit Marcel Poitras, directeur de la firme d'actuaires Morneau Sobeco. En fait, de 30 % à 40 % des réclamations d'assurance pour invalidité sont faites pour des problèmes de santé mentale. Et la durée de l'absence dans ces cas est plus longue (10 à 12 semaines) que dans les cas de maladie physique (5 à 6 semaines). Selon Santé Canada, les coûts en remplacement et baisse de productivité atteignent 16 milliards de dollars par année.

Les causes difficiles à cerner

Les chiffres sont impressionnants et les causes, difficiles à cerner. La santé mentale est une affaire personnelle. Pour une même situation, un individu sera malade, l'autre pas. La part de responsabilité de l'entreprise n'est pas facile à reconnaître, mais les changements soudains et les horaires de travail prolongés ne sont pas inconnus au fait que les employés craquent et s'absentent.

Certaines absences tirent aussi leur origine d'une insatisfaction, de problèmes familiaux, conjugaux ou financiers. Les problèmes d'équilibre travail-famille ont aussi augmenté la fréquence des absences, note M. Poitras.

« Je ne veux pas lancer la pierre aux gestionnaires, mais ils ont un rôle de prévention à jouer », dit pour sa part M. Normandeau.

Le Groupe-conseil Aon fait présentement une étude sur les meilleures pratiques de prévention. Une chose est sûre, les entreprises qui soutiennent leurs employés et les valorisent ont moins de problèmes d'absence.

Quelques mesures

De même, les dirigeants prévoyants tiennent compte de l'impact sur la santé des employés chaque fois qu'ils prennent une décision d'affaires.

Quand il y a un problème d'absence répétée avec un employé, il faut sortir le dossier du bureau des ressources humaines et l'apporter au gestionnaire immédiat, dit Gilles Normandeau.

« Il doit responsabiliser son employé à remplir son contrat de travail. Il peut lui demander s'il a besoin d'aide et lui rappeler que l'entreprise offre des services complémentaires pour l'aider, mais son intervention doit s'arrêter là. La zone de responsabilité du gestionnaire, c'est la performance de l'employé. »

On peut aussi faire comprendre à l'employé que son absence a des impacts sur la charge de travail de ses collègues. « Ce n'est pas pour le culpabiliser, mais pour le rendre responsable de son contrat de travail. Il faut lui faire sentir qu'il est irremplaçable. »

Source : Les Affaires, *11 décembre 1999, p. 23.*

Faits saillants sur l'absentéisme

- Le taux d'absentéisme est de 30 % plus élevé dans le secteur public que dans le privé.

- Le secteur de la santé affiche le plus haut taux, avec 11,5 jours d'absences par employé par année.

- Le secteur des services aux entreprises a le taux le plus bas (4,7 jours par année).

- Les infirmières ont le taux le plus élevé parmi toutes les professions (17,4 jours par année).

- Les femmes s'absentent plus souvent que les hommes.

- Les travailleurs syndiqués s'absentent deux fois plus souvent que les non syndiqués.

- Les fonctionnaires du gouvernement fédéral s'absentent plus souvent pour des raisons personnelles ou familiales.

Source: Statistique Canada

LE DROIT À LA VIE PRIVÉE

Les chartes canadienne et québécoise énoncent le principe selon lequel chacun a droit au respect de sa vie privée. L'article 36 du Code civil du Québec est le seul texte législatif qui définit le concept de vie privée et énonce une liste non exhaustive des actes portant atteinte à ce droit. Parmi les énoncés qui constituent une atteinte à la vie privée figurent les actes suivants : intercepter ou utiliser volontairement une communication privée, capter ou utiliser l'image ou la voix d'une personne lorsqu'elle se trouve dans des lieux privés ; surveiller la vie privée d'une personne par quelque moyen que ce soit et utiliser sa correspondance, ses manuscrits ou ses autres documents personnels.

Dans un contexte où l'organisation du travail et les nouvelles formes de production des biens et services ont favorisé les moyens de surveillance, la vie privée des employés risque d'être atteinte. Il y a donc lieu de fournir des précisions quant à ce qui peut constituer un acte de violation de la vie privée. En effet, la surveillance électronique, la possibilité d'intercepter les messages ou faire de l'écoute téléphonique même sur les lieux du travail empiètent sur la vie privée des salariés. Il est important, dans ce contexte, de démontrer que les actions de surveillance sont en lien avec l'emploi et qu'elles laissent aux salariés une sphère d'autonomie[23]. Ainsi, il est important d'aviser l'employé lorsqu'on le surveille et de lui permettre d'avoir des moments privés. En outre, même si l'employeur avise ses employés qu'il se réserve le droit de prendre connaissance de leurs courriels, de leurs correspondances électroniques et de toutes autres communications, l'intrusion dans la vie privée dans ce cas n'est pas justifiée. Il convient de permettre aux employés de bénéficier d'un certain degré d'autonomie et d'intimité afin d'assurer le respect de la dignité et de l'intégrité des personnes (par exemple, ne pas intercepter des communications et la correspondance privées, permettre des échanges sans surveillance, etc.)[24].

REVUE DE PRESSE
Jusqu'où peut aller la surveillance vidéo d'un employé ?

Nancy
Fournier

Dans certaines circonstances, un employeur peut recourir à la surveillance vidéo d'un salarié absent pour maladie lorsqu'il le soupçonne de vaquer à des activités incompatibles avec son état. C'est ce qui se dégage d'une sentence arbitrale interlocutoire rendue récemment par l'arbitre Gilles Ferland*.

Au moment où sont survenus les événements en cause, le salarié avait déjà reçu plusieurs avertissements relativement à son problème d'absentéisme et à son manque d'assiduité au travail. Malgré ces avertissements, le salarié s'est absenté du travail, et ce, à partir du 22 février 1998, en raison d'une entorse lombaire qu'il se serait infligée à l'extérieur du travail. Son médecin traitant a attesté son incapacité à travailler jusqu'au 28 février 1998, ce qu'a confirmé le médecin de l'employeur.

Les 27 et 28 février 1998, l'employeur a confié à une firme d'investigation le mandat de vérifier l'emploi du temps et les activités du salarié car il a des doutes quant à l'incapacité de ce dernier. En effet, les circonstances dans lesquelles le salarié s'était infligé sa blessure étaient nébuleuses. Le prétendu accident serait survenu dans le cadre des préparatifs d'un déménagement.

Ainsi, les enquêteurs ont filmé le salarié à son insu alors qu'il se livrait, entre autres, à des activités de déménagement, et ce, sur le terrain de sa résidence. Le salarié pouvait alors être vu par des passants ou des voisins. Les images vidéo ont été prises sur une minicassette. Par la suite, l'enquêteur les a copiées sur une autre cassette en éliminant les séquences qu'il estimait non pertinentes en regard du mandat que l'employeur lui avait confié.

La décision de l'arbitre

Dans un premier temps, l'arbitre a rejeté les arguments de la partie syndicale quant à la recevabilité de la preuve vidéo et conclu à l'admissibilité de cette preuve. Selon l'arbitre, la surveillance vidéo des faits et gestes du salarié, alors que celui-ci vaquait à des activités privées de déménagement, peut être considérée comme une violation du droit à la vie privée garanti par la Charte des droits et libertés de la personne.

Cependant, considérant que le salarié était à l'extérieur de sa résidence et qu'il était susceptible d'être vu par des voisins ou des passants et considérant que la méthode d'enquête utilisée par la partie patronale était probablement la seule permettant de s'assurer de la véracité des symptômes décrits par le salarié, l'arbitre a conclu que cette preuve était admissible. Selon lui, l'exclusion de la preuve vidéo aurait plutôt été susceptible de déconsidérer l'administration de la justice arbitrale.

D'autre part, le représentant syndical soutenait que cette preuve n'était pas admissible au motif que les vidéocassettes n'étaient pas authentiques. Selon lui, il s'agissait de cassettes altérées, puisqu'elles ne contenaient pas l'enregistrement original.

D'emblée, l'arbitre a conclu que la copie de l'original constitue une reproduction intacte de cet original. Cependant, le fait que l'enquêteur n'ait copié que les parties qu'il estimait pertinentes pour son enquête constitue une circonstance entourant la confection de la preuve que l'arbitre appréciera lorsqu'il en déterminera la force probante.

Cette décision s'inscrit dans un courant jurisprudentiel largement répandu. Cependant, il importe de mentionner que le syndicat a contesté cette sentence arbitrale par l'entremise d'une requête en révision judiciaire qui a été rejetée par la Cour supérieure. Cette décision de la Cour supérieure a été portée en appel. Il sera intéressant de voir si la Cour d'appel maintiendra ce courant.

* Laval (Société de transport de la Ville de) et Syndicat des chauffeurs d'autobus de la Société de transport de la Ville de Laval (C.S.N.), DTE 99T-547. (T.A.).

Source: Les Affaires, *13 novembre 1999, p. 38.*

LA LIBERTÉ D'OPINION ET D'EXPRESSION

La Charte canadienne des droits et libertés protège la liberté de pensée, de croyance, d'opinion et d'expression y compris la liberté de la presse et des autres moyens de communication[25]. Cependant, même si la liberté d'expression constitue une liberté fondamentale et n'est pas une création de la Charte, elle ne permet pas de nuire à une autre personne. Ainsi, tenu par une obligation de loyauté et par la responsabilité de ne pas nuire à autrui, l'employé ne peut, malgré le refus de son employeur, quitter son travail pour participer à une manifestation. Toutefois, la liberté d'expression prévaut lorsque les actes du salarié ne contreviennent pas aux lois et lorsque les opinions émises ne sont préjudiciables aux relations de travail et qu'aucun préjudice n'est causé à l'employeur[26].

LE DROIT À LA LIBERTÉ DE SA PERSONNE

Les Chartes canadienne et québécoise protègent le droit de tout être humain à la vie, à la sûreté, à l'intégrité et à la liberté de sa personne. En vertu de son droit de gérance, l'employeur a le droit d'émettre des exigences relativement à la tenue vestimentaire de ses employés et donc restreindre la liberté des employés quant à leur apparence physique. Ce droit implique l'application de mesures disciplinaires dans le cas où les employés refusent de se conformer aux directives. Généralement, pour être acceptée, une directive sur la tenue vestimentaire ou sur l'apparence physique doit être à caractère raisonnable, non abusif et non discriminatoire[27].

LES MESURES DISCIPLINAIRES

Contrairement aux stratégies de renforcement positif qui visent à encourager les comportements souhaitables à l'aide de récompenses, les stratégies de renforcement négatif cherchent à dissuader les employés d'adopter des comportements jugés indésirables en appliquant des mesures punitives ou simplement en les ignorant. Plusieurs organisations emploient cette stratégie à cause des résultats quasi immédiats qu'elle permet d'obtenir. Les sanctions peuvent inclure des conséquences matérielles telles qu'une diminution de salaire, une suspension (sans salaire), une rétrogradation ou même un licenciement. Cependant, elles sont le plus souvent de nature interpersonnelle et incluent des réprimandes verbales et des signes non verbaux comme les froncements de sourcils et autre langage non verbal exprimant une certaine irritation.

La politique disciplinaire à caractère progressif. À toute politique de griefs officielle devrait correspondre une politique disciplinaire à caractère progressif, c'est-à-dire une suite bien ordonnée de sanctions dont la sévérité augmente avec la répétition de la faute. Seules les fautes graves peuvent entraîner le congédiement à la première offense; dans la plupart des cas, il ne survient qu'à la dernière étape du processus disciplinaire. Il est de la première importance de maintenir à jour les dossiers disciplinaires tout au long de ce processus si l'on désire pouvoir produire une raison valable de renvoi disciplinaire. L'encadré 13.9 présente les six étapes d'une procédure disciplinaire.

ENCADRÉ 13.9 Les six étapes d'une procédure disciplinaire

- L'**avertissement** peut être donné verbalement tout d'abord, et par la suite transmis par écrit. Il est préférable de le faire signer à l'employé et d'en conserver une copie dans les dossiers du personnel. L'existence de tels dossiers mis à jour jointe à l'application d'une politique disciplinaire à caractère progressif constituent souvent la meilleure défense pour l'employeur, comme l'indiquent de nombreuses causes de congédiement pour absentéisme portées devant les tribunaux.

- La **réprimande** est un reproche formel, donné par écrit et versé au dossier de l'employé.

- Selon la gravité de la faute et les circonstances, la **suspension sans rémunération** pourra aller d'une fraction de journée à plusieurs mois.

- La **mutation disciplinaire** peut être efficace dans les situations tendues qui risquent de dégénérer en violence ou dans les cas où le problème disciplinaire est lié à un conflit de personnalités.

- La **rétrogradation** peut être une sanction adéquate dans les cas d'incompétence ou permettre d'éviter un congédiement coûteux.

- Le **congédiement** est une mesure de dernier recours, on y fait appel seulement lorsque toutes les autres mesures n'ont donné aucun résultat, sauf dans les cas de violence, de vol ou de falsification de dossiers. Il ne faut pas perdre de vue toutefois qu'un congédiement peut être extrêmement douloureux, même s'il est justifié et bien préparé. C'est pourquoi certaines organisations étudient attentivement les cas de rendement insuffisant avant d'en venir à une décision de congédiement et, parfois, mutent les employés fautifs à d'autres fonctions ou, dans le cas de cadres supérieurs, les échangent avec ceux d'autres organisations.

Une autre étape peut s'ajouter à ce processus disciplinaire. Il s'agit de l'«entente de la dernière chance». Avant de recourir au congédiement, l'employeur peut accepter d'accorder une nouvelle et dernière chance à l'employé, sous certaines conditions. Par exemple, au lieu de suspendre ou de congédier un employé pour cause d'absentéisme chronique, l'employeur pourrait lui accorder un dernier délai pour s'améliorer. L'application de toutes ces étapes ne garantit pas nécessairement qu'une solution aux problèmes de comportement ou de rendement puisse être trouvée : parfois, le congédiement peut demeurer la seule issue.

Quand un employeur met fin à l'emploi d'une personne, il doit lui donner un préavis dans un délai raisonnable ou lui verser un montant égal au salaire qu'elle aurait gagné au cours de cette période. L'application de sanctions disciplinaires peut avoir certains effets indésirables. Par exemple, l'utilisation généralisée de cette forme de discipline tend à augmenter l'incidence des griefs, ce qui en fait une mesure coûteuse et une source de stress[28]. Également, puisque la responsabilité d'administrer la discipline incombe principalement au supérieur immédiat ou au gestionnaire, le service de la gestion des ressources humaines devrait, pour accroître son efficacité, tenir compte de certains éléments énumérés dans l'encadré 13.10.

ENCADRÉ 13.10 Principes directeurs pour l'administration des mesures disciplinaires

- Fournir des avertissements clairs et suffisants. Plusieurs organisations ont défini de façon claire les étapes de l'action disciplinaire. La sanction prévue pour la première infraction sera, par exemple, un avertissement verbal; pour la seconde, un avertissement écrit; pour la troisième, une suspension; et pour la quatrième infraction, un congédiement.
- Administrer promptement la sanction disciplinaire. Si une trop longue période de temps s'écoule entre le comportement indésirable et la conséquence négative, l'employé peut éprouver de la difficulté à faire le lien entre les deux.
- Prévoir la même sanction pour un même comportement déficient, indépendamment de l'employé en cause. En effet, il est essentiel que la discipline soit administrée de façon équitable et cohérente au sein de l'organisation.
- Administrer la sanction disciplinaire de façon impersonnelle. La discipline doit s'appliquer à un comportement précis, et non à une personne en particulier[29].

Le recours par l'employeur à certaines pratiques interdites, soit un comportement qui est proscrit par le législateur, donne l'occasion à l'employé de se prévaloir d'un recours en justice. Suspendre, congédier ou déplacer un employé, exercer à son endroit des mesures discriminatoires ou de représailles ou lui imposer toute autre sanction à cause d'un droit qui résulte du Code du travail sont des actions qui sont prohibées. Le législateur protège les employés dans le cadre de l'exercice de leur droit d'association.

Tout salarié peut porter plainte à la Commission des normes du travail s'il croit avoir été congédié, suspendu, déplacé, victime de mesures discriminatoires, de représailles ou de toute autre sanction pour l'une ou l'autre des raisons suivantes :
- parce qu'il a exercé un droit résultant de la Loi sur les normes du travail ou de ses règlements ;
- parce qu'il a fourni à la Commission des renseignements sur l'application des normes ou témoigné dans une poursuite s'y rapportant ;
- parce que son salaire a été saisi (saisie-arrêt) ou peut l'être ;
- parce qu'il doit verser une pension alimentaire en vertu de la Loi facilitant le paiement des pensions alimentaires ;

- parce que la salariée est enceinte ;
- parce que son employeur veut éviter l'application de la Loi sur les normes du travail ou de ses règlements ;
- parce qu'il a refusé de travailler au-delà de ses heures habituelles de travail lorsqu'il devait remplir des obligations reliées à la garde, à la santé ou à l'éducation de son enfant mineur, bien qu'il ait pris tous les moyens raisonnables à sa disposition pour assumer autrement ces obligations ;
- parce qu'il s'est absenté au plus 17 semaines au cours des 12 derniers mois pour cause de maladie ou d'accident (autre qu'un accident du travail ou une maladie professionnelle). Le salarié doit cependant justifier d'au moins trois mois de service continu ;
- parce qu'il a atteint ou dépassé l'âge ou le nombre d'années de service qui permettent de prendre sa retraite.

Le délai pour porter plainte est de 45 jours à partir de la date du congédiement ou de la mesure prise contre le salarié. Cependant, dans les cas de mise à la retraite, le délai est de 90 jours à partir du congédiement, de la suspension ou de la mise à la retraite imposée.

Également, la Loi sur les normes du travail (article 124) donne au salarié qui croit avoir été congédié sans une cause juste et suffisante la possibilité de porter plainte à la Commission des normes du travail dans les 45 jours suivant son congédiement :
- s'il a au moins trois ans de service continu dans une même entreprise ;
- si aucune procédure de réparation, autre que le recours en dommages-intérêts, n'est prévue dans la Loi sur les normes du travail, dans une autre loi ou dans une convention.

Consultez Internet

www.cnt.gouv.qc.ca

Site de la Commission des normes du travail du Québec qui présente les procédures à suivre.

C'est une forme de garantie de la sécurité d'emploi après trois ans de service. Le salarié peut adresser sa plainte par écrit ou se présenter à l'un des bureaux de la Commission des normes du travail le plus près de chez lui. Une plainte déposée au Bureau du commissaire général du travail ou au ministre du Travail est aussi recevable. La Commission s'assure en premier lieu de la recevabilité de la plainte. Si elle est considérée irrecevable, la Commission avise le salarié par écrit qu'elle met fin à l'intervention et lui en donne les raisons. Le salarié a cependant le droit de demander par écrit une révision de cette décision au secrétaire de la Commission dans les 15 jours qui suivent.

Si la plainte est considérée recevable, la Commission avise le salarié qu'elle y donnera suite dans les meilleurs délais. La Commission informe également l'employeur qu'une plainte pour congédiement a été déposée et désigne une personne qui offrira aux deux parties le service de médiation. Si aucune entente n'est trouvée, le salarié peut demander à la Commission de déférer sa plainte au Bureau du commissaire général du travail. Ce dernier est une unité administrative du ministère du Travail. Le salarié doit cependant faire sa demande par écrit à la Commission des normes du travail entre le 30ᵉ jour et le 60ᵉ jour du dépôt de sa plainte. La Commission transmet le dossier à la Direction des affaires juridiques pour offrir au salarié d'être représenté devant le Commissaire du travail, s'il y a lieu. En effet, depuis le 20 mars 1997, la Commission offre au salarié les services de l'un de ses avocats sans aucuns frais, sauf s'il fait partie d'un groupe de salariés syndiqués accrédité en vertu du Code du travail ou s'il préfère recourir à son propre avocat. L'avocat désigné pour représenter le salarié communique avec lui.

Une audience devant le Commissaire du travail ressemble à ce qui se passe dans une cour de justice. Par exemple, le salarié est appelé à donner sa version des faits. Il peut également faire entendre des témoins. L'employeur dispose des mêmes droits.

Le Commissaire du travail peut accueillir ou rejeter la plainte du salarié. S'il en vient à la conclusion qu'il y a eu congédiement sans cause juste et suffisante, il peut :
- ordonner à l'employeur de réintégrer le salarié à l'emploi qu'il occupait avant son congédiement et de lui rembourser les sommes perdues depuis son congédiement ;
- ordonner à l'employeur de payer au salarié une indemnité ;
- rendre toute autre décision qui lui paraît juste et raisonnable.

Cependant, si le salarié travaille comme domestique, le Commissaire du travail ne peut qu'ordonner à son employeur de lui verser une indemnité correspondant au salaire et aux autres avantages dont l'a privé son congédiement pour une période maximale de trois mois.

REVUE DE PRESSE

Licenciement d'un cadre : évitez les grandes justifications

Suzanne Dansereau

André Hogue, conseiller en réaffectation chez Raymond Chabot, Grant & Thornton, se souvient de son pire cas de licenciement : l'employeur avait tardé à annoncer la mauvaise nouvelle à l'employé. Ce dernier l'avait appris à travers les branches et avait confronté son patron avant qu'il n'agisse. Lorsque vint le temps de négocier la paie de séparation, l'employé a plaidé un « stress inutile » et s'est négocié une paie de séparation plus élevée en raison du délai.

Pour Charles Belle Isle, recruteur chez Belle Isle, Djandji, Brunet, le meilleur cas de licenciement, « c'est lorsque l'employé revoit l'employeur quelques mois plus tard et lui dit que son renvoi a été le meilleur service à lui rendre. »

Pour le mieux ou pour le pire, remercier un employé sans reproche est l'une des tâches les plus difficiles pour un gestionnaire. « Très souvent, le gestionnaire est malheureux et ne dort pas de la nuit avant de passer à l'acte », souligne M. Hogue.

Tout licenciement comporte trois dimensions – humaine, administrative et légale – et, bien que les cas et les solutions varient beaucoup, il y a certaines règles à respecter si on veut réussir sur ces trois fronts.

En plus de procéder rapidement, il faut présenter la chose comme une décision rationnelle et administrative, et éviter l'émotivité ou les grandes justifications. « Cela ne sert à rien de s'étendre sur les raisons du licenciement parce que, sur le coup, l'employé ne vous écoute plus et, ensuite, vous risquez de vous mettre un pied dans la bouche », souligne M. Hogue.

Le meilleur moment pour le licenciement selon lui est un lundi : de cette manière, l'employé ne rumine pas son malheur durant le week-end et peut se mettre tout de suite à la recherche d'un emploi, grâce au service de réaffectation que l'employeur lui aura offert. Avant tout, dit M. Belle Isle, il faut respecter la dignité de l'employé.

L'idéal pour un employeur est d'avoir une politique interne de licenciement et de bien former ses gestionnaires. Une des choses à faire, après avoir rencontré le cadre licencié, est de réunir ses collègues et de les informer de la situation.

Indemnité de départ

Selon les avocats Pierre Malo, de Gascon et Associés et Andrée Gosselin, du cabinet De Grandpré Chait, l'aspect le plus difficile à négocier est la période couverte par l'indemnité de départ. La règle non écrite consiste à offrir au moins deux ou trois semaines de salaire par année de service, jusqu'à concurrence d'un an. En Ontario, on va jusqu'à deux ans. Mais, à partir de ce modèle, la gamme de variations est large.

« Il n'y a pas d'ordinateur qui donne une réponse fixe à cette question-là ! », s'exclame Me Malo.

Le *Code civil* prévoit que l'on doit prendre en compte notamment l'âge, l'ancienneté, la nature de l'emploi et les circonstances particulières dans lesquelles il s'exerce. Le mot « notamment » est important parce qu'il ouvre la porte à tout autre aspect.

« Par exemple, si vous avez débauché le cadre, ou si son embauche a provoqué un déménagement, ça vous coûtera plus cher », prévient Me Gosselin.

De plus en plus, les salaires des cadres sont assortis de primes de toutes sortes (prime annuelle, bonus, participation aux bénéfices, comptes de dépenses, commissions). Au plan juridique, le traitement de ces primes en cas de licenciement crée de nouvelles « zones grises », souligne Me Malo.

Un sondage effectué par la firme de recrutement Murray Axmith indique que, si la majorité des employeurs canadiens (72 %) incluent les commissions dans les indemnités de départ, ils sont seulement le tiers à inclure la prime annuelle. Pourtant, ces primes font partie de la rémunération, à moins qu'elles ne soient discrétionnaires.

Tout dépend du libellé. « Si on utilise des critères objectifs pour une prime, elle fait partie de la rémunération et doit être payée. Si c'est un privilège, mais qu'il revient à chaque année depuis 15 ans, cela devient aussi un droit. Par contre, si la prime est à l'entière discrétion de l'employeur, c'est le jeu de la négociation qui va régler ça », poursuit Me Malo.

Dans ces négociations, il importe d'agir en « bon père de famille », mais il ne faut pas, par faiblesse, en donner plus à celui qui part qu'à ceux qui restent, prévient de son côté Me Gosselin.

L'important, c'est d'être équitable, sinon l'employeur peut se retrouver devant une poursuite en vertu du *Code civil* ou de la *Loi des normes du travail.* « Le recours civil, c'est long, c'est lent et ça coûte plus cher », de dire Me Malo. Et, avec un jugement en vertu de la *Loi sur les normes du travail*, vous pourriez vous retrouver forcé de réintégrer l'employé, ce qui n'est pas la solution idéale…

Source : Les Affaires, *17 juillet 1999, p. 23.*

Comment le réussir

- Procéder de façon loyale, diligente et de bonne foi.

- Donner les motifs de façon neutre et factuelle.

- Donner un préavis (travaillé ou payé) suffisant et une indemnité de départ adéquate (tenant compte de l'âge, des fonctions exercées et des années de service).

- Après le départ, si le préavis est payé, continuer certains avantages sociaux pendant quelque temps.

- Offrir les services d'une firme spécialisée en réaffectation de cadres.

- Suggérer la consultation d'un conseiller financier et d'un avocat avant de faire signer un document de règlement.

- Rassurer le personnel restant sans donner de détails sur le cas du cadre congédié ou licencié.

Comment le rater

- Réprimander publiquement, utiliser la force ou la malveillance ou causer de la souffrance et de l'anxiété.

- Ne donner aucun motif ou en fournir en termes blessants ou humiliants.

- Ne pas donner de préavis ou donner un préavis et / ou une indemnité insuffisant(s).

- Retirer tous les avantages au moment du départ.

- Ne pas offrir d'aide pour se retrouver un emploi.

- Exiger la signature d'une lettre de démission ou de règlement sans donner le temps de consulter qui que ce soit.

- Laisser courir les rumeurs, semer l'inquiétude ou dénigrer le cadre qui vient de quitter.

Source : Me Andrée Gosselin, De Grandpré Chait

Tableau : Les Affaires

LES LICENCIEMENTS COLLECTIFS

Le gouvernement fédéral ainsi que les gouvernements de certaines provinces ont manifesté leur appui envers les salariés victimes d'une fermeture d'établissement ou d'une réduction du personnel par l'adoption de lois obligeant les employeurs à former des comités d'assistance aux travailleurs touchés. Ces comités sont composés de représentants des employés et de représentants de la direction ainsi que d'un président neutre ; leur rôle est d'aider les employés touchés par un licenciement collectif dans leur recherche d'un nouvel emploi. De plus, les gouvernements offrent des services spéciaux pour venir en aide aux employeurs et aux employés touchés par des mises à pied importantes. Au Québec, la Loi sur la formation et la qualification professionnelles de la main-d'œuvre prévoit que tout employeur qui, pour des raisons d'ordre technologique ou économique, prévoit devoir faire un licenciement collectif de tous ses salariés ou d'une partie des salariés de l'un ou de plusieurs de ses établissements dans une région donnée doit en donner avis au ministre du Travail dans les délais minimaux suivants :

- deux mois lorsque le nombre de licenciements envisagés est au moins égal à 10 et inférieur à 100 ;
- trois mois lorsque le nombre de licenciements envisagés est au moins égal à 100 et inférieur à 300 ;
- quatre mois lorsque le nombre de licenciements envisagés est au moins égal à 300.

Le ministre du Travail transmet aussitôt au ministre une copie de l'avis qu'il reçoit. Il est prévu que tout employeur doit, à la demande du ministre et en consultation avec lui, participer sans délai à la constitution d'un comité de reclassement des salariés. Ce comité doit être formé d'un nombre égal de représentants de l'association accréditée ou, à défaut de telle association, des salariés. L'employeur y contribue financièrement dans la mesure dont les parties conviennent. L'employeur et l'association accréditée ou, à défaut de telle association, les salariés peuvent, avec l'assentiment du ministre et aux conditions qu'ils déterminent, constituer un fonds collectif aux fins de reclassement et d'indemnisation des salariés.

III Les employés en difficulté

Traiter avec des employés en difficulté est une réalité de plus en plus présente dans les organisations à cause de la multiplication des problèmes personnels et sociaux dont la difficulté de concilier le travail et les responsabilités familiales, les problèmes de divorce qui sont de plus en plus fréquents, la plus grande consommation d'alcool et de drogues, les difficultés financières, le stress, etc.[30] Les entreprises n'ont d'autres choix que de se pencher sur la gestion des employés en difficulté afin de les aider dans un souci d'améliorer leur qualité de vie et leur productivité dans l'organisation. En effet, les problèmes personnels sont source d'absentéisme, de retards, de roulement et de baisse de motivation et de productivité. Or, l'intervention auprès des employés en difficulté n'est pas sans avoir des répercussions juridiques. D'abord, il s'agit de l'intervention dans la vie privée des individus. Ensuite, selon le succès de l'intervention, l'employeur peut décider d'adopter des mesures plus draconiennes, comme une suspension ou un congédiement, dans le cas où l'employé n'arrive pas à corriger son comportement ou à rétablir son niveau de performance.

Nous examinerons la définition d'un employé en difficulté pour ensuite proposer des manières d'intervention tout en tenant compte des considérations juridiques qui entourent cette question.

LA DÉFINITION D'UN EMPLOYÉ EN DIFFICULTÉ

Rondeau et Boulard proposent la définition suivante pour décrire des employés en difficulté : « [...] des individus ou des groupes d'employés qui présentent un rendement inadéquat ou qui adoptent des attitudes et des comportements jugés inacceptables compte tenu de ce qui est généralement attendu en pareilles circonstances[31]. » On qualifiera d'employés en difficulté les employés qui ont donc un rendement inapproprié, ceux qui exercent leur rôle de façon inadéquate, ceux qui accusent des problèmes liés aux relations interpersonnelles ou qui vivent des conflits au sein des groupes de travail et ceux qui contestent l'autorité. Par ailleurs, Lemieux[32] a étudié la représentativité des comportements, leur gravité, leur fréquence et la difficulté qu'éprouvent les gestionnaires à les traiter. Une classification de quatre types d'employés en difficulté (encadré 13.11) permet de les identifier.

ENCADRÉ 13.11 Les types d'employés en difficulté

I. Problèmes de performance
- Fait son travail de façon négligée
- Ne respecte pas les délais fixés
- Ne réussit pas à atteindre les objectifs ou les standards fixés
- Poursuit des objectifs personnels qui sont en conflit avec ceux de l'organisation
- N'apprend pas de ses erreurs
- A une performance irrégulière
- Se montre indifférent face au succès de l'organisation

III. Déviance des normes sociales
- Est impliqué dans des actes illégaux en dehors du travail (vol, fraude, contrebande, etc.)
- Porte illégalement sur soi une arme au travail
- Profère des menaces à l'égard d'autrui
- Montre de l'agressivité envers ses collègues ou des clients
- Fait du harcèlement sexuel
- Consomme de l'alcool au travail
- Consomme des drogues au travail
- Occupe un deuxième emploi chez un concurrent
- Endommage les biens de l'organisation
- Falsifie les données financières
- Fausse l'information concernant ses heures de travail
- Perturbe le déroulement normal des activités
- Altère des banques de données
- Utilise les biens de l'organisation pour des fins personnelles
- S'approprie des biens de l'organisation

II. Déviance des normes de l'organisation
- Manque de professionnalisme
- Se montre blessant dans ses rapports avec les autres
- Néglige son hygiène personnelle ou son apparence
- Fait usage d'un langage abusif
- Ne respecte pas les consignes de sécurité
- Va à l'encontre de règles ou des politiques de l'organisation
- Déroge aux directives reçues
- Abuse des congés de maladie payés ou d'autres avantages sociaux
- Accumule les retards
- S'absente de façon régulière
- Critique injustement le travail des autres employés

IV. Problèmes personnels et de personnalité
- Étale à qui veut les entendre ses problèmes personnels
- Monopolise l'attention des autres
- Manque de jugement dans certaines décisions
- Montre de la méfiance dans ses relations
- A l'humeur dépressive
- Est porteur du virus du sida
- Vit des problèmes personnels
- Se remet difficilement d'un deuil
- Vit une situation de divorce ou de séparation
- S'adonne à des jeux de hasard
- Vit en marge du groupe

Source : N. Lemieux, *La gestion des employés-problèmes*, Mémoire de maîtrise, HEC, 1994, p. 2.

LES MOYENS D'INTERVENTION AUPRÈS DES EMPLOYÉS EN DIFFICULTÉ

Selon Rondeau et Boulard[33], l'intervention auprès d'un employé à problèmes doit tenir compte d'abord du caractère circonstanciel ou chronique du problème et ensuite de la volonté de changement manifestée par l'employé.

En effet, ces deux conditions affectent la facilité, l'étendue et le succès de l'intervention. Résoudre un problème circonstanciel, soit temporaire, peut se faire par le soutien des efforts de l'employé visant à corriger ses défauts ou à pallier ses faiblesses. Un problème chronique peut requérir une transformation importante dans les attitudes et les comportements de l'employé, l'intervention de l'employeur devra se faire pour corriger la situation et sera nécessairement de plus longue durée. Quant à la volonté de changement, ce facteur est manifestement le plus important. L'employé devra dans un premier temps reconnaître son problème pour ensuite entreprendre la démarche visant à y remédier[34].

Trois étapes d'intervention sont ensuite nécessaires pour intervenir auprès de l'employé en difficulté. Elles sont reproduites dans l'encadré 13.12.

ENCADRÉ 13.12 Étapes d'une intervention auprès des employés en difficulté

PREMIÈRE PHASE	DEUXIÈME PHASE	TROISIÈME PHASE
Planification de l'intervention	Conduite de l'intervention	Suivi de l'intervention
• Se documenter au sujet du problème • Clarifier les conséquences des comportements adoptés • S'assurer de l'appui de son organisation. • Établir des scénarios possibles	• Traiter l'employé avec respect • Viser à changer le comportement et non la personne • Impliquer l'employé dans la recherche d'une solution • Indiquer clairement à l'employé quel est le comportement inadéquat • Indiquer en quoi un tel comportement perturbe le fonctionnement de l'unité de travail • Indiquer l'amendement ou le changement attendu • Offrir un support temporaire spécial pour aider l'employé tout en maintenant les exigences de l'emploi • Fixer un délai raisonnable pour effectuer le changement • Préciser les moyens d'évaluation servant à déterminer si le changement s'est produit • Préciser les conséquences du maintien de la situation actuelle	• Suivre les effets de l'intervention et noter les progrès • Jouer un rôle proactif et garder le contrôle de l'intervention

Source : Adapté de A. Rondeau et F. Boulard, « Gérer des employés qui font problème : une habileté à développer », *Gestion,* février 1992, p. 32-42 ; E. M. Morin, *Gestion des employés en difficulté : identification des problèmes et solutions*, Document pédagogique, Montréal, Éditions de cas HEC, 1991.

Rappelons que les gestionnaires ne peuvent intervenir auprès des employés en difficulté que lorsque le rendement de l'employé s'en trouve affecté sous peine de se voir accusés d'empiéter indûment dans leur vie privée. Il faut également reconnaître que l'intervention est une opération délicate qui doit se faire par des personnes ayant une expérience d'intervention ou se faire accompagner d'une personne plus expérimentée. N'oublions pas qu'intervenir auprès des employés en difficulté doit se faire progressivement et que c'est un processus de longue haleine. Également, les gestionnaires risquent de succomber à plusieurs tentations qui risquent de faire achopper le processus d'intervention. Par exemple, on a tendance à vouloir changer la personne alors que c'est le comportement qui doit être modifié, on a tendance à poser un diagnostic alors que les gestionnaires n'ont pas les compétences pour le faire, on a tendance à donner des conseils et à dicter des moyens pour solutionner le problème au lieu d'aider l'employé à trouver ses solutions par lui-même et, finalement, on a tendance à être sympathique et trop complaisant au lieu d'être empathique. Le gestionnaire ne doit en aucun cas se transformer en thérapeute mais plutôt aider l'employé à identifier son problème, à le reconnaître et à chercher de l'aide auprès des personnes qui ont les compétences pour l'aider. Force est de constater que la disponibilité d'un programme d'aide aux employés peut être particulièrement utile pour offrir une consultation professionnelle, une aide juridique ou une autre aide dont l'employé a besoin[35].

IV L'équité dans l'élaboration des politiques organisationnelles : la notion de justice organisationnelle

É tant donné que les droits des employés reconnus par le législateur ne constituent qu'une faible proportion de tous les droits des employés notamment le droit à la sécurité d'emploi, le droit de dénoncer des abus et des fraudes, le droit à l'information, etc., il est important de se pencher sur les principes et les moyens qui permettent de garantir le respect de ces droits en entreprise. Aucune organisation ne peut fonctionner efficacement sans établir des règlements et des politiques de travail. Généralement, la responsabilité de déterminer ceux-ci incombe à l'employeur, et ce sont les superviseurs qui veillent à assurer leur respect par leurs subordonnés. Toutefois, l'employeur ne jouit pas à cet égard d'une totale liberté dans son établissement. Ces règlements et ces politiques font partie intégrante du système interne de discipline organisationnelle et doivent respecter les divers droits et obligations mentionnés précédemment.

Pour être réellement efficaces et équitables, les règlements doivent être associés de manière raisonnable aux objectifs de gestion et transmis promptement et adéquatement. Ils ne doivent en aucun cas engendrer des conséquences inéquitables pour un groupe spécifique d'employés ni aller à l'encontre des lois et des décisions judiciaires touchant les droits des employés à la sécurité d'emploi.

Tout au long des chapitres qui ont examiné les différentes activités de la gestion des ressources humaines, des processus de mise en œuvre ont été suggérés. Il a été mention des conditions qui assurent le succès de l'implantation des diverses procédures ; dans ce chapitre, il est question d'examiner la notion d'équité qui doit prévaloir dans les relations entre employeurs et employés.

La réaction des employés face à la mise en œuvre de toute procédure ou politique en entreprise peut être expliquée à partir des notions de justice organisationnelle. Des enseignements quant à la façon d'aborder et d'implanter certaines politiques ou certains processus dans les entreprises peuvent donc en être tirés et permettre un meilleur succès dans leur élaboration et leur application.

Le concept de justice organisationnelle est constitué de trois dimensions qui sont reliées les unes aux autres à savoir la justice distributive, la justice procédurale et la justice d'interaction. Nous les examinerons successivement et établirons la relation de chacune des dimensions avec l'implantation des politiques en gestion des ressources humaines.

La justice distributive. La justice distributive cherche à expliquer comment les personnes réagissent à l'égard de certaines finalités[36]. Les individus évaluent une décision organisationnelle, par exemple, une augmentation salariale, le refus d'une promotion, l'attribution d'une affectation, etc., en se comparant à d'autres individus appelés référents. Les référents peuvent être des amis, des collègues de la même organisation ou d'ailleurs, des membres de la famille, etc. Si les individus perçoivent une iniquité dans le résultat, ils tenteront de retrouver cette équité en quittant l'organisation, en manifestant des comportements contre-productifs, en cherchant à se syndiquer, etc.[37]

Consultez Internet

http://www.munisource.org

À partir de la page d'accueil de ce site, on peut obtenir en ligne des politiques en ressources humaines (rémunération, performance, emploi partagé, etc.) au Canada.

Dans les faits

L'entretien de fin d'emploi

- L'entrevue de fin d'emploi doit être brève. Normalement, une rencontre de 10 à 15 minutes suffit. Prolonger l'entrevue augmente le risque d'une erreur de la part de l'employeur, et certaines erreurs peuvent être coûteuses.

- Il est préférable que l'entrevue ait lieu dans le bureau de l'employé congédié ou dans un autre bureau, mais pas dans celui du gestionnaire chargé du congédiement, sinon celui-ci risquerait de subir les remarques désobligeantes d'une personne mécontente qui donnerait libre cours à sa hargne et à sa frustration.

- Nombreuses sont les personnes qui écoutent très peu ce que l'employeur a à dire une fois qu'elles ont compris qu'elles ont perdu leur emploi. Cette réaction est bien compréhensible. Elles ressentent de l'anxiété et subissent le stress d'avoir perdu leur gagne-pain, surtout lorsqu'elles sont le principal soutien de la famille.

- Il peut être bon de simuler avec une autre personne l'entrevue de fin d'emploi avant de la réaliser effectivement. On tirera davantage de cette technique en enregistrant la scène au moyen d'un magnétoscope. La simulation permet de prévenir les maladresses de la part du responsable et d'atténuer son appréhension de l'entrevue de fin d'emploi ; de cette manière, celle-ci a plus de chance de se dérouler sans trop de difficulté[40].

La justice procédurale. La justice procédurale s'intéresse à la réaction des individus en regard des processus utilisés pour déterminer ces résultats. Les individus se feront une idée quant à la justice d'une procédure de recrutement, de congédiement, d'une réprimande ou même de promotion s'ils perçoivent le processus comme équitable. Or, plusieurs critères ont été établis pour déterminer si une procédure a des chances d'être perçue comme équitable[38].

Une procédure est perçue comme cohérente si elle réussit à éliminer les biais, si elle est basée sur une information pertinente, si elle est pourvue d'un mécanisme correctif, si elle tient compte des intérêts des parties qu'elle touche et si elle est conforme aux standards éthiques et moraux[39]. Il est avantageux pour l'organisation de faire preuve de cohérence dans l'imposition de ses règles et de ses politiques, tout comme d'établir d'autres stratégies visant à réduire les comportements indésirables qui influent sur le rendement et sur le taux d'absentéisme. Par ailleurs, il est possible de réduire les effets négatifs inhérents à la discipline et à d'autres stratégies de renforcement négatif en se conformant à certains principes importants, notamment les suivants.

Plus l'employé perçoit que la justice procédurale est faible, plus il aura tendance à croire que la résultante lui porte préjudice.

La justice d'interaction ou interactionnelle. Cette troisième dimension de justice organisationnelle qu'est la justice d'interaction (ou interactionnelle) réfère à la façon dont les décideurs traitent leurs subordonnés et le niveau de respect des engagements qui sont pris. Une communication planifiée qui aura accompagné la mise en œuvre de tout processus de la gestion des ressources humaines constituera une preuve de l'intérêt que l'employeur porte à l'égard de ses employés et témoignera d'une initiative de respect des employés concernés[41].

V La communication avec les employés

L'information est essentielle dans une organisation. C'est en communiquant avec l'employeur que les employés peuvent faire valoir leurs droits, leurs préoccupations et leurs revendications. Le service des ressources humaines doit participer activement à l'amélioration des systèmes de communication dans l'organisation. Ainsi, les gestionnaires en ressources humaines ont la charge d'acquérir et de distribuer l'information qui a trait à la gestion des ressources humaines à travers les systèmes formels et informels de communication organisationnelle[42]. Dans un premier temps, nous traiterons du processus de communication pour ensuite aborder les moyens de communication. Nous clôturerons cette section en examinant les programmes de communication.

LE PROCESSUS DE COMMUNICATION

L'encadré 13.13 représente schématiquement un processus de communication. Ce dernier commence par une idée ou un message qui est encodé puis transmis par l'émetteur grâce à un moyen de communication et qui est décodé par un récepteur qui lui donne alors une rétroaction relative au message. L'encodage peut se faire par des mots, des chiffres ou également être non verbal (par exemple, le ton de la voix, l'expression du visage, etc.). La transmission d'un message n'est réussie que dans la mesure où le récepteur est capable de décoder le message, particulièrement s'il est chargé de sentiments. À cet égard, l'émetteur peut transmettre un message qui est susceptible d'être interprété de plusieurs façons. Aussi, le récepteur peut mal le comprendre à cause du langage, du contexte ou de l'environnement. De plus, la communication peut être perturbée à cause d'un flux d'information trop chargé qui rend le récepteur incapable d'absorber la grande quantité d'informations qui lui est transmise. Le manque de temps des dirigeants peut affecter la qualité et la pertinence de l'information transmise aux employés. Les spécialistes en communication soulignent l'importance à la fois des communications qui se dirigent vers le bas et celles qui se dirigent vers le haut[43]. Force est de constater qu'il est important que les gestionnaires donnent des informations aux employés concernant les plans stratégiques, les procédures à suivre et tout autre élément susceptible d'influencer les comportements des employés. Il est d'égale importance de permettre aux employés de transmettre leurs idées, leurs doléances, leurs suggestions et leurs émotions afin de saisir les points de tension, les difficultés et d'être en mesure de résoudre leurs problèmes[44].

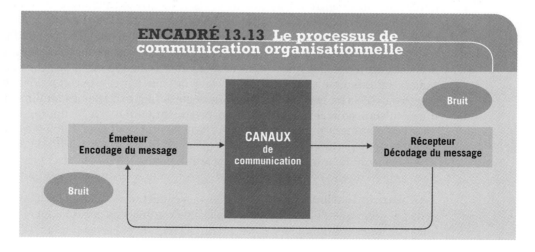

ENCADRÉ 13.13 Le processus de communication organisationnelle

LES MOYENS DE COMMUNICATION

Il existe plusieurs moyens de communication. Celle-ci peut être écrite (sous une forme plus traditionnelle), audiovisuelle, électronique, verbale et informelle.

La communication écrite. Il existe plusieurs moyens de communiquer par écrit. D'abord, les manuels et les brochures (par exemple, le manuel des employés remis à l'embauche) permettent de présenter les politiques et les procédures aux employés et aux gestionnaires. Le bulletin ou le journal de l'entreprise annonce les projets importants, les réalisations de l'entreprise, l'état de ses compétiteurs, les informations concernant les employés comme l'annonce de promotion et d'autres événements comme des affectations spéciales, des bons coups, etc. Le journal de l'entreprise contribue au développement du sentiment d'appartenance des employés qui sont régulièrement mis au courant des nouvelles les plus récentes qui affectent la vie organisationnelle autant à l'externe qu'à l'interne. Les mémorandums, les messages insérés dans les enveloppes de paie, les affiches constituent également des moyens de communiquer une information plus spécifique telle l'annonce d'un programme, l'abolition d'une politique, etc.[45].

La communication audiovisuelle. Aux moyens audiovisuels qui ont été populaires durant la fin du xxᵉ siècle (les présentations vidéo) et qui servent à communiquer de vive voix des messages importants, tels que l'annonce de licenciements massifs, de fusions, d'acquisitions, etc., s'est ajoutée la téléconférence. Particulièrement efficace et pratique, ce moyen permet d'annoncer, en même temps, des messages importants à des personnes qui sont très dispersées géographiquement. De plus, il est économique et évite les déplacements. Les avancées technologiques permettront à l'avenir de rendre les communications par téléconférence usitées, accessibles à travers les ordinateurs personnels et donc moins intimidantes qu'elles ne le sont aujourd'hui.

D a n s   l e s   f a i t s

Internet peut être utilisé de manière abusive dans l'organisation. Une étude rapporte que les salariés d'IBM et d'Apple avaient visité le site Internet de Penthouse 13 000 fois en un seul mois de 1996, gaspillant l'équivalent de 350 journées de travail[46].

Les communications électroniques. Les boîtes vocales permettent à la fois de laisser des messages détaillés ou d'envoyer un même message à l'ensemble des employés d'une entreprise ou à un groupe de personnes, ce qui constitue un moyen économique autant en temps et qu'en argent. Le courrier électronique, ou courriel, permet de rejoindre instantanément des personnes et de leur envoyer des documents attachés. La collaboration entre des équipes transnationales, entre plusieurs départements et entre plusieurs entreprises s'en trouve facilitée. Cependant l'utilisation d'Internet n'est pas exempte de désavantages. En effet, le fait que les employés l'utilisent pour des besoins personnels de façon abusive, la multiplication des messages et la crainte de transmission de virus destructeurs rendent sa gestion difficile. Souvent, les messages importants sont noyés dans une marée de messages d'importance moindre. Cette nouvelle réalité exige des entreprises de contrôler l'utilisation du courriel et d'élaborer des politiques à cet égard. Les technologies multimédias peuvent être utilisées pour différents besoins organisationnels. La formation et le travail à distance comptent parmi les activités dans lesquelles les technologies multimédias sont efficaces. En effet, les simulateurs et l'apprentissage par CD-ROM comptent parmi les moyens de formation qui commencent à connaître du succès et qui font de l'apprentissage une expérience agréable accompagnée d'une rétroaction instantanée.

La communication verbale. Lorsque les réunions sont bien planifiées, dotées d'un ordre du jour, et qu'elles ne peuvent pas être remplacées par un appel ou un courriel, elles demeurent un moyen privilégié qui permet un échange d'information et d'idées ainsi que la possibilité de prendre des décisions et de régler certaines situations sur le champ. Certaines réunions peuvent prendre la forme de session à cœur ouvert au cours desquelles les gestionnaires et les employés discutent des plaintes, des suggestions, des opinions ou d'autres questions qui les touchent. Il faut cependant veiller à la tournure que peuvent prendre ces réunions. Il faut encourager les idées constructives et non seulement l'émission de plaintes et de commentaires négatifs à l'égard des gestionnaires et de la direction[47].

Les réunions peuvent également se dérouler à l'extérieur du lieu de travail et s'étendre sur un ou plusieurs jours (forme de retraite ou «lac-à-l'épaule»). Ces réunions permettent aux gestionnaires et aux employés de revoir la mission de l'entreprise, ses orientations stratégiques, de décider des suites d'une fusion, etc. Les réunions à l'extérieur du lieu du travail donnent aux participants la possibilité d'apprendre à mieux se connaître dans un cadre inhabituel et de renforcer leurs liens de collaboration.

La communication informelle. La constitution de réseaux informels dans l'organisation grâce aux affinités entre employés, aux liens d'amitié ou à la collaboration favorise la transmission d'information informelle. Les cafétérias, le stationnement, les couloirs et d'autres endroits permettent l'échange d'information qui n'est pas disponible par la voie des réseaux de communication formelle. La communication informelle est source de créativité lorsque des échanges peuvent avoir lieu entre des personnes de différents départements et peut donc être bénéfique pour l'organisation. Trop d'échanges informels peuvent par contre prendre une tournure malsaine s'ils mènent à la propagation de rumeurs ou de potins qui peuvent affecter le climat du travail et le moral des employés. Une des manières de contrôler l'information informelle est le *«management by walking around»* ou le MBWA. Cette technique consiste à encourager les gestionnaires à sortir de leurs bureaux pour se mêler aux employés afin de leur donner l'occasion de leur faire part de leurs plaintes, de leurs suggestions et de leurs préoccupations[48].

Le choix d'un moyen de communication en fonction de l'objectif à atteindre. Il n'est pas toujours facile de savoir quel moyen de communication privilégier. L'encadré 13.14 permet d'identifier les moyens de communication les plus utiles en fonction des sujets d'information et des événements à annoncer. Il constitue une première étape d'identification des moyens de communication à adopter. Il faut cependant noter que les caractéristiques de l'entreprise notamment sa culture, sa taille, son climat de travail et les rapports avec les employés influencent les moyens de communication et leur teneur[49].

LES PROGRAMMES DE COMMUNICATION ORGANISATIONNELLE

Dans le but d'encourager la communication organisationnelle et de permettre aux employés de faire valoir leurs préoccupations, leurs revendications, leurs droits, leurs opinions et de transmettre toute autre sorte d'information, les entreprises peuvent mettre sur pied divers types de programmes de formation. Nous examinerons dans cette section les systèmes de suggestions, les enquêtes de rétroaction et les procédures de règlement interne des conflits.

Les systèmes de suggestions. Les *systèmes de suggestions* sont des programmes formels visant à générer, à évaluer et à implanter les idées des employés. Pour répondre à leur objectif de départ, les trois conditions doivent être présentes. Dans un premier temps les idées générées par les employés sont recueillies à l'aide d'un formulaire (il peut être sous forme électronique) après discussion avec le superviseur qui ne doit pas nécessairement l'approuver. Le formulaire est ensuite transmis

ENCADRÉ 13.14 Tableau des moyens de communication

Occasions ou sujets d'information	Moyens oraux							Moyens écrits											Moyens audiovisuels								Moyens combinés			
	1	2	3	4	5	6	7	8	9	10	11	12	13	14	15	16	17	18	19	20	21	22	23	24	25	26	27	28	29	30
	Information de contact	Entretien individuel	Réunion d'information	Conférence	Visite de l'entreprise	Commissions et groupes d'étude	Réunions d'échange	Compte rendu de réunion	Note d'information	Réunion d'échange	Lettre au personnel	Journal d'entreprise pour l'ensemble du personnel	Bulletins spécialisés	Enquête d'opinion	Questions à la direction	Boîte à idées	Revue de presse	Télex	Aides visuelles	Affichages	Téléconférence	Montage audiovisuel	Film d'information	Journal télévisé	Journal téléphoné	Messages par haut-parleurs	Salle d'information	Procédure d'accueil	Séminaire de réflexion	Messagerie électronique
A Information sur l'entreprise pour les nouveaux embauchés	X	O	O	O	O				O	O				X					O			O	O	X	X		O	O	O	
B Organisation, définition des fonctions, organigrammes, nominations		X	X		X	X		X	O	X		O	O						O	O		X		X	X		O	O	O	
C Évaluations individuelles, évolutions de carrière		O			X																									
D Politique générale et objectifs de l'entreprise			O	O	X	O	O		O		O	O		O	X	O	X		O		X	X	X	X	X		O	O	O	
E Rémunération, emploi, horaires, avantages sociaux			O	O	X		O	O	O	O	O	O		O	O	O	O	X		O				X	O	X	O			X
F Conditions de travail (hygiène et sécurité horaires, locaux, transports…)	O		X	X	X	O	O		O	X	X		O		O	O	O	O		O		X	X	X	O	O	O	O		X
G Perception de l'entreprise par le personnel, aspirations, attentes, motivations	O	O				O	O					X		X	O	O	O							X	X		X	O		
H Départ volontaire du salarié	O													X																
I Nouvelles méthodes et procédures	O		X	X	X	O	O	O	O	O		O	O		O	O			O	X	O	O	O	O				X		O
J Informations techniques (marche des ateliers, procédés, machines)	O		X	O	O	O	O	O	O	O		O		O	O	O			O	O									X	X
K Informations commerciales (marketing, publicité, ventes, concurrence…)		O		X		O		O	O	O		O	O		O				O	O	O	O	X	O	O	O	O	X	O	X
L Information économique et financière (objectifs, investissements, prévisions)			O	O	X		O		X	X	O	O		O		X			O	O	X	O	O	O	O		O	O	O	
M L'entreprise et son environnement (vie régionale, pollution, concurrence)			O	O	X	X	X		X	X	X	O		O	X	X	X	O		X		X	X	O	O		O	O	X	X
N Les hommes et leur activité extraprofessionnelle (loisirs, sports, vie culturelle)									O			O		X	X	X	X	O						O	O	X	O	O	X	X
O Communications interpersonnelles	O	O	X		X	O	O							O		X			O									O	O	O

Source : F. Gondrand, « Des moyens au service d'une politique », *L'information dans les entreprises et les organisations*, Paris, Les éditions d'organisation, 1990, p. 228-233.

Moyens
O les plus appropriés
X également possibles

à un comité chargé de l'analyser. Si l'idée est viable, elle sera implantée. L'employé auteur de la suggestion aura droit à une récompense généralement calculée en fonction des économies réalisées. Évidemment, le succès du programme repose sur sa crédibilité auprès des employés. L'employeur doit s'assurer de donner une rétroaction rapide, de motiver sa décision de retenir ou de rejeter l'idée. Un système de suggestions requiert une administration rigoureuse. Il faut également encourager les superviseurs à s'enquérir des idées de leurs subordonnés et les encourager à les manifester. Le système de suggestions risque d'être perçu comme un système qui demande trop d'énergie pour les avantages qu'il offre. Il n'en demeure pas moins qu'il constitue un bon moyen d'encourager la communication bidirectionnelle entre la direction et les employés[50].

Les enquêtes d'attitudes ou *Attitude Surveys* ou *Employee Feedback Programs*. L'enquête rétroactive est une méthode récente et avant-gardiste qui consiste en des méthodes systématiques qui permettent de déterminer ce que les employés pensent de l'organisation, de connaître leurs préoccupations et leurs attentes concernant leurs conditions de travail. Les enquêtes servent à recueillir de l'information soit par questionnaires soit par entrevues. Il est important de donner suite aux enquêtes en rapportant les résultats et en entamant l'implantation des mesures promises, autrement l'enquête n'aura pas beaucoup de valeur. La rétroaction peut se faire sous forme de rapports personnalisés, d'articles dans le journal de l'entreprise ou de réunions d'échanges et d'information. La haute direction doit également montrer sa prédisposition à apporter les modifications qui s'imposent[51].

LES PROCÉDURES INTERNES DE RÈGLEMENT DE CONFLITS (PIRC)

Les *procédures internes de règlement de conflits* (PIRC) constituent une manière avant-gardiste de permettre à des employés, généralement non syndiqués, de faire reconnaître leurs droits dans l'entreprise. Selon Wils et Labelle[52], les PIRC peuvent prendre différentes formes : des politiques de portes ouvertes, la présence d'un ombudsman, les lignes téléphoniques ouvertes, etc. Ces auteurs classent les différentes PIRC en fonction de l'étendue de l'influence des employés dans la résolution des problèmes et selon la nature du recours. Ensemble ces deux critères permettent d'identifier six catégories qui sont reproduites dans l'encadré 13.15.

L'intérêt de cette typologie est de mettre en évidence la variété des PIRC. Notons que celles qui permettent une plus grande intervention des employés sont généralement perçues comme étant plus équitables. Il ne suffit pas d'établir une procédure de règlement des griefs qui assure le traitement des plaintes ; il faut encore l'appliquer de façon cohérente et juste. Par exemple, la preuve doit pouvoir être consultée tant par l'employé que par l'employeur, et les deux parties doivent avoir le droit de faire appel à des témoins et de refuser de témoigner contre elles-mêmes. En outre, la procédure de règlement des griefs doit être présentée clairement à titre de politique de l'entreprise et portée à la connaissance des employés. L'encadré 13.16 présente un exemple courant de procédure de règlement des griefs.

Pour être efficaces, les PIRC doivent prévoir et garantir l'accessibilité aux employés en précisant les critères d'admissibilité des plaintes. Elles doivent être sécuritaires et garantir la confidentialité. Elles doivent être impartiales et dans la mesure du possible prévoir une possibilité d'appel devant une personne neutre ou un comité paritaire[53].

Les organisations ont intérêt à ne pas prendre à la légère la question de l'équité et du respect des droits des employés. Les violations de droits reconnus par la loi entraînent des sanctions et des amendes. Même les infractions relatives à des droits

ENCADRÉ 13.15 Typologie des systèmes internes de résolution de conflits

Nature du recours offert par l'employeur	Degré d'influence des employés	
	Faible	**Fort**
Aucun recours	**Catégorie nº 1** • Système de communication • Programme d'aide aux employés • Système de requête • Politique de porte ouverte informelle	**Catégorie nº 2** • Participation (cercle de qualité, gestion participative, etc.)
Recours interne	**Catégorie nº 3** • Politique de porte ouverte formelle avec réponse d'un représentant de la haute direction • Procédure de recours avec un comité composé principalement de représentants de la partie patronale	**Catégorie nº 4** • Procédure de recours avec un comité composé d'une majorité d'employés
Recours auprès d'une tierce personne	**Catégorie nº 5** • Ombudsman • Officier d'audition	**Catégorie nº 6** • Arbitre externe (procédure de grief similaire à celle que l'on trouve dans les conventions collectives)

Source: T. Wils et C. Labelle, « Les systèmes internes de résolution de conflits : des mécanismes de justice pour les employés non syndiqués de l'an 2000 », Gestion – Revue internationale de gestion, mai 1989, p. 54.

ENCADRÉ 13.16 Exemple courant de procédure de règlement des griefs

Le personnel cadre et les chefs de service reconnaissent qu'afin de maintenir de bonnes relations de travail ils doivent prendre acte des problèmes et du mécontentement des employés et s'efforcer d'y remédier dès qu'ils se manifestent ; c'est pourquoi la procédure qui suit n'est donnée qu'à titre de recours éventuel, dans les cas où le règlement n'aurait pu être obtenu par les voies normales.

Étape 1 : L'employé doit faire part de son problème ou de son mécontentement à son supérieur, qui tentera de régler le cas conformément aux règlements de l'organisation, et ce, dans un délai de *deux jours ouvrables*, à moins de circonstances particulières.

Étape 2 : Si le cas n'a pu être réglé à la première étape, le superviseur prendra rendez-vous pour l'employé auprès du chef de service dans un délai de *trois jours ouvrables*.

Étape 3 : Si le cas n'a toujours pas été réglé après la deuxième étape, l'employé devra expliquer son problème ou le motif de son mécontentement par écrit (voir le formulaire ci-joint) au directeur des relations avec le personnel, qui organisera une rencontre entre toutes les parties intéressées ou présentera une recommandation dans les *cinq jours ouvrables* suivant la déposition de la plainte écrite en vue de régler le cas conformément aux règles et aux pratiques établies dans l'organisation.

Source: T. Rendero, « Consensus : Grievance Procedures for Nonunionized Employees », *Personnel,* janvier-février 1980, p. 7. Traduit et reproduit avec l'autorisation de l'éditeur. © 1980, American Management Association, New York. Tous droits réservés.

qui ne sont pas formellement protégés par une loi ou une convention collective peuvent être sanctionnées. C'est le cas fréquemment du renvoi injustifié, contre lequel les tribunaux et les arbitres protègent les employés. Les politiques d'entreprises doivent répondre aux critères de justice organisationnelle de manière à être perçues comme équitables. Des programmes de communication auront pour effet de permettre aux employés de faire valoir leurs droits et leurs opinions et ainsi de réduire les risques de poursuites, d'absentéisme ou les attitudes et comportements contre-productifs.

REVUE DE PRESSE

La communication en entreprise : à sens unique ou dans les deux sens ?

Guy R.
Lacroix

Peu de temps après avoir été nommé vice-président, ressources humaines, dans une grande entreprise manufacturière à divisions multiples, le président me confia que, malgré la mise en place d'un programme de communication avec les employés, il y avait de cela plus d'un an et demi, il ne voyait pas le moral des employés de l'entreprise s'améliorer.

Je lui demandai pourquoi il avait institué ce programme. Il me répondit : « Parce que je sens que les employés ne sont pas suffisamment engagés dans le relèvement des défis auxquels nous faisons face et que, par ailleurs, je suis persuadé qu'ils peuvent faire une contribution plus importante. » Le président avait une bonne intuition, mais il ne savait peut-être pas comment procéder.

Il avait insisté auprès de tous ses vice-présidents pour qu'ils mettent en place ce qui avait été appelé *Le programme de communication trimestriel*. Chaque trimestre, tous les employés devaient être rencontrés afin de leur communiquer les résultats de l'entreprise et répondre à leurs questions. Ses désirs avaient été suivis à la lettre et un compte rendu verbal de ces réunions devait être fourni par les vice-présidents lors d'une autre rencontre trimestrielle regroupant tous les vice-présidents avec le président.

Lors de ces rencontres trimestrielles des vice-présidents, ces derniers étaient regroupés autour d'une table en forme de *U* face à une autre table où le président et les deux vice-présidents exécutifs étaient assis. Le sujet des ressources humaines était généralement le dernier point de discussion à l'ordre du jour (fait curieux, étant donné qu'on dit toujours que les ressources humaines sont l'actif le plus important d'une entreprise).

Le moment venu, le président demandait à chacun de faire, à tour de rôle, l'évaluation du programme de communication dans sa division. Chacun des vice-présidents concluait sa présentation en disant que le programme fonctionnait très bien. Cette évaluation positive, loin de plaire au président, semblait l'irriter plus qu'autre chose. Il sentait instinctivement que la situation était loin d'être aussi rose qu'on voulait bien lui faire croire.

En tant que nouveau vice-président, j'étais assis au bout de la table en *U*, mais à l'autre extrémité de la rangée par où le président avait commencé son tour de table. J'étais donc le dernier à parler du programme de communication.

Lorsque vint mon tour, j'eus la réaction suivante : « Monsieur le président, je trouve étrange que vous demandiez à ceux qui administrent le programme d'en faire l'évaluation. Si vous voulez vraiment savoir comment fonctionne votre programme, pourquoi ne posez-vous pas la question à ceux à qui le programme s'adresse, c'est-à-dire aux employés ? »

Il s'ensuivit un silence de mort et ce n'est pas sûr que ce jour-là le petit nouveau fut apprécié de ses collègues. Après un long silence, le président me demanda comment procéder. Je suggérai un sondage sur la question assorti de groupes de discussion avec les employés. De nouveau, ce fut un silence de mort, j'eus même peur que la mienne fut proche, mais le président trouva l'idée bonne et elle fut curieusement adoptée unanimement !

Communiquer dans les deux sens

Les résultats furent percutants. La grande majorité des employés répondirent qu'ils appréciaient recevoir l'information sur les résultats trimestriels, mais qu'il ne s'agissait pas là d'un programme de communication mais plutôt d'un programme de transmission d'informations.

« Si vous voulez d'un programme de communication, répondirent en substance les employés, il faudrait que nous puissions parler nous aussi. » De toute évidence, le volet questions et réponses ne recevait pas la même attention que la transmission d'informations.

La meilleure formule que j'ai vue à l'œuvre pour assurer l'écoute des employés était en pratique dans les usines de Swift Textile aux États-Unis, meilleur fournisseur mondial de denim à Levi-Strauss, premier fabricant de jeans au monde. Le président de Swift, John Boland, le père du président actuel de Dominion Textile, avait mis en place ce qu'il appelait des conférences d'écoute.

Chaque semaine, le directeur de chaque usine devait rencontrer un petit groupe d'employés pour se mettre à leur écoute.

Un agent de personnel agissait comme secrétaire, notait toutes les questions et tous les commentaires des employés, en faisait un compte rendu affiché dans toute l'usine et assurait un suivi sur tous les points qui exigeaient une réponse de la direction.

Les décisions sur ces points en suivi devaient être communiquées à tous les employés, dans le courant de la semaine suivante. Cette pratique n'était pas laissée à la discrétion des directeurs : c'était une obligation du poste.

M. Boland, qui avait été capitaine d'infanterie lors de la Deuxième Guerre mondiale, me disait que, dans un contexte de guerre, la moindre observation d'un soldat ignorée par ses supérieurs peut devenir une question de vie ou de mort. La même chose s'applique à une entreprise, disait-il. Si vous voulez vraiment communiquer avec vos employés, essayez des conférences d'écoute.

Source : Les Affaires, *22 février 1997, p. 52.*

RÉSUMÉ

Les droits des employés vont prendre de plus en plus d'importance au cours des années 2000. Bien que les employés aient acquis avec le temps la reconnaissance juridique de nombreux droits, les questions les plus controversées de ce domaine échappent encore à la législation ou sont laissées à la discrétion de l'employeur. Ainsi, les tribunaux pourraient jouer un rôle important dans l'avancement des droits des employés. Mais l'importance du rôle que les tribunaux ainsi que les pouvoirs législatif et exécutif pourraient s'attribuer dans ce domaine dépendra dans une certaine mesure de la ligne de conduite que les organisations adopteront.

Aujourd'hui, il est devenu plus important que jamais de conserver des dossiers objectifs et adéquats sur les employés, car ils se révèlent des documents cruciaux lorsqu'il s'agit d'établir en cour le bon droit de l'employeur. Sans de tels documents, une organisation risque d'être prise au dépourvu lors d'une poursuite judiciaire. La Loi sur la protection des renseignements personnels donne accès aux employés à leur dossier personnel, tout en défendant la divulgation de leur contenu à des tiers sans l'autorisation de la personne concernée.

Même s'ils n'y sont pas toujours légalement obligés, certains employeurs avisent à l'avance leurs employés, qu'ils soient syndiqués ou non, de la fermeture de l'entreprise. Souvent également, ils mettent en place des programmes d'aide au replacement, qui peuvent comprendre des cours de recyclage, un service de conseil, une assistance à la recherche d'emploi ou à l'obtention d'un déplacement, une indemnité de départ et même des primes pour inciter les employés à demeurer au travail jusqu'au moment de la fermeture. Le fait de donner un préavis de fermeture et d'offrir des programmes d'aide au replacement semble avoir des effets bénéfiques pour l'organisation et limiter les dommages pour les employés.

Finalement, en ce qui concerne le droit des employés à un traitement juste et équitable, les employeurs chercheront à établir des programmes de communication dont des procédures de règlement des griefs qui auront comme objectif de permettre aux employés de véhiculer leurs appréhensions et d'éviter des répercussions négatives pour l'employeur et l'employé.

Questions de révision et d'analyse

1. *Sur le plan stratégique, quelle est l'importance, pour une organisation, de protéger les droits de ses employés?*

2. *Présentez et discutez certains des droits qui ont été récemment reconnus aux employés par le législateur ou les tribunaux.*

3. *Quelles conséquences pour l'organisation et son service des ressources humaines peuvent avoir les lois relatives au droit des employés à la protection des renseignements personnels?*

4. *Qu'est-ce que le harcèlement sexuel? Comment une organisation peut-elle contrer ce comportement? Dans quelles conditions un employeur peut-il être tenu légalement responsable d'un acte de harcèlement sexuel commis par un de ses employés?*

5. *Qu'entend-on par politique disciplinaire à caractère progressif?*

6. *Qu'est-ce que la justice organisationnelle? Quelles sont ses composantes? Expliquez l'utilité de cette notion en gestion des ressources humaines*

7. *Quelle est l'importance de la communication organisationnelle? Expliquez les moyens de communication? Choisissez un programme de communication et illustrez son utilité par un exemple pratique.*

ÉTUDE DE CAS

Le renvoi injuste de Simon Côté

Simon Côté, âgé de 35 ans, descend tranquillement les marches du palais de justice et plisse les yeux face aux derniers rayons de soleil qui traversent le centre-ville de Montréal. Ce fut pour lui une très longue journée, qui lui a fait revivre une fois de plus, devant la Cour supérieure du Québec, les deux dernières années de sa vie. Il a en effet passé toute la journée à rappeler les détails de son emploi passé à la firme Nako Électronique, un des principaux fabricants de magnétophones au Canada. Pour l'entreprise, cette cause comporte un enjeu considérable : c'est elle qui l'a portée devant la Cour supérieure, dans le but de faire renverser la décision antérieure d'un arbitre qui avait estimé qu'elle s'était rendue coupable de renvoi sans raison valable à l'endroit de son représentant régional des ventes. L'obligation de verser à celui-ci une compensation de 500 000 $, plus des intérêts de 82 083,50 $ est une couleuvre que l'entreprise avait refusé d'avaler.

Aujourd'hui, les deux parties ont livré leurs plaidoyers finaux. Simon Côté hésite quelques instants au pied des marches du palais de justice et refait lentement surface dans le présent. Il se souvient qu'il a accepté de rencontrer son avocat, Pierre Beaudoin, au restaurant, histoire de prendre un verre et de se relaxer après cette épreuve. Son esprit commence à s'éclaircir dès qu'il s'engage dans la circulation automobile, mais il n'arrive toujours pas à s'expliquer comment un emploi qu'il aimait tant et dans lequel il réussissait si bien a pu tourner si mal en l'espace d'une année seulement.

Cinq années plus tôt, Simon Côté réussissait très bien à son poste de représentant de Nako Électronique pour le Québec et les provinces atlantiques. En 14 mois, il avait réussi le tour de force d'augmenter le chiffre des ventes de magnétophones de 200 000 $ à un million. Les choses allaient si bien pour lui qu'il se déplaçait en Mercedes-Benz 450 SEL. Les problèmes ont commencé quand Marcel Léger, le vice-président du marketing, a remarqué son succès. Au cours d'une de ses visites sur le territoire de ventes de Côté, il fit remarquer à celui-ci qu'il aimait bien sa Mercedes. Puis il lui dit qu'il avait à effectuer un voyage à Halifax prochainement. « Je me rappelle très bien que Marcel m'a dit qu'il aimerait bien avoir une Buick, affirma Côté à la cour. Il ne voulait pas d'une automobile aussi luxueuse que la mienne pour effectuer son voyage d'affaires, puisqu'une Buick neuve faisait aussi bien son affaire. Et il me demanda de la payer ! »

Malheureusement, Marcel Léger n'a pas témoigné au procès, car il est mort subitement d'une crise cardiaque l'année précédente. La firme avait donc dû se défendre d'un certain nombre d'allégations portées contre lui au cours du procès. Notamment, Léger aurait exercé les mêmes pressions envers des collègues de Côté. Et celui-ci a refusé non seulement de payer la Buick qu'il demandait, mais aussi d'investir dans une société de têtes de lecture de platines qu'il avait fondée et que Côté croyait être une firme bidon. En fait, Léger avait offert à tous les représentants de Nako d'investir dans sa société. Il demandait 1 250 $ l'action, tandis qu'il partageait avec deux associés 80 % de l'ensemble des actions, qu'ils avaient payées 1 $ chacune. Au cours du procès, l'avocat de Côté a fait témoigner deux représentants et ex-collègues de Côté qui avaient été mystérieusement congédiés après avoir refusé d'investir dans la société de Léger.

Au cours de l'année qui suivit le succès de vente remporté par Côté et les tentatives d'extorsion infructueuses de Léger, l'entreprise augmenta le quota de vente de Côté de plus de 75 %. De plus, comme celui-ci l'affirma à la cour, elle sabota une partie importante des possibilités de vente en refusant d'accorder des rabais promotionnels aux plus gros clients de Côté. À l'automne, elle congédia celui-ci sans aucune explication. La firme soutint en cour qu'elle n'avait besoin d'aucune raison pour congédier Côté et que, par ailleurs, celui-ci n'avait pas atteint le nouveau quota de vente. Elle ajouta qu'il n'était plus possible à Léger de se défendre contre les accusations qu'on portait maintenant contre lui, puisqu'il était décédé.

Simon Côté a ressassé maintes fois ces détails avec son avocat, tant à l'occasion de l'audience d'arbitrage qu'au cours des nombreuses séances de préparation au procès. Comme il arrive au restaurant où il a rendez-vous, il espère que, avec l'issue imminente du procès, il pourra bientôt enfin oublier toute cette histoire. Après quelques verres, Pierre Beaudoin résume le déroulement de la journée et affiche un optimisme modéré quant à la décision du tribunal. Il ajoute, d'un air rêveur : « Mais tu sais, Simon, si tu avais sorti l'argent que Léger t'avait demandé, tu aurais survécu à ce salaud, tu aurais aujourd'hui une affaire de quatre millions entre les mains, et nous ne serions pas ici en train de prendre un verre ! »

Questions

Faites une analyse détaillée de ce cas.

NOTES ET RÉFÉRENCES

1 G. Trudeau, « Employees Rights vs. Management Rights : Some Reflections Regarding Dismissal », dans S. L. Dolan et R. S. Schuler (dir.), *Canadian Readings in Personnel and Human Resource Management*, St-Paul (Minn.), West Publishing Co., 1987, p. 367-378.

2 *Hiring and firing Newsletter*, mars 1989.

3 *Loi sur l'équité en matière d'emploi*, article 4.

4 S. W. Gilliland, « The perceived Fairness of Selection System : An Organizational Justice Perspective », *Academy of Management*, vol. 18, n° 4, 1993, p. 694-734.

5 L. Smith, « What the Boss Knows about You », *Fortune*, 9 août 1993, p. 88-93.

6 *Loi sur la protection des renseignements personnels*, article 6.

7 M. S. Taylor, K. B. Tracy, M. K. Renard, J. K. Harrison et S. J. Caroll, « Due Process in Performace Appraisal : A Quasi-Experiment in Procedural Justice », *Administrative Science Quarterly*, vol. 40, 1995, p. 495-523.

8 *Loi sur les normes du travail*, article 2.

9 *Loi sur les normes du travail*, article 43.

10 *Loi sur les normes du travail*, articles 52 et 55.

11 *Loi sur les normes du travail*, article 69.

12 *Loi sur les normes du travail*, article 80.

13 *Loi sur les normes du travail*, article 81.

14 H. Johnson, « Le harcèlement sexuel et le travail », *Perspective*, hiver 1994, Statistique Canada, catalogue 75-001, p. 11-14.

15 D. Savoie et V. Larouche, « Le harcèlement sexuel au travail », *Tiré-à-part*, vol. 74, École de relations industrielles, 1991.

16 Commission des droits de la personne, *Politique pour contrer le harcèlement racial en milieu de travail*, document adopté le 14 février 1992 par résolution COM – 367-7.2.1, p. 15-16.

17 L. Bernier, L. Granosik et J.-F. Pedneault, *Les droits de la personne et les relations du travail*, Montréal, Éditions Yvon Blais, 1997.

18 L. Bernier, L. Granosik et J.-F. Pedneault, *Les droits de la personne et les relations du travail, op. cit.*

19 R. Laperrière et N. Kean, « Le droit des travailleurs au respect de leur vie privée », *Les Cahiers de Droit*, vol. 35, n° 4, 1994, p. 709-778.

20 J.-B. Nadeau, « Quel problème de toxicomanie », *Commerce*, juillet 1991, p. 34-38.

21 J. E. Canto-Thaler, « Drug Testing Remains a Murky Legal Issue », *Canadian HR Reporter*, 9 septembre, 1996, p. 8.

22 S. Alvi, « Corporate Response to Substance Abuse in the Workplace », *Conference Board of Canada*, Rapport n° 87-92 ; B. Butler, « Drug Tests May Not Constitute Impairment Tests », *Canadian HR Reporter*, 7 octobre, 1996, p. 8.

23 R. Stambaugh, « Protecting Employee Data Privacy », *Computers in HR Management*, février 1990, p. 12-20.

24 D. Veilleux, « Le droit à la vie privée – sa portée face à la surveillance de l'employeur », *Revue du Barreau*, tome 60, 2000, p. 1-46 ; C. D'aoust, « L'électronique et la psychologie du travail », dans R.Bourque et G. Trudeau (dir.), *Le travail et son milieu*, Montréal, PUM, 1994 ; J. Laabs, « Surveillance : Tool or Trap », *Personnel Journal*, janvier 1992, p. 96-104.

25 L. Bernier, L. Granosik et J.-F. Pedneault, *Les droits de la personne et les relations du travail, op. cit.*

26 L. Bernier, L. Granosik et J.-F. Pedneault, *Les droits de la personne et les relations du travail, op. cit.*

27 L. Bernier, L. Granosik et J.-F. Pedneault, *Les droits de la personne et les relations du travail, op. cit.*

28 D. Harris, *Wrongful Dismissal*, Toronto, Richard DeBoo Publishers, 1984.

29 *Hiring and firing Newsletter*, mars 1989.

30 P. Church et S. D. Matthews, « Providing Alcohol at Work », *OH&S Canada*, juillet-août 1996, p. 46-48.

31 A. Rondeau et F. Boulard, « Gérer des employés qui font problème : une habileté à développer », *Gestion*, février 1992, p. 32-42.

32 N. Lemieux, *La gestion des employés-problèmes*, Mémoire de maîtrise, HEC, 1994.

33 A. Rondeau et F. Boulard, « Gérer des employés qui font problème : une habileté à développer », *op. cit.*

34 E. M. Morin, *Gestion des employés en difficulté : identification des problèmes et solutions*, Document pédagogique, Montréal, Éditions de cas HEC, 1991.

35 Anonyme, « Les programmes d'aide aux employés : le cadre juridique », *Le marché du travail*, août 1993, p. 6-10 et 63 ; W. Sonnenstuhl et H. Trice, *Strategies for Employee Assistance Programs : the Crucial Balance*, Ithaca (NY), ILR Press, 1990.

36 J. Greenberg, « Organizational Justice : Today and Tomorrow », *Journal of Management*, vol. 16, n° 2, 1990, p. 399-432.

37 M. Tremblay et P. Roussel, « La modélisation du rôle de la justice organisationnelle : ses effets sur la satisfaction et sur les attitudes à l'égard de l'action collective », *Actes de l'AGRH*, Paris, novembre 1996, p. 510-520 ; G. Greenberg, « Employee Theft as a Reaction to Underpayment Inequity : The Hidden Cost of Pay Cuts », *Journal of Applied Psychology*, vol. 75, n° 5, 1990, p. 561-568.

38 M. Tremblay et P. Roussel, « La modélisation du rôle de la justice organisationnelle : ses effets sur la satisfaction et sur les attitudes à l'égard de l'action collective », *op. cit.*

39 G. S. Leventhal, J. Karuzza et W. R. Fry, « Beyond Fairness : A Theory of Allocation Preferences », dans Mikula G. (éd.), *Justice and Social Interactions*, New York, Spring-Verlag, p.164-218.

40 L. D. Foxman et W. L. Polsky, « Ground Rules for Terminating Workers », *Personnel Journal,* juillet 1984, p. 32. Voir aussi K. Bullock, « Terminating of Employment », *Human Resource Management in Canada*, (édition révisée), août 1985, p. 73, 023-75,024.

41 R. Bies et D. Shapiro, « Interactional Fairness Judgments : The Influence of Causal Accounts », *Social Justice Research*, vol. 1, 1987, p. 199-218 ; R. Bies et D. Shapiro, « Interactional Fairness Judgments : The Influence of Causal Accounts », *Social Justice Research*, vol. 1, 1997, p. 199-218.

42 C. Agyris, « Good Communication that Blocks Learning », *Harvard Business Review,* juillet-août 1994, p. 77-85 ; O.GÉLINIER, « Politiques de communication interne pour la réussite », chapitre 14, *Stratégie d'entreprise et motivation des hommes,* Paris, Hommes et Techniques, 1984.

43 P. Kane, « Two-Way Communication Fosters Greater Commitment », *HR Magazine*, octobre 1996, p. 50-52.

44 W. Werther, K. Davis et H. Lee-Gosselin, « L'établissement d'une communication efficace », *La gestion des ressources humaines*, chapitre 19, Montréal, McGraw Hill, 1990 ; M. Augendre, « La communication : un enjeu pour les organisations », *Sciences Humaines*, Hors série, n° 16, 1997, p. 42-45.

45 P. S. Rogers et H. W. Hildebrandt, « Competing Values Instruments for Analyzing Written and Spoken Management Messages », *Human Resource Management*, vol. 32, n°1, printemps 1993, p. 121-142.

46 Neilson Media Research, cité dans K. A. Kovach, S. L. Conner, T. Livneh, K. M. Scallan et R. L. Schwartz, « L'e-mail et le droit à la vie privée », *L'Expansion Management Review*, 2000, p. 72-77.

47 F. Jacq et J.-L. Muller, « La parole dérange et bouscule... Pourtant on ne peut s'en passer », *De L'expression des employés à la stratégie de l'entreprise*, chapitre 1, Paris, Hommes et Techniques, 1984.

48 R. Thériault, *La communication réseau : approche client*, Montréal, Méridien, 2000.

49 F. Gondrand, « Des moyens au service d'une politique », *L'information dans les entreprises et les organisations*, Paris, Les éditions d'organisation, 1990, p. 228-233.

50 F. Gondrand, « Des moyens au service d'une politique », *op. cit.*

51 R. Lescarbeau, « Les assises de l'enquête feed-back », *L'Enquête Feed-back*, Montréal, PUM, 1994 ; J. L. Mendleson et C. D. Mendleson, « An Action Plan to Improve Difficult Communication », *HRMagazine*, octobre 1996, p. 118-126.

52 T. Wils et C. Labelle, « Les systèmes internes de résolution de conflits : des mécanismes de justice pour les employés non syndiqués de l'an 2000 », *Gestion,* mai 1989, p. 51-57.

53 D. Blancero D. et L. Dyer, « Due Process for Non-Union Employees : The Influence of System Characteristics on Fairness Perceptions », *Human Resource Management*, automne 1996, vol. 35 n° 3, p. 343-359 ; P. Feuille et D. R. Cachere, « Looking Fair or Being Fair : Remedial Voice Procedures in Nonunion Workplaces », *Journal of Management*, vol. 21, n° 1, 1995, p. 27-42.

CHAPITRE

14

Les rapports collectifs de travail

Dans ce chapitre, nous allons nous familiariser avec le système des relations du travail au Canada et plus particulièrement au Québec. Nous étudierons la structure et le rôle des syndicats à l'intérieur de ce système. Nous nous pencherons également sur le processus de la négociation collective ainsi que sur les moyens de résoudre les conflits du travail.

I Le système de relations du travail au Canada

LES PRINCIPALES CARACTÉRISTIQUES DU SYSTÈME DE RELATIONS DU TRAVAIL AU CANADA

Le système de relations du travail peut être défini comme « un ensemble complexe d'activités des secteurs privé et public se déroulant dans un milieu donné et mettant en jeu la rétribution du travail ainsi que les conditions dans lesquelles ce travail s'effectue[1] ». L'encadré 14.1 présente les facteurs et les acteurs qui interviennent dans le système de relations du travail (SRT), de même que ses principales divisions et composantes. Ce schéma montre que le SRT est influencé par plusieurs sous-systèmes présents dans le milieu (sous-systèmes écologique, économique, politique, juridique et social) et par les facteurs (buts, valeurs et pouvoir) qui dépendent des principaux acteurs (travailleurs, gouvernement et patronat)[2].

John Dunlop, un pionnier dans le domaine des relations industrielles, est le premier à avoir qualifié d'« acteurs » les intervenants dans un système de relations du travail. Par ce terme, il désignait aussi bien les individus que les groupes. Ainsi, les acteurs incluent les dirigeants en tant qu'individus de même que les équipes de direction, et les employés à titre d'individus de même que les organisations d'employés (les associations ou les syndicats qui les représentent). Le troisième acteur est l'État en tant qu'employeur et en tant que législateur. Chacun de ces acteurs poursuit des intérêts qui lui sont propres. Les travailleurs s'intéressent à l'amélioration de leurs conditions de travail, à l'équité, aux salaires et aux possibilités d'avancement. Les syndicats visent à assurer la protection de leur membres, leur survie, leur croissance et leur pouvoir de négociation, qui dépend en partie de leur capacité à garder l'appui de leurs membres. Les intérêts du patronat se rapportent aux profits, à la productivité et à la croissance de l'entreprise ; le patronat cherche aussi à préserver les droits de la direction en ce qui concerne les ressources humaines et les promotions. Quant au gouvernement, il vise l'établissement d'une économie saine et stable, la protection des droits de la personne, le traitement équitable et la sécurité du travail. Ces intérêts divers influencent directement la nature des relations entre le syndicat et l'employeur. En effet, lorsque ces deux acteurs perçoivent leurs buts comme incompatibles, une relation conflictuelle est susceptible de naître entre eux. Par contre, lorsque leurs objectifs leur paraissent complémentaires, une relation de coopération peut s'établir.

Lorsque les relations sont conflictuelles entre le syndicat et la direction, les deux parties tentent de satisfaire leurs demandes tandis que le gouvernement cherche à protéger ses propres intérêts. Le rôle du syndicat consiste alors à arracher des concessions à la direction pendant la négociation collective et à faire respecter ses gains au moyen de la procédure de règlement des griefs ; ce faisant, il agit du point de vue d'un acteur externe et critique vis-à-vis l'organisation[3].

Historiquement, les syndicats ont modelé leur attitude en fonction des conditions de travail très déficientes qui prévalaient avant que ne soient créées les premières

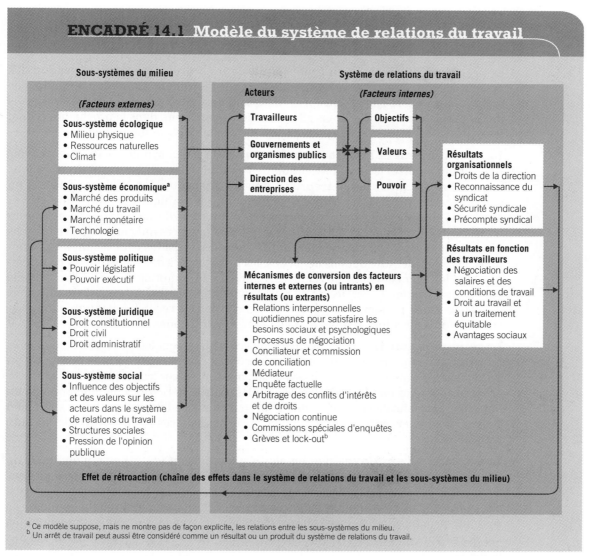

ENCADRÉ 14.1 Modèle du système de relations du travail

Sous-systèmes du milieu

Système de relations du travail

(Facteurs externes)

Acteurs

(Facteurs internes)

Sous-système écologique
• Milieu physique
• Ressources naturelles
• Climat

Sous-système économique[a]
• Marché des produits
• Marché du travail
• Marché monétaire
• Technologie

Sous-système politique
• Pouvoir législatif
• Pouvoir exécutif

Sous-système juridique
• Droit constitutionnel
• Droit civil
• Droit administratif

Sous-système social
• Influence des objectifs et des valeurs sur les acteurs dans le système de relations du travail
• Structures sociales
• Pression de l'opinion publique

Travailleurs

Gouvernements et organismes publics

Direction des entreprises

Objectifs

Valeurs

Pouvoir

Résultats organisationnels
• Droits de la direction
• Reconnaissance du syndicat
• Sécurité syndicale
• Précompte syndical

Résultats en fonction des travailleurs
• Négociation des salaires et des conditions de travail
• Droit au travail et à un traitement équitable
• Avantages sociaux

Mécanismes de conversion des facteurs internes et externes (ou intrants) en résultats (ou extrants)
• Relations interpersonnelles quotidiennes pour satisfaire les besoins sociaux et psychologiques
• Processus de négociation
• Conciliateur et commission de conciliation
• Médiateur
• Enquête factuelle
• Arbitrage des conflits d'intérêts et de droits
• Négociation continue
• Commissions spéciales d'enquêtes
• Grèves et lock-out[b]

Effet de rétroaction (chaîne des effets dans le système de relations du travail et les sous-systèmes du milieu)

[a] Ce modèle suppose, mais ne montre pas de façon explicite, les relations entre les sous-systèmes du milieu.
[b] Un arrêt de travail peut aussi être considéré comme un résultat ou un produit du système de relations du travail.

Source: A. W. J. Craig, *The System of Industrial Relations in Canada*, 2e éd., Prentice-Hall Canada Inc., Scarborough, 1986, p. 3. Traduction et reproduction autorisées.

associations ouvrières. C'est pourquoi ils ont adopté un rôle d'adversaire dans leurs rapports avec les employeurs. Ils ont mis l'accent sur l'augmentation des salaires et sur l'amélioration des conditions de travail, cherchant toujours à obtenir « plus et mieux ». Cette approche fonctionne bien en période de prospérité économique, mais elle pose des problèmes lorsque l'économie se porte mal. De fait, le chômage élevé et la menace de pertes d'emplois ont amené récemment syndicats et employeurs à réviser leurs rapports. De nombreux syndicats se sont déjà engagés avec le patronat dans de nouvelles relations marquées par la collaboration[4].

Bien que le SRT au Canada se soit développé traditionnellement sur la base de relations conflictuelles, les secousses économiques de la fin des années 60, du début des années 80 et tout au long des années 90 ont amené les divers acteurs à faire un effort de coopération. Les travailleurs, le patronat et le gouvernement s'efforcent maintenant de créer un consensus et d'accroître les droits des travailleurs à la participation au processus de décision[5].

LES LIENS ENTRE LES RAPPORTS COLLECTIFS DE TRAVAIL ET LA GESTION DES RESSOURCES HUMAINES

Les relations du travail sont reliées à plusieurs autres aspects de la gestion des ressources humaines et s'insèrent dans un cadre juridique. Étant donné l'influence que ce cadre exerce sur l'entreprise dans son ensemble ainsi que sur le processus de la négociation collective, nous allons étudier séparément, dans la prochaine section, les aspects juridiques de la syndicalisation et de la négociation collective.

Le recrutement et la sélection des candidats. La syndicalisation peut avoir une influence directe sur la sélection des candidats et sur les conditions de leur embauche. De plus, les entreprises doivent respecter les réglementations en vigueur en ce qui concerne le remplacement de travailleurs pendant une grève ; ainsi, au Québec et en Ontario (contrairement au reste du Canada), les employeurs n'ont pas le droit d'embaucher des travailleurs pour remplacer les grévistes. Les syndicats peuvent également jouer un rôle dans les décisions concernant les promotions, les nouvelles attributions de tâches, les programmes de formation, les congédiements et les licenciements. Les clauses d'ancienneté comprises dans les conventions collectives facilitent l'exercice de ce rôle. D'ailleurs, les tribunaux et les commissions des droits de la personne ont entériné ces clauses en reconnaissant qu'elles pouvaient s'intégrer à tout régime d'ancienneté établi de bonne foi[6].

La rémunération. L'un des principaux objectifs que visent les employés est d'obtenir un salaire acceptable et des avantages sociaux intéressants. Étant donné qu'on s'attend généralement à ce que les syndicats puissent forcer les employeurs à procurer ces avantages, les employés sont susceptibles d'être intéressés à un moment ou à un autre par la syndicalisation. Cependant, la seule menace de syndicalisation suffit bien souvent à amener les employeurs à leur offrir des salaires et des avantages sociaux satisfaisants.

Les droits des employés. Les employés qui reçoivent un traitement équitable de la part de leur employeur sont plus susceptibles d'agir loyalement à l'égard de l'entreprise. Plus les employeurs reconnaissent et respectent les droits des employés, moins ces derniers se sentent menacés par les décisions de la direction et moins ils ressentent le besoin de se regrouper en syndicat. Dans les organisations dont les employés sont syndiqués, le syndicat contribue à assurer le respect des droits des employés.

Qualité de vie au travail et productivité. Les programmes de qualité de vie au travail et d'amélioration de la productivité sont souvent élaborés conjointement par la direction et le syndicat. Dans de nombreux cas, les organisations syndicales entérinent les programmes de qualité de vie au travail, leur apportent un soutien actif et permettent à leurs membres d'y participer volontairement.

II La syndicalisation des employés

La syndicalisation est le résultat des efforts fournis par des travailleurs et des organismes (syndicats ou associations) en vue de constituer un regroupement qui défendra les intérêts des salariés auprès des employeurs. Le syndicat est la forme la plus courante de regroupement de travailleurs. Il s'agit d'une organisation qui possède l'autorité juridique de négocier, au nom des salariés, diverses conditions de travail (salaires, horaires de travail, etc.) et de gérer par la suite la convention collective issue de la négociation. L'encadré 14.2 présente les principaux aspects de la syndicalisation des employés au sein du système de relations du travail.

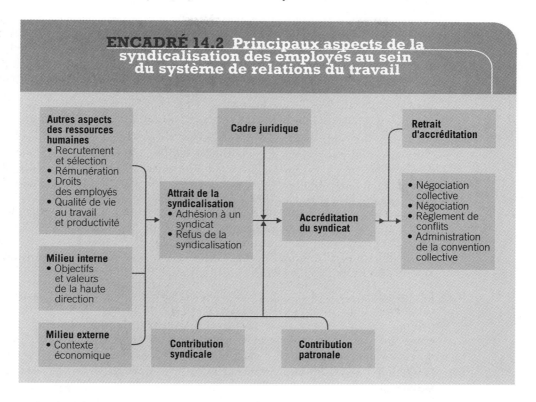

ENCADRÉ 14.2 Principaux aspects de la syndicalisation des employés au sein du système de relations du travail

L'IMPORTANCE DE LA SYNDICALISATION

D'une part, l'existence d'un syndicat (ou même la simple possibilité de son existence) peut exercer une influence significative sur la capacité de l'employeur de gérer ses ressources humaines. D'autre part, les syndicats permettent souvent aux employés d'obtenir des employeurs ce qu'ils recherchent, c'est-à-dire des conditions d'emplois favorables, des salaires concurrentiels et une sécurité d'emploi.

L'importance de la syndicalisation pour les employeurs. En gestion des ressources humaines, il est important de comprendre les tenants et les aboutissants du processus de syndicalisation. Celle-ci a souvent pour effet de réduire la marge de manœuvre de la direction en ce qui concerne l'embauche, l'affectation des ressources humaines et l'implantation de nouvelles méthodes de travail ou d'organisation du travail. De plus, très souvent, les syndicats obtiennent pour leurs membres des droits que les employés non syndiqués ne possèdent pas. Cela oblige, bien sûr, les organisations syndiquées à tenir compte des réactions de leurs employés à l'égard d'un plus grand nombre de décisions administratives.

Toutefois, il arrive que des directions d'organisations non syndiquées, pour prévenir la syndicalisation de leurs employés, s'efforcent de mieux les satisfaire et de leur accorder plus d'avantages. Ainsi, contrairement à ce qu'on entend souvent dire, il n'est pas toujours vrai qu'une organisation syndiquée soit plus coûteuse à gérer qu'une organisation non syndiquée. Également, les syndicats peuvent assister les employeurs en obtenant des concessions salariales de la part des travailleurs et en participant à des expériences de coopération et d'assistance sur les lieux de travail.

C'est le cas, notamment, lorsque les organisations appliquent le système Scanlon ou mettent sur pied des cercles de qualité ou des comités de santé et de sécurité, qui leur permettent de survivre ou de rester compétitifs pendant les périodes économiques particulièrement difficiles.

L'importance de la syndicalisation pour les employés. On entend parfois dire que l'attrait des syndicats s'explique par le besoin d'affiliation qu'éprouvent les individus. Mais ce rôle devient secondaire lorsqu'il est question d'apporter des changements au travail. Un sondage réalisé par le Centre de recherche par sondage de l'Université du Michigan indique que, pour les travailleurs, les buts d'un syndicat sont d'abord reliés aux aspects concrets d'un emploi. Les répondants, qui devaient préciser, à partir d'une liste, les aspects bénéfiques reliés à la présence d'un syndicat, ont fourni les réponses suivantes : salaires, avantages sociaux et sécurité d'emploi (80,5 %) ; répercussions négatives sur les employés, les affaires et même sur le pays en général (11,7 %) ; expansion du pouvoir syndical (6,5 %) ; contenu de l'emploi (1,3 %). Le même sondage a aussi montré que 89 % des travailleurs estiment que les syndicats ont le pouvoir d'améliorer les salaires et les conditions de travail ; presque autant (87 %) croient qu'ils possèdent également le pouvoir d'améliorer la sécurité d'emploi et 80 % pensent qu'ils ont le pouvoir de protéger les employés[7].

Par ailleurs, diverses enquêtes révèlent que les employés, qu'ils soient ou non syndiqués, cherchent à combler dans leur milieu de travail les quatres objectifs suivants : (1) gagner un salaire convenable, (2) travailler en toute sécurité, (3) avoir un horaire de travail raisonnable et (4) travailler dans un milieu agréable.

LES RAISONS QUI EXPLIQUENT L'ADHÉSION À UN SYNDICAT

Pour comprendre le mouvement syndical, il faut considérer les raisons pour lesquelles les travailleurs décident ou non d'adhérer à un syndicat. Beaucoup de recherches ont été faites sur cette question et bien qu'il n'y ait pas d'explication unique, on peut dire que les trois facteurs suivants sont susceptibles d'inciter fortement les travailleurs à se syndiquer : l'insatisfaction, l'impuissance et la valeur instrumentale conférée au syndicat.

L'insatisfaction. Le contrat de travail qui lie l'employeur et l'employé précise certaines conditions de travail explicites, notamment le salaire, l'horaire de travail et la nature du travail. Cependant, un contrat implicite lie l'employeur à l'employé et inclut les attentes non formulées de l'employé à l'égard des conditions de travail jugées acceptables, des exigences reliées aux tâches, de l'effort que le travail requiert ainsi que de la nature et de l'étendue de l'autorité de l'employeur sur le travail de l'employé. Ces attentes expriment le désir de l'employé de satisfaire certaines de ses préférences à l'égard du travail. Ainsi, plus un employeur réussira à combler les préférences de l'employé, plus celui-ci sera satisfait au travail.

L'insatisfaction de l'employé à l'égard de son contrat de travail explicite ou implicite l'incitera à chercher des moyens d'améliorer sa situation de travail, et souvent à se syndiquer. Une étude importante a établi une relation significative entre le niveau de satisfaction au travail et la proportion de travailleurs ayant opté pour la syndicalisation. En effet, dans un milieu de travail donné, la plupart des employés très insatisfaits ont voté en faveur de l'adhésion au syndicat, alors que la plupart des employés satisfaits ont rejeté la syndicalisation[8]. En général, les travailleurs qui perçoivent les syndicats comme des instruments utiles à l'amélioration de leur qualité de vie au travail sont plus susceptibles que les autres de devenir membres d'un syndicat, d'apporter leur appui aux activités syndicales et de participer à la gestion du syndicat[9].

Par conséquent, si la direction veut réduire l'attrait que présente la syndicalisation pour ses employés, il lui faudra envisager la possibilité de leur offrir des conditions de travail plus satisfaisantes. L'insatisfaction des employés peut être engendrée par plusieurs pratiques énumérées dans l'encadré 14.3.

ENCADRÉ 14.3 Pratiques qui contribuent à la détérioration du niveau de satisfaction des employés

- Faire une présentation irréaliste du poste qui crée chez les employés des attentes impossibles à satisfaire.
- Implanter une conception des tâches n'utilisant pas les compétences des employés ou étant incompatibles avec leur personnalité, leurs intérêts et leurs attentes.
- Assurer une gestion quotidienne inadéquate, se caractérisant par une faible supervision, l'application de mesures inéquitables et l'absence de communication ascendante.
- Ne manifester aucune volonté d'améliorer les conditions de travail et de traiter les employés avec respect[10].

L'impuissance. La syndicalisation constitue rarement une mesure de premier recours pour les employés insatisfaits. La première initiative prise par ces derniers pour améliorer leur sort consiste habituellement en une action isolée. Un employé disposant de pouvoir ou d'influence au sein de l'organisation saura effectuer des changements sans solliciter l'appui des autres employés. Le degré de pouvoir d'un titulaire de poste dépend du caractère essentiel de ce poste, c'est-à-dire de l'importance de sa contribution au succès de l'ensemble de l'organisation. Il dépend également du caractère exclusif de ce poste, c'est-à-dire de la difficulté d'en remplacer le titulaire. L'employé qui accomplit des fonctions essentielles et que l'organisation ne peut remplacer aisément dispose d'une marge de manœuvre pour forcer l'employeur à modifier ses conditions de travail. La situation est différente dans le cas de l'employé n'occupant pas un poste prioritaire et dont la substitution ne pose aucun problème ; cet employé aura tendance à envisager d'autres moyens de pression, par exemple l'action collective, pour accroître son influence au sein de l'organisation. Pour les économistes du travail, le débat consiste à décider s'il vaut mieux lutter au sein d'une organisation pour en améliorer les conditions de travail ou la quitter.

Lorsqu'ils décident de la pertinence d'une action collective comme la syndicalisation, les travailleurs évaluent la possibilité qu'elle leur offre d'améliorer leur milieu de travail par rapport aux avantages qu'elle risque de leur faire perdre. En d'autres termes, les travailleurs évaluent l'utilité d'adhérer à un syndicat.

La valeur instrumentale du syndicat. Les employés insatisfaits de plusieurs aspects de leurs conditions de travail (salaire, possibilités de promotions, attitude du superviseur, nature du poste, règles d'exécution du travail, etc.) auront probablement tendance à percevoir le syndicat comme un instrument permettant d'obtenir des changements significatifs. Les employés comparent alors les avantages positifs attendus de la syndicalisation et les coûts qui en résulteraient, à savoir l'hostilité des travailleurs à l'égard des superviseurs et de la direction, la durée de la campagne de recrutement et l'animosité entre partisans et adversaires du syndicat.

L'encadré 14.4 présente un résumé des motifs susceptibles d'inciter les employés à adhérer à un syndicat. De façon générale, les différentes attentes des travailleurs par rapport à leur emploi engendreront un sentiment de satisfaction ou d'insatisfaction. Plus le niveau d'insatisfaction sera élevé, plus les travailleurs chercheront à modifier leur situation de travail. S'ils n'y parviennent pas individuellement et si les conséquences positives de la syndicalisation dépassent ses conséquences négatives, les travailleurs seront alors fortement enclins à adhérer à un syndicat. Ce ne sera cependant pas toujours le cas, les employés pouvant malgré tout rejeter le recours à la syndicalisation.

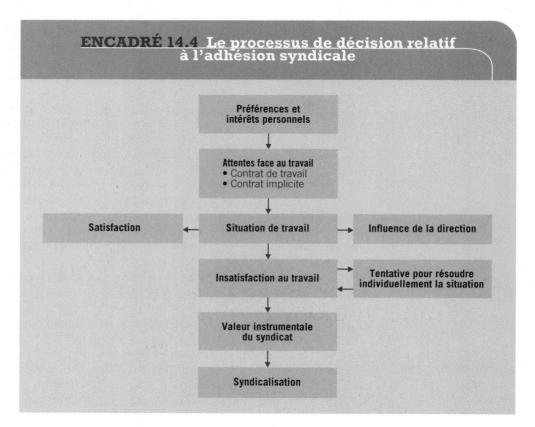

ENCADRÉ 14.4 Le processus de décision relatif à l'adhésion syndicale

Préférences et intérêts personnels

→ Attentes face au travail
• Contrat de travail
• Contrat implicite

Satisfaction ← Situation de travail → Influence de la direction

Insatisfaction au travail → Tentative pour résoudre individuellement la situation

Valeur instrumentale du syndicat

Syndicalisation

La décision d'adhérer ou non à un syndicat. Elle implique l'évaluation des conséquences négatives de la syndicalisation. Les travailleurs peuvent entretenir des doutes sur la capacité des syndicats d'améliorer des conditions de travail insatisfaisantes. En effet, les négociations collectives ne sont pas toujours fructueuses ; si le syndicat a peu de force, il ne pourra en effet forcer l'employeur à satisfaire ses demandes. Par ailleurs, l'employeur peut se révéler incapable de survivre aux concessions qu'il aura faites au syndicat et devoir par la suite fermer ses portes, entraînant la perte des emplois des travailleurs. Le déclenchement d'une grève risque de causer des difficultés économiques aux travailleurs, qui se retrouveront sans travail et sans revenus ou avec des revenus moindres.

La résistance des travailleurs à la syndicalisation peut aussi résulter de l'attitude négative des gens en général envers le mouvement syndical ou encore d'une forte identification des employés à l'entreprise et d'un haut niveau d'engagement envers elle ; les travailleurs auront tendance, dans ce cas, à percevoir le syndicat comme un adversaire et à être réceptifs aux arguments de la direction allant à l'encontre de la syndicalisation. Il se peut également que les objectifs du syndicat leur paraissent discutables, voire nuisibles à l'entreprise en question et à la libre entreprise en général, ou que les travailleurs s'opposent au principe de l'ancienneté ou aux activités politiques des syndicats. De plus, certains travailleurs professionnels peuvent juger l'action collective contraire à certains de leurs idéaux professionnels, à savoir l'indépendance d'action et l'autocontrôle.

Le saviez-vous ?

Selon une étude réalisée par la firme Decima Research de Toronto pour le Congrès du travail du Canada, les Canadiens ont des opinions diversifiées sur le syndicalisme, mais plusieurs des personnes interrogées ont affirmé qu'elles se syndiqueraient si elles en avaient la possibilité. Les opinions très favorables aux syndicats se retrouvaient surtout parmi les fonctionnaires, les professeurs, les travailleurs à temps partiel et les employés comptant dans leur famille des membres de syndicats[11].

Il convient de souligner que l'employeur peut dissuader ses employés d'adhérer à un syndicat par l'implantation de pratiques de gestion adéquates comme l'encouragement de la participation des employés à la planification et à la prise de décision, l'établissement de réseaux de communication adéquats, l'élaboration d'un processus de traitement des problèmes et des griefs des employés, le développement de la confiance des employés et l'offre de salaires concurrentiels. En effet, ce sont ces pratiques de saine gestion des ressources humaines que nous cherchons à promouvoir dans l'ensemble de cet ouvrage.

III La législation sur les rapports collectifs de travail : une vue d'ensemble

Trois principes fondamentaux sont à la base du cadre législatif qui régit les relations du travail au Canada :

1. Le droit d'association pour tous les employés.
2. La possibilité pour les représentants des travailleurs d'engager des négociations avec les employeurs.
3. Le droit des parties à des moyens de pression tels que la grève et le lock-out.

Au Canada, la législation du travail comprend une multiplicité de lois qui relèvent à la fois du gouvernement fédéral et des provinces. Les différents secteurs d'activité, les différentes industries et les diverses catégories d'employés sont régis par des lois distinctes ou par des dispositions particulières à l'intérieur des lois générales. Un expert fait remarquer que la division constitutionnelle des pouvoirs a doté le Canada du système de relations industrielles le plus décentralisé au monde[12]. Plusieurs industries, telles que le transport interprovincial et les communications, relèvent de l'autorité fédérale, mais les industries de fabrication, les mines et diverses autres industries relèvent des provinces, même si certaines sociétés œuvrant dans ces secteurs ont des activités et des établissements dans tout le pays. Toutefois, en situation de crise nationale, le gouvernement fédéral a le pouvoir d'invoquer la Loi des mesures de guerre de 1918 pour légiférer en matière de relations du travail dans les industries qui seraient considérées essentielles dans ce contexte. Cette situation s'est produite, comme le nom de la loi l'indique, durant la Deuxième Guerre mondiale.

Après la guerre, les provinces ont repris leur autorité en matière de travail ; plus de 90 % de la main-d'œuvre relevait alors de leur compétence. Pendant plusieurs années, les provinces ont adopté des lois qui s'accordaient avec la Loi fédérale sur les relations industrielles et sur les enquêtes visant les différends du travail, qui a été adoptée en 1948. Cette loi reconnaissait le droit des travailleurs d'adhérer à un syndicat, contenait des dispositions concernant l'accréditation des syndicats en tant qu'agents de négociation, exigeait que les syndicats et les directions négocient de bonne foi, spécifiait un certain nombre de pratiques déloyales de la part des deux parties et établissait un processus de conciliation obligatoire en deux étapes qui devait être entrepris avant que toute grève ou lock-out ne puisse être déclaré légal.

Au cours des années 50, plusieurs provinces se sont distanciées du modèle de la Loi fédérale afin d'adapter leur législation à leurs besoins particuliers. C'est à cette époque que la législation canadienne du travail a commencé à se fractionner en 11 politiques différentes, soit une fédérale et 10 provinciales. C'est principalement en retirant de leurs législations le processus de conciliation obligatoire en deux étapes que les provinces se dissocièrent de la Loi fédérale. Elles ont remplacé ce processus par d'autres mécanismes plus souples, qui faisaient davantage appel à la participation volontaire et qui donnaient aux gouvernements plus de possibilités d'intervention dans les conflits du travail.

IV Le syndicalisme

L'étude du syndicalisme contemporain nécessite l'examen des conditions historiques de sa formation. Une meilleure connaissance du mouvement syndical et des principales étapes de sa croissance nous aidera à mieux comprendre les positions actuelles des syndicats et du patronat.

LA NAISSANCE ET LA CROISSANCE DU SYNDICALISME

Au siècle dernier, l'économie du Canada était fortement agricole, et on comptait peu de concentrations industrielles importantes. Quelques syndicats existaient néanmoins au début du XIXe siècle. Des archives témoignent de l'implantation de plusieurs syndicats de métiers dans les provinces maritimes avant même la fin de la guerre de 1812. Il existe également des documents attestant la présence d'un syndicat d'imprimeurs dans la ville de Québec en 1827 et de quelques syndicats de cordonniers à Montréal durant la décennie de 1830. L'évolution du syndicalisme au Canada a été fortement tributaire de celle des syndicalismes américain et britannique. Les syndicats américains ont entrepris, au cours des décennies précédant la création de la Confédération canadienne, de créer des syndicats au Canada. Ce mouvement a marqué les débuts du syndicalisme international au Canada. Les premiers syndicats internationaux étaient britanniques, les plus importants étant la Société des charpentiers et menuisiers et la Société des mécaniciens et machinistes. Le syndicat des mouleurs d'acier et celui des imprimeurs ont été les premiers à former des unités canadiennes.

Pendant les décennies suivantes, plusieurs tentatives en vue de mettre sur pied une fédération du travail au Canada ont eu lieu. La seule fédération qui a réussi à voir le jour est le Congrès des métiers et du travail du Canada (CMTC), créé en 1886. Un lien étroit unissait le CMTC et l'AFL (American Federation of Labour) des

États-Unis. Plusieurs des syndicats internationaux alors membres de l'AFL possédaient également des unités au Canada ; ces dernières allaient aider à la formation du CMTC. Mais le CMTC regroupait également à cette époque des syndicats exclusivement canadiens. En 1902, le CMTC a accédé au souhait formulé par l'AFL et interdit par la suite à ses membres la double appartenance syndicale.

La croissance la plus importante du mouvement syndical canadien se situe entre 1913 et 1920. On estime en 1919 à plus de 778 000 le nombre de travailleurs syndiqués au Canada. Cette croissance rapide s'explique surtout par les conditions économiques favorables, la croissance de la population et l'expansion économique et industrielle engendrée par la Première Guerre mondiale. Le CMTC, par contre, a connu une croissance inégale au cours des années 30 et 40. La dépression économique qui sévissait au cours de cette période avait provoqué une réduction des effectifs des syndicats. Le vote du Wagner Act aux États-Unis en 1935 allait toutefois favoriser l'accroissement du nombre de syndiqués. Cette loi accordait aux syndicats le droit de s'organiser et obligeait les employeurs à négocier de bonne foi avec les syndicats représentant les travailleurs. L'adoption de cette loi a permis à de nouveaux syndicats de s'étendre dans l'ensemble du Canada, contribuant ainsi à l'essor du mouvement ouvrier canadien. La phase de croissance initiale réalisée à partir de sections canadiennes de syndicats américains a pris fin avec l'affiliation de ces syndicats au CMTC. Des tensions engendrées par ces syndicats de branche n'ont toutefois pas tardé à éclater au sein du CMTC, et ce dernier a finalement décidé de les expulser de la fédération. Le Congrès canadien du travail (CCT), une organisation plus nationaliste, les a alors recueillis. On assiste enfin en 1956 à la fusion du CCT et du CMTC pour former le Congrès du travail du Canada (CTC).

L'évolution du mouvement ouvrier au Québec a différé de celle du reste du Canada. Le militantisme croissant de la Confédération des travailleurs catholiques du Canada (CTCC) a entraîné la rupture des liens religieux et l'abandon, en 1960, du statut confessionnel de la centrale. Cette dernière est devenue en 1960 la Confédération des syndicats nationaux (CSN), soit une fédération autonome et militante. La FTQ ou la Fédération des travailleurs et travailleuses du Québec est née en février 1957 de la fusion de deux fédérations syndicales, mais ses origines remontent à la fin du XIXᵉ siècle. Une nouvelle fédération, la Centrale des syndicats démocratiques (CSD), est née en 1972 d'une scission au sein de la CSN. Les effectifs de la CSD demeurent cependant restreints.

LE SYNDICALISME CONTEMPORAIN

Les syndicats sont des acteurs de première importance dans le système des relations du travail canadien. En dépit du déclin de leur pouvoir relatif au début des années 90, attribuable à leurs propres difficultés économiques et à la situation de l'économie en général, le mouvement syndical canadien demeure fort. Une nouvelle tendance voit le jour dans le syndicalisme canadien, qui consiste à rompre les liens avec les syndicats internationaux pour former des syndicats autonomes. Les experts expliquent ce phénomène par une tentative des syndicats de maintenir le niveau actuel de leurs membres. On constate que la proportion des membres de syndicats nationaux et de syndicats internationaux s'est modifiée considérablement depuis quelques décennies. En effet, 68 % des syndiqués, soit 2,7 millions de travailleurs, appartenaient en 1990 à des syndicats nationaux, comparativement à 28 % d'entre eux au début des années 60. Les syndicats internationaux ne regroupent plus, par conséquent, que 32 % du total des syndiqués en 1990, comparativement à 72 % en 1961[13].

LE TAUX DE SYNDICALISATION

On estime que près de 40 % de l'ensemble de la main-d'œuvre canadienne est syndiquée, contre 16 % de la main-d'œuvre américaine. Au Québec, selon les données de l'Institut de la statistique du Québec (http://www.stat.gouv.qc.ca), en 1998, environ 1 117 100 employés étaient couverts par une convention collective.

LES STRUCTURES ET LES FONCTIONS DES SYNDICATS AU CANADA

Des centrales syndicales existent dans la plupart des pays industrialisés, où elles jouent habituellement un certain rôle dans les décisions politiques publiques. Cependant, puisque les relations du travail au Canada relèvent surtout de la compétence des provinces, les fédérations nationales canadiennes ont formé des fédérations provinciales qui tentent d'influencer la formulation des politiques provinciales. On retrouve également à un niveau inférieur des conseils syndicaux et des syndicats locaux[14].

Le CTC est la centrale syndicale qui possède le plus de visibilité et qui domine par le nombre de ses membres au Canada. Comme l'AFL-CIO américaine, le CTC est aujourd'hui une fédération relativement faible. Le pouvoir actuel du mouvement syndical canadien est réparti entre les syndicats nationaux autonomes et les syndicats internationaux et, à divers degrés, entre les syndicats locaux. Le CTC a pour fonction principale de défendre les intérêts des travailleurs au niveau national. Certaines recherches ont démontré que dans le passé, le CTC a pu empêcher l'adoption de lois ayant un effet négatif sur les travailleurs, mais il ne disposait pas d'un pouvoir suffisant pour faire voter des lois en dépit de l'opposition d'autres groupes de pression. En plus d'assurer un rôle politique, le CTC cherche à résoudre les conflits pouvant surgir entre les organisations membres et à assurer leur respect des politiques adoptées lors des congrès nationaux périodiques. Ces centrales possèdent des sous-structures chargées, entre les congrès, d'évaluer dans quelle mesure les politiques de la centrale sont respectées et d'orienter les dirigeants syndicaux dans la conduite des activités courantes de la fédération.

Le CTC comprend plus de 50 divisions canadiennes de syndicats internationaux et plus de 20 syndicats nationaux. Le mandat d'action des syndicats nationaux se situe à l'intérieur de la juridiction territoriale définie par la constitution de la fédération. Les syndicats nationaux et les divisions canadiennes de syndicats internationaux doivent non seulement offrir des services aux syndicats locaux, ils doivent également les aider à mener des campagnes de recrutement. De plus, les représentants de ces syndicats doivent aider les comités de négociation locaux à formuler et à négocier leurs demandes, et même leur fournir un appui lors des négociations. Ces syndicats apportent également une assistance aux syndicats locaux en matière de règlement des griefs.

Consultez Internet

http://www.csn.qc.ca

http://www.ftq.qc.ca

http://www.csq.qc.cq

http://www.csd.qc.cq

Pour plus d'informations sur les centrales syndicales.

Au Québec, plusieurs centrales syndicales se chargent d'influencer les politiques gouvernementales en matière de travail et de veiller à la protection de leurs membres et des syndicats locaux. Parmi ces centrales, la CSN compte environ 232 000 membres, ce qui représente le quart de la population syndiquée du Québec. Les 2 174 syndicats affiliés se retrouvent dans des entreprises et des établissements situés au Québec. Elle compte également des syndicats en Ontario et au Nouveau-Brunswick. La CSN est une centrale syndicale indépendante des partis politiques, des gouvernements et des mouvements syndicaux canadien et américain. La FTQ, la plus grande centrale syndicale du Québec compte près d'un demi-million de membres dans tous les secteurs de la société et toutes les régions du Québec. Elle représente 44 % des syndiqués québécois. Elle regroupe près de 60 % des syndiqués du secteur privé, qui forment la majorité de ses membres. Elle est aussi bien implantée dans les services publics où elle représente entre autres la majorité absolue des syndiqués de l'administration municipale et du secteur péripublic (Hydro-Québec), ainsi que les fonctionnaires fédéraux et le personnel des Postes. Plus du tiers de ses membres sont des femmes. La CSQ – Centrale des syndicats du Québec anciennement la CEQ, Centrale de l'enseignement du Québec – compte approximativement 140 000 membres ; en temps de négociation du secteur public, la CSQ représente aussi (par le biais de cartels) d'autres syndiqués des services publics québécois. Elle représente environ 240 syndicats locaux. Quelque 66 % des membres de la CSQ sont des femmes. Les salariés membres de la CSQ occupent plus de 350 corps d'emploi différents. La CSD, la Centrale des syndicats démocratiques, se spécialise dans la représentation des travailleurs de la construction et a comme mission l'avancement des conditions de travail et de vie dans ce secteur.

Le syndicat local est l'organisation syndicale de base d'un établissement ou d'une localité spécifique. « Les membres [d'un syndicat local] participent directement aux activités du syndicat, y compris à l'élection de ses dirigeants, au règlement des questions financières et autres questions connexes[15]. » Le syndicat local est souvent la première structure syndicale qui met le travailleur en contact avec le syndicalisme. Les syndicats nationaux ou internationaux comptent un nombre de syndicats locaux variant d'une dizaine à plus d'une centaine ; la taille de ces syndicats locaux varie tout autant, certains ne regroupant que quelques membres alors que d'autres ont des milliers d'adhérents. Les activités du syndicat local se concentrent sur la négociation collective et le règlement des griefs. De plus, les syndicats locaux tiennent des assemblées générales et fournissent de l'information à leurs membres, en particulier au moyen de bulletins. De façon générale, les membres syndiqués manifestent peu d'intérêt pour les activités du syndicat local. En effet, à moins qu'un problème aigu ne survienne, la participation aux assemblées et aux réunions demeurera très faible, et les élections des responsables syndicaux sont souvent assurées par le vote de moins de 25 % des membres. Il existe d'autres associations et regroupements de syndicats nationaux, fédéraux et internationaux que vous trouverez dans l'encadré 14.5.

ENCADRÉ 14.5 Associations et regroupements de syndicats nationaux, fédéraux et internationaux

- Fédération québécoise des professeures et professeurs d'université. Regroupe 21 syndicats: http://www.fqppu.qc.ca/
- Confédération nationale des cadres du Québec : http://www.cncq.qc.ca
- Alliance des travailleurs et travailleuses autonomes du Québec, affiliée à la FTQ : http://www.aqta.qc.ca
- International Federation of Commercial, Clerical, Professional and Technical Employees. Regroupement international depuis janvier 2000. Le siège social se trouve en Suisse : http://www.union-network.org
- Syndicat canadien de la fonction publique : http://www.scfp.ca/indexf.asp
- Syndicat des travailleurs et travailleuses unis de l'alimentation et du commerce : http://www.tuac503.org

V La campagne de syndicalisation et la procédure d'accréditation

Nous examinerons dans cette section les enjeux et les modalités qui entourent la campagne de syndicalisation, et une fois cette étape accomplie, la procédure d'accréditation.

LA CAMPAGNE DE SOLLICITATION POUR FORMER UN SYNDICAT

Lors de la campagne de sollicitation auprès des travailleurs, le syndicat tente de recueillir un nombre d'adhésions suffisant pour obtenir l'accréditation. La majorité des syndicats font appel à des organisateurs professionnels pour mener cette campagne. Les organisateurs syndicaux possèdent des aptitudes pour la communication et des capacités d'organisation exceptionnelles, et connaissent en profondeur les lois du travail liées à leur activité. Les techniques utilisées varient en fonction de la nature et de la composition de la main-d'œuvre et des problèmes particuliers à une entreprise donnée. Certains organisateurs se spécialiseront dans des groupes spécifiques (alimentation, hôtellerie, industries à forte présence de minorités ou de certains groupes ethniques, etc.).

La communication initiale. La communication initiale entre le syndicat et les travailleurs peut se faire à l'initiative de l'une ou l'autre des parties. Les syndicats nationaux et internationaux peuvent entrer en relation avec les travailleurs d'industries ou de professions leur ayant traditionnellement fourni des membres. La plupart des syndicats amorcent leurs campagnes de recrutement à l'aide des travailleurs insatisfaits de leurs salaires ou de leurs conditions de travail, qui sont invités à téléphoner au bureau local du syndicat ou à s'y rendre. Lors de cette rencontre initiale, le cadre syndical évalue la situation de l'organisation, et si elle lui semble prometteuse, il établit un plan d'action. À partir de ce moment, l'organisateur agira comme stratège, éducateur, conseiller et camarade auprès du groupe de travailleurs pour solliciter leur adhésion[16].

Les campagnes de sollicitation exigent l'élaboration d'une liste des employés de l'unité de négociation. Les organisateurs syndicaux recourent à plusieurs stratégies pour constituer cette liste sans éveiller les soupçons de l'employeur. Une fois la liste complétée, on procède alors à l'analyse des caractéristiques démographiques et socioéconomiques du personnel. Toutes ces données seront très importantes au cours de la campagne de recrutement.

La signature des cartes d'adhésion. Après avoir établi la communication initiale, le syndicat commence à solliciter les employés afin qu'ils signent leur carte d'adhésion au syndicat le plus tôt possible. Plusieurs syndicats encouragent de petits groupes de militants à effectuer à cette fin des visites à domicile. Cette stratégie aide à persuader les travailleurs indécis. Les organisateurs rechercheront des pourcentages différents de signatures de cartes, mais la plupart voudront obtenir bien sûr un pourcentage supérieur à celui requis par la loi régissant la procédure d'accréditation. Au cours de la campagne de signatures, les organisateurs tenteront de donner l'impression que le syndicat est dorénavant là pour y rester.

La résistance de l'employeur. L'employeur oppose souvent de la résistance à la campagne de sollicitation syndicale en mettant en œuvre plusieurs tactiques dont vous trouverez des exemples dans l'encadré 14.6. Une des meilleures tactiques patronales visant à empêcher la syndicalisation consiste à maintenir un bon niveau de satisfaction parmi les employés, ce qui se révèle difficile. En effet, quelle que soit la qualité des conditions de travail, il existe toujours, au sein d'une organisation, des employés insatisfaits. Les employeurs utilisent donc souvent une autre approche, qui est celle de recourir aux services de consultants externes. Cependant, la majorité des autorités provinciales et fédérale compétentes prévoient des sanctions en cas de violation de la liberté de choix et de la liberté d'association des employés.

ENCADRÉ 14.6 Tactiques pour faire échouer les tentatives de syndicalisation

- La manipulation de statistiques, par exemple, des enquêtes salariales sélectionnées dans le but de faire croire aux employés que leurs conditions de travail sont déjà supérieures à celles qu'offrent les autres entreprises connexes.
- La formulation de menaces ou de promesses applicables en cas de victoire ou d'échec de la tentative de syndicalisation; on prétendra, par exemple, que l'établissement est appelé à fermer ou à déménager dans une autre province.
- La promotion secrète de la formation d'une association d'employés soutenue par la direction et l'encouragement de cette association à faire une demande d'accréditation.

Au cours de la campagne de syndicalisation et du processus du vote, il est important que le directeur des ressources humaines mette en garde l'entreprise contre les dangers de s'engager dans des pratiques déloyales de travail qui, lorsqu'elles sont décelées, conduisent à l'annulation du scrutin (par exemple, promettre d'améliorer les salaires et les conditions de travail des employés s'ils renoncent à se syndiquer, accorder des hausses de salaires ou procéder à d'autres changements dans la gestion des ressources humaines qui n'étaient pas prévus antérieurement et qui ne pourraient être justifiés, recourir à toute action susceptible d'être interprétée par les commissions des relations du travail comme des tentatives de tromper les employés en portant atteinte à leur liberté de choix et de vote sur des questions vitales). De graves violations commises par l'employeur peuvent entraîner l'accréditation du syndicat comme représentant de l'unité de négociation, et ce, même s'il a perdu le vote.

LA DÉTERMINATION DE L'UNITÉ DE NÉGOCIATION

L'unité de négociation se définit généralement comme une unité d'employés dont le statut est jugé adéquat pour la négociation collective. Les statuts sont habituellement élaborés en termes généraux, ce qui a pour effet de remettre aux commissions des relations du travail la responsabilité de décider des personnes habilitées ou non à faire partie de l'unité de négociation. Une unité de négociation typique peut être constituée exclusivement d'employés de métiers, de techniciens ou de travailleurs possédant diverses compétences. Une unité de négociation doit compter au moins deux employés.

L'ACCRÉDITATION DE L'UNITÉ DE NÉGOCIATION

En vertu de la législation canadienne, un employeur peut reconnaître volontairement un syndicat et négocier une convention collective. Pour forcer un employeur à reconnaître un syndicat, ce dernier peut présenter une requête en accréditation devant la Commission des relations du travail. Depuis les années 50, les lois au Canada stipulent que les syndicats doivent avoir pour membres la majorité des employés d'une unité de négociation avant de pouvoir demander la tenue d'un vote de représentation. Au cours des dernières années, cependant, cette règle a changé dans plusieurs législations, qui n'exigent plus du syndicat qu'il ait l'appui de la moitié des employés d'une unité de négociation, mais seulement de la moitié de ceux qui ont exprimé leur vote ; autrement dit, on ne considère plus que ceux qui ne votent pas sont opposés à l'accréditation du syndicat. Sauf en ce qui concerne la Colombie-Britannique, le processus d'accréditation du Canada est différent de celui des États-Unis. En effet, au Canada, la majorité des syndicats sont accrédités sans vote si un agent d'une commission des relations du travail atteste, en se basant sur les cartes de membres signées, que le syndicat a effectivement l'appui de la majorité des employés. Aux États-Unis ainsi qu'en Colombie-Britannique, depuis un changement survenu en 1984, toute accréditation syndicale doit être précédée d'un vote.

La plupart des lois du travail définissent certaines catégories de travailleurs auxquelles la loi ne s'applique pas. En général, cette exclusion touche, entre autres, le personnel de la direction et les employés dont les fonctions exigent la confidentialité, de même que les médecins, les dentistes et les avocats. Dans le cas où ces travailleurs voudraient fonder un syndicat qui les représenterait, ils ne jouiraient pas de la protection de la loi. L'encadré 14.7 présente les étapes d'un processus d'accréditation. Lorsqu'un syndicat reçoit l'assentiment de la majorité des employés et que l'employeur le reconnaît volontairement, il n'est pas nécessaire de suivre le cheminement décrit.

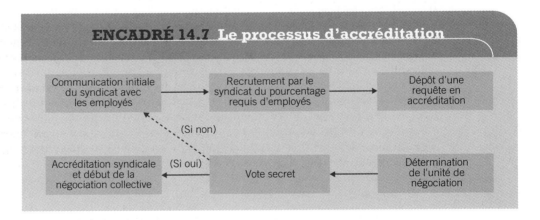

ENCADRÉ 14.7 Le processus d'accréditation

Communication initiale du syndicat avec les employés → Recrutement par le syndicat du pourcentage requis d'employés → Dépôt d'une requête en accréditation

(Si non)

Accréditation syndicale et début de la négociation collective ← (Si oui) ← Vote secret ← Détermination de l'unité de négociation

LE RETRAIT D'ACCRÉDITATION

Toutes les législations du travail contiennent des dispositions permettant de révoquer l'accréditation d'un syndicat. Généralement, on entame le processus de retrait d'accréditation lorsque le syndicat accrédité néglige de représenter les intérêts de ses membres, lorsque la majorité des employés indiquent qu'ils ne veulent plus être représentés par ce syndicat ou encore lorsqu'un autre syndicat s'est gagné la faveur de la majorité des employés. Dans le cas où une convention collective est en vigueur, il n'est pas possible de faire une demande de retrait d'accréditation en dehors de périodes déterminées, c'est-à-dire, en général, dans les deux mois qui précèdent l'expiration de la convention collective.

La demande de retrait d'accréditation peut être faite par les employés de l'unité de négociation en cause ou par l'employeur lorsque le syndicat refuse de négocier. Certaines lois provinciales, par exemple celles de l'Ontario et du Manitoba, permettent à la Commission des relations du travail d'enlever le droit de négocier à un syndicat qui a reçu à l'origine ce droit par la volonté de l'employeur lui-même, autrement dit, à un syndicat qui n'est pas formellement accrédité. Pour sa part, la législation fédérale ne contient pas de dispositions permettant de retirer au syndicat le droit de négocier dans les cas de cette nature.

L'ACCRÉDITATION PATRONALE

Depuis peu, la législation du travail permet l'accréditation patronale, c'est-à-dire la reconnaissance officielle d'associations d'employeurs. Elle est surtout répandue dans le domaine de la construction, où les négociations ont lieu principalement entre les syndicats et les associations d'employeurs. L'accréditation patronale permet aux employeurs de faire front commun pendant les négociations avec les syndicats, elle force ceux-ci à reconnaître les associations d'employeurs en tant que parties négociantes et elle assure l'adhésion de tous les employeurs à l'entente conclue entre l'association accréditée et le syndicat. L'accréditation patronale s'obtient d'une manière semblable à celle de l'accréditation syndicale.

LES PRATIQUES DÉLOYALES DE TRAVAIL

Les commissions des relations du travail et les tribunaux ont le pouvoir de sanctionner les actes commis par un employeur ou un syndicat qui, en vertu des règles établies, entrent dans la catégorie des pratiques déloyales de travail. Vous trouverez des exemples de pratiques déloyales mises en œuvre par l'employeur dans l'encadré 14.8, et par les employés dans l'encadré 14.9. Selon la loi, un employeur ne peut congédier, punir ou menacer des employés pour la seule raison qu'ils exercent leur droit d'association. Un employeur ne peut pas faire de promesses en vue d'influencer le choix d'un employé concernant la syndicalisation ; par exemple, il ne peut lui promettre de meilleurs avantages s'il choisit un syndicat plutôt qu'un autre ou s'il vote simplement contre tout syndicat.

ENCADRÉ 14.8 Exemples de pratiques déloyales mises en œuvre par l'employeur

- Entraver l'exercice du droit des employés de choisir librement un syndicat destiné à les représenter pendant les négociations collectives ou faire acte de discrimination à l'égard d'employés ayant des activités syndicales.
- Participer à la formation, à la sélection ou au soutien (financier ou autre) du syndicat qui représente les employés.
- Modifier unilatéralement les dispositions de la convention collective ou, s'il n'y en a pas encore, modifier les salaires et les conditions de travail durant le processus d'accréditation ou durant la négociation collective, afin de saper la syndicalisation.

ENCADRÉ 14.9 Exemples de pratiques déloyales de la part du syndicat

- S'ingérer dans la formation ou dans la gestion d'une organisation d'employeurs ou chercher à en entraver son fonctionnement.
- Entraver l'exercice du droit de négociation d'un syndicat déjà accrédité.
- Faire preuve de discrimination envers des membres du syndicat ou des employés de l'unité de négociation.
- Exercer des pressions sur des salariés afin qu'ils deviennent ou demeurent membres du syndicat.
- Forcer les employeurs à congédier, à punir ou à traiter de façon discriminatoire des membres du syndicat.
- Refuser de défendre équitablement les intérêts de tous les employés de l'unité de négociation, que ce soit au cours de la négociation collective ou à l'occasion d'un règlement de grief.

Cependant, la loi n'interdit pas à l'employeur de mener une campagne antisyndicale ou de marquer sa préférence à l'égard d'un syndicat donné ; le cas échéant, la commission des relations du travail pourra examiner les faits et gestes de l'employeur afin de déterminer s'il y a eu violation des règles.

En vertu de la loi, les employeurs, tout comme les syndicats, sont obligés de négocier de bonne foi, c'est-à-dire de faire preuve d'une volonté ferme d'obtenir un règlement équitable.

VI Le processus de négociation collective

La négociation collective se situe au cœur de la relation patronale-syndicale. La négociation inclut généralement deux types d'interactions entre ces deux parties. La première concerne la négociation des conditions de travail qui, une fois écrites dans une entente collective (la convention collective), deviendront la base des relations employeur-employés sur les lieux de travail. La seconde activité est reliée à l'interprétation et à l'application de la convention collective (l'administration du contrat) de même qu'à la résolution de tous les conflits pouvant surgir à propos de cette entente. La négociation collective est un processus complexe au cours duquel les négociateurs syndicaux et patronaux chercheront à obtenir chacun le plus d'avantages possibles. La façon dont les différentes matières soumises à la négociation se régleront dépend de plusieurs aspects présentés dans l'encadré 14.10.

ENCADRÉ 14.10 Facteurs qui influencent le déroulement de la négociation collective

- La qualité des relations patronales-syndicales.
- Le processus de négociation utilisé par les employés et par la direction.
- Les stratégies patronales de négociation collective.
- Les stratégies syndicales de négociation collective.
- Les stratégies patronales-syndicales de négociation collective.

LE PROCESSUS DE NÉGOCIATION

Traditionnellement, la typologie la plus couramment utilisée pour décrire les différents processus de négociation collective fait référence à quatre formes de négociation : la négociation distributive, la négociation intégrative, la structuration des attitudes et la négociation intra-organisationnelle. À ces formes, s'est ajoutée une forme issue des nouvelles relations patronales-syndicales basées sur une coopération plus importante entre les parties : la négociation raisonnée.

La négociation distributive. La négociation distributive (ou négociation avec répartition d'avantages) se définit comme un processus de négociation selon lequel les résultats qu'obtiennent les parties en conflit représentent un gain pour une partie et une perte pour l'autre partie. On peut décrire ce processus comme un jeu à somme nulle. En effet, chacune des parties cherche à obtenir le maximum de son adversaire, mais une répartition des ressources économiques et du pouvoir fait en sorte qu'il n'y ait ni gagnant ni perdant.

L'encadré 14.11 présente une ébauche de la négociation distributive. Les négociateurs syndicaux et patronaux adoptent, pour chacune des questions discutées, trois positions distinctes : le niveau des demandes ou des offres initiales, le niveau cible et le niveau de résistance. Pour mieux comprendre ces trois positions, illustrons par un exemple les attitudes syndicales et patronales.

Dans le contexte de la négociation distributive, donc, le syndicat fixe le *niveau des demandes initiales* qu'il déposera ; ce niveau est supérieur à ce qu'il s'attend

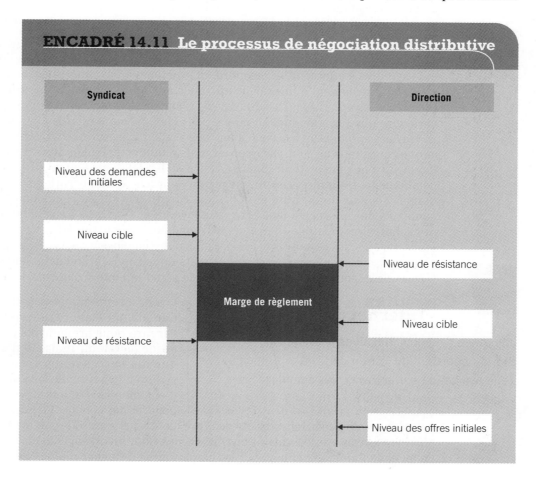

ENCADRÉ 14.11 Le processus de négociation distributive

Syndicat		Direction
Niveau des demandes initiales		
Niveau cible		
		Niveau de résistance
	Marge de règlement	Niveau cible
Niveau de résistance		
		Niveau des offres initiales

d'obtenir. Il a de plus défini un niveau cible qui correspond de façon réaliste à ce qu'il peut obtenir, et un niveau de résistance qui constitue le minimum qu'il juge acceptable ; ce sont des données qu'il ne dévoilera pas à la table de négociation.

L'employeur, quant à lui, définit des offres initiales qui sont habituellement inférieures au règlement auquel il s'attend. Il a élaboré, en plus, un niveau cible qui correspond à l'entente à laquelle il voudrait arriver et un niveau de résistance qui constitue le maximum qu'il juge acceptable. Si, comme l'illustre l'encadré 14.11, le niveau de résistance de l'employeur est supérieur à celui du syndicat, il existe alors une marge de règlement positive à l'intérieur de laquelle la négociation pourra s'effectuer. Par contre, si le niveau de résistance de l'employeur est inférieur à celui du syndicat, il n'existera aucun terrain d'entente possible. Dans une telle éventualité, les parties sont confrontées à une marge de règlement négative et la négociation entre dans une impasse. En raison de la multiplicité des questions qui entrent en jeu dans une séance de négociation, le processus devient beaucoup plus complexe que ne le montre cet exemple. En effet, bien que le modèle décrit précédemment permette d'analyser chacune de ces questions lors des véritables négociations, toutes ces questions sont reliées. Les concessions de la part du syndicat sur une question peuvent donc être échangées pour des concessions de la part de la direction sur une autre question. Il en résulte un processus global dynamique.

En somme, Bourque résume la négociation distributive comme étant une négociation qui fait appel à des tactiques de persuasion et, surtout, à des tactiques de cœrcition afin d'amener la deuxième partie à changer ses préférences dans un sens favorable aux revendications de la première partie. Les échanges de propositions et de contre-propositions constituent la forme privilégiée d'interaction entre les parties dans ce type de négociation[17].

La négociation intégrative. La négociation intégrative implique que l'employeur et le syndicat s'efforcent de résoudre un problème à l'avantage des deux parties. Il s'agit habituellement d'une négociation portant sur des questions d'ordre qualitatif (principes, santé et sécurité du travail, sécurité d'emploi, etc.) et des questions à caractère non économique. La plupart des changements relatifs à la qualité de vie au travail se produisent à la suite d'une négociation intégrative. Les intérêts des parties sur ces questions ne sont pas opposés mais plutôt complémentaires. La négociation intégrative ne peut se tenir dans un cadre où les relations du travail sont de nature conflictuelle. Un intérêt récent pour cette approche de coopération émerge surtout dans le secteur de la santé et de la sécurité du travail, mais également dans des contextes de rapprochement entre employeurs et syndicats dans le but de trouver des solutions compatibles dans un environnement concurrentiel et fortement turbulent[18]. En effet, les tentatives de coopération entre employeurs et syndicats pour sauver l'entreprise ou renforcer sa position stratégique reposent inéluctablement sur des formes de négociation intégrative orientée vers l'atteinte d'objectifs communs[19].

Consultez Internet

http://www.gov.on.ca:80/LAB/es/hrsworke.htm
Site du ministère du Travail de l'Ontario. Aperçu de la législation sur le travail, les commissions et agences, santé et sécurité, etc.

Les différents ministères du travail au Canada ont élaboré une réforme d'envergure pour promouvoir ce processus de négociation, mais ils n'ont obtenu que des succès mitigés. Ces initiatives comprennent essentiellement des moyens d'éliminer les irritants susceptibles d'engendrer des conflits. En guise d'exemple, notons les règlements anti-briseurs de grève (dont nous parlerons plus en détail un peu plus loin) prévus aux législations du Québec, de l'Ontario et de la Colombie-Britannique. La formule Rand (obligation pour les employeurs du Québec d'effectuer une retenue du montant des cotisations syndicales sur le salaire de tous les membres de l'unité de négociation) et l'arbitrage obligatoire en cas d'impasse dans la négociation d'une première convention collective sont également des moyens de réduire les conflits industriels. Ces dernières règles existent aussi en Ontario depuis les récentes réformes.

La structuration des attitudes. Les relations établies entre les travailleurs et la direction se traduisent par une structuration des attitudes, c'est-à-dire une construction d'attitudes d'une partie à l'égard de l'autre. Ces relations comportent quatre dimensions : (1) l'orientation des motivations, ou les tendances indiquant si les interactions prévues seront de nature compétitive, conflictuelle ou coopérative ; (2) les opinions réciproques à propos de la légitimité de l'autre partie, consistant à estimer dans quelle mesure une partie croit que l'autre partie possède le droit de négocier ; (3) le niveau de confiance dans la conduite de la négociation, ou la croyance en l'intégrité et l'honnêteté de l'autre partie ; et (4) le degré de sympathie, ou la probabilité que les interactions entre les deux parties soient amicales ou hostiles. Ces attitudes peuvent se modifier durant tout le processus de négociation. Il est possible d'identifier cinq structures de relations entre les négociateurs de chacune des parties qui sont affectées par la combinaison des différentes attitudes envers autrui. Ces structures sont le conflit, la protection contre l'agression, l'accommodation, la coopération et la collusion. L'effet des attitudes qui auront prévalu en cours de négociation se prolongera par la suite lors de l'administration de la convention collective et des négociations futures qui seront entreprises[20].

La négociation intra-organisationnelle. Au cours des négociations, chacun des deux comités présents à la table aura à s'engager dans une négociation intra-organisationnelle. Cette négociation consiste à définir clairement le ou les mandats de négociation de chacune des parties – le syndicat ou la direction –, à l'intérieur même de chacune de leurs composantes, et à discuter des changements de position nécessaires. Il se peut qu'en fonction de l'atteinte de ce mandat, les négociateurs patronaux aient à convaincre, par exemple, la direction de modifier sa position en acceptant une entente portant sur une augmentation de salaire. Les négociateurs syndicaux pourraient, quant à eux, devoir convaincre éventuellement leurs membres d'accepter la convention collective négociée ; les représentants syndicaux doivent donc être attentifs et réalistes vis-à-vis les demandes de leurs membres. Il faut ici cependant ajouter que lors du vote des membres sur une entente négociée, l'opinion et l'influence des négociateurs syndicaux sont très importantes.

La négociation raisonnée ou *Mutual Gains Bargaining*. La négociation raisonnée prône une relation de coopération. L'approche qui est utilisée est basée sur un processus de résolution de problèmes et non sur un processus conflictuel[21]. Selon le modèle de Fisher et Ury[22], quatre principes, présentés dans l'encadré 14.12, servent de fondement à la négociation raisonnée.

ENCADRÉ 14.12 Les quatres principes de la négociation raisonnée selon Fisher et Ury

1. Traiter séparément les questions d'ordre personnel et le différend.
2. Se concentrer sur les intérêts en jeu et non sur des positions.
3. Imaginer un grand éventail de solutions avant de prendre une décision.
4. Évaluer les résultats sur la base de critères objectifs.

D'abord, les parties doivent se concentrer sur les problèmes à résoudre et éviter les conflits personnels. À cet égard, il s'agit davantage de se concentrer sur les objectifs à atteindre plutôt que sur les positions à conserver. Ensuite, dans une négociation raisonnée, il est important de manifester une certaine ouverture et de proposer plusieurs solutions. Finalement, les parties devraient rechercher des solutions justes et équitables en se basant sur des critères objectifs[23]. L'encadré 14.13 explique la démarche de négociation collective raisonnée et résume les cinq étapes qui la composent.

ENCADRÉ 14.13 Les cinq étapes de la négociation collective raisonnée

La démarche de négociation collective raisonnée

Étape 1 En équipe patronale ou syndicale	Étape 2 1re séance de négociation	Étape 3 2e séance de négociation	Étape 4 En équipe patronale ou syndicale	Étape 5 3e séance de négociation
Détermination du problème, de ses intérêts et des intérêts de l'autre partie.	Communication de ses intérêts et compréhension des intérêts de l'autre partie.	Exploration des hypothèses de solutions par la technique du remue-méninges	Sélection de trois solutions par ordre de priorité.	Détermination des éléments essentiels d'un accord de principe mutuellement acceptable et basé sur des critères objectifs.

Source: J.-G. Bergeron et R. Bourque, « La formation et la pratique de la négociation collective raisonnée au Québec: Esquisse d'un bilan », dans P. Deschênes, J.-G. Bergeron, R. Bourque, A. Briand (dir.), *Négociation en relations du travail: nouvelles approches*, Québec, Presses de l'Université du Québec, Coll. Organisations en changement, 1998.

La négociation raisonnée qui semble à première vue une forme de négociation basée sur la résolution de conflits et qui serait donc compatible avec les tendances de coopération que l'on observe dans certains milieux de travail[24] n'est pas une panacée[25]. Elle accuse en effet certaines limites qu'il convient de souligner. Selon Fisher et Ury, un enjeu majeur de la négociation raisonnée consiste à définir la meilleure solution de rechange avant même d'entreprendre la négociation, au cas où la négociation échouerait. De plus, les tenants de la négociation raisonnée affirment qu'elle doit rester exempte de tout rapport de forces ou de conflits et ne donnent pas plus d'explication quant aux solutions de rechange possibles. Or, l'entente sur une solution de rechange devra nécessairement passer par l'exercice d'un rapport de force puisque l'employeur et le syndicat ne disposent pas d'un choix quant à la désignation de leur interlocuteur.

La deuxième limite à l'application d'une démarche de négociation raisonnée est de bâtir une relation de confiance au sein de chacune des parties. En faisant l'effort de tenir compte de leurs intérêts mutuels, les parties risquent de perdre de vue le fait que leur principale mission consiste à représenter les intérêts de leur mandataire. Or, la négociation raisonnée est un processus voué à l'échec si des relations de confiance ne prévalent pas dans l'entreprise avant le début des négociations. En effet, en révélant leurs intérêts, les parties à la négociation, représentants syndicaux ou représentants de l'employeur, peuvent accroître leur vulnérabilité face à leur interlocuteur et compromettre la négociation. À cet égard, un assainissement du climat de travail doit avoir lieu avant la mise en place d'un processus de négociation raisonnée[26].

LES STRATÉGIES DE NÉGOCIATION

À l'intérieur de ces processus de négociation, les syndicats et la direction peuvent adopter une série de comportements lors de la négociation. Une fois le processus choisi, les comportements spécifiques adoptés seront souvent le produit de stratégies choisies par chacune des parties ou par les deux parties.

Les stratégies patronales. Avant la période de négociation, les négociateurs patronaux élaborent leurs stratégies et leurs propositions. Cette préparation consiste également à estimer le coût des différents éléments de la négociation. Il est important d'évaluer avant la période de négociation les coûts engendrés par les contributions aux régimes de retraite, les augmentations de salaires et les régimes d'avantages sociaux. Cet exercice a pour but de préparer le plus adéquatement possible la partie patronale à présenter des arguments à la table de négociation[27]. Les stratégies patronales de négociation comportent plusieurs dimensions présentées dans l'encadré 14.14.

ENCADRÉ 14.14 Dimensions que comporte la stratégie patronale de négociation

- La formulation de propositions spécifiques.
- La détermination de la portée des propositions à caractère économique que l'entreprise prévoit présenter lors des négociations.
- La préparation de tableaux statistiques et de données utiles lors des négociations.
- L'élaboration d'un dossier à l'intention des négociateurs patronaux contenant les points à négocier ainsi qu'une étude comparative des clauses de la convention collective et de celles d'autres entreprises concurrentielles.

Les stratégies syndicales. Comme la partie patronale, le syndicat doit se préparer aux négociations par la collecte d'informations. La qualité de cette préparation lui permettra de représenter adéquatement les intérêts de ses membres et de faire preuve d'une plus grande capacité de persuasion à la table de négociation.

Dans l'encadré 14.15 sont présentées les informations que le syndicat doit recueillir. Les deux premiers points permettent au syndicat de s'orienter concernant les demandes que l'employeur est susceptible d'accepter. Bien qu'il soit souvent négligé, le troisième point est également important, car il donne l'heure juste sur les attentes et les aspirations des salariés. Les préférences individuelles concernant les questions négociées peuvent varier selon les caractéristiques des travailleurs. Par exemple, les demandes des travailleurs plus jeunes risquent de se concentrer surtout sur des aspects d'ordre monétaire (augmentation de salaires, paiement des heures supplémentaires à un taux majoré, primes diverses, par exemple); quant aux demandes des travailleurs plus âgés, elles auront tendance à être axées sur la sécurité (régime de pension, reconnaissance de l'ancienneté, régime de retraite anticipée, régime d'assurances collectives, par exemple). Il est donc primordial que le syndicat réussisse à discerner clairement ces préférences s'il désire représenter adéquatement la volonté de ses membres à la table de négociation. À cet effet, il mène souvent des sondages auprès de ses membres. À la suite de la compilation des résultats, le syndicat soumet les demandes globales à l'ensemble des membres pour approbation.

ENCADRÉ 14.15 Les informations pertinentes que doit recueillir le syndicat

- La situation financière de l'entreprise ainsi que sa capacité de payer.
- Les comportements à prévoir de la part de la partie patronale relativement aux diverses demandes syndicales, à la lumière des négociations passées ou de négociations similaires dans d'autres entreprises.
- Les attitudes et les demandes des membres.

Les stratégies patronales-syndicales. Dans le même courant de pensée que les relations patronales-syndicales de coopération et la négociation intégrative, on retrouve les stratégies conjointes de négociation patronales-syndicales. Trois principales stratégies se dégagent : la négociation sur la productivité, la négociation avec concessions et la négociation continue.

La négociation sur la productivité. Il s'agit d'une méthode de négociation assez récente qui est considérée comme une forme particulière de la négociation intégrative. Dans le cadre de la négociation sur la productivité, les travailleurs acceptent de modifier leurs méthodes de travail à la suite de changements technologiques, en échange d'avantages divers. Certains syndicats manifestent des réticences à l'égard de cette approche par crainte de voir une partie de leurs membres perdre leur emploi ou supporter une charge de travail excessive. En dépit de ces hésitations, la négociation sur la productivité a connu du succès jusqu'à maintenant. Parmi les résultats obtenus, on note le passage d'une négociation distributive à une négociation intégrative. Le syndicat et la direction travaillent ensemble non seulement à la définition de l'entente elle-même mais aussi à la création d'un climat de coopération permettant la réalisation d'économies considérables et rendant l'entreprise apte à survivre et à assurer une continuité d'emploi aux membres du syndicat.

La négociation avec concessions. Comme il en a été question précédemment dans e chapitre, la négociation avec concessions, issue des graves difficultés économiques que connaissent certaines entreprises, a pour effet de minimiser les risques de mises à pied importantes, de fermetures d'établissements ou même de faillites. Pour survivre, les employeurs cherchent en ce moment à obtenir des concessions de la part des syndicats en échange du maintien des emplois. Ces concessions peuvent comprendre le blocage de la progression des salaires ou leur diminution, la réduction des avantages sociaux, l'élimination des rajustements de vie chère ou l'accroissement du nombre d'heures de travail pour le même salaire. Il se peut que les employés ne soient pas satisfaits des concessions négociées par le syndicat et qu'ils rejettent cette entente, mais il faut savoir que les solutions de rechange dans une telle éventualité sont souvent limitées[28].

La négociation continue. L'adoption de certaines lois, par exemple celles qui touchent les mesures de redressement associées à l'équité en matière d'emploi ou encore la santé et la sécurité du travail, rendent dorénavant la négociation entre les deux parties plus complexe. Plus le taux de changements apportés au milieu de travail augmente, plus les négociateurs syndicaux et patronaux choisissent une approche de négociation continue. Lorsque le patronat et le syndicat adoptent cette méthode de négociation, un comité conjoint est formé et on prévoit des rencontres régulières au cours desquelles les parties analysent les questions retenues pour la négociation et s'entendent sur des solutions communes pour résoudre les problèmes rencontrés[29]. L'encadré 14.16 présente les caractéristiques de la négociation continue.

ENCADRÉ 14.16 Caractéristiques de la négociation continue

- Des rencontres fréquentes entre les deux parties pendant la durée de la convention collective.
- La priorité accordée aux problèmes et aux événements externes à l'entreprise.
- Le recours à des spécialistes externes pour faciliter la prise de décision.
- L'utilisation d'une approche intégrative de résolution de problèmes.

Les stratégies de négociation patronales-syndicales ont pour finalité de mettre sur pied une structure capable de s'adapter de façon positive et productive aux changements qui se produisent dans le milieu de travail. La négociation continue est une forme de prolongement de la négociation d'urgence que les syndicats ont réclamée lorsque des facteurs tels que l'inflation changeaient subitement et substantiellement les acquis d'une convention collective négociée. La négociation continue est une formule de négociation permanente qui cherche à éviter les crises pouvant survenir dans les systèmes plus traditionnels de négociation collective.

LA NÉGOCIATION DE LA CONVENTION COLLECTIVE

Une fois que le syndicat est accrédité comme représentant unique d'une unité de négociation donnée, il devient la seule partie autorisée à négocier une entente avec l'employeur au nom de ses membres, ce qui lui confère une position privilégiée. Le syndicat a la responsabilité de négocier les demandes de ses membres et a le devoir de représenter tous les employés de façon juste. Le syndicat devient, dans les entreprises syndiquées, le lien essentiel entre les employés et l'employeur. La qualité des négociations qui se déroulent permet de mesurer l'efficacité du syndicat.

Les comités de négociation. La direction et le syndicat sélectionnent les représentants de leur comité de négociation respectif. Aucune des parties n'est tenue de prendre en compte les souhaits exprimés par l'autre partie concernant ce choix. En effet, un représentant ne peut refuser de négocier avec l'autre partie parce qu'il n'apprécie pas son homologue ou qu'il juge ce choix inapproprié. Il est essentiel que les négociations débutent et se poursuivent avec diligence et soient menées de bonne foi. Une équipe de négociation syndicale comprend généralement des représentants du syndicat local, le président du syndicat et d'autres membres de l'exécutif. De plus, le syndicat national peut se faire représenter par un spécialiste en matière de négociations, par exemple un avocat en relations du travail ou un conseiller en relations industrielles. Il n'est pas obligatoire que les négociateurs du syndicat soient membres du syndicat ou employés de l'entreprise. On cherche, au niveau des deux comités, à équilibrer les capacités et l'expérience de négociation des représentants par rapport à leurs connaissances et à leur niveau d'information sur des situations spécifiques à l'organisation.

Au niveau local, lorsqu'une seule unité de négociation est concernée, l'entreprise est habituellement représentée par le directeur et des membres du service des relations du travail ou de la gestion des ressources humaines. Les directeurs de la production et des finances peuvent également y prendre part. Cependant, lorsque les négociations en jeu sont très importantes, à cause de la taille de l'unité de négociation ou des effets éventuels de cette négociation sur l'entreprise ou l'ensemble de l'industrie, on pourra ajouter à l'équipe déjà constituée des spécialistes tels que des avocats en relations du travail ou des conseillers en relations industrielles.

Dans les entreprises d'envergure nationale, on retrouve souvent des gestionnaires de haut niveau du service des relations industrielles ou de la gestion des ressources humaines à la tête d'une équipe de spécialistes provenant du siège social et peut-être également des gestionnaires de services ou d'usines particulièrement importants au sein de l'entreprise. Encore une fois, l'objectif de ce comité sera d'associer l'expertise des représentants choisis à leurs connaissances spécifiques des situations organisationnelles.

La structure de négociation. La plupart des conventions collectives sont conclues entre un seul syndicat et un seul employeur. Il arrive cependant que d'autres modalités existent. Lorsqu'un syndicat unique négocie avec plusieurs entreprises d'un même milieu – dans le secteur de la construction ou des supermarchés, par exemple – , les employeurs négocieront en tant que groupe avec ce syndicat. Au niveau local, nous appelons cette méthode la négociation multipatronale, mais au niveau national, il est plutôt question de négociation de branche. Ce dernier type de négociation est aussi fréquent dans le secteur privé que public. Ces négociations nationales se concentrent sur les principales questions, comme celle de la rémunération, et réfèrent la négociation des conditions de travail à une entente locale. La négociation à deux niveaux est relativement répandue en Grande-Bretagne, en Suède et en Israël.

Par ailleurs, lorsque plusieurs syndicats négocient conjointement avec un seul employeur, on appelle ce processus la négociation coordonnée. Cette méthode est moins utilisée que les deux dernières mentionnées, mais on constate malgré tout une augmentation de son application, particulièrement dans le secteur public. Une conséquence commune à la négociation coordonnée et à la négociation de branche est l'obtention de conventions collectives types qui serviront de base pour imposer, dans une industrie donnée, des taux de salaires similaires aux entreprises dont les employés font partie du même syndicat. Ces conventions types peuvent être désavantageuses pour les employés parce qu'elles ignorent les différences existant entre les employeurs quant à leur situation économique et à leur capacité financière. Il en résulte que certaines des ententes sont acceptables pour plusieurs entreprises mais causent des problèmes économiques graves à d'autres. On assiste donc de moins en moins à la signature de cette forme d'entente dans le cadre d'une négociation coordonnée ou d'une négociation de branche. Ces ententes présentent toutefois des avantages en raison de leur efficacité et de la force relative qu'elles donnent aux syndicats et aux employeurs.

Dans le cas de la négociation multipatronale, les entreprises négocient des conventions collectives très similaires de façon à réduire le temps et les coûts qu'entraîneraient des négociations individuelles. Cette technique de négociation permet également aux syndicats d'économiser du temps et de l'argent ; ceux-ci voudront donc y participer s'ils estiment que leur position de négociation ne s'en trouvera pas affaiblie. Il est possible en effet que, dans une situation où les conditions de travail au niveau local sont très différentes d'une organisation à l'autre, il soit préférable de répartir la négociation entre les niveaux national et local. Comme nous l'avons déjà mentionné plus haut, en de tels cas, les questions majeures sont discutées au niveau national, tandis que les conditions spécifiques à chaque organisation sont réglées au niveau local.

Les questions soumises à la négociation. Il n'existe pas de modèle précis en ce qui concerne le contenu de la négociation collective. Les questions soumises à la négociation peuvent inclure, entre autres, les salaires et les conditions de travail, les avantages sociaux divers, la procédure de règlement des griefs qui régira l'application des conditions de travail. En fait, la liste des sujets traités au cours de la négociation collective est très volumineuse. Nous aborderons brièvement quelques-uns de ces thèmes dans les pages qui suivent.

Les salaires. Cette question est sûrement celle qui occasionne le plus de difficultés et de grèves en milieu de travail. En effet, les augmentations de salaires représentent un coût direct pour l'entreprise et peuvent influencer sa rentabilité. Le salaire des employés est déterminé principalement par le taux de salaire de base s'appliquant à un emploi déterminé. Ce salaire peut être accru en fonction de plusieurs facteurs faisant tous l'objet de la négociation collective. Les directions d'entreprise préféreraient payer les employés en fonction de leur productivité, mais ce souhait se concrétise rarement. Trois normes sont généralement utilisées pour déterminer le salaire de base : (1) le salaire payé sur le marché pour un emploi similaire ; (2) la capacité financière de l'entreprise déterminée par ses bénéfices ; et (3) l'indice des prix à la consommation.

Les salaires ne sont qu'un des aspects de la rémunération versée aux employés. Il existe d'autres avantages économiques, c'est-à-dire des avantages sociaux indirects dont le travailleur bénéficie. La négociation collective répartira les demandes syndicales entre ces deux types de rémunération. La négociation de ces deux dimensions est importante parce que le coût des salaires et celui des avantages sociaux peuvent être très différents aux yeux de l'employeur. L'encadré 14.17 rapporte les hausses salariales obtenues par les employés syndiqués au Québec pour les trois premiers trimestres de l'année 2000.

ENCADRÉ 14.17 Hausses salariales obtenues par les employés syndiqués au Québec au cours des trois premiers trimestres de 2000 (%)

	Secteur public	Secteur privé	Ensemble des salariés
Règlements intervenus au cours des neuf premiers mois			
Croissance annuelle moyenne en cours de convention	1,9	2,5	2,0
Ensemble des conventions collectives en vigueur			
Taux d'augmentation annuelle à la fin de l'année	2,1	2,1	2,1

Source : Ministère du Travail du Québec.

Les avantages sociaux. Les avantages sociaux (ou avantages accessoires) représentent une partie croissante de la rémunération globale d'un employé. Il s'agit principalement des vacances, des jours fériés, des régimes de retraite et d'assurances collectives ; vous en trouverez une liste exhaustive dans l'encadré 14.18. Ces avantages peuvent représenter jusqu'à 40 % du coût de la rémunération globale. Il n'est pas facile pour la direction de supprimer les dispositions déjà inscrites dans la convention collective. Par exemple, si le syndicat obtient un nouveau régime d'assurance-maladie dans le cadre d'une négociation, la direction aura beaucoup de difficulté à le retirer lors de la négociation suivante. La direction, qui estime qu'elle a moins de pouvoir sur les avantages sociaux que sur les salaires, tente donc d'éviter d'accorder des programmes coûteux aux employés.

ENCADRÉ 14.18 Avantages sociaux négociés dans une convention collective

- Les régimes de retraite : déterminer les conditions de ce régime, la durée de service pour être admissible au régime, décider si l'organisation paiera le coût total du programme ou s'il sera partagé avec le syndicat. Il est à noter qu'au Québec, il existe une Loi sur les régimes complémentaires de retraite.
- Les vacances payées : durée et conditions d'attribution des vacances.
- Les congés payés : nombre, admissibilité, conditions.
- Les congés de maladie : nombre, conditions de cumul et d'admissibilité.
- L'assurance-vie : déterminer si les coûts sont défrayés en partie ou en totalité par l'employeur.
- Les indemnités de licenciement ou de cessation d'emploi.

On peut compter également les régimes complémentaires d'assurance-maladie et d'assurance-salaire comme faisant partie des avantages sociaux.

Les clauses contractuelles. Les clauses contractuelles ne se rapportent pas directement aux emplois occupés par les travailleurs mais sont importantes tant pour les employés que pour la direction. Les dispositions contractuelles qui touchent la sécurité et le succès des deux parties en cause sont énumérées et expliquées dans le tableau ci-dessous.

Les clauses contractuelles	
La sécurité syndicale	Les clauses de sécurité syndicale définissent la relation entre le syndicat et ses membres. On peut définir quatre grands types de clauses de sécurité syndicale au Canada. En vertu de l'atelier fermé (ou exclusivité syndicale), l'employeur convient d'embaucher et de garder à son emploi les seuls salariés membres du syndicat. On trouve fréquemment des clauses d'atelier fermé dans le domaine de la construction. L'atelier fermé n'est pas une forme de sécurité syndicale très répandue puisqu'on retrouve cette clause dans moins de 4% des conventions collectives. L'atelier syndical parfait exige que tous les employés deviennent membres du syndicat; 22,8% des conventions collectives au Canada prévoient cette clause. L'atelier syndical imparfait dispense les employés qui ne sont pas membres du syndicat au moment de la signature de la convention collective d'adhérer au syndicat, mais l'exige des futurs employés; 19,2% des conventions collectives au Canada comprennent cette clause. Enfin, la formule Rand requiert de tous les employés faisant partie de l'unité de négociation, y compris les employés non syndiqués, le paiement d'un montant équivalant aux cotisations syndicales.
Le précompte syndical	Les syndicats ont tenté de prendre des dispositions pour que le versement des cotisations soit effectué au moyen d'un précompte ou de retenues sur le salaire des employés. Cinq provinces, soit le Québec, la Saskatchewan, le Manitoba, l'Ontario et Terre-Neuve, ont rendu obligatoire ce prélèvement par voie de législation. Les clauses de précompte syndical contenues dans les conventions collectives des autres provinces sont variables : retenues obligatoires pour tous les employés ou retenues obligatoires pour les seuls membres syndiqués ou volontaires. Environ 91% des conventions collectives comprennent ce genre de clause.
Les droits de gérance	Plus de 80% des conventions collectives actuelles stipulent que certaines activités relèvent exclusivement de la direction. De plus, les questions qui ne sont pas spécifiquement prévues à la convention collective sont considérées comme des droits de la direction en vertu de la thèse des droits résiduaires.
La durée de la convention	Au Québec, la déréglementation de la durée des conventions collectives, rendue possible par les articles 2 et 14 de la Loi modifiant le Code du travail adoptée le 11 mai 1994, a répondu aux attentes patronales sans produire pour autant les effets indésirables appréhendés par certains syndicats. La durée moyenne des conventions collectives, pour sa part, de 31,1 mois avant 1994, est passée à 36,6 mois en 1994, à 42,6 mois en 1995, à 41,9 mois en 1996, à 40,7 mois en 1997, à 42,9 mois en 1998 et, finalement, à 41,9 mois en 1999 L'examen des renouvellements des neuf premiers mois de l'année 2000 révèle une durée moyenne des conventions de 40 mois. Les salariés possédant une convention collective d'une durée de plus de 36 mois représentent 62,8% des syn-diqués. Ceux dont la convention est d'une durée de 36 mois représentent 10,5% des syndiqués.

Les clauses normatives. La dernière catégorie de clauses négociables concerne les conditions de travail. Les clauses normatives incluent les sujets suivants :

Les clauses normatives	
Les pauses et les périodes pour le nettoyage	Certaines conventions collectives précisent le temps et la durée des pauses-santé et des pauses pour les repas des employés, ainsi que la procédure concernant la période accordée pour le nettoyage lorsque la nature de l'emploi l'exige.
La sécurité d'emploi	Cette clause est probablement la plus importante pour les employés et les syndicats. Elle a pour effet de restreindre le pouvoir des employeurs de licencier les employés. Les changements technologiques et la sous-traitance sont des phénomènes susceptibles d'influencer la sécurité d'emploi. C'est ce que démontre la convention collective conclue en 1985 entre la Fraternité canadienne des cheminots, employés des transports et autres ouvriers et Via Rail. L'entente stipulait que les employés comptant quatre années et plus d'ancienneté ne seraient pas touchés par des licenciements dus à des changements technologiques, opérationnels ou organisationnels. En échange de cette clause, le syndicat a cependant accepté une restructuration des échelles salariales de certains employés[30].
L'ancienneté	La durée de service est utilisée dans les conventions collectives comme critère pour un grand nombre de décisions organisationnelles. Par exemple, les licenciements sont souvent déterminés par l'ancienneté. La règle du « dernier embauché, premier congédié » est une pratique toujours courante dans les organisations. Environ 16 % des conventions collectives s'appliquant à 17 % des employés comprennent des dispositions relatives aux licenciements qui privilégient le critère de l'ancienneté; de plus, 34 % des ententes touchant 33 % des employés contiennent des dispositions relatives aux licenciements qui tiennent compte de l'ancienneté et d'autres facteurs tels que la compétence, les connaissances et les capacités physiques. L'ancienneté joue également un rôle important dans les décisions de mutation et de promotion.
Les mesures disciplinaires	Il s'agit de l'une des questions les plus sensibles de la négociation, et même lorsqu'une entente intervient sur cette question, plusieurs griefs sont susceptibles d'être déposés par des employés faisant l'objet d'une mesure disciplinaire ou d'un congédiement.
La santé et la sécurité du travail	Bien que diverses lois sur la santé et la sécurité du travail traitent spécifiquement de cette question, quelques conventions collectives comportent des clauses concernant les équipements de sécurité, les premiers soins, les examens médicaux, les enquêtes sur les accidents et l'organisation des comités de sécurité. Les risques professionnels et les dangers au travail sont parfois décrits dans des clauses spéciales et associés à des taux de salaire différents. La convention collective stipulera souvent que l'employeur est responsable de la sécurité des travailleurs; le syndicat peut utiliser la procédure de règlement des griefs pour tout problème concernant la santé et la sécurité du travailleur.
Les normes de production	Le niveau de productivité ou de rendement des employés est une préoccupation commune à l'employeur et au syndicat. L'employeur se préoccupe de l'efficacité du travail, et le syndicat, de l'équité et du caractère raisonnable des exigences de la direction.
La procédure de règlement des griefs	Cette clause constitue une partie importante de la négociation collective et sera donc analysée en détail dans une des sections de ce chapitre.
La formation	L'élaboration et l'administration des programmes de formation et de perfectionnement et le processus de sélection des employés qui pourront y participer peuvent faire l'objet de négociation entre les parties.
On considère également dans les clauses normatives le contenu et l'évaluation des emplois ainsi que la durée du travail.	

VII La grève, le lock-out et le règlement des conflits

La négociation collective vise à trouver un accord concernant les conditions de travail, mais il arrive malheureusement que les négociateurs soient incapables de parvenir à une entente. Plusieurs possibilités sont alors envisagées pour sortir de l'impasse. La solution la plus visible pour l'ensemble de la société est la grève ou le lock-out, mais on peut également recourir à l'intervention de tiers dans le cadre de la médiation, de la conciliation ou de l'arbitrage[31].

LA GRÈVE ET LE LOCK-OUT

Lorsque le syndicat est incapable de faire accepter ses demandes par la direction, il peut déclencher la grève. On peut définir la grève comme le refus de la part des employés de travailler pour l'entreprise. À l'inverse, la direction peut également empêcher ses employés d'effectuer leur travail; c'est ce qu'on appelle un lock-out, mais cette situation est peu fréquente[32].

Avant de recourir à la grève, le syndicat doit obtenir l'approbation de ses membres. Pour ce faire, le syndicat organise une assemblée générale où un vote au scrutin secret est tenu. L'exercice de la grève requiert l'approbation de la majorité des membres de l'association accréditée qui font partie de l'unité de négociation. Il va sans dire que plus le pourcentage des voix en faveur de la grève est élevé, plus la position syndicale est forte. Si la grève a lieu, les membres du syndicat font du piquetage devant leur lieu de travail, informant ainsi le public de l'existence d'un conflit de travail. Ils espèrent ainsi sensibiliser la population en l'invitant à boycotter l'entreprise durant le conflit et en incitant les autres travailleurs à respecter le piquet de grève. Habituellement, les employeurs tentent de poursuivre leurs activités durant la grève en ayant recours aux services de leur personnel cadre ou par l'embauche de personnel temporaire. Notons que plusieurs autorités législatives provinciales, comme celles du Québec et de l'Ontario, interdisent l'embauche de personnel extérieur, que l'on appelle des briseurs de grève, pour combler les postes des grévistes.

Le succès d'une grève dépend de sa capacité à causer des préjudices économiques à l'employeur. Des dommages importants amènent habituellement l'employeur à se plier aux demandes syndicales. Ainsi, le choix du moment de la grève est crucial. Le syndicat a tout avantage à choisir une période où le niveau de production est élevé.

Les grèves sont assez courantes et elles sont coûteuses non seulement pour l'employeur à cause des pertes de bénéfices qu'il subit mais également pour les travailleurs, qui cessent de recevoir leurs revenus. Lorsque la grève se prolonge, il arrive même que les pertes salariales ne soient jamais complètement compensées par les gains résultant du conflit. De plus, l'opinion publique n'est généralement pas favorable aux grèves à cause des inconvénients qu'elles peuvent entraîner pour les usagers de services ou les consommateurs, en plus du fait qu'elles peuvent avoir de graves répercussions sur l'économie dans son ensemble. Mais on constate une diminution des arrêts de travail dus aux grèves. Par exemple, alors qu'en 1986 on comptait une moyenne de 5,7 jours-personne perdus, cette moyenne a décliné constamment pour atteindre, en 1990, 2,6 jours-personne[33]. On peut attribuer ce phénomène à la récession prolongée, à la baisse du pouvoir des syndicats dans le secteur privé et à l'amélioration des pratiques de gestion des ressources humaines.

Le droit à la grève dans le secteur public est encore plus discutable que dans le secteur privé à cause de ses répercussions encore plus larges. Les grèves des services publics touchent l'ensemble de la population et la tiennent en quelque sorte en « otage ». Pour ces raisons, toutes les législations canadiennes qui reconnaissent le droit de grève aux employés du secteur public obligent les syndicats à respecter les services essentiels; c'est le cas notamment au Québec et en Colombie-Britannique. En 1982, le Québec a mis sur pied un Conseil des services essentiels qui a le pouvoir de définir les services devant être maintenus dans les secteurs public et parapublic en cas de mésentente entre les deux parties à ce sujet. Dans ce cas, le syndicat a la responsabilité de prévoir un nombre suffisant de travailleurs pour assurer ces services. La synthèse présentée dans l'encadré 14.19 rapporte les données globales relatives aux arrêts de travail au cours des 10 dernières années au Québec.

ENCADRÉ 14.19 Synthèse descriptive des arrêts de travail des 10 dernières années au Québec

Constats relatifs à l'évolution des arrêts de travail au cours des 10 dernières années:

- L'année 1999 se situe un peu au-dessus de la moyenne des 10 dernières années pour ce qui est des conflits de travail déclenchés et ceux ayant eu cours pendant l'année. Les premiers sont au nombre de 124 et les deuxièmes au nombre de 155, par rapport à des moyennes annuelles respectives de 116 et de 140. Le nombre de conflits déclenchés et ceux en cours ont connu des augmentations de 18 % et de 25 %, entre 1998 et 1999. La nouvelle procédure pour comptabiliser les arrêts de travail peut être en partie responsable de ces augmentations.

- Il est intéressant de noter que le nombre de salariés touchés a considérablement diminué, passant de 98 982 en 1998 à 25 257 en 1999. Le nombre moyen de travailleurs touchés a également connu une baisse, puisqu'il se situait à 798 en 1998 comparativement à 163 en 1999. D'ailleurs, par comparaison avec la moyenne des 10 dernières années (327), le nombre moyen de travailleurs touchés, en 1999, est deux fois moins important (163).

- En ce qui concerne la durée réelle moyenne en jours civils et en jours ouvrables, les conflits de travail survenus en 1999 se révèlent plus longs que ceux des 10 dernières années. Pour l'année de référence, la durée moyenne des conflits en jours civils a augmenté de 13,8 % soit 75 jours civils comparativement à 65,9 en 1998. En jours ouvrables, l'écart est de 13,4 %, soit 54 jours ouvrables par rapport à 47,6 en 1998.

- Au cours de la dernière décennie, l'année 1999 a été la troisième en importance avec 652 747 jours de travail perdus. Toutefois, ce nombre représente une baisse de 9,8 % par rapport à celui observé en 1998.

- Le nombre de jours de travail perdus en 1999 est supérieur à la moyenne des 10 dernières années, laquelle se situe à 561 077 jours perdus. Cela peut s'expliquer par un certain nombre de conflits de plus grande ampleur, comme ceux:
  - d'Hydro-Québec (trois conflits), 1 071 salariés et 156 429 jours perdus;
  - des infirmières et infirmiers (cinq conflits), 3 390 salariés et 77 971 jours perdus;
  - de Bell ActiMédia, 350 salariés et 47 950 jours perdus;
  - de la Ville de Verdun, 134 salariés et 33 232 jours perdus.

On voit donc que depuis 10 ans, le plus grand nombre de conflits au cours d'une année a été enregistré en 1990, avec un total de 190, dont 163 avaient été déclenchés durant l'année. On peut aussi remarquer une baisse constante durant les 6 premières années. Par contre, à partir de 1996, on observe une tendance affectant cette variable à la hausse.

Pour le nombre de travailleurs touchés pendant cette décennie, c'est en 1990 que l'on peut observer le niveau le plus élevé (128 442 travailleurs). Ensuite, ce nombre a beaucoup diminué et fluctué, sans jamais parvenir au sommet atteint en 1990. Ainsi, on constate que 98 982 travailleurs ont été touchés par un arrêt de travail en 1998, la deuxième année en importance au cours de la période observée.

Source: http://www.travail.gouv.qc.ca

LE RÈGLEMENT DES CONFLITS

D'autres interventions telles que l'arbitrage et la médiation sont souvent nécessaires pour assurer le règlement des conflits.

La médiation. La médiation est une procédure par laquelle un tiers impartial aide les négociateurs syndicaux et patronaux à parvenir à un accord volontaire. Ce tiers n'a pas le pouvoir d'imposer une solution; il cherche seulement à faciliter les négociations entre les deux parties. Le médiateur peut formuler des suggestions ou des recommandations, et il ajoute une dimension objective à des négociations souvent empreintes d'émotivité. Le médiateur qui veut jouer son rôle avec succès doit gagner la confiance et le respect des deux parties, avoir une expertise adéquate et disposer de la neutralité nécessaire pour convaincre le syndicat et l'employeur qu'il saura intervenir de façon juste et équitable. La conciliation est obligatoire en vertu de la loi dans toutes les provinces canadiennes à l'exception de la Saskatchewan et du Québec. Ces lois prévoient souvent la désignation d'un médiateur.

L'arbitrage. L'arbitrage est une procédure au cours de laquelle un tiers impartial étudie la situation de la négociation, prend connaissance auprès des deux parties de leurs positions respectives, recueille de l'information et fait des recommandations qui lieront les deux parties en cause. L'arbitrage a pour objectif de déterminer les conditions de la convention collective[34].

Toutes les législations du travail, à l'exception de celle de la Saskatchewan, exigent que les conventions collectives prévoient une procédure de règlement par arbitrage en cas de mésentente (c'est-à-dire en cas de différends quant à l'interprétation de la convention collective), et cela, sans droit de grève ou de lock-out. En d'autres mots, tant qu'une convention collective est en vigueur, la grève ou le lock-out est illégal, et la procédure de règlement par arbitrage devient le seul moyen de résoudre les conflits entre l'employeur et le syndicat. La décision de l'arbitre est définitive et ne peut être changée ou révisée, sauf en cas d'erreur manifeste, de corruption avérée, de fraude ou d'injustice, ou encore lorsque l'arbitre a dépassé sa juridiction. Au Québec, bien que le ministère du Travail privilégie le règlement des premières conventions collectives par la négociation, il arrive parfois que les parties n'arrivent pas à s'entendre. À la suite d'une première intervention infructueuse d'un conciliateur et à la demande d'une des parties, le ministre peut confier le dossier à un arbitre de différends qui imposera le contenu de la première convention collective. Par la suite, il est toujours possible d'avoir recours à un arbitre de différends. Ainsi les parties, d'un commun accord, peuvent décider de soumettre leur différend à un arbitre renonçant ainsi à leur droit de grève.

Une fois sortis de l'impasse des négociations, le syndicat et l'employeur sont en possession d'une convention collective dont ils devront s'accommoder. La conformité à la loi est essentielle à la convention collective. En cours d'administration de l'entente, il se peut que l'arbitrage soit à nouveau nécessaire, en particulier lorsque des griefs demeurent non résolus entre les deux parties. Ce type d'arbitrage est dit *arbitrage de griefs* et ce mode de résolution des conflits intéresse davantage le secteur privé que l'arbitrage des conflits d'intérêts. Les objectifs de l'arbitrage de griefs et le rôle de l'arbitre sont expliqués à l'étape 4 de la procédure de règlement des griefs qui est présentée dans la section suivante portant sur l'administration de la convention collective.

Consultez Internet

http://www.travail.gouv.qc.ca

Site du ministère du Travail du Québec. Lois, informations sur les activités de ce ministère (relations de travail), publications, etc.

Le rôle des commissions de relations du travail. Toutes les provinces, à l'exception du Québec, possèdent une commission des relations du travail. Au Québec, le respect des procédures d'accréditation est assuré par les commissaires du travail, qui sont approximativement au nombre de 20. Les commissions des relations du travail ont pour rôle d'administrer les lois en matière de relations du travail. Habituellement, elles sont tripartites, c'est-à-dire qu'elles sont composées de représentants patronaux et syndicaux, et présidées par un membre neutre (un fonctionnaire en général). Elles jouissent d'une grande latitude quant à leur mode d'intervention, particulièrement en ce qui a trait à la résolution des conflits. L'une de leurs principales fonctions consiste à déterminer les unités de négociation appropriées. Une commission peut accepter l'unité décrite dans la requête en accréditation d'un syndicat ou peut la modifier en ajoutant ou en éliminant des postes de façon à assurer l'homogénéité, la viabilité et la représentativité de l'organisation du travail. Une unité de négociation peut regrouper tous les travailleurs d'un même établissement, les employés travaillant pour divers employeurs mais œuvrant dans un même secteur, les employés travaillant pour le même employeur dans divers établissements et les travailleurs d'un établissement qui exercent une profession ou un métier déterminé. Les lois donnent généralement des indications permettant de déterminer en quoi consiste une unité de négociation appropriée. Par exemple, les employés qualifiés peuvent former une unité particulière, de même que les travailleurs de métiers spécialisés tels que les menuisiers, les gardiens ou les superviseurs.

En déterminant l'unité de négociation appropriée, les commissions portent une attention particulière au désir des employés, aux expériences de la négociation dans des unités similaires, au type d'organisation syndicale (industrie ou métier) et aux groupes de salariés touchés (ouvriers, employés de bureau, techniciens, travailleurs de profession libérale ou exerçant un métier). La plupart des décisions ne touchent qu'un seul établissement ; c'est la raison pour laquelle les négociations collectives se déroulent le plus souvent à un niveau local.

Une période de temps considérable peut s'écouler entre le dépôt d'une requête en accréditation et le moment où le vote de représentation a lieu. Durant ce temps, il peut arriver que l'on cherche à influencer les employés à l'encontre de l'accréditation ou que ceux-ci perdent leur intérêt pour la chose pour une raison ou pour une autre, par exemple à cause de l'inaction occasionnée par le délai. Puisque le syndicat requérant n'est pas responsable du délai, plusieurs lois prévoient la tenue d'un vote d'avant-audition. En vertu de cette disposition, la Commission des relations du travail doit procéder à un tel vote lorsqu'elle en reçoit la demande. En Ontario, au Québec et au fédéral, par exemple, on accédera à la demande du syndicat à la condition qu'au moins 35 % des employés visés soient membres du syndicat. Le vote d'avant-audition vise normalement l'unité de négociation mentionnée dans la requête syndicale, mais la Commission peut en juger autrement sur examen de ses dossiers. Le suffrage de ce vote n'est pas dépouillé et est gardé sous scellés jusqu'à ce que le processus d'accréditation soit terminé. Alors, s'il y a lieu, le vote sera dépouillé afin de déterminer si le syndicat peut être accrédité ou non.

VIII L'administration de la convention collective

Une fois signée, la convention collective devient le document légal qui gouverne la vie des travailleurs sur les lieux de travail. Ceci signifie que les activités de l'organisation sont soumises aux conditions négociées de l'entente. Mais comme il est à peu près impossible de prévoir toutes les situations pouvant se présenter au cours de l'application de la convention collective, des litiges surgiront inévitablement quant à l'interprétation et à l'application de la convention collective. C'est pourquoi la majorité des conventions collectives prévoient une procédure pour le traitement des plaintes des employés, désignée sous le nom de *procédure de règlement des griefs*.

LA PROCÉDURE DE RÈGLEMENT DES GRIEFS

Fondamentalement, un grief est une plainte portée concernant une violation de la convention collective négociée entre le syndicat et l'employeur ; l'encadré 14.20 présente les cinq sources de griefs les plus communes. Un grief peut être déposé par le syndicat au nom des salariés ou par l'employeur, bien que ce dernier cas soit plutôt rare. La procédure de règlement des griefs a pour but d'enquêter sur ces plaintes pour résoudre le problème.

Dans le mode de résolution des conflits, la procédure de règlement des griefs doit tenir compte de quatre groupes distincts : les employeurs et les syndicats, en interprétant

---

ENCADRÉ 14.20 Les cinq sources de griefs les plus communes

- Violation des droits conférés par la convention collective.
- Mésentente à propos des faits.
- Mésentente à propos de l'interprétation de l'entente.
- Différend à propos de la méthode d'application de l'entente.
- Plainte à propos du caractère juste ou raisonnable d'une action.

---

et en adaptant la convention collective en fonction des conditions déjà négociées ; les employés, en protégeant leurs droits contractuels et en leur procurant un mécanisme d'appel ; et la société en général, en maintenant la paix industrielle et en réduisant le nombre de différends industriels soumis aux tribunaux.

La procédure typique de règlement des griefs comprend plusieurs étapes. La convention collective peut spécifier la durée maximale de chaque étape. Par exemple, on peut demander à ce que le grief soit déposé dans les cinq jours du déroulement de l'incident qui fait l'objet d'un différend. La procédure la plus typique, dont l'encadré 14.21 fournit un exemple, et qui est décrite dans les lignes qui suivent, implique quatre étapes, la dernière étant l'arbitrage. Les procédures doivent être élaborées sous réserve des lois du travail ; par exemple, le Code du travail du Québec prévoit un délai de 15 jours pour le dépôt de la plainte (article 100.01).

ENCADRÉ 14.21 Procédure typique de règlement des griefs

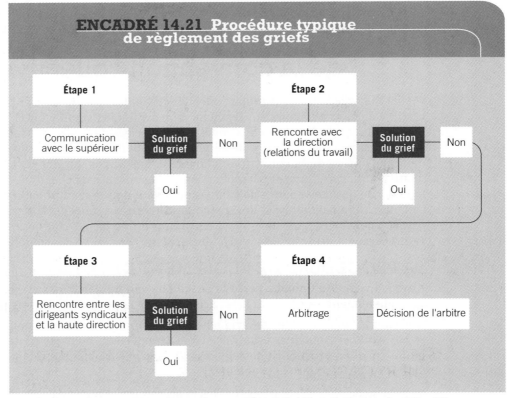

Source : R. S. Schuler, *Personnel and Human Resource Management*, 2ᵉ éd., St. Paul (Minn.), West Publishing Co., 1984, p. 573. Traduction et reproduction autorisées.

Étape 1. Un employé qui croit qu'un de ses droits garantis par la convention collective a été violé en avise son délégué syndical. Ils discutent ensemble du problème avec le supérieur immédiat de l'employé. Lorsqu'il s'agit d'un problème simple, il est souvent résolu à ce niveau. Plusieurs conventions collectives exigent que la plainte soit présentée par écrit dès cette étape. Notons qu'il est possible pour les parties de régler la mésentente à l'amiable sans passer par la procédure formelle de griefs.

Étape 2. Lorsqu'un accord n'a pu être conclu au niveau du supérieur immédiat, que le règlement proposé ne satisfait pas le syndicat ou le salarié lésé, ou lorsque les délais de réponse du supérieur immédiat se sont écoulés, la deuxième étape de l'arbitrage des griefs s'enclenche. À cette étape, le dossier est habituellement référé à un niveau hiérarchique plus élevé ; en général, on l'adresse à un représentant des relations du travail de l'organisation. On accorde à ce dernier un certain délai de réponse.

Étape 3. Si le grief est assez important ou plutôt difficile à résoudre, une troisième étape peut être nécessaire. Bien que les conventions collectives varient à ce sujet, les cadres supérieurs et les dirigeants syndicaux sont habituellement impliqués à cette étape. Ces personnes possèdent l'autorité nécessaire pour prendre les décisions susceptibles d'assurer la résolution du grief.

Étape 4. Si le grief ne peut être résolu à la troisième étape, la plupart des conventions collectives exigent le recours à un arbitre pour en arriver à un accord. L'arbitre ou les membres du conseil d'arbitrage doivent être neutres et objectifs. Le choix de l'arbitre ou du tribunal d'arbitrage revient aux parties. À défaut d'un tel choix ou en cas de désaccord sur le choix de l'arbitre, toutes les provinces confient à leur ministre du Travail respectif la responsabilité d'en nommer un d'office. Pour faciliter un accord entre les parties, certaines provinces fournissent aux parties une liste d'arbitres disponibles. L'arbitre tient des audiences, revoit la preuve et rend sa décision sur le grief dans un délai convenu dans la convention collective ou dans la législation. La décision de l'arbitre lie habituellement les parties.

Les coûts de l'arbitrage, qui comprennent les honoraires et les frais de déplacement, sont généralement partagés également entre le syndicat et l'entreprise. Comme les honoraires des arbitres canadiens varient de 400 $ à 1 500 $ par jour, une certaine pression est exercée sur les parties afin qu'elles évitent l'arbitrage en parvenant à une entente ou qu'elles recherchent des moyens moins coûteux de régler leur mésentente. Une nouvelle méthode, celle de la médiation des griefs, est plus économique, plus rapide, et tout aussi confidentielle que l'arbitrage puisque les règlements entre les parties, le cas échéant, ne sont pas publiés. Air Canada a eu recours à cette méthode à plusieurs reprises.

Il peut arriver que le syndicat demande un vote de grève pour résoudre un grief. Cette situation peut se produire quand le problème soulevé est si important que le syndicat considère qu'il ne peut se permettre d'attendre, étant donné la longueur du processus d'arbitrage. La grève déclenchée par défaut d'application des droits des employés peut être légale, mais si la convention collective interdit expressément la grève pendant la durée de la convention collective, elle devient illégale et est dite grève sauvage. Au Canada, seule la Saskatchewan n'interdit pas ce genre de grève et ce phénomène se constate très rarement, car la plupart des griefs peuvent être résolus au moyen d'un processus d'arbitrage.

LES QUESTIONS SOUMISES À LA PROCÉDURE DE RÈGLEMENT DES GRIEFS

On peut déposer des griefs pour toute condition de travail faisant partie de la convention collective, ou à propos de l'interprétation et de l'application de cette entente. Le type de grief le plus commun, qui se rend généralement jusqu'en arbitrage, est la plainte concernant le processus disciplinaire et le congédiement. Le grief déposé relativement à ce processus aura trait à la validité du motif d'une mesure disciplinaire ou d'un congédiement.

On admet généralement que l'absentéisme constitue une raison valable de congédiement, mais il reste encore à déterminer le niveau d'absentéisme pouvant être considéré comme excessif. L'insubordination est habituellement définie comme un manquement à l'exécution d'une tâche demandée par le superviseur ou, ce qui est encore plus grave, un refus de se conformer à ses requêtes. Si les ordres du superviseur sont clairs et explicites et que l'employé est averti des conséquences possibles de ses actes, des mesures disciplinaires imposées pour refus de répondre aux demandes du supérieur sont généralement jugées acceptables par l'arbitre. Il y a exception lorsque l'employé refuse un travail parce qu'il croit que le travail demandé comporte un danger pour sa santé. Toutes les mesures disciplinaires devraient être prises en fonction du principe de la progression et de l'adéquation des sanctions.

Puisque l'ancienneté est utilisée habituellement comme critère lors du choix des employés devant faire l'objet d'une mise à pied, d'une mutation ou d'un rappel, les modalités de calcul de la durée de service sont devenues une question d'intérêt crucial pour les employés. Les promotions et les mutations constituent également des décisions de la direction qui sont fondées en partie sur l'ancienneté. La direction doit donc être attentive à la clause d'ancienneté si elle veut éviter les plaintes et les griefs.

La rémunération des absences du lieu de travail, c'est-à-dire des vacances, des congés fériés ou des congés de maladie, fait également l'objet de griefs fréquents. Les congés fériés sont une source de problèmes parce que les employés qui travaillent lors de ces journées bénéficient souvent d'un taux de rémunération majoré.

D'autres griefs portent sur des questions comme les salaires et les heures de travail. Des différends prennent souvent naissance à propos de l'interprétation ou de l'application de la convention collective concernant le temps supplémentaire, la rémunération majorée et les horaires de travail.

Les employés et le syndicat peuvent aussi déposer des griefs à propos de l'exercice des droits de la direction, soit le droit de mettre en œuvre des changements technologiques, de faire appel à la sous-traitance ou de modifier les postes de travail. Ces décisions prises par la direction sont vues comme une violation de la convention collective s'il était prévu dans celle-ci que ces changements devaient passer par la négociation avant d'être adoptés.

Et, occasionnellement, d'autres griefs seront aussi soulevés. Les grèves sauvages ou les comportements considérés comme des mouvements de grève (l'absence d'un grand nombre de travailleurs de leur poste de travail, par exemple) peuvent susciter des griefs de la part de la direction. Les matières le plus souvent soumises à la procédure de règlement des griefs demeurent cependant reliées à l'administration des conditions de la convention collective.

LES PROCÉDURES PATRONALES

La direction peut réduire significativement le taux de griefs dans son entreprise en adoptant des procédures appropriées lorsqu'elle applique des sanctions contre un employé. Un des domaines qui soulève le plus de problèmes est celui des mesures disciplinaires et des congédiements. Les notions de motif valable et d'équité sont au cœur du problème de la majorité des griefs déposés à propos de mesures disciplinaires.

Les employeurs doivent donc s'assurer que les employés sont avertis adéquatement des conséquences d'un piètre rendement au travail ou de violations spécifiques, que la règle enfreinte est liée aux activités de l'entreprise, et enfin qu'une enquête approfondie a lieu et que la punition est raisonnable. La direction peut également éviter plusieurs griefs en assurant la formation de ses superviseurs et de ses autres gestionnaires en ce qui a trait aux relations du travail et aux conditions négociées qui sont contenues dans la convention collective. Il a été démontré, en effet, que la présence de superviseurs qui ont une certaine connaissance en relations du travail peut réduire de manière significative le nombre de griefs dans une entreprise. En outre, l'organisation peut réduire le nombre de griefs en mettant en pratique quelques principes de base énumérés dans l'encadré 14.22.

ENCADRÉ 14.22 Les activités utiles à la direction pour réduire le nombre de griefs

- Explication des règlements aux employés.
- Examen des accusations et des faits qui y sont reliés.
- Procédures d'avertissement régulières, incluant des dossiers écrits.
- Participation du syndicat au règlement du grief.
- Examen des motifs et des raisons des agissements de l'employé.
- Étude des antécédents de l'employé.
- Familiarisation de l'ensemble du personnel de la direction, particulièrement les superviseurs, avec la procédure disciplinaire et les règlements de l'entreprise.

LES PROCÉDURES SYNDICALES

Le syndicat a l'obligation de représenter ses membres de façon juste et équitable et de procéder avec diligence à l'enquête et à l'application du processus de règlement d'un grief enclenché par un employé. Le syndicat doit disposer d'une procédure efficace de traitement des griefs et l'appliquer de façon uniforme à tous les membres de l'unité de négociation.

Les syndicats portent également intérêt aux griefs en tant qu'outils de négociation. Il se peut qu'ils tentent d'augmenter le nombre de griefs au cours de la période précédant la négociation pour influencer encore plus la direction. Les griefs représentent aussi une façon efficace d'attirer l'attention des parties sur une question qui pourrait faire l'objet de négociation. Dans certains cas, les griefs seront retirés en échange de concessions patronales.

Le délégué syndical exerce une influence importante sur la procédure de règlement des griefs. Il est, de façon générale, la première personne à être informée de la plainte d'un employé ; il peut donc encourager celui-ci à déposer le grief ou à régler la mésentente à l'amiable sans entraîner de coûts inutiles pour le syndicat et pour l'organisation. Étant donné l'importance de son rôle, le délégué syndical doit être formé adéquatement pour accomplir ses fonctions. Certaines caractéristiques personnelles des délégués syndicaux ont de fait une influence sur le nombre de griefs déposés[35]. Puisque les délégués sont choisis parmi les travailleurs, il arrive souvent qu'ils possèdent peu de connaissances en relations du travail. Les responsables syndicaux devraient donc leur assurer une formation adéquate pour améliorer leur efficacité. L'entreprise devrait assumer le coût d'une telle formation.

IX Les enjeux relatifs aux rapports collectifs du travail : pour un renouvellement du Code du travail

Le Code du travail a été adopté en 1964. Il a ensuite été substantiellement renouvelé en 1969 puis en 1977. Par la suite, les modifications qui y ont été apportées étaient relativement limitées et répondaient à des besoins spécifiques. Or, si l'on examine les profonds changements dans l'environnement, dans le mode de fonctionnement des entreprises et dans les caractéristiques de la main-d'œuvre, il va sans dire que le Code du travail ne réussit plus à régler un bon nombre de problèmes et n'assume plus son but premier, celui de protéger les travailleurs désireux d'exercer leur droit d'association et de profiter du régime de rapports collectifs de travail[36].

La réflexion qui entoure la modernisation ou le projet de réforme du Code du travail fait état de quatre préoccupations auxquelles le législateur devra sans doute trouver des solutions.

La première préoccupation a trait aux limites de la notion juridique de salarié[37]. La transformation du travail a permis le développement d'une nouvelle forme d'emplois dite atypique. La réforme devra nécessairement tenter une ouverture du régime des rapports collectifs du travail à une nouvelle classe de « quasi-salarié », les entrepreneurs qu'on dit dépendants économiquement ou travailleurs autonomes et qui sont exclus du droit d'association en vertu du Code. À ce sujet, Charest, Trudeau et Veilleux affirment que : « Il est notable que ce que l'on considère comme l'emploi typique (l'emploi salarié à plein temps), réalité omniprésente au moment de l'adoption des grands paramètres de nos lois du travail, a fortement régressé en moins de deux décennies et pourrait atteindre à ce rythme la parité avec l'emploi atypique d'ici une quinzaine d'années[38]. »

Un deuxième enjeu réfère à la lourdeur du processus d'accréditation qui souvent, à cause des longs délais, empêchent certains syndicats de voir le jour[39] et laisse assez de temps à l'employeur d'intervenir dans le processus d'accréditation[40]. Soulevée davantage comme un enjeu syndical, la lenteur du processus brime le droit des employés d'adhérer à un syndicat et occasionne des inquiétudes pour les salariés qui entament une tentative de syndicalisation. Les acteurs syndicaux revendiquent la création d'une commission des relations du travail qui aura pour effet de réduire les délais mais également de remédier plus globalement aux obstacles administratifs et judiciaires à l'exercice du droit d'association[41]. Dans ce même ordre d'idées, le ministère du Travail reconnaît que les organismes du travail fonctionnent ailleurs selon un modèle qui prend ses distances de celui des tribunaux judiciaires. Les instances d'application du Code du travail disposent de pouvoirs d'ordonnance vastes, privilégiant la réparation à la punition, et leurs décisions sont sans appel. Ces commissions ont donc plus de latitude de se doter de leurs propres règles de fonctionnement et d'adopter des politiques qui favorisent l'atteinte de l'objectif premier de la loi, c'est-à-dire faciliter l'exercice du droit d'association[42].

Le troisième enjeu a trait à l'application de l'article 45 du Code du travail. Quand survient une transmission d'entreprise, l'article est rédigé de manière à ne laisser aucune marge de manœuvre au commissaire du travail, qui cherche à en adapter l'application aux situations contemporaines. Ainsi, lorsque survient une vente d'entreprise, la loi devrait permettre à l'instance saisie de déterminer le désir de ses salariés notamment en ce qui a trait à leur accréditation et au choix de leur représentant autorisé à amorcer une nouvelle négociation. Également les notions d'employeur et d'entreprise prêtent à interprétation et compliquent l'application de l'article 45 ; elles devront donc être clarifiées.

Comme quatrième enjeu, le rapport intitulé *Pour un Code du travail renouvelé* énonce « la nécessité de corriger certains problèmes d'application, de moderniser la terminologie et de retoucher la structure même de la loi ». Le Code a 40 ans d'âge et il n'est pas surprenant de constater que la structure et la terminologie dans certains cas nécessitent une révision.

Comme tout débat ou toute réforme qui porte sur le travail, les acteurs qui sont impliqués, à savoir le patronat et les syndicats, ne partagent pas nécessairement les mêmes préoccupations. Quelques-unes de leurs positions sont même opposées. Les entreprises en quête de flexibilité craignent que la réforme n'entraîne une certaine rigidité qui diminuerait leurs capacités concurrentielles. Les syndicats et les travailleurs veulent que la réforme soit assez audacieuse pour permettre une réelle protection de leur droit d'association. L'article « La réforme du Code du travail » fait état des positions patronales et syndicales à l'égard des préoccupations et des revendications qui devront être abordées dans cette réforme. La modernisation du Code du travail invite les différents intervenants à une réflexion majeure quant à l'avenir des rapports collectifs en ce début de millénaire.

REVUE DE PRESSE

Visions patronale et syndicale des changements proposés au Code du travail

1. LA VISION PATRONALE DES IMPACTS POLITIQUES JURIDIQUES ET PRATIQUES

Me Manon Savard
Ogilvy Renault

Me Louise Marchand
directrice-Relations du travail,
Conseil du patronat du Québec

Adopté en 1964, le Code du travail du Québec n'a fait l'objet d'une révision substantielle qu'en 1977, et depuis, c'est à la pièce que des modifications y ont été apportées. Une importante modification a bien failli voir le jour, en décembre 1987, lorsque l'Assemblée nationale a adopté la Loi constituant la Commission des relations du travail et modifiant diverses dispositions législatives (L.Q., 1987. c.85), qui créaient une instance nouvelle, avec de nouveaux pouvoirs, la Commission des relations du travail. On sait, toutefois, que cette loi n'est jamais entrée en vigueur, vraisemblablement faute du consensus des parties.

Par ailleurs, depuis quelques années déjà, il s'en trouve pour réclamer une réforme en profondeur de notre Code parce que, prétend-on, cette loi-cadre n'est plus adaptée au contexte évolutif des rapports de travail. Il est patent que l'économie a changé, que les mutations du travail génèrent d'autres types de rapports entre les parties, que les développements fulgurants de la technologie et que la souplesse et la flexibilité requises ont créé une nouvelle donne à bien des égards. C'est dans cette perspective que le patronat souhaite généralement que des bonifications soient apportées à l'encadrement légal, essentiellement en matière d'allégement et d'harmonisation avec des législations comparables. Il accepterait difficilement que d'éventuels changements viennent accroître les rigidités qui distinguent, à plusieurs titres, notre environnement légal du travail et qui entravent la progression de nos entreprises et la création des emplois dont notre économie québécoise a énormément besoin. C'est pourquoi plusieurs des orientations dévoilées au printemps dernier par la ministre du Travail, madame Diane Lemieux, ont fait sursauter les porte-parole patronaux, qui y ont vu clairement un parti pris en faveur de la syndicalisation et un oubli du nécessaire équilibre que doit refléter un code du travail. Le patronat a déploré que le texte des orientations ministérielles fasse davantage écho aux revendications traditionnelles de la partie syndicale et qu'il néglige d'entendre, du moins dans l'application concrète des principes qu'il édicte, les préoccupations de ceux qui dirigent les entreprises.

Les positions des parties

Sans en faire une énumération exhaustive, il ressort qu'avant même le dépôt des orientations ministérielles, certains des sujets abordés avaient déjà fait l'objet de débats plus polarisés. C'est le cas notamment de la notion de salarié et des dispositions législatives qui ont trait à la sous-traitance.

Depuis que leurs effectifs commencent à sérieusement s'éroder, les centrales syndicales réclament du législateur qu'il leur consente des modifications au Code du travail afin d'étendre leur pouvoir de représentation. Pourtant, le taux de syndicalisation au Québec est l'un des plus élevés en Amérique du Nord, à 40 %, alors qu'il n'est que de 29,4 % en Ontario, de 33,3 % dans l'ensemble du Canada, et de 13,9 % aux États-Unis. Pourtant, l'une des revendications syndicales est l'élargissement de la notion de salarié pour englober les entrepreneurs dépendants, ouvrant dès lors la voie à leur syndicalisation.

Au titre de l'article 45 du Code du travail, qui assure la transmission de l'accréditation en cas d'aliénation et de concession d'entreprise, les syndicats demandent que l'exception de vente en justice que le législateur y a prévue soit simplement éliminée. Ils veulent également qu'à l'égard d'entreprises associées ou connexes, exploitées par plus d'un employeur, le décideur puisse prononcer une déclaration d'employeur unique. Enfin, ils souhaitent une mesure qui assurerait le transfert de l'accréditation, lorsqu'une entreprise syndiquée change de compétence législative, passant de la compétence fédérale à la compétence provinciale.

Certaines centrales vont même jusqu'à réclamer un resserrement de l'article 45, dont on voudrait qu'il consacre explicitement le transfert de l'accréditation, de la convention collective et des droits d'emplois qui en découlent dans les cas qui impliquent des rétrocessions ou des successions de sous-traitants.

Du côté patronal, de façon à se doter d'une plus grande flexibilité de gestion et à maintenir, voire accroître la compétitivité, le patronat s'est toujours opposé à toute modification qui viendrait alourdir ou augmenter les rigidités de l'encadrement légal du travail. Dans ce contexte, le patronat répondait aux centrales syndicales que les entrepreneurs véritablement dépendants sont déjà considérés comme des salariés par notre jurisprudence et qu'il n'est pas nécessaire d'inclure une nouvelle définition au Code du travail. Par ailleurs, le patronat réclame également, haut et fort et depuis des années, que le législateur exclue de manière explicite la sous-traitance de l'article 45 du Code, pour favoriser une forme de travail désormais incontournable compte tenu des mutations structurelles de l'économie.

Les orientations ministérielles

La lecture que les porte-parole patronaux ont faite des orientations ministérielles

les a incités à s'inquiéter d'une vision qui occulte certaines des réalités les plus actuelles pour les entreprises et qui, en outre, semble adopter un positionnement favorisant un objectif évident d'augmentation de la présence syndicale au Québec.

Ainsi, répondant à la demande des centrales, le document pour un Code du travail renouvelé propose-t-il d'élargir la notion de salarié pour y inclure expressément le concept d'entrepreneur dépendant économiquement. Or, pour le patronat, cet ajout est non seulement inutile, mais il risque aussi d'entraîner des effets indésirables.

Dans un premier temps, tous les éléments pour faire reconnaître le statut de celui que l'on pourrait qualifier de « salarié déguisé » sont déjà à la disposition des parties et des décideurs et nul n'est besoin d'ajouter quoi que ce soit au Code du travail pour qu'un travailleur en situation de dépendance juridique et économique puisse bénéficier des droits conférés par cet outil législatif. Notre jurisprudence a, depuis plus de vingt ans, élaboré des critères précis de dépendance économique pour « débusquer » les « vrais salariés » que l'on avait tenté de déguiser en « faux autonomes ». Nos tribunaux évoluent dans le même sens que la jurisprudence des autres provinces canadiennes ou de celle du Conseil canadien des relations industrielles, qui interprètent des lois qui ont incorporé ce concept depuis longtemps.

En d'autres mots, sans cette intervention du législateur, on parvient aux mêmes résultats. C'est bonnet blanc, blanc bonnet. Si la ministre veut « résister à la tentation de modifier gratuitement le texte de loi », pour reprendre les termes mêmes de son document de travail, il y a lieu de s'interroger sur le bien-fondé de la proposition.

Par ailleurs, dans la mesure où notre jurisprudence estime que la définition actuelle de salarié recouvre déjà le concept d'entrepreneur « dépendant », on pourra penser que, puisque le législateur ne parle pas pour ne rien dire, une nouvelle définition, surtout sur la base d'une présomption, telle que la ministre l'envisage, cherche forcément

à cerner une autre réalité. Les dérapages jurisprudentiels vers une acceptation plus large du terme (le véritable travailleur autonome, par exemple) risquent d'être nombreux, entraînant, dès lors, ces effets indésirables qu'il n'est pas farfelu d'appréhender. Il suffit de penser à tous les travailleurs autonomes (camionneurs-propriétaires qui possèdent de petites flottes, consultants en informatique qui font de l'impartition, pigistes de toute nature, distributeurs à contrat, courtiers en valeurs mobilières, en assurances, etc.) qui ont des liens de dépendance économique avec leurs clients et que l'on transformerait soudainement en salariés, le plus généralement contre leur volonté.

Il importe, en outre, de nuancer certaines affirmations qui accusent les employeurs de mettre leurs employés à la rue pour ensuite renouer avec eux sur une base contractuelle, libérés de leur lien d'emploi. Les données d'une enquête effectuée dans la région du Grand Montréal, en 1997, par ce qui était alors la Société québécoise de la main-d'œuvre (SQDM) ne démontrait en effet qu'un pourcentage réduit de 3,21 % de ces travailleurs qui déclaraient avoir été forcés de choisir cette façon de faire.

D'autre part, en dépit du silence du document ministériel sur le sujet, il est clair que le patronat craint qu'un train puisse en cacher un autre et que cet ajout au Code ne soit qu'une première étape. Compte tenu, en effet, de la diversité des catégories de travailleurs qui pourraient se retrouver sous le parapluie de ce nouveau concept, et que ces travailleurs ne sont pas tous reliés au même employeur, il s'ensuit inévitablement que la proposition ouvre la voie vers la négociation multipatronale ou sectorielle des conditions de travail de ces nouveaux salariés. Il n'est pas requis d'épiloguer longuement sur les implications économiques de cette éventualité à laquelle le monde patronal s'oppose avec la dernière énergie. Dans le contexte de mouvance économique et d'internationalisation des rapports auxquels nous devons faire face, il serait irresponsable d'entraîner les entreprises et les travailleurs du

Québec dans une voie rétrograde, dont on a voulu se débarrasser dans certains secteurs, par l'élimination des décrets, qui en sont une forme atténuée.

L'article 45 et la sous-traitance

Pour ce qui est d'une ouverture vers la sous-traitance, à la lecture des orientations ministérielles, les employeurs ont été sidérés de constater le peu de cas qui était fait de leur demande de clarification à l'article 45 du Code du travail, alors même qu'un des principes directeurs de cette réforme prétend que celle-ci doit tenir compte du contexte nord-américain dans lequel nos entreprises évoluent. Ce constat était d'autant plus déconcertant que les auteurs du document (*Pour un Code du travail renouvelé. Orientations ministérielles*) précisent qu'ils ne pouvaient retenir les recommandations du rapport Mireault qui suggérait, en 1997, d'exclure spécifiquement la sous-traitance du champ d'application de l'article 45 :

« […] Puisque ses propositions n'ont pas été bien accueillies par les parties (et qu') il importe de voir si d'autres solutions qui n'ont pas été évoquées ou retenues par le comité pourraient être mis de l'avant pour répondre à certaines difficultés toujours présentes. »

Or, le document ministériel retient, malgré tout, les recommandations qui étaient les plus favorables à la thèse syndicale (l'exception de la vente en justice, la transmission de l'accréditation en cas de changement de compétence législative et le pouvoir de déclaration d'employeur unique). Faut-il rappeler que le rapport Mireault ne suggérait pas d'exclure la sous-traitance pour satisfaire le désir des employeurs de se départir des syndicats en place, mais pour que les entreprises résistent mieux à la concurrence, pour en accroître la compétitivité et, ajouterons-nous, pour qu'elles créent plus d'emplois ?

Le patronat est, en effet, de plus en plus convaincu que pour permettre aux entreprises de maintenir et même d'accroître leur compétitivité et de procéder à l'octroi de contrats de sous-traitance auprès de fournisseurs de services qui ont acquis une expertise de plus en plus sophistiquée, généralement avec plus

d'efficacité et à meilleurs coûts, le législateur québécois doit harmoniser notre législation à celle qui régit nos concurrents, dans les juridictions limitrophes. C'est d'ailleurs ce qu'ont recommandé tous les comités ou les commissions mandatés par le gouvernement lui-même, pour étudier la question. C'est pourquoi le monde patronal n'a pas tardé à réagir, proposant même une solution concrète qui, sans être parfaite, permettrait d'assouplir l'application de cet article dont l'interprétation jurisprudentielle mine le développement économique du Québec.

Cette proposition aurait pour effet de soustraire les contrats d'entreprise pour la fourniture de biens ou de services (la sous-traitance) de l'application de l'article 45, à moins qu'un tel contrat n'ait été octroyé dans le but établi de miner la capacité de représentation d'un syndicat.

Cette modification aurait le mérite de consacrer le recours à cette pratique pour des raisons d'affaires, qui sont celles de la majorité des employeurs du Québec, tout en protégeant le principe de l'accréditation syndicale. Elle permettrait, de ce fait, aux employeurs qui doivent affronter la concurrence qui vient autant de Hong Kong et de l'Amérique latine que de Saint-Georges-de-Beauce ou de Mississauga d'avoir tous les outils en main pour générer un volume accru de sous-traitance, créant des emplois de haut savoir, dans des créneaux d'activité spécifiques. Elle pourrait enfin éviter que des emplois soient éventuellement délocalisés, faisant le bonheur de travailleurs outre frontières.

L'esprit de la réforme : l'équilibre et le dynamisme

Une réforme de l'instrument fondamental que constitue le Code du travail doit s'appuyer sur le principe immanent de l'équilibre des rapports entre les parties. Tous les régimes nord-américains de relations du travail privilégient ce postulat cardinal. Le législateur québécois doit s'efforcer de trouver le point milieu entre les droits des uns et ceux des autres, tout en instaurant un climat qui favorise la croissance de la richesse et fournit du travail au plus grand nombre.

Il est grand temps de regarder le modèle des relations du travail avec les yeux de ceux qui créent le travail et qui souhaitent le faire ici, chez nous, plutôt qu'ailleurs, dans des environnements plus ouverts à la création d'un tissu économique fort, et avec ceux des travailleurs qui convoitent des emplois de qualité durables et gratifiants.

Il n'est plus possible d'admettre que le taux de chômage du Québec maintienne un écart qui, en juillet, était de 3,5 points de pourcentage de plus que celui de l'Ontario, et de 2 points de plus que la moyenne canadienne. Aucune raison ne justifie que le Québec n'ait pas la même volonté et la même détermination à réussir. Le talent, l'esprit d'entreprise, les capacités sont là, émergeant dans de nombreux domaines. Ce serait laisser le trésor enfoui au fond du champ que de ne pas exploiter ici toutes nos possibilités.

Les décideurs politiques doivent dépasser le discours et poser des gestes concrets qui démontrent une compréhension intégrée de tous les enjeux, dans une vision élargie avec, à la clé, la perspective immédiate d'accroissement de la richesse collective, à tous égards. C'est dans cet esprit que la réforme du Code du travail doit être faite.

2. LA VISION SYNDICALE DES IMPACTS POLITIQUES, JURIDIQUES ET PRATIQUES

René Roy
secrétaire général, FTQ

Au Québec, des dizaines de milliers de travailleurs et de travailleuses ne peuvent pas se syndiquer. Et ce n'est pas parce qu'ils ne le veulent pas.

Un sondage CROP réalisé pour la FTQ en 1998 révélait que plus du quart (27 %) des non-syndiqués préféraient être syndiqués s'ils en avaient le choix ; cette proportion grimpait à plus de la moitié (51 %) chez les jeunes de moins de 25 ans.

Le Code du travail date de 1964. Depuis cette date, le Code a connu des modifications, entre autres les dispositions anti-briseurs de grève, mais à l'égard de l'accès à la syndicalisation, c'est-à-dire le processus d'accréditation et la définition de salarié, il n'y a pas eu de modification majeure depuis 1969. Si nous comparions le Code à un modèle automobile, nous pourrions dire que nous sommes en présence d'un modèle revampé, mais dont le châssis date bien de 1964. C'est un modèle qui nous a donné satisfaction dans le passé mais qu'il faut revoir.

En 35 ans, il y a eu une seule tentative avortée de modernisation du Code du travail avec le projet de loi 30, même si le monde a bien changé depuis lors.

Le marché du travail et l'environnement socio-économique ont en effet subi des transformations considérables. Les grandes unités industrielles ont pratiquement disparu. Les emplois permanents qui duraient toute une vie ont fait place, dans bien des cas, à des emplois de durée limitée, temporaires, précaires. Le travail autonome est en pleine croissance, y compris sous la forme d'emplois salariés déguisés.

Le Code du travail ne répond plus aux réalités de la nouvelle économie. Il est mal adapté à la taille des entreprises qui sont de plus en plus petites. Il comporte également des lacunes qui permettent aux employeurs de retarder et même d'empêcher l'accès à la syndicalisation, comme les délais trop longs et la difficulté de transférer les droits syndicaux quand la structure de l'entreprise change.

Le nouveau salarié des années 2000

Pour l'essentiel, la définition de salarié dans le Code reflétait le statut habituel du travail en 1964, à une époque où le statut de salarié était simple : une personne travaillant à temps plein et à durée indéterminée chez un employeur connu et stable. Ce n'est plus le cas aujourd'hui. De moins en moins de personnes se retrouvent dans cette définition. Certains nous prédisent qu'en 2017 le nombre d'emplois atypiques aura rejoint celui des emplois typiques. En fait, entre 1976 et 1995, un emploi sur trois créé au Québec est le fait d'un travailleur ou d'une travailleuse autonome. Pensons également à l'augmentation phénoménale du télétravail, rendu possible par la technologie qui nous branche sur le village global, mais qui risque également de

nous déconnecter de l'humanité, si nous ne trouvons pas les moyens permettant à ces personnes d'être représentées.

Les exclus

Comme le notait le professeur Fernand Morin, la définition de salarié est une appellation contrôlée qui, malheureusement, a exclu au fil des années un trop grand nombre de travailleurs et de travailleuses. Il y des exclusions explicites, d'autres qui sont liées à la définition actuelle et à sa portée réductrice, c'est-à-dire celle donnée par les tribunaux. En fait, les tribunaux ont en général une conception juridique fort rigide du contrat de travail, comprenant nécessairement et clairement ces trois éléments : un engagement précis relatif à l'exécution spécifique d'un travail, une subordination juridique directe à un employeur bien identifié et, finalement, le paiement de cette prestation assumé par cet employeur.

Le cas du taxi : La situation des chauffeurs de taxi est un cas flagrant d'exclusion du droit à la syndicalisation. Depuis une douzaine d'années, les chauffeurs de taxi ont manifesté à plusieurs reprises, de façon non équivoque, leur désir de se syndiquer. Pourtant, le Code du travail et la Loi sur le transport par taxi les considèrent comme des travailleurs indépendants et leur nient le droit de s'associer.

Les travailleurs de la forêt : Dans d'autres cas, c'est la définition même d'employeur qui n'est pas assez souple pour accommoder la nouvelle organisation du travail de l'industrie. C'est le cas des travailleurs de la forêt qui œuvrent maintenant pour plusieurs exploitants. L'entrée en vigueur de la Loi sur les forêts, alliée à un Code du travail inadapté, rend le régime d'accréditation et de négociation difficile pour ces travailleurs.

Les « autonomes » : Le Code exclut du droit à la syndicalisation tous ceux et celles à qui l'on accole trop rapidement et trop facilement le statut de travailleur autonome. Parmi ces autonomes, plusieurs sont en réalité des entrepreneurs dépendants, comme les vendeurs-livreurs des boulangeries, des laiteries et d'autres produits alimentaires. Ils

sont, dans les faits, des salariés déguisés d'une seule entreprise : le prix, les clients et le travail restent déterminés par l'entreprise qui sous-traite ainsi leur travail, tout en évitant leur syndicalisation.

Quelles sont les hypothèses de solution proposées par la ministre ?

Le document indique que le Code devrait d'une part être élargi pour couvrir les entrepreneurs dépendants et d'autre part s'accompagner de modifications au concept d'employeur, ne serait-ce que pour permettre d'identifier celui qui serait considéré comme tel à l'égard de l'entrepreneur dépendant, et également dans le contexte d'une relation d'emploi triangulaire (agence de placement).

La FTQ souscrit d'emblée à l'hypothèse d'élargir le concept de « salarié » pour couvrir les entrepreneurs dépendants. Les législations provinciales et le Code fédéral depuis 1973 couvrent cette réalité. Par expérience, entre autres dans le dossier de la boulangerie Multimarques, et plus récemment dans le dossier de Natrel [Natrel inc. c. Tribunal du travail, D.T.E. 2000T-331 (CA)], nous savons que la croissance de ce type d'emploi ne résulte pas toujours d'une volonté entrepreneuriale de la part des personnes concernées.

Le Code exclut spécifiquement la syndicalisation des cadres, une situation inacceptable en regard des conventions internationales du travail portant sur le droit d'association.

À l'égard des travailleurs et travailleuses autonomes, la FTQ est d'avis que cette problématique doit être abordée dans le cadre de législations particulières comme celle introduite récemment pour les camionneurs propriétaires dans la loi 135, ou bien encore dans l'industrie du taxi.

La notion d'employeur

Il nous faut également revoir cette notion puisqu'en vertu du Code actuel, il est difficile de faire reconnaître que deux ou plusieurs personnes physiques ou morales exploitant ensemble une entreprise constituent un employeur unique. Il est donc facile pour les entreprises de contourner le Code du travail en masquant l'identité du véritable employeur. C'est le cas, par exemple, d'un employeur qui donne à sous-contrat une partie de ses activités tout en continuant à exercer un contrôle réel sur la sous-traitance, ou encore d'un employeur qui engage un gestionnaire pour tenter de contourner les obligations prévues par le Code.

Le Code du travail doit être revu pour accorder à l'instance chargée de son application le pouvoir de déclarer que plus d'un employeur constituent un employeur unique, à l'instar des autres lois fédérales et provinciales en vigueur au Canada.

La sous-traitance et l'article 45 du Code du travail

Le document d'orientation de la ministre propose d'adapter l'application de l'article 45 aux nouvelles réalités. Le Code serait modifié pour permettre à un commissaire du travail de prendre en compte l'impact négatif que pourrait avoir une application mécanique de l'article 45.

La FTQ ne s'oppose pas à l'idée d'adapter l'application du Code aux nouvelles réalités du travail. Toutefois, ces réalités du travail auxquelles sont le plus souvent confrontés les syndicats de la FTQ sont le recours accru à la sous-traitance, le transfert de juridiction, les magouilles juridiques pour masquer l'identité de l'employeur – entre autres par le découpage artificiel des entreprises – sans oublier la poursuite des activités de l'entreprise en faillite. Un ensemble de réalités qui visent, dans trop de cas, à se débarrasser du syndicat.

Contrairement à ce que certains véhiculent à tort, l'article 45 a toujours régi la sous-traitance et n'empêche pas celle-ci, et sûrement pas dans les municipalités. Nous en voulons comme preuve les contrats de déneigements qui sont accordés dans une grande proportion en sous-traitance. L'article 45 vise à protéger l'accréditation existante et la convention collective et les emplois qui en découlent. Permettre de retirer l'application de la sous-traitance de l'article 45, c'est faire

courir aux syndicats le risque de se faire dépouiller morceau par morceau. Un risque que la FTQ n'est pas prête à prendre.

C'est pour toutes ces raisons que la FTQ souhaite que l'article 45 ne soit pas émasculé mais plutôt bonifié, en permettant entre autre le transfert de l'accréditation et de la convention collective lorsque celles-ci ont été attribuées par d'autres autorités législatives au Canada. Ceci aurait été très efficace pour les travailleuses et travailleurs de Bell Canada.

On ne réinvente pas la roue

L'essentiel des demandes de la FTQ à l'égard du Code du travail est déjà une réalité dans bien des juridictions provinciales et fédérales. Elles ne visent qu'à rattraper notre retard et à nous assurer que le Code du travail réponde bien à la réalité des années 2000.

Source : Effectif, *septembre-octobre 2000, p. 18-22.*

RÉSUMÉ

Les syndicats représentent un élément important du système de relations du travail. Bien que les syndicats aient bénéficié d'une croissance et d'un pouvoir significatifs ces dernières années, la situation est maintenant en voie de se modifier. Au plan stratégique, les syndicats ont dû s'adapter à la baisse de l'emploi enregistrée dans les secteurs industriels traditionnels comme l'acier, l'automobile et les mines. On constate, parmi la main-d'œuvre, une importance accrue des emplois liés au domaine des services, et un passage d'emplois de cols bleus à des emplois de cols blancs ou de cols roses. Les syndicats doivent maintenant conquérir une nouvelle main-d'œuvre, en particulier féminine. La croissance rapide des syndicats dans le passé s'explique par son insertion dans le secteur public ; de nos jours, la syndicalisation accuse un taux de croissance plus lent que celui de la population. Le mouvement syndical se préoccupe de la manière dont il est perçu par la population en général, et il doit déployer des efforts accrus pour harmoniser les changements qui se produisent dans les domaines industriels, professionnels et démographiques avec les caractéristiques de la main-d'œuvre.

La négociation collective est un processus complexe dont tant les négociateurs syndicaux que patronaux tentent de tirer parti pour obtenir une convention collective qui soit la plus avantageuse possible. C'est, en tout cas, le processus qu'on a associé longtemps aux relations patronales-syndicales. Mais cette relation traditionnelle est en voie de changer, particulièrement depuis l'apparition de la crise de la productivité au Canada. De plus, les interventions du gouvernement à tous les niveaux dans le système des relations du travail deviennent de plus en plus fréquentes. Le but de chacune des parties engagées dans ces interventions est de préserver les droits fondamentaux acquis par la négociation collective tout en tentant de faire évoluer les relations d'une situation conflictuelle vers une approche plus coopérative. Le Canada semble vraiment engagé en ce sens, tant au niveau national qu'au niveau local.

Il existe encore, bien sûr, plusieurs obstacles à la coopération patronale-syndicale, mais les conditions économiques présentes pressent les entreprises à agir en coopération avec les syndicats, ce qui se traduira par des avantages mutuels. Plusieurs leaders syndicaux ont reconnu le besoin de coopérer avec les entreprises, et ils recommandent pour atteindre cet objectif un plus grand engagement de la part de la direction.

Historiquement, il était nécessaire de faire planer une menace de grève pour forcer la direction à faire des concessions. En l'absence d'une telle menace, la probabilité d'obtenir des concessions de la part de la direction était plus réduite, bien que certains employeurs acceptent de s'engager dans cette voie. La menace de grève fait partie intégrante des relations patronales-syndicales dans le secteur privé. La situation semble un peu différente dans le secteur public, étant donné les conséquences plus larges de la grève sur la société en général. Pourtant, certaines personnes continuent de soutenir que l'irresponsabilité d'un employeur ne représente pas une situation moins grave dans le secteur public que dans le secteur privé, indépendamment du caractère essentiel des services que cet employeur assure à la population.

La qualité des relations du travail peut influencer fortement la négociation de l'entente. Le syndicat et la direction désignent les membres de leur comité de négociation respectif qui sera chargé d'entreprendre la discussion en vue d'une nouvelle entente. La négociation peut s'effectuer entre un syndicat et un employeur unique ou entre plusieurs entreprises ; elle peut aussi se dérouler entre plusieurs syndicats et un seul employeur. Les questions soumises à la négociation sont très variées, mais on peut les regrouper sous les thèmes suivants : les salaires, les avantages sociaux, les clauses contractuelles et les clauses normatives. Les clauses obligatoires incluses dans la convention collective doivent être négociées, alors que les clauses facultatives sont discutées si les deux parties en conviennent. Par contre, les questions dont la discussion est interdite par la loi doivent évidemment être exclues de la négociation.

Presque toutes les conventions collectives comportent une procédure de règlement des griefs concernant les plaintes des employés. Le grief le plus couramment rencontré dans les entreprises est relié aux mesures disciplinaires et au congédiement. Les salaires, les promotions, l'ancienneté, les vacances, les congés fériés, les droits de la direction et ceux du syndicat peuvent également donner lieu à des plaintes. La direction peut améliorer les résultats des griefs par la mise sur pied d'une procédure assurant que ses actions et ses pratiques soient justes et équitables. Des dossiers écrits contenant une information détaillée portant sur toutes les actions entreprises par la direction lui seront d'une grande utilité en cas d'arbitrage. Les syndicats ont, par ailleurs, la responsabilité légale de représenter les employés de façon juste lors de la présentation des griefs. Ils doivent donc établir une procédure efficace du traitement des griefs.

Tout directeur des ressources humaines devrait posséder une connaissance approfondie de l'histoire des relations patronales-syndicales et des lois qui régissent les relations du travail au Canada. Une connaissance du rôle du commissaire ou de la Commission des relations du travail est essentielle si les entreprises veulent éviter de s'engager dans des pratiques déloyales. De plus, la compréhension des causes de l'intérêt que portent les travailleurs à la syndicalisation permettra d'améliorer l'efficacité de la gestion des ressources humaines. Enfin, il est essentiel que le directeur des ressources humaines soit apte à discuter efficacement avec le syndicat et à appliquer la convention collective signée entre les parties.

Questions de révision et d'analyse

1. *Quels facteurs rendent la syndicalisation attrayante pour les employés ? Ces facteurs sont-ils différents aujourd'hui qu'il y a 50 ans ?*

2. *Étant donné que les systèmes de relations du travail sont similaires au Canada et aux États-Unis, comment peut-on expliquer les différences observées entre ces deux pays en ce qui a trait au nombre de membres ? Pourquoi les États-Unis ont-ils connu une diminution importante du nombre de travailleurs syndiqués au cours des dernières années alors que le Canada n'a subi aucun changement significatif à cet égard ?*

3. *Énumérez et expliquez les principales étapes du processus d'accréditation.*

4. *Quels sont les principaux éléments d'une campagne efficace de recrutement syndical ?*

5. *Quelles sont les stratégies légales qu'un employeur peut utiliser pour faire échec à une campagne de syndicalisation ?*

6. *Quelle tendance se dessine actuellement au plan des relations patronales-syndicales et en quoi cette tendance influence-t-elle les syndicats, les employeurs et les employés ?*

7. *Faites une étude comparative des modèles conflictuel et coopératif de relations du travail.*

8. *Quelles sont les stratégies patronales et syndicales susceptibles d'être utilisées au cours d'une négociation ?*

9. *Quels moyens permettent à la direction et au syndicat de résoudre une impasse dans la négociation collective ?*

10. *Quel est le but de la procédure de règlement des griefs ? Quels griefs sont légitimes, et en quoi consiste le processus de règlement des griefs ? Qu'entend-on par méthodes innovatrices de résolution de conflits au travail ?*

ÉTUDE DE CAS
Les négociations à l'entreprise Hi-Tech Plastics

En ce qui a trait aux relations entre la direction et le syndicat d'une entreprise, la négociation collective se résume essentiellement à une relation de pouvoir. C'est dans le cadre de cette relation que les parties sont contraintes de résoudre leurs conflits. Telle était la situation au moment où la direction de la firme Hi-Tech Plastics, située à Oshawa, a entrepris de négocier une nouvelle convention collective avec le Syndicat des travailleurs du plastique. Alain Soucy, âgé de 45 ans, est président et propriétaire de Hi-Tech. Il a été surpris, lors de cette négociation, par la liste des demandes présentée par le représentant syndical, Antoine Masson. Mais la ténacité du syndicat a étonné encore davantage Soucy. Au cours d'une première séance de négociation ayant duré six heures, le comité de négociation syndical a refusé catégoriquement de modifier sa position initiale. Ce n'était pourtant pas la première fois que le syndicat décontenançait Soucy. En effet, le mouvement de syndicalisation des employés l'avait également pris au dépourvu.

À la mort de son père, Alain Soucy avait pris sa relève à la direction de l'entreprise qu'il avait fondée. À cette époque, les fabricants d'automobiles d'Oshawa devaient utiliser des parties de carrosserie et des pièces de finition en plastique pour respecter les normes gouvernementales de consommation d'essence s'appliquant aux automobiles neuves. Alain avait pris à ce moment avantage de cette nouvelle demande sur le marché et avait modifié la production de son entreprise. Ses produits auparavant destinés à une consommation individuelle prenaient maintenant une orientation industrielle. Grâce à cette stratégie, le volume des ventes de l'entreprise avait presque triplé et le nombre d'employés presque doublé, pour atteindre le nombre actuel de 105 employés. Malgré tout, comparativement aux chefs de file de cette industrie, Hi-Tech demeurait une petite entreprise.

Au cours de la troisième année de présidence de Soucy, la récession entraîna un recul de l'industrie de l'automobile. Les revenus de Hi-Tech déclinèrent alors et l'inventaire de la production non vendue demeura sur les tablettes. Au même moment où Soucy vivait ces difficultés financières, les travailleurs de l'organisation signaient des cartes d'adhésion à un syndicat et attendaient avec impatience l'accréditation de leur unité de négociation.

Le nouveau syndicat, à la suite d'une campagne adéquate de recrutement, représentait 75 employés. La première convention collective fut conclue sans difficulté ; cette entente d'une durée d'un an incluait une augmentation de salaire de 4 %. Le renouvellement de l'entente se révélait cependant plus difficile. En gros, trois demandes formaient l'essentiel des concessions patronales demandées par le syndicat :

1. Une entente d'une durée de trois années, prévoyant une augmentation salariale de 17 % la première année et de 13 % pour chacune des années suivantes.

Étant donné que le coût en temps et en argent que représentent les négociations pour les deux parties, Soucy était d'accord pour prolonger la durée de l'entente, mais non aux taux de salaire proposés. Il offrait ce qu'il jugeait être généreux, soit une augmentation de 6 %.

Antoine Masson répliqua que les minces augmentations salariales des cinq dernières années avaient réduit considérablement le niveau de vie de ses membres. Il assura qu'une augmentation de 17 % ne comblerait que les écarts causés par les augmentations salariales passées et le taux d'inflation courant, tel que mesuré par l'indice des prix à la consommation.

2. Un programme d'hygiène dentaire. Sur ce point, la négociation commençait à s'enflammer. Masson frappa sur la table, se dressa et cria : « Comment une direction peut-elle dire qu'elle se préoccupe de ses travailleurs si elle ne se préoccupe pas de leurs conditions de santé ? »

3. Rétablissement des épinglettes de service. Depuis que la Hi-Tech avait ouvert ses portes, le fondateur avait reconnu la loyauté de ses employés en leur offrant une épinglette en or de 24 carats à la date anniversaire des 5 ans, 10 ans, 15 ans et 20 ans de service continu de chacun des travailleurs. Lorsque les difficultés économiques avaient commencé à se faire sentir, Alain Soucy avait mis fin à cette pratique. Le syndicat avait alors réagi promptement en déposant un grief demandant le rétablissement de cette politique. Au moment des négociations, ce grief n'était pas résolu et les membres du syndicat demeuraient inflexibles. « Nous voulons nos épinglettes, ou alors soumettez ce grief à l'arbitrage obligatoire. »

Mises à part ces demandes spécifiques du syndicat, ce qui troubla Soucy fut l'apparente volonté des employés d'aller en grève s'ils n'obtenaient pas gain de cause. La menace de grève plana pendant toute la durée des séances de négociation. À maintes reprises, Masson rappela que les membres avaient déjà voté en faveur de la grève et qu'ils la déclencheraient si leurs demandes n'étaient pas satisfaites à la lettre par la direction.

Pendant une pause au cours de la séance de négociation, Masson confia à Soucy que, bien qu'il soit personnellement opposé à la grève, ses membres, par contre, étaient prêts à la déclencher. Le comportement de Masson à ce moment-là était bien différent de celui qu'il adoptait à la table de négociation. Pendant cette pause, il parlait tranquillement, à voix basse. « Le syndicat local a déjà loué des bureaux en face de cet établissement pour y établir son quartier général de grève », annonça-t-il. « Le syndicat national agit comme conseiller et les autres syndicats ont promis leur appui. J'ai bien peur que cela ne soit inévitable. »

Cette information dérangea Soucy. Si les employés syndiqués installaient un piquet de grève, il ne lui resterait plus que le personnel de bureau, celui des ventes et six superviseurs de la production pour faire fonctionner l'usine.

En réfléchissant à ces demandes et à la menace de grève qui y était associée, Soucy se considéra au moins chanceux d'en être seulement à la première séance de négociation. Il pouvait compter sur deux séances supplémentaires et il lui restait encore 15 jours avant l'expiration de la convention collective actuelle. Il disposait maintenant de trois jours pour se préparer à la prochaine séance de négociation avec le syndicat.

Questions

1. De quelle information Soucy a-t-il besoin pour se préparer à la prochaine séance de négociation ? Comment cette information lui serait-elle utile ?

2. Quelles pratiques médiocres touchant les relations industrielles ont, d'après vous, existé dans le passé chez Hi-Tech Plastics ?

3. Pouvez-vous suggérer une ou plusieurs stratégies à Soucy ? Devrait-il se plier à la grève ou essayer de l'éviter ? Pourquoi ?

4. Quelles actions pourraient être prises en vue d'instaurer des relations de travail plus efficaces à long terme ?

NOTES ET RÉFÉRENCES

1 A. W. J. Craig, *The System of Industrial Relations in Canada*, 2e éd., Scarborough (On), Prentice-Hall, 1986, p. 1.

2 A. W. J. Craig et N. Solomon, *The System of Industrial Relations in Canada*, 5e éd., Scarborough (On), Prentice-Hall, 1996, p. 260.

3 J. Godard, *Industrial Relations: The Economy and Society*, Toronto, McGraw-Hill Ryerson, 1994; G. Betcherman, K. McMullen, N. Leckie et C. Caron, *The Canadian Workplace in Transition*, Kingston (On), Queen's University (IRC Press), 1994.

4 C. R. Farquhar, « Bâtir le succès ensemble: Des partenaires syndicaux-patronaux novateurs dans les organismes du secteur public », Conference Board of Canada, Ottawa, novembre 1996.

5 D. Harrisson et N. Laplante, « Confiance, coopération et partenariat: un processus de transformation dans l'entreprise québécoise », *Relations Industrielles*, vol. 49, no 4, 1994, p. 696-729; C. R. Farquhar, *op. cit.*; voir également R. P. Chaykowski et A. Verma, « Adjustement and Retructuring in Canadian Industrial Relations: Challenges to the Traditional System », *Industrial Relations in Canadian Industry*, Toronto, Dryden, 1992, p. 1-38.

6 G. Trudeau, « Employees Rights Versus Management Rights: Some Reflections Regarding Dismissal », dans S. L. Dolan et R. S. Schuler (dir.), *Canadian Readings in Personnel and Human Resource Management*, St. Paul, West Publishing, 1987, p. 367-378; W. S. Tarnopolsky, *Discrimination and the Law in Canada*, Toronto, R. DeBoo Ltd., 1982.

7 R. P. Quinn et G. C. Stains, *The 1977 Quality of Employment Survey*, Ann Arbor (Mi), Institute for Social Research, Survey Research Center, Université du Michigan, 1979.

8 J. G. Getman, S. B. Goldberg et J. B. Herman, *Union Representation Elections: Law and Reality*, New York, Russel Sage Foundation, 1976.

9 D. G. Gallagher et G. Strauss, « Union Membership: Attitudes and Participation » dans G. Strauss, D. Gallagher et J. Fiorito (dir.), *The State of the Unions*, Madison, Industrial Relations Research Association, 1991; H. Wheeler et A. McClendon, « The Individual Decision to Unionize », dans G. Strauss, D. Gallagher et J. Fiorito (dir.), *op. cit.*, 1991, p. 47-84.

10 J. F. Rand, « Preventive Maintenance Techniques for Staying Union Free », *Personnel Journal*, juin 1980, p. 498.

11 « How Canadians View Unions », *The Worklife Report*, vol. 7, no 5, 1990, p. 14.

12 A. W. J. Craig, « The Canadian Industrial Relations System » dans S. L. Dolan et R. S. Schuler (dir.), *op. cit.*, 1987, p. 339-352.

13 À propos de l'évolution des syndicats, voir: M. L. Coates, *Is there a Future for the Canadian Labour Movement?*, Industrial Relations Centre, Queen's University (IRC Press), 1992; D. D. Carter, *Canadian Industrial Relations en the Year 2000: Towards a New Order?*, Industrial Relations Centre, Queen's University (IRC Press), 1992.

14 J. A. Fossum, *Labor Relations: Development, Structure, Process*, 6e éd., Homewood (IL), BPI-Irwin, 1995, p. 278.

15 *Directory of Labour Organizations in Canada*, Travail Canada, Division des données sur le travail, 1982, p. 281.

16 T. Brodie, « Department Stores Gain Upper Hand », *Financial Times of Canada*, 24 mars 1986, p. 4.

17 R. Bourque, « Pour une approche réaliste de la négociation raisonnée dans les relations patronales-syndicales », *L'Écriteau*, vol. 3, no 2, supplément, 1994, p. 1-4.

18 G. Hébert, *Traité de négociation collective*, Boucherville, Gaétan Morin, 1992.

19 R. Bourque, *op. cit.*

20 R. Bourque, *op. cit.*

21 C. Kapel, « The Feelings Mutual », *Human Resources Professional*, no 12, avril 1995, p. 9-13; R. E. Fells, « Developing Trust in Negotiation », *Employee Relations*, vol. 14, no 1, 1993, p. 35; P. Deschênes, J.-G. Bergeron, R. Bourque et A Briand (dir.), *Négociation en relations du travail: nouvelles approches*, Québec, Presses de l'Université du Québec, collection Organisations en changement, 1998.

22 R. Bourque, *op. cit.*

23 R. Bourque, « Les transformations de la négociation collective dans le contexte nord-américain » dans R. Bourque et G. Trudeau (dir.), *Le travail et son milieu: cinquante ans de recherche à l'École de relations industrielles*, Montréal, Les Presses de l'Université de Montréal, 1995; R. Fisher et W. Ury, *Comment réussir une négociation*, Paris, Éditions du Seuil, 1982.

24 M. Grant et R. Paquet, « De la négociation traditionnelle à la négociation renouvelée : implantation et maintien », dans P. Deschênes, J.-G. Bergeron, R, Bourque et A. Briand (dir.), *Négociation en relations du travail : nouvelles approches, op. cit.*

25 R. Bourque, « Pour une approche réaliste de la négociation raisonnée dans les relations patronales-syndicales », *L'Écriteau, op. cit.* ; P. Deschênes, J.-G. Bergeron, R. Bourque et A. Briand (dir.), *Négociation en relations du travail : nouvelles approches, op. cit.*

26 R. Bourque, « Pour une approche réaliste de la négociation raisonnée dans les relations patronales-syndicales », *L'Écriteau, op. cit.* ; J,-G. Bergeron et R. Bourque, « La formation et la pratique de la négociation collective raisonnée au Québec : Esquisse d'un bilan », dans P. Deschênes, J.-G. Bergeron, R. Bourque et A. Briand (dir.), *Négociation en relations du travail : nouvelles approches, op. cit.*

27 M. Partridge, « Technology, International Competitiveness, and Union Behaviour », *Journal of Labor Research*, vol. 14, n° 2, printemps 1993, p. 131-145.

28 Y. Reshef, « Employees, Unions, and Technological Changes : A research Agenda », *Journal of Labor Research*, vol. 14, printemps 1993, p. 111-127 ; C. Davenport, « Labour Pains », *Human Resources Professional*, vol. 10, n° 11, 1993, p. 13-15.

29 G. Hébert, *op. cit.*

30 « Via Rail Employees Get Job Security in New Contract », *The Gazette*, 16 juillet 1985, p. D-7.

31 C. Ross et M. Brossard, « L'influence des objectifs et des comportements des parties sur l'efficacité de la conciliation : le mythe de la boîte noire revu et corrigé », *Relations industrielles*, vol. 50, n° 2, 1995, p. 320-340.

32 J. I. Ondrich et J. F. Schnell, « Strike Duration and the Degree of Disagreement », *Industrial Relations*, vol. 32, n° 3, automne 1993, p. 412-431 ; *Chronological Work Stoppages*, Workplace Information Directorate, Labour Branch, Human Resources Development Canada, 1995.

33 R. Wright (dir.), « The 1991 Industrial Relations Outlook », Conference Board of Canada, Rapport 66-91, Centre de recherche sur la rémunération, Ottawa, juillet 1991, p. 7. Notez que les données pour 1990 n'étaient disponibles que pour les neuf premiers mois.

34 F. Morin et R. Blouin, *Droit de l'arbitrage de grief*, 4e édition, Cowansville, Les éditions Yvon Blais, 1994 ; R. P. Gagnon, *Le droit du travail du Québec : Pratiques et théories*, 3e édition, Cowansville, Les éditions Yvon Blais, 1996.

35 D. R. Dalton et W. D. Todor, « Manifest Needs of Stewards : Propensity to file a Grievance », *Journal of Applied Psychology*, décembre 1979, p. 654-659.

36 Gouvernement du Québec, *Pour un Code du Travail Renouvelé*, Rapport publié par le ministère du Travail, http://www.travail.gouv.qc.ca.

37 L. Doyon, « Synthèses et conclusions » dans Textes présentés par J. Desmarais, « Élargir le Code du Travail », *Actes de la 10e journée de droit social et du travail*, Montréal, UQAM, Centre Juris inc., 1999.

38 J. Charest, G. Trudeau et D. Veilleux, « La modernisation du Code du Travail du Québec : Perspectives et enjeux », *Revue Effectif*, vol. 2, n° 2, avril/mai 1999, p. 24-31.

39 Gouvernement du Québec, *Pour un Code du Travail Renouvelé, op.cit.*

40 L. Doyon, « Synthèses et conclusions », *op. cit.*

41 L. Doyon, « Synthèses et conclusions », *op. cit.*

42 Gouvernement du Québec, *Pour un Code du Travail Renouvelé, op.cit.*

Lectures supplémentaires

- P. A. Simpson, « A Preliminary Investigation of Determinants of Local Union Steward Power », *Labor Studies Journal*, vol. 18, n° 2, automne 1993, p. 51-67.

- D. E. Schmidt, « Public Opinion and Media Coverage of Labour Unions », *Journal of Labor Research*, vol. 14, n° 2, printemps 1993, p. 151-163.

- *The Labour Force Survey*, Statistics Canada, Cat. No. 71-201, Ottawa, 1993.

- S. Dolan et R. S. Schuler, *Human Resource Management : The Canadian Dynamic*, Scarborough (ON), Nelson Canada, 1994.

- B. C. Herniter, E. Carmel et J. F. Nunamaker Jr., « Computers Improve Efficiency of the Negotiation Process », *Personnel Journal*, vol. 72, n° 4, 1993, p. 93-99.

- B. P. Sunoo et J. J. Lambs, « Winning Strategies of Outsourcing Contracts », *Personnel Journal*, vol. 13, n° 3, 1994, p. 69.

- J. Kriesky et E. Brown, « The Union Role in Labor-Management Cooperation : A Case Study at the Boise Cascade Company' s Jackson Mill », *Labor Studies Journal*, vol. 18, n° 3, automne 1993, p. 17-32.

- H. C. Jain, « Human Rights : Issues in Employment » dans H. C. Jain et P. C. Wright, eds., *Trends and Challenges in Human Resource Management*, Scarborough (ON), Nelson Canada, 1994, p. 69-88.

- P. G. Day, *Industrial Relations Simulation*, Scarborough (ON), Prentice Hall Canada, 1999.

- « Unions Ranks Thinning », *Canadian HR Reporter*, vol. 11, n° 1, 12 janvier, 1998, p. 9.

- B. Ettorre, « Will Unions Survive ? », *Management Review*, août 1993, p. 9-15.

- M. D. Failes, « Is Silence Really Golden », *Human Resources Professional*, 14, n° 4, août-septembre 1997, p. 33-35.

- M. E. Gordon et A. DeNisi, « A Re-Examination of the Relationship Between Union Membership and Job Satisfaction », *Industrial and Labor Relations Review*, vol. 48, n° 2, January 1995, p. 222-236.

- W. Trahan et D. Steiner, « Factors Affecting Supervisors' Use of Disciplinary Action Following Poor Performance », *Journal of Organizational Behavior*, vol. 15, n° 2, mars 1994, p. 129-139.

- D. Anfuso, « Coors Taps Employee Judgement », *Personnel Journal*, février 1994, p. 50-59.

- A. Karim, « Arbitrator Considerations in Modifying Discharge Decisions in the Public Sector », *Journal of Collective Negotiations*, vol. 22, n° 3, 1993, p. 245-152.

- J. Martocchio et T. Judge, « When We don't See Eye to Eye : Discrepancies Between Supervisors and Subordinates in Absence Disciplinary Decisions », *Journal of Management*, vol. 21, n° 2, 1995, p. 251-278.

- B. Klaas et D. Feldman, « The Impact of Appeal Systems Structure on Disciplinary Actions », *Personnel Psychology*, vol. 47, 1994, p. 91-108.

CHAPITRE

15

La santé et le bien-être au travail

Les professionnels de la gestion des ressources humaines sont appelés de plus en plus à administrer efficacement les dépenses reliées à la gestion du personnel et à participer plus activement à cette gestion. Ils en sont ainsi venus à assumer la responsabilité de la gestion de la santé et de la sécurité du travail au sein de leur organisation. En effet, un grand nombre de fonctions et d'activités relevant de la gestion des ressources humaines sont liées à la santé et à la sécurité du travail, et ne pas en tenir compte pourrait avoir des conséquences désastreuses pour l'entreprise à la fois sur les plans humain et matériel. Les organisations, par conséquent, doivent promouvoir la santé et la sécurité dans leur milieu de travail ainsi que le bien-être de leurs employés, et veiller à élaborer des stratégies en vue d'améliorer la qualité de vie au travail[1].

On entend par santé et sécurité du travail les conditions physiologiques, physiques et psychosociales auxquelles la main-d'œuvre d'une organisation est soumise dans un environnement de travail donné. Ce concept suscite des réactions variées de la part des organisations mais, fondamentalement, c'est la responsabilité sociale et humaine qu'il éveille le plus souvent. On entend par bien-être au travail la nécessité d'assurer la santé des employés au-delà des exigences juridiques. Dans une optique où l'on considère que les problèmes personnels influent de plus en plus sur le milieu du travail, veiller au bien-être des employés devient un objectif de gestion des ressources humaines ayant des répercussions directes sur la productivité de l'entreprise.

Partie 1

La santé et la sécurité du travail

Aujourd'hui, la gestion de la santé et de la sécurité du travail est une activité complexe qui fait appel à l'expertise des spécialistes de nombreuses disciplines telles que l'hygiène du travail, la médecine du travail, l'écologie, la psychologie et l'ergonomie[2, 3], pour n'en nommer que quelques-unes. De plus, la gestion de la santé et de la sécurité du travail s'intéresse non seulement aux conditions physiques existant sur le lieu de travail, mais aussi à la santé mentale des travailleurs et à leur bien-être psychologique, de même qu'à la protection de la communauté environnante contre la pollution et l'exposition à des substances toxiques[4].

Les maladies cardiovasculaires, certaines formes de cancer, l'emphysème, la stérilité, les maladies pulmonaires, ainsi que la mort et la perte de membres constituent quelques-uns des problèmes qui ont été étudiés en tant que maladies physiques ou physiologiques associées au travail. Depuis peu, des maladies infectieuses comme l'hépatite et le sida font partie des maladies professionnelles. Par ailleurs, les conditions sociopsychologiques qui ont une incidence sur la qualité de vie au travail sont notamment le stress, l'épuisement professionnel, l'insatisfaction, le manque d'assiduité, le retard, l'apathie, l'alcoolisme, l'usage de drogues et toute autre façon de fuir la réalité.

I Le contexte de la gestion de la santé et de la sécurité du travail

L'importance accordée à la responsabilité sociale, l'influence des syndicats et le déplacement de l'intérêt de l'indemnisation des victimes vers la prévention des problèmes de santé et de sécurité du travail (SST) ont amené les organisations à considérer la santé et la sécurité du travail sous un nouvel angle[5]. L'environnement dans lequel se déroule le travail a une incidence à la fois sur l'activité professionnelle de l'employé et sur sa vie personnelle[6], d'où la nécessité de tenir compte de l'environnement dans la gestion quotidienne de toutes les opérations. La mise en application de conditions de travail sécuritaires et saines doit donc devenir la priorité de tout employeur responsable. La façon dont une organisation remplit ses obligations modèle son image de marque, contribue à lui assurer de bonnes relations publiques, reflète son engagement à l'égard de la santé et de la sécurité de ses employés, et a un effet bénéfique sur ses profits de même que sur le travailleur et sa famille.

Les syndicats ont joué un rôle prépondérant dans l'amélioration des conditions physiques de travail. C'est surtout au moyen de contrats de travail qu'ils ont négocié les conditions de santé et de sécurité industrielles. Ils ont exigé par ailleurs de participer plus activement aux comités chargés de s'occuper de ces problèmes. Le mouvement syndical a contribué également de façon importante à la recherche dans le domaine de la santé et de la sécurité du travail.

Traditionnellement, l'employeur a toujours assumé la responsabilité de l'aide aux employés malades ou victimes d'accidents. Par exemple, certaines organisations font passer des examens médicaux périodiques à leurs employés, engagent une infirmière pour soigner les blessures subies sur les lieux de travail[7], versent un salaire aux employés durant les courtes périodes de maladie et, dans quelques cas, leur procurent même une assurance-hospitalisation. De nos jours, la nécessité d'aider au maintien de la santé des travailleurs est de plus en plus manifeste, car cette perspective évite des peines inutiles tant aux employés qu'à l'organisation[8]. L'idée générale mise de l'avant actuellement est que la prévention est préférable au traitement.

L'Organisation internationale du travail prédit certains progrès importants pour la prochaine décennie, et en particulier les suivants : (1) une attention et un soutien croissants en matière de santé et de sécurité de la part des gouvernements, des travailleurs et des employeurs ; (2) une amélioration importante de la prévention des risques liés à l'utilisation de produits chimiques ; et (3) une amélioration des programmes de prévention des accidents.

LA NÉCESSITÉ DE VEILLER À LA SANTÉ ET AU BIEN-ÊTRE AU TRAVAIL

Les coûts énormes, tant en termes humains que monétaires, qui résultent de conditions insatisfaisantes en matière de santé et de sécurité du travail, semblent suffisants pour justifier la mise en œuvre de programmes d'amélioration des lieux de travail. De tels programmes s'attachent à réduire les coûts tout autant qu'à rendre plus adéquat l'environnement dans lequel les employés travaillent.

Les coûts reliés aux accidents et aux maladies dus au travail. Au cours des 10 dernières années, les accidents du travail ont coûté la vie à quelque

1 000 Canadiens par année. Bien que le taux d'accidents du travail diminue progressivement, les frais annuels d'indemnisation des travailleurs blessés s'établissent encore à des milliards de dollars. (www.drhc-hrdc.ca)

Des rapports récents de Statistique Canada indiquent que le nombre total de jours perdus chaque année en raison de maladies ou d'accidents d'origine professionnelle dépasse le nombre de jours perdus en raison de conflits de travail[9]. Dans certaines provinces, on enregistre une hausse des accidents graves, ceux-ci étant mesurés à partir du nombre de jours perdus par réclamation[10]. Voici un aperçu de la situation au Québec en 1999, à partir de données recueillies par la Commission de la santé et de la sécurité du travail (encadré 15.1).

ENCADRÉ 15.1 Quelques données sur la santé et la sécurité du travail en 1999

DÉCÈS RECONNUS PAR LA CSST	• 164 (95 résultent d'un accident de travail et 69 d'une maladie professionnelle)
ÂGE MOYEN DES TRAVAILLEURS DÉCÉDÉS	• 40 ans
DEMANDES D'INDEMNISATION ACCEPTÉES	• 138 627 (dont 76 % sont des hommes)
JOURS DE TRAVAIL PERDUS	• plus de 12,7 millions
PRIMES VERSÉES PAR LES EMPLOYEURS	• 1,7 milliard de dollars
INDEMNISATIONS VERSÉES PAR LA CSST	• 1,2 milliard de dollars

Source : Direction des communications, CSST, été 2000, www.csst.qc.ca.

Les avantages de la SST. L'élimination des conditions de travail dangereuses peut sans conteste se révéler bénéfique tant pour les travailleurs que pour les organisations. En effet, une réduction des accidents, des maladies et du stress, de même qu'une amélioration de la qualité de vie au travail peuvent se traduire par : (1) une augmentation de la productivité et une réduction du nombre de jours de travail perdus pour cause d'absentéisme ; (2) un accroissement de l'efficacité des travailleurs, dorénavant plus engagés dans leur travail ; (3) une réduction des frais médicaux et des coûts d'assurance ; (4) une diminution des taux d'indemnisation des accidents du travail et des paiements directs, attribuable à la diminution du nombre des réclamations ; (5) une plus grande flexibilité et une plus grande adaptabilité de la main-d'œuvre à son milieu, par suite d'une augmentation de sa participation et de son sentiment d'appartenance à l'organisation ; et (6) une meilleure sélection du personnel en raison de l'attrait que l'organisation exerce en tant que lieu de travail agréable. En tenant compte de ces facteurs, les entreprises peuvent augmenter substantiellement leurs profits[11].

LES LIENS ENTRE LA SANTÉ ET LA SÉCURITÉ DU TRAVAIL ET LA GESTION DES RESSOURCES HUMAINES

Dans l'encadré 15.2, on trouve un résumé des principaux liens existant entre la santé et la sécurité du travail et les autres activités de gestion des ressources humaines.

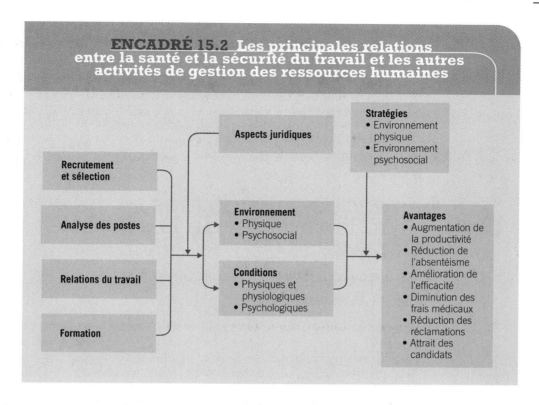

ENCADRÉ 15.2 Les principales relations entre la santé et la sécurité du travail et les autres activités de gestion des ressources humaines

La SST, le recrutement et la sélection. Une organisation capable de procurer un milieu de travail sain, sûr et confortable aux travailleurs augmente ses possibilités de recruter et de garder à son emploi les plus qualifiés d'entre eux. Lorsqu'une organisation enregistre un taux élevé d'accidents du travail, sa réputation en est entachée, puisque son environnement de travail est considéré comme dangereux. Il lui est alors difficile de recruter des travailleurs qualifiés qui accepteront de faire partie de son personnel.

La SST et l'analyse des postes. Comme nous l'avons précisé dans les chapitres 3 et 4, l'analyse des postes, et en particulier la conception des tâches, peut avoir d'importantes répercussions sur le rendement des individus au travail. Les problèmes ergonomiques, qui résultent de la difficulté d'harmoniser les individus et les machines, peuvent expliquer bon nombre d'accidents survenant sur les lieux de travail. Combiner les habiletés physiques des employés avec les exigences des postes peut nécessiter une restructuration des emplois.

La SST et les relations du travail. Pour les syndicats, la santé et la sécurité du travail sont de première importance. Un grand nombre de conventions collectives contiennent des clauses qui constituent des compléments aux lois canadiennes en cette matière. Certaines de ces clauses concernent le droit de refuser d'effectuer un travail dangereux. D'autres clauses se rapportent à des sujets comme l'engagement du syndicat et de l'employeur à coopérer à la conception et à la mise en œuvre de programmes de santé et de sécurité du travail, le droit de formuler des griefs lorsque les conditions de travail sont une source de danger, le droit d'appliquer des mesures disciplinaires à l'égard des employés qui violent les règles de sécurité, la définition de la taille des équipes de travail, l'affichage des règles de sécurité et le droit d'inspection conféré à un comité paritaire ou à un comité syndical de sécurité.

La SST et la formation. La formation à la santé et à la sécurité devient une fonction importante des services des ressources humaines. Étant donné la nature complexe des lois relatives à la santé et à la sécurité du travail, les entreprises offrent des séances de formation à leurs employés dans le but de les inciter à se conformer davantage à ces lois. Beaucoup d'entreprises organisent aussi des exercices de sécurité et des séances de formation dans le but d'accroître l'intérêt de leurs membres pour ce type d'activité. D'autres mettent sur pied des ateliers portant sur la gestion du stress afin d'aider leurs employés à mieux s'adapter aux exigences psychosociales de leur environnement de travail.

II Les aspects juridiques de la santé et de la sécurité du travail

Les lois promulguées dans le domaine de la santé et de la sécurité du travail relèvent de la compétence du gouvernement fédéral, du gouvernement provincial ou de celle des territoires. Moins de 10 % de la main-d'œuvre employée au Canada dépend de l'autorité fédérale, et un peu plus de la moitié de ces travailleurs sont des employés du gouvernement fédéral. La législation canadienne en matière de santé et de sécurité du travail diffère de celle de la plupart des autres pays puisque, au Canada, l'accent est mis sur les droits des travailleurs. En vertu des lois canadiennes, les travailleurs peuvent refuser d'effectuer des tâches dangereuses, ont le droit de connaître les risques auxquels ils s'exposent en utilisant différentes matières et en travaillant dans des conditions dangereuses, et peuvent participer au comité de santé et de sécurité mis sur pied dans leur lieu de travail. Ces trois droits sont d'un intérêt particulier pour le service des ressources humaines des organisations.

LE CADRE JURIDIQUE CANADIEN

Un rappel historique. Le premier programme d'indemnisation des accidents du travail a été créé en Allemagne au XIXe siècle par Otto Bismarck dans un effort pour contrer le mouvement progressiste réformiste, qui voulait faire adopter une assurance sociale. Avant la promulgation des toutes premières lois au Canada dans ce domaine, le seul recours possible de l'employé consistait à prouver la négligence de l'employeur en portant sa cause devant les tribunaux. L'employeur devait, en vertu de la *common law*, fournir à ses employés des conditions de travail relativement sécuritaires. Les poursuites intentées par les employés avortaient la plupart du temps, à la suite de pressions exercées par l'employeur. Les employés accidentés étaient donc privés de revenus et de moyens d'obtenir les soins médicaux dont ils avaient besoin. Au cours de la dernière moitié des années 1800, les travailleurs qui ont tenté d'obtenir de la cour une indemnité à titre de compensation pour des blessures subies au travail ont échoué, car ils n'ont pas réussi à prouver la responsabilité de leur employeur. Ces injustices flagrantes appelaient une réforme.

La première loi visant à protéger les travailleurs canadiens a été adoptée en 1885. Aux États-Unis, une loi visant à protéger les employés gouvernementaux n'a été adoptée qu'en 1908. En 1891, l'Ontario créait la Commission des accidents du travail (Workmen's Compensation Board), la première au Canada. Au Québec, c'est en 1928 que la Commission des accidents du travail a été mise en place. Le domaine de la santé et de la sécurité du travail a évolué de façon importante au Canada.

Consultez Internet

http://www.osha.gov

Site de l'Occupational Safety and Health Administration, un organisme du ministère américain du Travail (U.S. Department of Labor) dédié à la santé et à la sécurité du travail. On y présente des publications, des lois et des résultats d'enquête.

Consultez Internet

http://www.ccohs.ca

Site pancanadien (en français et en anglais) du Centre canadien d'hygiène et de sécurité au travail. On y trouve des informations sur la santé et la sécurité du travail.

En français : **http://www.cchst.ca**

La législation canadienne en cette matière est considérée actuellement comme l'une des plus progressistes du monde.

Les sphères de compétence fédérale et provinciale. Au Canada, le pouvoir de légiférer en matière de santé et de sécurité du travail revient aux provinces, aux territoires et au gouvernement fédéral. C'est la Constitution canadienne qui détermine les domaines de responsabilité fédérale et ceux qui sont de responsabilité provinciale en matière de santé et de sécurité du travail. La compétence du gouvernement fédéral s'exerce strictement sur ses propres employés ainsi que dans les industries relevant de son autorité : chemins de fer interprovinciaux, communications, oléoducs, canaux, navires, transport par eau, aviation, banques, élévateurs de grains, mines d'uranium, énergie atomique et certaines sociétés d'État. De façon générale, retenons que l'autorité du gouvernement fédéral s'étend à des activités qui sont de nature interprovinciale ou internationale.

Par ailleurs, chaque province dispose de pouvoirs de réglementation assez étendus à l'intérieur de ses limites en ce qui a trait au milieu de travail et aux relations entre employeur et employés. Chaque province a ses propres lois en matière de santé et de sécurité du travail, lois qui se distinguent de celles adoptées dans les autres provinces, bien qu'on puisse y retrouver des tendances et des thèmes communs.

LA LÉGISLATION FÉDÉRALE EN MATIÈRE DE SANTÉ ET DE SÉCURITÉ DU TRAVAIL

Les dispositions de la partie II du *Code canadien du travail* qui portent sur la santé et la sécurité au travail témoignent de la volonté du gouvernement fédéral de réduire les maladies et les accidents professionnels dans les secteurs qui relèvent de sa compétence.

Le champ d'application. Dans les secteurs de compétence fédérale, les lois sur la sécurité et la santé professionnelles ont été regroupées dans le *Code canadien du travail*. Ainsi, le Code s'applique aux secteurs d'activité économique suivants à l'échelle interprovinciale et internationale :

- chemins de fer ;
- transport routier ;
- réseaux téléphoniques et télégraphiques ;
- pipelines ;
- canaux ;
- traversiers, tunnels et ponts ;
- expédition et services d'expédition ;

- radiotélédiffusion et réseaux de câblodistribution ;
- aéroports ;
- banques ;
- silos-élévateurs à grain autorisés par la Commission canadienne des grains et quelques provenderies et entrepôts de provendes, minoteries et usines de nettoyage des semences.

Les dispositions du Code relatives à la sécurité et à la santé en milieu de travail s'appliquent en outre :
- à la fonction publique fédérale et à quelque 40 sociétés et organismes d'État ;
- à l'exploitation des navires, des trains et des aéronefs ;
- à l'exploration et à la mise en valeur des gisements de pétrole sur les terres relevant de la compétence fédérale.

Les obligations de l'employeur. L'employeur doit veiller à la sécurité et à la santé des employés lorsqu'ils sont au travail en appliquant les normes établies dans le *Règlement canadien sur la sécurité et la santé au travail.* Il doit voir à ce que les éléments ci-dessous soient conformes à ces normes :
- les bâtiments, les structures (permanentes ou temporaires), les dispositifs de sûreté, les garde-fous, les barrières, etc. ;
- les dispositifs de protection, les machines, les outils, les véhicules et les appareils mobiles ;
- les chaudières, les récipients sous pression, les escaliers mécaniques, les ascenseurs, l'outillage électrique, les réseaux de distribution d'électricité ;
- les niveaux d'aération, d'éclairage et de bruit ;
- l'entrée, la sortie et le séjour sans danger dans un lieu de travail.

Dans les faits

Les politiques de SST en vigueur chez Bell Canada sont regroupées dans un manuel qui fait l'objet de révisions périodiques. Une équipe de chercheurs s'assure de la mise à jour de l'information sur des sujets aussi variés que l'installation d'un siège de bébé dans une automobile ou le sida. Ce manuel est utilisé par tous les gestionnaires lors des rencontres mensuelles. On consacre normalement environ une heure au traitement de trois sujets touchant la SST. La participation des membres du groupe est souvent encouragée, et on fait appel à des conférenciers ou à des vidéos. Récemment, on a organisé un jeu compétitif qui a attiré beaucoup de participants. Ce jeu, qui s'est étendu sur une année, incluait une étape préparatoire, des études, des rencontres, et finalement un spectacle devant des caméras, en présence d'un large public. Il s'agissait, en fait, d'un jeu-questionnaire comptant plus de 700 questions concernant la SST et l'environnement familial.

Conformément au Règlement, l'employeur doit fournir les éléments suivants :
- des installations réservées aux premiers soins, des installations sanitaires et personnelles, des services de santé ;
- de l'eau potable ;
- le matériel, l'équipement, les dispositifs et les vêtements de sécurité pour toute personne ayant accès au lieu de travail ;
- l'information, la formation et la supervision nécessaires pour assurer la sécurité et la santé des employés dans les lieux de travail. En vertu du Code, chaque employé doit être informé de tous les risques connus ou prévisibles existant dans son lieu de travail et qui pourraient porter atteinte à sa sécurité et à sa santé.

L'employeur a également l'obligation :
- de fournir au comité de sécurité et de santé ou au représentant en matière de sécurité et de santé les renseignements jugés nécessaires au repérage des risques réels ou éventuels ;
- d'afficher bien en vue un exemplaire de la partie II du *Code canadien du travail,* un énoncé de sa politique en matière de santé et de sécurité du travail et tout autre document prescrit par un agent de sécurité ;
- de tenir, selon les modalités réglementaires, des registres de sécurité et de santé ;

Dans les faits

Toutes les procédures de SST chez Air Canada sont issues du programme de contrôle des pertes. Le cœur de ce programme est constitué d'une formation poussée qui dure plus de 2,5 années ; un nouveau cours est offert chaque mois. Le cours intitulé « Direction 123 » correspond, par exemple, à une formation par modules progressifs du niveau 1 au niveau 3 ; le niveau 1 consiste en une orientation relativement aux pratiques et aux politiques de l'entreprise, aux techniques sécuritaires et aux moyens de trouver qui est qui dans l'entreprise ; le niveau 2 met l'accent sur la prévention plutôt que sur l'action ; le niveau 3 est constitué d'applications pratiques. D'autres composantes de la SST d'Air Canada misent sur la prévention par l'utilisation (a) de l'ingénierie des facteurs ergonomiques, par exemple pour le dessin des carlingues, (b) de comités de SST assurant un suivi sur la formation du personnel (par exemple, les travailleurs du métal doivent connaître parfaitement les outils et les matériaux qu'ils utilisent aussi bien que les procédures à appliquer en cas d'accidents) et (c) des analyses des risques et des dangers en matière de SST.

- de fournir au comité de sécurité et de santé et au représentant de la SST copie de toute instruction ou de tout rapport écrit provenant d'un agent de sécurité, et d'afficher ces documents de façon à en informer tous les employés ;
- de voir à ce que chaque employé soit au courant de tous les risques connus ou prévisibles existant dans son lieu de travail qui peuvent porter atteinte à sa sécurité et à sa santé. Ces risques comprennent les menaces d'attentat à la bombe, les menaces de violence, les bruits dangereux, les dangers d'irradiation, les matières contaminantes en suspension dans l'air, etc. ;
- de se conformer aux normes réglementaires en matière de prévention des incendies et de mesures d'urgence ;
- d'enquêter sur les accidents, les maladies professionnelles et autres situations comportant des risques dont il a connaissance, de les enregistrer et de les signaler ;
- de voir à ce que tout employé ou tout visiteur sache comment utiliser les vêtements et l'équipement de protection nécessaires dans les aires de travail occupées ou visitées ;
- de se conformer aux instructions verbales ou écrites qui lui sont données par l'agent de sécurité en ce qui concerne la santé et la sécurité des employés.

L'employeur devra appliquer les normes prescrites et veiller à ce que :
- les concentrations de produits dangereux soient soumises à un contrôle ;
- tous les produits dangereux soient entreposés et manipulés avec précaution ;
- les produits dangereux, à l'exclusion de ceux qui sont contrôlés, soient identifiés.

Sous réserve de la *Loi sur le contrôle des renseignements relatifs aux matières dangereuses*, l'employeur doit :
- veiller à ce que les produits contrôlés ou les contenants d'emballage de ces produits se trouvant dans un lieu de travail soient étiquetés de manière à fournir les renseignements réglementaires et à afficher les signaux de danger appropriés ;
- mettre à la disposition de chacun de ses employés une fiche signalétique pour chaque produit contrôlé se trouvant dans le lieu de travail.

En ce qui concerne les produits contrôlés se trouvant dans un lieu de travail, l'employeur est tenu de fournir, pour chacun d'eux, les renseignements figurant sur les fiches signalétiques (par exemple, la dénomination chimique) au médecin ou à tout autre professionnel de la santé qui lui en fait la demande afin de poser un diagnostic médical à l'égard d'un employé qui se trouve dans une situation d'urgence, ou afin de traiter celui-ci. Tout renseignement confidentiel concernant un produit contrôlé qui est fourni à un professionnel de la santé doit demeurer confidentiel.

Les droits de l'employé. Le *Code canadien du travail* confère à l'employé les trois droits suivants :
- le droit de connaître les risques liés à son travail ;
- le droit de participer à la résolution des problèmes de SST ;
- le droit de refuser d'exécuter un travail dangereux.

En vertu du Code, l'employé a le droit d'être informé de tous les risques connus ou prévisibles présents dans son lieu de travail et de bénéficier de l'information, de la formation, de l'entraînement et de la supervision nécessaires à la protection de sa sécurité et de sa santé.

Par l'entremise de leurs représentants en matière de sécurité et de santé ou des membres de leur comité de sécurité et de santé, les employés ont le droit et la responsabilité de participer à la détermination et au règlement des problèmes relatifs à la santé et à la sécurité du travail.

Un employé a le droit de refuser d'exécuter un travail dangereux s'il a des motifs raisonnables de croire :
- que l'utilisation ou le fonctionnement d'une machine ou d'un objet présente un danger pour lui-même ou pour un autre employé ;
- ou qu'une situation de travail peut représenter une menace pour lui.

Cependant, pour qu'un employé bénéficie d'une protection en vertu du Code lorsqu'il refuse de travailler, il doit avoir des motifs raisonnables de croire que l'utilisation d'un certain équipement ou que l'exposition à une certaine situation dans son lieu de travail constitue un danger pour lui-même ou pour un autre employé.

Diverses restrictions s'appliquent au droit de refuser d'exécuter un travail dangereux. En vertu des dispositions sur la sécurité et la santé prévues dans le Code. un employé ne peut pas refuser de travailler si cette décision met directement en péril la vie, la sécurité ou la santé d'une autre personne, ou si le danger perçu fait partie intégrante de son travail et constitue dans ce cas une condition normale d'emploi.

En outre, dans le cas d'un employé qui travaille à bord d'un navire ou d'un aéronef en service, la procédure à suivre pour refuser un travail dangereux est différente de celle qui s'applique aux autres employés. En effet, lorsque cet employé désire exercer son droit de refuser d'exécuter un travail, il doit en aviser immédiatement le responsable du navire ou de l'aéronef. Il revient à ce dernier de décider s'il acceptera ou non le refus, compte tenu des exigences de sécurité qui se posent à bord du navire ou de l'aéronef. Si le responsable ne permet pas à l'employé de mettre en application ce refus, le problème sera examiné lorsque le navire ou l'aéronef arrivera à sa première destination au Canada. L'employé pourra alors exercer son droit de refus selon les modalités décrites dans l'encadré 15.3.

LA LÉGISLATION PROVINCIALE EN MATIÈRE DE SANTÉ ET DE SÉCURITÉ DU TRAVAIL

Au Canada, chaque province possède ses propres lois en matière de santé et de sécurité du travail. Ces lois peuvent varier d'une province à l'autre quant à leur contenu et aux organismes chargés de leur application.

Les travailleuses et les travailleurs du Québec sont protégés contre les accidents du travail ou les maladies professionnelles, qui peuvent non seulement porter atteinte à leur santé physique, mais également avoir des conséquences financières et sociales désastreuses pour eux et leur famille. Ce régime de protection constitue un service d'assurances essentiel pour les entreprises québécoises. Grâce au paiement d'une cotisation, les employeurs ont l'assurance que leurs travailleurs seront indemnisés s'ils subissent des lésions à la suite d'un accident du travail ou d'une maladie professionnelle. De plus, ils mettent ainsi leurs entreprises à l'abri des poursuites qui pourraient compromettre leur équilibre financier.

ENCADRÉ 15.3 Les modalités d'exercice du droit de refus

1. **Le rapport à l'employeur**: La première démarche à faire pour un employé qui exerce son droit de refuser d'exécuter un travail dangereux consiste à signaler immédiatement son refus à son supérieur immédiat et au représentant en matière de sécurité et de santé ou à un membre du comité de sécurité et de santé.

2. **L'enquête de l'employeur**: L'employeur doit ensuite faire enquête en présence de l'employé, en se faisant accompagner soit d'un membre du comité de sécurité et de santé ne faisant pas partie de la direction, soit du représentant en matière de SST. S'il n'y a ni représentant ni comité, l'enquête doit se faire en présence d'au moins une personne choisie par l'employé qui exerce son droit.

3. **Le maintien du refus**: Lorsque l'employeur juge qu'il n'y a pas de danger ou prend les mesures nécessaires pour l'éliminer et que l'employé continue d'avoir des raisons de croire que le danger existe toujours, il peut persister dans son refus d'exécuter le travail. Dans ce cas, l'employeur et l'employé doivent communiquer avec un agent de sécurité.

4. **La réaffectation de l'employé**: Jusqu'à ce que l'agent de sécurité arrive sur les lieux et tant qu'il n'a pas enquêté et rendu sa décision, l'employeur ne peut affecter un autre employé au travail en question, à moins que ce dernier n'ait été informé du refus de son collègue. Entre-temps, l'employeur peut demander à l'employé qui refuse de travailler de demeurer à un endroit sûr, à proximité de son lieu de travail ou l'affecter à un autre travail convenable.

5. **Enquête et décision de l'agent de sécurité**: En présence de l'employeur et de l'employé (ou du représentant de l'employé), l'agent de sécurité enquête sur le refus de travailler, décide s'il y a effectivement danger et informe les deux parties de sa décision.

   Conséquences de la décision:
   Si l'agent de sécurité juge **qu'il y a un danger**, il donne à l'employeur des instructions visant à corriger la situation. L'employé peut continuer de refuser de travailler jusqu'à ce que l'employeur donne suite à ces instructions.

   Si l'agent de sécurité décide **qu'il n'y a pas de danger**, l'employé n'a plus le droit de refuser de travailler en vertu du Code. Il peut cependant interjeter appel concernant la décision de l'agent de sécurité.

   Appels:
   Les demandes de révision de la décision d'un agent de sécurité peuvent être soumises à l'agent de sécurité, lequel les soumettra au Conseil canadien des relations du travail ou, dans le cas de la fonction publique, à la Commission des relations de travail dans la fonction publique. La demande doit être présentée par écrit dans les sept jours suivant celui où l'agent de sécurité aura communiqué sa décision. CCT: 129

Source: Développement des ressources humaines Canada et *Code canadien du travail*, partie II.

La *Loi sur les accidents du travail et les maladies professionnelles* (LATMP) a pour objet la réparation des lésions professionnelles et des conséquences qu'elles entraînent pour les victimes. Elle prévoit également le financement du régime au moyen de cotisations perçues auprès des employeurs. Quant à la *Loi sur la santé et la sécurité du travail* (LSST), elle concerne la prévention des problèmes de SST et l'inspection des lieux de travail. Elle vise à éliminer à la source les dangers qu'ils représentent pour la santé, la sécurité et l'intégrité physique des travailleurs. Elle établit les mécanismes de participation des travailleurs et de leurs associations, ainsi que des employeurs et de leurs associations en matière de prévention.

Au cours de la dernière décennie, cependant, un nombre important de lois provinciales sur la santé et la sécurité du travail ont été révisées. Les caractéristiques communes à ces lois sont résumées dans l'encadré 15.4.

ENCADRÉ 15.4 Les caractéristiques communes aux lois provinciales sur la santé et la sécurité du travail

- Regroupement des diverses lois précédentes en une seule.
- Création d'une commission indépendante pour gérer la santé et la sécurité du travail.
- Attention accrue portée à l'hygiène professionnelle.
- Accent mis sur la participation des travailleurs en invoquant les droits que la loi leur accorde.
- Uniformisation des normes et codes de référence de façon à obliger les organisations à s'y conformer.
- Disponibilité accrue d'information portant sur les droits généraux des employés et sur les responsabilités des employeurs à l'égard de la santé et de la sécurité.
- Institution de tests obligatoires de dépistage de drogues pour certaines catégories d'emplois.
- Nouvelles préoccupations d'ordre médical concernant, par exemple, le sida et le stress lié au travail.

Les gouvernements provinciaux remplissent essentiellement trois fonctions dans le domaine de la santé et de la sécurité du travail : l'élaboration et l'application de normes juridiques, l'indemnisation des travailleurs et leur formation en matière de prévention des accidents.

Les mécanismes le plus couramment utilisés par les gouvernements provinciaux et qui sont énumérés dans l'encadré 15.5 ne sont pas tous rassemblés au sein d'une seule agence gouvernementale dans toutes les provinces canadiennes, bien qu'en Colombie-Britannique ces fonctions relèvent de la Commission des accidents du travail. En Alberta, c'est le ministère de la Santé, de la Sécurité et de l'Indemnisation qui en est responsable ; dans d'autres provinces (le Québec et le Nouveau-Brunswick), elles relèvent d'une commission.

Le droit au refus de travailler. Ce droit est l'un des traits distinctifs des modifications apportées à la plupart des lois en matière de santé et de sécurité du travail

ENCADRÉ 15.5 Les mécanismes le plus couramment utilisés par les gouvernements provinciaux pour réglementer la santé et la sécurité du travail

- Ajout d'une clause d'obligation générale à la loi, qui attribue la responsabilité de l'application de la loi à un groupe spécifique.
- Établissement de règlements consécutivement à l'adoption de la loi : en général, un grand nombre de règlements sont établis en matière de santé et de sécurité. Dans certaines provinces, le seul préalable à la mise en vigueur des règlements est la signature du lieutenant-gouverneur ; dans d'autres provinces, certains règlements sont discutés au cours d'audiences publiques avant d'être adoptés.
- Énoncé des droits que la loi accorde aux travailleurs : ils comprennent le droit de refuser de travailler et le droit de faire partie des comités paritaires de santé et de sécurité.
- Contrôle de l'application et vérification des dispositions réglementaires en matière de santé et de sécurité : des inspecteurs désignés ont le droit de visiter les lieux de travail et d'ordonner que des modifications soient apportées lorsque la loi n'est pas respectée. Ils peuvent également poursuivre en justice les contrevenants.
- Normes et codes de référence : tous les employeurs sont obligés de s'y conformer.

au Canada. Avant ces réformes, le travailleur avait le droit, selon la *common law*, de refuser d'effectuer tout travail qui pouvait constituer un danger pour sa santé. La plupart des lois existantes précisaient d'ailleurs qu'il était du devoir des travailleurs de refuser d'exécuter un travail dangereux. Cependant, il n'était pas facile de faire respecter ce droit, d'une part, il fallait beaucoup de temps avant de démontrer le caractère dangereux du travail. D'autre part, tout arrêt de travail est nécessairement coûteux pour l'employeur et se heurte à une certaine réticence de sa part. Donc, les premières dispositions ne constituaient pas une possibilité pratique pour la majorité des travailleurs de faire respecter leur droit à refuser d'effectuer un travail dangereux.

Dans les faits

Des employés de la Gendarmerie royale du Canada se plaignaient de maux de tête et de gorge qu'ils attribuaient à l'air vicié d'un bâtiment de l'entreprise. Ils ont alors décidé de refuser de travailler tant que le problème ne serait pas résolu. Près de 50 employés ont dit n'éprouver aucune difficulté dans la mesure où ils n'effectuaient pas leur travail dans la zone où se manifestait le problème. Un incident similaire s'est produit à Santé et Bien-être social Canada lorsque 65 employés ont dû regagner leur domicile, souffrant de maux de tête, de brûlements aux yeux et d'étourdissements. Les agents cadres ont supposé que du monoxyde de carbone s'était infiltré dans le bâtiment à partir de conduits internes reliés au stationnement intérieur[12].

Quand, pour la première fois, ce droit a été inclus dans les lois des différentes provinces canadiennes, beaucoup d'employeurs ont protesté, alléguant qu'on en abuserait et que l'industrie risquait d'en être ébranlée. Heureusement, à part quelques rares exceptions, ces craintes étaient sans fondement. En pratique, les organisations ne devraient pas se heurter au refus de la part de travailleurs d'exécuter un travail si elles adoptent de bonnes techniques de communication et de bons programmes de santé et de sécurité. Les responsables de la gestion des ressources humaines devraient s'assurer que l'organisation a mis en place des mécanismes limitant ces recours et ils devraient négocier honnêtement et efficacement tout refus, en conformité avec la loi.

Dans les faits

La crainte que l'on éprouve à ne pas respecter une ligne de piquetage ne constitue pas un motif valable pour refuser de travailler. Par contre, les chauffeurs de camion qui doivent traverser un piquet de grève peuvent refuser de le faire en raison des risques qu'ils courraient d'infliger des blessures à quelqu'un en agissant de la sorte. Dans le même ordre d'idées, des commissions d'enquête ont décidé que les douaniers n'avaient pas de raison valable de refuser de travailler lorsque les autochtones faisaient des manifestations publiques[13].

Généralement, l'exercice du droit de refus ne dépend pas de l'habileté du travailleur à prouver qu'il existe un risque professionnel. Dans la plupart des cas, il suffit d'avoir «une raison de croire» que le travail est dangereux. Toutefois, dans la plupart des provinces, ce droit ne s'applique pas à certaines catégories d'emplois. En Ontario, par exemple, des groupes de travailleurs en sont exclus : les policiers, les pompiers, les travailleurs des lieux de détention, les employés des hôpitaux, etc., c'est-à-dire ceux qui œuvrent dans des secteurs où la sécurité des autres personnes serait menacée s'ils refusaient de travailler. Au Québec, aucun travailleur n'a le droit de refuser de travailler si ce droit met en danger la sécurité d'autres personnes ou si les risques font normalement partie de la tâche à accomplir.

Les comités paritaires de santé et de sécurité du travail. Le gouvernement fédéral et les provinces, à l'exception de la Nouvelle-Écosse et de l'Île-du-Prince-Édouard, ont inclus dans leurs lois des articles prévoyant l'établissement de comités paritaires de santé et de sécurité dans certains lieux de travail. Leur intention est de mettre en évidence le rôle que doivent jouer les employés dans l'établissement des programmes en cette matière et d'encourager les employeurs à résoudre leurs problèmes de santé et de sécurité à partir de leurs propres systèmes internes. Le gouvernement apporte son soutien à ces comités de deux façons :

1. Les lois en question définissent les droits et les responsabilités des comités paritaires.
2. Elles précisent également les modalités selon lesquelles les comités doivent prendre part aux inspections gouvernementales et au processus d'application des différentes mesures.

Le rôle des comités varie d'une province à l'autre. En général, les lois du Québec, de la Saskatchewan et, récemment, de l'Ontario donnent des pouvoirs plus étendus aux comités paritaires que ne le font les lois en vigueur dans les autres provinces. Un fait ressort des études préliminaires qui ont été effectuées : lorsqu'il existe une bonne coopération au sein des comités de santé et de sécurité du travail, ces derniers se révèlent efficaces dans la réduction des accidents du travail et des maladies professionnelles[14]. Beaucoup de comités mis sur pied dans les entreprises de différents secteurs industriels au Canada n'ont toutefois pas encore eu le temps de se développer adéquatement. Nous devrons donc attendre que ces comités aient acquis une expérience suffisante pour obtenir davantage d'information quant à leur efficacité.

La déclaration d'accident du travail et les enquêtes. En vertu des lois canadiennes, les employeurs sont tenus de divulguer aux commissions des accidents du travail tout accident ayant causé des blessures ou des maladies à des travailleurs. Ces déclarations sont utilisées pour gérer les programmes d'indemnisation et de réadaptation professionnelle. Par ailleurs, la plupart des autorités exigent également que des déclarations distinctes soient remises au ministère chargé d'appliquer et de faire respecter la loi en matière de santé et de sécurité du travail. Ces déclarations sont généralement demandées à des fins administratives ou en prévision d'une révision de la loi.

Les articles de lois se rapportant aux déclarations d'accidents du travail diffèrent selon les autorités législatives. La plupart des lois exigent que l'employeur informe les autorités par écrit des accidents ayant entraîné la mort de travailleurs ou leur ayant causé des blessures graves, et des explosions leur ayant également causé des blessures importantes ou mortelles. Quelques lois obligent également les employeurs à enquêter sur les accidents et à fournir une déclaration écrite. De plus, un avis écrit est habituellement requis lorsqu'un employé a contracté une maladie professionnelle. En général, l'employeur ne doit pas déplacer les éléments de preuve, sauf en cas de nécessité, afin de prévenir des accidents futurs.

Consultez Internet

http://www.csst.qc.ca

Ste de la Commission de la santé et de la sécurité du travail.

La Commission de la santé et de la sécurité du travail du Québec. La Commission de la santé et de la sécurité du travail (CSST) est l'organisme que le gouvernement a chargé de l'administration du régime de protection des travailleurs. Elle exerce ses fonctions en collaboration avec ses divers partenaires (encadré 15.6). Elle est responsable de l'application des deux principales lois qui régissent les droits et les obligations des travailleurs et des employeurs en matière de santé et de sécurité du travail : la *Loi sur les accidents du travail et les maladies professionnelles* (LATMP) et la *Loi sur la santé et la sécurité du travail* (LSST). La CSST assure aux travailleurs victimes de lésions professionnelles l'ensemble des services auxquels ils ont droit. Outre le versement des indemnités, ses fonctions

> ## ENCADRÉ 15.6 Les partenaires de la Commission de la santé et de la sécurité du travail du Québec
>
> Le régime québécois de santé et de sécurité du travail exige la collaboration de nombreux partenaires définis par la Loi sur la santé et la sécurité du travail et qui jouent un rôle essentiel :
>
> - le **ministère de la Santé et des Services sociaux**, les régies régionales, principalement leur direction de la santé publique, ainsi que les **centres locaux de services communautaires** (CLSC) assurent des services de santé préventifs ;
>
> - les **associations sectorielles paritaires** (ASP) pour la santé et la sécurité du travail fournissent des services de formation, d'information, de recherche et de conseil en matière de santé et de sécurité du travail ;
>
> - les **associations syndicales** et les **associations patronales** offrent à leurs membres de l'information et de la formation en matière de santé et de sécurité du travail ;
>
> - l'**Institut de recherche Robert-Sauvé en santé et en sécurité du travail** (IRSST) assure la recherche scientifique dans ce domaine, la formation de chercheurs ainsi que les services de laboratoire ;
>
> - le **ministère de l'Éducation** élabore des programmes de formation en santé et en sécurité du travail et intègre cette dimension à ses programmes d'enseignement ;
>
> - le **ministère de l'Éducation** élabore des programmes de formation en santé et en sécurité du travail et intègre cette dimension à ses programmes d'enseignement ;
>
> - les fédérations médicales (**Fédération des médecins omnipraticiens du Québec** et **Fédération des médecins spécialistes du Québec**) ;
>
> - le **Comité paritaire de prévention du secteur forestier.**
>
> La CSST apporte un soutien à ses partenaires en matière de santé et de sécurité du travail. Elle leur offre des services d'information et de formation dans le domaine de la prévention, leur fournit une assistance technique et, dans certains cas, leur assure une aide financière. Pour favoriser la coordination des interventions, la CSST a mis en place des mécanismes de concertation qui lui permettent de maintenir des relations étroites avec ses collaborateurs. Ainsi, elle participe à plusieurs comités mixtes et réunit, dans toutes les régions, des tables de concertation auxquelles prennent part ses principaux partenaires.

Source : www.csst.qc.ca.

portent sur la réadaptation des travailleurs en vue de les aider à retrouver leur autonomie ou à réintégrer le marché du travail, l'assistance médicale et le droit au retour au travail. La CSST est également chargée d'indemniser les travailleuses enceintes ou qui allaitent lorsque celles-ci bénéficient d'un retrait préventif.

III Les risques professionnels

C omme le montre l'encadré 15.7, les accidents du travail et les maladies professionnelles peuvent compromettre la santé physique des travailleurs. De même, certains aspects psychosociaux du milieu de travail qui se traduisent par un niveau de stress élevé ou une piètre qualité de vie au travail peuvent représenter aussi des risques pour la santé des employés[15]. Traditionnellement, la plupart des entreprises ainsi que les lois en matière de santé et de sécurité du travail tenaient uniquement compte de l'environnement physique. Cependant, les entreprises prennent de plus en plus conscience des risques psychosociaux auxquels sont exposés les travailleurs.

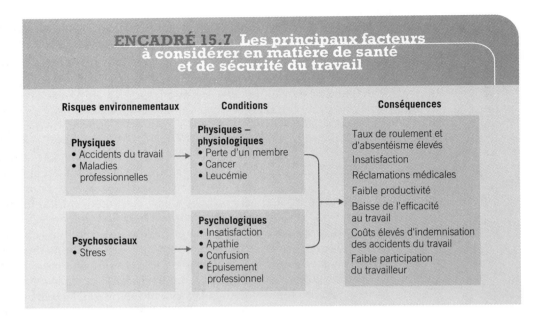

ENCADRÉ 15.7 Les principaux facteurs à considérer en matière de santé et de sécurité du travail

Risques environnementaux	Conditions	Conséquences
Physiques • Accidents du travail • Maladies professionnelles	**Physiques – physiologiques** • Perte d'un membre • Cancer • Leucémie	Taux de roulement et d'absentéisme élevés Insatisfaction Réclamations médicales Faible productivité Baisse de l'efficacité au travail Coûts élevés d'indemnisation des accidents du travail Faible participation du travailleur
Psychosociaux • Stress	**Psychologiques** • Insatisfaction • Apathie • Confusion • Épuisement professionnel	

LES FACTEURS À L'ORIGINE DES ACCIDENTS DU TRAVAIL

Certaines organisations, et parfois même certains services au sein d'une même organisation, enregistrent des taux d'accidents plus élevés que d'autres. Un ensemble de facteurs peuvent expliquer ces différences.

Les caractéristiques de l'organisation. Les taux d'accidents varient substantiellement en fonction du secteur industriel. Par exemple, ils sont plus élevés parmi les entreprises œuvrant dans le secteur de la construction et de la fabrication que parmi les entreprises spécialisées dans les services, les finances, les assurances ou les biens immobiliers. Les petites et les grandes organisations, soit celles qui comptent respectivement moins de 100 et plus de 1 000 employés, enregistrent des taux d'accidents inférieurs à ceux des organisations de taille moyenne. Cette situation pourrait s'expliquer par le fait que les superviseurs des petites organisations sont mieux à même de déceler les risques et de prévenir les accidents que ceux travaillant dans les organisations de taille moyenne. Par contre, les grandes organisations disposent de ressources plus importantes que les organisations de taille moyenne, ce qui leur permet d'engager des spécialistes qui consacrent leurs efforts à la prévention des accidents et à la sécurité du travail.

Les programmes de sécurité du travail. Les techniques, les programmes et les activités visant à promouvoir la prévention des accidents et la sécurité diffèrent aussi d'une organisation à l'autre. Leur efficacité varie selon le type d'industrie et la taille de l'organisation. Par exemple, dans les grandes entreprises du secteur chimique, des sommes considérables sont affectées à la sécurité, soit dans les installations et le personnel médicaux, dans la formation sur le plan de la sécurité et dans une supervision plus étroite, mesures qui contribuent à faire diminuer les coûts en matière d'accidents du travail. Par contre, ces coûts peuvent augmenter si des dépenses sont engagées de façon inefficace pour l'élimination des conditions de travail dangereuses, l'engagement de personnel chargé de la sécurité, l'orientation des employés et la tenue de fiches de sécurité. Il résulte de ces situations que des organisations d'une même industrie peuvent faire face à des coûts par employé plus élevés que les autres. Généralement, les organisations qui sont aux prises avec les coûts les plus élevés sont celles qui n'ont pas de programmes de sécurité.

Les comportements dangereux. Bien que les facteurs organisationnels jouent un rôle important sur le plan de la sécurité du travail, bon nombre d'experts estiment que les principaux responsables des accidents sont les employés eux-mêmes. Les accidents dépendent en effet du comportement des individus, des risques associés au milieu de travail, ainsi que du hasard. La part de responsabilité incombant à une personne au moment d'un accident est souvent perçue comme un indicateur de sa prédisposition aux accidents. Cette prédisposition ne peut cependant être considérée comme un ensemble fixe de caractéristiques menant immanquablement à des accidents. Malgré tout, il existe des traits psychologiques et physiques qui rendent certaines personnes plus susceptibles que d'autres de subir des accidents. Par exemple, celles qui sont plus fragiles émotivement que d'autres ont généralement plus d'accidents. Les employés qui sont généralement plus optimistes, plus confiants que la moyenne et qui s'intéressent davantage aux autres sont ceux qui ont le moins d'accidents. Les employés très stressés ont tendance à avoir plus d'accidents que ceux qui le sont moins, et ceux qui ont une meilleure acuité visuelle ont moins d'accidents. Par ailleurs, les travailleurs plus âgés se blesseraient moins que les plus jeunes. Enfin, les individus plus aptes à déceler les différences par l'observation que par des manipulations musculaires sont moins susceptibles de subir des accidents que les autres. Cependant, un nombre important de conditions psychologiques pouvant être liées à la prédisposition aux accidents – par exemple l'animosité et le manque de maturité – ne sont que des états temporaires. Il est par conséquent difficile de déceler la prédisposition aux accidents chez une personne avant qu'au moins un accident ne se soit produit.

REVUE DE PRESSE

Prévenir les lésions par le conditionnement physique

Un programme bien conçu contribuera aussi à favoriser une réintégration plus rapide au travail après un accident

Nathalie Vallerand

Dans le vestiaire d'une compagnie de production alimentaire, des employés qui effectuent quotidiennement des tâches de manutention et des mouvements répétitifs font des étirements et divers exercices physiques.

L'entreprise, qui désire garder l'anonymat, a adhéré à un tout nouveau concept de conditionnement physique en entreprise mis au point par Aide à l'autonomie physique et professionnelle (AAPP), une clinique paramédicale de prévention et de réadaptation au travail située à Saint-Laurent.

Augmenter les capacités physiques

Le programme, baptisé *Évaluation personnalisée – programme et suivi adapté* (EPPSA), vise à augmenter les capacités physiques (force, endurance, résistance, flexibilité et tolérance) de manière à prévenir les lésions liées à un poste de travail précis et à favoriser une réintégration plus rapide au travail après un accident.

« Notre équipe, composée d'une ergothérapeute et d'un éducateur physique, a évalué la condition physique des travailleurs, décortiqué les mouvements qu'ils accomplissent au travail et identifié les muscles les plus sollicités », explique Eve Montpetit, ergothérapeute et présidente de AAPP.

Elle a ensuite conçu un programme d'exercices personnalisés que les employés doivent effectuer au début de leur quart de travail sur une base volontaire.

L'employeur alloue 15 minutes pour l'exécution des exercices sur le temps de travail.

Le taux de participation des employés au programme est de 75 %.

AAPA a aussi formé deux travailleurs afin qu'ils puissent montrer à leurs collègues comment faire les exercices et répondre à leurs questions.

Source : Les Affaires, *samedi 16 octobre 1999, p. 50.*

Étant donné qu'aucune de ces caractéristiques n'a pu être liée à tous les accidents du travail et qu'aucune ne se retrouve chez tous les employés ayant subi un tel événement, il se révèle presque impossible d'effectuer la sélection des candidats pour un poste en fonction de leur prédisposition aux accidents. Et, même si c'était possible, des aspects de l'organisation comme la taille, la technologie utilisée, les attitudes de la direction, les programmes de sécurité et la qualité de la supervision demeurent des facteurs importants qui peuvent être mis en cause lorsque surviennent des accidents.

LES FACTEURS À L'ORIGINE DES MALADIES PROFESSIONNELLES

Les sources possibles de maladies professionnelles sont aussi variées que les manières dont elles affectent l'organisme humain. Les risques de maladies professionnelles constituent une partie importante des problèmes de santé et de sécurité du travail. Les maladies sont classées en catégories correspondant aux risques qu'elles représentent pour la santé. On note cinq principales catégories : les risques chimiques, physiques, biologiques, ergonomiques et psychosociaux. D'autres facteurs de risque sont davantage liés au travailleur lui-même qu'à l'emploi : par exemple, le style de vie sédentaire (l'inactivité physique), les régimes alimentaires et les horaires de travail.

Les risques chimiques. Les employés sont exposés à un nombre important de risques d'ordre chimique dans le cadre de leur travail. Parmi ceux-ci, on peut mentionner le monoxyde de carbone, le plomb, la poussière et les produits chimiques dangereux. Il est important de noter qu'on retrouve des quantités de plus en plus importantes de monoxyde de carbone, de plomb et de poussière, surtout en milieu urbain.

Les risques physiques. Le bruit, la chaleur et le froid font partie des risques physiques. Le bruit semble être le danger le plus important de cette catégorie. Au Québec, par exemple, des règlements stipulent que le travailleur ne doit pas être exposé à plus de 90 dB durant une période de huit heures par jour, de façon à maintenir intacte sa faculté auditive. Une étude portant sur les policiers a révélé que, même si les sirènes de leurs voitures peuvent atteindre un niveau maximal de 110 dB, leur travail quotidien les expose rarement à plus de 85 dB[16]. Des efforts sont quand même déployés dans le but de déplacer la sirène du toit vers le devant du capot de l'automobile, de manière à réduire l'exposition des policiers au bruit[17].

Les risques biologiques. Les employés qui ont des relations directes avec le public semblent plus susceptibles que les autres de rencontrer des individus à risque, c'est-à-dire des personnes particulièrement exposées au sida et à l'hépatite B, par exemple[18]. Ces risques sont évidemment très élevés chez les individus qui travaillent dans le secteur de la santé. Les policiers s'exposent également à un danger lorsqu'ils aident des citoyens blessés ou démunis, situations au cours desquelles ils peuvent entrer en contact avec certains virus. On discute de plus en plus de la nécessité d'étendre la vaccination contre l'hépatite B à ces catégories d'employés. Pour le moment, il est essentiel de réduire ce type de risques en informant adéquatement de ces dangers le personnel qui est directement touché (encadré 15.8).

Les risques ergonomiques. À l'exception des blessures au dos, qui sont parmi les plus fréquentes chez les travailleurs, les problèmes respiratoires représentent la catégorie de maladies professionnelles dont la croissance est la plus rapide. C'est le cancer, cependant, qui reçoit le plus d'attention, car il est la deuxième cause de décès au Canada, après les maladies du cœur. Certaines des causes connues du cancer renvoient à des agents physiques et chimiques présents dans l'environnement.

ENCADRÉ 15.8 Questions fréquemment posées sur le VIH et le sida

Le VIH/SIDA pose-t-il un risque au travail?

Non. Dans des circonstances normales, vous ne pouvez «attraper» le VIH d'un collègue. Le VIH ne peut être transmis par un simple contact, du moins par le genre de contacts que vous avez avec les gens au travail. Ainsi, vous ne pouvez «attraper» le VIH en donnant une poignée de main ou en partageant des outils. Le virus est transmis durant un acte sexuel et toute autre forme de contact sanguin direct.

Peut-on, en toute sécurité, partager de l'équipement ou des installations, ou manger avec une personne affectée par le VIH/SIDA?

Oui. Le VIH ne peut être transmis en:

- travaillant à côté de quelqu'un qui est affecté par le VIH/SIDA;
- partageant de l'équipement de bureau, comme le téléphone, un ordinateur, des machines ou un abreuvoir;
- utilisant les mêmes salles de toilette; vous ne pouvez attraper le VIH au contact d'un siège de toilette, d'un urinoir ou d'une serviette;
- partageant de la nourriture ou des ustensiles; le VIH n'est pas transmis par le partage de nourriture, d'ustensiles ou de vaisselle;
- donnant une poignée de main, touchant, serrant ou embrassant une personne affectée par le VIH/SIDA;
- faisant du sport ou de l'exercice avec une personne affectée par le VIH/SIDA; même si la personne transpire, le virus n'est pas transmis de cette façon.

Les personnes affectées par le VIH/SIDA devraient-elles continuer à travailler?

Oui. Les gens atteints d'une maladie, comme le VIH/SIDA, ont tendance à vivre plus longtemps, à être en meilleure santé s'ils continuent à travailler. D'autres facteurs importants à considérer incluent le maintien du revenu et des avantages sociaux. Dans les organisations, les personnes affectées par le VIH/SIDA deviennent souvent de meilleurs employés, parce que leur travail devient plus important pour eux en tant que source de satisfaction et d'espoir. Et garder un employé expérimenté et compétent est un atout: tant que cette personne peut continuer à travailler, l'organisation économise les coûts de recrutement et de formation d'un nouvel employé moins expérimenté.

Existe-t-il un test pour le SIDA?

Il existe des tests pour déterminer si une personne a déjà été infectée par le VIH. Si vous ou quelqu'un d'autre désirez passer un test, il existe une variété de façons de ce faire. Demandez à votre médecin ou consultez le service de santé de votre entreprise. Il existe aussi des services de santé communautaires qui offrent ces tests. Ces services sont confidentiels, mais pas anonymes. Il existe aussi des sites qui fournissent un service confidentiel et anonyme.

Existe-t-il un remède pour le SIDA?

Pas encore. Cependant, il y a présentement plusieurs projets de recherche pour empêcher l'infection, ralentir les progrès de la maladie et éliminer le SIDA. En outre, il y a de meilleurs traitements pour les infections qui rendent malades les personnes affectées par le VIH/SIDA, de même que des traitements pour ralentir la multiplication du VIH dans le corps et permettre au système immunitaire d'une personne de reprendre des forces.

Les soignants sont-ils en danger lorsqu'ils prennent soin d'une personne affectée par le VIH/SIDA?

Non. Un soignant ne peut «attraper» le VIH d'une personne dont il prend soin, même s'il donne des soins aussi «intimes» que nourrir la personne, la laver ou changer des pansements. Naturellement, il faut prendre des précautions pour éviter un contact direct avec le sang de la personne ou en donnant des injections intraveineuses. Ce sont les mêmes précautions qu'il faut prendre qu'importe la maladie d'une personne.

Malheureusement, certaines personnes croient qu'elles peuvent «attraper» le VIH d'une personne soignante. Ce n'est pas possible dans le cadre des gestes normaux quotidiens qui sont posés au travail.

Source : R. F. J. Williams, « Le sida en milieu de travail », *Effectif*, vol. 3, n° 4, septembre-octobre 2000, p. 55.

Et comme il est davantage possible, en théorie, d'agir sur les agents physiques et chimiques que sur le comportement humain, des efforts sont déployés pour éliminer ceux-ci des lieux de travail. Les maux de dos comptent également parmi les problèmes les plus importants qu'éprouvent les employés.

Les groupes de travailleurs à risque. Les travailleurs des mines, de la construction et des transports, de même que les cols bleus et les contremaîtres des industries de fabrication occupent des emplois qui les exposent considérablement aux maladies professionnelles et aux accidents. Les emplois les moins sécuritaires demeurent ceux qu'exercent les pompiers, les mineurs et les policiers. De plus, un grand nombre de travailleurs de l'industrie pétrochimique et des raffineries, les teinturiers, les travailleurs du textile, ceux de l'industrie du plastique, les peintres et les travailleurs de l'industrie chimique courent également de graves dangers pour leur santé.

Les maladies professionnelles ne sont pas uniquement le lot des cols bleus et des travailleurs des industries manufacturières. Le travail de bureau, qui ne semblait pas causer de problèmes, comporte désormais sa part de maladies physiques et psychologiques qui frappent les cols blancs travaillant dans les industries de services. Parmi les maux les plus courants, mentionnons l'apparition de varices, les douleurs au bas du dos, la détérioration de la vue, les maux de tête et les migraines, l'hypertension, les maladies du cœur et les problèmes respiratoires et digestifs. Les facteurs à l'origine de ces désordres sont : (1) le bruit ; (2) les polluants intérieurs tels que la fumée de la cigarette et les vapeurs chimiques émanant, par exemple, de la photocopieuse ; (3) les chaises inconfortables ; (4) la piètre conception des aires de travail ; (5) le papier traité chimiquement ; et (6) le nouvel équipement technologique, qui comprend des écrans cathodiques.

Le saviez-vous ?

La surveillance génétique pourrait être un champ d'action plus intéressant que le dépistage génétique. Elle consiste à faire passer de façon régulière des examens médicaux aux employés exposés à des produits potentiellement dangereux. On vise ainsi à déceler les changements susceptibles de se produire dans le patrimoine génétique et de constituer ultérieurement des menaces pour la santé. Si une telle surveillance sert à repérer les toxines potentielles, elle peut mener au déplacement des employés qui semblent vulnérables et, si possible, inciter l'entreprise à se débarrasser des agents chimiques suspects. Cette opération peut donc se révéler extrêmement bénéfique tant pour le travailleur que pour l'entreprise.

Les individus à risque. Les scientifiques estiment que près de 1 600 maladies sont attribuables à des carences génétiques[19]. Certains individus seraient particulièrement exposés à une variété de maladies en raison de leur patrimoine génétique. Cette hypothèse, difficile à vérifier, soulève une nouvelle controverse entourant le rôle futur du service des ressources humaines dans le dépistage et la surveillance génétiques du personnel.

Théoriquement, on pourrait utiliser un test de dépistage génétique pour évaluer le profil génétique d'un candidat à un poste donné. Cette évaluation, jointe à la connaissance des produits chimiques utilisés dans l'entreprise, peut permettre de déceler les produits susceptibles de causer des maladies comme le cancer. Après avoir établi la propension de l'individu à contracter une maladie causée par un produit chimique donné, les entreprises pourraient : (a) rejeter le candidat, (b) l'affecter à un endroit éloigné des facteurs de risque ou (c) prendre des mesures particulières (par exemple, exiger le port de vêtements protecteurs) de façon à réduire les risques de maladie. Actuellement, aucune loi fédérale ni provinciale ne réglemente l'usage de tests génétiques sur les lieux de travail. Bien que ces tests ne soient pas encore largement utilisés pour le moment, un nombre important de grandes entreprises entrevoient la possibilité de les employer dans l'avenir. Jusqu'à présent, la recherche n'a révélé aucune corrélation précise entre le fait pour des individus de posséder une déficience ou un trait particulier (qui peut être mesuré avec exactitude) et l'apparition éventuelle d'une maladie. Ces personnes n'auront pas toutes des problèmes de santé. Il peut être utile de tester la prédisposition de candidats à une maladie, mais il ne semble pas raisonnable, avisé ou simplement juste de rejeter des candidats sans effectuer de meilleures estimations des risques potentiels de maladies.

IV La prévention des accidents et des maladies professionnelles

Selon la Commission de la santé et de la sécurité du travail, les moyens de prévention auxquels a recours l'entreprise doivent être intégrés à son fonctionnement. Chacun d'eux traite d'un aspect particulier de la santé et de la sécurité dans l'établissement, permettant à la fois de soutenir le principe d'efficacité en matière de prévention et de remplir les obligations en ce qui concerne la santé et la sécurité du travail. Ces moyens doivent répondre aux besoins réels en ce qui a trait à l'élimination à la source des dangers pouvant affecter la santé, la sécurité et l'intégrité physique des travailleurs et des travailleuses.

LES ÉTAPES D'UN PROGRAMME DE PRÉVENTION

La CSST propose aux entreprises un programme de prévention à trois volets. (encadré 15.9).

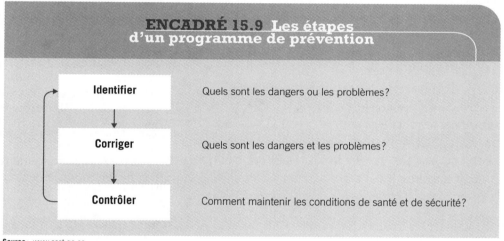

ENCADRÉ 15.9 Les étapes d'un programme de prévention

Identifier	Quels sont les dangers ou les problèmes?
Corriger	Quels sont les dangers et les problèmes?
Contrôler	Comment maintenir les conditions de santé et de sécurité?

Source: www.csst.qc.ca.

Dans un premier temps, il s'agit de déceler les dangers et les problèmes existant dans le milieu de travail. Pour y arriver, les entreprises ont intérêt à intégrer au fonctionnement habituel de l'entreprise des moyens de prévention tels que les enquêtes et les analyses d'accidents, le registre de premiers secours, le programme de santé et les inspections, et à établir les priorités d'action.

Dans un deuxième temps, il faut corriger les problèmes décelés, ce qui revient à éliminer les dangers existant dans le milieu de travail. Dans les cas où cela se révèle impossible, il faut réduire et maîtriser les risques décelés. Il est également nécessaire de protéger les travailleurs par le recours à des moyens de prévention en mettant en œuvre un programme d'entretien préventif, des méthodes de travail sécuritaires, un programme de formation, une organisation du travail saine et une politique d'achat.

La troisième étape consiste à contrôler la situation qui prévaut dans l'entreprise, ce qui revient à assurer la permanence des correctifs apportés. Il s'agit, en somme, d'appliquer des moyens de prévention (par exemple, inspections, formation, programme d'entretien préventif, politique d'achat) qui assureront le maintien des conditions de santé et de sécurité dans les lieux de travail.

LES MOYENS DE PRÉVENTION

Dans les faits

Pratt et Whitney Canada a mis de l'avant un programme de cinq ans dont l'objectif est de réduire les accidents liés au travail. En 1990, les coûts directs des accidents survenus dans l'entreprise s'élevaient à plus de quatre millions de dollars. Au moyen de ce programme, l'entreprise désire donner à ses travailleurs une formation en matière de sécurité et s'assurer que chaque employé accordera autant d'importance à la sécurité qu'à la productivité et à la qualité du produit[20].

La CSST propose des moyens de prévention. Dans l'encadré 15.10, nous présentons, pour chacun des moyens de prévention indiqués, l'objectif visé et les principaux éléments qui pourraient en faire partie. Nous précisons également les activités pour lesquelles la participation des travailleurs, des travailleuses et du comité de santé et de sécurité est nécessaire. Ces activités sont précédées du symbole (°).

ENCADRÉ 15.10 Les moyens de prévention établis par la CSST

Moyen de prévention	Objectif visé	Mesures préconisées
Organisation de la santé et de la sécurité du travail	Se prendre en main dans le domaine de la santé et de la sécurité du travail.	• Adopter une politique générale de prévention. • Se donner des mécanismes de gestion de la prévention. • Partager les responsabilités entre les diverses parties. • Créer un comité de santé et de sécurité du travail. • Évaluer les résultats en matière de prévention. • Élaborer un plan d'action.
Politique d'achat et d'ingénierie	Éviter d'introduire des sources de dangers en milieu de travail.	Définir des règles et des critères d'analyse pour : o l'achat de produits et d'équipement ; o les travaux de modification des installations et de l'équipement ainsi que les travaux d'ingénierie ; o la location d'équipement ; o le choix des procédés et des techniques de travail ; o les contrats de sous-traitance.
Entretien préventif	Éviter les défaillances techniques, sources possibles de danger.	• Déterminer les installations et l'équipement visé. • Utiliser des fiches techniques d'entretien préventif. • Établir un calendrier d'activités. • Tenir un registre d'entretien préventif.
Surveillance de la qualité du milieu	Veiller à ce qu'il n'y ait pas de détérioration du milieu de travail (aspects mesurables).	• Dresser la liste des contaminants et des matières dangereuses présents dans le milieu de travail. • Adopter un plan de surveillance et de maintien de la qualité du milieu de travail (mesure des contaminants, suivi). • Recueillir l'information utile dans des fiches signalétiques (SIMDUT). • Faire la liste des postes de travail à surveiller. • Tenir un registre de surveillance.
Inspections	Détecter les dangers potentiels et maintenir des conditions de travail sécuritaires.	• Procéder à l'inspection générale des lieux. • Faire des inspections d'équipements, de systèmes, etc. • Se servir de listes et de guides techniques d'inspection. • Faire des rapports d'inspection et tenir des registres. • Travailler en collaboration avec le comité de santé et de sécurité.

ENCADRÉ 15.10 *(suite)*

Moyen de prévention	Objectif visé	Mesures préconisées
Surveillance de la santé	Dépister rapidement les atteintes à la santé des travailleurs et des travailleuses.	Déceler et évaluer les risques pour la santé existant dans le milieu de travail. • Prendre des mesures de surveillance médicale des employés. • Faire la promotion de la santé. • Mettre sur pied un programme de santé au travail. • Recourir aux services de santé disponibles. • Travailler en collaboration avec le comité de santé et de sécurité du travail.
Méthodes de travail sécuritaires	Se doter de méthodes et de techniques de travail sécuritaires.	• Élaborer et tenir à jour des méthodes de travail sécuritaires. • Observer et analyser les tâches. • Intégrer aux fonctions et aux tâches des méthodes et des techniques de travail sécuritaires. • Travailler en collaboration avec les travailleurs et travailleuses et avec le comité de santé et de sécurité.
Équipement de protection	Protéger les travailleurs et travailleuses des dangers qui ne peuvent être éliminés à la source ni contrôlés.	• Choisir l'équipement de protection. • Gérer l'équipement de protection. • Obtenir des fiches d'information sur l'équipement de protection, en prendre connaissance et les diffuser. • Travailler en collaboration avec le comité de santé et de sécurité.
Règlements sur la santé et la sécurité du travail	Déterminer les exigences en matière de santé et de sécurité en tenant compte des caractéristiques de l'entreprise.	• Établir la liste des règlements que doit respecter l'entreprise. • Élaborer des règles internes, les faire approuver par la direction et les tenir à jour. • Faire connaître et faire respecter les règlements qui s'appliquent à l'entreprise ainsi que les règles internes de sécurité. • Donner aux visiteurs, aux fournisseurs et à toute autre personne entrant dans l'entreprise de l'information sur les règles en vigueur.

Information sur la santé et la sécurité du travail	Fournir aux travailleurs et aux travailleuses des éléments de connaissance sur leur milieu de travail.	• Mettre en place des moyens d'information tels que:
		  o tableaux d'affichage;
		  o réunions de groupe;
		  o promotion de la prévention.
		• Diffuser dans l'entreprise l'information prescrite par la loi ou par les règlements.
		• Rendre accessible au personnel de l'entreprise la documentation sur la santé et la sécurité du travail.
		• Prévoir les mécanismes nécessaires pour informer les visiteurs, les fournisseurs et les autres personnes entrant dans l'entreprise en matière de santé et de sécurité du travail.
		• Travailler en collaboration avec le comité de santé et de sécurité.

ENCADRÉ 15.10 *(suite)*

Moyen de prévention	Objectif visé	Mesures préconisées
Formation en matière de santé et de sécurité du travail	Permettre aux travailleurs et aux travailleuses d'acquérir des connaissances et des habiletés en matière de santé et de sécurité ainsi que des attitudes et des comportements sécuritaires.	• Former et entraîner les travailleuses et travailleurs pour qu'ils exécutent leurs tâches de façon sécuritaire. • Offrir la formation nécessaire en matière de prévention (méthodes d'inspection, techniques d'enquête, etc.). • Donner la formation prévue dans les règlements (par exemple pour le SIMDUT). • Tenir à jour un dossier de la formation en santé et en sécurité. • Travailler en collaboration avec le comité de santé et de sécurité.
Enquête et analyse en matière d'accidents	Corriger la situation qui a provoqué l'accident et prévenir d'autres situations du même genre.	• Déterminer le type de situations visées. • Adopter une méthode d'enquête et d'analyse en matière d'accidents. • Tenir le registre des accidents. • Inscrire au registre les incidents qui auraient pu occasionner un accident. • Réunir des statistiques sur les accidents et les analyser. • Instaurer des mécanismes de suivi. • Travailler en collaboration avec le comité de santé et de sécurité.
Mesures d'urgence	Limiter les conséquences d'un événement susceptible de prendre de l'ampleur.	• Désigner des responsables de la SST et définir la marche à suivre dans les situations d'urgence. • Prendre des mesures de protection et de lutte contre les incendies. • Adopter un plan d'évacuation. • Prévoir des mesures pour les situations d'urgence autres que les incendies. • Former et entraîner les responsables de la SST désignés et l'ensemble du personnel. • Prévoir les modes de communication à utiliser dans les situations d'urgence. • Évaluer les mesures d'urgence.

Source : www.csst.qc.ca.

DES EXEMPLES DE PRÉVENTION DES RISQUES POUR LA SANTÉ

Nous aborderons deux exemples pour illustrer les moyens de prévention que l'organisation peut mettre en œuvre, à savoir la réduction de la fréquence des blessures au dos et la réduction des risques liés au sida et à l'hépatite B.

La réduction de la fréquence des blessures au dos. Elle s'avère d'une grande importance étant donné le nombre élevé de travailleurs affligés de maux de dos et leurs répercussions sur la productivité organisationnelle. Deux tendances se dessinent dans la recherche sur la prévention des maux de dos, soit une approche axée sur l'individu et une approche axée sur l'organisation. La première, plus traditionnelle, cherche à améliorer la condition physique de l'individu. Des muscles dorsaux plus forts, plus flexibles et exercés occasionnent, bien sûr, moins de blessures. Un certain nombre de programmes de conditionnement physique ont été mis sur pied dans ce sens. L'approche axée sur l'organisation considère que la réduction des maux de dos et des blessures au dos passe par un examen minutieux du milieu de travail. De plus en plus d'études indiquent que la mise en place de conditions de travail ergonomiques réduit de façon importante les douleurs au bas du dos. Des changements dans l'environnement psychologique peuvent aussi réduire la fréquence des maux de dos. Il semble que des facteurs psychosociaux liés à l'organisation du travail et à la satisfaction au travail aient une relation avec les douleurs ressenties au bas du dos. Une corrélation a déjà été établie entre la participation des travailleurs, le fait d'avoir un pouvoir décisionnel et de l'autonomie, et la fréquence des maux de dos. Nous traiterons davantage des facteurs psychologiques dans la prochaine section.

La réduction des risques liés au sida et à l'hépatite B. Le débat entourant le besoin d'étendre la vaccination contre l'hépatite B à tous les travailleurs qui sont en relation avec des populations à haut risque s'intensifie. Mais les coûts énormes rattachés à une telle opération incitent un grand nombre de chercheurs à ne pas recommander cette mesure. La vaccination est cependant essentielle dans le cas où les employés ont été exposés à des groupes à haut risque. En revanche, tous les travailleurs des organisations dans lesquelles les risques sont élevés devraient suivre des programmes de formation au moyen desquels serait transmise une information claire, pertinente et détaillée quant aux risques de contamination possibles et aux mesures de protection nécessaires. Il s'agit là d'un moyen accessible et peu coûteux de protéger les individus contre les risques biologiques. Les mesures simples et adéquates sont de loin les plus efficaces. L'une d'elles consiste à manipuler les échantillons biologiques de façon appropriée, en prenant soin de se laver minutieusement les mains ou de porter des gants jetables. Il s'agit là d'une mesure efficace contre les maladies infectieuses.

Une approche similaire devrait être adoptée pour la prévention du sida dans les lieux de travail. Il s'agit en effet d'une préoccupation de plus en plus importante pour les employés du secteur de la santé ainsi que pour les gardiens de prison, les policiers et les autres travailleurs qui, dans le cadre de leurs fonctions, peuvent entrer en contact avec des individus porteurs du Virus d'immunodéficience humaine (VIH). On doit mettre l'accent sur la prévention et l'éducation. À cet égard, un programme de prévention continu, mis en place avec l'appui des centres locaux de services communautaires (CLSC), a obtenu beaucoup de succès. Ce programme a permis de transmettre une information pertinente au corps policier de la grande région métropolitaine. Il mérite d'être cité en exemple en raison de son efficacité. Deux médecins spécialisés dans le domaine de la santé et de la sécurité du travail ont fourni de l'information dans le cadre d'une série de conférences. Ces médecins ont fait connaître au personnel les risques de contamination potentiels et leur ont enseigné les mesures de protection à prendre. Le programme de prévention des policiers a été élaboré à Montréal par l'Association patronale-syndicale de santé et de sécurité des affaires municipales. Il inclut un module sur les risques biologiques de contracter des maladies dans le cadre d'activités professionnelles.

LA PROMOTION PROACTIVE DE LA SANTÉ ET DE LA SÉCURITÉ

Beaucoup de travailleurs considèrent que la prévention implique de travailler avec du matériel encombrant (par exemple, avec des lunettes lourdes, peu esthétiques, chaudes et difficiles à porter) ou de remplacer des méthodes de travail simples par des méthodes compliquées. Pour en arriver à changer la mentalité des travailleurs à l'égard de la prévention, l'organisation devrait commencer par effectuer des améliorations simples, peu coûteuses et faciles à appliquer. Même si ce ne sont pas des mesures prioritaires pour elle, l'organisation pourrait, par exemple, fournir une information de base sur l'importance de se laver les mains pour prévenir les infections, puis distribuer des gants jetables. L'encadré 15.11 fait référence à un nombre de conditions devant être remplies pour maximiser les chances de succès d'un programme de prévention.

ENCADRÉ 15.11 Guide pour l'établissement d'un programme de prévention

- Les cadres supérieurs doivent assumer la direction du programme. Si ceux-ci ne sont que les porte-parole du service des ressources humaines en matière de santé et de sécurité, les employés accorderont peu d'importance aux politiques de SST.

- Les responsabilités des individus et du service de RH doivent être clairement définies, de manière à ce que les objectifs puissent être atteints.

- Toutes les causes d'accidents du travail et de maladies professionnelles doivent être précisées, puis éliminées ou contrôlées.

- Tout programme de santé et de sécurité du travail devrait comprendre un bon programme de formation.

- Les cadres de tous les échelons devraient tenir des registres sur les accidents du travail et les maladies professionnelles, de manière à inventorier tous les types d'accidents ou de problèmes de santé pouvant survenir. Ces registres pourraient indiquer également la fréquence et le taux d'exposition des employés aux matières dangereuses, ce qui permettrait de déceler les situations à haut risque (particulièrement dans le cas des produits chimiques).

- L'organisation doit constamment encourager les employés à prendre conscience de l'importance de la santé et de la sécurité du travail et à assumer les responsabilités qui leur reviennent en cette matière.

Consultez Internet

http://www.irsst.qc.ca

Site de l'Institut de recherche en santé et en sécurité du travail, organisme chargé d'effectuer des recherches et des enquêtes sur le sujet.

L'importance de la participation. Il est primordial que la direction fasse preuve d'engagement et de motivation au cours du processus de prévention de la santé et de la sécurité du travail. Aucun programme ne pourra fonctionner si les superviseurs et le personnel de gestion n'y croient pas[22]. Ces derniers doivent appuyer chacune des actions menées en matière de prévention, en situant les objectifs et la réalisation du programme dans une perspective globale. La participation de tous les paliers administratifs et de l'ensemble des travailleurs à la conception et à la structure du programme s'impose également. Le personnel subalterne doit avoir son mot à dire dans la détermination des risques liés à la façon dont on fait réellement les choses (et non à celle prescrite par les règlements). Par ailleurs, lorsque des spécialistes proposent des solutions ou des modifications à la marche à suivre, ils devraient s'assurer de leur faisabilité et de la possibilité de les faire accepter par les employés. Ils devraient aussi obtenir l'accord de ces derniers avant la mise en œuvre permanente de ces mesures. Les recherches montrent que les nouveaux procédés techniques, qui semblent souvent judicieux sur papier ou en laboratoire, n'atteignent pas leur objectif de protection s'ils ne sont pas utilisés parce que les employés les trouvent encombrants, non réalistes ou qu'ils ne les apprécient pas pour d'autres raisons[23].

Les organisations devraient également former des comités de sécurité, auxquels les dirigeants donneraient des instructions claires, des objectifs à atteindre et des échéanciers d'application. De cette façon, les membres sauraient ce qu'ils ont à accomplir et connaîtraient les attentes de la direction. À cet égard, les promotions et les récompenses peuvent être utilisées à titre de stimulants.

L'importance de la formation. Parmi les nombreuses stratégies devant inciter les employés à adopter des comportements plus sécuritaires, la formation joue un rôle clé. Une formation devrait être donnée chaque fois qu'un nouvel employé entre au service d'une entreprise, qu'un travailleur occupe un nouveau poste ou qu'un nouveau procédé est intégré aux méthodes de production. Toute tâche à accomplir devrait d'abord faire l'objet d'une analyse des postes en matière de sécurité.

Le rôle du service des ressources humaines. Le service des ressources humaines peut aussi être mis à contribution dans la prévention des accidents, soit en soutenant les superviseurs dans leurs efforts de formation, soit en mettant sur pied des programmes de sécurité stimulants. Par exemple, beaucoup d'organisations affichent dans leurs établissements des données sur le nombre d'heures ou de jours travaillés sans accident, ou placardent des affiches sur lesquelles on peut lire le slogan « Sécurité d'abord ». Des concours de sécurité sont aussi organisés, au cours desquels on décerne des prix ou des récompenses aux individus ou aux services ayant obtenu les meilleurs résultats. Ce genre de programmes semblent mieux fonctionner dans les entreprises où les employés sont déjà conscients de l'importance de la santé et de la sécurité, et là où les conditions prévalant dans le milieu de travail ne comportent pas de risques extrêmes.

Le rôle des comités paritaires de santé et de sécurité du travail. Bon nombre d'organisations ont misé sur la formation de comités paritaires de santé et de sécurité pour augmenter l'efficacité de leurs stratégies dans ce domaine. Tous les membres de ces comités doivent suivre une solide formation basée sur une évaluation précise des besoins des employés[24]. Voici deux avantages dont bénéficient les entreprises qui ont formé adéquatement les membres de leurs comités : (1) une amélioration des réseaux de communication dans les lieux de travail ; (2) un engagement accru de la haute direction en matière de santé et de sécurité. Il est, en effet, plausible de penser que mieux la direction est informée sur le sujet, plus son engagement devient important[25].

Partie **2**

Le bien-être au travail

Beaucoup de travailleurs associent une piètre qualité de vie au travail à des conditions organisationnelles qui ne réussissent pas à satisfaire leurs préférences ni leurs besoins. Il est ici question des besoins d'assumer des responsabilités, d'accomplir un travail intéressant et stimulant, d'avoir la maîtrise de soi, d'être reconnu, de se réaliser, de recevoir un traitement équitable et d'être en sécurité. Le plus souvent, les conditions qui sont sources d'insatisfactions sont : (1) le fait d'occuper un emploi jugé peu important, dont les tâches sont peu variées, qui ne permet pas à l'employé de s'identifier au travail accompli, qui ne fait pas de place à l'autonomie ni à la rétroaction, et où l'on ne met pas suffisamment l'accent sur l'aspect qualitatif des tâches à accomplir ; (2) un réseau de communications à sens unique passant par de multiples paliers hiérarchiques, et une participation minimale des employés à la prise de décision ; (3) des systèmes de rémunération et d'évaluation du rendement perçus comme inéquitables ; (4) des superviseurs, des descriptions de postes et des politiques organisationnelles qui ne précisent pas aux employés ce que l'on s'attend d'eux et ce qui peut être récompensé ; (5) des politiques et des pratiques en matière de ressources humaines qui sont discriminatoires et dont on peut mettre en doute le bien-fondé.

Dans la deuxième partie de ce chapitre, nous examinerons les facteurs qui affectent le bien-être au travail, puis nous étudierons les fléaux dont le milieu de travail est affligé de nos jours, notamment le stress et la violence au travail. Nous terminerons en exposant les programmes qui visent à améliorer la santé et le bien-être au travail.

I Les facteurs qui influent sur le bien-être au travail

Trois types de déterminants peuvent avoir un effet sur le bien-être au travail : le profil des individus, les caractéristiques des postes et le contexte organisationnel. Nous les examinerons succinctement, puisque ces déterminants sont des sources potentielles de stress ou de détresse psychologique et qu'ils peuvent même engendrer des comportements violents en milieu de travail. En effet, on a découvert un lien direct entre la frustration, le stress professionnel et l'hostilité, le sabotage, les ralentissements et la violence au travail[26, 27].

LE PROFIL DES INDIVIDUS

Il y a des individus qui sont plus susceptibles que d'autres de manifester des comportements violents ou de souffrir de stress ou de détresse psychologique. Les personnes ayant déjà été victimes de violence ou ayant eu une enfance difficile, une éducation déficiente, des problèmes de toxicomanie, des problèmes psychologiques ou des situations personnelles difficiles et problématiques sont plus susceptibles que d'autres de modifier le climat de travail et les rapports entre collègues[28].

LES CARACTÉRISTIQUES DE L'EMPLOI

Certains types de travailleurs sont aux prises avec des situations qui minent leur santé et leur bien-être au travail à cause de la nature de leur emploi. Ainsi, les personnes qui travaillent seules, comme les chauffeurs de taxi ou les travailleurs à domicile, peuvent faire face à des situations de violence au travail. Les employés qui sont en relation avec le public, comme les agents de bord ou les personnes qui occupent des emplois dans les commerces, les enseignants, les travailleurs de la santé qui subissent des charges de travail très intenses et qui sont en contact avec des personnes malades ou en difficulté sont plus susceptibles que d'autres de vivre des situations de stress ou de détresse psychologique. Finalement, les personnes qui manipulent des objets de valeur sont souvent assaillies par la peur de se voir attaquer ou agresser, ce qui a nécessairement un effet sur leur bien-être au travail.

LE CONTEXTE ORGANISATIONNEL

Le contexte organisationnel constitue un terrain fertile en facteurs susceptibles de miner la santé mentale et physique des travailleurs.

Ainsi, les vagues de rationalisation qui ont prévalu au cours des années 80 et au début des années 90, le recours aux emplois atypiques et l'augmentation de la pression pour améliorer la productivité comptent parmi les raisons qui ont fait augmenter les niveaux de stress au travail[29, 30, 31]. Certaines pratiques liant employeurs et employés qui existaient de longue date dans les organisations ont cédé la place à une compétition malsaine entre les collègues de travail, coexistant souvent avec une culture organisationnelle qui prône indirectement la manifestation d'agressivité pour avancer dans l'organisation. Dans une ère où l'on met de l'avant l'autonomie, le pouvoir est un moyen de contrôle et peut accroître les risques de violence psychologique à l'égard des collègues et des subordonnés. Les nombreux changements technologiques qui, bien souvent, ne sont pas acceptés par les employés, sont sources de stress et font naître chez eux un sentiment d'inutilité et de détresse psychologique[32, 33]. Enfin, les horaires de travail irréguliers sont le lot d'un grand nombre de travailleurs dans le monde. Le travail par quarts entraîne un certain nombre de problèmes, car l'être humain est essentiellement diurne. Les principaux problèmes qu'occasionnent les horaires irréguliers sont les suivants : troubles du sommeil, diminution du rendement au travail et de la capacité d'apprentissage, alimentation déficiente et perturbation de la vie sociale et familiale[34].

Mentionnons en dernier lieu que les problèmes de rôles (conflits et ambiguïtés), les exigences par rapport au contenu de l'emploi (charge de travail et responsabilités), l'organisation du travail (manque de participation, nombre d'heures travaillées), les perspectives professionnelles (ambiguïtés entourant la carrière, sous-utilisation des habiletés) et l'environnement physique (bruit, température, sécurité) se traduisent par des problèmes physiques et psychologiques dont les répercussions se font sentir à la fois sur le travail effectué et sur l'environnement familial et social de l'individu[35, 36, 37].

II Les fléaux contemporains qui affligent le monde du travail

On assiste de nos jours à l'émergence de plusieurs problèmes organisationnels qui réduisent la qualité de vie au travail. Nous étudierons en particulier deux phénomènes : la violence en milieu de travail et le stress professionnel.

LA VIOLENCE AU TRAVAIL

Une définition de la violence au travail. Le Centre canadien d'hygiène et de sécurité au travail définit la violence en milieu de travail comme tout acte de violence (menace, intimidation ou agression) dont une personne fait l'objet dans le cadre de ses fonctions. Il peut s'agir :

- de comportements menaçants, consistant, par exemple, à détruire des biens, à lancer des objets ou à montrer le poing à quelqu'un ;
- de menaces verbales ou écrites faites à quelqu'un ;
- de harcèlement, c'est-à-dire de tout comportement coercitif ou alarmiste destiné à perturber la personne visée ;
- de violence verbale, comme les jurons, les injures ou les propos condescendants ;
- d'agression physique, consistant, par exemple, à frapper, à pousser ou à bousculer une personne ou à lui donner des coups de pied[38].

Sont également considérés comme des comportements violents les comportements passifs ou indirects tels que l'utilisation de noms peu flatteurs, la perte du contrôle de soi, l'intimidation par des menaces de congédiement, la dissimulation de renseignements essentiels, l'échange de regards agressifs, les comportements consistant à ignorer l'autre, l'humiliation ou le fait de ridiculiser la personne devant les autres[39]. L'encadré 15.12 énumère 12 comportements violents adoptés par des supérieurs.

ENCADRÉ 15.12 Douze comportements de supérieurs violents

Des moins visibles aux plus visibles :

- Camouflage des menaces : insinuations, exagérations, reproches voilés, demandes ambiguës.
- Refus de communications autres qu'instrumentales.
- Discours partial, voire mensonger : jugements appuyés sur des ouï-dire ou sur des rapports verbaux non vérifiés.
- Refus d'accorder du ressourcement professionnel.
- Refus de soutien professionnel : aucune assistance lors d'une surcharge de travail, par exemple.
- Mise en doute des compétences.
- Manque de respect, mépris.
- Harcèlement administratif : envoi de mémos, lettres de blâme, plaintes ; attribution d'un faux caractère d'urgence à certaines tâches... dont les résultats sont ensuite mis de côté.
- Contrôle excessif.
- Menaces.
- Intimidation : cris, gestes menaçants, lancements d'objets, etc.
- Exclusion : suspension, congédiement, mise à l'écart, etc.

Source : Chantal Aurousseau, conseillère en communication organisationnelle. Citée dans M. Quinty, « Violence en milieu de travail, comment réagir et s'en protéger », *Affaires plus*, septembre 1999, p. 54-61.

L'ampleur du problème. Selon une enquête réalisée par Statistique Canada en 1993, 23 % des Canadiennes ont été victimes de harcèlement, d'intimidation ou d'humiliation au travail. Les actes ont été commis dans 55 % des cas par un collègue de travail, dans 39 % des cas par le patron ou le superviseur et dans 13 % des cas par des clients. L'encadré 15.13 fait état du nombre de demandes d'indemnisation acceptées pour des accidents dus à des actes de violence et ayant impliqué une perte de salaire. Ces demandes sont classées par secteur d'activités[40].

ENCADRÉ 15.13 Demandes d'indemnisation acceptées, par secteur d'activités, pour des accidents dus à des actes de violence et ayant entraîné une perte de salaire		
	1995	**1996**
Services gouvernementaux	913	456
Santé et services sociaux	1 549	1 701
Commerce de détail	390	377
Fabrication	94	184
Services éducatifs	99	129

Source : G. DiGiacomo, « Agression et violence en milieu de travail », *Gazette du travail,* vol. 2, n° 2, p. 77-92. Tableau reproduit de : Association des commissions des accidents du travail du Canada, *Accidents du travail et maladies professionnelles,* Canada (1995-1997), décembre 1998.

LE STRESS PROFESSIONNEL

Les professionnels des ressources humaines accordent de plus en plus d'attention au stress et à l'épuisement professionnel, vu leurs effets néfastes sur la productivité et le bien-être physique et mental des employés.

La définition du stress. Le stress a été défini de plusieurs façons. Certains le considèrent comme un stimulus, puisque l'on dit que les conditions environnementales peuvent être des sources de stress ; d'autres, notamment Hans Selye, qui a été chercheur à l'Université de Montréal, le définissent comme une réaction. Hans Selye, qu'on a souvent désigné comme « le père du stress », a été le premier chercheur, au cours des années 30, à observer que le corps réagit de la même façon à différentes tensions, à la fois sur les plans physiologique et biologique. Il a désigné ce phénomène par l'expression « syndrome général d'adaptation » (SGA). Le stress entraîne un épuisement et une usure du corps. Un autre chercheur, Cannon, a axé ses recherches sur les réactions hormonales au stress. Comme Selye, ses recherches ont été menées sur des animaux. Il a découvert une réaction particulière au stress, qu'il a nommée combat ou fuite (« fight or flight »). Dans les deux cas, le corps réagit instantanément au stress. Les concepts avancés par ces deux chercheurs n'ont obtenu qu'un assentiment partiel de la part des scientifiques du comportement et des sciences humaines. Selye et Cannon ont fait l'objet de critiques en raison de la méthodologie adoptée et des sujets utilisés pour leurs expériences : leurs recherches ont été effectuées dans un milieu contrôlé, en laboratoire, et leur expérimentation a été faite sur des animaux. Les deux chercheurs ont soulevé des protestations lorsqu'ils ont soutenu que les mécanismes de réaction au stress découverts chez les animaux s'appliquaient également aux humains. Il faut préciser que ce qui distingue le stress humain du stress animal, c'est le « processus cognitif », soit une façon de percevoir les menaces et d'y réagir qui est propre à l'homme.

Les modèles et les concepts s'appliquant au stress humain ont évolué au fil des ans tant en ce qui a trait à leur définition qu'à la portée de leur application. Le stress est actuellement perçu comme un phénomène beaucoup plus étendu et plus complexe qu'il ne l'était auparavant. La plupart des chercheurs se consacrant à l'étude du stress au travail le définissent comme un processus complet de perception et d'interprétation de l'environnement qui est mis en relation avec la capacité de réagir à cet environnement. Selon cette définition, il y a stress lorsque le milieu de travail constitue une menace pour l'individu ou est perçu comme tel par celui-ci. De trop grandes exigences ou un travail peu stimulant peuvent causer du stress. On parle alors de plus en plus de l'« inadaptation » de l'individu au travail.

Les effets du stress au travail. Une foule d'indicateurs sont utilisés pour montrer les effets néfastes du stress sur la santé des employés. Un indicateur des réactions affectives et émotionnelles ayant été utilisé largement ces dernières années, particulièrement pour les employés travaillant dans le secteur de la santé, est l'épuisement professionnel. Selon certains, il s'agit d'un type de stress qui apparaît lorsque les individus ont peu de prise sur la qualité de leur travail, mais se sentent néanmoins responsables du succès ou de l'échec de celui-ci. D'autres définissent le concept d'épuisement professionnel comme le point culminant d'un stress subi sur une longue période, comme un état de grande fatigue résultant d'un stress mental et émotionnel prolongé. Il se traduit par un épuisement physique, mental et émotionnel qui empêche l'employé d'accomplir adéquatement son travail. L'épuisement professionnel s'installe progressivement, débutant avec l'impression de ne pas accomplir le travail de façon satisfaisante, puis évoluant au point où les fonctions physiques et mentales se détériorent réellement. Les gens le plus susceptibles de faire face à ce problème sont ceux qui sont trop engagés dans leur travail, qui travaillent trop longtemps et trop intensivement, et qui ont peu d'emprise sur leur vie. L'épuisement professionnel frappe tous les types de professions et toutes les catégories professionnelles, peu importe le milieu social auquel appartient le travailleur affecté. Les policiers, les gardiens de prison, les infirmières, les travailleurs sociaux et les professeurs sont toutefois des catégories à risque.

La dépression, l'anxiété, l'irritabilité et les problèmes somatiques sont d'autres manifestations du stress. De plus, on a établi des liens entre le fait de fumer la cigarette et de boire de l'alcool et les exigences professionnelles. D'après certaines recherches, les effets du stress sur le plan physiologique se traduiraient par une augmentation de la sécrétion de catécholamines (adrénaline et noradrénaline) et de stéroïdes et une élévation de la pression sanguine, tous des signes avant-coureurs d'ulcères de l'estomac et de maladies cardiovasculaires. Il est intéressant de noter qu'une étude récente portant sur l'hypertension a révélé un lien entre l'hypertension et le stress intrinsèque. Une conclusion peut être tirée de cette constatation : même les employés qui sont satisfaits de leur travail peuvent subir un stress[41].

L'encadré 15.14 montre l'intensité de la souffrance liée à la détresse psychologique au Québec. Selon une enquête du ministère de la Santé et des Services sociaux, on peut constater que, dans toutes les catégories d'âge et de sexe, le niveau de détresse psychologique a augmenté entre 1987 et 1992-1993. Les femmes sont la catégorie de main-d'œuvre la plus intensément touchée par ce phénomène.

Le stress et l'épuisement professionnel sont-ils des maladies donnant droit à une indemnisation ? Cette question pose un problème aux commissions des accidents du travail en Amérique du Nord. Il est, en effet, très difficile de juger de l'admissibilité de troubles mentaux attribuables au stress et à l'épuisement professionnel. Comme il n'existe pas de politique claire à ce sujet, les décisions des différents comités sont prises en fonction du bien-fondé de chaque cas. Il n'en demeure pas moins que le

ENCADRÉ 15.14 Niveau élevé à l'indice de détresse psychologique selon le sexe et l'âge, population de 15 ans et plus, Québec, 1987 et 1992-1993

Sexe / Groupe d'âge	1987	1992-1993	
	%	%	nombre
Hommes			
15-24 ans	17,4	29,7	140 806
25-44 ans	14,9	22,8	280 468
45-64 ans	13,7	20,8	153 178
65 ans et plus	11,6	9,3	25 639
Total	**14,8**	**22,1**	**600 091**
Femmes			
15-24 ans	29,6	40,8	187 198
25-44 ans	22,9	32,2	391 419
45-64 ans	22,1	26,4	197 159
65 ans et plus	21,1	20,0	74 149
Total	**23,8**	**30,4**	**849 925**
Sexes réunis			
15-24 ans	23,4	35,2	328 004
25-44 ans	19,0	27,5	671 887
45-64 ans	18,0	23,7	350 337
65 ans et plus	17,0	15,4	99 788
Total	**19,4**	**26,3**	**1 450 016**

Source : Ministère de la Santé et des Services sociaux, *Et la santé, ça va en 1992-1993? Rapport de l'Enquête sociale et de santé*, 1992-1993, vol. 1, Montréal, Gouvernement du Québec, 1995, p. 220. Mise à jour : 30 mars 1999.

nombre de cas acceptés augmente. Le dilemme important auquel font face les tribunaux reflète bien les questions des chercheurs universitaires concernant le diagnostic du stress et de l'épuisement professionnel, à savoir : (1) jusqu'à quel point le diagnostic de l'épuisement professionnel est-il valable, et peut-on se fier aux mécanismes qui servent à l'établir (c'est-à-dire peut-on leur donner une validité et une valeur de généralisation) ?, et (2) en supposant qu'un diagnostic d'épuisement professionnel ait été posé, quels en sont les causes possibles ou les antécédents ? Habituellement, les employeurs appuient la thèse selon laquelle la faiblesse de la personnalité de l'individu ou d'autres particularités qui lui sont propres sont la cause première des états de stress. En revanche, les syndicats et les associations d'employés soutiennent le contraire. Pour eux, ce sont les conditions psychologiques et affectives prévalant dans le milieu de travail qui en sont la cause. Les recherches portant sur le stress au travail tentent de fournir des réponses à ces questions.

III Les interventions en vue d'éliminer la violence au travail

La violence au travail est un phénomène déplorable auquel il faut absolument remédier. Il est souvent impossible d'éliminer la violence à la source. Dans le cas de la violence causée par les clients ou les bénéficiaires, étant donné qu'on n'a généralement aucune possibilité de la contrôler, il devient important de fournir aux employés des moyens leur permettant de se défendre ou de contenir la violence engendrée par le milieu de travail. Une étude récente propose quatre moyens d'aborder le phénomène de la violence au travail. Nous examinerons brièvement chacun de ces moyens, tout en gardant à l'esprit que ce sont des initiatives tripartites, c'est-à-dire impliquant la participation des gouvernements, des syndicats et des employeurs, qui réussiront à contrer la violence[42].

LES POLITIQUES GOUVERNEMENTALES

Le saviez-vous ?

En Norvège, un employé peut refuser de faire un travail s'il croit être la cible de collègues ou de superviseurs violents.

Dans la plupart des provinces, le problème de la violence au travail est réglementé par des dispositions très générales selon lesquelles l'employeur doit protéger la santé des employés au travail et assurer leur sécurité. Une réflexion s'impose quant à savoir si les lois fédérales et provinciales en matière de santé et de sécurité du travail ne devraient pas inclure les sévices corporels et psychologiques que subissent, en raison de la violence ou du harcèlement, les personnes travaillant dans des milieux stressants. Ainsi, la notion de danger devrait être redéfinie pour tenir compte des formes de violence autres que physiques[43, 44].

LES INITIATIVES CONJOINTES DES EMPLOYEURS ET DES SYNDICATS

Les employeurs et les syndicats ont intérêt à contrer la violence en milieu de travail. Selon un document proposé par le Bureau de la main-d'œuvre féminine de Développement des ressources humaines Canada, un certain nombre d'employeurs et de syndicats canadiens effectuent des vérifications sur la sécurité des lieux de travail pour prévenir la violence. Certaines conventions collectives prévoient des conditions dans lesquelles l'employeur peut demander à une employée de travailler seule ou dans des endroits isolés[45].

LES AMÉNAGEMENTS DU LIEU DE TRAVAIL

Une autre façon de réduire la violence au travail est d'aménager le lieu de travail. Ainsi, l'approche normative consiste à fournir aux employés des boutons de panique, des codes d'urgence, différents affichages pour décourager les agresseurs, une caméra de surveillance, etc. Munir les aires d'accueil de baies vitrées, fournir des toilettes privées pour le personnel permet de faire échec à la violence causée par des clients ou des bénéficiaires. Éclairer les parcs de stationnement et disposer les ameublements de façon à éviter que les employés ne se retrouvent piégés dans certaines situations figurent parmi les recommandations qui ont pour effet de réduire les situations de violence possibles. Il faut ajouter que la pertinence des caractéristiques d'aménagement varie selon le milieu de travail et les sources de violence. Il n'en demeure pas moins qu'il faut faire participer les employés à l'aménagement du lieu de travail[46, 47, 48].

LES POLITIQUES ORGANISATIONNELLES

Les politiques de gestion des ressources humaines qui sont susceptibles de prévenir la violence en milieu de travail ou, du moins, d'en réduire les effets doivent tenir compte des considérations suivantes :
- élaborer et diffuser une politique de tolérance zéro en matière de violence en milieu de travail ;

- s'assurer que les employés reconnaissent les situations dangereuses et les caractéristiques des gens potentiellement violents;
- établir des programmes de formation structurés qui donneraient aux employés les habiletés et les connaissances nécessaires pour désamorcer et gérer les actes de violence et les comportements violents;
- mettre en place des procédures pour enquêter sur les incidents survenus et pour pallier à leurs répercussions sur les personnes concernées[49, 50].

Consultez Internet

http:///www.uncc.edu/ragiacal/sabframes.html

Source d'information sur la violence au travail (vandalisme, sabotage, agression et autres formes de violence).

En plus de ces mesures directes, il faut rappeler que parmi les sources de violence au travail figure le sentiment d'injustice ou l'impression de subir un traitement inéquitable. Il devient donc crucial de s'assurer que les employés perçoivent les politiques et les procédures de gestion comme justes et équitables en appliquant les principes et les critères de la justice organisationnelle dans ses trois composantes, à savoir les justices procédurale, distributive et interactionnelle (voir le chapitre 13).

L'encadré 15.15 propose par ailleurs un certain nombre de trucs et de conseils en vue de prévenir ou de désamorcer une crise de violence.

ENCADRÉ 15.15 Trucs et conseils anti-violence*

Il y a moyen de prévenir ou de désamorcer une crise. Une personne agressive étant souvent frustrée ou anxieuse, le meilleur antidote, c'est souvent l'empathie et la générosité des informations. Voici quelques trucs simples, pour calmer, apaiser un client ou une cliente en colère:

- se préparer, lorsqu'on prévoit entrer en contact avec un client difficile;
- utiliser un ton de voix calme et posé;
- respecter l'espace vital de la personne agressive (ne pas la toucher, ni s'en approcher à moins d'un mètre);
- tenir compte du principe donner-recevoir: «Je fais preuve de bonne volonté, pourquoi ne pas faire de même, vous aussi?»;
- ne pas avoir peur de dire: «Vous avez peut-être raison...»;
- écouter la personne, lui permettre de ventiler ses émotions;
- demeurer toujours poli, mais ferme;
- utiliser des mots simples, et répéter une explication, si nécessaire;
- inviter la personne à poser des questions;
- éviter de la juger;
- reformuler ce qu'elle dit pour montrer qu'on la comprend;
- ne pas lui donner de conseils, ni d'ordres;
- regarder la personne dans les yeux;
- reconnaître sa propre émotion (peur, colère, tristesse);
- démontrer de l'empathie par rapport à ce que vit et ressent l'autre;
- mettre en valeur les ressources et les qualités de l'interlocuteur (compétences, formation, esprit d'initiative, etc.);
- lui rappeler les rapports antérieurs, s'ils étaient harmonieux;
- établir une entente visant la recherche de solutions;
- faire connaître ses limites et introduire des éléments de réalité;
- être intègre, ne pas mentir.

Il faut, bien entendu, éviter de perdre son sang-froid et de proférer soi-même des menaces; de blâmer ou d'accuser; d'imposer ses solutions; d'argumenter ou de se justifier; de provoquer, d'humilier ou de ridiculiser; de faire des blagues inappropriées; de changer de sujet; de se taire ou de dire: «c'est la faute du système»; de parler trop, d'intimider plutôt que de convaincre. Sans jeu de mots, «que la paix soit avec vous».

* Conseils tirés, en bonne part, d'un document de la Direction de la réadaptation de la CSST, printemps 1995.

Source: A. Lachance, «Violence au travail: le temps des solutions», *Prévention au travail*, octobre-novembre-décembre 1996, p. 8-14.

IV Les interventions en vue d'améliorer la santé et le bien-être au travail

Divers programmes peuvent être mis de l'avant pour améliorer la santé et le bien-être au travail. Mis à part les programmes d'aide aux employés, qui ont été examinés au chapitre 12, nous exposerons dans cette section les programmes axés sur la santé, le conditionnement physique, l'aménagement des conditions de travail, l'acquisition d'habitudes alimentaires et la gestion du stress, qui sont tous susceptibles d'améliorer la qualité de vie au travail.

LES PROGRAMMES DE SANTÉ

Dans les faits

Matrox est un chef de file en matière de circuits imprimés. L'entreprise, qui est située près de Montréal, emploie actuellement 600 personnes. Matrox présente ses politiques de SST au cours de l'initiation des employés. Ceux qui auront à manipuler des matières dangereuses ou toxiques recevront une formation technique sur cette question. L'entreprise a préparé aussi une série de documents portant sur des sujets précis, et elle procure un équipement sécuritaire tel que des lunettes et des gants à tout le personnel concerné. Cette entreprise est fière de ses politiques et de ses programmes de SST, et en particulier du fait qu'elle met des installations et des équipements uniques à la disposition de ses employés sur les lieux de travail. En effet, on peut rarement trouver de tels équipements dans les entreprises de cette taille. Les installations incluent une piscine, des cours d'exercices aérobiques, un terrain de soccer et un terrain de base-ball.

On peut situer la santé sur un continuum où le bien-être s'oppose logiquement à la maladie. La médecine s'est concentrée traditionnellement sur le traitement des maladies. Mais l'attention récente portée à la prévention vient modifier les choses[51]. Désormais, la médecine s'intéresse davantage au bien-être général des individus. Le nombre croissant d'organisations offrant à leurs employés des programmes de bien-être témoigne de cet intérêt[52]. Ces programmes touchent toutes les facettes de la vie des employés, y compris le conditionnement physique, la santé mentale, l'équilibre spirituel et le bien-être économique. Dans la plupart des cas, c'est le service des ressources humaines qui coordonne les différents aspects de ces programmes. Vous trouverez les composantes d'un programme de bien-être dans l'encadré 15.16. Comme les composantes d'un même programme se chevauchent, il est important de faire en sorte que tous les éléments s'harmonisent. Par exemple, un programme invitant les gens à cesser de fumer peut se combiner à un programme de conditionnement physique et de consultation sur le style de vie[53].

LES PROGRAMMES DE CONDITIONNEMENT PHYSIQUE

Dans les faits

Nortel Networks a construit d'importantes installations de conditionnement physique sur le lieu de travail. Il en est de même de la compagnie d'assurances Sun Life et du Canadien National, mais les installations de ces dernières sont temporaires et moins coûteuses que celles de Nortel. Air Canada offre aussi à ses employés un programme de conditionnement physique en entreprise qui leur donne accès à une salle de musculation et à des cours d'exercices aérobiques dispensés par des entraîneurs qualifiés, cinq jours par semaine. Il est intéressant de souligner qu'au Japon, par exemple, les programmes de conditionnement physique sont intégrés à la journée normale de travail.

Les programmes de conditionnement physique sont florissants dans les entreprises canadiennes. Certains sont offerts en entreprise, mais d'autres le sont à l'extérieur. Les sociétés qui conçoivent des programmes en entreprise mettent à la disposition de leurs employés des installations sur le lieu de travail. Les employés peuvent faire du conditionnement physique à leur propre rythme ou suivre des cours. Quelques entreprises possèdent d'importantes installations, un personnel de

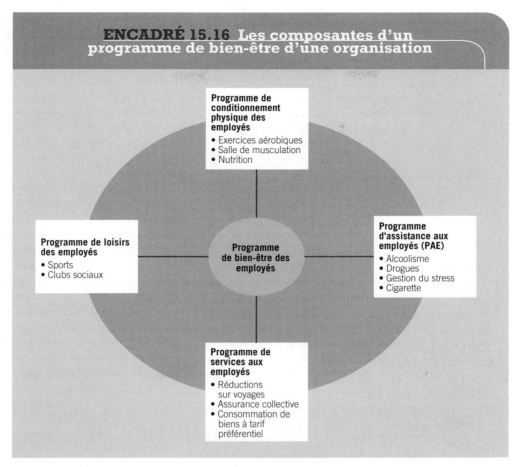

ENCADRÉ 15.16 Les composantes d'un programme de bien-être d'une organisation

Source : J. K. Yardley, «Workplace Wellness : *A positive Approach to work's Bottom Line*», Recreation Canada, vol. 47, n° 2, 1989, p. 30. Traduction et reproduction autorisées.

soutien important et du matériel perfectionné, alors que d'autres entreprises offrent une gamme de services plus réduite.

En revanche, beaucoup d'employeurs optent plutôt pour des installations externes, par manque d'espace ou de matériel. Ils encouragent ainsi leurs employés à participer à de telles activités en remboursant une partie du coût de leur carte de membre. Des entreprises comme la Banque Royale ou Domtar versent à cette fin entre 100 $ et 200 $ à chaque employé. Certaines signent même des ententes avec des centres de conditionnement physique externes déjà existants. Par exemple, 61 entreprises du Québec sont affiliées au YMCA pour son programme de conditionnement physique et de style de vie. C'est le cas d'entreprises comme Air Canada, Alcan, la Banque de Montréal, Bell Canada, la compagnie d'assurances Standard Life et Tilden. Ces entreprises estiment qu'il est moins coûteux pour elles de tirer profit d'installations externes que d'engager des dépenses dans des installations internes.

LES PROGRAMMES D'AMÉNAGEMENT DES CONDITIONS DE TRAVAIL

Certains programmes sont élaborés pour remédier aux problèmes que constituent les charges de travail trop lourdes, principale cause de l'épuisement professionnel dans de nombreuses professions. Ils visent à procurer une assistance aux employés, à réduire les heures supplémentaires, à fournir une formation en matière de gestion du temps et de l'organisation, à aider les employés à trouver des centres d'intérêt autres que le travail et, finalement, à s'assurer que les employés ont des périodes de congé pour s'adonner à des loisirs. Un certain nombre de principes peuvent être tirés de la documentation publiée sur les horaires de travail irréguliers. Bien que l'élimination des horaires rotatifs soit impossible pour un bon nombre d'emplois, des études sur l'adaptation du corps humain aux dérangements que subit le rythme biologique ont apporté des suggestions intéressantes. Il semble que plus la période du quart de travail est courte (soit de deux ou trois jours), mieux le corps réussit à s'y adapter. Idéalement, on devrait tenter d'établir les horaires de travail en prévoyant au maximum trois nuits consécutives, ou du moins augmenter la période de repos qui vient immédiatement après le travail, de façon à diminuer les problèmes de sommeil qui s'ensuivent normalement. D'autres études ont révélé que la direction dans laquelle s'effectue le changement de l'horaire des postes a un effet sur les fonctions rythmiques du corps. Il serait ainsi plus facile de s'adapter à un horaire jour-soir-nuit qu'à l'inverse, soit à un horaire nuit-soir-jour. Les personnes chargées d'établir les horaires de travail peuvent facilement tenir compte de ces aspects.

LES PROGRAMMES VISANT L'ACQUISITION DE BONNES HABITUDES ALIMENTAIRES

Dans un souci d'améliorer la santé des employés, des organisations ont engagé un nutritionniste dont la tâche est d'aider les employés à acquérir de meilleures habitudes alimentaires. Voici quelques règles faciles à suivre en matière de nutrition : planifier des menus équilibrés, prendre le repas principal au milieu de la journée et non au milieu du quart de travail, réduire l'apport en calories pendant la soirée et la nuit, augmenter la consommation d'eau et de fibres, diminuer l'absorption de gras, de sucre et de caféine, et prévoir des périodes quotidiennes de relaxation pour aider la digestion et favoriser le sommeil.

LES PROGRAMMES DE GESTION ET DE RÉDUCTION DU STRESS AU TRAVAIL

En plus des programmes cités qui peuvent avoir une incidence sur la réduction du stress au travail, on distingue quatre tendances principales qui semblent se dégager relativement à la gestion du stress. La première consiste à fournir une formation et une assistance aux employés de manière à les aider à composer avec le stress. Pendant la formation, on demande habituellement aux participants de décrire la façon dont ils réagissent à certaines situations comportant un stress. Les réactions et les stratégies adoptées pour y faire face sont variées : trouver un compromis, élaborer un plan d'action, prendre des mesures pour enrayer le problème, pratiquer un sport, lire un livre, penser à autre chose, etc.

Les programmes axés sur le développement et l'épanouissement des ressources personnelles constituent la deuxième tendance en matière de gestion du stress. Deux types d'approche sont utilisées : l'approche behavioriste et l'approche cognitive. Les programmes behavioristes sont les plus nombreux. Ils comprennent le conditionnement physique, le biofeedback et les techniques de relaxation. L'approche cognitive inclut généralement des sujets comme la restructuration des priorités, l'établissement des objectifs, le développement de l'estime de soi, la gestion du temps, etc.

Les programmes de soutien social représentent la troisième tendance en matière de gestion du stress. Ceux qui mettent l'accent sur le développement d'habiletés personnelles en communication fournissent souvent aux individus des occasions uniques de se créer un réseau de soutien social. Dans certaines organisations, la gestion du stress se fait par l'intermédiaire des programmes d'assistance aux employés (PAE). Cependant, ces programmes sont souvent conçus de façon à intervenir une fois que le stress est devenu un problème, et non à titre préventif. Ils permettent d'aider les employés qui sont aux prises avec des problèmes psychologiques, avec une dépendance à l'alcool, à la drogue, ou avec des effets post-traumatiques.

La quatrième tendance, plus récente et innovatrice, consiste à concevoir des programmes centrés sur la modification des sources de stress. Une étude américaine récente effectuée dans le secteur privé révèle que 27 % de toutes les organisations de plus de 50 employés offrent des programmes de gestion du stress. Parmi elles, 81 % portent un intérêt à la modification de l'organisation du travail en vue d'atteindre des résultats plus probants[55]. À une époque où les pressions économiques sont de plus en plus contraignantes, un nombre important de dirigeants d'entreprise essaie de composer avec des problèmes majeurs, tels que le respect des échéances de production et de livraison, le maintien des budgets et la satisfaction des attentes des consommateurs. Auparavant, on accordait moins d'attention aux problèmes de santé et de sécurité qu'aux problèmes de production. Mais la situation change rapidement. L'adoption de lois par les gouvernements force les organisations à se pencher davantage sur cette question. De plus, les dirigeants commencent à comprendre que l'intérêt qu'ils portent à cette question peut leur être profitable, car ils pourraient ainsi attirer des travailleurs plus qualifiés et maintenir le moral et la productivité des employés.

C'est l'environnement physique qui a pendant longtemps été le principal centre d'intérêt en matière de santé et de sécurité, au détriment de l'environnement psychologique. Aujourd'hui, l'augmentation de la fréquence des intoxications industrielles, du stress et de l'épuisement professionnel chez les employés, de même que la possibilité de l'émergence d'une nouvelle crise dans le domaine de la santé publique suscitée par l'apparition du sida sont de nouveaux problèmes d'importance. S'ajoutent à ces problèmes une série de décisions judiciaires émanant des tribunaux civils, des tribunaux d'arbitrage et des comités d'indemnisation des accidents du travail, qui semblent recommander une extension des responsabilités des employeurs, puisque ce sont eux qui doivent, en définitive, élaborer les programmes et les mesures nécessaires pour résoudre ces difficultés et accomoder les travailleurs. Enfin, il est clair que les directeurs des ressources humaines auront un rôle clé à jouer dans la résolution de ces problèmes. Si elle cherche à se soustraire à ces responsabilités, l'entreprise deviendra plus vulnérable, plus susceptible de faire face à des procès coûteux.

REVUE DE PRESSE
Quand le stress au travail rend agressif...
Nos milieux de travail sont le théâtre de comportements cavaliers, une situation qu'il faut corriger

Suzanne Dansereau

Un employé jette un cendrier par la fenêtre parce qu'il vient de se disputer avec son supérieur. Un cadre engueule sa secrétaire qui ne lui a pas transmis un message. Un médecin lance le plateau d'instruments chirurgicaux en direction d'une infirmière trop lente à réagir. Sur un chantier, le tournevis d'un ouvrier se transforme en arme.

Au moment où vous lisez ces lignes, il y a peut-être un de vos employés qui se défoule à coups de poing sur son ordinateur à cause d'une commande mal exécutée ; un autre qui vient de claquer la porte parce qu'on l'a — encore — surchargé de travail. Ou encore, deux de vos meilleurs joueurs qui règlent leurs comptes devant leurs collègues stupéfaits.

De plus en plus, nos milieux de travail sont le théâtre de comportements cavaliers et agressifs. Après 10 ans de restructuration, bien des employés et des cadres sont stressés, surchargés de travail, souvent dépossédés de leurs moyens et incertains face à leur avenir... Pas étonnant que les dérapages soient de plus en plus fréquents, disent les experts.

« Lorsque l'environnement de travail change constamment et que la pression augmente, il y a des gens qui ne peuvent pas bien s'adapter et qui perdent le contrôle de leurs émotions, explique le psychologue industriel Claude Paquette, conseiller chez Raymond Chabot Grant Thornton. Le nombre de comportements inopportuns augmente et la tolérance envers ces comportements diminue. »

M. Paquette n'a pas de statistiques sur le manque de civilité, mais il dit intervenir de plus en plus souvent dans des séances de *coaching* auprès des cadres pour régler des problèmes de cette nature.

Impatience, irritabilité...

M. Paquette parle de gens qui sont facilement irritables, qui manifestent leur impatience en tapant du pied ou du crayon lors de meetings ou d'autres qui font des demandes indues auprès de leurs subordonnés (du genre, rentrer au bureau quatre week-ends consécutifs), ou qui éclatent pour un rien. Ce sont des comportements à corriger si on veut maintenir le bon fonctionnement des entreprises, suggère-t-il. Ces dernières, selon lui, « ont longtemps misé sur le savoir-faire de leurs employés et elles ont oublié de regarder le savoir-être ».

« Si on tolère ces comportements, ils vont empirer et mener à l'établissement d'un climat toxique », prévient-il.

Le stress au travail n'est peut-être pas la cause profonde de ces écarts de conduite. « Mais c'est ce qui les déclenche et les entretient », explique de son côté Jacques Sauvageau, conseiller principal chez Proact, une firme qui offre des programmes d'aide aux employés (PAE). M. Sauvageau ajoute que bien des restructurations ont été faites de « façon sauvage, et les employés traités comme s'ils étaient des numéros ». Selon lui, « on a sous-estimé l'impact que ces restructurations ont eu sur ceux qui restent ». Ceci dit, on peut comprendre les mouvements d'impatience d'un employé, mais sans les justifier.

L'exemple vient d'en haut

Si le problème concerne tant les cadres que les employés, il a, en revanche, plus d'impact chez les cadres parce que ces derniers ont un rôle de modèle à jouer auprès des autres et aussi parce qu'ils sont dans une situation de pouvoir, explique Claude Paquette.

En guise de redressement de comportement, les experts recommandent ce qui suit : d'abord, aviser l'employé que son comportement est inacceptable, en lui donnant les faits de façon objective. « Bien des gens ne se rendent pas compte de leur comportement et tombent en bas de leur chaise lorsqu'on leur en parle », relate M. Paquette.

Il faut ensuite leur faire prendre conscience de l'impact que leur comportement a sur les autres et sur leur carrière. « Leur faire comprendre qu'ils n'auront jamais l'allégeance de leur équipe en exprimant ainsi leurs frustrations », poursuit Claude Paquette. Finalement, il faut obtenir de l'employé l'engagement de changer et mettre en place une stratégie de modification de comportement.

« Lorsque vous sentez que vous perdez les pédales, sortez, allez prendre l'air, éloignez-vous du problème, prenez du recul », conseille M. Paquette. S'il s'agit d'un conflit avec un autre employé, évitez de lui parler pendant quelques jours, de façon à ce que la poussière retombe. Et n'oublions pas que les pertes de contrôle sont souvent le signe qu'il est temps de prendre du repos...

De la colère à la violence

Colère, impuissance et frustration peuvent prendre toutes sortes de forme. Au Québec, nous sommes plus latins — donc plus expressifs — tandis que nos frères au Canada anglais ont tendance à être *passifs-agressifs*, donc plus enclins à utiliser le sarcasme, par exemple. Quoi qu'il en soit, la direction doit savoir distinguer entre des accès de colère passagers — qui doivent quant même être réprimés — et d'autres comportements qui pourraient être plus dangereux.

Souvenez-vous que pendant plusieurs années, un brillant professeur à l'Université Concordia du nom de Valery Fabrikant a déblatéré contre ses supérieurs, convaincu qu'ils étaient coupables de fraude... Il avait aussi l'habitude de faire peur aux employés et de leur faire croire qu'il avait un fusil dans son sac. On connaît la suite...

Chez Proact, Jacques Sauvageau voit de plus en plus d'employés qui présentent un potentiel de violence. Il énumère les signes avant-coureurs : « Lorsqu'un employé s'isole des autres, rumine toujours la même rengaine, menace de s'en prendre à quelqu'un, ou manifeste de l'empathie pour des criminels, il y a un problème sérieux. »

Au cours des derniers mois, M. Sauvageau a eu affaire à un employé qui avait brandi de son casier un couteau doté d'une lame de 12 pouces, un autre qui a failli étrangler une collègue avec qui il avait eu une aventure et une victime de harcèlement rongée par le désir de tuer la personne qui la harcelait. « Il s'agit là de cas rares, nuance M. Sauvageau, qui relèvent davantage de la pathologie. »

Mais lorsqu'on sait que les problèmes de santé mentale connaissent une croissance importante depuis les 10 dernières années, il faut s'en préoccuper. Les agressions ou menaces devraient être réprimées par une suspension, croit M. Sauvageau. On peut aussi demander à l'employé de subir un test psychiatrique. Après quoi, l'employeur décide si l'individu est apte à réintégrer son travail. Selon M. Sauvageau, « ce serait une erreur grave que de se dire que cela va passer ».

Source : Les Affaires, *samedi 14 août 1999, p. 19.*

RÉSUMÉ

Le secteur de la santé et de la sécurité du travail prend de plus en plus d'importance au sein des organisations. Les employeurs sont davantage conscients aujourd'hui du coût occasionné par les maladies et les accidents professionnels de même que des avantages qu'une main-d'œuvre en santé peut leur procurer. Au moyen d'un ensemble de lois complexes, les gouvernements fédéral et provinciaux pressent les employeurs de s'intéresser à la santé et à la sécurité de leurs employés. Les risques professionnels demeurent toutefois, en dépit des améliorations apportées par la technologie moderne. La principale préoccupation concerne les maladies et les accidents causés par l'environnement physique, mais les organisations peuvent aussi choisir de maintenir leurs employés en santé en améliorant les aspects psychosociaux du milieu de travail. Bien que la plupart des efforts déployés sur ce point l'aient été sur une base volontaire, les gouvernements pourraient, dans un avenir rapproché, adopter une réglementation portant sur les conditions psychosociales du travail. Il est donc avantageux pour les organisations de s'intéresser dès maintenant à ces deux aspects du milieu de travail. Des programmes élaborés adéquatement qui touchent ces deux aspects peuvent améliorer à la fois la santé des employés et l'efficacité de l'organisation.

La participation des employés est essentielle lors de la mise en œuvre de tout programme d'amélioration. Comme dans bon nombre de programmes axés sur la qualité de vie au travail, la participation des employés à l'amélioration de la santé et de la sécurité est non seulement une approche valable du point de vue de l'organisation, mais elle a de bonnes chances de répondre également aux désirs des employés.

Il est important de distinguer les deux types de facteurs qui composent le milieu de travail : les facteurs physiques et les facteurs psychosociaux. Chaque type est différent de l'autre et possède ses propres caractéristiques. Une organisation doit tenir compte de ces différences avant de choisir et de mettre en application un programme d'amélioration, quel qu'il soit. En effet, certaines stratégies d'amélioration peuvent avoir une incidence positive sur un type de facteurs, sans toucher l'autre.

Enfin, dans une perspective axée sur les ressources humaines, ces programmes peuvent permettre aux organisations de réduire leurs coûts, au moyen d'une diminution des primes d'assurances, des indemnités liées à des litiges ou à des pertes de productivité attribuables aux incapacités de travail, aux accidents, à l'absentéisme, au roulement de la main-d'œuvre ou aux décès.

Questions de révision et d'analyse

1. *Pourquoi les organisations s'intéressent-elles à la santé et à la sécurité du travail ?*

2. *En quoi les risques physiques se distinguent-ils des risques psychosociaux ?*

3. *Nommez quelques-uns des principaux facteurs à l'origine des accidents du travail.*

4. *Quels sont les principaux facteurs à l'origine des maladies professionnelles ?*

5. *Existe-t-il des travailleurs « à risque », c'est-à-dire des travailleurs prédisposés aux accidents ou aux maladies ? En supposant que ce type de travailleurs existe, de quelle façon le service des ressources humaines peut-il aborder ce problème ?*

6. *Énumérez et décrivez les causes potentielles : (a) du stress et (b) de l'épuisement professionnel.*

7. *Quelles sont les étapes nécessaires à l'élaboration des moyens de prévention des accidents de travail ?*

8. *Comment se définit la violence au travail et quels moyens peut-on adopter afin de la contrer ?*

9. *Décrivez les programmes susceptibles d'influer sur la santé et le bien-être au travail.*

ÉTUDE DE CAS
La gestion du stress à l'hôpital général

Un programme de gestion du stress est en place depuis plus d'un an à l'hôpital général. Les nombreuses plaintes formulées par les infirmières sont à l'origine de ce projet. Les infirmières dénonçaient plusieurs aspects de leur travail : stress, surcharge de travail, solitude, modifications imprévues des directives et des méthodes. La haute direction a donc décidé de chercher de l'aide auprès d'une firme locale de consultants en gestion (MDS Management inc.), qui était déjà intervenue dans un autre hôpital.

La première étape du projet a consisté à diagnostiquer les causes et les effets du stress. Cerner les sources de stress était le préalable à l'élaboration d'un programme approprié. Les consultants ont préparé un questionnaire destiné à recueillir des données à partir d'un échantillon de 300 infirmières travaillant dans différents secteurs de l'hôpital. Certaines questions portaient sur les diverses sources de stress, qu'elles soient passagères, permanentes ou liées à des changements récents. D'autres questions touchaient l'utilisation que faisaient les infirmières des techniques de gestion du stress, telles que la planification de l'alimentation et les systèmes de soutien disponibles. La dernière partie du questionnaire s'attardait aux symptômes du stress (irritabilité, problèmes de sommeil, changements dans les habitudes alimentaires, etc.) et sur ses effets à plus long terme (problèmes de santé, insatisfaction au travail, diminution de l'efficacité au travail, etc.). De plus, les consultants ont demandé à examiner le dossier du personnel participant à l'étude. Ils ont également tenu compte des données du registre des absences des 12 derniers mois, de même que des données d'évaluation du rendement.

L'analyse des données a révélé qu'un grand nombre des changements survenus dans l'organisation de même que dans les conditions de travail étaient liés de façon significative au niveau de fatigue des infirmières et aux effets du stress à long terme. Parmi les événements les plus stressants figuraient les fréquentes et importantes modifications de directives et de méthodes, les nombreuses situations d'urgence ou les échéances imprévues, de même que les soudaines augmentations du niveau d'activité ou du rythme de travail. Parmi les conditions de travail les plus stressantes, citons la somme de travail à effectuer, la rétroaction donnée uniquement lorsque le rendement est insatisfaisant, le manque de confiance des employés à l'égard de l'administration, de même que les conflits et les ambiguïtés entourant le rôle des infirmières. Celles-ci ont indiqué qu'elles avaient recours rarement, sinon jamais, aux techniques de gestion du stress. Seules 20 % des infirmières se disaient engagées dans des activités physiques régulières et, de façon surprenante, 60 % d'entre elles avaient un régime alimentaire mal équilibré. Les problèmes de santé les plus courants chez les infirmières étaient les maux de tête, la diarrhée, la constipation, les rhumes, les maux de dos et les dépressions.

À partir de cette étude, la haute direction a apporté plusieurs améliorations, à l'aide des consultants. De façon à réduire la charge de travail et l'ambiguïté entourant le rôle des infirmières, les postes ont été analysés sur le plan de la répartition du travail, des exigences des emplois et des normes de rendement. Cela a permis d'équilibrer les charges de travail et de préciser les descriptions des postes. Les administrateurs de l'hôpital ont également commencé à mieux définir leurs attentes par rapport aux postes et à fournir une rétroaction continue en fonction du rendement fourni. Les infirmières ont également reçu une formation sur la façon de mieux gérer leur charge de travail et leur temps, ainsi que sur la manière de trouver plus facilement un soutien social sur une base continue.

Pour en arriver à réduire le stress causé par les changements qui surviennent dans l'hôpital, la haute direction a passé plus de temps à informer les infirmières sur les changements à venir. Sur une base trimestrielle, la direction a également tenu des séances d'information avec les infirmières-chefs de chaque service pour éclaircir les incompréhensions, les mauvaises interprétations et les rumeurs. D'autres mesures ont été prises pour aider individuellement les infirmières à cerner les sources de stress et à les gérer de façon plus efficace. L'hôpital a institué des examens physiques annuels afin de déceler les problèmes liés au stress et formé les infirmières à reconnaître les symptômes et les problèmes qui s'y rattachent, tant chez elles que chez leurs collègues de travail. Il a aussi mis sur pied un club d'exercices offrant des activités sportives variées ainsi que des cours de yoga sur une base hebdomadaire. Un autre programme de formation nouvellement créé combine des conseils en matière de nutrition avec des techniques visant à réduire les maux de tête et de dos. Des jus de fruits frais ont remplacé les beignes et les cafés durant les rencontres et les séances de formation.

L'accueil réservé au programme de gestion du stress a été favorable, et l'hôpital est en train d'évaluer les effets à long terme de cette mesure. Le coût total de la période initiale d'essai du programme est estimé à 150 000 $.

Questions

Faites une analyse détaillée de ce cas à partir des notions présentées dans ce chapitre.

NOTES ET RÉFÉRENCES

1 C. Z. Boisvert, *Gestion de la santé et de la sécurité au travail*, Boucherville, Gaëtan Morin, 1992.

2 F. Lamonde et S. Montreuil, « Le travail humain, l'ergonomie et les relations industrielles », *Relations industrielles*, vol. 50, nº 4, 1995, p. 695-719.

3 D. May et C. Schwoerer, « Employee Health Design : Using Employee Involvement Teams in Ergonomics Job Redesign », *Personnel Psychology*, vol. 47, nº 4, hiver 1994, p. 861-876.

4 W. French, *Human Resource Management,* 2ᵉ éd., Boston, Houghton Mifflin, 1990, p. 620.

5 S. J. Matthias, R. May et T. L. Guidotti, « Occupational Health and Safety : A Future Unlike the Present », *Occupational Medicine : State of the Art Reviews*, vol. 4, nº 1, 1989, p. 177-190.

6 E. Sundstrom *et al.*, « Office Noise, Satisfaction and Performance », *Environment and Behavior*, vol. 26, nº 2, mars 1994, p. 195-222.

7 C. A. Bacon, « Is There a Nurse in the Office ? », *Workforce*, juin 1997, p. 107-113.

8 M. I. Jacobson, S. L. Yenney et J. C. Bisgard, « An Organizational Perspective on Worksite Health Promotion », *Occupational Medicine : State of the Art Reviews*, vol. 5, nº 4, 1990, p. 653-665.

9 Statistique Canada, *Work Injuries, 1989-1991,* cat. nº 72-208, p. 5 et 19.

10 Statistique Canada, *Work Injuries, 1991-1993*, Ottawa, Ministère des Approvisionnements et Services, cat. nº 72-208, 1994.

11 P. Lanoie et D. Stréliski, « L'impact de la réglementation en matière de santé et sécurité du travail sur le risque d'accident au travail », *Relations industrielles*, vol. 51, nº 4, 1996, p. 778-801.

12 Cohsn, vol. 13, nº 16, 23 avril 1990.

13 H. Goldblatt, S. Price et J. Sack (dir.), « Fear of Crossing Picket Line Did Not Justify Refusal to Work », *Health & Safety Law*, vol. 3, nº 1, 1987, p. 1-4 ; C. Deacon, H. Goldblatt et S. Price (dir.), « Customs Employees Refuse to Work Because of Demonstration — No Actual Danger, Says Federal Board », *Health & Safety Law*, vol. 5, nº 3, 1989, p. 1-4.

14 G. K. Bryce et P. Manga, « The Effectiveness of Health and Safety Committees », *Relations industrielles*, vol. 40, nº 2, 1985, p. 257-283.

15 C. Bachler, « Workers Take Leave of Job Stress », *Personnel Journal*, 74, nº 1, 1995, p. 38.

16 M. Tremblay et G. Tougas, *Policier patrouilleur, Sûreté du Québec : risques à la santé*, Montréal, Département de santé communautaire, Hôpital Saint-Luc, mai 1989.

17 Information tirée d'une entrevue réalisée avec P. H. Shafer, conseiller supérieur en santé et sécurité du travail, GRC, Montréal, 13 août 1991.

18 M. Esposito et J. Myers, « Managing Aids in the Workplace », *Employee Relations Law Journal*, vol. 19, nº 1, été 1993, p. 68.

19 S. Greengard, « Genetic Testing : Should You Be Afraid ? It's No Joke », *Workforce*, juillet 1997, p. 38-44.

20 Information tirée de la lettre du président L. D. Caplan aux employés, 22 février 1991.

21 M. M. Côté, B. Hoshizaki, R. Baril, M. A. Dalzell, R. Geoffrion, D. Giguère et C. Larue, *Design d'habitacle d'auto-patrouille et prévention des lombalgies : rapport de recherche*, Montréal, Institut de recherche en santé et en sécurité du travail du Québec (IRSST), décembre 1990 ; M. M. Côté, B. Hoshizaki et M. A. Dalzell, *Auto-patrouille et maux de dos chez les policiers du Québec : étude/bilan de connaissances*, Montréal, IRSST, juin 1989.

22 W. Pardy, « Back from the Brink : How to Revive Your OH&S Program », *Occupational Health and Safety*, Canada, vol. 6, nº 6, 1990, p. 46-52.

23 M. Simard et A. Marchand, « L'adaptation des superviseurs à la gestion participative de la prévention des accidents », *Relations industrielles*, vol. 50, nº 3, 1995, p. 567-589.

24 Pour de plus amples renseignements, voir D. Robertson, « Identifying Joint Health and Safety Committee Training Needs », dans *Human Resource Management in Canada*, mars 1990, p. 60 et 511-560.

25 Étude menée par le Conseil consultatif de la santé et de la sécurité du travail, 8ᵉ rapport annuel, 1ᵉʳ avril 1985-31 mars 1986.

26 R. Bourbonnais et M. Comeau, « Santé psychologique et absence au travail », *Objectif Prévention*, vol. 20, nº 5, 1997, p. 16-18.

27 R. Lee et B. Ashforth, « A Further Examination of Managerial Burnout : Toward an Integrated Model », *Journal of Organizational Behavior*, vol. 14, 1993, p. 3-20.

28 G. DiGiacomo, « Agression et violence en milieu de travail », *Gazette du travail*, vol. 2, nº 2, 1999, p. 77-92.

29 J.-J. Bourque, « Le syndrome du survivant dans les organisations », *Gestion*, vol. 20, nº 3, septembre 1995, p. 114-118.

30 K. Messing et S. Boutin, « Les conditions difficiles dans les emplois des femmes et les instances gouvernementales en santé et en sécurité du travail », *Relations industrielles*, vol. 52, nº 2, 1997, p. 333-363.

31 J. Bleau, « Impacts psychologiques des changements sur les gestionnaires de premier niveau », *Objectif Prévention*, revue d'information de l'Association pour la santé et la sécurité au travail, secteur des affaires sociales, vol. 20, nº 5, 1997, p. 19-20.

32 S. Rivard, A. Pinsonneault et C. Bernier, « Impact des technologies de l'information sur les cadres et les travailleurs », *Gestion*, vol. 24, nº 3, automne 1999, p. 51-65.

33 M. Gagnet, « Les douze travaux d'Estev », *Santé et travail*, nº 27, avril 1999.

34 O. Boiral, « Protéger l'environnement naturel et la santé des travailleurs », *Gestion*, vol. 22, nº 4, 1997, 49-55.

35 S. Caudron, « Workforce Violence », *Workforce*, août 1998, p. 45-52.

36 M. Hancock, « Violence in the Reatil Workplace », *Accident Prevention*, mai-juin 1995, p. 15-21.

37 S. A. Baron, *Violence in the Workplace*, Ventura (CA), Pathfinder Publishing, 1993.

38 G. DiGiacomo, *op. cit.*

39 *Ibidem.*

40 *Ibidem.*

41 M. R. Van Ameringen, A. Arsenault et S. L. Dolan, « Intrinsic Job Stress as Predictor of Diastolic Blood Pressure among Female Hospital Workers », *Journal of Occupational Medicine,* vol. 30, nº 2, 1988, p. 93-97.

42 G. DiGiacomo, *op. cit.*

43 *Ibidem.*

44 A. Felu, « Workplace Violence and the Duty of Care : The Scope of an Employer's Obligation to Protect Against the Violent Employee », *Employee Relations Law Journal*, vol. 20, nº 3, hiver 1994-1995, p. 381-406.

45 G. DiGiacomo, *op. cit.*

46 M. Quinty, « Violence en milieu de travail, comment réagir et s'en protéger », *Affaires plus*, septembre 1999, p. 54-61.

47 A. Fowler, « How to Make the Workplace Safer », *People Management*, vol. 1, nº 2, janvier 1995, p. 38-39.

48 F. Streff, M. Kalcher et E. S. Geller, « Developing Efficient Workplace Safety Programs : Observations of Response Co-Variations », *Journal of Organizational Behavior Management*, vol. 13, nº 2, 1993, p. 3-14.

49 G. DiGiacomo, *op. cit.*

50 E. Newton, « Clear Policy, Active Ear Can Reduce Violence », *Canadian HR Reporter*, 26 février 1996, p. 16-17.

51 Durand, B. Brossard, S. Marquis et J.-G. Pépin, « La promotion de la santé en milieu de travail : besoins des entreprises et facteurs d'implantation », dans *Le travail et son milieu*, sous la direction de R. Bourque et G. Trudeau, Montréal, Les Presses de l'Université de Montréal, 1995, p. 417-432.

52 C. Winters, K. Strangler, A. L. Shaffer et B. A. Morris, « Corporate Wellness », *Human Resource Executive*, septembre 1997, p. 47-60.

53 R. Pépin et J. Dionne-Proulx, « Tour d'horizon sur les programmes de promotion de la santé au travail : Impacts et facteurs de succès », *Gestion*, vol. 21, n° 2, 1996, p. 45-51.

54 « Sabbaticals Relieve Employee Burnout », *Small Business Report*, vol. 12, n° 12, 1987, p. 80.

55 J. E. fielding, « Worksite Stress Management : National Survey Results », *Journal of Occupational Medicine*, vol. 21, n° 12, 1989, p. 990-995.

Lectures supplémentaires

- T. D. Schneld, *Occupational Health Guide to Violence in the Workplace*, Lewis, 1998.

- K. F. Clark, « On Guard », *Human Resource Executive*, 19 mars 1998, p. 75-78.

- B. filipczak, « Armed and Dangerous at Work », *Training*, juillet 1993, p. 39-43.

- G. R. Vanderbros et E. Q. Bulatao (éd.), *Violence on the Job : Identifying Risks and Developing Solutions*, Washington (D.C.), American Psychological Association, 1996.

- A. M. O'Leary-Kelly, R. W. Griffin et D. J. Glew, « Organization-Motivated Aggression : A Research Framework », *Academy of Management Review*, vol. 21, 1996, p. 225-253.

- J. Schaubroeck et D. E. Merritt, « Divergent Effects of Job Control on Coping with Work Stressors : The Key Role of Self-Efficacy », *Academy of Management Journal*, vol. 40, 1997, p. 738-754.

- D. Etzion, D. Eden et Y. Lapidot, « Relief from Job Stressors and Burnout : Reserve Service as a Respite », *Journal of Applied Psychology*, vol. 83, 1998, p. 577-585.

- M. Westman et D. Eden, « Effects of Vacation on Job Stress and Burnout : Relief and Fade Out », *Journal of Applied Psychology*, vol. 82, 1997, p. 516-527.

- D. A. Harrison et J. J. Martocchio, « Time for Absenteeism : A 20-Year Review of Origins, Offshoots, and Outcome », *Journal of Management*, vol. 24, 1998, p. 305-350.

- C. Patton, « Gray Matters », *Human Resource Executive*, novembre 1997, p. 64-68.

- P. Makin et V. Sutherland, « Reducing Accidents Using a Behavior Approach », *Leadership & Organizational Development Journal*, vol. 15, n° 5, 1994, p. 5-10.

- J. A. Savage, « Are Computer Terminals Zapping Workers' Health ? », *Business and Society Review*, vol. 84, hiver 1993, p. 41-43.

- D. Anfuso, « Workplace Violence », *Personnel Journal*, octobre 1994, p. 66-77.

- D. A. Hofmann et A. Stetzer, « A Cross-Level Investigation of Factors Influencing Unsafe Behaviors and Accidents », *Personnel Psychology*, vol. 49, 1996, p. 307.

- J. H. Neuman et R. A. Baron, « Workplace Violence and Workplace Aggression : Evidence Concerning Specific Forms, Potential Causes and Preferred Targets », *Journal of Management*, vol. 24, n° 3, 1998, p. 391-419.

- S. Melamed, I. Ben-Avi, J. Luz et M. S. Green, « Objective and Subjective Work Monotony : Effects on Job Satisfaction, Psychological Distress, and Absenteeism in Blue-Collar Workers », *Journal of Applied Psychology*, vol. 80, n° 1, 1995, p. 29-42.

- J. C. Erfurt, A. Foote et M. A. Heirich, « The Cost-Effectiveness of Worksite Wellness Programs for Hypertension Control, Weight Loss, Smoking Cessation and Exercise », *Personnel Psychology*, vol. 45, 1992, p. 5-27.

Défis
contemporains

CHAPITRE

16

Les systèmes d'information
et l'évaluation des activités de gestion des ressources humaines

L a première partie de ce chapitre est consacrée à l'étude des systèmes d'information sur les ressources humaines. La deuxième partie abordera la question du contrôle de la gestion des ressources humaines, c'est-à-dire de l'évaluation de l'efficacité de cette fonction.

Partie **1**

Les systèmes d'information en gestion des ressources humaines

L es systèmes d'information utilisés pour la gestion des ressources humaines sont appelés habituellement systèmes d'information sur les ressources humaines (SIRH) ou systèmes de gestion des ressources humaines (SGRH). Ils fournissent un inventaire des postes et des compétences existant au sein d'une organisation donnée. Cependant, leurs fonctions dépassent la simple compilation de données et le contrôle de l'inventaire. Ces systèmes d'information constituent les bases d'un ensemble d'instruments dont disposent les gestionnaires afin de formuler des objectifs, de prendre des décisions en matière de ressources humaines et de donner accès à des utilisateurs tels que les autres gestionnaires ou les employés pour obtenir des renseignements ou pour entrer des données dans le système.

I Les SIRH, les SIGRH et les modules applicables en gestion des ressources humaines

LES SYSTÈMES D'INFORMATION SUR LES RESSOURCES HUMAINES (SIRH)

Un système d'information sur les ressources humaines (SIRH) est conçu pour analyser l'information relative aux ressources humaines en vue d'en assurer une meilleure planification et, de ce fait, d'améliorer la prise de décision. Un SIRH peut donc fournir des données pertinentes sur de nombreuses questions touchant les ressources humaines. Cependant, son but ultime est d'aider le service des ressources humaines à atteindre les objectifs que l'organisation s'est fixés à court et à long terme.

Consultez Internet

www.inforamp.net/~bcroft/

Site de la Technology, Communication & Human Resources offrant des informations sur les pratiques de communication, les SIRH et la gestion des ressources humaines.

Comme le SIRH est un nouveau concept, le fonctionnement d'un service des ressources humaines ayant recours à un tel système n'a pas encore été étudié de manière exhaustive. On sait qu'un grand nombre d'organisations n'exploitent pas pleinement toutes les capacités de leur SIRH. Certaines ne s'en servent pas encore pour faire des prévisions, et se contentent plutôt d'en faire une base de données pour rassembler de l'information sur leurs employés. De plus en plus d'organisations cherchent toutefois à maximiser l'utilisation de ce système et ont pris conscience du fait que l'information qu'il contient pourrait profiter non seulement au service des ressources humaines, mais aussi aux gestionnaires.

LES SYSTÈMES INTÉGRÉS DE GRH

Les systèmes d'information sur les ressources humaines sont en voie de devenir des systèmes intégrés d'information. Alors que la vocation première de ces systèmes était d'administrer les dossiers, la rémunération et les avantages sociaux des employés, les systèmes intégrés de gestion des ressources humaines ont dorénavant pour rôle principal d'aider les professionnels des ressources humaines à prendre les décisions courantes en recourant à l'intelligence artificielle et en intégrant des capacités de prise de décision, de manière à améliorer la gestion des ressources humaines[1]. Il arrive souvent que la mise en place de systèmes intégrés d'information en GRH soit précédée d'une réingénierie de la fonction ressources humaines. Les processus de réingénierie sont en vogue. Les pressions pour réduire les coûts et assurer des services de meilleure qualité, de même que le changement de culture adopté par l'organisation, en vue de l'axer sur les systèmes d'information, encouragent les fonctions ressources humaines à informatiser leurs procédés afin qu'elles se concentrent davantage sur les activités qui ont une valeur ajoutée plus grande pour l'organisation et qui sont stratégiques[2, 3]. Le défi le plus important consiste à déléguer les opérations de nature transactionnelle aux employés et aux cadres, qui pourront s'en acquitter directement, libérant ainsi les professionnels des ressources humaines des tâches routinières et administratives. Les systèmes d'information pourraient veiller à fournir de l'information sur des questions telles que les politiques et les procédures ainsi que la gestion de la rémunération, des avantages sociaux, etc. L'emploi de plus en plus répandu de l'intranet au sein des organisations témoigne d'ailleurs de l'intérêt que présente, pour les fonctions ressources humaines, le fait de rendre disponible plus d'information concernant les opérations courantes de gestion des ressources humaines. L'encadré 16.1 montre les caractéristiques qui distinguent le SIRH et le SIGRH.

ENCADRÉ 16.1 Les différences entre un système d'information sur les ressources humaines et un système intégré de gestion des ressources humaines

Système d'information sur les ressources humaines (SIRH)	Système intégré de gestion des ressources humaines (SIGRH)
Le SIRH inclut généralement quatre éléments:	Le SIGRH est un système qui intègre des systèmes experts facilitant la prise de décision. Il inclut:
1. Une base de données, qui comprend l'identification des employés, le code de l'emploi et le niveau de salaire.	1. Une base de données commune qui contient de l'information tant sur les ressources humaines que sur les variables organisationnelles. Le système est idéalement exploité pour toutes les fonctions de gestion des ressources humaines grâce à l'utilisation d'un même langage et à l'intégration de tous les services.
2. Une fonction pour effectuer les entrées et les modifier, c'est-à-dire une méthode efficace pour mettre à jour les données et en créer de nouvelles.	
3. La possibilité de retirer des données et la création de rapports qui servent à les présenter sous une forme utile.	2. Une connaissance des algorithmes qui sont à la base de la prise de décision en GRH: par exemple, comment faire la sélection, quelles sont les méthodes les plus efficaces dont on dispose pour améliorer la productivité d'un employé?
4. Un système administratif qui assure le maintien et la sécurité des données et respecte les exigences légales en matière d'accès à l'information et aux renseignements confidentiels de nature organisationnelle ou individuelle.	

ENCADRÉ 16.1 *(suite)*

Système d'information sur les ressources humaines (SIRH)	Système intégré de gestion des ressources humaines (SIGRH)
	Un SIGRH comprend en outre les aspects qui suivent : • La possibilité de faire des analyses automatisées et d'utiliser des méthodes d'évaluation : le système recueille des données sur les personnes, les postes et l'organisation à l'aide de questionnaires. • Un système d'aide à la décision : un SIGRH doit faciliter la prise de décision en ce qui a trait aux activités de GRH (par exemple, faire un classement en fonction du rendement attendu de la part des candidats). • Des applications multiples : Un SIGRH doit permettre aux utilisateurs d'effectuer plusieurs applications en GRH. Ainsi, les applications sont intégrées de manière à ce que les diverses fonctions puissent se servir des données générées par une application. • Un accès facile (convivialité) : un SIGRH doit être conçu de manière à être utilisé par les professionnels des ressources humaines, par les gestionnaires et par les employés. Ce système est généralement décentralisé et relié par réseau de manière à permettre l'accès à partir d'un PC. Il offre des graphiques et des menus qui facilitent son emploi et la compréhension de son utilisation. • Le SIGRH peut être relié à des SIRH dans lesquels il puise ses données.

Source : L. M. Spencer Jr, *Reengineering Human Resources,* New York, John Wiley & Sons, 1995.

LES MODULES APPLICABLES EN GESTION DES RESSOURCES HUMAINES

Consultez Internet

www.workplus.com

Site de la National Human Resource Technology Forum qui explique l'utilisation des nouvelles technologies en gestion des ressources humaines.

Traditionnellement, le SIRH a permis aux professionnels des ressources humaines d'accomplir plus efficacement leur travail en leur fournissant de l'information sur les candidats aux différents postes offerts par l'organisation, ainsi que sur les niveaux de formation, la liste de paie et les avantages sociaux du personnel. Cependant, des entreprises plus avancées sur le plan technique accordent à leurs cadres hiérarchiques l'accès aux données de ces systèmes. Hydro-Ontario, par exemple, a déménagé son SIRH du siège social aux lieux de travail des gestionnaires. La société en a décidé ainsi parce qu'elle croit que le processus décisionnel touchant les emplois commence et se termine dans les bureaux des gestionnaires. En effet, ceux-ci ont besoin d'avoir sous la main le répertoire de leur personnel et ils désirent que cette information leur soit accessible rapidement. De plus, il est essentiel pour ces cadres de connaître les ressources dont ils peuvent disposer et à quel moment, leur niveau de compétence et les nouvelles habiletés qu'ils envisagent d'acquérir. En leur donnant accès au système d'information, on simplifie ainsi le processus décisionnel.

L'encadré 16.2 offre un éventail d'utilisations possibles d'un SIRH. Selon de nombreuses études, il semble toutefois que ces systèmes ne soient pas utilisés adéquatement. L'encadré 16.3 énumère quelques-uns des principaux problèmes auxquels les utilisateurs ont à faire face.

ENCADRÉ 16.2 Les multiples utilisations des systèmes d'information sur les ressources humaines

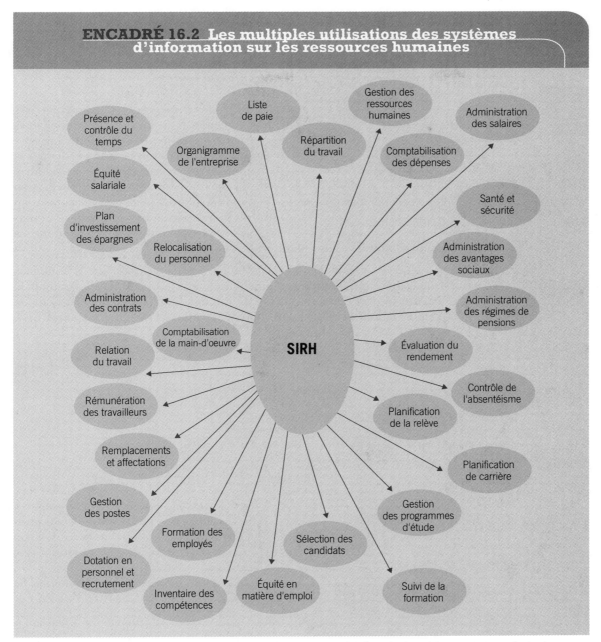

Source: R. Teti et C. Carreiro, « Human Resources Information Systems », article non publié présenté au professeur S. Dolan dans le cadre du cours Gestion des ressources humaines, Université McGill, automne 1991, p. 8.

ENCADRÉ 16.3 Les problèmes auxquels se heurtent les utilisateurs des SIRH

- Les applications répondent mal aux besoins des cadres hiérarchiques en ce qui a trait aux données sur les employés.
- Les différentes applications reliées aux ressources humaines sont séparées les unes des autres ou difficiles à intégrer.
- Elles sont axées sur des aspects de la gestion qui sont secondaires et de moindre importance.
  Elles exigent un trop grand nombre d'étapes et de rapports.
- Elles sont coûteuses à entretenir ou à modifier.

Source: Brochure de la section de la GRH de la Towers Perrin Company, fournie par Brian Beatty, 19 décembre 1991.

II L'utilité d'un SIRH

LE SIRH, UN INSTRUMENT STRATÉGIQUE

Consultez Internet

www.hrworld.com

Article qui explique les liens entre l'utilisation de la technologie de l'information en gestion des ressources humaines et la productivité des entreprises.

Dans le chapitre 2, nous avons mis l'accent sur le lien entre les objectifs stratégiques ayant été définis par l'organisation et le processus par lequel la main-d'œuvre parvient à les atteindre. La création de systèmes d'information comme le SIRH permet à l'organisation de maintenir ce lien en l'aidant à analyser rapidement et efficacement ses besoins en main-d'œuvre et à les planifier en vue d'atteindre ses objectifs.

Comme le processus de planification est continu, le service des ressources humaines doit pouvoir accéder rapidement aux informations clés, de manière à soutenir le personnel durant le processus d'analyse. L'une des façons les plus efficaces de fournir cette information est l'utilisation d'un SIRH, comme l'indique l'encadré 16.4[4].

ENCADRÉ 16.4 Les liens entre le SIRH et la stratégie organisationnelle

Les étapes nécessaires à l'élaboration d'une stratégie organisationnelle peuvent être facilitées par l'utilisation d'un SIRH

Stratégie organisationnelle → L'organisation à venir : Inventaire des ressources humaines et des processus = Analyse des besoins → Recrutement, Planification et promotion, Formation et perfectionnement, Rendement et rémunération

Source : R. Teti et C. Carreiro, « Human Resources Information Systems », article non publié présenté au professeur S. Dolan dans le cadre du cours Gestion des ressources humaines, Université McGill, automne 1991, p. 8.

LE SIRH DANS LES ORGANISATIONS CANADIENNES

Consultez Internet

www.yahoo.com/Business_and_Economy/Companies/ Corporate_Services/Human_Resources/Software

Site qui offre des applications informatiques en gestion des ressources humaines.

Dans une étude menée en 1990 auprès de 513 organisations, l'Association des professionnels en systèmes de ressources humaines a mis en évidence plusieurs faits intéressants. Premièrement, bien que l'appellation SIRH soit couramment employée par un grand nombre d'organisations, l'expression « système de gestion des ressources humaines » (systèmes intégrés), ou SIGRH, est en voie de la remplacer. Les SIRH ou les SIGRH relèvent la plupart du temps du service des ressources humaines d'une organisation. Cette étude indique par ailleurs que de plus en plus d'entreprises ont choisi d'exclure la liste de paie des applications courantes de leur SIRH ou SGRH. On remarque que c'est habituellement l'ordinateur personnel (dans 40 % des entreprises), associé à un quelconque réseau local dont les terminaux sont reliés à un ordinateur central, qui sert le plus souvent de support aux SIRH et aux SGRH. La plupart des organisations utilisent une combinaison préétablie de logiciels en y apportant toutefois des modifications selon leurs besoins. La même étude indique également que la majorité des organisations intègrent plus de la moitié de ces fonctions dans un seul système plutôt que de les exploiter dans des systèmes distincts.

LE CHOIX D'UN SIRH

De nombreux articles publiés dans diverses revues traitent des facteurs à considérer dans le choix d'un logiciel de planification des ressources humaines. Les critères d'évaluation sont variés et complexes. Les aspects les plus importants dont il faut tenir compte sont résumés dans l'encadré 16.5.

ENCADRÉ 16.5 Les aspects qu'il est important de considérer dans la mise en place d'un SIRH

- Quelles fonctions de GRH votre système doit-il exécuter?
- De quelle façon désirez-vous exploiter un tel système?
- Qui l'utilisera?
- Les fonctions dont vous disposez satisfont-elles à vos exigences ou avez-vous besoin d'un système plus personnalisé?
- Le système peut-il être utilisé sur un micro-ordinateur? (Cette solution est beaucoup moins coûteuse que le recours à une unité centrale de traitement.)
- Si vous décidez de faire l'acquisition d'un système, quelle est la réputation du vendeur en ce qui concerne le service après-vente, sa fiabilité, etc.?

Source: A. Piebalgs, «The Use of Computers in Human Resource Planning», Human Resource Management in Canada, Prentice-Hall Canada, 1987, p. 20-542.

Consultez Internet

www.ihrim.org
Site de l'Association internationale des systèmes d'information en gestion des ressources humaines.

Il faut également mentionner le rôle important que jouent les professionnels de la gestion des ressources humaines, qui se chargent généralement de la planification et de la mise en place des SIRH[5, 6] et qui ont la responsabilité de garantir leur succès.

LES FACTEURS DE SUCCÈS D'UN SIRH

Plusieurs facteurs peuvent faire en sorte que le choix et la mise en place d'un SIRH soient couronnés de succès. Nous énumérerons les plus importants. D'abord, la situation financière de l'entreprise détermine évidemment le choix du système et les conditions de sa mise en place. Ainsi une entreprise dont les budgets sont limités aura tendance à attacher beaucoup d'importance à l'atteinte des résultats et à s'intéresser moins à la manière dont elle devrait procéder pour avoir une bonne compréhension du système (systèmes de soutien, formation, information, participation des employés, etc.). Un deuxième facteur a trait à la structure organisationnelle. Une restructuration, une réduction d'effectifs ou de récents changements de grande envergure peuvent compromettre le succès de la mise en œuvre d'un SIRH. Il faut donc réunir certaines conditions favorables, notamment l'existence d'un climat propice à un tel changement. La culture organisationnelle est le troisième facteur qui influe sur la réussite d'un SIRH. Intégrer les différentes activités de gestion des ressources humaines au sein d'un SIRH et donner un plus grand contrôle aux employés et aux cadres sur les divers modules de gestion des ressources humaines assurent de meilleures chances de succès lorsque l'organisation a adopté une culture participative et que la gestion des ressources humaines est décentralisée. Certains facteurs ont trait à la procédure de mise en place. Ainsi, le fait de nommer une personne-ressource ou un porte-parole qui a la confiance des gestionnaires et des employés favorisera le succès du projet. Les commentaires pourront ainsi être canalisés vers cette personne ou ce comité, le cas échéant, qui se chargera d'apporter les modifications nécessaires ou de clarifier les incompréhensions qui se manifestent. Aussi, dans ce même ordre d'idées, il est important que le chef de projet ait une grande disponibilité, et soit donc déchargé de ses responsabilités habituelles afin de veiller à la bonne marche du projet[7].

III Les applications des SIRH en gestion des ressources humaines

l s'agit dans cette section de donner des exemples d'application des SIRH au domaine de la gestion des ressources humaines.

Consultez Internet

www.chrt.com
Site de la Corporate HR Technologies qui explique les utilisations des systèmes d'information en gestion des ressources humaines.

LE SIRH DANS LE CADRE DE LA PLANIFICATION DES RESSOURCES HUMAINES

Bien que de nombreuses possibilités d'utilisation de l'ordinateur soient offertes dans le domaine de la planification des ressources humaines, deux applications sont particulièrement importantes : les prévisions et la planification de la relève. L'encadré 16.6 illustre l'utilisation d'un SIRH dans le cadre de la planification des ressources humaines. Ces applications peuvent faire partie d'un SIRH ou d'un SGRH, ou encore constituer des activités séparées de ce système.

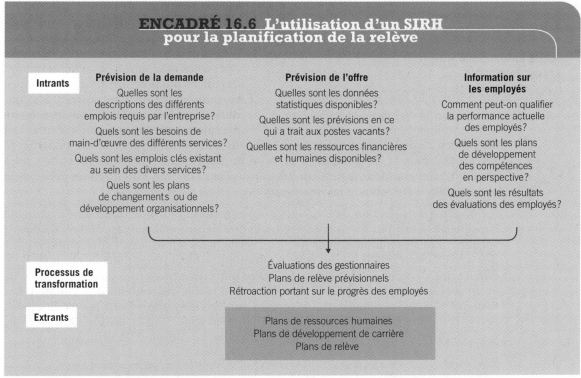

ENCADRÉ 16.6 L'utilisation d'un SIRH pour la planification de la relève

Intrants	Prévision de la demande	Prévision de l'offre	Information sur les employés
	Quelles sont les descriptions des différents emplois requis par l'entreprise?	Quelles sont les données statistiques disponibles?	Comment peut-on qualifier la performance actuelle des employés?
	Quels sont les besoins de main-d'œuvre des différents services?	Quelles sont les prévisions en ce qui a trait aux postes vacants?	Quels sont les plans de développement des compétences en perspective?
	Quels sont les emplois clés existant au sein des divers services?	Quelles sont les ressources financières et humaines disponibles?	Quels sont les résultats des évaluations des employés?
	Quels sont les plans de changements ou de développement organisationnels?		

Processus de transformation

Évaluations des gestionnaires
Plans de relève prévisionnels
Rétroaction portant sur le progrès des employés

Extrants

Plans de ressources humaines
Plans de développement de carrière
Plans de relève

Source : G. M. Rampton, L. J. Turnbull et J. A. Doran, *Human Resource Management Systems*, Ontario, ITP Nelson, 1997.

Consultez Internet

www.sierrays.com

Site de la Sierra's Human Resource Information Center qui explique l'utilisation des SIRH.

Il est utile pour effectuer des recherches et vérifier les applications des SIRH.

Au moment de l'établissement des prévisions, les spécialistes de la planification font habituellement usage de tableurs et de programmes statistiques. Il existe sur le marché quelques programmes adaptés pour les prévisions, mais ceux-ci ne sont pas largement utilisés, car ils sont difficiles à adapter et à mettre en application.

Quant aux programmes ayant trait à la planification de la relève, ils peuvent être adaptés assez facilement aux besoins de chaque organisation. Il est d'ailleurs souvent plus avantageux pour les services des ressources humaines d'en faire l'acquisition plutôt que de concevoir leur propre système. Parmi les systèmes existants, on trouve l'Executive Track II (excutrack), qui présente des scénarios montrant les effets de divers changements apportés à la relève, et le Management Succession Planning (MSP), qui présente plusieurs approches liées au choix de la relève.

LES SIRH ET LE RECRUTEMENT

Les organisations reçoivent chaque année une grande quantité de demandes d'emploi qu'elles n'ont pas sollicitées. Elles ont intérêt à les conserver si elles souhaitent réduire leurs efforts de recrutement. Soucieuses de leur image, elles se doivent d'émettre les accusés de réception habituels. Grâce à un système informatisé, elles peuvent assurer le suivi de ces données.

Les SIRH facilitent la production de rapports concernant le respect des normes d'équité en matière d'emploi ainsi que l'exercice d'un contrôle sur les activités de

Consultez Internet

www.bombardier.com

www.alcan.com

Sites à consulter à titre d'exemples d'organisations qui utilisent Internet pour le recrutement de personnel.

recrutement. Ils permettent aux organisations de faire l'inventaire des qualifications de leurs employés, ainsi que d'assurer le contrôle interne de l'affichage des postes et le suivi de groupes désignés. Parmi les applications les plus récentes, certains sites Internet reçoivent les candidatures des personnes désireuses de postuler pour des emplois vacants. Les demandes d'emplois sont directement répertoriées et traitées par l'intermédiaire de systèmes intégrés de gestion, à la suite de quoi des accusés de réception sont expédiés aux candidats; puis un premier tri est effectué afin de déterminer si la candidature sera retenue ou rejetée.

En matière de sélection, les applications informatiques ont connu une expansion considérable, surtout en ce qui a trait à l'administration des tests. Au lieu de devoir recourir à divers manuels pour les tests écrits, les organisations optent plutôt pour des tests commercialisés, qui sont maintenant informatisés pour la plupart. Il en résulte une diminution du temps nécessaire pour faire passer les tests aux candidats et un accroissement de la fiabilité et de la validité des instruments d'évaluation. Les tests informatisés comportent un certain nombre d'avantages sur les traditionnels tests écrits (encadré 16.7). En plus des simples tests, il est possible d'utiliser des tests très perfectionnés incluant des simulations au moyen d'un ordinateur.

ENCADRÉ 16.7 Les avantages de l'utilisation de tests informatisés

Les tests informatisés permettent:

1. d'éliminer les erreurs commises pendant le codage et la transcription manuelle des résultats;

2. de réduire les risques d'obtenir des résultats faussés, puisque ces tests sont substantiellement plus valides et plus fiables que les tests traditionnels;

3. de réduire la dépendance de l'organisation à l'égard des consultants externes, car elle a la possibilité de confier au service de ressources humaines la responsabilité de l'administration des tests;

4. d'obtenir des résultats standardisés pour les divers candidats, et d'améliorer ainsi les possibilités d'équité en matière d'emploi. L'informatique assure un meilleur contrôle du respect d'une condition commune telle que les limites de temps imposées dans plusieurs tests d'aptitude;

5. d'obtenir des résultats instantanément, ce qui accélère la prise de décision; les candidats bénéficient aussi d'une rétroaction rapide concernant leur rendement aux tests;

6. d'apporter un plus grand intérêt à l'exécution des tests. La nouvelle génération de candidats, qui est initiée à l'ordinateur, préfère les tests informatisés aux tests écrits, parce qu'elle les juge moins stressants;

7. à l'entreprise d'accumuler des résultats sur une période donnée et de les réutiliser avec plus de précision après avoir modifié le seuil de réussite des tests.

LES SIRH ET LES ÉVALUATIONS DU RENDEMENT

Il ne fait aucun doute que le recours à l'informatique pour compiler les résultats de l'évaluation du rendement s'est considérablement accru au cours des dernières années. La plupart des techniques présentées dans le chapitre 8 sont maintenant informatisées. Ainsi, l'établissement des liens entre les différentes activités et fonctions

Dans les faits

Une entreprise américaine située à Salt Lake City a élaboré un programme informatisé de rémunération au mérite relié à la liste de paie des employés. Ce système établit la rémunération au mérite de chaque individu en fonction du rapport entre la notation individuelle et la notation du groupe, les taux de salaire et le budget total alloué aux augmentations. À l'aide de logiciels graphiques, il est possible de visualiser, d'analyser et de comparer toutes les données statistiques ainsi que la distribution des notations attribuées au cours de l'évaluation.

de gestion des ressources humaines en est grandement facilité. Puisque l'évaluation du rendement est souvent directement liée à une augmentation de salaire, un certain nombre de logiciels ont été conçus pour faire coïncider ces augmentations avec l'évaluation annuelle du rendement.

L'introduction de la technologie informatique ainsi que l'accès accru à différentes banques de données contribuent à améliorer la validité et la fiabilité des évaluations du rendement. Une avenue très intéressante et pleine de possibilités est celle du recours à l'intelligence artificielle dans les systèmes informatisés d'évaluation du rendement pour détecter des facteurs liés à des comportements inhabituels tels que l'abus de substances nocives ou l'épuisement professionnel. Les collègues de travail sont sensibles aux changements de comportements ; en faisant appel à ces derniers comme source d'information au moment de l'évaluation, le système informatisé d'évaluation peut donner au gestionnaire un avertissement précoce sur les problèmes potentiels de certains employés, et ainsi favoriser un traitement prompt et efficace de ces problèmes.

Dans les faits

Une firme américaine dont le siège social est situé à Palo Alto, en Californie, a conçu un logiciel appelé Performance Mentor. L'utilisation d'un tel logiciel avant l'entrevue d'évaluation peut aider à diminuer l'anxiété chez le supérieur en le guidant dans la préparation du processus. De plus, on a découvert que ce programme pouvait être particulièrement utile aux gestionnaires comptant peu d'expérience, car il les aide à parcourir l'ensemble du processus dans un laps de temps très court[8].

Un certain nombre d'évaluateurs emploient dorénavant la technologie informatique pour faciliter la préparation de l'entrevue d'évaluation.

LES SIRH ET LE DÉVELOPPEMENT DES COMPÉTENCES

Dans le domaine de la formation, l'une des applications informatiques les plus accessibles est la formation informatisée. Comme nous l'avons indiqué précédemment, c'est un instrument très efficace, mais malheureusement sous-utilisé dans l'industrie, même parmi les 500 entreprises que le magazine *Fortune* considère comme les plus importantes[9]. Il n'y a aucun doute cependant qu'on optera de plus en plus dans l'avenir pour ce type de formation. Bien entendu, les industries spécialisées dans les techniques de pointe l'emploient déjà beaucoup. L'encadré 16.8 montre un exemple typique de l'usage qui est fait de la formation informatisée, notamment par IMS Canada, une société internationale de recherche en marketing (une division de Dunn and Bradstreet). IMS s'en sert pour analyser les besoins de formation initiaux de ses employés ainsi que pour élaborer un cadre de formation. Ces outils ont été conçus dans le but de mettre en application un programme de formation nécessitant l'emploi d'ordinateurs personnels[10].

Consultez Internet

www.transcend.co.uk/cscw/

Site développé par le Human Resource Development Special Interest Group. Forum de discussion qui explique l'utilisation des technologies comme soutien au travail d'équipe et comme appui aux diverses organisations du travail.

ENCADRÉ 16.8 Feuille d'analyse des besoins de formation assistée par ordinateur

Nom: _____ Service: _____ Local: _____ Site: _____

Aires de programmation	Juillet / septembre 1993			Octobre / décembre 1993			Janvier / mars 1994			Avril / juin 1994		
	Priorité	Employé(e)	Cours	Priorité	Employé(e)	Cours	Priorité	Employé(e)	Cours	Priorité	Employé(e)	Cours
1 Introduction au programme												
2 Chiffriers												
3 Base de données												
4 Traitement de texte												
5 Télécommuni-cations												
6 Général												

On donne aux employés et aux cours désignés des codes de priorité suivants : (1) besoins urgents, (2) amélioration des compétences, (3) développement de carrière.

_____
Signature

En ce qui a trait aux programmes de développement du potentiel, deux applications importantes sont utilisées : l'évaluation du style de leadership et la formation de leaders. De nombreux logiciels sont déjà sur le marché pour aider les gestionnaires à comprendre leur style de leadership. L'encadré 16.9 fournit quelques exemples.

Les applications de ces programmes informatiques visent :
1. la gestion des relations interpersonnelles par la stimulation de l'entourage et la délégation des tâches, par la formation et la gestion des équipes et par l'apprentissage de la flexibilité dans les relations interpersonnelles ;
2. l'atteinte des résultats au moyen de la planification et de la mise en pratique des compétences, de la prise de décision, de la pensée stratégique, de la connaissance du monde des affaires et de l'orientation vers l'atteinte des résultats ;
3. la capacité d'influence et la formation de réseaux d'information.

Notons cependant que la formation au leadership ne peut être exclusivement basée sur des enseignements électroniques. Pour que cette formation soit efficace, on doit la combiner à des ateliers de travail et à des séances de dynamique de groupe.

Les programmes informatiques interactifs répondent parfaitement aux besoins de formation des employés qui doivent réagir rapidement aux changements environnementaux. Ces programmes satisfont les besoins des gestionnaires qui désirent

ENCADRÉ 16.9 Quelques exemples de logiciels utiles dans le cadre du développement des compétences

- *Thoughware's Management Diagnosis Series* aide à préciser les habiletés de gestion et le style de relations interpersonnelles des gestionnaires. Il contient un programme enseignant à ceux-ci à diriger du personnel, à le motiver, à lui fixer des buts, à gérer le temps et le stress, ainsi qu'à mener efficacement des réunions.

- *ACUMEN Series from Human Synergetic* combine une autoévaluation et une rétroaction de groupe par rapport à certaines dimensions telles que les habiletés touchant la résolution de problèmes, le leadership, la résolution de conflits et la formation d'équipes.

- *ExecuGROV* conçu pour évaluer les besoins de développement des compétences, contient des guides de planification;

- *Dimensions of Leadership*, un programme récent et complet, fournit un diagnostic sur différentes dimensions de la gestion des ressources humaines11.

Source: J. Rocco, «Computers Track High Potential Managers», *HR Magazine*, août 1991, p. 66.

améliorer leurs techniques de prise de décision au moyen d'une série de simulations. Comme de plus en plus de programmes de simulation sont offerts sur le marché, beaucoup d'entreprises les utilisent dans le cadre de la formation en milieu de travail. Il existe effectivement sur le marché, à l'heure actuelle, des centaines de simulations et de jeux d'entreprise, qui vont des jeux très perfectionnés incluant l'ensemble des fonctions de gestion – marketing, finances, production, ressources humaines, etc. – aux simulations plus ciblées, qui ne s'intéressent qu'à un secteur d'activité (encadré 16.10).

ENCADRÉ 16.10 Quelques programmes informatiques de simulation

- *MacManager* a été conçu par Harvard Associates Inc. Neuf joueurs peuvent participer à ce jeu. Ils ont à prendre des décisions à partir de la lecture de bulletins d'information; les joueurs sont en compétition les uns avec les autres. Le gagnant est celui qui fait le plus de profits au cours de la partie, et le perdant est celui qui est forcé de fermer son entreprise ou de déclarer faillite.

- *Strategic Management Game* se joue seul ou à deux. Le ou les joueurs doivent prendre des décisions de gestion dès que l'entreprise est créée.

- *Business Strategist de Reality Technology* comprend une série de questions qui permettent à l'utilisateur de tester l'efficacité de plans d'action d'une entreprise simulée à travers différents secteurs de l'industrie.

- Dans *DECIDE* (Decision Exercises through Computer/Instructor Designed Environment), des gestionnaires – les joueurs – doivent prendre des décisions sur diverses questions: recherche et développement, horaires de travail, prix, achats, marketing, etc. Les participants, répartis en équipes, ont des décisions stratégiques à prendre. Au cours d'une période de jeu de deux jours, chacune des décisions des différentes équipes est enregistrée sur ordinateur, et une rétroaction immédiate portant sur les profits des équipes adverses (les «entreprises») leur est donnée. La rétroaction comprend aussi la transmission d'informations: états financiers, rapports de fabrication, études de marché, information sur les mouvements de trésorerie, etc.12

LES SIRH ET LA GESTION DES CARRIÈRES

On observe une augmentation sans cesse croissante des applications informatiques dans les domaines de la gestion des carrières (encadrés 16.11 et 16.12) et du développement des compétences des employés. Ce qui est intéressant, mis à part l'intérêt grandissant des organisations pour le développement de carrière, c'est le fait que la plupart des applications informatiques ont été mises au point par des chercheurs universitaires ou par des centres de recherche privés.

ENCADRÉ 16.11 Des applications informatiques dans le cadre de la gestion des carrières

1. Autoévaluation de la situation actuelle, des buts fixés et du plan d'intervention. Ce processus peut être facilement géré à l'aide d'un ordinateur.

2. Évaluation complexe des intérêts des employés relativement à leur carrière, de leurs compétences et de leurs valeurs. La communication directe de l'information et le traitement rapide des données au moyen d'instruments de recherche comme la Recherche auto-dirigée, de Holland, ont permis de résoudre un problème important : la vérification et la quantification de l'évaluation. De plus, l'information peut dorénavant être emmagasinée plus facilement et être utilisée plus rapidement dans un but d'analyse.

3. Exploration de la base de données. Les ordinateurs sont utilisés pour analyser les données en vue de l'harmonisation des intérêts des employés et de ceux de l'organisation. Les systèmes informatiques assurent un accès facile et rapide aux données de base relatives aux emplois. De plus, ils peuvent emmagasiner une grande quantité d'information sur les descriptions de postes, les profils de compétences, les caractéristiques organisationnelles, les taux de roulement, etc.

Source : S. E. Forrer et Z. B. Leibowitz, *Using Computers in Human Resources*, San Francisco, Jossey-Bass Publishers, 1991, p. 87-91.

ENCADRÉ 16.12 Logiciels de développement de carrière destinés aux organisations

1. Le logiciel *Career Point* guide les employés à travers un processus de développement de carrière complet incluant une évaluation des intérêts, des compétences et des valeurs liés au travail.

2. Le logiciel *Matchingi* se base sur les préférences des employés pour un style de travail. Il mesure les intérêts des individus quant au travail ainsi que les exigences des postes.

3. Le logiciel *Career Planning Center* aide les employés à planifier leur carrière en mettant à leur disposition des informations provenant des organisations. Le programme donne accès aux ouvertures de postes, aux profils de compétences, aux descriptions de postes, aux familles d'emplois, aux cheminements de carrière, aux descriptions de cours de formation et aux énoncés de mission de différentes organisations.

Source : S. E. Forrer et Z. B. Leibowitz, *Using Computers in Human Resources*, San Francisco, Jossey-Bass Publishers, 1991, p. 87-91.

LES SIRH ET LA RÉMUNÉRATION

Consultez Internet

www.shrm.org/buyers/hris.htm
Site de SHRM Buyers' Guide Computers qui fournit des adresses où se procurer des systèmes d'information en gestion des ressources humaines.

Les ordinateurs ont virtuellement révolutionné le travail des administrateurs de la rémunération, les rendant aptes à effectuer plus rapidement et plus efficacement des tâches exigeant beaucoup de temps, telles que l'élaboration de la structure salariale, des prévisions budgétaires pour la rémunération au mérite et des analyses de sondages. Plus récemment encore, l'importance de l'informatique s'est fait sentir dans le secteur de l'évaluation des emplois. Par exemple, les systèmes informatisés d'évaluation des emplois (SIEE) accélèrent les évaluations et améliorent l'objectivité et la cohérence du processus d'évaluation. Ils peuvent également rendre les processus plus complexes et limiter ainsi les conflits politiques qui pourraient en découler.

L'élaboration d'un questionnaire et la collecte des données liées à l'évaluation des emplois sont probablement les dimensions les plus importantes d'une telle activité. La méthode habituelle comporte l'utilisation de questionnaires structurés à questions fermées dans lesquels on présente aux employés des choix multiples ou on leur demande de fournir des données quantitatives précises. En général, ces données sont transmises à l'ordinateur au moyen d'un lecteur optique, d'un traitement en lots ou d'une saisie manuelle. La validation des données et les rapports de vérification sont des caractéristiques que possèdent normalement tous les systèmes informatiques. Les programmes de contrôle statistique vérifient la cohérence des réponses provenant d'un seul répondant ou effectuent un traitement croisé des réponses de tous les répondants appartenant à une famille d'emplois ou à un niveau hiérarchique donné de l'organisation.

L'évaluation informatisée des emplois exige l'adoption d'un modèle statistique. Le modèle le plus courant est dérivé d'analyses de régression multiple ou effectué par tracé direct. Dans une analyse de régression multiple, les données recueillies à partir des emplois repères sont analysées et font l'objet d'une régression par rapport à une variable dépendante, telle que les taux de salaire du marché, la rémunération courante, les points milieux de la rémunération courante ou les pondérations utilisées en évaluation.

Les systèmes informatisés simplifient l'entretien et la gestion des régimes de rémunération. On peut introduire dans le système les données sur les emplois qui ne sont pas considérés comme des postes repères, de manière à évaluer leur valeur relative pour l'organisation ; cette procédure élimine la nécessité de mettre sur pied des comités d'évaluation. Plusieurs des systèmes actuellement offerts sur le marché présentent des caractéristiques administratives additionnelles, notamment des logiciels intégrés pour la gestion des dossiers du personnel, des données de sondages organisationnels et des informations sur les structures salariales et la capacité de réaliser des analyses de régression multiple. D'autres caractéristiques incluent également des logiciels graphiques ou autres qui créent les descriptions de tâches et les diagrammes organisationnels construits à partir des données de questionnaires structurés.

Dans les faits

Les consultants en gestion qui travaillent à la méthode Hay ont conçu un grand nombre d'outils informatiques d'évaluation et de mesure des emplois. Le logiciel HayXpert Quick Evaluation Database (QED Chart) permet aux entreprises de fournir un appui aux comités d'évaluation des emplois. Pour les entreprises qui n'ont pas recours à de tels comités, le logiciel QED Comparison assiste les superviseurs dans leur évaluation des emplois.

Il ne faut cependant pas oublier que, malgré tous les avantages que comportent ces systèmes, le jugement de l'homme y demeure toujours nécessaire, particulièrement au moment de la sélection des données et de la révision et de l'approbation du portrait final des résultats d'évaluation. Ce système ne peut donc pas être considéré comme un produit autonome en soi ; il devrait plutôt faire partie d'un programme intégré de gestion de la rémunération.

Les systèmes informatisés aident à assurer l'équité de l'évaluation tant interne qu'externe. Plusieurs analystes en matière de rémunération sont devenus experts dans l'utilisation des chiffriers électroniques. Grâce à cette compétence, ils sont en mesure de prévoir les effets des augmentations salariales sur le coût de la main-d'œuvre.

Selon des données récentes, il existe environ 60 progiciels destinés à faciliter aux gestionnaires de la rémunération l'accomplissement de tâches variées[13]. De plus, certains systèmes compilent les données des enquêtes de rémunération et aident les entreprises à établir leurs échelles de salaires en fonction des taux du marché.

D'autres programmes facilitent également l'élaboration des structures salariales, en attribuant un coût à différentes possibilités. D'autres aident les professionnels à faire des prévisions budgétaires, fixent les augmentations en fonction de différents critères et transfèrent les résultats en termes de coefficients de comparaison et d'autres statistiques. Finalement, étant donné que la rémunération des cadres supérieurs représente un défi pour plusieurs entreprises, certains programmes élaborent des régimes d'options d'achat d'actions, des programmes de primes, et d'autres formes de rémunération différée. Grâce à un système d'information sur les ressources humaines, il est possible de se servir des données pour formuler des projections concernant les réformes salariales, les coefficients de comparaison, le coût total des régimes d'avantages sociaux, et le coût de la rémunération directe ou indirecte en fonction de différents taux d'inflation.

Dans les faits

Frank Russel Canada, une firme de consultants installée à Toronto, essaie de mettre actuellement sur le marché un produit appelé « Système d'attribution de performance Russel », qui est un ensemble de logiciels graphiques pour ordinateurs personnels. Ce système a été élaboré pour des caisses de retraite importantes ; le plus petit utilisateur a été l'Université McGill, qui possède un fonds de 488 millions de dollars. Le système Russel coûte 24 000 $ et les frais d'installation sont de 6 000 $[14].

Grâce à la technologie, les entreprises peuvent mettre en œuvre et administrer plus efficacement les régimes de rémunération indirecte. La technologie informatique peut effectivement être appliquée à la planification de la rémunération indirecte par l'analyse de ses différentes composantes. Ces composantes comprennent les soins dentaires et médicaux, les vacances, les congés de maladie, la retraite et la participation aux bénéfices. Le mot clé est la « planification ».

Les entreprises qui offrent des programmes d'avantages sociaux ont découvert, par exemple, de nombreux outils innovateurs pour estimer le rendement d'un régime de retraite. L'analyse attributive évalue le taux de rendement de la rémunération indirecte par rapport aux politiques de l'entreprise et à sa gestion courante. Ce type d'analyse est offert dans des formats variés, notamment sur des disquettes d'ordinateurs personnels. D'autres formats nécessitent la mise en place d'un modem relié aux logiciels d'un distributeur. Finalement, d'autres systèmes sont mis à jour au moyen d'un échange mensuel de disquettes. Il existe également des systèmes qui permettent aux entreprises de comparer le rendement de leur régime avec une donnée moyenne calculée à partir des résultats de la clientèle en général. On soumet de plus en plus les régimes de retraite à ce type d'analyse. Avant de procéder à une telle analyse, il faut cependant vérifier si le logiciel n'est pas programmé uniquement pour l'analyse de fonds de grande importance.

Le saviez-vous ?

Le Répertoire des logiciels relatifs à la rémunération indirecte des employés (*Employee Benefit Software Directory*) donne la liste de quelque 450 systèmes de gestion qui semblent couvrir à peu près tous les aspects de la gestion des données, des rapports, des analyses et des vérifications utiles à la fonction de gestion des avantages sociaux. La concurrence vive existant entre les entreprises de conception de logiciels a entraîné des améliorations quant à la qualité et au prix de ces instruments informatiques.

LES SIRH ET LA GESTION DE LA SANTÉ ET DE LA SÉCURITÉ DU TRAVAIL

Les lois relatives au droit à l'information des employés ont conduit à la conception de douzaines de logiciels destinés à aider les organisations à effectuer diverses tâches : tenir à jour un inventaire des produits chimiques dangereux, imprimer de

Dans les faits

Un CD-ROM créé par le Centre canadien de santé et de sécurité du travail a obtenu un grand succès. En 1989, plus de 3 500 employeurs et syndicats l'utilisaient au Canada pour obtenir de l'information sur les produits chimiques, les substances naturelles, les mélanges résultant de procédés industriels, les produits enregistrés, etc. Diverses bases de données sur le contrôle des pesticides, les maximums de résidus tolérés dans la nourriture et la multiplication d'insectes parasites et prédateurs étaient également à la disposition du public.

l'information sur la sécurité des produits, assurer le suivi de la formation en matière de sécurité donnée aux travailleurs exposés à des accidents et à des risques d'exposition aux produits chimiques, et produire les rapports exigés par les différents paliers de gouvernement.

Le recours au CD-ROM présente l'avantage de fournir de l'information immédiatement et facilement, en ne requérant qu'un minimum d'espace. Chacun des CD-ROM dont nous avons parlé contient l'équivalent de plus de 300 000 pages d'information. Cette information est mise à jour sur une base trimestrielle et peut être imprimée ou emmagasinée selon les besoins de l'utilisateur.

De plus, de nombreux programmes offerts actuellement permettent d'évaluer différents facteurs liés au style de vie (comme les régimes alimentaires, l'exercice et l'habitude de fumer), qui serviront ensuite à déterminer la gravité des risques pour la santé. Quelques-uns de ces programmes fournissent des conseils aux utilisateurs en vue de diminuer les risques. Un programme innovateur servant à diagnostiquer le stress et l'épuisement professionnel au travail a été conçu récemment par une entreprise montréalaise (encadré 16.13).

ENCADRÉ 16.13   Un programme de gestion du stress

Ce programme, appelé *Stress Diagnosis Inventory* (SDI), aide le professionnel de la santé à dépister les individus et les groupes à risque, et propose aussi quelques secteurs d'intervention clés. Ce programme a, à plusieurs occasions, guidé la Commission d'appel des lésions professionnelles (CALP) du Québec, qui est appelée à déterminer les cas d'épuisement professionnel[15].

LES SIRH ET LES RELATIONS DU TRAVAIL

Consultez Internet

www.inforamp.net/~bcroft/index.html

Site qui sert de guide pour l'utilisation des systèmes d'information en gestion des ressources humaines.

L'ordinateur portatif est devenu un instrument de travail précieux pour les représentants des parties durant les séances de négociation des conventions collectives. Les négociateurs ont ainsi la possibilité d'utiliser des tableurs ou des progiciels pour évaluer le coût des propositions faites par l'autre partie, ce qui les aide à déterminer rapidement le coût relié à chacune de ces propositions. Des programmes sont également disponibles pour assurer le suivi des griefs ainsi que d'autres systèmes ayant pour objectif de surveiller l'application des conventions collectives, et en particulier des mesures disciplinaires. De plus, il existe plusieurs simulations informatisées servant à la formation des négociateurs. Ces systèmes se fondent sur un scénario ; le joueur choisit le rôle du représentant syndical ou celui du représentant patronal, et l'ordinateur assume l'autre rôle. Des formateurs spécialisés analysent ensuite les résultats de la négociation qui a été effectuée à partir du scénario élaboré.

Partie 2

L'évaluation de l'efficacité de la gestion des ressources humaines

Beaucoup d'entreprises ne mesurent l'importance des moyens qu'elles consacrent à la gestion des ressources humaines qu'à partir du moment où elles adoptent un cadre d'évaluation et de contrôle de ces activités. Au Canada, seules les très grandes organisations effectuent, à l'heure actuelle, une certaine forme d'évaluation des ressources humaines. De nombreux cadres croient qu'il est impossible de mesurer l'utilité de la gestion des ressources humaines. Ils ne sont donc pas enclins à en faire une évaluation rigoureuse et systématique. Ils perdent ainsi la possibilité d'en déterminer l'effet réel sur la productivité globale de l'organisation.

I L'importance de l'évaluation de la gestion des ressources humaines et ses objectifs

L'évaluation de la fonction ressources humaines et de son effet sur l'efficacité de l'organisation pave la voie à l'élaboration de modèles de gestion stratégique. On réalise des progrès dans ce domaine lorsqu'on se rend compte que les changements se justifient en fonction de préoccupations concernant le résultat financier et de l'atteinte d'une efficacité accrue de l'organisation. Ainsi, les mécanismes d'évaluation et de contrôle sont nécessaires et contribuent à assurer la crédibilité de la gestion des ressources humaines et à accroître l'ouverture de la direction à l'égard de ce service.

LA NÉCESSITÉ D'ÉVALUER LA GESTION DES RESSOURCES HUMAINES

Beaucoup de cadres supérieurs n'hésitent pas à déclarer que leur organisation puise sa force dans ses ressources humaines. Cependant, lorsqu'on leur demande de défendre auprès de la direction le budget alloué à la gestion des ressources humaines ou même de lutter contre les compressions budgétaires, durant les périodes de restrictions économiques, ils sont pratiquement incapables de le faire. En somme, le contrôle du rendement apparaît indispensable au contrôle des coûts et à l'évaluation des différentes activités de gestion des ressources humaines.

De nombreux gestionnaires des ressources humaines font face au même dilemme lorsqu'on leur demande de justifier d'un point de vue économique l'introduction d'un nouveau programme ou d'un nouveau service. Privé d'un tel système, l'administrateur a non seulement de la difficulté à défendre les activités de son service face aux autres, mais il se trouve également incapable d'évaluer l'efficacité de ses programmes pour ses propres besoins, puisqu'il ne dispose d'aucun critère pour le faire[16]. L'encadré 16.14 donne un aperçu des raisons pour lesquelles il est nécessaire d'évaluer l'efficacité de la gestion des ressources humaines.

ENCADRÉ 16.14 Les raisons pour lesquelles il est important d'évaluer l'efficacité de la GRH

1. Ce sont les personnes – comme on le constate souvent – qui assurent le succès ou l'échec d'une entreprise.

2. La main-d'œuvre coûte cher; les salaires des employés représentent souvent le plus important poste de dépenses contrôlable dans une organisation.

3. La législation sociale et la législation du travail imposent aux entreprises de produire un rapport établissant l'efficacité de la gestion des ressources humaines conformément aux lois en vigueur (par exemple l'équité en matière d'emploi).

4. Nos connaissances de la gestion des ressources humaines sont encore embryonnaires; ce n'est qu'en procédant à des évaluations constantes que nous parviendrons à approfondir notre compréhension de ce type de gestion.

À mesure que les coûts de la main-d'œuvre augmentent et que s'accroît l'importance accordée aux ressources humaines, la recherche de méthodes d'évaluation s'intensifie. L'évaluation de l'efficacité de la gestion des ressources humaines poursuit plusieurs objectifs recensés dans l'encadré 16.15. Bien que la direction reconnaisse la nécessité d'évaluer l'efficacité de ce service, elle ne dispose pas de méthodes et d'instruments élaborés pour mener à bien cette tâche. Des recherches récentes suggèrent qu'il existe une étroite corrélation entre l'efficacité d'une entreprise et l'utilisation de mesures objectives des résultats[17]. Bien qu'elles disposent de nombreuses approches pour effectuer un contrôle et une évaluation de la gestion des ressources humaines, très peu d'entreprises ont adopté de tels systèmes au Canada. Selon un sondage mené auprès d'entreprises, seulement un tiers des répondantes ont déclaré disposer d'une forme quelconque de vérification ou d'une méthode d'évaluation de leurs activités de gestion des ressources humaines[18, 19].

ENCADRÉ 16.15 Les objectifs de l'évaluation de l'efficacité de la GRH

- Elle aide à déterminer l'état de santé du système des ressources humaines et à détecter les secteurs d'où proviennent les problèmes.

- Elle aide à contrôler les activités de gestion des ressources humaines en fonction de critères précis (la contribution du résultat financier au bon fonctionnement de l'organisation).

- Elle aide à prévoir les problèmes futurs et à préparer des interventions appropriées.

- Elle permet l'intégration des différentes fonctions administratives dans une même organisation.

II Les paramètres de l'évaluation de la gestion des ressources humaines

Au cours de la dernière décennie, on a observé la multiplication des activités, des politiques et des programmes axés sur les ressources humaines, ce qui a favorisé la tendance naturelle à la modification et à l'accroissement des budgets de chacun des programmes. En injectant plus d'argent neuf, on crée de nouveaux besoins, qui servent à leur tour à justifier de nouvelles dépenses, et ainsi de suite, le tout engendrant une croissance exponentielle. Il importe de réagir à cette tendance à la croissance des budgets de même qu'aux problèmes que pose l'attribution des ressources aux différents secteurs d'activités. Il faut établir des critères permettant d'évaluer l'importance relative de ces activités. Cela demande d'élaborer des vérifications quantitatives et des mesures de rendement permettant de juger de la valeur relative des postes de dépenses dans les différents programmes et, ainsi, de décider d'une attribution judicieuse des ressources.

LES PERSONNES CHARGÉES DES ÉVALUATIONS

Le choix de l'évaluateur dépend du type d'évaluation à effectuer et de son étendue. Certaines entreprises ont une préférence pour l'évaluation externe, réalisée habituellement par un consultant ou une firme réputée de consultants en ressources humaines, alors que d'autres optent pour une évaluation interne, menée régulièrement par le service des ressources humaines et portant sur des questions spécifiques. Il est évident que chaque méthode a ses avantages et ses inconvénients.

Les évaluateurs externes. Si l'évaluation a pour but de comparer le service des ressources humaines d'une entreprise à des services types de l'industrie ou à ceux de ses principaux concurrents (étalonnage concurrentiel ou *benchmarking*), il est préférable d'en confier la réalisation à un consultant externe. Comme dans le cas de la vérification des comptes, un consultant externe est souvent mieux en mesure de jeter un regard lucide sur les pratiques et les politiques du service et d'en faire un examen impartial. Si on opte pour une évaluation interne, il existe un risque que l'évaluateur tente de fournir une justification ou une explication logique aux politiques et aux procédures existantes. Il arrive que le consultant externe soit plus critique et se trouve dans une meilleure position que le consultant interne pour déceler des contradictions et des anomalies par rapport à d'autres organisations ou en vertu de ses propres convictions et connaissances.

Les évaluateurs internes. Si l'évaluation est basée sur une recherche et sur une analyse statistique de problèmes particuliers du service, tels que le coût des griefs, l'absentéisme, le manque de ponctualité chronique et les accidents, elle devrait être confiée à des employés de l'entreprise. Pour mener une telle analyse à intervalles réguliers, l'évaluateur (il s'agit normalement d'un membre du service des ressources humaines) doit pouvoir consulter facilement le système d'information sur les ressources humaines. Autrement, la tâche est quasi insurmontable. Les évaluations portant sur le respect des lois, des règles et des règlements, notamment dans les domaines de l'équité en matière d'emploi, de la santé et de la sécurité du travail et du droit du travail en général, font également partie de celles qu'on peut confier à un évaluateur interne. Les évaluateurs peuvent dresser une liste des exigences gouvernementales qui s'appliquent dans le domaine en question, pour ensuite comparer les pratiques et les politiques de l'entreprise à celles qui sont requises.

L'OBJET ET L'ÉTENDUE DE L'ÉVALUATION

L'objet et l'étendue de l'évaluation de la gestion des ressources humaines varient grandement. L'évaluation peut porter sur l'utilité du service, les buts et les objectifs qu'il s'est fixés, ses structures, ses activités et ses résultats. Elle peut également n'examiner qu'une fonction du service, comme la formation, le recrutement ou la rémunération, ou mettre l'accent sur une question particulière, par exemple, sur le contrôle du roulement du personnel, la promotion de la santé et de la sécurité du travail ou le traitement des problèmes de discipline.

On peut distinguer deux grandes catégories d'évaluation : la première est fondée sur le postulat de l'« excellence universelle », selon lequel il existe une façon idéale de gérer efficacement les ressources humaines ; la seconde, qu'on peut appeler le modèle de l'ajustement, rejette l'idée d'une gestion efficace universelle et met plutôt l'accent sur l'harmonisation des politiques et des pratiques de gestion des ressources humaines avec les stratégies de l'organisation[20]. Il a déjà été question du modèle de l'adaptation au chapitre 2. Nous allons maintenant présenter une approche combinée.

Pour mieux rendre compte de ces diverses approches ainsi que des différentes perspectives et de l'étendue de l'évaluation et du contrôle de la gestion des ressources humaines, nous avons tenté d'élaborer une typologie[21] (encadré 16.16) qui présente les différentes méthodes et approches qui seront abordées dans la suite du chapitre. Sur l'axe vertical, on trouve une liste des méthodes ; sur l'axe horizontal, on indique le but et l'étendue de l'évaluation, de même que les principaux tenants de chacune des approches. Les buts et l'étendue sont divisés en trois catégories : les fonctions des ressources humaines (par exemple, la dotation en personnel, la formation, etc.) ; les services (qualité du service à la clientèle) ; les résultats (par exemple, l'absentéisme, le taux de roulement du service, le nombre de griefs, etc.).

ENCADRÉ 16.16 Typologie des méthodes d'évaluation de la gestion des ressources humaines

MÉTHODE ET APPROCHES	FONCTIONS	SERVICES	RÉSULTATS	PRINCIPAUX AUTEURS ET PARTISANS
Approches qualitatives				
Vérification	X	X	X	Biles et Schuler (1986); Mahler (1979)
Analyse du travail et budgétisation	X		X	Carroll (1960)
Approches quantitatives				
Indices de gestion des ressources humaines	X		X	Fitz-enz (1984)
Analyse coûts-bénéfices et analyse de l'utilité			X	Cascio (1987); Dahl (1988)
Comptabilisation des ressources humaines			X	Flamholtz (1985)
Nouvelles avenues				
Approche clients		X		Tsui et Gomez-Mejia (1987); Tsui et Milkovich (1985); Tsui (1987)

III Les différentes approches de l'évaluation de la gestion des ressources humaines

Les recherches ont mis en évidence deux types d'approche, les premières dites qualitatives, et les secondes, quantitatives.

LES APPROCHES QUALITATIVES DE L'ÉVALUATION

La vérification. La vérification constitue la façon la plus simple et la plus directe d'évaluer l'efficacité de la gestion des ressources humaines. Elle consiste en une évaluation systématique et formelle de l'ensemble des politiques et des programmes concernant les ressources humaines dans une organisation. Sous sa forme la plus simple, la vérification n'est qu'une revue des nombreux rapports produits par le service en vue de déterminer si les principales politiques et procédures sont en vigueur et sont suivies. Elle doit répondre à un certain nombre de questions (encadré 16.17).

ENCADRÉ 16.17 Questions sur lesquelles porte la vérification

- Dans quelle mesure la structure du service de ressources humaines améliore-t-elle son fonctionnement?
- Dans quelle mesure le but et la stratégie actuels du service apportent-ils un soutien à ceux de l'entreprise?
- Dans quelle mesure le service remplit-il adéquatement diverses fonctions relatives aux ressources humaines, comme la dotation en personnel, l'évaluation du rendement, le traitement des griefs, etc.?

Tout comme les vérifications comptables, les vérifications portant sur la gestion des ressources humaines s'appuient sur des rapports, tels que les budgets et ceux portant sur l'affectation des ressources, les griefs, le type et le nombre de programmes de développement des compétences, et les rapports d'évaluation du rendement. Ainsi, il est clair que la vérification peut porter sur la totalité des activités du service ou un certain nombre d'activités sélectionnées. En ce qui concerne les tâches qui incombent au vérificateur, elles sont énumérées dans l'encadré 16.18.

ENCADRÉ 16.18 Les tâches du vérificateur

- Déterminer l'objet de la vérification.
- Dresser un plan de vérification provisoire.
- Choisir les membres du personnel qui participeront à la vérification.
- Effectuer une vérification préalable, consistant en une collecte d'informations sur le service, l'organisation et les problèmes de l'organisation jugés les plus aigus.
- Achever le plan de vérification en perfectionnant les instruments de vérification et de mesure et en élaborant un échéancier approprié.
- Rassembler l'information requise pour la vérification.
- Faire une compilation des résultats de la vérification et les utiliser pour détecter les forces et les faiblesses du service de ressources humaines et pour déterminer les secteurs dans lesquels on peut entreprendre des actions à long terme en vue d'améliorer le statut de ce service.

Il y a deux types de vérifications : la vérification stratégique et la vérification opérationnelle.

La *vérification stratégique* vise essentiellement à évaluer dans quelle mesure les politiques et les pratiques du service favorisent véritablement le succès de la stratégie d'ensemble de l'entreprise. Il faut se rappeler que la stratégie principale du service doit appuyer la stratégie de l'entreprise et la compléter, mais ne doit pas nécessairement être à la remorque de celle-ci. Les principaux éléments de la vérification stratégique sont précisés dans l'encadré 16.19.

ENCADRÉ 16.19 Les principaux éléments de la vérification stratégique

Facteurs environnementaux: Quel rôle la fonction ressources humaines joue-t-elle dans les rapports que l'organisation entretient avec l'environnement externe? Dans quelle mesure le sous-système des ressources humaines contribue-t-il à l'atteinte des objectifs à long terme de l'organisation?

Facteurs industriels: Quels sont les problèmes de ressources humaines qui représentent une question centrale pour l'industrie? Ce peut être, par exemple, les questions du respect de lois ou de règlements spéciaux applicables à l'industrie.

Facteurs liés à la mise en œuvre de la stratégie: Quels sont les principaux problèmes de ressources humaines qui interviennent dans la mise en œuvre de la mission stratégique primordiale du service? Ce peut être, par exemple, l'état des relations entre le service de GRH et les services de production.

Facteurs de l'entreprise: Quelles sont les forces et les faiblesses de l'entreprise sur le plan des ressources humaines? On peut se demander, par exemple, quels sont les secteurs d'intervention qui s'harmonisent particulièrement bien avec les besoins futurs prévus par la stratégie, et quels sont ceux qui s'y accordent mal.

Source: Discussion basée sur W. J. Rothwell et H. C. Kazanas, *Strategic Human Resources Planning and Management*, Prentice-Hall, 1988, p. 423-426.

La *vérification opérationnelle* vise à s'assurer que les décisions et les actions à court terme de l'organisation n'entrent pas en conflit avec ses décisions et ses actions à long terme. Nous présentons dans les encadrés 16.20 et 16.21 deux façons d'effectuer une vérification des opérations. Dans les deux cas, les éléments de vérification

---

ENCADRÉ 16.20 Questions d'entrevue servant à la vérification opérationnelle de la gestion des ressources humaines

A. Questions d'ordre général
   1. Quels sont d'après vous les objectifs de votre service?
   2. Comment voyez-vous les responsabilités des cadres?
   3. Croyez-vous qu'il y ait des problèmes ou des difficultés importantes dans le service? Quelles en sont les causes? l'étendue?
   4. Le service s'est-il donné des objectifs particuliers cette année? En a-t-il pour l'année prochaine?

B. Analyse des postes
   5. Est-ce que les descriptions de postes sont à jour?
   6. Quelles sont les méthodes employées pour élaborer les descriptions de postes des employés admissibles et des employés non admissibles?

C. Planification des ressources humaines
   7. Quels plans avez-vous élaborés pour combler les besoins futurs en main-d'œuvre de votre service?
   8. Quelles sont les méthodes, les moyens et les modèles utilisés pour mener à bien la planification des ressources humaines? Avez-vous déjà utilisé ces méthodes?
   9. Quel soutien espérez-vous obtenir des autres cadres de l'entreprise dans la planification des ressources humaines? Quelles sont les politiques suivies pour motiver ces cadres à collaborer avec vous dans cette tâche?

D. Recrutement et sélection
   10. De quelle façon recrutez-vous le personnel (selon les catégories de postes)? Combien de temps vous faut-il en moyenne pour combler un poste?
   11. Quels sont les postes les plus faciles et les plus difficiles à combler? Quelles nouvelles méthodes avez-vous employées dans le cas des postes les plus difficiles à combler?
   12. Quelles politiques existent concernant le recrutement interne et externe? Pourquoi ces politiques ont-elles été adoptées? Vous semblent-elles satisfaisantes?
   13. Quelles sont les méthodes normalement utilisées pour l'embauche de personnel dans le cas des postes clés? Possédez-vous des statistiques sur le succès ou l'échec de ces méthodes? Avez-vous une idée de ce qu'elles coûtent?

ENCADRÉ 16.20 *suite*

E. Rémunération

14. Quelles sont vos responsabilités concernant l'administration des salaires des cadres? De quelles façons déterminez-vous les augmentations salariales? Comment effectuez-vous l'évaluation du rendement?
15. Existe-t-il dans l'entreprise des régimes de rémunération au mérite ou au rendement? Si oui, donnez-nous les raisons de telles pratiques. Si non, expliquez pourquoi.
16. Quel est votre principal problème en ce qui concerne la gestion des salaires?
17. Mis à part les programmes sociaux auxquels vous contribuez en vertu de la loi, quels sont les avantages sociaux dont vous faites bénéficier vos employés? Pourquoi en est-il ainsi? Justifiez vos décisions.

F. Évaluation du rendement

18. Êtes-vous présentement satisfait des différentes formes d'évaluation du rendement que vous utilisez selon les catégories de personnel? Lesquelles vous semblent les moins appropriées? Pourquoi?
19. À quoi sert dans votre entreprise l'évaluation du rendement? Pourquoi?
20. À quelle fréquence les cadres évaluent-ils leurs employés? Les cadres aiment-ils cette tâche? Est-ce que les employés apprécient la formule actuelle d'évaluation?

G. Formation et perfectionnement

21. Comment effectue-t-on la formation dans votre service? Qui la donne? Quelles sont les procédures suivies?
22. Comment élaborez-vous le contenu des programmes de formation? Pourquoi procédez-vous ainsi?
23. Comment évaluez-vous l'efficacité des divers programmes de formation?
24. Selon vous, quels changements ou améliorations devrait-on apporter au sein de l'entreprise à la formation des employés? Pourquoi?
25. Existe-t-il dans l'entreprise un programme permettant aux cadres d'aider les employés à développer leurs capacités?

H. Planification et gestion de carrière

26. Existe-t-il des politiques sur la planification de carrière dans l'entreprise? Quels sont les points forts et les points faibles de ces politiques?
27. Existe-t-il des politiques d'aide destinées aux employés qui ont atteint un plafonnement de carrière?
28. Est-ce que l'entreprise offre des services de consultation sur la planification et la gestion de carrière (sous la responsabilité d'un spécialiste, par exemple)?

I. Qualité de vie au travail et productivité

29. Y a-t-il des programmes d'amélioration de la productivité en vigueur (p. ex., des cercles de qualité, des programmes d'enrichissement des tâches, de qualité totale)? Quelle est, le cas échéant, l'efficacité de ces programmes?
30. Avez-vous instauré des programmes d'aide destinés aux employés ayant des problèmes personnels (p. ex., un service d'assistance psychologique)? Ces programmes sont-ils efficaces?
31. De quelle façon tenez-vous les employés au courant de ce qui se passe dans l'entreprise? L'entreprise tient-elle régulièrement des séances d'information? À quels problèmes faites-vous face lors de telles séances?
32. Comment l'entreprise recueille-t-elle ses informations sur les employés? Quelles méthodes et quels réseaux utilise-t-elle? À quelle fréquence?

J. Santé et sécurité du travail

33. Quels sont les principaux programmes de santé et de sécurité du travail instaurés dans votre entreprise? Êtes-vous confronté à des problèmes particuliers?
34. Quelles sont les politiques de l'entreprise concernant la prévention des accidents du travail et des maladies professionnelles? Êtes-vous satisfait du système actuel?
35. Est-ce que vous recueillez et analysez régulièrement des données sur la santé et la sécurité du travail? Que faites-vous de ces informations, une fois communiquées à la Commission de la santé et de la sécurité du travail (ou à une autre commission, selon la province)?
36. Avez-vous des commentaires ou des suggestions à formuler concernant la santé et la sécurité du travail dans votre entreprise?

K. Relations du travail

37. Comment caractériseriez-vous la relation entre le service des ressources humaines et les syndicats dans votre entreprise? D'après vous, comment cette relation va-t-elle évoluer? Comment pourrait-on l'améliorer?
38. Tenez-vous des statistiques sur le nombre et l'objet des griefs déposés par les employés? Possédez-vous des estimations du coût de ces griefs?
39. Le renouvellement des conventions collectives pose-t-il des problèmes particuliers?
40. Quels sont les problèmes de discipline qui se posent avec les employés?

L. Autres activités en gestion des ressources humaines

41. Quelles sont les attentes des cadres relativement aux relations de travail?
42. Quels commentaires avez-vous à donner sur votre budget? Élaborez.
43. Comment évaluez-vous la qualité du personnel du service des ressources humaines? Développez.
44. Comment voyez-vous le rôle du service des ressources humaines dans l'entreprise? Développez.

Source: Gestion MDS Inc., Montréal.

ENCADRÉ 16.21 Liste de contrôle pour la vérification de la gestion des ressources humaines

CODE	THÈME OU DOMAINE DE VÉRIFICATION	OUI	NON		COMMENTAIRES
1.0	**Analyse des postes**				
	1.1 A-t-on effectué des analyses des postes?				
	1.2 Avez-vous des documents écrits concernant les analyses des postes?				
	1.3 Est-ce que la méthode d'analyse des postes choisie est satisfaisante?				
	1.4 Est-ce que les analyses des postes sont à jour?				
	1.5 Est-ce que les analyses des postes sont utilisées pour				
	1.5.1 le recrutement et la sélection?				
	1.5.2 l'évaluation du rendement?				
	1.5.3 la formation?				
	1.5.4 la planification de carrière?				
	1.5.5 les promotions?				
	1.5.6 la rémunération?				
	1.6 Est-ce que les analyses des postes sont reliées au système d'information sur les ressources humaines?				
2.0	**Planification des ressources humaines**				
	2.1 Faites-vous des prévisions sur				
	2.1.1 l'ensemble des besoins en ressources humaines?				
	2.1.2 le remplacement du personnel existant?				
	2.1.3 les positions clés (p. ex., la planification de la relève)?				
	2.2 Est-ce que l'on compte suffisamment d'employés polyvalents pour les cas d'urgence?				
3.0	**Recrutement**				
	3.1 Éprouvez-vous de la difficulté à recruter des employés?				
	3.2 Utilisez-vous les ressources suivantes pour recruter des employés difficiles à trouver:				
	3.2.1 les centres de main-d'œuvre du Canada?				
	3.2.2 les médias (journaux et radios)?				
	3.2.3 les personnes recommandées par des employés?				
	3.2.4 les agences de recrutement de cadres?				
	3.3 A-t-on réalisé une analyse coûts-bénéfices relativement aux ressources utilisées pour le recrutement?				
	3.4 Faites-vous suffisamment de publicité sur les postes à combler?				
	3.5 Préparez-vous des listes de candidats potentiels à l'avance?				
	3.6 Existe-t-il des procédures établies pour entrer en contact avec les candidats?				
4.0	**Sélection**				
	4.1 Est-ce que les décisions de sélection sont prises sur la base d'une compréhension claire des descriptions de poste?				
	4.2 Est-ce que les responsables de la sélection ont été formés pour réaliser des entrevues de sélection?				
	4.3 Est-ce que les formulaires de demande d'emploi sont conformes à la loi?				
	4.4 Quelles questions du formulaire d'emploi sont utilisées pour vérifier la validité et la fiabilité des réponses?				
	4.5 Est-ce que les personnes chargées de réaliser les entrevues ont été formées pour cette tâche?				
	4.6 Est-ce qu'on fait une présentation réaliste des postes?				
	4.7 Est-ce qu'on utilise des tests psychologiques ou d'autres formes de tests écrits?				
	4.8 A-t-on établi la validité et la fiabilité des mécanismes de sélection?				

ENCADRÉ 16.21 *(suite)*

CODE	THÈME OU DOMAINE DE VÉRIFICATION	OUI	NON		COMMENTAIRES
5.0	**Orientation et placement**				
	5.1 Existe-t-il des procédures écrites concernant l'affectation des nouveaux employés?				
	5.2 Est-ce que l'information fournie comprend				
	5.2.1 des renseignements sur l'entreprise?				
	5.2.2 l'organigramme et la structure de l'entreprise?				
	5.2.3 les contrats de travail individuels ou la convention collective?				
	5.3 Est-ce qu'on donne des informations à propos du poste et du rôle du nouvel employé?				
	5.4 Est-ce qu'on précise au nouvel employé qui peut le conseiller en cas de problème?				
	5.5 Existe-t-il un suivi de la fonction d'orientation et d'affectation permettant d'en évaluer le rendement?				
6.0	**Rémunération directe**				
	6.1 Est-ce que la rémunération directe est établie en fonction de l'évaluation de poste?				
	6.2 Est-ce que les évaluations de poste sont révisées régulièrement?				
	6.3 Existe-t-il des régimes de rémunération au rendement				
	6.3.1 pour les individus?				
	6.3.2 pour les groupes?				
	6.4 Percevez-vous des problèmes d'équité salariale, c'est-à-dire des disparités entre votre salaire et celui des employés travaillant				
	6.4.1 dans l'entreprise?				
	6.4.2 dans d'autres entreprises?				
7.0.	**Rémunération indirecte**				
	7.1 Est-ce qu'on renseigne les employés sur les régimes d'avantages sociaux?				
	7.2 Est-ce que qu'on offre des régimes d'avantages sociaux flexibles aux employés?				
	7.3 Des sondages ont-ils été menés pour savoir dans quelle mesure les employés sont satisfaits des avantages sociaux qui leur sont offerts?				
8.0	**Évaluation du rendement**				
	8.1 Est-ce que des évaluations du rendement sont effectuées pour toutes les catégories de personnel?				
	8.2 Est-ce que les évaluations du rendement sont basées sur				
	8.2.1 des traits de caractère?				
	8.2.2 les comportements réels?				
	8.2.3 le rendement?				
	8.3 Est-ce qu'on a revu récemment les méthodes d'évaluation du rendement?				
	8.4 Est-ce que les évaluations du rendement, dans leur forme actuelle, sont appréciées par				
	8.4.1 les cadres?				
	8.4.2 les employés?				
	8.5 Est-ce que les évaluateurs ont été préparés à conduire des entrevues d'évaluation de rendement?				
	8.6 Est-ce que la fréquence des entrevues d'évaluation du rendement est appropriée?				
9.0	**Formation et perfectionnement**				
	9.1 Existe-t-il des programmes de formation pour				
	9.1.1 les gestionnaires?				
	9.1.2 les professionnels?				
	9.1.3 les employés?				
	9.2 Les programmes de formation offerts s'appuient-ils sur des analyses des besoins de formation?				
	9.3 Existe-t-il un budget annuel consacré spécifiquement à la formation et au perfectionnement?				

ENCADRÉ 16.21 *(suite)*

CODE	THÈME OU DOMAINE DE VÉRIFICATION	OUI	NON		COMMENTAIRES
	9.4 Est-ce que la formation est donnée principalement par				
	9.4.1 des éducateurs de l'entreprise?				
	9.4.2 des éducateurs externes?				
	9.5 Est-ce que la formation a lieu principalement				
	9.5.1 au poste de travail?				
	9.5.2 ailleurs dans l'entreprise?				
	9.5.3 à l'extérieur de l'entreprise?				
	9.6 Est-ce que les résultats de la formation sont évalués				
	9.6.1 durant la formation?				
	9.6.2 au poste de travail?				
	9.7 Est-ce que l'efficacité de la formation est évaluée de façon satisfaisante?				
10.0	**Planification et gestion de carrière**				
	10.1 Existe-t-il des programmes de planification de carrière pour				
	10.1.1 les cadres?				
	10.1.2 les professionnels et les employés qualifiés?				
	10.1.3 les employés spécialisés?				
	10.1.4 les employés non qualifiés?				
	10.2 Est-ce que les employés sont encouragés à s'évaluer eux-mêmes et à se perfectionner?				
	10.3 Est-ce que les cadres sont encouragés à aider leurs subordonnés dans la poursuite de leur carrière?				
11.0	**Qualité de vie au travail et amélioration de la productivité**				
	11.1 Est-ce qu'on effectue des sondages sur la satisfaction des employés?				
	11.2 Existe-t-il des programmes visant				
	11.2.1 l'élargissement des tâches?				
	11.2.2 l'enrichissement des tâches?				
	11.2.3 les cercles de qualité?				
	11.2.4 la qualité totale?				
	11.3 Existe-t-il des programmes de suggestions pour les employés?				
12.0	**Santé et sécurité**				
	12.1 Existe-t-il des programmes de prévention des accidents?				
	12.2 Est-ce que les statistiques sur les accidents du travail et les maladies professionnelles font l'objet d'une analyse systématique?				
	12.3 Est-ce qu'il existe des services et des installations que les employés peuvent utiliser en cas				
	12.3.1 d'accidents ou de maladies?				
	12.3.2 de problèmes émotionnels?				
13.0	**Relations du travail**				
	13.1 Existe-t-il des politiques claires concernant				
	13.1.1 les griefs?				
	13.1.2 les mesures disciplinaires?				
	13.1.3 les congédiements?				
	13.2 A-t-on fait des tentatives entre les périodes de négociation pour améliorer les relations de travail?				
	13.3 Y a-t-il des statistiques ou des informations disponibles sur le coût des griefs?				
14.0	**Divers**				
	14.1 L'entreprise dispose-t-elle d'un système d'information sur les ressources humaines?				
	14.2 Est-ce que les dossiers des employés sont à jour?				
	14.3 Est-ce qu'on réalise des entrevues de départ avec les employés qui quittent l'entreprise?				
	14.4 Est-ce que le personnel du service de gestion des ressources humaines se tient au courant des changements ou des nouveautés dans le domaine de la gestion des ressources humaines?				

Source: Gestion MDS Inc., Montréal.

sont regroupés selon l'activité de ressources humaines. C'est le cadre supérieur qui fournit normalement l'information au moyen d'une entrevue dirigée ou d'un questionnaire (ou encore d'un inventaire). Les encadrés présentent un échantillon de questions et d'éléments servant à illustrer ces méthodes[22].

Comme on peut le voir dans l'encadré 16.21, l'élaboration d'une liste de questions représente un moyen très simple de mener une évaluation. Cependant, il est difficile d'en faire l'interprétation en raison du caractère subjectif de l'information recueillie. Pour surmonter au moins une partie de ces difficultés, on confie la vérification à un groupe de personnes. Une équipe mixte formée de spécialistes de ressources humaines et de chefs hiérarchiques représentant l'unité évaluée réalise des vérifications multiples pour des sections ou des unités de travail dans l'organisation. Certaines organisations effectuent cette vérification une ou deux fois par année. Afin de faciliter l'interprétation des résultats, ceux-ci peuvent être comparés avec les résultats d'autres unités de travail dans l'organisation ou ceux d'unités ou de sections similaires dans d'autres organisations.

L'analyse du travail et la budgétisation. Bien que l'analyse du travail et les approches budgétaires fassent intervenir des données quantitatives empiriques, ces approches relèvent de l'analyse qualitative, puisqu'elles comportent une évaluation subjective du caractère approprié du budget ou du service examiné.

L'analyse du travail. L'analyse du travail est basée sur des techniques d'échantillonnage du travail qui sont appliquées à des activités choisies au hasard. Il s'agit de tirer des inférences à propos de l'ensemble des activités du service. Par exemple, une étude menée à l'aide de cette technique conclut qu'un service de ressources humaines a consacré plus de 50 % de son temps à la dotation en personnel et aux avantages sociaux des employés, ce qui était conforme à la stratégie du service[23]. Cette méthode a aussi pour avantage de révéler des problèmes structurels fréquents : mauvaise répartition du travail, centralisation à outrance, descriptions de tâches inadéquates, etc.

La budgétisation. La budgétisation pourrait représenter un autre moyen d'évaluer l'efficacité de la gestion des ressources humaines. Selon cette approche, les activités sont évaluées en fonction du pourcentage du budget alloué à chacune des principales activités. Le montant d'argent affecté reflète l'importance stratégique de l'activité. On peut évaluer les changements d'orientation et d'importance des politiques de ressources humaines sur une période donnée et comparativement à d'autres activités de ressources humaines. De plus, on peut comparer l'évolution du budget du service des ressources humaines à celui d'autres services de l'entreprise ou des services des ressources humaines d'autres entreprises de taille et de nature similaires, de manière à établir l'efficacité du service. Ainsi, la portion du budget affectée à la rémunération des professionnels des ressources humaines constitue une indication de l'importance que l'organisation accorde à son service de ressources humaines. Une mesure souvent utilisée dans ce cas est le ratio service des ressources humaines-personnel (SRHP), soit le rapport entre le nombre total d'employés du service des ressources humaines et le nombre total d'employés de l'organisation. On utilise également un ratio SRHP révisé, soit le rapport entre le nombre de cadres du service des ressources humaines (excluant les secrétaires et les techniciens) et le nombre total d'employés. Ces rapports peuvent être comparés à ceux d'autres entreprises. Par exemple, dans une étude récente, on a trouvé que les ratios SRHP sont plus élevés dans les grandes entreprises (comptant plus de 2 000 employés) que dans les petites et moyennes entreprises (comptant moins de 2 000 employés). La même étude montre que, toutes proportions gardées, les ratios SRHP simples et révisés sont sensiblement plus élevés au Canada qu'aux États-Unis[24]. Sur une échelle de 100, les ratios sont de 1,2 (ratio simple) et 0,7 (ratio révisé) au Canada, et de 1,2 et 0,46 aux États-Unis. Cette différence pourrait s'expliquer par un taux de syndicalisation plus élevé au Canada qu'aux États-Unis, ce qui justifie une affectation plus grande de personnel aux ressources humaines pour se conformer aux ententes conclues et gérer les relations du travail.

LES APPROCHES QUANTITATIVES DE L'ÉVALUATION

Les indices de ressources humaines. De nombreuses organisations élaborent des indices de ressources humaines dans le but d'évaluer l'efficacité du service de ressources humaines. Ces indices (et les ratios afférents) sont établis en fonction des principales activités du service des ressources humaines. Parmi ces ratios, on compte le nombre d'accidents de travail, le taux de roulement du personnel, le taux d'absentéisme, le niveau de productivité, etc. On trouve des exemples types d'indices dans l'encadré 16.22.

L'analyse coûts-avantages. L'expression « analyse coûts-avantages » revêt diverses significations. Cependant, de façon générale, elle désigne un ensemble de

---

ENCADRÉ 16.22 Échantillon d'indices de ressources humaines

Planification
- Nombre d'ouvertures de postes non prévues
- Écart entre les besoins prévus et les besoins réels

Dotation en personnel
- Moyenne d'âge de la main-d'œuvre
- Proportion d'employés admissibles par rapport aux employés non admissibles
- Temps moyen consacré au recrutement d'employés selon les types de compétences
- Coût de la publicité selon l'embauche ou la candidature
- Taux de roulement et d'absentéisme
- Proportion des différents mécanismes de sélection (formulaires de demandes d'emploi, tests, etc.) par rapport aux indices de rendement

Rémunération
- Nombre d'employés au-dessus ou au-dessous des taux de salaires standard
- Taux des promotions au mérite par rapport aux promotions par ancienneté
- Différences de salaires moyennes entre les services, les divisions ou les catégories d'employés
- Nombre et catégories d'employés inscrits dans des programmes de participation aux bénéfices
- Nombre et catégories d'employés utilisant les services fournis par l'entreprise (assurances, installations de loisir, etc.)

Formation et perfectionnement
- Proportion des employés admissibles à une promotion qui ont reçu une formation dans la dernière année; nouveaux superviseurs qui ont reçu une formation de cadres
- Proportion des employés parfaitement qualifiés pour leur emploi
- Qualité des produits et services avant et après la formation
- Coûts de formation par employé et niveaux de salaires des employés

Santé et sécurité du travail
- Fréquence des accidents
- Nombre de jours et d'heures perdus à cause des accidents
- Types d'accidents
- Accidents et maladies professionnelles par service ou catégorie d'employés

Relations du travail
- Proportion des griefs gagnés au cours de la dernière année
- Coût moyen du grief par employé
- Nombre de griefs et de plaintes compilés
- Griefs par sujet

procédures comportant divers degrés de complexité mathématique qui sont utilisées par les gestionnaires pour (1) justifier les programmes existants, (2) réduire le coût des programmes sans diminuer leur efficacité, (3) effectuer un meilleur contrôle des coûts des programmes tout en préservant leur efficacité, (4) déterminer comment obtenir de meilleurs résultats sans augmenter le coût des programmes, et (5) évaluer la faisabilité des programmes proposés. Bien qu'il s'agisse d'une approche rationnelle, les modèles « coûts-avantages » ne sont pas autant employés dans la gestion des ressources humaines que dans d'autres secteurs de gestion. Néanmoins, la tendance à assumer une plus grande responsabilité en gestion des ressources humaines devrait entraîner un usage accru de cette méthode.

Dans les faits

Les éléments à prendre en considération dans le calcul des coûts indirects du remplacement d'un employé :

- le coût administratif lié à la recherche d'un remplaçant ;

- le coût lié au temps consacré par un responsable à l'initiation au travail du remplaçant ;

- le coût à court terme lié à la formation et à l'initiation du remplaçant ;

- le coût lié à la démotivation des autres employés.

Les coûts de l'ensemble des fonctions de ressources humaines sont définis suivant deux grands paramètres, à savoir selon qu'ils sont contrôlables ou incontrôlables, et directs ou indirects. Il est donc nécessaire de tenir compte des facteurs conjoncturels dans l'élaboration des formules de coûts. Prenons le cas de l'absentéisme. On ne peut déterminer dans quelle mesure des employés qui s'absentent en raison d'un malaise, de la maladie d'un enfant ou même des mauvaises conditions météorologiques invoquent le véritable motif, et cela représente des coûts incontrôlables. Cependant, l'entreprise peut exercer un contrôle sur les coûts dans le cas où des employés utilisent leurs crédits de congés de maladie parce qu'ils sont mécontents de leur salaire ou qu'ils subissent trop de stress.

Les mesures directes représentent les coûts réels, tels que le coût direct accumulé qui est occasionné par le remplacement d'un employé absent. Les mesures indirectes sont habituellement exprimées en fonction du temps, de la qualité et de la quantité en question. Dans de nombreux cas, la valeur des coûts indirects dépasse celle des coûts directs, bien que beaucoup d'entreprises ne les prennent pas sérieusement en considération. Ainsi, l'utilité des mesures indirectes tient au fait qu'elles livrent une partie des données nécessaires pour obtenir une mesure directe. L'estimation de la valeur en dollars associée aux résultats peut être très pratique dans le calcul des bénéfices liés aux programmes visant à réduire ces coûts. Ces programmes peuvent comprendre la formation, la modification des systèmes de contrôle dans l'organisation ou des politiques de rémunération. L'avantage réel qu'on peut tirer de la détermination du coût du comportement des employés réside dans la capacité de prouver le bénéfice qu'on tire de l'application intelligente des méthodes de gestion des ressources humaines.

L'analyse de l'utilité. L'analyse de l'utilité est une méthode servant à équilibrer les coûts et les avantages des programmes de ressources humaines. Habituellement, les spécialistes des ressources humaines peuvent démontrer l'efficacité de leurs activités, mais ils ont beaucoup plus de mal à déterminer si ces activités valent le coût qu'elles représentent pour l'entreprise. L'encadré 16.23 donne un aperçu des indicateurs utilisés pour effectuer des analyses de l'utilité. Par exemple, les responsables de la sélection peuvent démontrer l'efficacité de la méthode de sélection en calculant le coefficient de validité, mais il leur est beaucoup plus difficile de traduire ce coefficient en un énoncé sur la valeur en dollars de l'amélioration de la productivité qui en résulte. L'analyse de l'utilité est une méthode de calcul de cette valeur en dollars. Elle a permis notamment à un auteur de calculer les millions de dollars que l'industrie canadienne épargnerait si les entreprises optaient pour des méthodes scientifiques pour la sélection, plutôt que de s'en remettre à des approches intuitives ou non scientifiques[25].

ENCADRÉ 16.23 Les indicateurs utilisés dans le cadre des analyses de l'utilité

1. La différence de productivité. On calcule la productivité moyenne des employés formés selon le nouveau programme et on en soustrait la productivité moyenne des employés formés selon l'ancien programme.

2. La variabilité. On détermine dans quelle mesure le rendement annuel des individus, mesuré en dollars, est différent.

3. Le nombre de stagiaires.

4. Les différences de coût. On soustrait le coût de l'ancien programme du coût du nouveau programme.

Source: V. G. Scarpello et J. Ledvinka, *Personnel/Human Resource Management: Environments and Functions*, Boston, PWS-KENT, 1988, p. 741.

Bien que l'analyse de l'utilité soit basée sur un ensemble homogène de principes et d'idées, elle fait intervenir différentes méthodes pour déterminer la valeur financière d'un programme en regard de diverses fonctions de ressources humaines. Il s'ensuit que la formule s'appliquant aux programmes de sélection est différente de celle s'appliquant à la formation ou à l'évaluation du rendement. Considérons la formation, par exemple. Si le critère de décision relatif à l'adoption d'un programme de formation est la rentabilité financière, il faudra alors établir si l'amélioration de la productivité compense l'accroissement des coûts de formation. Pour le déterminer, l'évaluateur devra comparer la valeur en dollars du nouveau programme de formation avec celle du programme qu'il remplace. La formule suivante relie ces quatre facteurs de manière à déterminer s'il est utile d'adopter le nouveau programme:

$$\text{Utilité} = (\text{différence de productivité}) \times (\text{variabilité}) \times (\text{nombre de stagiaires}) - (\text{différence de coût})$$

La comptabilisation des ressources humaines. Cette approche se distingue des autres en ce qu'elle effectue une quantification financière d'un ensemble de comportements et de rendements visés. Bien qu'il n'existe aucun principe comptable général qui puisse servir à l'évaluation du personnel, on a tenté d'appliquer des principes comptables standard au comportement des employés. On mesure ainsi les comportements associés à des fonctions de ressources humaines qui consistent à attirer, à sélectionner, à retenir, à perfectionner et à utiliser les employés.

La comptabilisation des ressources humaines représente une tentative de traiter les ressources humaines comme un actif plutôt que comme une source de dépenses. Selon cette approche, les conventions comptables touchant les immobilisations sont également applicables à la main-d'œuvre. Il s'ensuit que la valeur des actifs en ressources humaines peut être évaluée selon les coûts de remplacement et d'acquisition de celles-ci et qu'on peut envisager leur dépréciation.

La comptabilisation des ressources humaines ressemble souvent à l'analyse de l'utilité. Dans bien des cas, on mesure les coûts liés aux ressources humaines en demandant aux gestionnaires de présenter des estimations de la valeur en dollars associée aux résultats prévus des activités de ressources humaines. Par exemple, on a demandé dans une étude aux gestionnaires d'estimer la valeur en dollars de différents niveaux de rendement des programmeurs. En mettant en évidence l'amélioration du rendement occasionnée par un nouveau programme de sélection, les cadres des ressources humaines ont été en mesure de faire une estimation de la valeur en dollars de ses résultats[26]. Quelques employeurs, comme General Motors et IBM, commencent à expérimenter des approches comptables des ressources humaines.

L'approche client. On a récemment complété les approches quantitatives et qualitatives d'évaluation des activités de ressources humaines avec des données d'entrevues ou de sondages menés auprès des principaux clients[27]. La prémisse de cette approche est que l'efficacité du service des ressources humaines est déterminée par la réputation dont elle jouit auprès de ses commettants et de ses clients. Il faut toutefois noter que, si le processus d'évaluation se rapporte exclusivement à la satisfaction des commettants, il peut conduire à des résultats biaisés. On devrait utiliser l'évaluation des attitudes des différents utilisateurs de concert avec une des méthodes présentées plus haut dans cette section.

L'approche client est en nette progression grâce à l'importance accordée à la satisfaction de la clientèle dans les publications portant sur la gestion. Avec la montée de concepts comme ceux de « qualité totale », d'« erreur zéro » et d'autres du même genre, il y a une tendance à mesurer la satisfaction des commettants et à en faire un indicateur de l'efficacité du service des ressources humaines. Il est toutefois évident que ce service ne peut pas satisfaire tous ses clients internes. Par conséquent, comme ses ressources sont limitées, un service de ressources humaines efficace doit être capable de déterminer quels sont les commettants cruciaux d'une organisation et chercher à satisfaire ces groupes en premier lieu. La détermination des individus ou des groupes les plus importants d'une organisation est une démarche délicate, qui ne va pas de soi. Néanmoins, une organisation qui néglige de s'occuper de son « noyau dur » peut consacrer du temps, de l'argent et d'autres ressources à des commettants moins importants et, dès lors, avoir moins d'influence sur la base de l'organisation. Quelques études récentes confirment cette argumentation[28].

IV L'évaluation de l'efficacité des diverses activités de gestion des ressources humaines

Cette section jette un regard sur les modalités selon lesquelles s'effectue l'évaluation de l'efficacité des diverses activités de gestion des ressources humaines qui ont été étudiées dans cet ouvrage.

L'ÉVALUATION DES MÉTHODES D'ANALYSE DES POSTES

Lorsque vient le moment de choisir parmi les nombreuses méthodes d'analyse de postes proposées, une question se pose inévitablement : laquelle répond le mieux aux besoins de l'organisation ? Le choix de la méthode dépend de deux ensembles de considérations : l'utilité de la méthode en regard des autres activités de gestion des ressources humaines, et la manière dont elle répond à un certain nombre de critères d'ordre pratique. Il convient de noter que l'évaluation des méthodes d'analyse qui suit ne se veut ni exhaustive ni décisive ; elle ne fait que suggérer des éléments d'appréciation. Également, le choix d'une méthode se fait nécessairement en tenant compte du contexte organisationnel, notamment de l'organisation du travail.

Il convient dans un premier temps de vérifier la conformité de la méthode choisie pour analyser les postes et sa pertinence par rapport aux diverses autres activités de gestion des ressources humaines qui s'y rattachent directement. Par exemple, un certain nombre d'activités – la planification des ressources humaines, le recrutement et la sélection ; l'évaluation du rendement ; la formation et le développement des compétences ; la rémunération et la gestion des carrières – reposent en partie sur une analyse des emplois. Ainsi, pour une entreprise donnée, la capacité d'une méthode à définir les besoins de formation ou à déterminer le salaire influencera le choix de celle-ci.

Quant aux critères pratiques d'évaluation des méthodes d'analyse, ils sont résumés dans l'encadré 16.24 et servent de base pour l'appréciation des méthodes d'évaluation des postes utilisées dans l'organisation.

ENCADRÉ 16.24 Les critères utilisés pour l'évaluation des méthodes d'analyse de postes

- **La pertinence/l'universalité :** ce critère désigne le caractère approprié de la méthode choisie et sa faculté d'être utilisée pour une grande variété de postes.
- **La standardisation :** elle détermine dans quelle mesure les données recueillies peuvent être comparées à celles provenant d'autres sources et obtenues à des moments différents.
- **L'approbation de l'utilisateur :** elle fait référence à l'adoption de la méthode par l'utilisateur ainsi qu'à l'acceptation des différentes formes qu'elle revêt.
- **La compréhension :** elle détermine à quel point les utilisateurs, ou ceux qui en subissent les effets, comprennent la méthode d'analyse et les rôles qui leur sont dévolus dans le processus de collecte des données.
- **La formation requise :** elle se rapporte au niveau de formation nécessaire aux utilisateurs de la méthode.
- **La facilité d'utilisation :** elle renvoie à la facilité avec laquelle la méthode peut être mise en application par l'organisation.
- **Le temps d'exécution :** il détermine le temps nécessaire pour utiliser la méthode et vérifier ses résultats.
- **La fiabilité ou la validité :** elle détermine l'exactitude des résultats obtenus en regard de la description des tâches, de l'importance qu'on leur accorde ainsi que des aptitudes et habiletés nécessaires à leur accomplissement.
- **Les coûts :** ils déterminent le rapport entre les avantages que le choix d'une méthode peut procurer à l'organisation et les coûts que cette méthode entraîne.

L'ÉVALUATION DU RECRUTEMENT ET DE LA SÉLECTION

L'évaluation du recrutement. Le recrutement est l'activité qui tente d'attirer « la bonne personne au bon moment », compte tenu des contraintes juridiques et des intérêts à court ou à long terme du candidat et de l'entreprise. Cependant, le recrutement ne tente pas seulement d'intéresser les individus à venir travailler au sein d'une organisation, il cherche plutôt à attirer ceux dont la personnalité, les intérêts, les préférences ainsi que les aptitudes répondent le mieux aux besoins de l'organisation. C'est seulement à cette dernière condition que le recrutement sera pleinement efficace.

Le rendement au travail et le taux de roulement constituent deux critères importants à partir desquels on peut évaluer l'efficacité du recrutement. Le respect des obligations juridiques est un autre de ces critères. Les candidats aux différents postes doivent bénéficier d'un recrutement équitable et non discriminatoire. Au moment de l'embauche et durant la période subséquente, les nouveaux employés doivent également avoir la possibilité d'être affectés à des postes qui leur conviennent afin de pouvoir fournir leur plein rendement. Il faut donc évaluer les économies (ou les bénéfices) qu'il est possible de réaliser grâce à une politique efficace de recrutement, en tenant compte des problèmes judiciaires ou de la publicité négative qui ont été évités.

Le recrutement peut aussi être évalué en regard des coûts inhérents au processus même. Ainsi, il est possible de déterminer le coût associé à chaque méthode de recrutement (par exemple, la publicité dans les médias) pour un candidat donné. Il est également possible de faire l'analyse coûts-avantages de chaque méthode utilisée en fonction du temps que l'employé passera au service de l'organisation et de son rendement. On peut ainsi comparer les coûts et les avantages des diverses méthodes. L'organisation établira alors si, du point de vue de la rentabilité, une méthode doit être employée plus fréquemment, abandonnée ou modifiée. Les sources de recrutement peuvent aussi être évaluées de la sorte.

L'évaluation de la sélection et des programmes de socialisation. L'évaluation des processus et des décisions touchant la sélection et la socialisation peut prendre en compte un nombre considérable de critères objectifs ou subjectifs. Lorsqu'il procède à une évaluation objective, le gestionnaire de ressources humaines dispose de moyens tangibles tels que l'étude de l'utilité d'une grande variété d'instruments de sélection et de leur coût relatif ou du taux de roulement des nouveaux employés. Dans le cadre d'une évaluation subjective, le gestionnaire de ressources humaines peut mener des sondages mesurant la satisfaction des employés au travail, leur évaluation du degré d'utilisation de leurs compétences et de leurs habilités, ainsi que leur engagement au travail et au sein de l'organisation.

En plus de comparer les coûts et les avantages inhérents aux différentes procédures de sélection et de socialisation, les organisations devraient également comparer les coûts et les avantages offerts par d'autres techniques que la sélection et la socialisation pour accroître le rendement au travail et la capacité de maintenir les employés au sein de l'organisation. En effet, au cours de l'évaluation des méthodes susceptibles de remplacer la sélection et la socialisation, il importe d'examiner l'effet que ces procédures auront sur l'ensemble de la gestion des ressources humaines. Par exemple, si une entreprise envisage d'abandonner ses procédures de sélection et de socialisation, elle devra réviser en outre ses activités de formation. Si une entreprise désire modifier le profil des postes de travail, elle devra tenir compte de la personnalité, des intérêts et des préférences de ses employés ainsi que de leurs connaissances, de leurs habiletés et de leurs aptitudes. Ces considérations, de même que l'analyse des coûts et des avantages, sont importantes dans une analyse de l'utilité, car elles constituent les éléments d'une analyse de faisabilité. Certaines méthodes peuvent se révéler plus efficaces en termes de coûts que les procédures de sélection, mais elles ne sont pas nécessairement réalisables. Il se peut, par exemple, qu'il soit impossible d'envisager un accroissement de la complexité des tâches parce que la haute direction ne désire pas modifier la technologie de la chaîne de montage.

Les organisations doivent également prédire dans quelle mesure les candidats embauchés demeureront au sein de l'organisation. Toutes les organisations cherchent à conserver à leur emploi leur personnel compétent. Il arrive, dans certains cas, que les entreprises soient incapables d'y parvenir parce que leur système de sélection ne tient pas compte de questions comme la surqualification pour un poste. Par exemple, le détenteur d'un doctorat en littérature anglaise qui possède en outre des compétences en saisie de données risque de ne pas demeurer longtemps dans un poste de secrétaire. Si l'entreprise n'offre aucune possibilité d'emploi permettant à cet employé de dépasser le niveau d'entrée, celui-ci sera à la recherche d'un nouvel emploi. L'embauche de candidats surqualifiés peut se révéler aussi préjudiciable à l'entreprise que celle de candidats sous-qualifiés. Les organisations réalisent l'importance des entrevues de fin d'emploi, qui les aident à mieux comprendre les motifs de départ de l'employé et à mieux saisir les raisons à l'origine du roulement des ressources humaines (encadré 16.25).

ENCADRÉ 16.25 La pertinence des entrevues de fin d'emploi comme critères d'évaluation de la sélection et de la socialisation

L'entrevue de fin d'emploi constitue un moyen pour le gestionnaire de connaître les motifs incitant un nouvel employé à quitter l'entreprise peu de temps après son embauche. L'information recueillie pendant cette entrevue fournit à l'entreprise une bonne mesure de l'efficacité de ses processus de recrutement et de sélection et peut mener à des améliorations en ce qui a trait à l'embauche de futurs candidats. Comme le succès ou l'échec des entrevues de fin d'emploi dépend dans une large mesure de l'interviewer, il faut s'assurer de leur déroulement adéquat. Il faudrait donc éviter de confier cette entrevue au superviseur immédiat de l'employé qui quitte son poste. Cette responsabilité devrait plutôt incomber à un membre du service de la gestion des ressources humaines ou à un autre gestionnaire suffisamment objectif. L'interviewer devrait, à la fin de la rencontre, préparer un rapport formulant certaines recommandations quant aux mesures correctives qu'il juge nécessaires à l'amélioration du processus de sélection.

L'ÉVALUATION DE L'EFFICACITÉ DE L'ÉVALUATION DU RENDEMENT

Dans le cadre du contrôle des activités d'évaluation du rendement, il est nécessaire de procéder à l'évaluation des techniques et des processus disponibles afin de faciliter aux gestionnaires de ressources humaines le choix du meilleur instrument.

Les critères servant à apprécier les méthodes d'évaluation du rendement. Pour déterminer la meilleure technique d'évaluation, on doit d'abord se demander à quelle fin elle servira. Quel objectif cette technique vise-t-elle, ou quel rendement veut-elle mesurer? Les buts visés sont généralement l'évaluation et le développement des compétences, mais une technique d'évaluation efficace doit aussi être exempte d'erreurs et présenter un haut degré de validité et de fiabilité, être efficace en termes de coûts et permettre la comparaison entre les subordonnés et les différents services d'une organisation.

Tous ces objectifs peuvent donc servir de critères d'évaluation. L'évaluation de chaque technique doit, en outre, tenir compte de l'influence qu'elle exerce sur la relation supérieur-subordonnés. La technique choisie encourage-t-elle le supérieur à observer le comportement de ses subordonnés, de façon à recueillir un maximum d'informations utiles à l'évaluation et au développement des compétences de l'employé? Facilite-t-elle la conduite de l'entrevue d'évaluation (question abordée dans le chapitre 8)? Il convient cependant de considérer ces facteurs en relation avec un autre élément majeur: l'impact économique. On pourra, à cet égard, comparer les coûts d'élaboration et de mise en application d'une technique à ses avantages, ou si l'on veut, à sa capacité de satisfaire les autres critères. C'est ce qui constitue le fondement de la notion d'utilité.

Quelle est la meilleure technique d'évaluation du rendement? La recherche portant sur cette question demeure extrêmement limitée. Cependant, on perçoit nettement la nécessité de préciser en tout premier lieu les objectifs visés par l'organisation dans la conduite de l'évaluation du rendement. À cet effet, l'encadré 16.26 illustre les critères qui peuvent être utilisés pour évaluer les méthodes d'évaluation du rendement. L'encadré 16.27 porte sur l'évaluation des diverses techniques en regard de chacun des critères mentionnés ci-dessus.

L'évaluation d'un système d'évaluation du rendement. Avant de procéder à l'examen des divers aspects du système d'évaluation d'une organisation, il peut être

---

ENCADRÉ 16.26 **Les critères servant à mesurer l'utilité des différentes méthodes d'évaluation du rendement**

- **Développement des RH:** motivation des subordonnés à atteindre un haut niveau d'efficacité, fourniture d'une rétroaction à cet effet et tendance à favoriser la planification des ressources humaines et la planification des carrières.
- **Évaluation:** prise de décisions en matière de promotions, de congédiements, de mises à pied, de rémunération, de mutations et, par conséquent, établissement de comparaisons entre les subordonnés et les services.
- **Économie:** coût de l'élaboration, de la mise en application et de l'utilisation des diverses méthodes.
- **Exemption d'erreurs:** limitation des effets de halo, des erreurs d'indulgence et de tendance centrale, et augmentation du degré de fiabilité et de validité des diverses méthodes.
- **Relations interpersonnelles:** degré de facilité avec lequel les supérieurs peuvent recueillir les informations utiles à la conduite d'une entrevue d'évaluation efficace.
- **Mise en œuvre:** facilité d'élaboration et de mise en application au sein de l'entreprise.
- **Acceptation:** perception (fiabilité, validité, utilité) et approbation de la technique par les utilisateurs.

ENCADRÉ 16.27 **Appréciation des techniques d'évaluation du rendement**

APPROCHES	CRITÈRES D'ÉVALUATION						
	Développement	Évaluation	Économie	Exemption d'erreurs	Relations interpersonnelles	Mise en application	Niveau d'acceptabilité
Approches comparatives ou normatives:							
Rangement	F	E	E	F	F	B	F
Rangement alternatif	F	E	E	B	F	B	F
Comparaison par paires	F	E	E	F	F	B	F
Distribution forcée	F	B	E	E	B	B	F
Approches comportementales:							
Évaluation descriptive	F	F	E	F	F	F	F
Évaluation conventionnelle	F	B	E	F	F	F	F
Incidents critiques	B	F	B	B	B	B	E
Liste pondérée d'incidents critiques	B	B	B	B	F	B	E
Formulaire de choix forcé	F	B	F	E	F	B	F
BARS	B	B	F	B	E	B	E
BOS	B	B	F	B	E	B	B
Approches axées sur la production:							
Gestion par objectifs	E	E	F	B	B	B	B
Normes de rendement	B	E	F	B	B	E	B
Indices directs	F	E	E	B	B	E	B
Dossier de réalisations	E	E	F	B	B	B	E

Note: F: Faible; B: Passable à Bon; E: Très bon à Excellent utile de porter en premier lieu un jugement global sur celui-ci. Il est ainsi plus facile d'obtenir un portrait juste de son fonctionnement et de déterminer la nécessité d'une évaluation plus poussée.

L'évaluation globale du système d'évaluation du rendement. Les gestionnaires et les membres de l'organisation peuvent donner leur opinion au responsable des ressources humaines sur divers aspects de la méthode d'évaluation, quoique cette façon de procéder prenne beaucoup de temps. Une solution de rechange consiste plutôt à demander aux gestionnaires et à leurs subordonnés de répondre à un questionnaire semblable à celui que présente l'encadré 16.28. Comme on peut le constater, la notation se divise en sous-catégories (A, B, C) qui permettent d'évaluer la méthode de façon globale. Ces trois sous-catégories recouvrent les objectifs majeurs de l'évaluation ; les catégories A et B correspondent aux objectifs de développement des compétences, alors que la catégorie C concerne les objectifs d'évaluation. On remarquera que l'appréciation des objectifs d'évaluation inclut les aspects administratifs de l'évaluation, c'est-à-dire la tenue des rapports d'évaluation et leur accessibilité. L'analyse de ces éléments facilite aussi l'évaluation des objectifs de formation. En ayant recours à un questionnaire pour procéder à l'appréciation du système d'évaluation du rendement, l'organisation est en mesure de déterminer son efficacité globale. Ainsi, l'obtention d'une note de 9 ou 10 dans chaque sous-catégorie signifie que les principaux objectifs du système ont été atteints ; une note de 4 à 8 reflète un rendement moyen, tandis qu'une note de 2 ou 3 indique que le système remplit peu ou mal les objectifs pour lesquels il a été choisi. La somme des notes obtenues pour chacune des trois sous-catégories permet d'obtenir l'évaluation globale du système ainsi que son degré d'efficacité. À cet égard, un total de 26 à 30 points exprime un très bon degré d'efficacité, une note de 21 à 25 points, un bon degré d'efficacité, une note de 11 à 21 points, un degré d'efficacité moyen, et un résultat inférieur à 11 points reflète un degré d'efficacité très faible. L'analyse du formulaire permettra de constater que les résultats qui expriment la nécessité d'une amélioration (soit les notes faibles ou moyennes) mettent également en évidence les secteurs qui requièrent une évaluation plus approfondie.

ENCADRÉ 16.28 Questionnaire sur le système d'évaluation du rendement organisationnel

Instructions

Indiquer jusqu'à quel point vous êtes en accord ou en désaccord avec les six énoncés suivants, qui portent sur l'évaluation du rendement au sein de votre entreprise. Certains énoncés se réfèrent à votre expérience en tant qu'évaluateur de la performance de vos subordonnés, d'autres à votre expérience en tant qu'évalué. Essayez de donner la réponse la plus juste possible en fonction des conditions actuelles de votre organisation et de vos expériences passées.

EA : entièrement d'accord	**A : d'accord**	**? : ni en accord ni en désaccord**
D : en désaccord	**TD : en total désaccord**	

1. Je considère que les évaluations de mon superviseur m'ont guidé adéquatement dans la progression de mon perfectionnement professionnel.   EA   A   ?   D   TD

2. Le système d'évaluation du rendement utilisé par l'organisation ne m'est d'aucune utilité pour m'aider à développer au maximum les compétences de mes subordonnés.   EA   A   ?   D   TD

3. Notre système d'évaluation du rendement me laisse généralement plus incertain de ma situation après l'évaluation qu'auparavant.   EA   A   ?   D   TD

4. Le système d'évaluation en usage m'aide à informer clairement mes subordonnés de leur situation exacte.   EA   A   ?   D   TD

ENCADRÉ 16.28 *(suite)*

EA: entièrement d'accord	**A: d'accord**	**?: ni en accord ni en désaccord**
D: en désaccord	**TD: en total désaccord**	

5. Lorsque les cadres supérieurs ont à prendre des décisions majeures concernant les postes et promotions dans le domaine de la gestion, ils ont accès aux dossiers d'évaluation du rendement. EA A ? D TD

6. Lorsque je dois prendre des décisions en ce qui concerne le salaire, les promotions, les mutations et les autres aspects administratifs reliés aux ressources humaines, je n'ai pas accès aux dossiers portant sur le rendement passé, qui pourraient m'aider à prendre de meilleures décisions. EA A ? D TD

Notation

Utilisez la grille suivante pour déterminer les points obtenus pour chacun des énoncés en reportant vos réponses dans la grille. Placez le nombre dans la case appropriée au bas de chaque colonne, et additionnez ensuite les résultats des colonnes deux à deux, comme indiqué.

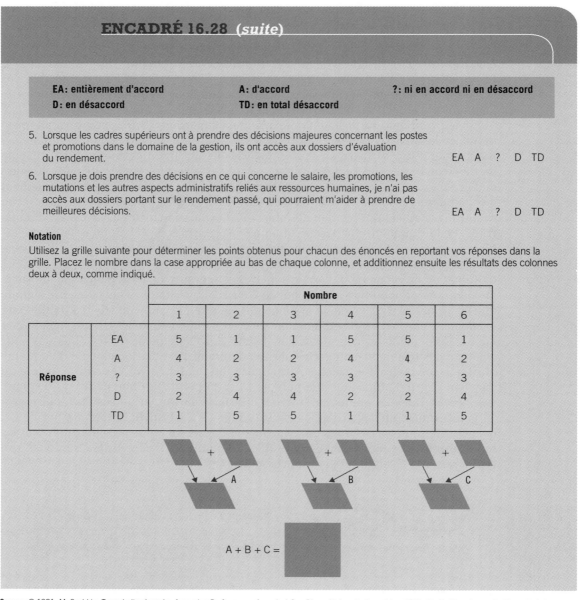

				Nombre			
		1	2	3	4	5	6
	EA	5	1	1	5	5	1
	A	4	2	2	4	4	2
Réponse	?	3	3	3	3	3	3
	D	2	4	4	2	2	4
	TD	1	5	5	1	1	5

A + B + C =

L'évaluation spécifique du système d'évaluation du rendement. L'évaluation spécifique du système d'évaluation d'une organisation nécessite l'examen attentif de plusieurs aspects ou outils utilisés pour évaluer le rendement (encadré 16.29).

Dans la mesure où l'on répond à ces questions et où l'on tente d'apporter des correctifs lorsque c'est nécessaire, le système d'évaluation choisi par l'organisation sera apte à remplir ses objectifs propres et à participer à un plus large niveau à l'atteinte des objectifs organisationnels en matière de ressources humaines, tels que la productivité, la qualité de vie au travail et la satisfaction des exigences juridiques. De plus, une organisation qui vient tout juste d'entreprendre la conception d'un système d'évaluation devrait tenir compte, dans sa démarche initiale, des réponses obtenues aux questions précédentes.

ENCADRÉ 16.29 Les critères servant à évaluer les composantes spécifiques du système d'évaluation

- Quels objectifs l'organisation souhaite-t-elle atteindre à l'aide de cette méthode d'évaluation?

- Les formulaires d'évaluation permettent-ils de recueillir les informations nécessaires à l'atteinte de ces objectifs? Sont-ils compatibles avec les emplois pour lesquels ils sont utilisés, autrement dit, sont-ils reliés aux exigences de ces emplois? Enfin, ces formulaires s'appuient-ils sur des comportements ou des résultats qui pourraient être utilisés dans une analyse des incidents critiques d'un poste?

- Sont-ils conçus de façon à réduire au minimum les erreurs et à assurer la cohérence de l'évaluation?

- Les processus d'évaluation sont-ils efficaces? Par exemple, les entrevues d'évaluation sont-elles efficaces? Des objectifs sont-ils fixés? Sont-ils établis conjointement? Les supérieurs et les subordonnés acceptent-ils le processus d'évaluation?

- Les supérieurs peuvent-ils se libérer de leurs tâches pour réaliser les évaluations? Sont-ils récompensés d'une manière ou d'une autre lorsqu'ils procèdent à des évaluations complètes et objectives?

- Le processus d'évaluation est-il appliqué adéquatement? Quelles procédures permettent de s'assurer que les évaluations se font correctement? Les supérieurs disposent-ils d'un matériel de soutien pour la réalisation des évaluations?

- Existe-t-il des moyens de réviser l'ensemble du système et d'en apprécier le degré d'efficacité? A-t-on déterminé les buts et les objectifs visés par le système? Existe-t-il des procédures qui permettent de recueillir des données visant à mesurer l'atteinte de ces objectifs?

L'ÉVALUATION DES PROGRAMMES DE DÉVELOPPEMENT DES COMPÉTENCES

L'évaluation des programmes de développement des compétences est cruciale puisqu'elle permet de conclure qu'un programme a bel et bien atteint ses objectifs.

Les critères d'évaluation. L'étape de l'évaluation nécessite la détermination, au préalable, des données et des critères pertinents (encadré 16.30). Parmi les données pouvant servir de base à l'évaluation, mentionnons les changements dans la productivité, les données recueillies au cours d'entrevues, les résultats de tests, les résultats de l'évaluation du rendement, l'information tirée de sondages sur les attitudes, les sommes épargnées et les profits nets.

ENCADRÉ 16.30 Questions servant de critères généraux d'évaluation de l'efficacité d'un programme de développement des compétences

- Peut-on constater un changement dans l'organisation?

- Ce changement est-il attribuable à la formation?

- Ce changement est-il lié de façon positive aux buts de l'organisation?

- Des changements similaires se produiraient-ils si de nouveaux participants suivaient le même programme de formation que celui qu'on a mis en œuvre?

Les organisations ont recours à différentes méthodes d'évaluation. Cependant, la plupart des experts en formation s'entendent pour dire que toute évaluation devrait inclure au moins les quatre composantes ci-dessous :

- Commentaires sur la formation : Comment se sentent les participants par rapport à la formation ? Cette composante est le plus souvent utilisée, mais elle peut aussi induire en erreur puisqu'elle ne permet pas d'évaluer si des changements de comportement ont vraiment eu lieu.
- Apprentissage : Jusqu'à quel point les individus en formation ont-ils assimilé ce qui leur a été enseigné ? Ont-ils acquis les connaissances et les habiletés que la formation visait à leur apprendre, et peuvent-ils en témoigner en adoptant au travail les comportements appris au cours de la formation ?
- Comportement : Quels sont les changements de comportement constatés en milieu de travail qui sont imputables à la participation au programme de formation ? Est-ce que les employés formés accomplissent maintenant des choses qu'il leur était impossible de faire avant ?
- Résultats : Peut-on noter des résultats tangibles en ce qui concerne la productivité ? (La productivité est ici prise dans un sens large, englobant l'assiduité, l'amélioration de la qualité, les sommes épargnées, le temps de réaction, etc.)

Le choix des critères et des méthodes d'évaluation dépend du degré d'approfondissement de l'évaluation. Par exemple, un court sondage sur les attitudes des employés pourrait être utilisé pour évaluer la satisfaction des travailleurs qui ont assisté à la formation. Cependant, un tel sondage ne peut pas donner de l'information sur l'apprentissage, les comportements et les résultats découlant de cette formation. Une chose est sûre, néanmoins : si la période d'apprentissage a été stressante et difficile pour les participants, les réactions de ces derniers ne pourront être que négatives. Si, par contre, l'objectif est d'évaluer les connaissances acquises par les participants, les tests écrits constituent la méthode la plus adéquate. On peut également analyser les résultats de l'apprentissage à l'aide de quelques exercices de formation tels que les exercices du courrier, les jeux de rôles et les analyses de cas. Bien que ces exercices puissent indiquer s'il y a eu apprentissage, ils ne précisent pas si les habiletés acquises ont été transférées dans le milieu de travail. Pour évaluer les changements de comportement et de rendement au travail, les mesures de productivité, les évaluations des superviseurs et les sondages sur les attitudes des employés procurent une meilleure information que ces exercices.

Les schémas d'évaluation. Les directeurs des ressources humaines doivent non seulement déterminer les critères d'évaluation, mais également choisir un schéma d'évaluation approprié à la situation. Les schémas d'évaluation sont cruciaux, car ils aident le directeur des ressources humaines à déterminer si des améliorations peuvent être constatées et si le programme de formation est à la source de ces améliorations. Leur utilité ne se limite toutefois pas à cela. En effet, les schémas d'évaluation peuvent : (1) aider à évaluer tout programme de ressources humaines mis sur pied pour améliorer la productivité et la qualité de vie au travail ; et (2) aider à évaluer l'efficacité des différentes activités en matière de ressources humaines. La connaissance des outils de collecte de données (par exemple, les sondages) et la connaissance des schémas d'évaluation sont essentielles pour prouver à l'ensemble de l'organisation l'efficacité de la gestion des ressources humaines et de ses programmes et activités.

Il existe trois catégories principales de schémas d'évaluation : le cadre préexpérimental, le cadre quasi expérimental et le cadre expérimental. Même s'il est préférable d'utiliser le schéma expérimental, qui s'avère le plus rigoureux, des contraintes diverses peuvent empêcher une organisation d'y avoir recours. Par conséquent, les directeurs des ressources humaines utilisent souvent le schéma quasi expérimental. Mais, même lorsqu'il est possible d'adopter un schéma quasi expérimental, la plupart des évaluations reposent sur le schéma préexpérimental, car celui-ci est plus facile à appliquer et rapide, bien qu'il soit moins apte à juger de l'efficacité d'un programme de formation. Les trois catégories de schémas d'évaluation sont illustrées dans l'encadré 16.31, qui montre également la façon dont les programmes peuvent être évalués à partir de ces schémas et ce qui est requis dans chacun des cas.

Les meilleurs schémas de l'encadré 16.31 sont ceux qui font intervenir un groupe témoin. Il s'agit d'employés qui ne seront pas formés mais qui feront l'objet de mesures. Le fait de procéder ainsi procure des points de comparaison aux évaluateurs. La figure A montre le schéma d'évaluation le plus couramment utilisé actuellement au sein des organisations. C'est le schéma le moins adéquat pour juger de l'efficacité d'un programme de formation, puisque nous ne savons rien des connaissances ou des habiletés des gens qui ont participé à la formation. La figure B montre un autre schéma, meilleur que le précédent puisqu'il nous donne de l'information sur les connaissances, les habiletés et les aptitudes (CHA) des employés avant la formation. Malheureusement, bien que l'on puisse constater des changements au cours de l'évaluation consécutive à la formation, on ne peut les attribuer de façon sûre aux activités de formation. La figure C montre un schéma d'évaluation après formation comportant un groupe témoin et qui ne nécessite aucunement la prise d'une mesure avant la formation. On doit toutefois demeurer prudent lorsqu'on compare deux groupes similaires et qu'on veut tirer des conclusions concernant les changements survenus et les causes ayant entraîné ces résultats. La figure D illustre un processus complet, où des mesures ont été prises avant et après la formation et où on a eu recours à un groupe témoin. La formation a été efficace puisque les changements survenus entre les mesures prises avant et après la formation sont plus importants pour le groupe qui a participé à la formation que pour l'autre groupe. Finalement, les figures E et F montrent une série chronologique sans groupe témoin (E) et avec groupe témoin (F). Chaque série fournit une séquence de mesures initiales relatives aux connaissances, aux habiletés et aux aptitudes des employés. On peut y suivre les changements survenus après une certaine période de formation. La courbe ainsi formée donne des informations importantes sur l'évolution des compétences avant et après la formation. Les deux derniers schémas peuvent aider à éliminer les formations qui ne sont pas nécessaires en révélant les cas où l'expérience de travail a suffi à améliorer les connaissances, les habiletés et les aptitudes des employés dans le temps (courbe de maturité). Ils rendent aussi possible l'estimation du taux de rétention des nouveaux acquis en matière de connaissances, d'habiletés et d'aptitudes. Pour ces raisons, et pour d'autres encore, beaucoup d'experts croient que la prise de mesures multiples est la méthode à adopter lors d'évaluations puisqu'elle réduit au minimum les effets d'interaction entre les mesures et l'intervention.

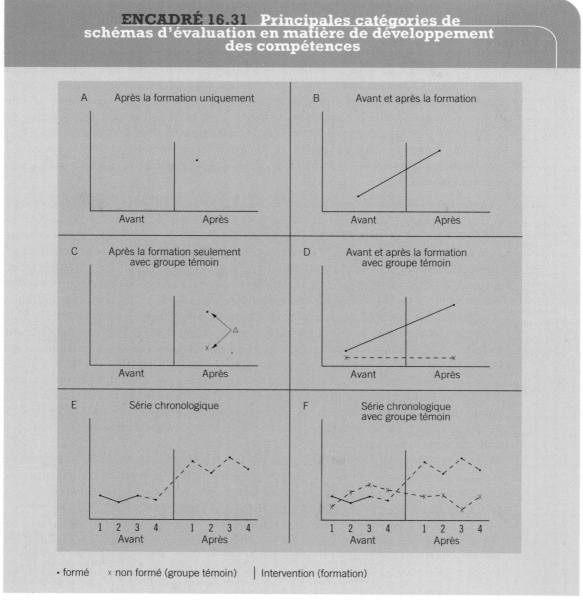

ENCADRÉ 16.31 Principales catégories de schémas d'évaluation en matière de développement des compétences

A Après la formation uniquement

Avant   Après

B Avant et après la formation

Avant   Après

C Après la formation seulement avec groupe témoin

Avant   Après

D Avant et après la formation avec groupe témoin

Avant   Après

E Série chronologique

1 2 3 4   1 2 3 4
Avant   Après

F Série chronologique avec groupe témoin

1 2 3 4   1 2 3 4
Avant   Après

• formé   × non formé (groupe témoin) | Intervention (formation)

Source : R. Haccoun, « Improving Training Effectiveness through the Use of Evaluation Research », dans S. L. Dolan et R. S. Schuler (dir.), *Canadian Readings in Personnel and Human Resource Management*, St. Paul (Minn.), West Publishing Co., 1987, p. 294. Traduction et reproduction autorisées.

L'ÉVALUATION DE LA GESTION DES CARRIÈRES

Le système de gestion des carrières repose sur la conciliation des aspirations individuelles et des besoins de l'organisation. L'évaluation des systèmes de gestion des carrières passe par le choix de critères reflétant cette dichotomie (encadré 16.32).

En répondant à ces questions, les organisations peuvent déjà commencer à repérer les aspects sur lesquels elles devraient porter davantage d'attention. Bien entendu, aucune organisation ne peut offrir des possibilités de développement des compétences et de croissance illimitées, mais une tentative sérieuse de la part des organisations pour élaborer une politique visant à soutenir le plan de carrière de leurs employés peut leur être bénéfique tant à court terme qu'à long terme.

ENCADRÉ 16.32   Critères mesurant l'efficacité d'un système de gestion des carrières

Critères mesurant l'efficacité d'un système de gestion des carrières d'un point de vue individuel	Critères mesurant l'efficacité d'un système de gestion des carrières d'un point de vue organisationnel
• **Harmonie entre les valeurs et les intérêts.** Jusqu'à quel point la carrière a-t-elle satisfait les besoins, les intérêts et les valeurs de l'individu?	• **Politique en matière de gestion des carrières.** Quelles sont les politiques qui facilitent la planification et la conduite des carrières dans l'organisation? Sont-elles efficaces, et y a-t-il un suivi afin d'évaluer le succès de leur application? Quelles sont les activités structurées du programme de planification de carrière dans l'organisation (plans de relève, ateliers de travail, service de consultation, etc.)?
• **Réponse aux exigences organisationnelles.** Jusqu'à quel point la stratégie de carrière adoptée a-t-elle aidé l'individu à exploiter son potentiel dans l'organisation?	
• **Réponse aux exigences professionnelles.** Jusqu'à quel point la stratégie de carrière adoptée a-t-elle aidé l'individu à exploiter son potentiel dans sa profession?	• **Structure de la gestion des carrières.** Existe-t-il des structures organisationnelles pour évaluer et conseiller les employés, et des systèmes de promotion multiples? Si oui, ces structures sont-elles permanentes?
• **Réponse aux contraintes de l'environnement.** Jusqu'à quel point la stratégie de carrière adoptée a-t-elle aidé l'individu à profiter des possibilités offertes dans son environnement et à éviter les problèmes et les menaces que l'environnement peut faire peser sur lui?	• **Appui de la direction.** Est-ce que les dirigeants de l'organisation prêtent leur appui aux employés en leur offrant des possibilités de développement et d'avancement? Comment ces efforts peuvent-ils être soutenus?
• **Pertinence de la stratégie par rapport aux ressources disponibles.** Jusqu'à quel point cette stratégie a-t-elle été adéquate, étant donné le temps et l'argent dont a pu disposer l'individu?	• **Systèmes de rémunération.** Les systèmes de rémunération de l'organisation s'ajustent-ils à mesure que les employés franchissent des étapes dans leur cheminement de carrière? Les employés sont-ils encouragés et récompensés lorsqu'ils acquièrent de nouvelles compétences? Est-ce plus facile pour certaines catégories d'emplois que pour d'autres?
• **Acceptation du risque.** Jusqu'à quel point cette stratégie a-t-elle aidé l'individu à s'ajuster aux préférences des personnes importantes de son entourage, telles que ses collègues de travail et les membres de sa famille?	
• **Justesse de la stratégie sur le plan de la durée.** Jusqu'à quel point la stratégie a-t-elle permis à l'individu d'atteindre ses buts au rythme qu'il s'était fixé?	
• **Efficacité de la stratégie.** Jusqu'à quel point la stratégie a-t-elle permis à l'individu d'atteindre ses objectifs de carrière?	

L'ÉVALUATION DES ACTIVITÉS DE RÉMUNÉRATION

Un système de rémunération est jugé efficace lorsque les niveaux de salaires offerts par l'organisation sont très concurrentiels, que les employés perçoivent les salaires comme équitables et que le programme de rémunération est bien géré (encadré 16.33). Les pratiques de rémunération doivent se conformer aux législations provinciales et fédérales sur les salaires et les heures de travail, y compris au principe de la valeur égale ou équivalente du travail.

ENCADRÉ 16.33 Objectifs qu'un système de rémunération efficace devrait être en mesure d'atteindre

1. Attirer des employés qualifiés au sein de l'organisation.
2. Motiver les employés.
3. Maintenir les employés qualifiés dans l'organisation.
4. Gérer la rémunération dans le cadre juridique en vigueur.
5. Faciliter l'atteinte des buts stratégiques de l'organisation et contrôler les coûts de main-d'œuvre.

L'évaluation de la rémunération directe. La rémunération globale d'une organisation peut être évaluée en comparant ses niveaux de salaires avec ceux des autres organisations, en analysant la validité de sa méthode d'évaluation des emplois, en mesurant les perceptions des employés en ce qui a trait à l'équité salariale et aux liens existant entre les salaires et le rendement et enfin en déterminant des niveaux de salaires individuels pour un même emploi et pour les divers emplois existant au sein de l'organisation.

Indépendamment des conditions organisationnelles, les régimes de rémunération au rendement peuvent être évalués à partir de trois critères : (1) la relation entre le rendement et la rémunération, c'est-à-dire le temps qui sépare le rendement et la paie ; (2) jusqu'à quel point le régime réduit les conséquences négatives d'un bon rendement, comme l'ostracisme social; et (3) dans quelle mesure il contribue à véhiculer la perception que les récompenses non monétaires comme la coopération et la reconnaissance sont aussi des facteurs de bon rendement. Plus le régime atténue les conséquences négatives et contribue à la perception que les récompenses sont aussi reliées au rendement en réduisant les effets pervers notés ci-dessus, plus il est susceptible d'être motivant pour les employés.

Dans les faits

La Banque Royale du Canada a atteint sans contredit ses objectifs en instaurant un régime complet d'avantages sociaux. On sait que cette banque continue de réaliser des profits supérieurs à ceux des autres institutions bancaires. Il est reconnu, faut-il le rappeler, que la rémunération indirecte attire les bons employés, motive leur productivité et réduit le roulement du personnel. Le régime de la Banque Royale se veut proactif dans le choix des avantages offerts aux employés, et il traduit l'intérêt de l'institution pour le bien-être de son personnel.

L'évaluation de la rémunération indirecte. À cause de l'escalade des coûts, les employeurs sont contraints d'examiner de très près tous les aspects de la rémunération indirecte. D'un point de vue organisationnel, il serait plus facile d'obtenir un avantage concurrentiel en exerçant un contrôle très strict sur le coût des avantages sociaux, tout en n'ignorant pas les contraintes imposées par la concurrence. Si les coûts de la rémunération indirecte sont réduits autant que chez les compétiteurs et si les niveaux de salaires actuels sont maintenus, les profits devraient inévitablement augmenter. Ou, d'une autre façon, s'il est démontré que quelques-uns des régimes existants ont un effet sur la productivité, l'employeur devrait alors miser sur cet atout pour obtenir de ses employés qu'ils soient plus productifs, et consolider le caractère compétitif de ces régimes.

Les organisations devraient également s'interroger sur l'efficacité des régimes qu'elles ont adoptés. Quels sont les objectifs de la rémunération indirecte ? Quels résultats peut-on raisonnablement attendre de l'application d'un régime donné ? En quoi la rémunération indirecte peut-elle aider l'entreprise à devenir et à demeurer compétitive sur les nouveaux marchés internationaux ? Répondre à ces questions devrait rendre l'entreprise capable d'évaluer la pertinence de son système de rémunération indirecte. Les organisations qui choisissent de financer un régime d'avantages sociaux devraient s'assurer que les effets qu'ils souhaitent obtenir soient atteints. Par exemple, les régimes d'avantages sociaux flexibles ou optionnels peuvent répondre simultanément aux besoins des jeunes et des vieux employés, même s'ils sont rendus à une étape différente de leur carrière.

L'employeur bénéficie des effets indirects qui font suite à l'adoption de tels régimes : des travailleurs en bonne santé, la perception répandue chez les employés que l'entreprise est un lieu de travail intéressant, et la bonne réputation dont jouit l'entreprise dans la société. Finalement, les employeurs devraient également être attentifs aux attitudes des employés à l'égard des régimes qu'ils offrent. Par exemple, les employés ont tendance à sous-évaluer les avantages dont ils profitent et à sous-estimer les coûts que ces régimes entraînent pour l'entreprise. Par ailleurs, la satisfaction des employés est d'autant plus grande que les régimes sont diversifiés ; l'insatisfaction apparaît lorsque le coût de ces régimes est considéré comme étant individuellement trop élevé. On reconnaît généralement que les employés qui travaillent depuis longtemps pour le même employeur sont satisfaits de leur rémunération indirecte. En conclusion, les entreprises devraient informer les nouveaux employés du contenu et de la valeur réelle des régimes qui leur sont offerts. Des campagnes d'information devraient être réalisées à ce sujet et s'adresser particulièrement aux nouveaux employés.

L'ÉVALUATION DES RELATIONS DU TRAVAIL

Étant donné que les activités patronales-syndicales s'imbriquent dans un réseau de lois fédérales-provinciales, une mesure de l'efficacité de la gestion des ressources humaines en matière de relations du travail consiste à évaluer la capacité de son directeur à se conformer à la législation dans ce domaine, tout en maintenant des relations de travail productives avec les employés. De plus, les politiques de relations du travail chevauchent souvent plusieurs provinces ; c'est le cas, par exemple, des entreprises à établissements multiples et des entreprises multiprovinciales. Par conséquent, les responsables des ressources humaines ont le devoir de surveiller étroitement les règlements et les lois et de s'y conformer. Du même coup, on peut apprécier l'efficacité de ces entreprises par la façon dont les directeurs des ressources humaines négocient et administrent les conventions collectives des employés syndiqués.

On peut également mesurer l'efficacité du processus de négociation collective en évaluant le succès de la procédure de règlement des griefs, ou l'aptitude des parties à résoudre les sujets de mésentente en dehors du mécanisme de la convention collective.

L'efficacité de la négociation. Comme l'objectif premier des négociations est de parvenir à un accord, l'efficacité du processus devrait être liée à cette entente. Un processus de négociation sain et efficace encourage le dialogue entre les parties à la table de négociation. De plus, les concessions accordées pour arriver à une entente sont une mesure du bon fonctionnement du processus de négociation. Le fait d'opter ou non pour la grève ou le lock-out, la durée des conflits, le recours ou non à la médiation, à la conciliation et à l'arbitrage et la qualité des relations patronales-syndicales sont des indicateurs de ces efforts. Il est certain que la mise sur pied de programmes conjoints pour l'amélioration de la productivité et de la qualité de vie au travail est également un critère de réussite.

L'efficacité de la procédure de règlement des griefs. L'efficacité d'une procédure de règlement des griefs peut être évaluée de différentes façons. La direction considère le nombre de griefs déposés et le nombre de griefs réglés en sa faveur comme des mesures d'efficacité. Par contre, les syndicats considèrent également le nombre de griefs comme un critère d'efficacité, et la soumission d'un grand nombre de griefs peut représenter, de leur point de vue, un succès plus important.

Bien que les perspectives de la direction et du syndicat puissent diverger, on peut considérer qu'un ensemble de mesures permettant d'évaluer l'efficacité de la procédure de règlement des griefs ont trait aux différends qui surgissent entre la direction et les employés. On peut ici retenir des mesures comme la fréquence des griefs, l'étape de la procédure à laquelle les griefs sont résolus, la fréquence des grèves ou des ralentissements de travail pendant qu'une convention collective est en vigueur, les taux d'absentéisme et de roulement de main-d'œuvre, le sabotage et le recours à l'intervention gouvernementale.

On apprécie le succès d'un arbitrage à l'aide de critères comme le degré d'acceptation des décisions par les parties, la satisfaction des parties, le degré d'innovation dont l'arbitre fait preuve dans ses décisions, et le degré d'objectivité des décisions rendues. L'efficacité des interventions de tierces parties dépend dans une certaine mesure de leur capacité à réduire ou à éviter les grèves, puisque l'intervention d'un tiers est liée généralement à l'imminence d'une grève.

L'ÉVALUATION DES ACTIVITÉS EN MATIÈRE DE SANTÉ ET DE SÉCURITÉ DU TRAVAIL

Diverses variables peuvent être choisies pour évaluer l'efficacité des mesures adoptées dans le domaine de la santé et de la sécurité. Cependant, l'évaluation de l'efficacité des stratégies visant à réduire les accidents diffère un peu de l'évaluation des stratégies de prévention et de traitement des maladies professionnelles. De même, l'évaluation des stratégies axées sur le milieu de travail physique est différente de l'évaluation des stratégies appliquées au milieu de travail psychosocial. L'encadré 16.34 donne un aperçu de différents scénarios de risques, avec leurs conséquences, leurs solutions et leurs résultats. Seuls quelques exemples de variables caractéristiques sont donnés pour chacune des catégories présentées. Les solutions proposées ne s'excluent pas nécessairement et les résultats pourraient s'appliquer à tous les risques environnementaux.

Parmi les variables servant à mesurer l'efficacité des stratégies, on trouve les suivantes : taux d'absentéisme et de roulement des employés, réclamations pour frais médicaux, taux d'indemnisation des accidents du travail, coûts, rendement et efficacité globaux. Le taux d'accident et la fréquence de maladies spécifiques comptent aussi parmi ces variables. L'efficacité relative peut être mesurée en établissant le coût du programme et ses avantages relatifs. Par exemple, on présume généralement que le coût de fabrication de sièges ergonomiques sera facilement compensé par les avantages qu'on en retirera. Comme les changements d'ordre ergonomique relèvent le plus souvent des employeurs, il peut être des plus avantageux pour eux de réduire un bon nombre de risques pour la santé et la sécurité des travailleurs en adoptant cette approche. De façon semblable, les coûts des programmes de formation en prévention et des campagnes publicitaires peuvent être évalués et comparés avec les résultats obtenus au cours d'une période donnée.

ENCADRÉ 16.34 Les risques pour la santé et la sécurité du travail et les remèdes proposés

RISQUES DU MILIEU	ATTEINTES À LA SANTÉ	REMÈDES	RÉSULTATS
Accidents	Perte d'un membre Blessures au dos Mort	Ergonomie Comité de sécurité Formation Surveillance et évaluation Équipement de protection	Roulement / absentéisme Insatisfaction
Maladies • D'origine chimique	Déficience auditive Troubles de la vue Affections cutanées	Dépistage génétique Surveillance de l'exposition Programmes d'aide	Frais médicaux
• D'origine biologique	Hépatite B Sida Maladies contagieuses	Surveillance de l'exposition Programmes d'aide	Frais d'indemnisation des travailleurs
• D'origine physique	Maladies du cœur Ulcères Déficience auditive	Ergonomie	Manque de participation
• D'origine organisationnelle	Maux de dos Épuisement professionnel Fatigue	Modification des politiques Amélioration des horaires de travail Ergonomie	Rendement déficient
• D'origine psychologique	Épuisement professionnel Suicide	Gestion du stress	Suicide

AVIS D'EXPERT

L'efficacité de la fonction RH : un vecteur de progrès et de performance organisationnelle

par Adnane Belout

Paradoxalement, au moment même où les entreprises cherchent à accroître leur efficacité et leur productivité humaine, des constats mettent en relief le caractère rudimentaire des pratiques de contrôle de la gestion des ressources humaines et de leurs systèmes d'information. Actuellement, peu d'entreprises canadiennes effectuent des évaluations de leur GRH de façon structurée et formelle. Pourtant, le repositionnement stratégique de la gestion des ressources humaines fait en sorte que la question de l'efficacité de la fonction RH est plus que jamais considérée comme un vecteur de progrès et de performance organisationnelle. Or, bien que les gestionnaires soient conscients de la nécessité d'exercer un contrôle sur la GRH, certains freins et obstacles perceptuels les ont traditionnellement dissuadés d'entreprendre des actions évaluatives, à savoir :

1) la difficulté de cerner les causes du résultat d'une activité humaine ;

2) le manque de précision de certains objectifs de RH ;

3) le défi que posent la conception et la standardisation des outils de mesure valides en gestion des ressources humaines ;

4) la difficulté d'interpréter les résultats.

Comment donc expliquer cette situation paradoxale ? Serait-ce un blocage lié au choix des moyens d'action à adopter, donc aux méthodes d'évaluation et aux approches ? Une crainte de devoir s'ajuster à un environnement changeant qui impose de nouvelles compétences ? Les gestionnaires auraient-ils de la difficulté à cerner la notion même d'efficacité de la gestion des ressources humaines ?

En GRH, l'absence de consensus sur une définition commune et cohérente de l'efficacité a incontestablement nourri le développement d'un foyer de connaissances peu intégré en matière de contrôle et d'évaluation. Dans ce domaine, les définitions sont presque aussi nombreuses que les auteurs. Cette diversité dénoncée par nombre de spécialistes des RH a eu une conséquence directe sur les pratiques d'évaluation et de contrôle de la GRH. En alimentant une vision bipolaire des techniques d'évaluation (quantitatives versus qualitatives), elle a imposé au gestionnaire des difficultés de conception et d'implantation de systèmes d'information en GRH au moment même où les experts s'accordent sur l'importance de la gestion de l'information dans ce domaine d'activités. Comment donc recenser les besoins d'informations des organisations si les critères d'efficacité sont mal définis ou contestés ? Comment attirer, stocker, traiter efficacement l'information sur les RH (et dessiner l'architecture d'un système d'information) si les indicateurs de performance font l'objet d'une polémique ?

Actuellement, force est de constater que la gestion des projets d'informatisation en ressources humaines (analyse des besoins, cadre logique, planification structurelle et opérationnelle) reste embryonnaire. Le manque de cadres formés et spécialisés dans la gestion informatisée des ressources humaines au Canada explique selon nous pourquoi ces responsables de RH (qui sont généralement les utilisateurs des systèmes) sont peu ou pas engagés dans la conception des systèmes d'information sur les ressources humaines (SIRH). Cette situation est d'autant plus remarquée que les systèmes d'information sont généralement complexes, difficiles à planifier, et nécessitent une certaine cohésion et complémentarité des équipes de projets. Une étude récente confirme que le manque de planification des projets de systèmes d'information au Canada est la raison principale des échecs que l'on a enregistrés dans leur mise en application. Dans ce sens, le respect des coûts, des délais et de la qualité des extrants de ces projets (qu'il est possible de livrer) est mis en cause.

Une fois de plus, la crédibilité des gestionnaires de RH sera testée sur le terrain. Elle se mesurera par le degré de professionnalisme de ces derniers, qui devront relever des défis majeurs, dont celui de pouvoir mesurer l'efficacité de leur gestion avec des moyens rigoureux, perfectionnés, rapides et crédibles.

Le professeur Adnane Belout a obtenu une maîtrise en gestion de projets de l'Université du Québec à Montréal en 1987, et un doctorat en relations industrielles (management et gestion des ressources humaines) en 1994. Il est actuellement professeur à École de relations industrielles de l'Université de Montréal. Auteur de plus de 16 articles scientifiques, ses intérêts dans le domaine de la recherche se concentrent sur l'évaluation de l'efficacité des directions des ressources humaines, de l'efficacité des programmes de prévention en SST, de la gestion informatisée des ressources humaines, des impacts des structures organisationnelles sur le succès des projets, des effets de la gestion des ressources humaines sur la gestion des programmes en fonction des cycles de vie des projets. Le docteur Belout est actuellement engagé dans des projets de formation financés par la Banque mondiale et la Banque africaine de développement (BAD) à titre de conseiller, de formateur et d'auditeur dans le domaine de la gestion des projets.

RÉSUMÉ

Dans la première partie de ce chapitre, on a traité des systèmes d'information en gestion des ressources humaines. Les systèmes d'information sur les ressources humaines prennent de plus en plus d'importance. En cette période où les organisations sont préoccupées par le contrôle des coûts, l'augmentation de l'efficacité et de la qualité des services, les SIRH permettent aux services de ressources humaines d'accélérer certains processus administratifs ou de les déléguer à des gestionnaires et à des employés afin de se consacrer aux activités plus stratégiques pour l'entreprise. Les différents systèmes disponibles ont été examinés ainsi que leurs modules et les conditions du succès de la mise en œuvre d'un SIRH. Les multiples applications possibles des systèmes qui existent dans le domaine de la gestion des ressources humaines témoignent de l'intérêt que les organisations leur accordent de plus en plus.

Dans la seconde partie, on a abordé la question du contrôle des activités de gestion des ressources humaines. Le gestionnaire des ressources humaines doit pouvoir, comme n'importe quel autre gestionnaire, rendre compte de ses décisions et mettre en évidence la contribution qu'il apporte à l'organisation. Des pressions s'exercent pour que tous les gestionnaires fassent sans cesse preuve d'une plus grande efficacité. Pour être en mesure de faire la preuve de son efficacité, la fonction ressources humaines doit pouvoir contrôler, évaluer et étudier les activités qui relèvent de sa compétence. Par le passé, les cadres supérieurs considéraient les intrants et les extrants des ressources humaines avec plus de souplesse, principalement en raison de leur caractère intangible. De fait, le contrôle des ressources humaines est peut-être une des tâches les plus délicates et les plus complexes de toutes les tâches de gestion, à plus forte raison pendant les périodes de changements.

Aujourd'hui, le gestionnaire des ressources humaines dispose d'une panoplie d'approches, de données, de rapports et d'instruments qu'il peut utiliser pour évaluer son travail, de même que l'efficacité de l'ensemble de son service. Le présent chapitre a exposé une multiplicité d'approches quantitatives et qualitatives, chacune ayant une portée, une visée et une précision différentes. Les cadres supérieurs des ressources humaines ont intérêt à combiner et à associer des approches diverses et à utiliser les ressources internes et externes pour mener à bien la vérification complète de la gestion des ressources humaines.

Questions de révision et d'analyse

1. *Quelle est l'utilité des systèmes d'information en gestion des ressources humaines ? Peut-on les mettre en œuvre ?*

2. *Quels sont les critères de succès de la planification et de la mise en œuvre d'un SIRH ?*

3. *Choisissez deux activités de gestion des ressources humaines et illustrez l'utilisation d'un SIRH pour faciliter la gestion des aspects opérationnels de ces activités.*

4. *Dans quel but doit-on procéder à une évaluation des activités de gestion des ressources humaines ? Quelle est l'importance de cette démarche ?*

5. *Nommez quelques-uns des avantages et des désavantages des évaluations externes et internes en les comparant les unes aux autres.*

6. *Décrivez les principaux éléments à prendre en considération dans la réalisation d'une vérification de la gestion des ressources humaines. Quelles sont les forces et les faiblesses de cette approche ?*

7. *Choisissez une approche quantitative de contrôle et d'évaluation de la gestion des ressources humaines et décrivez-en les principaux éléments.*

8. *Pourquoi l'approche client jouit-elle d'une popularité croissante auprès des organisations ?*

9. *Quelles sont les principales étapes de la recherche scientifique ? Comment celle-ci diffère-t-elle de l'appréhension de la réalité par le sens commun ?*

10. *Choisissez n'importe quel secteur de la gestion des ressources humaines et expliquez pourquoi et comment il devrait être contrôlé et évalué.*

ÉTUDE DE CAS
L'absentéisme et ses suites

L'un des clients de Systèmes décisionnels, une firme réputée de consultants en gestion, a demandé à Mariette Charbonneau de faire une étude de faisabilité sur la mise en place d'un programme visant à réduire les taux alarmants d'absentéisme observés chez certains groupes d'employés. Son client, Télétalk, est une grande entreprise de services publics dans le secteur des télécommunications.

Télétalk est aux prises avec des problèmes découlant d'innovations technologiques introduites dans l'industrie des télécommunications, et qui ont entraîné deux importantes réorganisations et une menace de grève syndicale liée à l'automatisation.

Après avoir rencontré le vice-président des ressources humaines, Victor Lessieur, et son équipe, Mariette Charbonneau décide de réaliser des entrevues avec quelques employés de Télétalk, notamment des travailleurs provenant de quatre services différents, avec leurs responsables, un membre de l'équipe de soutien, ainsi qu'un directeur médical et des responsables syndicaux. Mme Charbonneau veut connaître les réactions des employés à la mise en place d'un nouveau programme (son idée est de combiner les cercles de qualité avec des programmes de primes d'équipe), mais elle est aussi intéressée à savoir comment les employés expliquent l'augmentation singulière de l'absentéisme à Télétalk.

Le premier groupe que Mariette Charbonneau rencontre comprend trois jeunes femmes qui ont suivi récemment un stage de formation pour occuper des postes d'ouvrier (installateur, réparateur en ligne, technique d'équipement de commutation) et qui exercent leurs nouvelles fonctions depuis six mois. Les postes, auparavant détenus par des hommes, sont beaucoup mieux rémunérés que les postes d'opérateur ou de représentant de service, remplis traditionnellement par des femmes à Télétalk. Lorsqu'on leur demande ce qu'elles pensent des taux d'absentéisme, en particulier des taux élevés observés chez les femmes employées par Télétalk, les trois employées sont d'accord pour dire que ce problème provient du fait que les femmes y sont victimes de ségrégation professionnelle. Les emplois spécialisés, mieux rémunérés et plus exigeants que les autres, ne leur sont offerts que depuis peu. Interrogée sur la possible d'établir des cercles de qualité et des programmes de primes d'équipe, Jacqueline Gautier, celle des trois qui s'exprime le plus facilement, déclare : « Franchement, on n'a pas besoin de ce programme, on n'en veut pas. Et puis, si les ressources humaines nous envoient encore un questionnaire à remplir, on va le balancer ! On en a assez ! »

Le groupe suivant est formé de quatre cadres provenant des principaux services. Ils donnent à Mariette Charbonneau un point de vue complètement différent sur le problème de l'absentéisme. Selon eux, l'absentéisme n'est pas leur problème et ils peuvent invoquer des données pour le prouver. Dans ses rapports, Télétalk distingue deux catégories d'absences : les absences circonstancielles et les absences médicales. Une absence circonstancielle est par définition une absence de plus de sept jours. L'employé absent doit obtenir une attestation du service médical pour être autorisé à retourner au travail. Les cadres montrent à Mme Charbonneau des graphiques illustrant une tendance sur une période de cinq années concernant les absences circonstancielles et les absences médicales. Dans chacun de leur service, on observe la même tendance, à savoir une diminution graduelle des absences circonstancielles et une augmentation marquée des absences médicales. Les cadres sont tous d'avis que Mariette Charbonneau devrait abandonner son idée, étant donné que le problème dépend du service médical.

Mariette Charbonneau va de ce pas visiter le Dr Virgile Malépart, le directeur médical de Télétalk. Bien qu'il se montre ouvert au point de vue des cadres, le Dr Malépart ne le partage pas.

En fait, celui-ci met Systèmes décisionnels au défi de mener une étude d'attitudes sur les corrélations entre les absences circonstancielles et les absences médicales, et prédit qu'on découvrirait qu'elles ont les mêmes causes. Le Dr Malépart considère également que le service médical est victime d'une mauvaise évaluation et de jeux de pouvoir au sein de l'organisation. Il déclare : « Le programme que vous envisagez n'est pas différent des autres programmes mis à l'essai par la direction par le passé ; il va déferler comme une grande vague, puis se retirer et s'évanouir dans l'océan, comme tous les autres ! »

D'après le Dr Malépart, le véritable problème réside dans la croyance de la direction en l'infaillibilité du système de contrôle des absences. Les cadres sont récompensés lorsqu'ils réduisent le taux d'absences circonstancielles, qui représentent une part insignifiante de la totalité du temps perdu. De plus, chaque service interprète différemment les catégories d'absences créées par le service de la comptabilité pour le traitement des salaires.

« Le problème est à ce point sérieux que certains services n'utilisent même pas les formulaires des ressources humaines parce qu'ils n'ont tout simplement pas confiance en leurs dossiers. Et je dois admettre que, dans certains services, nous avons créé au cours des années une véritable "culture" de l'absence », juge le médecin. Finalement, le Dr Malépart dit à Mariette Charbonneau que, si elle veut identifier la vraie source du problème, elle devrait parler aux représentants syndicaux qui ont négocié la dernière convention collective. Ce n'est pas une mauvaise idée, conclut-elle. Elle donne rendez-vous au président du syndicat, Jean Perreault, l'après-midi même.

On avait averti Mariette Charbonneau que M. Perreault pouvait être bagarreur. Elle le trouve au contraire plutôt bien disposé et franc. Lorsqu'elle lui pose des questions sur la clause du contrat permettant à tout travailleur ayant cinq années ou plus d'ancienneté de recevoir sa paye pour la seconde période complète de sept jours d'absence, le syndicaliste explique, sans chercher à se défendre ni afficher de sentiment de culpabilité : « Nos travailleurs ne sont pas stupides. Ils savent qu'en vertu de cet arrangement il est payant, jusqu'à un certain point, de prolonger les périodes d'absence plutôt que de les raccourcir lorsqu'ils doivent s'absenter. Pour certains, cela compense le fait qu'ils sont sous-payés. D'autres considèrent qu'ils ont le droit de s'absenter pour une raison ou une autre sans devoir subir d'interrogatoire. De toute façon, je pense que la direction a compris que les travailleurs peuvent toujours inventer un antidote au poison que représente un programme de contrôle des absences. »

Lorsque Mariette Charbonneau lui soumet son programme, le président du syndicat est amusé. « Écoutez, Mme Charbonneau, la direction a besoin de se réveiller. L'absentéisme n'est pas le privilège exclusif des employés admissibles. Nous avons tous besoin de loisirs, y compris la direction. L'approche des cercles de qualité combinée aux primes d'équipe, c'est bien, mais ne comptez pas sur nous pour la défendre. Nos membres veulent avoir plus de temps payé pour s'adonner à leurs activités de loisir. »

Mariette Charbonneau met fin à l'entrevue avec M. Perreault et file à son bureau pour préparer son rapport. Elle n'espérait pas en apprendre autant.

Questions

1. Quel est le cœur du problème ? Qu'est-ce que la recherche a révélé ?

2. Est-ce que la recherche entreprise par Mariette Charbonneau était suffisante pour poser un bon diagnostic ?

3. Comment l'absentéisme se situe-t-il par rapport aux différentes politiques des ressources humaines ? Quel problème ces politiques occasionnent-elles ?

4. Essayez de déterminer quel genre de rapport ou de recommandations Mariette Charbonneau est en train de rédiger. Quel genre d'intervention serait efficace ? Pourquoi ?

5. Une fois que vous avez choisi un type d'intervention, expliquez quelles méthodes devraient être employées pour évaluer son efficacité.

NOTES ET RÉFÉRENCES

1 L. M. Spencer, Jr., *Reengineering Human Resources*, New York, John Wiley & Sons, 1995.

2 *Ibidem.*

3 G. M. Rampton , I. J. Turnbull et J. A. Doran, *Human Resource Management Systems*, Ontario, ITP Nelson, 1997.

4 R. Teti et C. Carreiro, « Human Resources Information Systems », article non publié présenté au professeur S. Dolan dans le cadre du cours Gestion des ressources humaines, Université McGill, automne 1991, p. 8.

5 L. M. Spencer Jr., *op. cit.*

6 A. Yeung et W. Brockbank , « Reingineering HR Through Information Technology », *Human Resource Planning*, vol. 18, nᵒ 2, 1995, p. 24-37.

7 G. M. Rampton., I. J. Turnbull et J. A. Doran, *op. cit.*

8 P. Lewis, « Job Performance Set (Performance Mentor) Aids Managers : Bosses Told How to Handle Interviews », *Vancouver Sun*, 2 mai 1990, p. D 2.

9 G. J. Dickelman, « Designing and Managing Computer-Based Training for Human Resource Development », dans S. E. Forrer et Z. B. Leibowitz, *Using Computers in Human Resources*, San Francisco, Jossey-Bass Publishers, 1991, p. 140.

10 G. M. Rampton., I. J. Turnbull et J. A. Doran, *op. cit.*

11 J. Rocco, « Computers Track High-Potential Managers », *HR Magazine*, août 1991, p. 140.

12 S. E. Forrer et Z. B. Leibowitz, *op. cit.*, p. 98-99.

13 *Ibidem*, p. 19.

14 L. Bak, « To What Do You Attribute Your Success ? », *Benefits Canada*, janvier 1992, p. 33.

15 Pour obtenir plus de renseignements, communiquez avec Gestion MDS inc., B. P. 116, succ. C. S. L, Montréal (Québec) Canada, H4V 2Y3.

16 A. Templer et J. Cattaneo, « Assessing Human Resources Management Effectiveness : How Much Have We Learned ? », *South African Journal of Labour Relations*, vol. 15, nᵒ 4, décembre 1991, p. 23-30.

17 D. Koys, S. Bieggs et S. Ross, « Organizational Effectiveness and Evaluation of the Human Resource Function », document présenté à The Academy of Management Meeting, Nouvelle-Orléans, août 1987.

18 Résultats d'un sondage effectué auprès des entreprises québécoises et rapportés par S. L. Dolan et J. G. Harbottle au Congrès annuel de l'Association des professionnels en ressources humaines du Québec, en août 1987.

19 A. Belout et S. L. Dolan, « L'évaluation des directions des ressources humaines dans le secteur public québécois », *Relations industrielles*, vol. 51, nᵒ 4, p. 726-755.

20 A. Templer et J. Cattaneo, *op.cit.*, p. 24.

21 Voir G. E. Bills et R. S. Schuler, *Audit Handbook of HRM Practices*, Alexandria, ASPA, 1986 ; S. J. Carroll, « Measuring the Work of a Personnel Department », *Personnel*, juillet-août 1960, p. 49-56 ; W. F. Cascio, *Costing Human Resources :*

The Financial Impact of Behavior in Organization, 2ᵉ éd. Boston, Kent Publishing, 1987 ; H. L. Dahl, « Human Resource Cost and Benefit Analysis : New Power for Human Resource Approach », *Human Resource Planning*, 1988, vol. 1, nᵒ 2, p. 69-77 ; J. Fitz-enz, *How to Measure Human Resource Management*, New York, McGraw-Hill, 1984 ; E. G. Flamholtz, *Human Resource Accounting*, San Francisco, Jossey Bass, 1985 ; W. R. Mahler, « Auditing PAIR », dans D. Yoder et H. Henneman (dir.), *ASPA Handbook of Personnel and Industrial Relations*, Washington (D.C.), ASPA, 1979, p. 2-103 ; A. Tsui, « Defining the Activities and Effectiveness of the Human Resources Department : A Multiple Constituency Approach », *Human Resource Management*, vol. 26, nᵒ 1, 1987, p. 35-69 ; A. S. Tsui et L. R. Gomez-Mejia, « Evaluating the Human Resource Effectiveness », dans L. Dyer (dir.), *Human Resource Involving Roles and Responsibilities* (ASPA\ BNA Handbook of HRM), vol. 1, Washington (D.C.), 1987, p. 187-227 ; A. Tsui et G. T. Milkovich, « Personnel Department Activities : Constituency Perspectives and Preferences », *Personnel Psychology*, nᵒ 40, 1987, p. 519-537.

22 Un certain nombre de firmes de consultants en gestion ont effectué une vérification détaillée de la gestion des ressources humaines, et ces résultats seront bientôt ccessibles sous la forme d'un logiciel. L'échantillon de vérification fourni dans cet encadré a été élaboré par MDS Management Inc., de Montréal (C.P. 116, Station C.S.L., Montréal, H4V 2Y3), et est reproduit avec leur permission. Une approche différente de la vérification des ressources humaines a été mise au point par une firme de consultants britanniques, MCP Management Consultants (11, John Street, Londres, W1N 2EB).

23 S. J. Carroll, « Measuring the Work of a Personnel Department », *Personnel*, juillet-août 1960.

24 S. L. Dolan et J. G. Harbottle, « Results of a Survey Amongst Senior HR Managers », document présenté au Congrès annuel de l'Association des professionnels en ressources humaines du Québec, en avril 1989.

25 T. Janz, « Forecasting the Costs and Benefits of Traditional Versus Scientific Employment Selection Methods in Canada to the Year 1990 », dans S. L. Dolan et R. S. Schuler (dir.), *Canadian Readings in Personnel and Human Resource Management*, St. Paul, West Publishing, 1987, p. 103-111

26 J. E. Hunter, F. L. Schmidt, R. C. McKenzie et T. W. Muldraw, « Impact of Valid Selection Procedures on Work Force Productivity », *Journal of Applied Psychology*, vol. 64, nᵒ 1, 1979, p. 107-118.

27 A. Belout et S. L. Dolan, *op. cit.*

28 A. Tsui, « Defining the Activities and Effectiveness of the Human Resources Department : A Multiple Constituency Approach », *Human Resource Management*, 1987, vol. 26, no 1, 1987, p. 35-69 ; A. S. Tsui et L. R. Gomez-Mejia, « Evaluating the Human Resource Effectiveness », dans L. Dyer (dir.), *Human Resource Involving Roles and Responsibilities* (ASPA\BNA Handbook of HRM), vol. 1, Washington (D. C), 1987, p. 187-227 ; A. Tsui et G. T. Milkovich, « Personnel Department Activities : Constituency Perspectives and Preferences », *Personnel Psychology*, nᵒ 40, 1987, p. 519-537.

Lectures supplémentaires

- G. Le Boterf, « Construire la compétence collective de l'entreprise », *Gestion,* vol. 22, nᵒ 3, automne 1997, p. 82-85.
- G. Guérin, T. Wils et L. Lemire, « L'efficacité des pratiques de gestion des ressources humaines : le cas de la gestion des professionnels syndiqués au Québec », *Relations industrielles,* vol. 52, nᵒ 1, 1997, p. 61-90.

- T. A. Judge et G. R. Ferris, « Social Context of Performance Evaluation Decisions », *Academy of Management Journal,* vol. 36, 1993, p. 80-105.

CHAPITRE

17

Les aspects
internationaux
de la gestion
des ressources
humaines

I La mondialisation de la gestion des ressources humaines

L a mondialisation des marchés a une influence cruciale sur la gestion des ressources humaines. En cette période marquée par la multiplication des échanges à l'échelle planétaire et par l'accroissement des activités internationales d'un nombre de plus en plus important d'organisations, les gestionnaires canadiens commencent à prendre conscience de la nécessité d'être au fait des pratiques de gestion adoptées par d'autres pays et de la manière de gérer les entreprises internationales.

La mondialisation de la gestion des ressources humaines ne peut être comprise que si l'on tient compte de la situation économique actuelle et que l'on sait prévoir le comportement qu'adopteront les organisations canadiennes dans ce contexte économique. On assiste depuis quelques années à un bouleversement de la situation économique mondiale. Les régimes communistes de l'Europe de l'Est se sont effondrés et on tente d'y instaurer de nouvelles formes de gouvernement. Le système de gestion japonais, qui semblait inébranlable, fait l'objet d'un examen rigoureux, et des changements apparaissent inévitables. Hong-Kong est passé sous l'autorité du gouvernement chinois en 1997, et cette perspective a déjà entraîné un mouvement des capitaux et de la main-d'œuvre. En Europe de l'Ouest, on essaie d'élargir le marché commun européen ; en Amérique du Nord, le Canada, les États-Unis et le Mexique ont signé un traité de libre-échange.

Au sein des organisations qui veulent se lancer sur le nouveau marché mondial plutôt que se limiter au marché intérieur, le service des ressources humaines doit recruter des employés, les recommander, les embaucher, les former, les rémunérer et mener avec eux des négociations dans la perspective d'une organisation mondiale. Toutes les facettes de la gestion des ressources humaines interviennent pour permettre à l'entreprise de survivre dans cet environnement international.

Pour faire face au contexte international, le service des ressources humaines ne dispose d'aucune formule préétablie et il n'existe pas de solution unique aux questions qui y sont traitées. Gérer efficacement des personnes vivant dans différents continents et appartenant à des cultures diverses est une des tâches les plus difficiles que les entreprises multinationales aient à accomplir[1]. Ainsi, le gestionnaire de ressources humaines subit des pressions qui le forcent à s'adapter constamment aux changements. Les environnements financiers sont en perpétuelle transformation, et le gestionnaire travaillant dans une multinationale doit donc demeurer constamment prêt à réagir efficacement aux événements susceptibles de se produire, et se montrer proactif et innovateur.

La mondialisation des marchés et la nécessité de concevoir les ressources humaines dans une perspective mondiale oblige les entreprises à se tourner vers des pays en voie de développement comme le Mexique, la Thaïlande, la Corée du Sud, Singapour, et vers les pays de l'ancien bloc de l'Est, pour n'en nommer que quelques-uns. Les multinationales y trouvent une main-d'œuvre abondante et relativement peu coûteuse en comparaison de celle de leur propre pays ; elles cherchent également à pénétrer de nouveaux marchés, et ces pays présentent souvent des possibilités de développement intéressantes. L'encadré 17.1 rapporte les résultats d'une compilation effectuée à partir des 500 plus grandes entreprises publiées par le journal *Les Affaires*, qui montre que, dans une large mesure, les entreprises québécoises (313 sur 500) transigent avec des filiales qui sont situées à l'étranger. Soixante-sept pour cent des entreprises ont des filiales aux États-Unis, environ 36 % possèdent des filiales en Europe et 33 % ont implanté des filiales dans des pays autres qui se situent en Amérique du Sud et en Asie. Ces résultats montrent sans doute qu'une plus grande importance doit être accordée à la compréhension des dimensions internationales de la gestion des ressources humaines.

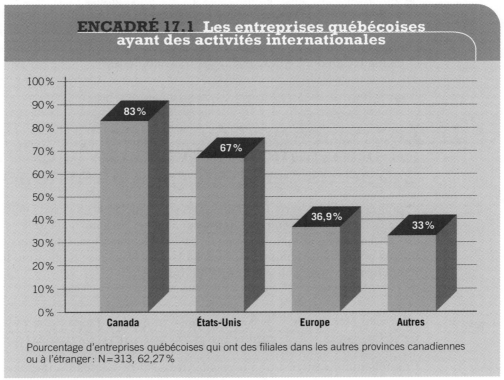

ENCADRÉ 17.1 Les entreprises québécoises ayant des activités internationales

Pourcentage d'entreprises québécoises qui ont des filiales dans les autres provinces canadiennes ou à l'étranger : N=313, 62,27 %

Source : Compilation à partir de données recueillies du journal *Les Affaires,* 1997.

Le principal problème que les entreprises doivent surmonter est celui de décider des techniques de gestion à adopter dans les différents environnements considérés. Les gestionnaires ont très vite pris conscience de la difficulté d'exporter intégralement la culture d'un pays à un autre et de la nécessité d'adopter une vision plus réaliste, mais surtout de faire preuve d'une ouverture culturelle pour mieux comprendre les différents marchés et pouvoir s'y adapter.

Ce chapitre est consacré à la présentation des dilemmes et des défis que la gestion des entreprises internationales pose aux gestionnaires de ressources humaines. Depuis l'émergence des zones de libre-échange, le monde s'est rétréci. Il en résulte que les multinationales planifient stratégiquement chacun de leur mouvement, d'où la question suivante : quelle est la place de la gestion des ressources humaines dans tout cela ? Cette question est en fait cruciale pour les entreprises internationales, car, à court terme, la disponibilité des ressources humaines impose des limitations aux possibilités stratégiques des entreprises. À long terme, si la gestion des ressources humaines n'est pas étroitement intégrée aux stratégies des multinationales, la capacité de celles-ci d'exploiter et de mener à bien ces avenues peut en être affectée. La tâche qui incombe à la gestion des ressources humaines à l'échelle internationale est comparable à celle de n'importe quelle entreprise locale : il faut accorder du temps et de l'attention au recrutement, à la sélection, au développement des compétences, à l'évaluation et à la rémunération des employés. Ces questions sont conditionnées par les facteurs externes et internes qui influent sur les multinationales. Également, le rôle des employés affectés à l'étranger est crucial pour l'entreprise. Il devient incontournable de sélectionner ceux qui seront capables de réussir et leur offrir les conditions propices à leur succès[2]. Prévoir leur retour au pays fait partie intégrante du programme de mobilité internationale et permettra d'assurer à l'entreprise des leaders mondiaux capables de relever les défis de l'internationalisation, d'élaborer et de mettre en œuvre des stratégies internationales.

II Les concepts liés
à l'internationalisation de la GRH et les modèles de stratégies internationales

Dans cette section seront examinées les étapes et les stratégies d'internationalisation qui s'imposent aux entreprises internationales. Ensuite, nous traiterons des notions de congruence, d'adaptation et de flexibilité qui constituent des concepts incontournables pour mieux comprendre les défis qu'a à relever la gestion des ressources humaines dans un contexte de mondialisation.

LES ÉTAPES DE LA MONDIALISATION ET LES DÉFIS POSÉS PAR LA GESTION DES RESSOURCES HUMAINES

Une fois que l'organisation a pris la décision de se positionner sur les marchés internationaux, il existe de nombreuses démarches qu'elle peut entreprendre. La transformation d'une organisation nationale en une organisation mondiale implique les étapes suivantes[3].

D a n s   l e s   f a i t s

Peat Marwick Stevenson Kellogg est la firme de conseillers professionnels la plus importante au Canada. Elle est en mesure de mettre les entreprises en contact avec des conseillers professionnels par l'intermédiaire d'un réseau de plus de 800 bureaux répartis dans 125 pays[4].

Étape I. L'exportation. À cette étape, l'organisation explore prudemment le marché. On confie la responsabilité du produit à un intermédiaire, par exemple à un exportateur ou à un distributeur étranger. Les activités de gestion des ressources humaines sont souvent confiées à des firmes professionnelles plutôt qu'aux employés de l'entreprise elle-même.

Si l'accès à la région est interdit aux entreprises étrangères, celles-ci peuvent faire distribuer leurs produits par une entreprise installée dans cette région, jusqu'à ce que le produit y soit bien établi.

Dans les faits

Le cas de Gennum Corporation fournit un exemple intéressant de cette démarche. Gennum est un fabricant canadien de circuits intégrés en silicium qui vend son produit sur le marché japonais. Il a fallu plus de 15 ans à Gennum pour commercialiser ses produits au Japon. Dans ce pays, le marketing ne s'effectue pas de la même façon que dans les pays occidentaux. Pour communiquer avec les personnes clés, il faut s'insérer dans un tissu complexe de relations d'affaires. Cette façon de procéder demande beaucoup de patience, de confiance et de loyauté de la part de l'entreprise canadienne, plutôt que des documents soigneusement formulés. Gennum a d'abord pris contact avec les représentants de ce réseau en établissant un partenariat avec les entreprises Sanshin, une petite maison de commerce établie à Tokyo. Gennum a commencé par vendre ses produits à Sanshin, qui les revendait à ses clients. À mesure que Gennum a pris de l'assurance dans ses activités au Japon, elle a cherché à établir des contacts plus directs avec ses clients ; trois ans plus tard, elle ouvrait son propre bureau de vente à Tokyo.[5]

Dans les faits

Kimberly-Clark du Canada a récemment construit des usines en France et en Allemagne. La direction reconnaît que l'entreprise est aux prises avec un problème de marketing aigu depuis que les barrières commerciales sont tombées, en 1992. L'entreprise doit composer avec un salmigondis de cultures faisant intervenir des goûts, des langues et des monnaies variés[6].

Dans les faits

Le producteur de cigarettes Philip Morris a d'abord testé son produit en envoyant 20 milliards de cigarettes à l'ancienne Union soviétique durant une année entière (1991). C'était l'étape de l'exportation[7]. Puis, l'entreprise est allée de l'avant en lançant un programme d'expansion ambitieux comprenant la mise sur pied de deux sites de fabrication en Russie[8].

La phase finale de cette étape fait intervenir la mise sur pied d'un service d'exportations dont le personnel supervise les activités à partir du siège social. Le service des ressources humaines remplit alors les tâches d'administration, de sélection et de rémunération.

Étape II. La création de filiales à l'étranger. À cette étape, on met sur pied des succursales sur les marchés étrangers. L'organisation décide alors si le personnel de ces succursales doit être composé de ressortissants du pays de la société mère ou de ceux des pays hôtes. Cette décision dépend de l'ampleur des problèmes que pose la connaissance du marché étranger et de la langue, mais aussi de la sensibilité de la société mère aux besoins du pays hôte, de questions d'ordre juridique, etc.

Dans les organisations qui choisissent d'envoyer du personnel sur place, le rôle de la gestion des ressources humaines est limité à la supervision de la sélection du personnel et au traitement de la rémunération. Les fonctions d'évaluation du rendement et de développement des compétences sont effectuées dans le pays hôte, bien que cette dernière fonction puisse se réaliser au siège social de l'organisation.

Étape III. La division internationale. À cette étape, on passe de la commercialisation d'un produit à l'étranger à la production du produit dans le pays étranger.

Une fois que le produit est fabriqué à l'étranger, la prochaine étape consiste à créer une division internationale dans laquelle toutes les activités internationales sont regroupées et gérées par des cadres supérieurs du siège social de l'entreprise. Si l'organisation poursuit ses activités dans plusieurs pays, elle tend à employer des ressortissants de son propre pays parce que cela lui assure un plus grand contrôle sur ses activités. À cette étape, le service des ressources humaines du siège social s'occupe de la sélection des gestionnaires et de la rémunération du personnel. Toutes les autres activités liées aux ressources humaines sont traitées par le personnel de gestion des ressources humaines du pays hôte.

Étape IV. La mondialisation du produit et la création de divisions régionales. Cette étape survient lorsqu'il devient nécessaire d'utiliser des employés du pays hôte pour influencer les décisions relatives à la standardisation et à la diversification des produits. Les différences de marchés, les besoins des consommateurs, la culture ou les questions juridiques peuvent exiger une plus grande maîtrise des activités sur le plan local.

L'entreprise peut se transformer en une véritable multinationale si les cadres supérieurs reconnaissent le besoin d'accorder plus de contrôle au niveau local. La planification stratégique et les décisions importantes doivent continuer de relever du siège social. Lorsque le personnel de l'entreprise devient entièrement autochtone, on procède également à des changements dans la direction des ressources humaines.

Dans les faits

Bombardier inc., une entreprise établie à Montréal, réalise 80 % de ses profits à l'étranger. Son P.-D. G. considère que le secret de la compétitivité à l'étranger réside dans le choix d'un créneau qu'on exploite en motivant les employés au moyen d'une très grande décentralisation[9].

L'organisation des ressources humaines se transforme parce que plusieurs des fonctions exercées auparavant par le siège social sont transférées aux filiales à mesure qu'elles s'adaptent aux exigences propres au pays hôte. Les employés du pays hôte relèvent de la gestion des ressources humaines de la filiale et non de celle de la société mère.

Le personnel des ressources humaines du siège social exerce encore un contrôle sur les activités, mais il n'a aucune autorité directe sur les ressources humaines dans chacun des pays hôtes.

La planification des ressources humaines se complexifie à chaque étape du processus. À l'étape actuelle, la question essentielle est celle de la sélection, du recrutement ou de la formation de gestionnaires de haut niveau aptes à évoluer dans un environnement international, à concevoir et à mettre en œuvre des stratégies globales.

Étape V. L'étape « GLOBALE » ou multidomestique. À cette étape, l'organisation fonctionne dans le pays étranger à peu de choses près comme une entreprise nationale. Son champ d'action couvre tout autant les questions relatives aux règlements du pays hôte qu'à la direction et au contrôle de l'entreprise. La multinationale maintient toutefois un système de contrôle rigide en raison de sa stratégie mondiale et du flot de produits et de personnel qui circulent entre les filiales et le siège social. Cette étape internationales. Les stratégies mentionnées correspondent surtout aux configurations des entreprises internationales japonaises, qui ont la réputation d'exercer un contrôle rigide sur les opérations internationales à partir de la maison mère.

Étape VI. L'étape transnationale. C'est l'étape d'internationalisation la plus avancée. Elle se caractérise par l'interdépendance des ressources et des responsabilités des différentes composantes de l'organisation au-delà des frontières nationales, ainsi que par sa forte identité d'entreprise. La multinationale ABB est reconnue comme la transnationale par excellence. La taille réduite de son siège social et la grande autonomie de ses filiales témoignent de la décentralisation de cette organisation.

À cette étape, les activités de gestion des ressources humaines sont encore plus décentralisées qu'auparavant, le service central des ressources humaines servant principalement à définir les politiques organisationnelles et à renforcer une gestion fortement axée sur les activités internationales.

Bien entendu, ces étapes varient d'une organisation à l'autre. Le pays d'origine de la société mère, de même que des variables telles que la taille de l'organisation, les politiques de gestion, etc., jouent un rôle dans la croissance de chaque organisation, mais la gestion des ressources humaines exerce une forte influence sur le mode de développement de l'organisation.

LA CONGRUENCE, L'ADAPTATION ET LA FLEXIBILITÉ DANS LES ENTREPRISES INTERNATIONALES

Dans les multinationales, la gestion des ressources humaines semble jouer un rôle plus diversifié à mesure que des mécanismes sont mis en place pour permettre à l'entreprise de traiter des questions de contrôle et de rapports interculturels qui se posent à la fois à l'intérieur et à l'extérieur de l'entreprise. Les concepts d'adaptation et de flexibilité aident à résoudre ces questions. Cependant, les multinationales sont souvent aux prises avec des défis plus grands que ceux auxquels font face les entreprises nationales en raison de la dispersion géographique de leurs activités, des problèmes interculturels qui se manifestent, de la compétition mondiale et de leur plus grande dépendance envers les divisions étrangères. Par conséquent, il faut s'attendre à ce que l'application de ces concepts dans le contexte des multinationales soit plus complexe que dans celui d'une organisation nationale.

Un des défis les plus fondamentaux que doit relever la gestion stratégique est celui de l'harmonisation de la stratégie de l'entreprise, de sa structure et de ses ressources humaines. La création de pratiques de ressources humaines stratégiquement efficaces requiert la gestion de deux processus d'adaptation simultanés, l'un externe et l'autre interne. L'adaptation externe s'effectue entre les activités de gestion des ressources humaines et le contexte organisationnel, à chaque étape du développement de l'organisation ; l'adaptation interne suppose que les composantes de ressources humaines s'accordent les unes aux autres et se complètent. Ainsi, l'adaptation interne concerne la relation entre les diverses fonctions de ressources humaines, par exemple, la sélection, la formation, l'évaluation du rendement et la rémunération.

En ce qui concerne l'adaptation externe, il faut noter qu'un objectif central des pratiques de gestion internationale des ressources humaines est de favoriser une interaction interculturelle efficace. Les multinationales doivent composer non seulement avec un environnement multiculturel, mais aussi avec un environnement multinational, qui est déterminé par les exigences sociales, juridiques et politiques des divers pays dans lesquels elles poursuivent leurs activités. Parmi les éléments propres à l'environnement multinational, il faut mentionner la nature et l'histoire des syndicats et du patronat, les barrières dressées contre l'importation sur le territoire national (les tarifs, les quotas et autres mesures de contrôle frontalier), les programmes et les politiques gouvernementaux des pays hôtes (traitement préférentiel en matière d'achats, subsides, dépenses de recherches, etc.) et les fédérations d'industries.

La flexibilité des ressources humaines peut être définie comme la capacité de la gestion des ressources humaines de permettre à l'organisation de s'adapter efficacement et dans des délais appropriés à des variations des demandes provenant de l'environnement ou de l'entreprise elle-même. La notion de flexibilité est indépendante de celle d'adaptation. Elle peut faire intervenir des aspects comme la capacité d'exercer un contrôle sur les environnements interne et externe de l'organisation, de mettre en œuvre rapidement des changements organisationnels, d'innover et de faire preuve d'une multiplicité d'aptitudes adaptées à des situations diverses. Les quatre situations suivantes sont des contextes qui demandent de la flexibilité : (a) un environnement dynamique ; (b) un ensemble de conditions et de situations environnementales diversifiées ; (c) des objectifs et des stratégies organisationnelles qui changent rapidement ; (d) deux ou plusieurs objectifs organisationnels divergents. Les entreprises internationales font souvent face à des environnements dynamiques ; par conséquent, le concept de flexibilité est une notion importante pour l'analyse qui complète celle d'adaptation[10].

III Les défis de la gestion internationale des ressources humaines dans les entreprises internationales

LES DIFFÉRENTES APPROCHES DE LA GESTION INTERNATIONALE DES RESSOURCES HUMAINES

Les approches relatives à la gestion des ressources humaines dans les multinationales peuvent être classées en quatre catégories principales[11]. Ces approches ont un effet sur les pratiques et les stratégies de gestion des ressources humaines[12]. L'encadré 17.2 illustre les enjeux internationaux en gestion des ressources humaines qui accompagnent les étapes d'internationalisation des entreprises. Nous les aborderons en détail en précisant l'influence des approches en gestion des ressources humaines dans les paragraphes suivants.

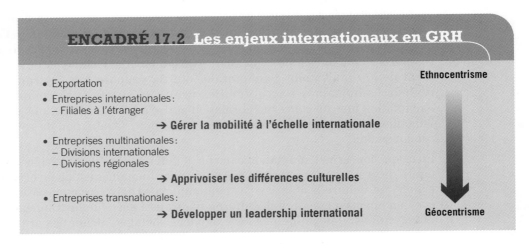

ENCADRÉ 17.2 Les enjeux internationaux en GRH

- Exportation
- Entreprises internationales :
  – Filiales à l'étranger
  → **Gérer la mobilité à l'échelle internationale**
- Entreprises multinationales :
  – Divisions internationales
  – Divisions régionales
  → **Apprivoiser les différences culturelles**
- Entreprises transnationales :
  → **Développer un leadership international**

Ethnocentrisme

Géocentrisme

L'approche ethnocentrique. Le siège social contrôle les activités reliées aux ressources humaines, et les filiales sont gérées par des employés expatriés. La gestion des ressources humaines dans une approche ethnocentrique favorise le recrutement et la formation des employés du siège social. La culture et les processus de travail adoptés dans la maison mère sont imposés aux unités dans les pays d'accueil.

L'approche polycentrique. La gestion des ressources humaines dans les entreprises qui adoptent une approche polycentrique repose sur la prémisse que les valeurs, les normes et les coutumes varient d'un pays à l'autre. La gestion des unités locales serait donc mieux réussie si des cadres locaux s'en chargeaient. Les filiales disposent d'une certaine latitude dans la gestion des opérations courantes. Le siège social garde le contrôle de certains aspects de la gestion, notamment de la gestion financière. Chaque pays est traité comme une entité séparée. Bien que la filiale soit gérée par des ressortissants du pays hôte, la carrière des gestionnaires locaux demeure confinée aux unités locales. Ces derniers sont rarement promus à la société mère.

L'approche « régiocentrique ». Dans le cadre d'une approche régiocentrique, les décisions à caractère régional sont prises dans les régions. Les pratiques de gestion des ressources humaines sont harmonisées entre les filiales qui se retrouvent dans une même région géographique. Le personnel peut être promu dans les unités régionales, mais rarement pour occuper un poste au siège social.

L'approche géocentrique. La gestion des ressources humaines sera caractérisée de géocentrique lorsque les pratiques implantées à travers les unités de l'organisation favorisent l'échange d'information, d'idées et de processus de travail. L'organisation recherche et emploie les ressources compétentes à l'échelle mondiale, sans égard au pays d'origine de ses cadres[13].

Le recours à ces différentes approches devrait permettre à la fonction de gestion des ressources humaines d'élaborer de nouvelles pratiques, des procédés de travail et des technologies propres à assurer la réussite du processus de mondialisation.

L'encadré 17.3 présente un sommaire des activités et des structures d'un service international de gestion des ressources humaines.

ENCADRÉ 17.3 La gestion internationale des ressources humaines

ACTIVITÉS	UNITÉS RESPONSABLES	AUTRES UNITÉS AVEC RESPONSABILITÉS	COMMENTAIRES
Élaboration de politiques/ coordination			
Stratégie et gestion internationales des ressources humaines	Ressources humaines- siège social	Divisions, régions	Présuppose que l'entreprise a plusieurs divisions mondiales
Rémunération/avantages sociaux des expatriés	Ressources humaines- siège social		Si les divisions internationales sont gérées séparément, elles sont les premières responsables
Rémunération/avantages sociaux des TCN	Ressources humaines- siège social	Régions	
Rémunération/avantages sociaux des travailleurs locaux	Succursales	Régions	
Recrutement/sélection	Toutes les unités		Engagement croissant de l'entreprise
Perfectionnement des gestionnaires	Ressources humaines- siège social	Divisions, régions	
Formation	Succursales	Régions	Selon le niveau
Relations du travail	Succursales	Régions	Formation souvent offerte par le siège social ou des sources externes
Coordination internationale	Divisions	Siège social	Supervision minimale par l'entreprise
Administration/implantation			
Rémunération/avantages des expatriés	Ressources humaines- siège social		Souvent des sources externes
Rémunération/avantages des TCN	Ressources humaines- siège social	Régions, succursales	
Uniformisation des impôts	Ressources humaines- siège social ou service des impôts		
Relocalisation	Ressources humaines- siège social ou service de transport		Souvent des sources externes

Source: C. Reynolds, *International HR Magazine*, février 1992. Traduit et reproduit avec l'autorisation du *HR Magazine*, publié par la Society for Human Resource Management, Alexandria, Va.

LES ACTIVITÉS DE GESTION DES RESSOURCES HUMAINES QUI ACCOMPAGNENT LES STRATÉGIES INTERNATIONALES

En ce qui concerne les activités de gestion des ressources humaines, les multinationales font face à des difficultés particulières, dues au fait qu'elles fonctionnent dans une culture, une langue, un système de valeurs et un environnement d'affaires différents de ceux du pays d'origine. Dans les pays où œuvrent les multinationales, plus importants encore sont les problèmes que posent les compétences, les attitudes et la motivation du personnel, les politiques gouvernementales, les lois du travail concernant la rémunération, l'embauche, le congédiement, la syndicalisation et les relations de travail, et enfin, les questions d'éthique, de responsabilité sociale et d'intervention gouvernementale.

Dans les faits

McDonald's fournit un bon exemple d'une entreprise internationale extrêmement prospère. Bien qu'elle soit très décentralisée, son fonctionnement demeure cohérent d'un pays à l'autre. Cette situation est attribuable à son remarquable système de formation (la Hamburger University). Ce dernier, qui vise à donner une formation à l'échelle mondiale, comprend l'envoi de consultants internes dans les diverses unités locales et le transfert de gestionnaires de ressources humaines ainsi que de données. Toutefois, même McDonald's se heurte à des difficultés. Tel a été le cas au moment de la mise sur pied de ses activités en Russie.

Les facteurs internes concernent le style de gestion, qui permet aux administrateurs et aux travailleurs de s'identifier à la philosophie d'entreprise de la multinationale. McDonald's du Canada a mis 14 années à réaliser son projet d'affaires (voir l'étude de cas à la fin de ce chapitre). Dow fournit un autre exemple d'entreprise mondiale. Cette entreprise a mis sur pied un groupe de 11 gestionnaires de haut niveau qui se rencontrent dans le cadre de séances de travail intensives, au cours desquelles ils discutent des modifications à apporter aux avantages sociaux, de questions juridiques, etc.

Le recrutement et la sélection. Cette activité centrale de la gestion internationale des ressources humaines fait intervenir la recherche de candidats potentiels, ainsi que l'évaluation et la prise de décision au sujet des personnes devant être embauchées. Les besoins en main-d'œuvre qui existent dans les multinationales sont différents de ceux que connaissent les entreprises nationales, et le personnel des ressources humaines doit être conscient de ces différences.

Il convient donc d'établir une politique de dotation en personnel dans les multinationales. Des questions comme celles du recrutement et de la sélection des employés autochtones, de même que celles du recrutement et du rapatriement des employés en poste à l'étranger, doivent également être prises en considération. De nombreuses universités ont mis sur pied des écoles internationales destinées à la formation de leurs diplômés en gestion afin qu'ils puissent s'insérer dans le marché mondial. L'Université Queen's, à Kingston, l'Université York, à Toronto, et l'Université de l'Alberta, à Edmonton, ont établi des liens étroits avec les multinationales. L'Université McGill, à Montréal, a récemment créé un conseil consultatif international composé de 12 décideurs du monde des affaires provenant du Canada, des États-Unis et d'Europe, afin de faire de la faculté de gestion de McGill un leader mondial[14].

L'approche ethnocentrique de la dotation requiert du personnel chargé des ressources humaines qu'il trouve les employés pour une assignation à l'étranger et les prépare, et éventuellement leurs familles, aux conditions de vie et de travail qui prévalent dans ce pays[15]. Les gestionnaires de ressources humaines seront responsables de questions comme celles du logement, des activités familiales et de l'éducation. Il est essentiel de bien choisir les candidats et de les préparer adéquatement, car l'échec d'un employé expatrié coûte cher à l'entreprise.

Beaucoup d'entreprises japonaises ont déjà pris de l'expansion sur la scène mondiale. Pourtant, même celles qui ont des activités internationales importantes conservent une attitude plutôt ethnocentrique. Ces entreprises forment leurs propres gestionnaires pour des postes à l'étranger, et le succès de ces gestionnaires expatriés détermine le succès ou l'échec de l'affectation. Un certain nombre d'études montrent qu'un grand pourcentage d'échecs peuvent être attribués à des problèmes familiaux[16]. Aussi est-il essentiel que la famille du candidat soit intégrée au programme préparatoire si l'on veut s'assurer du succès de l'affectation de l'employé à l'étranger.

Dans les faits

IBM est un bon exemple de la façon dont les multinationales peuvent faire un usage efficace de leur personnel. IBM a une politique de recrutement et de formation des employés du pays hôte tant pour des postes de recherche que de gestion. Elle décentralise même la plupart de ses activités de recherche et développement en employant des techniciens, des ingénieurs et des gestionnaires du pays, tout en conservant le contrôle de leur utilisation. Jusqu'à tout récemment, IBM a aussi appliqué une politique d'achats locaux et s'est efforcée d'équilibrer sa balance commerciale dans chaque pays où elle poursuivait des activités. Ses conseils d'administration incluaient des figures nationales du pays hôte, y compris des politiciens, et elle tentait d'agir comme une entreprise socialement responsable dans chacune des nations hôtes. Cette préoccupation géocentrique pour le bien-être social et économique de tous ses gestionnaires et employés s'est traduite par une loyauté extraordinaire du personnel à tous les niveaux, par l'établissement d'excellentes relations entre la direction et les employés et par la création d'une culture d'entreprise commune. Les gestionnaires s'identifient à la mission d'IBM en tant que leader de l'industrie informatique. Ainsi, en partie grâce à sa méthode de gestion des ressources humaines, IBM a réussi à préserver sa portion du marché mondial face à une compétition mondiale de plus en plus féroce[17].

L'approche polycentrique peut émerger de l'approche ethnocentrique au fur et à mesure que les employés du pays d'accueil sont formés pour gérer les filiales locales. Cette solution élimine des problèmes comme les barrières de langue, l'adaptation des travailleurs en poste à l'étranger, etc. Le service de gestion des ressources humaines, qui appuyait ces derniers, soutient et supervise dorénavant les filiales. Il est essentiel que le personnel des filiales ait le sentiment qu'il fait partie intégrante de la société mère. La gestion des ressources humaines peut jouer un rôle à cet égard en effectuant une certaine forme de planification de carrière dans les filiales, de manière à créer un sentiment d'appartenance chez les membres de son personnel.

La dotation géocentrique est celle qui ne tient pas compte des considérations nationales ou identitaires quand vient le temps de faire du recrutement international. Les entreprises mettront l'accent sur l'embauche de personnes compétentes sans égard à leur pays d'origine, et les employés du siège social ne seront donc pas nécessairement favorisés quand viendra le temps de décider d'une promotion ou d'une mutation géographique à un poste plus important. Malgré les coûts engendrés par les mutations internationales, une politique qui favorise la mobilité internationale sert à donner aux cadres une vue d'ensemble de l'organisation et à développer leur leadership international. Dans ce cas, les affectations internationales font partie intégrante de la planification de carrière des cadres des multinationales. L'organisation aura souvent recours à des ressortissants originaires ou résidents d'un pays tiers *(Third country national)* pour occuper un poste dans une filiale de l'entreprise située dans un pays autre que celui du siège social ou du pays d'origine de la personne recrutée. Par exemple, la candidature d'un employé français pour occuper un poste dans une filiale en Afrique du Nord sera retenue par le siège social d'une multinationale canadienne. L'approche régiocentrique consiste à mettre de l'avant une politique régionale qui tient compte de la nationalité des cadres. Les employés des différentes unités pourront être affectés à des postes dans les autres unités de la région, mais rarement à des postes au siège social.

L'évaluation du rendement. L'évaluation du rendement doit, dans une organisation internationale, prendre en considération la compétence des employés, mais elle doit aussi s'intéresser à leurs aptitudes personnelles et interculturelles, à leur sensibilité aux normes et aux valeurs étrangères et à leur capacité de s'adapter à des environnements qui ne leur sont pas familiers. On doit s'assurer que les objectifs organisationnels ont été atteints dans le respect des coutumes et des lois du pays hôte[18]. Les principales caractéristiques des évaluations du rendement effectuées dans les multinationales sont présentées dans l'encadré 17.4.

ENCADRÉ 17.4 Les caractéristiques des évaluations du rendement dans les multinationales

- Accorder de l'importance à la fois au rendement mondial et au rendement de la filiale sur le marché régional.
- Tenir compte du fait qu'on ne peut pas nécessairement comparer les données de filiales différentes, étant donné que les tarifs des importations, les lois du travail et les conditions du marché peuvent déformer les résultats.
- Considérer que le développement d'un marché peut être plus lent et plus difficile pour une filiale selon le soutien qu'elle reçoit de la société mère.

Ainsi, un des problèmes auxquels la direction des employés du McDonald's de Moscou fait face est d'établir des lignes directrices pour l'évaluation du rendement d'employés qui n'ont jamais travaillé dans une organisation démocratique. Les systèmes de production et d'incitation au travail conçus par les entreprises de l'ex-Union soviétique démotivaient les employés, et il en résultait une faible productivité[19].

Pepsi-Cola International a commandé une étude visant à déterminer les facteurs associés au rendement individuel des gestionnaires de ses différentes filiales établies dans le monde. L'équipe chargée de cette tâche a étudié les dossiers de 200 gestionnaires de diverses nationalités, formés dans différentes spécialités, soit 100 qui étaient considérés comme de bons gestionnaires, et 100 autres qui étaient moins bien cotés que les premiers. On a dégagé 11 facteurs pertinents pour mesurer le succès de ces gestionnaires : (1) la gestion de situations complexes ; (2) la motivation et l'orientation vers les résultats ; (3) la gestion du personnel ; (4) la qualité d'exécution ; (5) le sens du jugement ; (6) la capacité de composer avec la pression ; (7) la maturité ; (8) les connaissances techniques ; (9) les rapports interpersonnels ; (10) la capacité de communiquer avec les autres ; et (11) la capacité d'influencer les événements (la capacité de surmonter les obstacles)[20, 21].

Le développement des compétences. Une fois qu'elle a établi une stratégie mondiale, l'entreprise s'applique à choisir des employés qui s'inscrivent dans cette perspective. Les gestionnaires de ressources humaines doivent établir les profils personnels et professionnels requis et trouver les employés qui répondent à ces exigences. Il leur faut ensuite former et éduquer ces employés dans l'environnement culturel du pays hôte et au siège social[22].

De nombreuses organisations ont délaissé la gestion verticale traditionnelle. Les nouvelles structures accordent à tous les gestionnaires une plus grande part de responsabilités. Dans les multinationales, il est important que les gestionnaires de chacun des niveaux soient formés pour des affectations internationales. Les gestionnaires de ressources humaines sont responsables de cette formation, mais ils doivent être conscients que, pour qu'elle soit un succès, cette formation doit comprendre les employés du pays hôte aussi bien que ceux du pays de la société mère.

Les décisions relatives au développement des compétences sont fonction de l'étape à laquelle est parvenue l'entreprise.

À l'étape de l'exportation, l'entreprise peut répondre à un grand nombre de besoins en ayant recours à des groupes ou à du personnel de l'extérieur, par exemple, à des firmes d'import-export, à des représentants ou à des professionnels en poste dans le pays hôte.

Une entreprise ayant des filiales nationales est rendue à une étape où le développement des compétences profite d'abord aux ressortissants du pays de la société mère, puis, après un certain temps, aux ressortissants du pays hôte, qui sont formés pour gérer les entreprises affiliées.

Dans les faits

Lorsque McDonald's s'est installée à Moscou, elle a envoyé les employés embauchés en Russie suivre un stage de formation aux États-Unis. Maintenant, le personnel comprend environ 80 gestionnaires russes et une poignée de gestionnaires provenant du reste du réseau international[23].

Une entreprise parvenue à l'étape régionale doit savoir harmoniser les différences culturelles et géographiques afin de concevoir des stratégies d'ensemble. Habituellement, les cadres supérieurs ont vécu dans diverses parties de la région et, en vertu de la formation reçue, sont aptes à exercer le leadership requis[24]. La clé du succès sur le marché international d'aujourd'hui est la connaissance d'une langue étrangère, l'ouverture aux problèmes environnementaux et une grande compétence interculturelle. En fait, ces préalables sont nécessaires dans tous les cas où l'on désire diriger du personnel diversifié[25].

Dans les faits

Gillette International est une entreprise qui ne pense pas seulement au talent étranger, mais qui le recrute. Grâce à son programme international de formation des diplômés, elle a aidé à cultiver des talents locaux dans les pays en voie de développement où l'entreprise a des filiales. Elle embauche les étudiants doués provenant d'universités prestigieuses et les forme durant six mois pour occuper des postes dans leur propre pays. L'avantage de cette approche est que les employés sont familiers avec la culture, la langue et autres particularités de leur pays. La clé du succès est ici la formation.

Dans le cadre d'une multinationale qui poursuit des objectifs mondiaux variés, le service des ressources humaines doit mettre l'accent sur le partage de l'information concernant les tendances économiques, sociales, politiques et technologiques. Il doit aussi encourager la collaboration entre les équipes poursuivant des activités commerciales connexes, entre les divers services et entre les nations et les régions.

Avec l'avènement du libre-échange en Amérique du Nord, les services de ressources humaines doivent aussi s'efforcer de recycler les employés qui perdent leur emploi. Les entreprises nord-américaines qui se relocalisent trop rapidement ont parfois à subir des poursuites judiciaires.

La rémunération. Dans une entreprise d'envergure mondiale, la rémunération représente l'un des plus grands défis que l'équipe des ressources humaines doive relever. Une gestion efficace de la rémunération et des avantages sociaux requiert une bonne connaissance des lois, des coutumes, de l'environnement et des pratiques d'embauche des pays étrangers. Il faut prendre ces facteurs en considération, tout en gardant à l'esprit les pratiques financières et juridiques, ainsi que les coutumes qui s'appliquent au siège social[26]. Les objectifs que vise la rémunération dans un contexte international sont présentés dans l'encadré 17.5.

Le défi qui se pose, pour le gestionnaire des ressources humaines, n'est pas seulement de savoir comment fonctionner dans l'économie mondiale, mais comment traiter chacun équitablement. L'entreprise doit, par exemple, pouvoir s'engager à replacer les travailleurs s'il devient nécessaire, en période de ralentissement économique, de relocaliser certaines de ses installations[27].

Une foule de problèmes surgissent lorsqu'une entreprise passe d'un cadre de rémunération national à un cadre de rémunération international, mais deux d'entre eux

ENCADRÉ 17.5 Les objectifs visés par la rémunération dans un contexte international

Elle doit être juste et cohérente dans le traitement de tous les employés, quelle que soit la catégorie à laquelle ils appartiennent. Tous doivent constater qu'ils sont traités de façon équitable.

- Elle doit attirer et retenir les employés clés.
- Elle doit faciliter le transfert d'employés de la façon la plus rentable possible pour la multinationale.
- Elle doit motiver les employés.

sont particulièrement importants. D'abord, les questions de rémunération doivent être posées dans la perspective des stratégies à long terme d'une multinationale ; ensuite, ces programmes doivent favoriser la compétitivité internationale de celle-ci.

L'encadré 17.6 établit une comparaison entre les rémunérations d'employés travaillant respectivement à Toluca, au Mexique, à Thurso, au Québec, et à Sterling Heights, aux États-Unis.

Les relations du travail et les droits des employés. Les études concernant les pratiques en matière de relations du travail des multinationales adoptent dans la plupart des cas une perspective macro-économique ou comparative. Bien qu'il existe très peu de recherches examinant les pratiques de relations du travail des entreprises, elles permettent tout de même de cerner plusieurs aspects stratégiques des relations du travail à l'échelle internationale, notamment ceux qui se rapportent au rôle des syndicats[28].

Les syndicats peuvent influer sur les choix des multinationales de trois manières : (1) en faisant en sorte que les salaires atteignent un niveau tel que les structures de coûts ne sont plus concurrentielles ; (2) en limitant la capacité des multinationales de modifier les niveaux d'emploi à volonté ; (3) en empêchant l'intégration des activités mondiales des multinationales[29, 30].

Les syndicats ont un pouvoir considérable en Allemagne, en Espagne et en Suède, alors que leur influence tend à diminuer en France et en Grande-Bretagne.

ENCADRÉ 17.6 Comparaison entre les conditions d'emploi d'un soudeur au Canada, aux États-Unis et au Mexique en 1992

	TOLUCA, MEXIQUE	STERLING HEIGHTS, ÉTATS-UNIS	THURSO, CANADA
Travail	Soudeur	Soudeur	Soudeur
Salaire	1,75 $/h	16,00 $/h	18,61 $/h-23,53 $/h
Avantages sociaux	Programme de partage de profits obligatoire ; paie de vacances supplémentaire ; prime équivalente à un mois de salaire à Noël	vacances payées ; soins médicaux complets ; protection du revenu en cas de chômage	vacances payées ; soins médicaux complets ; protection du revenu en cas de chômage
Ancienneté	5 ans	17 ans	1-6 ans
Niveau de formation	élémentaire	secondaire	élémentaire

Consultez Internet

http://www.union-network.org

Site de l'International Federation of Commercial, Clerical, Professional and Technical Employees. Regroupement international existant depuis janvier 2000. Son siège social est situé en Suisse.

Ces changements résultent de l'intégration des différentes pratiques de ressources humaines en Europe. Par exemple, en France, on commence seulement à s'écarter de la méthode traditionnelle et à admettre la nécessité de mesurer, de comparer et d'évaluer les postes dans l'organisation, ou de recourir à l'évaluation de postes en tant que base d'une gestion plus large des ressources humaines.

Le nouveau système de règles et de règlements en Europe sera soumis à la Charte des droits sociaux de la Communauté européenne (encadré 17.7).

ENCADRÉ 17.7 La Charte des droits sociaux de la Communauté européenne

Cette charte comprend 19 droits fondamentaux soit:

Art. 1   Droit au travail
Art. 2   Droit à des conditions de travail équitables
Art. 3   Droit à la sécurité et à l'hygiène dans le travail
Art. 4   Droit à une rémunération équitable
Art. 5   Droit syndical
Art. 6   Droit de négociation collective
Art. 7   Droit des enfants et adolescents à une protection particulière
Art. 8   Droit des travailleurs à la protection
Art. 9   Droit à l'orientation professionnelle
Art. 10 Droit à la formation professionnelle
Art. 11 Droit à la protection de la santé
Art. 12 Droit à la sécurité sociale
Art. 13 Droit à l'assistance médicale
Art. 14 Droit au bénéfice des services sociaux
Art. 15 Droit à la réadaptation pour les personnes physiquement diminuées
Art. 16 Droit à la protection sociale et économique de la famille
Art. 17 Droit de la mère et de l'enfant à la protection économique et sociale
Art. 18 Droit à l'exercice d'une activité rémunératrice sur le territoire d'une autre partie contractante
Art. 19 Droit des travailleurs migrants et de leur famille à la protection et à l'assistance

Source: G. Lyon-Caen et A. Lyon-Caen, *Droit social international et européen*, 7e édition, Paris, Précis Dalloz,1991, p. 139-142.

IV Le rôle des employés affectés à l'étranger et les pratiques de GRH qui accompagnent les mutations internationales[31]

É tant donné l'importance de la gestion de la mobilité à l'échelle internationale, en particulier dans les premières étapes de l'internationalisation des activités, nous examinerons dans cette section le rôle que jouent, au sein des multinationales, les employés affectés à l'étranger, leurs difficultés d'adaptation au nouveau contexte de travail et les pratiques susceptibles de les aider à réaliser leur mission internationale.

REVUE DE PRESSE

Les grandes entreprises ont tout avantage à gérer efficacement les transferts de leur personnel

Michel
De Smet

Dans le contexte de mondialisation des marchés et d'efficacité accrue de la productivité de la main-d'œuvre, la mobilité du personnel est devenue un impératif incontournable pour la grande entreprise.

Sortir des employés de leur environnement géographique de travail pour les envoyer dans une succursale à l'étranger, ou encore déplacer un employé-cadre du siège social vers une unité de production située en zone rurale, occasionnent généralement des coûts considérables tant pour les salariés que pour leurs employeurs.

« Les montants sont suffisamment importants pour inciter les entreprises à mettre en place une gestion des transferts de leur personnel », a fait observer Monique Joyal.

« Une mutation mal assumée par le travailleur ou insuffisamment préparée par l'employeur peut avoir des effets néfastes considérables sur le rendement du personnel transféré. »

Après avoir passé une quinzaine d'années à l'emploi de diverses sociétés de consultants en ressources humaines, Mme Joyal a décidé récemment de créer à Montréal sa propre entreprise, Monique Joyal Services-Conseils.

« Au fil des ans, j'ai exécuté nombre de mandats en transition de carrière et en *coaching* auprès de grandes entreprises et institutions comme le Trust Général du Canada, Ispat Sidbec ou encore le gouvernement du Québec. »

« C'est ainsi que j'ai découvert l'importance de la gestion des transferts de personnel. Une dimension presque totalement négligée par les professionnels des ressources humaines. »

Mme Joyal a pu ainsi prendre conscience des dépenses importantes que les entreprises engagent lors de la mutation de leurs travailleurs vers d'autres divisions de l'entreprise.

Les enjeux financiers sont également le lot des salariés transférés. Ainsi, en changeant de lieu géographique de travail, ceux-ci pourront être confrontés à un coût de la vie plus élevé, à des traitements fiscaux différents ou encore à une perte sur la valeur de leur résidence actuelle en cas de vente précipitée.

De plus, les coûts ne sont pas que financiers. De fait, un employé qui vit difficilement sa mutation donnera généralement un rendement médiocre dans sa nouvelle fonction. Sans compter qu'il aura sans doute la tentation de véhiculer dans son entourage de travail une image très négative de son expérience de transfert, au point de démotiver ses collègues susceptibles de vivre une situation semblable.

Informer dès l'embauche

Au dire de Mme Joyal, une saine gestion du transfert suppose que l'entreprise clarifie la situation dès l'embauche. Le travailleur devrait immédiatement être mis au courant de la possibilité de mutations et être préparé à les vivre positivement.

« Les compagnies responsables devraient être prêtes à soutenir leur personnel à tous les stades du transfert et de l'implantation dans leur nouvelle affectation. Elles pourraient aussi valoriser régulièrement les aspects positifs d'un transfert auprès de l'ensemble de son personnel. »

Mme Joyal suggère même aux entreprises de consigner des informations actualisées sur les employés les plus susceptibles de vivre des situations de transfert. D'autant plus que certains apparaissent d'emblée plus mobiles, alors que d'autres, particulièrement les travailleurs en fin de carrière, peuvent avoir une grande motivation à retourner dans leur région d'origine éventuellement loin d'un grand centre urbain.

« Actuellement, Alcan représente mon principal client en gestion du transfert. Comme on le sait, la compagnie dispose de centres de production dans tout le Canada et les mutations se produisent sur une base intensive. Il y a une volonté dans l'entreprise de préparer le personnel au transfert exactement comme d'autres offrent à leurs salariés des cours de préparation à la retraite. »

Dans sa démarche spécifique de conseillère en gestion du transfert de la main-d'œuvre, Mme Joyal propose à l'entreprise – ou à des clients individuels – quatre rencontres d'une demi-journée auxquelles sont conviés la personne candidate au transfert ainsi que sa conjointe ou son conjoint. Le but est de provoquer une réflexion conjointe permettant de mieux clarifier les enjeux et les motivations du transfert.

Source : Les Affaires, *31 janvier 1998.*

LE RÔLE DES EMPLOYÉS AFFECTÉS À L'ÉTRANGER

Dans les faits

Chez Holderbank et Ciment Saint-Laurent, un programme qui s'appelle HIMP (Holderbank international management program) a été instauré. Ce programme vise quatre objectifs :

- Donner une vision globale aux futurs dirigeants en favorisant une expérience internationale au sein des entreprises membres du groupe.

- Favoriser le développement de gestionnaires internationaux tôt en début de carrière.

- Assurer le transfert des meilleures pratiques de gestion à l'intérieur du groupe, étant donné que les affectations internationales servent à transférer les connaissances.

- Offrir une carrière internationale ce qui augmente la capacité de l'entreprise d'attirer des employés compétents qui souhaitent mener une carrière internationale et constitue un avantage concurrentiel en termes de recrutement.

Source : A. Cloutier et S. Baichoo, « Le HIMP, un plan de carrière pour nos futurs dirigeants », *Effectif*, vol. 4, n° 1, 2001, p. 38-40.

Les cadres internationaux sont généralement désignés par une entreprise pour occuper un poste dans une unité d'affaires ou une filiale à l'étranger. L'affectation internationale implique donc un déplacement géographique d'une durée déterminée qui, dans la plupart des cas, varie entre six mois et trois ans.

Les carrières internationales devraient croître en nombre, puisque la nécessité d'élargir les horizons d'affaires touche de plus en plus les petites et les moyennes entreprises et n'est plus seulement l'apanage des multinationales. Parmi les perspectives internationales de carrière, les écrits nous permettent de recenser divers rôles majeurs que les cadres peuvent être appelés à jouer et qui ne s'excluent pas les uns les autres. Parmi ces nombreux rôles, celui de contrôleur des opérations internationales est souvent mentionné[32]. Un deuxième rôle, plus commun, attribue aux cadres la responsabilité de transférer l'expertise de la société mère vers la nouvelle filiale[33]. À ces deux rôles s'ajoutent les missions d'expansion. Ainsi, les cadres peuvent se voir dotés de la responsabilité d'assumer le développement organisationnel des unités d'affaires ou encore être chargés du développement de nouveaux marchés[34]. Un quatrième rôle de coordination consiste à maintenir les liens et les échanges entre la société mère et les différentes unités d'affaires lorsque les activités internationales sont déjà bien établies (c'est ce qui se produit au sein d'entreprises telles que ABB et Nestlé)[35]. Transférer la culture organisationnelle dans le pays hôte de la multinationale compte parmi les rôles attribués à des cadres travaillant dans des organisations transnationales. Des compagnies comme AT&T, Motorola, Johnson and Johnson et PepsiCo, par exemple, vantent les mérites d'une culture d'entreprise forte qui vient réduire les différences culturelles existant entre les pays[36, 37].

Si les perspectives de carrière internationale déjà proposées sont les plus traditionnelles, d'autres formes sont en émergence. Derr et Oddou[38] attribuent aux cadres internationaux deux fonctions majeures. D'une part, les cadres sont assignés à une mission internationale pour régler un problème (forme plus traditionnelle) et, d'autre part, il y a ceux qui acceptent des affectations internationales dans le but d'orienter leur carrière et d'accéder à des postes hiérarchiquement plus élevés. L'objectif premier de l'affectation consiste à acquérir de nouvelles habiletés et connaissances que les cadres utiliseraient dans l'exercice de leurs fonctions dès leur rapatriement au siège social. Dans ce même ordre d'idées, l'acquisition d'une mentalité internationale compte aussi parmi les rôles en émergence[39, 40, 41].

LES DIFFICULTÉS D'ADAPTATION OBSERVÉES DANS LES AFFECTATIONS INTERNATIONALES

Qu'il s'agisse d'une forme d'expatriation ou d'une autre, les cadres internationaux réussissent dans leur mission dans la mesure où ils parviennent à maîtriser les opérations qui se déroulent dans le pays d'accueil, à s'adapter au nouveau contexte culturel, à transférer leurs connaissances et à ressentir une certaine satisfaction relativement à leur mission[42]. Une mauvaise adaptation entraîne une baisse de performance, un échec de la mission qui peut occasionner un retour prématuré ou une démission[43]. À cela, il faut ajouter que la plupart des écrits portant sur l'adaptation des cadres à une carrière internationale font état de l'importance de la satisfaction au travail en tant que facteur susceptible d'accroître la performance au travail, d'inciter les cadres à accomplir leur mission et d'augmenter leur propension à en accepter d'autres[44].

Les écrits qui examinent les difficultés d'adaptation vécues par les cadres internationaux s'accordent pour admettre que ces problèmes ne sont pas ressentis de la même manière par tous les cadres. En fait, une panoplie de caractéristiques individuelles facilitent ou entravent l'adaptation des cadres à leur affectation internationale.

LES ACTIVITÉS DE GESTION DES RESSOURCES HUMAINES QUI TOUCHENT LES AFFECTATIONS INTERNATIONALES

Il y a six grandes catégories de pratiques destinées à préparer les cadres aux affectations internationales : les pratiques de communication précédant l'affectation, les pratiques de formation, le mentorat, les programmes d'accueil et de socialisation, les pratiques d'évaluation et les pratiques de rémunération.

La communication à propos de l'affectation. Cette activité, qui se déroule généralement avant que l'employé accepte l'affectation, revêt un caractère particulièrement important. Parmi les pratiques de communication, notons celles qui visent à donner des informations relativement au pays d'accueil, aux tâches à accomplir et aux objectifs stratégiques de l'entreprise. À celles-ci s'ajoute la possibilité offerte au cadre, et idéalement à sa famille, d'entreprendre un voyage d'exploration dont l'objectif est d'accélérer son adaptation en le familiarisant avec certains aspects du pays d'accueil[45].

Les pratiques de formation. Elles figurent parmi les pratiques qui enseignent au cadre la manière de traiter, d'établir des relations d'affaires et de négocier avec les employés et les divers intervenants du pays d'accueil (fournisseurs, agents gouvernementaux, clients, etc.). La formation interculturelle se charge généralement d'initier les cadres aux caractéristiques culturelles et religieuses, aux coutumes et aux habitudes de vie qui distinguent le pays d'origine du pays d'accueil[46]. Cette formation a pour but s'expliquer aux cadres les différences culturelles existant entre le pays d'origine et le pays d'accueil et à les aider à communiquer avec les ressortissants du pays d'accueil. Finalement, la formation linguistique procure aux cadres une connaissance suffisante de la langue du pays d'accueil pour qu'ils puissent y fonctionner efficacement[47] (encadré 17.8).

Le mentorat. Deux types de mentorat sont évoqués dans les écrits portant sur la gestion internationale des ressources humaines. Le premier type fait référence à la désignation d'un mentor au siège social. Ce dernier a pour mandat de conseiller le cadre dans l'exercice de ses fonctions et de le tenir au courant des derniers changements survenus au siège social. Idéalement, le mentor est un cadre supérieur ayant

ENCADRÉ 17.8 Les pratiques de formation destinées aux employés mutés dans un pays étranger

Formation linguistique	lecture, écriture, langage parlé, expressions locales
Formation technique	gestion de crises, rapport avec les partenaires d'affaires du pays d'accueil, utilisation du rapport de force, établissement de relations basées sur la confiance, construction d'un réseau de contacts avec des fournisseurs, des clients, etc., attentes des consommateurs locaux, différences entre les styles de gestion des différents pays, relations corrompues avec des partenaires ou les gouvernements (pots de vin, etc.)
Formation interculturelle	gestion du choc culturel, nouveau style de vie, différences majeures entre le pays d'accueil et le pays d'origine, rapports de travail avec les ressortissants du pays d'accueil, scénarios d'adaptation expérimentés par d'autres cadres expatriés, environnement religieux, risques de mésentente résultant des différences culturelles, rapports avec le gouvernement local, lois du pays d'accueil
Formation sur des aspects généraux	histoire du pays d'accueil, comportements appropriés et comportements inadmissibles, historique des activités dans le pays d'accueil, et culture organisationnelle
Formation sur des aspects particuliers	introduction à l'environnement de travail, attentes par rapport aux collègues du pays d'accueil, histoire des relations entre la filiale et la maison mère
Formation destinée à la famille	formation interculturelle destinée à l'épouse, formation interculturelle destinée aux enfants

Source: Adapté de R. Chua et T. Saba, « The Effectiveness of Cross-Cultural Practices in International Assignments », *Globalization: Impact on Management Education, Research and Practices*, Actes de l'*International Federation of Scholarly Associations of Management (IFSAM)*, Madrid, 1998, publié sur CD-ROM, Madrid, Diaz de Santos.

lui-même acquis antérieurement une expérience internationale[48, 49]. Le second type de mentorat consiste à assigner un mentor dans le pays d'accueil. Une personne choisie parmi les cadres locaux agit à titre de conseiller autant en ce qui concerne les activités dans le pays d'accueil que les relations interpersonnelles avec le personnel local[50].

Les programmes d'accueil et de socialisation. Si les programmes d'accueil et de socialisation sont des pratiques dont les retombées sont profitables lors de toute affectation à un nouveau poste (embauche, promotion, transfert, etc.), ils revêtent une importance accrue quant il s'agit d'une affectation internationale. Les programmes d'accueil et d'orientation sont alors étendus à des activités qui visent à faire connaître les aspects culturels et touristiques du pays d'accueil[51]. Les pratiques de socialisation permettent également au cadre international de se bâtir un réseau social avec des familles d'expatriés établies dans le pays ou encore avec des cadres locaux. Souvent, ces activités fournissent aux cadres expatriés ainsi qu'à leur famille un soutien moral, mais elles les renseignent aussi sur divers aspects de la logistique (approvisionnement, système de transport, etc.) du pays d'accueil[52].

Les pratiques d'évaluation. Elles permettent de déceler les problèmes et les difficultés d'adaptation qui surviennent et d'y remédier. L'évaluation du cadre international peut se faire en fonction de deux dimensions : la première est celle de son adaptation culturelle et sociale dans le pays d'accueil, et la deuxième touche sa performance dans l'exercice de ses fonctions[53].

Les pratiques de rémunération des employés affectés à l'étranger. La question la plus fréquente, et il s'agit habituellement de la première que posent les cadres de multinationales concernant la gestion des ressources humaines est la suivante : « Comment allons-nous payer les employés que nous envoyons à l'étranger pour établir nos affaires outre-mer ? » Dans la plupart des cas, personne dans l'entreprise ne connaît la réponse et chacun y va de sa suggestion. Après un certain temps, la multinationale s'enquiert des modalités salariales auprès d'autres entreprises, pour ensuite passer les premières ententes de rémunération à l'essai. Le type de dépenses à prévoir à l'occasion d'affectations internationales sont présentés dans l'encadré 17.9.

ENCADRÉ 17.9 Le type de dépenses à prévoir lors de mutations internationales

1. Les biens et services – nourriture, soins de santé, vêtement, etc.
2. Le logement.
3. Les impôts.
4. Les retenues : l'épargne, les contributions au régime de retraite, etc.
5. L'expédition et l'entreposage des biens personnels.

Le climat économique change si rapidement que la gestion des ressources humaines doit être créatrice et mettre au point des modes de rémunération diversifiés. L'approche par bilan est le système le plus utilisé pour pondérer le pouvoir d'achat des employés sans égard au pays où ils travaillent[54].

Les multinationales doivent faire à leurs gestionnaires en poste à l'étranger des offres globales de rémunération qui sont concurrentielles à tous les égards, en termes de salaire, d'impôt, d'avantages sociaux et de rentes. En raison de la charge financière que représente la rémunération des employés expatriés, de plus en plus d'entreprises s'établissent elles-mêmes dans ces pays pour tirer avantage du personnel local et éviter de devoir assumer une partie des dépenses énumérées.

Un autre aspect du problème financier qui se pose à une entreprise en expansion ou ayant décidé de déménager dans un autre pays et qui doit réduire son personnel concerne les primes de séparation. Dans ce cas, les gestionnaires des ressources humaines doivent suivre les politiques de l'entreprise tout en prenant les aspects juridiques en considération.

Consultez Internet

http ://www.wmmercer.com/

http ://www.runzheimer.com

Sites fournissant des informations sur le coût de la vie, la rémunération et les avantages sociaux concernant le personnel affecté à l'étranger.

Il est arrivé que des entreprises nord-américaines résilient les contrats de gestionnaires en ne leur accordant que quelques semaines de salaire, alors que, dans la plupart des pays européens, la loi prévoit des primes élevées en cas d'annulation de contrats.

V La gestion du rapatriement[55]

La gestion du rapatriement revêt une importance capitale, puisque c'est l'activité qui permet à l'entreprise de développer ses compétences sur le plan international en s'appuyant sur des employés qui ont vécu des expériences internationales. Cette section examinera les problèmes liés au rapatriement, la nécessité de s'en préoccuper et les moyens organisationnels qui permettent de le faire.

LES PROBLÈMES VÉCUS LORS DU RAPATRIEMENT

Les écrits portant sur le phénomène du rapatriement font référence à deux types de problèmes vécus par les employés lorsqu'ils sont de retour au pays d'origine à la suite d'une affectation internationale. On observe, d'une part, des problèmes professionnels qui ont trait directement à l'emploi occupé par l'employé au retour et, d'autre part, des problèmes personnels qui sont d'ordre familial, pécuniaire ou encore psychologique (encadré 17.10).

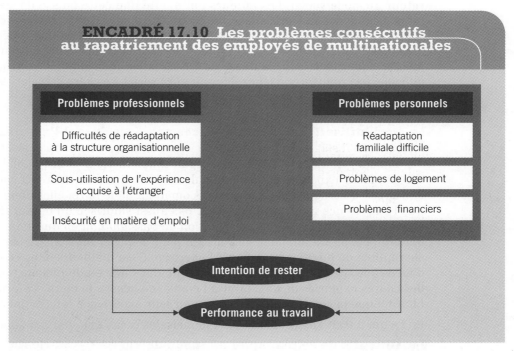

ENCADRÉ 17.10 Les problèmes consécutifs au rapatriement des employés de multinationales

Problèmes professionnels
- Difficultés de réadaptation à la structure organisationnelle
- Sous-utilisation de l'expérience acquise à l'étranger
- Insécurité en matière d'emploi

Problèmes personnels
- Réadaptation familiale difficile
- Problèmes de logement
- Problèmes financiers

Intention de rester

Performance au travail

Source: Adapté de T. Saba et R. Chua, «Gérer la mobilité internationale: problème de rapatriement et pratiques de gestion», *International Management*, vol. 3, n° 2, 1999, p. 57-68.

Parmi les problèmes professionnels, on a repéré trois problèmes principaux: l'insécurité face à l'octroi d'un poste convenable au retour, la difficulté de se réadapter à la structure de la société mère, et la sous-utilisation des compétences acquises durant l'assignation internationale.

L'insécurité face à l'octroi d'un poste convenable au retour. L'acceptation d'une assignation internationale risque de nuire à la carrière que les cadres mènent au siège social. On a rapporté dans une étude empirique que 56 % des répondants étaient d'avis qu'une assignation internationale n'avait aucun effet ou avait un effet négatif sur leur carrière[56]. Dans ce même ordre d'idées, Mendenhall et Oddou[57] ont estimé que moins de 25 % des cadres avaient un emploi assuré à leur retour. Or, le fait de devoir faire face à cette insécurité constitue l'une des raisons principales qui découragent la mobilité des cadres et restreignent le bassin des candidats performants susceptibles d'accepter des postes à l'étranger.

Contraintes de trouver des solutions de dernière minute, les entreprises affectent souvent les cadres rapatriés à des postes temporaires ne comportant pas de responsabilités claires[58]. Ce type d'emplois intérimaires augmentent le sentiment d'insécurité de ces cadres et les démotivent, d'autant plus qu'ils rentrent au pays après avoir occupé des postes assortis de défis importants ou après avoir réussi de bonnes affaires pour la compagnie, souvent dans des conditions difficiles.

La difficulté de se réadapter à la structure de la société mère. Planifier le retour des cadres de l'étranger en leur assignant un poste au siège social n'est pas une solution garante du succès du rapatriement. D'autres problèmes sont susceptibles de surgir. Black et Gregersen ont noté que 46 % des employés rapatriés ont été affectés négativement par la réduction de leur autonomie au travail[59]. Dans cette même étude, les auteurs ont rapporté que 77 % des cadres ont, en fait, connu une rétrogradation, alors que seulement 11 % ont fait l'objet d'une promotion à leur retour au siège social. Les auteurs ont ajouté que cette baisse de statut social a influé négativement sur la réadaptation au travail des cadres revenus de l'étranger et a montré qu'il était peu intéressant d'enrichir sa carrière d'une expérience internationale[60]. Dans le même ordre d'idées, les cadres ayant été libérés d'une structure hiérarchique rigide pour la durée de l'assignation internationale ont souvent de la difficulté à la réintégrer à leur retour au siège social. Le cadre doit alors se réhabituer au contrôle rigoureux exercé par plusieurs supérieurs hiérarchiques et aux contacts directs avec eux[61].

La sous-utilisation des compétences acquises durant l'assignation internationale. Il s'agit là d'un problème commun aux cadres rapatriés. Ces derniers s'attendent généralement à ce que l'organisation mette à contribution leurs compétences et leur expérience internationales dans le but d'accroître sa compétitivité à l'étranger[62]. Lorsque les organisations omettent de le faire, elles donnent à penser que l'expérience internationale n'est pas aussi valorisée qu'on aurait pu le faire croire aux cadres avant leur acceptation de l'assignation en question. Or, ceux qui ont vécu l'expatriation l'ont souvent fait pour acquérir une expérience à l'étranger susceptible de bonifier leur plan de carrière. C'est d'ailleurs dans ce même ordre d'idées que Gregersen et Black[63] affirment, dans une étude récente, que la volonté des cadres expatriés de demeurer à l'emploi de la société mère est fortement liée à l'intérêt que la compagnie manifeste pour leur expérience internationale.

En ce qui a trait aux problèmes personnels, les écrits font état des suivants.

La difficulté de se réadapter au mode de vie nord-américain. La difficulté de réintégrer le pays d'origine est souvent assimilée à l'expérience vécue lors du séjour à l'étranger, soit l'adaptation au pays d'accueil. Or, ce problème affecte autant les cadres rapatriés que leur famille[64].

La difficulté de renoncer au style de vie adopté dans le pays d'accueil. Certaines études ont noté la difficulté qu'éprouvent les cadres rapatriés à renoncer à certains privilèges et à certaines habitudes acquises lors de leur séjour à l'étranger. En effet, le style de vie mené généralement par les cadres expatriés est souvent assorti de certains privilèges sociaux (résidence payée, compte de dépenses, réceptions, aide à domicile, etc.). Or, une fois qu'ils sont de retour au siège social, ces cadres sont privés de ces privilèges, ce qui n'est pas sans avoir un effet sur leur niveau de vie[65].

Les difficultés financières et les problèmes de logement. Le même phénomène est susceptible de se reproduire en ce qui a trait aux conditions de résidence. Dans le pays d'accueil, ces dernières ont souvent été supérieures à celles que les expatriés ont connues dans leur pays d'origine[66]. À cela, il faut ajouter que certains cadres qui ont accepté des assignations plus longues ont dû vendre leur maison. À leur retour, ils ont la préoccupation de devoir en acquérir une nouvelle dans des conditions économiques qui ont vraisemblablement changé. Ainsi, le rapatriement suscite des problèmes de logement auxquels sont associés des ennuis financiers qui constituent une source de stress et d'insatisfaction pour les cadres rapatriés.

LA NÉCESSITÉ DE SE PRÉOCCUPER DU RAPATRIEMENT

Le saviez-vous ?

Un plus grand nombre d'hommes que de femmes acceptent la mobilité pour des raisons d'ordre financier, alors que plus de femmes que d'hommes optent pour la mobilité en raison des pratiques visant le soutien et la socialisation et assurant les conditions du rapatriement[67].

Dans le but de formuler et de mettre en œuvre des stratégies de mondialisation, les entreprises doivent chercher à retenir les cadres dotés de compétences en gestion pour les affecter à l'étranger. Les entreprises internationales déploient de grands efforts pour gérer l'expatriation et garantir le succès des cadres internationaux dans leur mission à l'étranger, mais elles laissent de côté la gestion du rapatriement, qui fait pourtant partie intégrante du processus de gestion de la mobilité internationale[68]. Depuis ces dernières années, de plus en plus d'auteurs soulignent la nécessité de retenir les cadres expatriés une fois qu'ils sont de retour au siège social, en se préoccupant de leur carrière et en les réintégrant dans des postes dans lesquels leurs compétences acquises à l'étranger sont utilisées à bon escient[69]. La gestion du rapatriement devient alors essentielle puisqu'elle concourt au développement du leadership international au sein des organisations et contribue à l'élaboration des stratégies internationales[70, 71, 72]. En assurant une gestion adéquate du rapatriement des cadres, l'entreprise montre l'importance qu'elle accorde à l'expérience acquise à l'étranger, suscite la création d'une culture internationale et encourage les employés à accepter plus facilement des assignations internationales[73, 74].

LES ACTIVITÉS DE GESTION DES RESSOURCES HUMAINES QUI FACILITENT LE RAPATRIEMENT

La recension des écrits permet de diviser les activités qui visent à gérer le rapatriement en deux grands groupes. D'une part, on trouve les activités de gestion qui s'adressent aux cadres expatriés avant leur retour au siège social et, d'autre part, celles dont ils peuvent bénéficier après leur retour.

Dans le premier groupe d'activités, les pratiques qui visent à garder les cadres en contact avec la société mère et celles qui visent à planifier et à gérer la carrière au retour sont le plus souvent mentionnées dans la littérature comme ayant un effet sur l'adaptation[75] des cadres et leur performance au travail. Les auteurs qui ont traité des théories d'adaptation ont affirmé que les individus s'habituent le mieux à un nouvel environnement de travail lorsqu'ils réussissent à réduire l'incertitude qu'ils ressentent face à ce nouveau milieu. Pour y réussir, les cadres doivent disposer de l'information pertinente sur les enjeux, les défis à affronter, les actions à entreprendre, etc. Or, si les organisations se sont penchées sur la question de l'information avant le départ des cadres, elles ont, par contre, beaucoup moins mis l'accent sur l'information à transmettre lors du rapatriement, le fait de se préoccuper d'une personne qui réintègre son pays d'origine apparaissant plutôt comme une opération banale. Or, la rapidité avec laquelle les contextes changent est si grande aujourd'hui qu'elle risque de faire perdre aux cadres qui sont tenus à l'écart tout contact avec la réalité organisationnelle de la société mère.

Quant aux activités de soutien destinées aux cadres à leur retour au pays d'origine, elles prennent la forme d'activités comparables à l'accueil et à la socialisation prévus pour les employés nouvellement embauchés ou encore sont constituées de pratiques d'aide pécuniaire qui permettent d'aider les cadres à s'acheter une nouvelle maison[76]. Les pratiques de planification financière, de counseling ou les activités au cours desquelles les cadres ont l'occasion de faire part de leurs frustrations et de leurs inquiétudes sont également des pratiques ayant pour effet de mieux intégrer les cadres rapatriés. Prévoir une période de réadaption pour permettre aux cadres de s'accoutumer au nouveau contexte de travail ainsi que des séances de travail durant lesquelles on permet le partage de l'expérience internationale avec des collègues de la société mère comptent également parmi les pratiques de gestion du rapatriement.

REVUE DE PRESSE
La planète dans son bureau

Carole Beaulieu

SNC-Lavalin a joué la carte internationale. Son p.-d. g. rêve en espagnol et ses troupes viennent aujourd'hui des quatre coins du monde.

Né en 1934 à Windsor, au Québec. Diplômé en génie civil de l'Université Laval. Maîtrise en sciences de l'Université de Londres. Officier du génie dans l'armée canadienne. Ministre de l'Éducation (1970-1972) puis de l'Industrie et du Commerce (1972-1976) dans le gouvernement Bourassa. En 1991, il procède au redressement de la firme SNC, qu'il fusionne avec Lavalin, créant ainsi la 10e firme de génie en importance au monde. Nommé p.-d. g. canadien de l'année en 1994 pour ses réalisations exceptionnelles en affaires.

Adolescent, Guy Saint-Pierre s'était promis de ne plus se lever à 5h30 du matin lorsqu'il serait un adulte. « J'ai 61 ans, et je me lève encore à 5h30 constate-t-il avec philosophie. Dans le temps, c'était pour la messe. Maintenant, c'est pour prendre l'avion. »

Et en 1995, Guy Saint-Pierre a pris l'avion plus que jamais, de l'Europe à la Malaysia, de la Turquie à l'Indonésie. SNC-Lavalin, née en 1992 de la fusion des deux fleurons du génie québécois, SNC et Lavalin, est aujourd'hui la 10e firme de génie en importance au monde ! Nommé président-directeur général de l'année au Canada en 1994, l'ex-officier du génie militaire aurait pu se reposer sur ses lauriers. Il a plutôt intensifié le processus d'« internationalisation » de l'entreprise du boulevard René-Lévesque, à Montréal. « Il ne s'agit plus seulement d'envoyer nos ingénieurs à l'étranger, mais de devenir chinois ou indonésien », insiste-t-il.

Un nouveau bureau a été ouvert à Singapour. Ceux de Taipei et de Jakarta ont pris de l'expansion. En Indonésie, on projette d'acheter une filiale comme on l'a fait au Chili en 1994 avec Byr Ingeniria y Construccion, une entreprise de Santiago spécialisée en mines et métallurgie. « Les choses ne sont pas toujours simples lorsqu'un Belge téléphone à un Chinois, un Chilien à un Français ; un oui veut parfois dire non, vice versa… Mais c'est la voie de l'avenir », dit Saint-Pierre.

Chez SNC-Lavalin, on reçoit une centaine de curriculum vitæ par jour et on porte désormais une attention particulière aux postulants qui maîtrisent une troisième langue. « C'est comme le MBA il y a 20 ans, dit le p.-d. g. Ça permet à un candidat de se démarquer d'un autre. » Lui-même a tellement pioché son espagnol l'an dernier qu'il en rêvait la nuit.

Si les ingénieurs québécois ont une longueur d'avance dans la négociation du contrat de 90 millions de dollars du métro aérien à Karachi, au Pakistan, c'est beaucoup grâce aux alliés turcs et pakistanais d'Indus Mass Transit Co., le consortium formé par les Québécois.

Dans 10 ans – si la tendance se maintient ! –, 50 % du personnel de SNC-Lavalin vivra à l'extérieur du Québec. Aujourd'hui, environ 3 000 des 5 000 employés sont au Québec, 1 000 dans le reste du Canada, 400 en Europe et 600 ailleurs sur la planète. « Au moment où on se parle, trois de mes chefs de projets doivent être en train de signer des contrats, et j'espère qu'ils ne me téléphoneront pas pour me demander mon avis. La décentralisation, c'est aussi bon pour les entreprises. »

Au début de 1995, Saint-Pierre a procédé à une profonde restructuration de sa firme, créant un « bureau du président » formé de cinq membres. Chacun a la responsabilité non seulement d'une ou deux régions du monde, mais aussi de secteurs d'activité et de services administratifs. « C'est un nouveau type d'organisation à trois dimensions », explique cet ex-ministre de l'Éducation, qui dit s'être inspiré de grandes entreprises « internationales » comme la suisse Asea-Brown-Boveri (ABB). « Ça va nous permettre de prendre des décisions plus rapidement. »

Le changement, la mutation des valeurs, la rapidité d'émergence de nouvelles technologies, le pouvoir qu'elles donnent à certains individus et qu'elles enlèvent à d'autres... tout cela le fascine. Il en parle avec une curiosité mêlée de respect. « Dans le parc industriel de Sherbrooke, je pourrais vous dire quelles usines risquent de disparaître dans 10 ans, dit-il, soudain grave. Pourtant, les gens travaillent aussi dur dans les unes que dans les autres. »

Président du Conseil canadien des chefs d'entreprise, un regroupement de 150 p.-d. g. qui s'intéressent aux grandes tendances de l'avenir, l'ancien député libéral est un peu philosophe à ses heures. « Étudiant, je n'étais déjà pas l'ingénieur type, dit-il. Je m'intéressais beaucoup à la chose publique. » Le Canada du 21e siècle sera celui de nouvelles solidarités, croit-il. L'État n'est plus la locomotive incontournable du développement, il faut le réinventer. La décentralisation – cette tendance lourde qui est à la mode partout dans le monde – aura son prix. « Au Québec, elle favorisera les régions riches aux dépens des régions pauvres. Un résidant de Westmount n'enverra pas un chèque à Saint-Irénée, dans Charlevoix, parce que ce village est plus pauvre ! Sans un État central fort, le Canada n'aurait jamais eu ses programmes sociaux. »

À son avis, de plus en plus les individus seront divisés en deux classes. D'abord ceux qui, comme Daniel Langlois avec Softimage, peuvent, à partir de rien, bâtir en quatre ans une entreprise de 90 millions de dollars. Et les autres, qui seront victimes du changement et deviendront dépen-

dants. Et selon lui, le débat constitutionnel n'y changera pas grand-chose. « C'est un enjeu existentiel pour les membres des coalitions politico-bureaucratiques, qui y négocient la base de leur pouvoir, dit-il. Le citoyen moyen, lui, n'a rien à gagner. »

À trois reprises pendant la conversation, Guy Saint-Pierre mentionnera son âge, la nécessité de « ménager le corps » et sa détermination à « préparer la relève ». Ce qui ne l'a pas empêché, quelques minutes avant notre entrevue, de suivre un cours d'informatique. « Ces nouveaux outils sont formidables, dit-il, emballé. Dans un avion, grâce à mon ordinateur, j'ai accès à une foule de données sur les clients et les pays où nous travaillons. »

Mais la 10e firme de génie au monde et son p.-d. g. globe-trotter ont quand même un défaut. S'ils disposent d'un système de courrier électronique interne, ils ne sont pas encore branchés sur Internet ! « On est en retard, admet Guy Saint-Pierre. Mais ça s'en vient. »

Source : L'Actualité, *janvier 1996, p. 35-36.*

VI Le rôle des professionnels de la gestion des ressources humaines au sein des multinationales

Lorsque les premiers projets internationaux d'une entreprise réussissent et que la direction décide de poursuivre son expansion à l'échelle mondiale, il devient nécessaire d'élargir l'activité de gestion internationale des ressources humaines[77]. Mais comment faire ? Les professionnels des ressources humaines qui ont de l'expérience dans ce domaine se concentrent habituellement sur la question de la rémunération des employés à l'étranger. Et ceux qui ont une vision plus large ne sont généralement pas familiers avec les pratiques de gestion des ressources humaines hors du Canada. Il arrive souvent que le premier spécialiste des ressources humaines envoyé à l'étranger soit le secrétaire du contrôleur international ou un jeune stagiaire

Consultez Internet

http://www.ihrim.org/

Site de l'International Association for Human Ressource Information, qui permet des échanges sur la gestion des ressources humaines sur la scène internationale et sur les systèmes d'information.

prometteur, qui se voit ainsi fournir l'occasion d'évaluer ses propres aptitudes et son potentiel. Une autre pratique courante consiste à recruter un consultant en gestion internationale des ressources humaines à l'extérieur de l'entreprise. Dans les deux cas, le responsable est rarement un membre du personnel de l'entreprise et n'a donc pas beaucoup d'expérience des ressources humaines sur la scène intérieure[78].

Consultez Internet

www.cdpdj.qc.ca/htmfr/htm/4_6.htm

Liens avec d'autres sites reliés étroitement aux droits de la personne. Liens avec les centres de recherche universitaires, les commissions des droits de la personne, les organisations internationales et régionales, les organisations non gouvernementales, les organismes gouvernementaux, les ministères et les tribunaux.

Toutes les autres activités de gestion des ressources humaines sont déjà présentes dans les activités à l'étranger, mais sous d'autres formes. Par exemple, même si on emploie des méthodes différentes pour le faire à l'étranger, on paie les employés, on leur offre des pensions, on négocie des ententes syndicales, on élabore des programmes de formation, on respecte les lois du travail. L'une des activités les plus importantes est sans doute la rémunération des employés expatriés. À mesure que la gestion internationale des ressources humaines prend de l'expansion, d'autres activités sont élaborées, par exemple la sélection de gestionnaires ayant les capacités de bien fonctionner à l'étranger ou possédant une formation interculturelle. Ces activités sont aussi rattachées au processus d'expatriation. Les spécialistes en ressources humaines sont parmi les derniers à être envoyés à l'étranger. La plupart des entreprises envoient d'abord des gestionnaires, des spécialistes en marketing, des techniciens et des responsables des finances bien longtemps avant de commencer à envisager d'envoyer du personnel des ressources humaines. Bien que certains soutiennent qu'il n'est pas nécessaire d'avoir une expérience à l'étranger pour s'occuper de gestion internationale des ressources humaines, il est intéressant de noter que ceux qui avancent cet argument sont généralement dépourvus d'une telle expérience.

Le succès que connaîtra la gestion des ressources humaines dans l'avenir dépendra de la capacité des entreprises à former des cadres de ressources humaines pour la scène internationale qui soient dotés d'un esprit large, d'une expérience internationale et de fortes capacités techniques. On peut y parvenir en assignant à l'étranger les gestionnaires qui possèdent les qualités nécessaires, en affectant quelques-uns des meilleurs talents d'origine étrangère au Canada, dans les divisions ou au siège social, et en offrant aux praticiens des ressources humaines les plus talentueux une expérience internationale tôt dans leurs carrières.

VII Un exemple de gestion comparée des ressources humaines : le cas du Mexique

Cette section porte sur la gestion des ressources humaines au Mexique et, plus particulièrement, sur l'industrie des *maquiladoras*. Les pratiques en matière de ressources humaines existant au Canada et aux États-Unis diffèrent sensiblement de celles qui existent au Mexique. Ces différences s'expliquent par des facteurs historiques et culturels propres à ces pays. En raison de ces différences, la gestion des ressources humaines peut, au Mexique, être caractérisée comme extrêmement favorable aux employés. Elle est fortement réglementée par le gouvernement, qui peut s'appuyer sur la loi fédérale du travail. On peut dire que le gouvernement mexicain oriente fortement le travail des professionnels des ressources humaines.

Le Mexique est un excellent terrain d'étude pour qui veut observer l'influence des pratiques de ressources humaines et l'efficacité des alliances au sein des unités locales. En 1965, le Mexique a établi un programme d'industrialisation pour la région frontalière visant à réduire le taux de chômage, qui y était très élevé. Les *maquiladoras* sont nées de ce programme. Il s'agit d'usines franches destinées au montage, au traitement et à la finition de composantes et de matériel étrangers. La plupart de ces usines sont situées le long de la frontière entre les États-Unis et le Mexique. Le programme d'industrialisation permet l'importation hors taxes de tous les outils (équipement, matériaux bruts) nécessaires à la fabrication d'un produit destiné à l'exportation.

Les objectifs de ce programme n'ont pas varié depuis son lancement. Il s'agit d'augmenter le niveau d'industrialisation du Mexique, de créer des emplois, d'élever le niveau de revenus sur le plan intérieur, de faciliter le transfert, l'appropriation et la maîtrise de nouvelles technologies, et d'attirer des investissements étrangers.

Les entreprises étrangères s'établissent au Mexique en raison des coûts de main-d'œuvre peu élevés et des hauts niveaux de productivité. En outre, les investisseurs américains réduisent leurs frais de transport et d'entreposage, puisqu'ils sont les voisins immédiats du Mexique. La présente section offre une description d'un certain nombre de dimensions et de fonctions des ressources humaines telles qu'elles existent au Mexique.

VUE D'ENSEMBLE SUR LES *MAQUILADORAS* (SITUATION EN 1992)

Comme nous l'avons dit, une *maquiladora* est une usine étrangère complètement dédouanée et qui est installée au Mexique. En 1992, il existait environ 1 800 *maquiladoras*. Depuis 1985, leur nombre a augmenté d'à peu près 20 % par année. On estime que ces usines emploient environ 500 000 travailleurs et que seulement quelques douzaines d'entre elles sont canadiennes, la grande majorité étant américaines. Le salaire horaire moyen des employés des *maquiladoras* est un peu supérieur à 1 $, alors que les travailleurs d'usine gagnent en moyenne environ 13,74 $ au Canada[79].

LE RECRUTEMENT ET LA SÉLECTION

Les employeurs mexicains établis dans la région des *maquiladoras* déterminent leurs besoins en personnel. Ils recrutent, embauchent et congédient les employés selon leurs propres exigences. Les candidats sont nombreux ; les employeurs peuvent donc choisir ceux qui sont les plus aptes à accomplir leurs tâches, qui consistent essentiellement en un travail de montage. Les employés mexicains acceptent le principe de la sélection en raison des salaires et des conditions de travail relativement intéressants qui leur sont offerts dans les *maquiladoras*, comparativement à ce qu'ils obtiendraient dans d'autres usines analogues. Dans cette industrie, la semaine de travail est d'environ 48 heures. Les employés sont payés 50 % de plus pour les heures excédant les heures de travail régulières.

Comme, à cause du coût des journaux, il est inutile de faire paraître des offres d'emploi, on recrute principalement du personnel en communiquant directement avec les gens, à qui on demande de poser leur candidature. Par conséquent, il arrive couramment que plusieurs membres d'une même famille soient embauchés par le même employeur.

Un autre aspect important de ces pratiques concerne le maintien et le recrutement des employés. Il fait intervenir le sentiment d'appartenance des employés à l'usine. On trouve principalement dans l'usine des personnes qui sont attachées aux valeurs et à la structure sociale traditionnelles du Mexique. Pour créer un sentiment d'appartenance, les employeurs respectent les nombreux congés en vigueur au pays, et il arrive couramment que les entreprises organisent des fêtes pour toutes sortes d'événements.

La structure sociale est organisée sur le modèle de la structure familiale. Comme c'est le cas au Japon, un des principaux problèmes qui se posent au Mexique est le paternalisme. Dans l'esprit des Mexicains, toutes les institutions, qu'elles soient gouvernementales, commerciales ou religieuses, ont une structure qui s'apparente à celle de la famille autoritaire. Plutôt que de remplir une simple fonction organisationnelle, le directeur d'usine joue un rôle autoritaire et paternel similaire à celui dont est investi le président du Mexique.

On trouve dans le droit et l'histoire du Mexique l'idée que l'employeur a la responsabilité morale et paternelle de tous ses employés, même lorsqu'ils sont syndiqués. Le Mexicain ne travaille pas seulement pour obtenir un salaire. Les travailleurs s'attendent généralement à être traités comme des membres de la « famille élargie » du patron et, par conséquent, à bénéficier d'une gamme d'avantages et de services plus large que celle offerte au nord de la frontière. Ils reçoivent, par exemple, des paniers de nourriture et des soins médicaux pour eux et leur famille, en plus d'avoir droit à la sécurité sociale. Ces avantages ne sont pas considérés comme des primes laissées à la discrétion de l'employeur. Pour l'employé mexicain, ils relèvent du rôle social incombant à l'employeur et de ses responsabilités envers ses travailleurs.

Le bon côté de la chose, pour les entreprises, c'est que les employés mexicains reconnaissent l'obligation d'être loyal envers leur employeur, de travailler dur et de faire ce qu'on leur demande. Les gestionnaires qui acceptent cette conception mexicaine (à savoir que le travail représente plus qu'un salaire) et qui tentent de remplir adéquatement le rôle qui leur a été assigné, peuvent s'attendre à bénéficier en retour de la loyauté de leurs employés. Ceux-ci sont prêts à travailler consciencieusement chaque jour. Par contre, l'employeur qui n'accepte pas les règles du jeu s'expose à des grèves, à un absentéisme et à un roulement de main-d'œuvre élevés, et à une production de piètre qualité.

LA FORMATION

La formation de la main-d'œuvre et des cadres mexicains avant et durant le démarrage de l'entreprise (de même que la formation des gestionnaires étrangers qui vont travailler au Mexique) est probablement le principal facteur de succès des *maquiladoras*. Un gestionnaire d'une *maquiladora* prospère a déclaré : « Si le processus de montage demande de passer d'un point A à un point D, il faut apprendre à ces femmes ce que sont les points A, B, C et D ; autrement, ça n'ira pas. » Le directeur d'une autre *maquiladora* florissante fait remarquer : « Le Mexique n'est pas simplement un autre État ; il faut comprendre sa culture, dans quelles circonstances on peut embrasser ou serrer quelqu'un dans ses bras, et quand il faut garder ses distances. Jusqu'à ce que nous acquerrions une certaine aisance dans nos rapports avec la culture mexicaine (grâce à l'embauche d'un responsable des ressources humaines mexicain), les sommes que nous consacrions à la formation étaient totalement inutiles. »

Les travailleurs mexicains sont pour la plupart dépourvus d'expérience. Bien disposés, ils sont portés à suivre les ordres sans prendre de précautions ni poser de questions, comme l'illustre le fait suivant. Dans une *maquiladora*, on avait demandé à un concierge d'allumer une chaudière, sans lui donner d'instructions précises. La chaudière a explosé, blessant plusieurs travailleurs. On le voit : il est extrêmement important de bien former les employés pour éviter des situations de ce genre. En outre, il faut mentionner que l'industrie mexicaine est sous contrôle gouvernemental à 75 % et que le profit ne compte pas. Les travailleurs mexicains n'accordent pas d'importance au profit, ni au fait que, si le produit n'est pas bien fabriqué correctement ou produit à temps, l'entreprise perdra des clients et devra éliminer des emplois. Par conséquent, il y a beaucoup à faire pour accroître le sens des responsabilités des travailleurs et leurs exigences en matière de qualité des produits.

LE STYLE DE GESTION

Les Mexicains accordent de l'importance à leur statut et exigent son respect. Ils acceptent la hiérarchie et sont conscients de leur position sociale.

Les Nord-Américains considèrent le statut social comme « anti-démocratique » et ils essaient de minimiser les différences dues au rang social en s'habillant de façon désinvolte et en se tutoyant. Ils n'aiment pas reconnaître l'importance de la hiérarchie sociale ni être obligés de s'y conformer ; ils essaient constamment de faire ressortir l'aspect égalitaire inhérent à l'idéal démocratique. Pour leur part, les employés mexicains réprouvent cette attitude. On peut illustrer cette situation au moyen d'un exemple. Dans une usine de pièces d'automobiles, le directeur a essayé de rapprocher les employés payés à l'heure et les superviseurs en fermant la salle à manger de ces derniers pour les obliger à manger avec leurs employés ; à sa grande surprise, les superviseurs sont allés manger dehors, sous un arbre. Selon la coutume mexicaine, il est important de préserver une distance entre le superviseur et le travailleur. Voilà pourquoi les superviseurs et les employés ont réprouvé la décision du directeur.

Il est important d'enseigner au superviseur mexicain les différents aspects de la gestion de la main-d'œuvre portant sur les relations et la motivation des employés. Il faut leur présenter ces aspects en les reliant aux valeurs mexicaines. La formation des superviseurs dispensée dans les écoles mexicaines concerne principalement les questions d'étiquette, mais touche peu la découverte et la résolution de problèmes. Un jour, un gestionnaire d'une origine autre que mexicaine travaillant dans une *maquiladora* a eu la désagréable surprise d'apprendre que, durant la nuit, les superviseurs mexicains jetaient les pièces présentant des erreurs de fabrication. C'est que ceux-ci étaient trop fiers pour admettre qu'ils ne savaient pas comment réparer l'équipement défectueux et qu'ils préféraient donc se débarrasser de ces pièces.

LA LÉGISLATION DU TRAVAIL ET LA RÉMUNÉRATION

La Loi fédérale du travail régit au Mexique toutes les questions relatives au travail. Les Conseils d'État du travail veillent à l'application de la Loi. Ces conseils comprennent des représentants du gouvernement, des travailleurs et du patronat. La Loi stipule que les employés à temps plein doivent obtenir certains avantages sociaux, notamment une période annuelle de vacances payées de sept jours, une prime de vacances de 25 %, sept jours de congés nationaux payés, un programme de partage des profits, et un impôt à la source versé par l'employeur, qui sert à financer des centres de soins de santé.

L'employeur a 28 jours pour évaluer les capacités de l'employé. Après cette période, on garantit au travailleur la sécurité d'emploi et il devient difficile de le congédier. Il existe des obligations financières rattachées à cette sécurité d'emploi. Par exemple, un employeur qui décide de congédier un employé à son emploi depuis plus de six mois doit lui verser son salaire pour une période additionnelle de six semaines, en plus de l'indemnité de vacances et des primes correspondant à la période travaillée. Les employeurs ont donc intérêt à bien sélectionner leurs employés avant de les embaucher.

Un employé est considéré comme permanent après une année d'emploi. Il ne peut alors être congédié que pour les raisons précisées dans la loi mexicaine fédérale du travail, par exemple, pour la falsification des documents d'embauche ou pour des actes malhonnêtes ou violents commis durant les heures de travail.

Lorsqu'un syndicat déclare la grève, tous les employés, y compris la direction, doivent quitter l'usine. Si la grève est légale, les employés reçoivent leur paye pendant la grève. Au Mexique, les contrats de travail doivent être écrits et ils sont valides indéfiniment. On peut imposer une amende à un employeur ou le mettre en prison s'il ne respecte pas le salaire minimum. Pour qu'un congédiement soit valide, il faut donner un avis écrit du renvoi à l'employé et lui fournir une documentation complète sur les fautes commises.

Certaines *maquiladoras* accordent des avantages additionnels aux travailleurs pour les attirer. Ces conditions concernent notamment le transport des employés, l'installation de douches en milieu de travail, les repas subventionnés (gratuits, dans certains cas), la formation en milieu de travail, l'organisation d'activités de loisir ou d'activités sportives, et même la fourniture de produits de maquillage aux femmes.

Certaines usines situées près de la frontière manquent de travailleurs à cause de l'infrastructure des villes. La plupart des villes du nord du Mexique ont connu une croissance rapide, mais les gens ne s'y établissent pas en raison d'une pénurie de logements et de problèmes de transport. Cette pénurie n'a pas encore eu des répercussions sur l'industrie, mais les gens changent facilement d'emploi pour se rapprocher de leur maison ou pour obtenir de meilleurs avantages sociaux. Ce n'est pas la disponibilité de la main-d'œuvre qui fait problème, mais bien la qualité de l'infrastructure du transport. Certaines *maquiladoras* résolvent ce problème en s'installant dans un emplacement central, de manière à ce que la plupart des employés puissent se rendre au travail à pied.

Dans la plupart des *maquiladoras*, les employés sont payés au salaire minimum légal du Mexique. Ce salaire varie d'environ 10 % selon les régions du pays. Il en résulte un roulement de main-d'œuvre variant de 30 % à 100 % par année dans les grandes villes. Ce roulement entraîne une hausse des coûts de production, une faible qualité de la production et le versement de salaires plus élevés dans les entreprises locales. Les *maquiladoras* de certaines régions, comme celle de Tecate, doivent offrir un salaire supérieur au salaire minimum à cause de la pénurie de main-d'œuvre qui y existe.

Une autre des préoccupations relatives au roulement du personnel est la difficulté de déterminer la raison de la démission des employés. Les Mexicains donnent rarement la vraie raison de leur départ. Les motifs mentionnés couramment sont la découverte de meilleures possibilités d'emploi ou le déménagement dans une autre région.

Comme on peut le voir, l'industrie des *maquiladoras* doit s'efforcer d'améliorer les conditions salariales et les avantages sociaux pour attirer et garder les employés qualifiés. Une des stratégies utilisées pour diminuer le taux de roulement a été d'établir un cheminement de carrière permettant aux employés de monter dans la hiérarchie de l'entreprise. On a établi une échelle de salaire tenant compte de l'ancienneté, de manière à accorder des augmentations de salaire en fonction de la durée de service. Bien qu'on n'ait pas encore évalué les résultats de ces stratégies, la direction des entreprises croit avoir réussi à réduire considérablement le taux de roulement du personnel.

Le monde des affaires fait actuellement un grand pas en avant : la mondialisation des activités économiques et des ressources humaines occupe la première place parmi les questions à l'ordre du jour. Les organisations qui ne parviennent pas à avoir une perspective internationale sur les politiques et les pratiques de ressources humaines se révèlent tout aussi incapables de faire face à la concurrence. Il leur faut concevoir des stratégies de gestion des ressources humaines efficaces pour utiliser la main-d'œuvre multinationale. Comme il s'agit d'un niveau de gestion qui est en constante transformation, il est de plus en plus important de se tenir au fait des nouvelles pratiques et stratégies émergeant dans ce domaine. Des stratégies mondiales à grande échelle voient le jour grâce à l'augmentation des communications et au partage des immobilisations dans le monde. Comme toutes les autres facettes de l'entreprise, la gestion des ressources humaines évolue vers une expansion à l'échelle mondiale[80].

AVIS D'EXPERT
La formation de leaders d'envergure internationale
par Vladimir Pucik

L'expansion rapide de la concurrence internationale force les entreprises à réexaminer continuellement la situation afin de déterminer les moyens permettant à la fonction ressources humaines de soutenir les efforts organisationnels de mondialisation.

Les entreprises qui se livrent une compétition sur la scène internationale font face à une multitude de nouvelles exigences liées aux structures organisationnelles et aux ressources humaines. Les professionnels de la gestion des ressources humaines font l'objet de demandes stratégiques souvent contradictoires. Dans le but de survivre et de prospérer dans un environnement compétitif international, les entreprises se soumettent à une intégration et à une coordination régionales et mondiales de plus en plus poussées de leurs activités. Les organisations ont également besoin, davantage qu'auparavant, de s'adapter à leur environnement local, de faire preuve de flexibilité et d'être toujours en mesure de répondre rapidement à la demande. Les compagnies cherchent à faire leur apprentissage organisationnel en stimulant la créativité, l'innovation et l'échange d'informations et d'idées au-delà des frontières. Elles doivent en même temps adopter une approche méthodique et disciplinée propre à favoriser une amélioration constante des coûts et de la qualité de leurs produits et services. Pour que les organisations puissent réussir dans l'arène internationale, il doit régner au sein de celles-ci un climat mobilisateur qui prône l'ouverture d'esprit et qui s'accompagne du désir de mettre de l'avant une culture compétitive.

Les entreprises essaient de réduire ces tensions en ayant recours à une approche renouvelée. Par exemple, au lieu de tenter de résoudre les contradictions, non pas en remplaçant dans une certaine mesure l'adaptation par l'intégration, les meilleurs compétiteurs internationaux s'efforcent plutôt d'optimiser les deux dimensions. Ils parviennent à une forte intégration, tout en restant bien adaptés aux particularités du pays d'accueil.

Cette approche s'éloigne des solutions plus structurelles que l'on propose aux multinationales pour régler leurs problèmes. Elle remplace la tendance à osciller continuellement entre la centralisation et la décentralisation, en acceptant le fait que les organisations internationales représentent un réseau fluide et dynamique. Elle met l'accent sur les processus de gestion et non sur les structures et les procédures organisationnelles.

La solution clé pour déclencher le processus d'internationalisation dépend des capacités des gestionnaires d'entreprises internationales à travailler dans un contexte international. La création d'un avantage compétitif et sa préservation dépendent de l'aptitude de la fonction ressources humaines à mettre en œuvre des stratégies complexes et compétitives au sein des unités organisationnelles. Si les capacités organisationnelles demeurent le principal instrument de compétition internationale, le défi le plus important en GRH consiste à proposer des politiques et des pratiques qui assureront rapidement le succès du processus de mondialisation, qui encourageront l'acquisition de capacités permettant de mener une compétition sur la scène internationale et qui apporteront leur soutien à la fois à la sélection, au maintien et à la motivation des futurs leaders mondiaux.

L'acquisition d'une mentalité internationale demeure le principal moteur stratégique de la gestion des ressources humaines à l'échelle internationale. La formation en matière de leadership, la dotation et la culture d'entreprise constituent les principaux éléments susceptibles de servir de leviers à l'organisation dans un contexte international.

Développer une mentalité internationale

La plupart des entreprises internationales se doivent de relever le défi consistant à acquérir et à soutenir les capacités organisationnelles pour gérer des opérations internationales. Si elles veulent atteindre cet objectif, il leur faut changer les processus cognitifs que les gestionnaires utilisent pour analyser les problèmes reliés aux affaires.

Le gestionnaire qui possède une mentalité internationale attache beaucoup de valeur au partage de l'information, du savoir et de l'expérience à travers les frontières nationales, fonctionnelles et organisationnelles. Il cherche à atteindre un équilibre entre les priorités des pays, des organisations et des fonctions qui sont en compétition et qui émergent dans le processus de gestion internationale. Ces attitudes sont souvent décrites comme caractéristiques de la mentalité internationale. Même s'il apparaît évident que les entreprises internationales auront de plus en plus besoin de gestionnaires dotés d'une mentalité internationale, il n'est pas facile de traduire cette vision en une réalité opérationnelle. Il faut commencer par se demander si tous les gestionnaires devront nécessairement posséder une telle mentalité. Or, une mentalité internationale n'est pas une caractéristique innée, mais elle s'acquiert avec les expériences de travail, souvent aux dépens de l'organisation. Mais on peut se demander si l'organisation qui encourage le développement de mentalités internationales bénéficiera d'un retour sur son investissement.

C'est à la fois la responsabilité des dirigeants et des professionnels des ressources humaines que de convenir de la nécessité d'avoir des gestionnaires internationaux. Par exemple, la compagnie ABB a décidé que, sur une main-

d'œuvre totale d'environ 200 000 employés, elle avait besoin de 500 gestionnaires internationaux. Il est clair que l'établissement d'un objectif numérique n'est pas suffisant. D'autres questions méritent également d'être soulevées. L'entreprise devra-t-elle veiller elle-même à assurer le développement de compétences internationales? Ne vaut-il pas mieux effectuer le recrutement de ces talents sur le marché du travail? Il va sans dire que le développement des employés dotés d'un tel potentiel sera bénéfique en raison de leur connaissance des activités et de l'organisation. Le recrutement externe permettra de repérer des personnes dotées de compétences internationales, sans prendre le risque d'investir dans le développement des compétences des ressources humaines. Si les talents internationaux sont si critiques pour les futurs leaders, dans quelle mesure la sélection des employés effectuée au début de leur carrière devra-t-elle tenir compte de leur capacité à acquérir des compétences pour travailler sur la scène internationale et de leur prédisposition à accepter des affectations à l'étranger?

Faciliter le leadership international

Si l'acquisition d'une mentalité internationale représente une caractéristique clé des leaders de l'avenir, l'une des principales tâches organisationnelles devrait être de créer un environnement propice à l'éclosion de ce type de mentalité.

La formation au leadership international devra mettre l'accent sur la création d'occasions permettant aux employés d'acquérir des compétences en matière de leadership. Le programme devra donc favoriser les affectations à l'étranger, les assignations à des équipes multiculturelles et à des équipes de projets. Les programmes de formation dans les entreprises internationales devront favoriser l'apprentissage sur le terrain ou apprentissage par la pratique, qui représente l'un des meilleurs moyens d'acquérir des compétences pour travailler à l'échelle internationale. Les activités de développement devraient également prendre en considération des aspects de la socialisation qui faciliteraient l'émergence d'un leadership international. Pour y parvenir, les entreprises internationales devraient encourager la création de réseaux d'échanges afin de stimuler l'intégration et la coordination entre les différentes unités locales. Plus les niveaux de coopération existant entre les employés de différentes unités sont élevés, plus il est possible de faire naître chez eux une vision commune, de créer une culture homogène et d'assurer la réussite de projets communs.

Qui sont les employés que l'on désignera comme les leaders internationaux de demain? Les moyens propres à faciliter l'apparition d'un leadership international seront-ils accessibles à tous les employés œuvrant dans les entreprises internationales? Les employés travaillant au sein de certaines régions ou de certaines unités seront-ils privilégiés aux dépens des autres? Il est important de noter que la formation en matière de leadership international devra également être accessible aux employés pouvant montrer qu'ils possèdent un certain potentiel dans ce domaine, indépendamment de leur pays d'origine ou de leur lieu d'affectation. Il est probable que peu d'entreprises aient réussi à relever un tel défi en incluant parmi les hauts dirigeants des représentants de plusieurs régions du monde. La multinationale Citicorp a réussi cet exploit.

Le rôle de la fonction ressources humaines: être la championne de la mondialisation

L'intérêt que portent les entreprises à la mondialisation de leurs activités provoque sans doute un bouleversement des orientations de la fonction ressources humaines. Historiquement, il a été d'usage que cette fonction qui est chargée des activités d'une multinationale soit décentralisée et réponde directement aux besoins des unités. Une telle approche était bien logique, puisque la majorité des employés des unités locales demeuraient des employés recrutés localement et qui étaient imprégnés de la culture locale et assujettis à une réglementation et à un environnement nationaux. Or, bien qu'elle soit raisonnable, cette approche devient dans une certaine mesure préjudiciable à la fonction ressources humaines puisqu'elle empêche de déboucher sur le plan international et la cantonne à des fonctions sur la scène locale. Or, il semble de plus en plus évident que la mondialisation de la fonction ressources humaines passe nécessairement par la mondialisation des dirigeants de cette fonction. Les défis auxquels fait face cette fonction sont de trois ordres :

- *Assurer l'émergence d'une mentalité internationale au sein de la fonction ressources humaines, y compris d'une profonde compréhension de l'environnement international et de son effet sur le milieu des affaires et sur les employés à l'échelle mondiale.*
- *Favoriser l'harmonisation des processus et des activités de gestion des ressources humaines jugés cruciaux en raison des nouvelles exigences de la compétition internationale, tout en étant à l'écoute des besoins exprimés par les unités locales.*
- *Élargir les compétences et les capacités internationales à l'intérieur de la fonction ressources humaines pour que celle-ci puisse jouer un rôle de partenaire stratégique, en étant en mesure de repérer rapidement les occasions de développement qui se manifestent dans l'arène internationale.*

À cet effet, des programmes de mobilité internationale devraient être accessibles aux professionnels de la gestion des ressources humaines afin qu'ils puissent tenter de résoudre sur le terrain les problèmes que vivent les employés dans différents environnements multiculturels. Les affectations internationales devraient faire partie intégrante des plans de carrière des professionnels des ressources humaines. Cela représente un défi difficile à relever étant donné que les postes d'entrée sont essentiellement créés au niveau local, bien que ce soit possible de le relever, puisque les postes en ressources humaines existent dans les diverses unités et au siège social. Cependant, les critères de sélection devraient tenir compte du potentiel de développement des employés, de leur volonté et de leur capacité de comprendre différentes cultures et de composer avec celles-ci. En somme, la pierre angulaire du développement d'un leadership international relié à la fonction ressources humaines est de représenter un modèle de leader international. Cette fonction doit avoir à son tour réussi à acquérir des compétences à l'échelle internationale afin de gagner la crédibilité des autres fonctions et de les initier à la nécessité de développer un leadership international.

Vladimir Pucik est professeur de gestion internationale des ressources humaines à l'International Institute for Management Development (IMD) de Lausanne.

Avant de se joindre à l'IMD, le Dr Pucik était professeur agrégé et directeur académique du Center for Advanced Human Resource Studies de l'ILR School, à la Cornell University, et membre du corps professoral de la School of Business de l'University of Michigan. Il a également été professeur invité à la Keio and Hitotsubashi University, à Tokyo.

Le professeur Pucik a été consultant et a animé des séances de formation destinées au personnel de diverses multinationales connues dans le monde, parmi lesquelles figurent British Airways, Citibank, Canon, Daimler-Chrysler, Dentsu, DHL, GE, GM, Kodak, 3M, Nokia, Shell, Sony and UBS. Le Dr Pucik enseigne régulièrement dans un grand nombre de programmes de développement conçus pour des cadres, notamment aux États-Unis, en Europe et en Asie.

Vladimir Pucik est né à Prague, où il a étudié l'économie internationale, le droit et les sciences politiques. Plus tard, il a terminé une maîtrise en affaires internationales comportant une spécialisation de la région de l'Asie de l'Est, puis un doctorat en administration des affaires de la Columbia University.

Ses intérêts de recherche incluent les dimensions internationales de la gestion des ressources humaines, les processus de mondialisation, les fusions et acquisitions internationales et la comparaison de certaines dimensions de la gestion en Asie et en Europe de l'Est. Il est l'auteur de publications et d'ouvrages dans le domaine des affaires internationales et de la gestion des ressources humaines. Il est co-auteur d'un livre à paraître, *The Globalization Challenge : Frameworks for International Human Resource Management*. Ses ouvrages les plus récents sont les suivants : *Globalizing Management : Creating and Leading the Competitive Organization*, et *Management Culture and the Effectiveness of Local Executives in Japanese-owned U.S. Corporations*.

RÉSUMÉ

Alors que les entreprises et les nations deviennent de plus en plus dépendantes des événements qui se déroulent sur le marché mondial, il est plus important que jamais de savoir comment les autres pays utilisent leurs ressources humaines. Dans cette optique, le présent chapitre examine le rôle que joue l'entreprise d'envergure mondiale dans l'économie, ainsi que les dilemmes et les enjeux liés à la mobilité internationale qu'elle doit résoudre.

Dans un premier temps, une vue d'ensemble du champ de la gestion internationale des ressources humaines a été présentée. On a mis l'accent sur quelques-unes des similarités et des différences existant entre la gestion des ressources humaines dans des contextes international et national. Il est évidemment plus difficile de poursuivre des activités dans un environnement mondial que dans un seul pays, surtout lorsque l'on considère les impératifs stratégiques qui sont liés aux étapes de l'internationalisation. Les impératifs stratégiques changent selon la philosophie de gestion adoptée, le type d'industrie auquel appartient l'entreprise et le type de marché dans lequel elle s'insère. Chacune des cinq étapes de l'internationalisation des entreprises offre des défis organisationnels que la planification internationale des ressources humaines peut contribuer à relever.

Dans un contexte international, la première difficulté à laquelle les entreprises sont confrontées est sans doute celle de se doter d'employés prêts à accepter des affectations internationales et à y réussir. Dans cette optique, le chapitre a examiné le rôle des employés qui se voient confier des postes à l'étranger, leurs difficultés d'adaptation et les pratiques de gestion susceptibles d'aider les employés mobiles à remplir leur mission avec brio.

Étant donné l'importance accordée à l'acquisition d'un leadership international, les entreprises doivent mettre également l'accent sur les conditions du rapatriement. Prévoir ce que l'employé fera à son retour l'encouragera à rester au sein de l'entreprise et à mettre à profit ses compétences acquises à l'étranger, en élaborant de nouvelles stratégies internationales.

Questions de révision et d'analyse

1. *Quelles sont les principales ressemblances et différences entre la gestion nationale et la gestion internationale des ressources humaines ?*

2. *Quelles sont les étapes qu'une entreprise est susceptible de franchir avant de devenir une véritable multinationale ?*

3. *Quelles sont les différentes pratiques associées aux approches ethnocentrique, polycentrique, régiocentrique et géocentrique de la gestion des ressources humaines ?*

4. *Comment les concepts d'adaptation et de flexibilité sont-ils reliés aux pratiques de gestion internationale des ressources humaines ?*

5. *Résumez les principales caractéristiques des approches ethnocentrique, poly-centrique, régiocentrique et géocentrique de la GRH en matière de recrutement et de sélection.*

6. *« Les décisions relatives au développement des compétences des employés sont prises seulement une fois que l'entreprise est parvenue à l'étape de l'interna-tionalisation. » Développez cette idée.*

7. *Déterminez les paramètres clés de la rémunération en ce qui concerne les entreprises multinationales.*

8. *Expliquez le rôle que jouent au sein de l'entreprise multinationale les employés affectés à l'étranger.*

9. *Expliquez les difficultés qu'éprouvent les employés relativement à la mobilité internationale et proposez quelques solutions pour les amoindrir.*

10. *Pourquoi est-il si important de tenir compte du rapatriement ? Expliquez votre point de vue, en précisant les actions organisationnelles devant être mises de l'avant pour le réussir.*

ÉTUDE DE CAS
McDonald's à Moscou : une succursale canadienne

Il y a quelques années, Georges Cohen, le président de McDonald's Canada, a décidé que son entreprise serait l'une des premières multinationales à ouvrir une succursale en Russie. Le McDonald's de Moscou, ouvert en 1990, est un des plus vastes du monde. Il compte 860 sièges et est capable de servir de 12 000 à 15 000 clients par jour. En ce moment, plus de 400 per-sonnes y travaillent. Lorsque McDonald's a mis une annonce dans un journal local pour recruter du personnel, des milliers de personnes se sont présentées pour obtenir une entrevue.

Afin de réussir à vendre ses Big Macs 1,50 ou 2,50 roubles (ce qui équivalait à 3,50 $ ou 4,00 $ en 1992), l'entreprise a opté pour l'achat de produits sur le marché local. Cependant, pour réduire au minimum les problèmes liés aux pénuries et à la mauvaise qualité des produits, l'entreprise a pris en charge le contrôle de la qualité et du transport de ses produits bruts, soit le bœuf, les pommes de terre et la laitue. Elle a pu s'approvisionner auprès de producteurs locaux après avoir adopté un ensemble de mesures : (a) avant l'ouverture du restaurant, McDonald's a envoyé en Russie une certaine quantité de ses propres pommes de terre de semence et a enseigné aux agronomes et aux fermiers russes comment les faire pousser ; (b) McDonald's a appris également aux fermiers russes à élever les bœufs, et l'entreprise a construit sa propre usine de transformation pour se conformer à ses normes de santé et de sécurité ; (c) on a cultivé la laitue en serre ; (d) on a confié à une boulangerie de Moscou la fabrication des pains.

McDonald's est tout de même encore aux prises avec un certain nombre de problèmes. L'entreprise devra les résoudre avant d'entreprendre sa deuxième phase de construction, qui conduira à la création de 19 restaurants à Moscou. La restauration rapide est un concept nouveau en Russie, et l'importance accordée à la propreté des locaux est assez unique dans ce pays. De plus, les habitudes de travail et les valeurs de la majorité des employés russes sont très différentes de celles des employés en Amérique du Nord ou en Europe de l'Ouest. Il faut cependant souligner que l'expérience de recrutement s'est bien déroulée dans le cas du premier restaurant. On a effectivement reçu des milliers de candidatures de personnes jeunes ou plus âgées pour combler les 400 postes ouverts.

Après s'être occupée de tous les autre aspects de la gestion de l'entreprise, McDonald's se concentre maintenant sur la gestion des ressources humaines. Bien que l'objectif premier de sa stratégie soit de donner la même qualité de service à Moscou que celle qu'elle offre dans ses restaurants au Canada et ailleurs dans le monde, la direction reconnaît maintenant qu'il lui faudra franchir certaines étapes intermédiaires et apporter des changements à ses services de ressources humaines avant de poursuivre son expansion.

Questions

1. Nommez quelques facteurs clés de l'environnement externe (par exemple, des facteurs économiques, sociaux, culturels, juridiques ou politiques) qui ont un effet sur la gestion des ressources humaines chez McDonald's.

2. Est-ce que McDonald's Canada peut étendre ses politiques et pratiques canadiennes en gestion des ressources humaines à sa filiale en Russie ? Expliquez votre point de vue.

3. À l'aide de la grille suivante, reliez les différents facteurs externes qui influent sur la gestion des ressources humaines chez McDonald's. Indiquez comment la gestion des ressources humaines de la société mère est modifiée lorsqu'une entreprise comme McDonald's se lance sur la scène internationale.

GRILLE D'ANALYSE : IMPACT SUR LA GESTION INTERNATIONALE DES RESSOURCES HUMAINES					
FONCTIONS DES RESSOURCES HUMAINES	SOCIALES	POLITIQUES	CULTURELLES	ÉCONOMIQUES	JURIDIQUES
Recrutement et sélection 1. 2. 3. 4.					
Évaluation du rendement 1. 2. 3. 4.					
Formation et développement 1. 2. 3. 4.					
Rémunération 1. 2. 3. 4.					
Relations du travail 1. 2. 3. 4.					

NOTES ET RÉFÉRENCES

1 G. Hofstede, « Cultural Dimensions in People Management », dans V. Pucik, N. Tishy et C. Barnett (éd.), *Globalizing Management*, New York, John Wiley & Sons inc., 1992, p. 143.

2 C. Marmer Solomon, « Staff Selection Impacts Global Success », *Personnel Journal*, janvier 1994, p. 88-101.

3 R. S. Schuler, P. J. Dowling et H. De Cieri, « An Integrative Framework of Strategic International Human Resource Management », *Journal of Management*, vol. 19, n° 2, 1993, p. 419-439.

4 *Business Week*, 16 mars 1992.

5 W. Goodwin, « Fear of Trying », *The Globe and Mail World*, Report on Business Magazine, avril 1992, p. 40.

6 S. Anderson, « Kimberley-Clark's European Paper Chase », *Business Week*, 16 mars 1992, p. 94.

7 D. Greising, *Business Week*, 16 mars 1992, p. 134.

8 *The Financial Post*, 21 février 1992.

9 *The Globe and Mail World*, Report on Business Magazine, 1990, p. 30.

10 Pour plus d'informations, voir : J. Millimn, M. A. Van Glinow et M. Nathan, « Organizational Life Cycles and Strategic International Human Resource Management in Multinational Companies : Implications For Congruence Theory », *Academy of Management*, 1991, vol. 16 n° 2, p. 319-339.

11 P. J. Dowling et R. S. Schuler, « International Dimensions of Human Resource Management », Boston, PWS-KENT, 1990 (chapitre 2) ; D. A. Ondrack « International Human Resources Management in European and North-American Firms », *International Studies of Management and Organization*, vol. 15 n° 1, 1985, p. 6-32.

12 T. Saba, « La GRH dans les entreprises internationales : une réalité complexe et des exigences nouvelles », *Effectif*, vol 4, n° 1, 2001, p. 22-30.

13 P. J. Dowling et R. S. Schuler, *op. cit.*

14 A. D. Gray , « McGill Goes Global », *The Gazette*, janvier 1992, p. 3.

15 R. Swaak, « Today's Expatriate Families : Dual Careers and ~~Other Obstacles~~ », *Compensation and Benefits Review*, ~~~ mai 1995, p. 21-26.

~~~te Selection and Failure », *Human*
~~~ 1991, p. 9-18.

~~~ Business Firm

27 S. Baller, « Detroit South », *Business Week*, 16 mars 1992, p. 100.

28 R. P. Chaykowski et G. Anthony, « Globalization, Work and Industrial Relations », *Relations industrielles*, vol. 53, n° 1, 1998.

29 R. Sauer et K. Voelker, *Labor Relations : Structure and Process*, New York, Macmillan, 1993, p. 510-525.

30 M. Regini, « Human Resource Management and Industriel Relations in European Companies », *The International Journal of Human Resource Management*, vol. 4, n° 3, septembre 1993, p. 555-568.

31 Cette section est largement inspirée de T. Saba et R. Chua, « Une carrière à l'international : difficultés d'adaptation et pratiques de gestion », *Psychologie du travail et des organisations*, vol. 5, n°s 1 et 2, 1999, p. 5-34.

32 J. M Hannon., I. C. Huang et B. S. Jaw. « International Human Resource Strategy and Its Determinants : The Case of Subsidiaries in Taiwan ». *Journal of International Business Studies*, vol. 26, n° 3, 1995, p. 531-554.

33 B. C. Derr et G. R. Oddou. « Are U. S. Multinationals Adequately Preparing Future American Leaders For Global Competition ? », *International Journal of Human Resource Management*, vol. 2, n° 2, 1991, p. 227-244.

34 *Ibidem.*

35 V. Pucik, « Globalization and Human Resource Management », dans V. Pucik, N. Tichy et C. Barnett, *Globalizing Management : Creating and Leading the Competitives Organization*, New York, John Wiley & Sons, 1992.

36 V. Pucik et T. Saba,, « Developing Global Versus Expatriate Managers : A Review of the State-of-the-Art », *Human Resource Planning*, vol. 21, n° 4, 1998, p. 40-54.

37 C. Marmer Solomon, « Transplanting Corporate Cultures Globally », *Personnel Journal*, octobre 1993, p. 78-88.

38 B. C. Derr et G. R. Oddou, *op. cit.*

39 N. J. Adler et S. Bartholomew, « Managing Globally Competent People », *Academy of Management Executive*, vol. 6, n° 3, 1992, p. 52-65.

40 P. A. L. Evans, « Developing Leaders and Managing Development », *European Management Journal*, vol. 10, n° 1, 1992, p. 1-9.

41 C. A. Bartlett. et S. Ghoshal, « What Is a Global Manager ? », *Harvard Business Review*, septembre-octobre 1992, p. 124-

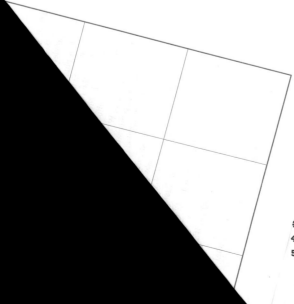

~~~ *op. cit.*

~~~ , « Predicting Turnover Among Repatriates : Can ~~~ations Affect Retention Rates ? », *The International* ~~~l of Human Resource Management*, vol. 6, n° 2, mai ~~~ p. 443-456.

~~~cik et T. Saba, *op. cit.*

~~~. Mendenhall et G. Oddou, « Toward a Comprehensive ~~~el of International Adjustment : An Integration of Multiple ~~~oretical Perspective », *Academy of Management Review*, ~~~. 16, n° 2, 1991, p. 291-317.

~~~. Chua et T. Saba, « The Effectiveness Of Cross-Cultural ~~~ractices In International Assignments », *Globalization : Impact on Management Education, Research and Practices*, Actes de l'International Federation of Scholarly Associations of Management (IFSAM), Madrid, 1998, publié sur CD-ROM, Madrid : Diaz de Santos.

47 S. H. Rhinesmith, « Open the Door to a Global Mindset », *Training and Development*, mai 1995, p. 35-43.

48 B. C. Derr et G. R. Oddou, *op. cit.*

49 M. E. Mendenhall et G. Oddou, *op. cit.*

50 T. Saba et R. Chua, « Une carrière à l'international : difficultés d'adaptation et pratiques de gestion », *Psychologie du travail et des organisations*, vol. 5, n°s 1 et 2, 1999, p. 5-34.

51 J. S. Black, H. B. Gregersen. et M. E. Mendenhall, *« Global Assignments : Successfully Expatriating and Repatriating International Managers »*, San Francisco, Jossey-Bass, 1992.

52 J.-L. Cerdin. et J.-M. Peretti, « Les cadres français expatriés : principaux déterminants d'une adaptation réussie », dans M. Tremblay et B. Sire, *« GRH face à la crise ? GRH en crise »*, Montréal, Presses des HEC, 1997.

53 C. Marmer Solomon, « Success Abroad Depends on More than Job Skills », *Personnel Journal*, avril 1994, p. 52.

54 B. Berthelot, « Loin des yeux loin du cœur », *Effectif*, juin-juillet-août 2000, p. 28-31.

55 Cette section est largement inspirée de T. Saba et R. Chua, « Gérer la mobilité internationale : problèmes de rapatriement et pratiques de gestion », *International Management*, vol. 3, n° 2, 1999, p. 57-68.

56 C. G. Howard, « Profile of the 21st Century Expatriate Manager », *HR Magazine*, juin 1992, p. 93-100.

57 M. E. Mendenhall et G. Oddou, 1991, *op. cit.*

58 J. S. Black, H. B. Gregersen et M. E. Mendenhall, 1992, *op. cit.*

59 J. S. Black et H. B. Gregersen, 1991. « When Yankees Comes Home : Factors Related to Expatriate and Spouse Repatriation Adjustment », *Journal of International Business Studies*, vol. 22, p. 671-694.

60 *Ibidem.*

61 V. Pucik, *op. cit*

62 B. C. Derr et G. R. Oddou, *op. cit.*

63 H. B. Gregersen et J. S. Black, « Keeping High Performers after International Assignments : A Key to Global Executive Development », *Journal of International Management*, vol. 1, n° 1, 1995, p. 3-31.

64 J. S. Black, H. R. Gregersen et M. E. Mendenhal, *op. cit.*

65 V. Pucik, *op. cit.*

66 J. S. Black et H. B. Gregersen, *op. cit.*

67 T. Saba et V. Haines, *Accepter une affection internationale : déterminants individuels et pratiques incitatives*, Actes du Congrès conjoint de l'Association des sciences administratives du Canada (ASAC) - et de l'International Federation of Scholarly Associations of Management (IFSAM) section Ressources humaines, vol. 21, n° 9, Montréal, 2000, p. 1-13.

68 T. Saba et R. Chua, *op. cit.*

69 N. J. Adler et S. Bartholomew, *op. cit.*

70 C. A. Bartlett et S. Ghoshal, *op. cit.*

71 V. Pucik, *op. cit.*

72 V. Pucik et T. Saba, *op. cit.*

73 C. Marmer Solomon, « How Does Your Global Talent Measure Up », *Personnel Journal*, octobre 1994, p. 96-108.

74 T. S. Chan, « Developing International Managers : A Partnership Approach », *Journal of Management Development*, vol. 13, n° 3, 1994, p. 38-46.

75 M. E. Mendenhall et G. Oddou, G, *op. cit.*

76 V. Pucik et T. Saba, *op. cit.*

77 C. Marmer Solomon, « Global Operations Deman that HR Rethink Diversity », *Personnel Journal*, juillet 1994, p. 40-50.

78 C. Reynolds, « Are You Ready to Make IHR a Global Function ? », *HR News-International HR*, publié par Organization Resources Counselors Inc., section C, février 1992.

79 Données calculées à partir de documents du Conference Board du Canada, de Statistique Canada et du quotidien *The Gazette* du 17 mars 1992, p. A7.

80 E. Brandt, « Global HR », *Personnel Journal*, mars 1991, p. 38-44.

Lectures supplémentaires

- R. Royer, « Mondialisation et gestion », *Gestion*, vol. 20, n° 3, septembre 1995, p. 28-30.
- R. L. Tung, « Le défi global des ressources humaines : la gestion de la diversité dans les milieux internationaux », *Revue de gestion des ressources humaines,* n° 15, mai 1995, p. 27-37.
- B. P. Sunoo, « HR Over the Border », *Workforce*, juillet 2000, p. 40.

Glossaire

L'italique signale les termes qui font eux-mêmes l'objet d'une entrée distincte dans le glossaire.

Accès à l'égalité en emploi : Processus global visant à assurer l'équité de représentation de groupes désignés sur les lieux de travail et à corriger et prévenir les effets de la *discrimination intentionnelle* et de la *discrimination systémique*.

Aide au relogement : Indemnité ou allocation accordée par l'employeur à un employé obligé de déménager en raison d'une mutation dans un autre établissement de l'entreprise ou d'un *licenciement*.

Analyse de cause à effet : Analyse qui permet d'établir les liens entre les causes d'un événement et ses répercussions.

Analyse de Pareto : Loi dite « des 80/20 », selon laquelle 20 % des causes produisent 80 % des effets. Cette loi suppose qu'en déterminant les causes qui produisent le maximum d'effets, on parvient à élaborer les solutions les plus efficaces.

Apprentissage continu : Responsabilité de se tenir à jour dans son domaine d'expertise en souscrivant à un effort de formation continu.

Approche à prédicteurs multiples : Approche combinant l'utilisation de plusieurs tests ou types d'information et servant à choisir le candidat qui sera embauché pour occuper un poste déterminé.

Approche client : Approche qui consiste à concevoir, à structurer et à orienter le service des ressources humaines d'une organisation pour l'adapter aux besoins de la clientèle, constituée en particulier des gestionnaires et des employés.

Approche ethnocentrique : Attitude basée sur la conviction que le peuple auquel on appartient, avec ses croyances, ses traditions, ses valeurs, est un modèle auquel tout doit se référer.

Approche géocentrique : Approche qui, en gestion des ressources humaines, favorise l'échange d'information, d'idées et de processus de travail entre les unités d'une même entreprise. L'organisation vise l'égalité des chances en recherchant et en embauchant les ressources compétentes à l'échelle mondiale, sans égard au pays d'origine des employés.

Arbitrage : Procédure de règlement d'un litige faisant appel à l'intervention d'un tiers impartial. Celui-ci étudie la situation de la négociation, s'informe auprès des parties patronale et syndicale de leurs positions respectives, recueille l'information nécessaire et rend enfin une décision qui a généralement pour effet de lier les deux parties.

Assurance-emploi : *Rémunération directe* qui fait partie des régimes de sécurité du revenu et qui est destinée à assurer la sécurité de l'employé et de sa famille dans l'éventualité où l'employé cesserait de recevoir son revenu

Avantage concurrentiel : Avantage résultant d'un coût global d'exécution de toutes les activités de la chaîne de valeur qui est inférieur à celui des concurrents.

Avantages sociaux (ou avantages accessoires) : Partie de la *rémunération globale* comprenant les vacances, les divers congés rémunérés, les régimes de retraite et d'assurance collective.

Bismark, Otto : Connu comme le « chancelier de fer » (« Iron Chancellor »), il a réussi à transformer la confédération allemande en un empire unifié et fort. Sa carrière politique a débuté en 1847.

Catégorie professionnelle (ou « occupation ») : Métier pour l'exercice duquel une période de formation systématique est exigée officiellement. Au Québec, plusieurs professions sont régies par le Code des professions, dont l'application relève de l'Office des professions.

Cercueils dorés (« golden coffins ») : Avantages financiers accordés aux cadres supérieurs d'une organisation lors du décès de membres de leur famille ; ils consistent dans le remboursement des frais funéraires et d'autres dépenses connexes.

Classes d'emplois : voir *Familles d'emplois*.

Classification nationale des professions : Ouvrage publié par le gouvernement fédéral qui comprend les définitions détaillées des divers emplois occupés au Canada.

Coefficient de corrélation (ou coefficient de stabilité) : Mesure du degré de relation entre deux variables. Par exemple : les résultats d'un employé à un test et son rendement au travail.

Comité paritaire : Comité formé d'un nombre égal de représentants des travailleurs et des employeurs désignés par les syndicats et les associations d'employeurs signataires d'une convention collective.

Conference Board du Canada : Organisme de recherche autonome et à but non lucratif affilié à des sociétés homologues aux États-Unis et en Europe. Il a pour mission d'aider ses membres à prévoir les changements qui surviennent de plus en plus dans l'économie mondiale et à s'y adapter. Il favorise l'accroissement et l'échange des connaissances portant sur les stratégies et les méthodes des organisations, les nouvelles tendances économiques et sociales et les grandes questions d'intérêt public.

Congruence (« fit »): Notion utilisée en GRH pour expliquer le degré de cohérence entre l'environnement et les stratégies organisationnelles.

Contamination d'un formulaire: Introduction, dans un formulaire de mesures ou de dimensions, de préjugés ou de croyances non fondées qui viennent en diminuer l'efficacité dans l'évaluation : des candidats.

Contrat psychologique: Ensemble d'attentes tacites établies entre les membres d'une organisation et leurs gestionnaires. Il s'agit essentiellement de promesses et d'obligations réciproques entre l'employeur et l'employé. L'organisation s'engage à agir dans un certain sens si l'individu entreprend certaines actions et adopte certains comportements.

Déficience d'un formulaire: Manque de cohérence d'un formulaire ou caractère inadapté d'un formulaire qui l'empêche de servir à mesurer les connaissances ou le profil d'un candidat.

Déréglementation: Réduction ou suppression de la réglementation de nature économique dans un secteur donné dans le but de privilégier les forces du marché. La déréglementation vise à éliminer les entraves au marché libre, à stimuler la concurrence et à encourager les innovations.

Développement des carrières: Ensemble de programmes conçu par une organisation pour aider les employés à harmoniser leurs aspirations, leurs compétences et leurs buts personnels avec les perspectives actuelles et futures d'avancement offertes par l'organisation.

Diagrammes de dispersion: Représentation graphique permettant de reproduire les différences dans la valeur d'une caractéristique par rapport à une autre. Un diagramme de dispersion permet de tracer deux variables numériques l'une contre l'autre, par exemple le nombre d'absences par catégorie d'âge.

Discrimination intentionnelle ou directe: Traitement inégal de personnes résultant de pratiques ou de décisions d'embauche, de promotions ou de congédiements. La discrimination au travail peut se fonder sur le sexe, l'âge, l'état matrimonial, la race, les croyances religieuses ou toute autre caractéristique n'ayant aucun lien direct avec le rendement au travail des employés.

Discrimination systémique: Politique en apparence neutre mais comportant un effet défavorable pour les membres des groupes désignés dans la législation sur les droits de la personne.

Données ordinales: Données qu'on obtient en classant les éléments par ordre de grandeur d'un de leurs attributs. La relation qui définit la valeur d'une donnée ordinale est une relation d'ordre entre chacune des données ou entre les catégories auxquelles elles appartiennent.

Données par intervalles: Données classées selon une séquence logique ; ensemble de nombres x compris entre a et b.

Dossier de réalisations: Document qui retrace l'ensemble des actions et projets entrepris et réalisés par un employé dans le cadre de son travail.

Droits à l'intégrité de la personne, à la vie privée et à la liberté d'expression: Ensemble des dispositions juridiques qui protègent les travailleurs ou que ceux-ci revendiquent afin de faire valoir leurs droits fondamentaux au travail.

Échelles d'évaluation fondées sur les études du comportement (BARS): Méthode d'évaluation du rendement qui fait appel à un formulaire d'évaluation plus complet que le formulaire d'évaluation conventionnelle, en ce sens qu'il décrit en détail les normes utilisées pour évaluer les dimensions du comportement au travail considérées.

Échelles d'observation du comportement (« Behavioural observation scales »): Méthode d'évaluation du rendement similaire à la méthode des BARS ; elle s'en distingue par les dimensions du comportement, le format de l'échelle et le système de notation.

Économie du savoir: Nouvelle économie, appelée aussi « économie de la connaissance ». Elle s'oppose à l'économie traditionnelle et est axée sur les nouvelles technologies et sur l'utilisation d'Internet. Elle n'inclut pas seulement les secteurs de l'informatique, des télécommunications et des biotechnologies, mais aussi toutes les entreprises qui s'adaptent aux nouvelles façons de faire. Considérant le passage d'une économie des ressources et de matières premières à une économie de valeur ajoutée et de matière grise, et considérant la transformation de notre structure industrielle, on l'appelle aussi parfois appelée « nouvelle économie des connaissances et de la communication ».

Effet de contraste: Déformation d'évaluation résultant de la succession de candidats de capacités différentes. Ainsi, un bon candidat apparaîtra excellent s'il est évalué à la suite de candidats moyens ou médiocres, et apparaîtra moyen s'il est comparé à un groupe de candidats exceptionnels.

Effet de débordement: Déformation typique d'évaluation du rendement se produisant lorsque des évaluations antérieures du rendement, favorables ou défavorables à l'évalué, influent indûment sur l'évaluation actuelle de celui-ci.

Effet de halo: Tendance à évaluer globalement un individu en fonction de son rendement exceptionnel ou médiocre dans une seule dimension du comportement. L'impression favorable ou défavorable qui s'en dégage influence le jugement de l'évaluateur et est source de distorsion ou d'erreur.

Effet de la dernière impression : Effet d'ordre causé par la tendance de l'interviewer à accorder à la dernière information reçue ou à l'information récente un poids excessif par rapport aux autres éléments d'information. L'interviewer se rappellera ainsi avec plus de netteté le rendement des derniers candidats évalués que celui des premiers, et son évaluation pourra en être influencée.

Effet de la première impression : Effet d'ordre causé par la tendance de l'interviewer à accorder une importance primordiale à l'information initiale qu'il a reçue ou à ses premières impressions, au détriment de l'information subséquente. L'interviewer peut ainsi être porté à évaluer les candidats en s'appuyant sur l'information initiale.

Élargissement des bandes salariales (« broadbanding ») : Structure salariale modifiée qui transforme un grand nombre d'échelons et de classes salariales en un nombre restreint de bandes salariales.

Emplois repères : Postes servant de normes de comparaison lors de l'évaluation et de la classification des postes, afin de faciliter la détermination de la valeur des autres postes d'une organisation et des équivalences de postes.

Employabilité : Probabilité de se trouver un emploi pour une personne qui cherche du travail. Les facteurs qui exercent une influence sur l'employabilité sont l'âge, le sexe, l'état de santé, le statut matrimonial, la qualification professionnelle et les conditions économiques générales. L'employabilité dépend d'abord des conditions générales qui déterminent, à un moment donné, ce qu'on appelle l'employabilité moyenne. On parle aussi d'employabilité différentielle, c'est-à-dire celle qui est liée à certaines caractéristiques. L'employabilité se mesure au temps nécessaire pour retrouver un emploi, c'est-à-dire par la durée du chômage.

Enquêtes salariales : Rapports publiés indiquant les taux de salaires payés par une série d'entreprises dans diverses catégories d'emplois.

Entente de la dernière chance : Entente proposée aux représentants de l'employeur et à ceux des salariés et qui constitue une dernière possibilité de conclusion d'un accord entre les parties.

Entretien de carrière : Rencontre entre un employé et son supérieur pour déterminer ses objectifs de carrière en fonction des possibilités et des besoins organisationnels.

Entrevue de résolution de problèmes : Entrevue d'évaluation participative au cours de laquelle l'évaluateur et l'évalué s'efforcent de comprendre et de résoudre des problèmes de rendement.

Entrevue d'information et d'écoute : Entrevue d'évaluation du rendement au cours de laquelle le supérieur communique à un subordonné son appréciation de ses forces et de ses faiblesses et lui donne la possibilité d'exprimer ses commentaires à ce sujet.

Entrevue d'information et de persuasion : Entrevue d'évaluation du rendement au cours de laquelle le supérieur communique à un subordonné son appréciation de son rendement et s'efforce de le convaincre d'établir des objectifs en vue de l'améliorer.

Entrevue en comité : Entrevue de chacun des candidats réalisée par plusieurs interviewers.

Entrevue en profondeur : Entrevue au cours de laquelle l'interviewer formule un nombre limité de questions globales et requiert de l'interviewé des réponses détaillées.

Entrevue en situation de stress : Entrevue au cours de laquelle l'interviewer cherche intentionnellement à contrarier ou à embarrasser le candidat pour apprécier sa résistance au stress et ses réactions en situation de stress.

Entrevue mixte : Entrevue d'évaluation du rendement combinant les caractéristiques de plus d'une forme d'entrevue, par exemple, des objectifs d'information, d'écoute et de persuasion.

Équité externe : Détermination des taux de salaire des différents postes d'une organisation à partir de la valeur que d'autres organisations attribuent à ces postes.

Équité interne : Détermination des taux de salaire des différents postes d'une organisation à partir de la valeur relative que celle-ci accorde à ces postes.

Ergonomie : Étude scientifique des postes de travail ayant pour but d'adapter le plus efficacement possible l'environnement physique à l'activité de travail. Il s'agit d'obtenir des titulaires de postes un rendement optimal dans le minimum d'efforts et de fatigue.

Erreur de sévérité : Tendance de l'évaluateur à faire preuve d'une exigence excessive à l'égard des employés dont il évalue le rendement, ce qui se traduit par l'attribution à ces employés de notes inférieures à celles qu'ils méritent.

Erreur de similitude : Tendance de l'évaluateur à évaluer les employés avec lesquels il partage certaines affinités de manière plus positive que les autres employés.

Erreur de tendance centrale : Tendance de l'évaluateur à attribuer à tous les employés évalués une note moyenne, peu importe leur rendement réel, et donc à ne distinguer aucun évalué par une note supérieure ou une note médiocre.

Erreur d'indulgence : Tendance de l'évaluateur à faire preuve d'une indulgence excessive à l'égard des employés dont il évalue le rendement, ce qui se traduit par l'attribution à ces employés de notes supérieures à celles qu'ils méritent.

Évaluation descriptive : Méthode d'évaluation du rendement par laquelle le supérieur décrit sous forme de rapport les forces et les faiblesses de la personne évaluée et formule des suggestions destinées à l'aider à améliorer son rendement.

Évaluation des postes de travail : Comparaison des postes à l'aide de procédures formelles et systématiques servant à déterminer la valeur relative ou les équivalences des divers postes d'une organisation, en vue de l'établissement d'une échelle des salaires équitable.

Évaluation fondée sur les qualifications : Méthode d'évaluation des postes en vertu de laquelle l'organisation rémunère ses employés en fonction de leurs qualifications et de leur expérience pertinentes dans l'optique de la vocation de l'organisation.

Familles d'emplois : Regroupement des postes apparentés et de valeur similaire d'une organisation visant à établir une structure salariale reflétant l'équité interne.

Fiabilité : Qualité d'un instrument de mesure (par exemple, d'un test ou d'un élément d'un test) qui permet d'obtenir constamment les mêmes résultats à la suite de mesures répétées qui ont été réalisées dans des conditions identiques.

Fiabilité du test-retest : Relation entre les résultats d'un même test effectué à deux moments différents.

Fiabilité par cohérence : Mesure du degré de relation ou d'homogénéité entre des éléments, des dimensions ou des énoncés censés se rapporter à un même objet ; par exemple, un test d'aptitude mécanique comprenant dix éléments ou une mesure de contrôle du succès d'un emploi formée de dix éléments.

Filiales : Société juridiquement indépendante, mais placée sous le contrôle d'une société mère, généralement du fait que cette dernière détient, directement ou indirectement, une participation lui donnant le droit d'élire la majorité des membres du conseil d'administration de cette société.

Filière professionnelle : ensemble de postes qui constituent une progression dans un domaine de spécialisation.

Fonctions organisationnelles : Divers services ou départements d'une organisation dotés d'une autorité et de responsabilités spécifiques et liés les uns aux autres par des relations. Par exemple : fonction marketing, fonction production, fonction ressources humaines, fonction finances, etc.

Formation interculturelle : Programmes de formation réalisés dans le cadre d'affectations internationales ayant pour but d'initier l'employé à des cultures étrangères.

Formulaire de choix forcé : Formulaires utilisés par un supérieur pour évaluer un subordonné. L'évaluateur choisit parmi plusieurs séries de deux énoncés celui qui décrit le mieux dans chaque cas le comportement de la personne évaluée.

Formulaire de renseignements biographiques : Formulaire destiné à recueillir des renseignements portant sur les réalisations passées d'un candidat, ses intérêts et préférences, et qui sert de complément au formulaire de demande d'emploi.

Génération du baby-boom : Forte augmentation du taux de natalité, spécialement celle qui a suivi la Seconde Guerre mondiale dans les pays industrialisés.

Histogrammes : Représentation graphique de la distribution d'une variable continue. Après avoir fait le choix d'une unité sur un axe, on porte sur cet axe les limites des classes dans lesquelles on a réparti les observations et on trace une série de rectangles ayant pour base chaque intervalle de classe et ayant une aire proportionnelle à l'effectif ou à la fréquence de la classe.

Justice d'interaction : Perception qu'a un employé du traitement reçu de la part de son employeur et de la manière de communiquer de celui-ci.

Justice distributive : Perception qu'ont les individus que les décisions issues des processus organisationnels sont justes et équitables. Par exemple, le salaire reçu par un employé est perçu comme juste s'il est proportionnel à sa contribution à l'organisation, au salaire et à la contribution des autres employés.

Justice procédurale : Perception des individus selon laquelle un processus ayant mené à une décision est juste et équitable.

Licenciement : Rupture unilatérale et définitive de la part de l'employeur qui met fin au contrat de travail du salarié pour des motifs indépendants de celui-ci, généralement des motifs d'ordre économique ou technique. Le licenciement collectif touche un nombre important de travailleurs, à la suite entre autres de conversions industrielles, de changements technologiques et économiques dans une même organisation.

Liste pondérée d'incidents critiques : Méthode similaire à la *méthode des incidents critiques*, qui comporte toutefois des éléments permettant de distinguer l'importance relative des divers incidents critiques.

Loi sur les régimes complémentaires de retraite : Rappelons que la *Loi sur les régimes complémentaires de retraite* (la Loi 102) a été adoptée il y a maintenant près de onze ans et qu'elle a fait récemment l'objet d'une révision. Parmi les faits saillants de la Loi 102, le participant qui cesse sa participation active a droit à une rente différée dès son adhésion au régime. Un participant qui cesse sa participation active a des droits dont la valeur est au moins égale à celle d'une rente différée indexée partiellement jusqu'à un âge qui précède de 10 ans l'âge normal de la retraite. Cette mesure s'applique en général sur les services reconnus après le 31 décembre 2000. Plusieurs autres mesures couvertes par la Loi ont trait aux modalités applicables à la retraite progressive.

Main-d'œuvre polyvalente : Travailleurs polyvalents pouvant remplacer, au besoin, différents travailleurs spécialisés.

Marge de règlement négative : Absence de zone de chevauchement entre les niveaux de résistance respectifs de l'employeur et du syndicat, c'est-à-dire entre les demandes du syndicat et les offres de l'employeur, ce qui ne laisse aucun terrain d'entente possible.

Marge de règlement positive : Zone de chevauchement entre les niveaux de résistance respectifs de l'employeur et du syndicat, à savoir les demandes du syndicat et les offres de l'employeur, qui rend possible la conclusion d'un règlement acceptable pour les deux parties.

Médiation : Procédure fondée sur l'intervention d'un tiers dont le rôle consiste à aider les négociateurs du syndicat et de l'employeur à parvenir à un accord lors de la négociation de la convention collective. On l'utilise principalement pour les conflits importants. Les recommandations du médiateur sont publiques.

Menottes dorées (« Golden handcuffs ») : Avantages financiers considérables faisant partie de la rémunération indirecte et visant à décourager les cadres supérieurs de quitter l'organisation. Les options d'achat d'actions et les régimes de retraite sont les formes les plus courantes de ce type de rémunération.

Méthode analytique d'évaluation des emplois : Méthode d'évaluation des postes similaire à la méthode des points en ce sens qu'elle comporte des critères d'évaluation des postes. Elle en diffère toutefois par le fait que les valeurs attribuées aux critères ou facteurs sont exprimées en termes monétaires et non en points et sont comparés directement au salaire des postes repères.

Méthode de classification : Méthode d'évaluation des postes similaire à la *méthode de rangement*, à la différence toutefois qu'elle implique la détermination de classes ou de niveaux et le rangement subséquent des postes dans ces classes.

Méthode de comparaison par paire : Méthode qui consiste à comparer directement deux catégories d'emplois.

Méthode de distribution forcée : Méthode comparative d'évaluation du rendement consistant à classer obligatoirement les employés dans des groupes ou classes définis en pourcentages.

Méthode de rangement : Méthode d'évaluation des postes de travail consistant à établir une hiérarchie des postes de travail à partir de l'analyse des postes, en fonction des exigences requises pour les occuper. Ce classement doit refléter les équivalences de fonctions propres à l'organisation. Il s'agit également d'une méthode comparative d'évaluation du rendement utilisée pour classer par ordre décroissant les employés en fonction de leur rendement global.

Méthode de rangement alternatif : Méthode comparative d'évaluation du rendement comportant plusieurs étapes et consistant à classer alternativement tous les employés en fonction de leur rendement, en retenant chaque fois le meilleur et le plus médiocre, jusqu'à épuisement de la liste.

Méthode des incidents critiques : Méthode d'analyse des postes et d'évaluation du rendement. Cette méthode requiert de l'analyste qu'il décrive les comportements observés ayant des répercussions significatives sur le rendement de l'employé au travail. Lors de l'évaluation du rendement, l'évaluateur note à l'aide d'un formulaire comportant une liste prédéterminée d'incidents critiques les comportements observés chez l'évalué qui sont caractéristiques d'un rendement satisfaisant, moyen ou insatisfaisant.

Méthode des points : Méthode d'évaluation des postes de travail consistant à assigner des valeurs en points à des critères d'évaluation préétablis. Le total des points détermine la valeur respective des postes et sert à établir les échelles de salaires. La méthode des points, qu'il s'agisse de points directs (les critères d'évaluation ayant tous la même valeur) ou de points pondérés (les critères d'évaluation ayant des poids différents), permet d'obtenir des échelles de salaires ajustées qui reflètent à la fois les taux du marché du travail et l'importance relative des postes découlant de l'évaluation subjective réalisée par les évaluateurs.

Méthode globale d'évaluation des emplois : Méthode qui permet la hiérarchisation des emplois à partir d'une étude détaillée des fonctions.

Méthode Hay : Méthode structurée d'analyse des postes de travail associée à une méthode d'évaluation des postes et à un système de rémunération. La méthode Hay regroupe l'information relative à la nature des postes d'une organisation et à l'étendue des responsabilités de leurs titulaires ainsi qu'aux modes de rémunération de ceux-ci. Elle consiste à attribuer des points aux postes de gestion en fonction de trois facteurs globaux, soit la résolution de problèmes, la responsabilité et le savoir-faire. Le total des points obtenus pour chacun des postes détermine sa valeur.

Mobilité qualifiante : Approche de la conception des tâches qui n'entraîne aucun changement de poste, mais plutôt le déplacement des employés d'un poste à un autre pour favoriser leur apprentissage des diverses fonctions d'une organisation et diversifier leurs expériences de travail.

Modèle à étapes multiples : Processus de sélection exigeant du candidat un niveau de compétence déterminé relativement à plusieurs tests ou prédicteurs, les tests étant réalisés successivement et dans un ordre préétabli.

Modèle à seuils multiples : Processus de sélection de personnel comportant plusieurs seuils de réussite. Il exige en effet du candidat un niveau de compétence déterminé pour tous les tests, l'ordre du déroulement des tests étant toutefois facultatif.

Modèle conceptuel : Modèle conceptuel représentant des liens entre variables servant à expliquer les flux de données qui décrivent les événements auxquels le système réagit, ou les processus qui sont stimulés par ces flux de données et qui produisent la réaction du système. Le modèle conceptuel peut servir, entre autres, à confirmer les objectifs d'un projet.

Monopole : Situation de marché dans laquelle une firme est la seule à offrir un bien. Elle en contrôle le débit et le prix et exerce sur la demande un pouvoir de domination. Une situation de monopole se reflète également par le contrôle d'une certaine quantité d'une marchandise donnée ou d'actions d'une société donnée dans un marché libre, ce qui permet à une personne ou à un groupe de personnes d'exercer une influence marquée sur le prix de cette marchandise ou sur le cours de ces actions.

Mouvements de croissance : Série de pratiques de gestion des carrières qui visent à encourager la mobilité organisationnelle. Parmi celles-ci, citons la participation à des projets spéciaux, la rétrogradation, la mutation géographique, etc.

Multinationale : Société industrielle ou commerciale ayant investi des capitaux et qui possède des filiales ou unités dans plusieurs pays.

Négociation avec concessions : Négociation à la baisse caractéristique des situations économiques difficiles, dans laquelle le syndicat est forcé de faire des concessions à l'employeur, notamment pour assurer le maintien des emplois.

Négociation collective : Processus dans le cadre duquel les représentants des employés et ceux de l'employeur négocient les salaires, les heures de travail et d'autres conditions d'emploi.

Négociation continue : Processus de négociation se déroulant entre des représentants du syndicat et de l'employeur sur une base régulière et planifiée et portant sur des questions d'intérêt mutuel.

Négociation coordonnée : Processus de négociation se déroulant entre plusieurs syndicats et un unique employeur.

Négociation de branche : Négociation dans laquelle les employeurs négocient comme groupe avec le syndicat les conditions d'emploi qui s'appliqueront à l'échelle d'une industrie.

Négociation distributive (ou négociation avec répartition d'avantages) : Forme de négociation collective en vertu de laquelle l'employeur et le syndicat s'efforcent d'atteindre des buts qui se traduiront par un gain pour l'une des parties et une perte pour l'autre partie.

Négociation intégrative : Forme de négociation collective en vertu de laquelle l'employeur et le syndicat s'efforcent de résoudre un problème à l'avantage des deux parties.

Négociation intra-organisationnelle : Processus par lequel les équipes de négociation définissent le mandat de négociation de leur partie respective.

Négociation multipatronale : Forme de négociation collective en vertu de laquelle un groupe d'employeurs négocient avec le syndicat local.

Négociation raisonnée : Négociation qui prône une relation de coopération entre les représentants de l'employeur et ceux des employés. L'approche qui est utilisée est basée sur un processus de résolution de problèmes et non sur un processus conflictuel.

Négociation sur la productivité : Forme de négociation intégrative en vertu de laquelle les employés acceptent, en échange d'avantages divers, l'implantation de nouvelles méthodes de travail dans l'entreprise à la suite de changements technologiques.

Niveau cible : Évaluation réaliste par le syndicat du niveau de salaire et des conditions de travail qu'il est possible d'obtenir à la direction au cours du processus de négociation.

Niveau de résistance : Niveau minimal des demandes que le syndicat peut accepter au nom de ses membres, ou niveau maximal des concessions que la direction accepte de faire au cours d'un processus de négociation.

Normes de rendement : Critères servant à déterminer le niveau de qualité d'un travail exécuté par un salarié ou un professionnel nécessaire pour satisfaire aux exigences de l'exploitation ou de l'exercice d'une profession.

Nouvelles technologies de l'information et des communications : Technologies de l'information caractérisées par les développements récents dans les domaines des télécommunications (notamment les réseaux) et du multimédia, ainsi que par la convivialité accrue des produits et services qui en sont issus et qui sont destinés à un large public de non-spécialistes. L'expression « nouvelles technologies de l'information et de la communication » est apparue pour marquer l'évolution fulgurante qu'ont connue les technologies de l'information avec l'avènement des autoroutes de l'information (notamment l'utilisation d'Internet) et l'explosion du multimédia.

Obsolescence des connaissances : Désuétude des connaissances causée par l'innovation technique, commerciale, organisationnelle ou par l'inadaptation aux besoins nouveaux.

Offres initiales : Propositions initiales présentées par l'employeur indiquant les salaires et les conditions de travail qu'il souhaite accorder aux syndiqués pendant la ronde actuelle des négociations, et qui sont généralement inférieures aux conditions de règlement attendues.

Organisation de Coopération et de Développement Économique (OCDE) : l'OCDE se caractérise par une composition élargie (extension à des pays non européens : États-Unis, Canada, Japon, Australie, Nouvelle-Zélande). Son rôle est multiple et correspond essentiellement à trois objectifs : assurer la plus forte expansion possible de l'économie et de l'emploi et une progression du niveau de vie dans les pays membres, tout en maintenant la stabilité financière ; contribuer à l'expansion économique des pays en voie de développement, qu'ils soient membres ou non de l'organisation ; contribuer à l'expansion du commerce mondial sur une base multilatérale et non discriminatoire.

Organisation internationale du travail (OIT) : L'Organisation Internationale du Travail a été créée en 1919. La première motivation était d'ordre humanitaire. La condition des travailleurs, de plus en plus nombreux et exploités, sans considération pour leur santé, leur vie familiale et leur épanouissement, était de moins en moins acceptée. La deuxième motivation était de nature politique. Sans une amélioration de leur sort, les travailleurs, dont le nombre croissait sans cesse au fur et à mesure de l'industrialisation, causeraient des troubles sociaux, voire des révolutions. La troisième motivation était d'ordre économique. Toute réforme sociale, par ses conséquences inévitables sur les coûts de production, désavantagerait l'industrie ou le pays qui s'y engageraient par rapport à leurs concurrents.

Ostracisme social : Attitude d'une personne ou d'une collectivité qui rejette ceux qui lui déplaisent ou ne lui conviennent pas.

Parachutes dorés (« golden parachutes ») : Avantages financiers considérables offerts aux cadres supérieurs, généralement sous forme d'indemnités de départ, qui visent à assurer à ceux-ci une sécurité financière dans l'éventualité d'un licenciement survenant dans le cadre d'une fusion d'entreprises ou de l'acquisition de l'entreprise par une autre.

Parcellisation du travail : Division du travail en opérations simples.

Pénurie de main-d'œuvre : État de l'économie d'un pays, d'une région ou d'une communauté plus restreinte dans lesquels l'offre d'emploi l'emporte sur le nombre de travailleurs disponibles. La pénurie de main-d'œuvre peut souvent exister dans un secteur déterminé d'activité professionnelle, ou dans quelques-uns, pendant qu'il y a surplus, donc chômage, dans d'autres secteurs ou dans l'ensemble. Une telle situation se présente lorsqu'il y a mobilité insuffisante de la main-d'œuvre ou un manque de coordination entre l'industrie et les organismes chargés de la formation professionnelle.

Plafond de verre : Obstacles ou barrières artificielles fondées sur des attitudes des têtes dirigeantes des organisations qui imposeraient, de façon souvent inconsciente, certains comportements qui bloquent l'accès des femmes aux postes de pouvoir.

Plafonnement de carrière : Situation dans laquelle les étapes de la carrière se réduisent et les perspectives de promotion diminuent ; cette situation représente une carrière sans avenir.

Plan de carrière : Processus comprenant l'analyse des compétences des employés, des objectifs professionnels qu'ils poursuivent, de leurs forces et de leurs faiblesses (planification de carrière), ainsi que l'accessibilité pour l'employé à un ensemble d'expériences de travail l'aidant à satisfaire ses besoins (étapes de carrière).

Plan Scanlon : Programme incitatif offert à l'ensemble d'une organisation et qui met l'accent sur les relations de coopération existant entre l'employeur et les employés. Ce programme conçoit la participation des employés aux bénéfices comme le résultat de la contribution et de la coopération de ceux-ci à l'atteinte d'une productivité accrue.

Politique disciplinaire à caractère progressif : Principe selon lequel l'employeur applique des mesures disciplinaires progressives pour des fautes répétées commises par un employé.

Politiques de gestion des ressources humaines : Procédures établies en vue diffuser l'application de certaines activités de gestion des ressources humaines et de les rendre plus cohérentes.

Pratiques de gestion des ressources humaines : Ensemble d'actions et de procédés qui permettent de mettre en œuvre les différentes activités de gestion des ressources humaines.

Prédicteurs : Tests ou éléments d'information utilisés par les services de ressources humaines pour prédire le degré de succès d'un candidat dans l'éventualité où il est embauché.

Processus cognitif : Fonction complexe multiple regroupant l'ensemble des activités mentales (pensée, perception, action, volonté, mémorisation, rappel, apprentissage) impliquées dans la relation de l'être humain avec son environnement et qui lui permettent d'acquérir et de manipuler des connaissances (associations, rétroaction, traitement de l'information, résolution de problèmes, prise de décision etc.).

Processus interne : Séquence d'actions et de voies devant être suivies pour effectuer un travail.

Productivité du travail : Rapport entre les extrants ou biens et services produits par un individu, un groupe ou une organisation, et les intrants ou facteurs utilisés pour produire ces biens ou services. Les extrants s'expriment en unités de production ou en valeur de la production. La productivité du travail s'obtient en divisant la production par le nombre total d'heures de travail effectuées dans une entreprise, une industrie, etc. On détermine par un procédé similaire la productivité des autres intrants.

Produit intérieur brut (PIB) : Valeur de tous les biens et services produits à l'intérieur des limites géographiques d'un pays ou d'un territoire au cours d'une période donnée.

Programme d'obligation contractuelle d'équité en emploi : Dans le cadre du programme d'obligation contractuelle auquel sont soumises les entreprises qui emploient 100 personnes ou plus lorsqu'elles obtiennent du gouvernement du Québec un contrat ou une subvention de 100 000 $ et plus, les entreprises doivent mettre sur pied un programme qui vise à assurer aux groupes désignés l'égalité d'accès aux emplois et pour éliminer les pratiques discriminatoires associées aux processus de recrutement, de sélection ou de promotion d'une organisation en ce qui a trait à la race, aux croyances religieuses, au sexe ou à l'origine nationale des personnes.

Programmes d'aide aux employés (PAE) : Programmes conçus pour venir en aide aux employés aux prises avec des difficultés personnelles aiguës ou chroniques (par exemple, des problèmes conjugaux ou des problèmes d'abus d'alcool) ayant des répercussions sur leur rendement et leur présence au travail.

Qualité de vie au travail : Processus d'humanisation du travail par lequel tous les membres de l'organisation, à partir de canaux de communication appropriés, peuvent intervenir pour adapter leurs conditions de travail à leurs besoins, en particulier en ce qui a trait à la conception de leurs tâches. Les principaux aspects de la qualité de vie au travail sont le poste lui-même, l'environnement physique et l'environnement social du travail, les relations interpersonnelles au travail, le système de gestion de l'organisation et les relations entre la vie professionnelle et la vie extraprofessionnelle.

Rajustement de vie chère : Modification des salaires en fonction de l'évolution des conditions économiques, habituellement de l'indice des prix à la consommation.

Rappel des retraités : Énoncé des conditions du retour au travail des employés mis à la retraite.

Rapport de dépendance démographique : Rapport établi à partir de l'effectif des moins de 20 ans et de celui des 60 ans et plus, et divisé par la population d'âge actif.

Rationalisation des opérations (ou réduction des effectifs) **:** Diminution de la taille de la main-d'œuvre d'une organisation.

Régime complémentaire d'assurance-chômage : Prestations accordées par l'entreprise pendant une période déterminée aux employés touchés par un licenciement permanent, ou jusqu'au moment de leur rappel au travail dans le cas d'une mise à pied temporaire.

Régime de rémunération au rendement : Régimes de rémunération associant le salaire au rendement. Ils comprennent les régimes de rémunération à caractère incitatif et les régimes de rémunération au mérite.

Régime enregistré d'épargne-retraite (REER) : Plan de retraite permettant à un particulier de différer le paiement d'impôts tout en lui facilitant le placement de sommes en vue de retirer à sa retraite des épargnes qui seront alors imposables.

Régime Improshare : Régime collectif de rémunération qui repose sur une mesure de la productivité physique. La formule de primes se base sur la division du nombre d'heures de travail estimées par le nombre d'heures de travail réelles.

Régime Rucker : Régime collectif de rémunération variable qui tient compte des coûts de main-d'œuvre et de la valeur ajoutée à la production pour calculer la productivité et établir la formule de primes.

Régimes d'incitation à la vente : Régimes conçus pour le personnel du secteur de la vente, prévoyant essentiellement une rémunération à la commission.

Rémunération à la journée : Régime de rémunération à caractère incitatif comportant l'établissement de normes de production (celles-ci ne sont pas déterminées aussi précisément que dans le cas d'un régime à la pièce) et le versement du salaire aux employés conformément à ces normes.

Rémunération à la pièce : Forme la plus courante de rémunération à caractère incitatif. Les employés reçoivent, en vertu de ce régime, un taux de salaire fixe par unité produite.

Rémunération à normes horaires : L'un des modes de rémunération incitative les plus courants. Il s'agit essentiellement d'un régime à la pièce dont les normes sont établies en fonction du temps nécessaire à la production d'une unité plutôt que de la quantité produite.

Rémunération directe : Rémunération comprenant le salaire de base et le salaire au rendement, ce dernier étant constitué de la rémunération au mérite et de la rémunération à caractère incitatif.

Rémunération globale: Ensemble des rémunérations directe et indirecte, comprenant le salaire, les avantages sociaux et d'autres avantages non pécuniaires.

Rémunération indirecte: Rémunération dite complémentaire comprenant les régimes de sécurité du revenu, les absences rémunérées et les services et privilèges offerts aux employés pour leur contribution à l'organisation. On désigne également cette rémunération sous le nom d'avantages sociaux.

Renforcement positif: Programme incitatif fondé sur le principe selon lequel il est possible de comprendre et de modifier le comportement des travailleurs à partir des conséquences qui en résultent pour ceux-ci. Ce programme, qui ne comprend aucune rémunération en espèces, consiste à communiquer aux employés une appréciation de leur rendement en regard des objectifs visés et à récompenser leurs progrès par des éloges et des marques de reconnaissance.

Régime de retraite anticipée: Situation dans laquelle se trouve une personne qui s'est retirée de la vie professionnelle volontairement avant l'âge normal de la retraite établi généralement à 65 ans.

Réorientation de carrière: Possibilité donnée à un employé d'acquérir de nouvelles perspectives, attitudes, apprentissages, compétences et habiletés en vue d'améliorer son rendement au travail.

Résident d'un pays tiers: Employé qui est affecté dans une filiale d'une entreprise internationale et qui provient d'un pays autre que le pays d'origine du siège social.

Résistance au changement: Phénomène psychologique chez les salariés, les cadres et les membres de la direction habitués depuis de longues années à effectuer le même type de travaux dans les mêmes conditions. Ils refusent par tous les moyens possibles les innovations qu'on leur propose, même si elles ont pour but de simplifier leur travail ou de le rendre plus attrayant.

Responsabilisation (ou autonomisation): Processus par lequel des employés d'une organisation acquièrent la maîtrise des moyens qui leur permettent de mieux utiliser leurs ressources professionnelles et de renforcer leur autonomie d'action.

Sentiment d'appartenance: Capacité de se considérer et de se sentir comme faisant partie intégrante d'un groupe, d'une famille ou d'un ensemble.

Simulations de situations de travail: Technique utilisée au cours du processus de sélection consistant à assigner aux candidats des tâches qu'ils doivent réaliser dans des conditions similaires à celles qu'ils sont susceptibles de trouver dans le cadre de leurs fonctions.

Stratégies conjointes de négociation patronales-syndicales: Ensemble des choix d'objectifs et de moyens effectués conjointement par les représentants de l'employeur et des salariés qui orientent à moyen et à long terme les activités d'une personne, d'un groupe, d'une entreprise ou d'un organisme.

Stratification: Opération qui consiste à diviser une population donnée en strates, ce qui permet de diriger l'analyse sur les éléments les plus importants et de réduire la taille de l'échantillon.

Structuration des attitudes: Durant la négociation collective, processus relationnel qui modèle les attitudes de l'employeur envers les employés, et vice-versa.

Succès de carrière: Perception positive ou négative d'un employé quant à la progression dans les étapes plus ou moins ordonnées qui lui reste à parcourir avant de pouvoir arriver à un sommet de compétence et de responsabilités, avec un statut social enviable. La notion du succès de carrière peut être mesurée objectivement à l'aide d'indicateurs comme le niveau de poste ou de salaire et subjectivement par l'examen de la satisfaction d'un individu relativement à sa progression de carrière.

Tableaux de contrôle: Représentation de l'ensemble des postes de travail permettant de suivre la progression des activités et l'état d'avancement de chaque ordre de fabrication ou d'un ensemble d'activités planifiées, sur le modèle du diagramme de Gantt. Ces tableaux sont constitués par des éléments mobiles faciles à modifier pour pouvoir rajuster les prévisions en fonction des réalisations et des changements intervenus dans les besoins ou les moyens. Il en existe de nombreux modèles, qui se différencient essentiellement par le mode de figuration des prévisions et par les détails de construction. Dans tous les modèles, des lignes horizontales, fixées sur le tableau les unes au-dessus des autres, comportent une échelle des temps, intégrée ou parallèle aux lignes, et généralement un fil mobile vertical indiquant la date.

Taux de roulement: Rapport, exprimé en pourcentage, entre le nombre des travailleurs qui, au cours d'une période donnée, ont quitté une organisation, et le nombre moyen de travailleurs que l'organisation a employés au cours de la même période. Ce taux est le quotient du nombre total des employés qui ont laissé l'organisation multiplié par cent et divisé par le nombre moyen des employés durant la période de référence.

Taux d'indemnisation: Tableau des primes ou des taux de primes applicables aux divers risques assurables pour compenser une perte de salaire par suite d'une maladie professionnelle, d'une invalidité causée par un accident du travail ou du décès consécutif à un accident du travail.

Travailleurs indépendants ou travailleurs autonomes : Travailleur qui exerce une activité professionnelle pour son propre compte et sous sa propre responsabilité.

Valeurs sociales : Disposition de l'esprit qui fait que pour réagir on choisit telle action plutôt qu'une autre en fonction de règles issues de la conscience, de l'intelligence, du cœur, de l'éducation, de l'expérience ou d'un mélange de ces éléments*.

Validité : Degré auquel un prédicteur (p. ex., un test de sélection) ou un critère mesure effectivement ce qu'il est censé mesurer. La validité d'un test de sélection pour un poste donné est démontrée par l'existence d'un lien significatif entre les prédictions du test quant au rendement d'un candidat et le rendement réel de celui-ci.

Validité conceptuelle : Degré auquel un test mesure des concepts, ou « construits », jugés essentiels pour qu'un titulaire de poste puisse exercer adéquatement ses fonctions et fournir un rendement satisfaisant. La validité conceptuelle reflète la relation existant entre des caractéristiques essentielles au succès d'un candidat dans un poste et son rendement au travail

Validité de contenu : Estimation de la pertinence d'un test pour mesurer une bonne proportion des qualifications nécessaires à l'exécution des fonctions requises pour occuper un poste.

Zones de libre-échange : Pays ou régions géographiques liés par une politique économique se caractérisant par la suppression des barrières tarifaires et non tarifaires pouvant entraver les échanges commerciaux entre eux.

*J.-M. Grange, *Profession : cadre international. Tirer profit des différences culturelles dans les négociations,* Paris, Éditions d'organisations, 1997.

Index